STUDIA THEOLOGICA LUNDENSIA

SKRIFTER UTGIVNA AV
TEOLOGISKA FAKULTETEN I LUND

35

EDGAR ALMÉN

GLAUBE UND GESCHICHTLICHE VERANTWORTLICHKEIT

DIE GESCHICHTLICHKEIT DES MENSCHLICHEN DENKENS ALS THEOLOGISCHES PROBLEM VON DEN POSITIONEN KARL BARTHS UND PAUL TILLICHS HER BELEUCHTET

CWK GLEERUP

GWK Gleerup ist das Impressum für wissenschaftliche
Veröffentlichungen des Verlages LiberLäromedel Lund.

230.09
B282Ya
790728

Breviks tryckeri, Teckomatorp, 1976

ISBN 91-40-04223-5

VORWORT

Mein Weg zum Problem und meine Bearbeitung desselben gehen aus der folgenden Darstellung hervor. Hier will ich denen danken, die mir dabei ihre Hilfe zukommen liessen,

meinem Lehrer Professor Per Erik Persson, der mit Rat und Ermunterung und einer ständigen Bereitschaft, meine Intentionen zu verstehen, mich inspiriert und zum Weiterdenken gezwungen hat,

meinen Studienfreunden, die im Laufe der vergangenen Jahre im Seminar und während zahlloser Kaffeepausen ein wesentlicher Teil der Situation waren, in die hinein meine Bearbeitung dessen, was ich mir durch Lesen angeeignet habe, gedacht ist,

allen anderen, die ich - hoffentlich nicht allzu rücksichtslos - ausgenutzt habe, unter ihnen Dozent Benkt-Erik Benktson und Professor Gustaf Wingren,

Hartmut Hielscher für die Uebersetzung des Manuskripts,

Kerstin Hellstrand und Agneta Backlund für die Reinschrift des Manuskripts,

Ulla-Berit, Fredrik und Mikael für ihre Stütze, die eine Voraussetzung für meine Arbeit war.

April 1976

INHALT

TEIL I: VORLÄUFIGES

Kap. 1:   Einleitung

1.1   Mein Weg zum Problem   1
1.2   Hauptziele und Nebenziele der Darstellung   6
1.3   Methodische Voraussetzungen und konkrete Durchführung   9

            1. Die Methode einer Modellanalyse im Dialog mit Ge-
               schichte und Mitwelt   9
            2. Die Art und Weise ein theologisches Problem zu er-
               fassen   14
            3. Die Methode als Arbeitsweise in dieser Abhandlung   17
            4. Disposition   19
            5. Formalia   20

Kap. 2:   Vorläufiges über die Geschichtlichkeit des menschlichen
            Denkens als humanistisches Problem

2.1   Geschichtlichkeit als relativierendes Involviertsein
            des menschlichen Denkens   22

            1. Menschliches Denken als Teil der sich wandelnden und
               darum relativen Geschichte - Das Problem der Wahrheit   22
            2. Menschliches Denken als Teil der zusammenhängenden
               und darum die individuelle Denkleistung relativie-
               renden Geschichte des menschlichen Denkens - Das
               Problem der Tradition   24
            3. Menschliches Denken als Teil der als erklärbarer
               Prozess verstehbaren und darum alles Denken relati-
               vierenden gesellschaftlichen Gesamtgeschichte -
               Das Problem der Wirklichkeit   29

2.2   Geschichtlichkeit als Forderungen an das menschliche
            Denken nach verantwortlicher Identität   34

            1. Die Forderung nach einer verantwortlichen Bewälti-
               gung der Wirklichkeit   34
            2. Die Forderung nach einer verantwortlichen Bewälti-
               gung der Tradition   44
            3. Die Forderung nach Verantwortlichkeit als Suche des
               Wahren und Verpflichtetsein zum Wahren   55

IV

TEIL II: GEHÖRGEBUNGEN

Kap. 3:   Das humanistische Problem als Fragehorizont in der
          Theologie Karl Barths

3.1   Barths Auseinandersetzung mit der "modernen" Theologie   62

          1. Biographischer Zusammenhang und vorläufige Skizze   62

          2. Barth und Schleiermacher   73

          3. Barth und die übrige Theologie des 19. Jahrhunderts   85

          4. Barth und Bultmann   90

3.2   Werdegang und Selbstkritik als Schlüssel für das Ver-
          ständnis der Theologie Barths   99

          1. Vorläufiges   99

          2. Die frühe Selbstkritik   100

          3. Die die Kirchliche Dogmatik motivierende Selbst-
             kritik   106

          4. Versuch einer Interpretation des Ansatzes in der
             Kirchlichen Dogmatik aus Werdegang und Selbstkritik 121

3.3   Politische Auseinandersetzungen als Schlüssel für das
          Verständnis der Theologie Barths   131

          1. Das Politische in der Auseinandersetzung mit der
             "modernen" Theologie   132

          2. Der Bruch mit dem religiösen Sozialismus   137

          3. Der Protest gegen den Nationalsozialismus   144

          4. Versuch einer Interpretation der prinzipiellen
             Darstellungen der theologischen Ethik Barths aus
             diesen Auseinandersetzungen   159

Kap. 4:   Das humanistische Problem als Fragehorizont in der
          Theologie Paul Tillichs

4.1   Tillichs Deutung der Philosophie und Theologie des
          19. Jahrhunderts   175

          1. Tillichs Attitüde als Denker: Das Suchen nach einer
             Synthese   175

          2. Der Versuch einer Synthese zwischen der religiösen
             und der humanistischen Tradition   177

          3. Die existentialistische Revolte   179

          4. Tillichs Beurteilung der Theologie des 19. Jahr-
             hunderts   181

4.2   Das protestantische Prinzip   186

          1. Die Umformung eines Kählerschen Gedankens   186

          2. Religionsphilosophische Konsequenzen   187

          3. Protestantische Gestaltung   193

          4. Geschichtliche Geschichtsdeutung   205

4.3   Der religiöse Sozialismus   212

1. Tillichs politische Praxis   212

2. Das Protestantische im Sozialismus   218

3. Die Auflösung des inneren Widerstreits des Sozialismus   225

4. Religiöser Sozialismus und Nationalsozialismus   232

4.4   Strukturen der Systematischen Theologie   238

1. Die Kulturphilosophie einer verlorenen Dimension und eines Epochenendes   238

2. Die Zweideutigkeiten der Religion und ihre Ueberwindung   244

3. Theonomie und theonome Moralität   254

TEIL III: VERSUCH EINER PROBLEMBELEUCHTUNG

Kap. 5:   Die Bewältigung der Wirklichkeit als theologisches Problem

5.1   Offenheit und Entscheidung der Wirklichkeit gegenüber im Selbstverständnis des Glaubens   261

5.2   Offenheit und Entscheidung dem Glauben gegenüber im Selbstverständnis des Glaubens   286

5.3   Die Verantwortlichkeit des Glaubens   306

Kap. 6:   Erweiterungen

6.1   Die Bewältigung der Tradition als theologisches Problem   326

1. Offenheit und Entscheidung dem in der Geschichte Gedachten gegenüber im Selbstverständnis des Glaubens   326

2. Das Christusgeschehen und die Identität des Glaubens   345

6.2   Die Bewältigung der Wahrheit als theologisches Problem   357

1. Die Offenbarung und die Identität des Glaubens   357

2. Das Selbstverständnis eines nicht in der eschatologischen Vollendung lebenden Glaubens   371

Kap. 7:   Rückblick   381

ANMERKUNGEN   390

LITERATURVERZEICHNIS   451

ABKUERZUNGEN   476

REGISTER   477

1. EINLEITUNG.

1.1. Mein Weg zum Problem.

Der adäquate Umgang mit dem Denken anderer Menschen ist der Dialog, in dem Versuche, den Dialogpartner zu verstehen und ihn zu kritisieren, um ihn tiefer verstehen und um weiterdenken zu können, einander fruchtbar beeinflussen.

Dieser Satz ist Ansatzpunkt aber auch Ergebnis meiner Darstellung; er soll in ihr begründet werden. Dieser erste Abschnitt 1.1 ist ein Versuch, meinen Weg zur vorliegenden Abgrenzung und Formulierung des Problems zu zeichnen. Er soll deutlich machen, warum ich es wichtig finde und welche konkreten Diskussionsfragen und Aufgaben ich durch Bearbeitung des Problems zu beleuchten beanspruche. Damit soll dieser Abschnitt sowohl das Verstehen als auch die Auseinandersetzung erleichtern.

Moderne Theologie ist mit der Frage beschäftigt, worin sie sich als moderne Theologie von älterer Theologie unterscheidet. Die moderne Situation scheint die Theologie vor die Aufgabe zu stellen, ihre Arbeit so zu betreiben, dass sie für eine ganz bestimmte Situation sinnvoll wird, also situationsgemässe Theologie zu sein. Es ist eine fundamentale und unumgängliche Frage, ob diese Forderung nach Situationsgemässheit hauptsächlich aus der Situation erwächst - als der Anspruch einer Kultur, die bestimmt, was mit Reflexion gemeint ist - oder ob sie aus dem christlichen Glauben selbst entspringt als Anforderung an die Theologie, den christlichen Glauben mit seinem Anspruch auf Relevanz für verschiedene kulturelle Situationen in der Gegenwart adäquat auszulegen. Doch relativ unabhängig von dieser Frage kann man untersuchen, wie verschiedene Theologen "die moderne Situation" beschreiben. Es zeigte sich dass dies gleichbedeutend war mit der Frage nach der Perspektive in der die verschiedenen Theologen die Gegenwart sahen, also nach ihrer geschichtlichen Perspektive - und nach dem Zusammenhang ihrer Beschreibungen mit ihren Deutungen der christlichen Botschaft.

Während meiner Arbeit mit den Werken einiger Theologen - u.a. Paul Tillichs - und ihrer Art diese Fragestellungen zu behandeln, versuchte ich Abstand zu meiner Frage zu gewinnen indem ich die theologische Legitimität dieser Arbeitsweise in Frage stellte. Nach einer ersten theologischen Bestandsaufnahme hatte ich den Eindruck, dass die wesentlichsten Einwände bei Karl Barth zu finden sein müssten. Ein näheres Studium im Jahre 1971, brachte mich zu der Ueberzeugung, dass man auf keinen Fall Barth jegliches Interesse für seine Gegenwart absprechen kann und ihn als einen "Offenbarungspositivisten" bezeichnen muss. Die Barthliteratur der letzten Jahre, vor allem Friedrich-Wilhelm Marquardts Buch (Marquardt 1972) und die von ihm inspi-

1

-rierte Diskussion, hat mich in meiner Auffassung bestärkt. Damit stand ich jedoch vor einer neuen Fragestellung. Kann man deutlich machen, dass Barth selbst meinte, im Geschehen seiner Gegenwart zu stehen und direkt zu Menschen in diesem Geschehen zu sprechen, und kann man ihn damit als eine Art Kulturtheologe bezeichnen, obwohl er selbst gerade die Kulturtheologie zu überwinden versuchte? (Vgl. Schellong 1973, 239). Was trieb ihn aber dann in diese, auf den ersten Blick widersprüchliche Situation?

Eine erste Antwort schien sich mir von selbst zu ergeben. Barths Leidenschaft galt dem Versuch, dem Anspruch des christlichen Glaubens nicht nur auf Situationsgemässheit sondern auch auf Ideologiefreiheit gerecht zu werden, dem Anspruch also, zu jeder Situation wirklich etwas zu sagen und mehr zu sein als ein Kulturphänomen, das für alle möglichen (Macht-) Interessen ausgenützt werden kann. [1] Der Fehler des Kulturprotestantismus lag, nach Barth, nicht darin, dass er sich in die Situation hineinbegab und dem modernen Menschen in die Augen sah, dass er eine ausgesprochen weltoffene und weltbezogene Theologie war - das war nach Barth gerade seine Stärke (B 1957,8,10, vgl. unten 69f). Seine Schwäche war die Unfähigkeit zu Kritik und Verantwortung gegenüber Kultur und Politik, er war "theologisch steuerlos" (B 1957, 18f, vgl. unten 72).

Christlicher Glaube kann sich also nicht mit Situationsgemässheit oder Ideologiefreiheit begnügen. Wie kann Theologie beiden Forderungen gerecht werden? [2] Mit dieser Frage schien mir der Punkt erreicht an dem es interessant werden könnte, Barths und Tillichs Theologien zu vergleichen um in die Problematik einzudringen.

Aber ebenso wie die Forderung nach Situationsgemässheit nicht nur aus einem Anspruch des christlichen Glaubens sondern auch aus der Situation selbst erwachsen kann, so kann die Forderung nach Ideologiefreiheit als ein Anspruch aufgefasst werden, der an alles Denken gestellt wird. Es zeigt sich, dass sich die Frage, wie der Forderung nach Situationsgemässheit und Ideologiefreiheit gleichzeitig entsprochen werden kann, nicht nur als ein theologisches sondern auch als ein allgemein menschliches Problem formulieren lässt. Der grösste Teil der Philosophie (in weitem Sinne) des 19. und 20. Jahrhunderts, vor allem die deutschsprachige Philosophie und ganz besonders die Existenzphilosophie und der "humanistische" Marxismus, lässt sich sehr wohl als eine Auseinandersetzung mit dieser Problematik beschreiben, besonders wenn diese Problematik umformuliert wird als die Aufgabe, die Geschichtlichkeit des menschlichen Denkens zu verstehen und zu bewältigen. Die Forderung nach Situationsgemässheit und Ideologiefreiheit konnte in Beziehung gesetzt werden zu der Frage - oder sogar in ihr aufgehen - wie das Involviertsein des Menschen und seines Denkens in historische, psychologische, soziologische usw Prozesse, die als Ursachenzusammen-

2

-hang betrachtet werden können einerseits bejaht werden könne und wie andererseits
der Forderung gerecht werden könne, sich loszulösen und kritischen Abstand zu gewinnen, der individuelle und/oder kollektive Identität und Verantwortung ermöglicht.
Das brachte mich dazu, diese allgemein menschliche Problematik mit Hilfe der beiden
Theologen Barth und Tillich zu beleuchten.

Seitdem habe ich an dem Gedanken festgehalten, dass man mindestens fragen kann, ob
theologische Reflexion auf Grund des Charakters ihrer Voraussetzungen das Verständnis für eine allgemein menschliche Problematik vertiefen kann. Dass ein Anspruch
darauf unumgänglicher Bestandteil jeder theologischen Reflexion - d.h. Reflexion des
christlichen Glaubens über sich selbst - ist, das ist gerade eine der Thesen dieser
Arbeit. Jene allgemein gültige Frage ist jedoch etwas in den Hintergrund getreten.
Meine Fragestellung ist aus der Arbeit mit Texten hervorgewachsen, in denen die
theologische Problematik im Mittelpunkt stand. Damit wurde die Frage, wie sich Geschichtlichkeit des menschlichen Denkens als theologisches Problem zu dieser Geschichtlichkeit des menschlichen Denkens als philosophisches oder besser humanistisches
Problem verhält, zur zentralen Frage. [3)] Damit werden natürlich eine Menge fundamentaler Fragen berührt, das Verhältnis zwischen Philosophie und Theologie, Religionskritik und Apologetik usw, aber sie werden unter einer bestimmten Perspektive gesehen. Die übergreifenden Fragen werden sein, ob und wie die beiden Theologen sich
dieser humanistischen Problematik ausgesetzt und zu deren Bearbeitung gezwungen
sehen, wie das ihre Behandlung dogmatischer Hauptloci beeinflusst und schliesslich
ob und wie ihrer Meinung nach die humanistische Problematik im Selbstverständnis des
Glaubens einen anderen Charakter bekommt. Dabei interessiert mich allerdings mehr,
wie die Fragen aussehen, die ihr Denken weitertreiben, und weniger das Registrieren
ihrer Resultate und Positionen.

Um zu verstehen, auf welche Weise ich das Problem formuliere und behandle, reicht es
allerdings nicht aus zu wissen, wie sich die Fragestellung im Laufe der Arbeit verschoben hat. Die Arbeit wurde in ständiger Konfrontation mit einflussreichen Strömungen und Traditionen in schwedischer Theologie und schwedischem Religionsunterricht durchgeführt, die an dieser, meiner Meinung nach fundamentalen Frage mit nai-
ver Unbekümmertheit vorbeigehen und deshalb einer grundsätzlichen Kritik und eines
Weiterdenkens bedürfen.

Für jemanden, der wie ich in einem Milieu aufgewachsen ist und ausgebildet wurde -
- und damit auch von diesem Milieu geformt wurde - in dem Existenzphilosophie und
humanistischer Marxismus kaum ernst genommen wurden und die gemeinsamen Referenzrahmen mehr von eine analytisch-philosophischen Tradition (vgl. Radnitzky 1968) geprägt waren, ist das, was ich im Folgenden die humanistische Problematik nenne,

keinesfalls eine Selbstverständlichkeit, sondern muss schrittweise und mühsam er-
arbeitet werden. Damit sind einmal grosse Schwierigkeiten verbunden, rein ideengeschichtlich zu verstehen, aus welchen Fragestellungen und in welchen Situationen
verschiedene Weisen die Geschichtlichkeit des menschlichen Denkens zu verstehen und
auf sie zu reagieren, entstanden sind. Das heisst aber auch, dass ich diese Analysen und Reaktionen in eine Diskussion mit der Tradition einführen muss, von der aus
un in der ich versuche, weiterzudenken. Das kann aber meine Darstellung für denjenigen schwer verständlich machen, dem dieser Hintergrund fehlt. Das heisst konkret:
das Folgende wurde in einer Situation formuliert in der viele Theologen meine erste
Frage nach dem Unterschied zwischen moderner und älterer Theologie überhaupt nicht
als angelegen betrachten. Ihrer Meinung nach ist die Frage nach diesem Unterschied
wissenschaftlich irrelevant, oder besteht der Unterschied zwischen moderner und älterer Theologie darin, dass jene wissenschaftlich und objektiv diese unwissenschaftlich und normativ/willkürlich ist. Für sie existiert eine wissenschaftliche Technik, die "wirklich" wissenschaftliches Denken von jeglicher Zeitgebundenheit und allen ideologischen Bindungen befreit und die zeitlose Gültigkeit der erreichten Resultate verbürgt. Andererseits ist nach dieser Sicht ein Denken, das diese Technik
nicht benützt oder nicht ausnützen kann, abhänig von Wertungen und damit grundsätzlich willkürlich, und es kann für einen wissenschaftlichen Zusammenhang nichts anderer als Stoff für eine Analyse darstellen. [4] Meine Ueberlegungen stellen den Versuch dar, "kontinentale" theologische (und philosophische) Reflexion über die Forderungen nach Situationsgemässheit und Ideologiefreiheit ein Denken problematisieren und kritisieren zu lassen, das eine Zweiteilung von wissenschaftlich, objektiv, zeitlos wahr, wertfrei, und unwissenschaftlich, subjektiv, nur subjektiv wahr,
wertend im Denken durchführt. (Damit auch Problematisierung und Kritik der von dieser Zweiteilung inspirierten Praxis). Dies ist ein wichtiger Grund dafür, dass ich
explizite Linien von der "Methodenfrage" zur Behandlung dogmatischer Loci ziehen möchte und schon im Theologiebegriff (vgl. 1.3.2) nachdrücklich betonen möchte, dass
"fides" immer "fides quaerens intellectum" ist, dass Glaube unmöglich existieren kann
ohne zumindest zu versuchen nach einem Selbstverständnis des Glaubens zu streben,
d.h. einer Reflexion, die wie jede Reflexion in die Problematik des menschlichen
Reflektierens überhaupt hineingezogen ist. [5] Diese Problematik wurde für mich
konkret an dem schwedischen Begriff "livsåskådning" (etwa Lebensanschauung), der im
schwedischen Denken und im schwedischen Unterricht über Religion und Ideologien eine
Schlüsselstellung einnimmt. Bei dem Unternehmen, eine als pluralistisch aufgefasste
Situation zu beschreiben, versucht man mit diesem Begriff Menschenbild, Weltbild,
Auffassungen vom menschlichen Zusammenleben in persönlichen Relationen und in der
Gesellschaft, in den verschiedenen "Lebensanschauungen" zu unterscheiden. Eine "Le-
bensanschauung" wird dann als eine Ansammlung solcher Bilder und Auffassungen be-
beschrieben, die sich auf einen oder einige Grundwerte zurückführen lassen. Abge-

4

-sehen von dem Problem, dass man dann zumindest im Unterrichtswesen doch einen Unterschied macht zwischen Werten im politischen Bereich - die im Unterrichtsfach "Sozialkunde" behandelt werden - und solchen, die mit Religion und "Lebensanschauung" zu tun haben sollen, scheint mir bei dieser Auffassung eine fundamentale Schwierigkeit zu sein, die Dynamik in einer "Lebensanschauung" zu erfassen. Man scheint gezwungen zu sein, jede Veränderung als einen Wechsel der "Lebensanschauung", als ein Aufgeben der früheren zu beschreiben. Dann aber ist es schwierig einen Reifungsprozess innerhalb einer "Lebensanschauung" zu beschreiben und man scheint dazu gezwungen, "Lebensanschauungen" als Feinde jeglicher Veränderung und damit auch von Selbstkritik zu betrachten. Das entspricht aber nicht dem tatsächlichen Wirken von "Lebensanschauungen" und damit eignet sich dieser Begriff schlecht bereits als Werkzeug für reines Beschreiben. [6] Aber noch schlimmer ist meiner Meinung nach, dass "Lebensanschauungen" damit in eine Gegensatzstellung zur Forderung nach menschlicher Verantwortlichkeit kommen. Man schliesst von vornherein aus, dass Lebensanschauungen sich gegenüber einer stummen Forderung (Lögstrup) selbst prüfen kann, dass sie die Fähigkeit zu Selbsttranszendierung (Tillich) haben können, dass es einen Unterschied zwischen religiösem Gehorsam und kirchlichem Gehorsam (Barth) geben kann. Zugespitzt gesagt: "Lebensanschauungen" können nur dehumanisierende Effekte haben. "Lebensanschauung" als Phänomen widerspricht dann dem Anspruch der "Lebensanschauungen", Beiträge zur Humanisierung geben zu können. Diese Problematik richtete mein Interesse auf die Funktion der Selbstkritik und die Möglichkeiten einer systematischen Reflexion und eines Bejahens der Selbskritik innerhalb einer theologischen Reflexion und es schien möglich und geeignet, dies in Beziehung zu setzen zu der Forderung nach Verantwortlichkeit [7] als einem Aspekt des Problems der Geschichtlichkeit des menschlichen Denkens.

1.2. Hauptziele und Nebenziele der Darstellung.

In sinnvollem Denken geschieht etwas.

Bearbeitung einer Problematik heisst, neue Entdeckungen machen und diese Entdeckungen nicht nur die Auffassung von verschiedenen Lösungsversuchen beeinflussen zu lassen sondern auch die Auffassung, wie die Problematik zu strukturieren und zu verstehen sei.

> Es macht die geschichtliche Bewegtheit des menschlichen Daseins aus, dass es keine schlechthinnige Standortsgebundenheit besitzt und daher auch niemals einen wahrhaft geschlossenen Horizont. Der Horizont ist vielmehr etwas, in das wir hineinwandern und das mit uns mitwandert. Dem Beweglichen verschieben sich die Horizonte. (Gadamer 1960,288)

Eine schriftliche Problembeleuchtung aber soll Rechenschaft über den aktuellen Stand des eigenen Denkens ablegen. Mehr oder weniger ausdrücklich wird eine frühere Geschichte des eigenen Denkens und eine Offenheit gegenüber neuen Veränderungen vorausgesetzt. Aber die Darstellung selbst ist statisch und arbeitet mit einer festgelegten Fragestellung, einer bestimmten Methode und baut auf erreichten Ergebnissen auf.

Ziel dieser Darstellung ist es, die Geschichtlichkeit des menschlichen Denkens als theologisches Problem zu beleuchten. Die Aufgabe, die ich mir stelle ist also zu skizzieren, inwiefern das humanistische Problem der Geschichtlichkeit des menschlichen Denkens auch ein theologisches Problem ist. Daraus folgt die Aufgabe, den Inhalt der Frage zu umreissen, ob und wie die Geschichtlichkeit des menschlichen Denkens in theologischer Perspektive eine besondere Gestalt erhält, etwa so, dass die Theologie Anspruch darauf erhebt, oder diesen Anspruch bezeugt, die humanistische Problematik lösen zu können. Nicht zuletzt erwächst daraus die Aufgabe, eine Antwort auf die Frage zu skizzieren ob und wie das Erheben oder Bezeugen eines solchen Anspruchs die Theologie in eine speziell theologische Problematik hineintreibt, die man dann als die Geschichtlichkeit des menschlichen Denkens als theologisches Problem bezeichnen könnte.

Um dieses Problem beleuchten zu können muss ich mir eine Auffassung von dem humanistischen Problem der Geschichtlichkeit des menschlichen Denkens erarbeiten sowie eine Auffassung von dem Verhältnis zwischen theologischem und humanistischem/allgemeinmenschlichem/philosophischem Denken. Diese Auffassungen haben den Charakter von Hilfskonstruktionen, die nur so ausführlich sein sollen, dass sie in meiner Darstellung verwendet werden können. Es handelt sich hier um ausgedehnte Fragestellungen, und ich kann nur Ansätze skizzieren. Da mir diese Ansätze allerdings als notwendig für meine Darstellung erscheinen, muss ich natürlich die volle Verantwortung für sie übernehmen. Aber ich muss doch den Leser bitten, sie in optimam partem zu deuten und diese Hilfskonstruktion nicht das verschleiern zu lassen, wofür sie Hilfskonstruktionen sind.

Ich habe mich dafür entschieden, dieses Problem von den Positionen Karl Barths und Paul Tillichs her zu beleuchten. Dadurch werden aber nur das Material und nicht das Problem oder die Ansprüche meiner prinzipiellen Ergebnisse eingeschränkt. Mit Barth bin ich nämlich der Meinung, dass man andere nur dann wirklich zu verstehen versucht und sie ernst nimmt, wenn man deren Anspruch ernst nimmt, etwas sachlich Einleuchtendes zu sagen.

> Tunlichst wenig darf übrig bleiben von jenen Blöcken bloss historischer, bloss gegebener, bloss zufälliger Begrifflichkeiten, tunlichst weitgehens muss die Beziehung der Wörter auf das Wort in den Wörter aufgedeckt werden. Bis zu dem Punkt muss ich als Verstehender vorstossen, wo ich nahezu nur noch vor dem Rätsel der Sache, nahezu nicht mehr vor dem Rätsel der Urkunde als solcher stehe. (B 1922,XII, vgl unten 6.1.1)

Nachdem ich die Aufgabe dadurch in Angriff nehme, dass ich Barth und Tillich zu verstehen versuche, so erhält allerdings auch mein Verständnis von Barth und Tillich den Charakter einer Hilfskonstruktion. Der Weg zu diesem Verständnis - d.h. zu dem Punkt, wo ich deren Aussage zur Sache zu hören meine und selber zu zwar vorläufigen aber eben doch zu Entscheidungen gezwungen werde (vgl. B 1919b,38 unten 6.1.1), beinhaltete für mich sowohl mühevolle Arbeit als auch Freude über Entdeckungen. Infolgedessen erheben diese Hilfskonstruktionen nicht nur ebenfalls einen Anspruch sondern es wird zu einem, für mich persönlich wichtigen Nebenziel der Darstellung, zum Verständnis von Barth und Tillich beizutragen.

Die Art und Weise, ein Problem anzugreifen (einschliesslich der Methode) hat immer den Charakter einer These. Wenn das Problem der Geschichtlichkeit des menschlichen Denkens - und damit auch des eigenen Denkens - das zu behandelnde Problem ist, dann ist die Frage unausweichlich, wie ich die Geschichtlichkeit meines eigenen Denkens bei meiner Behandlung des Problems berücksichtige und behandle. Die Darstellung wird daher ständig meiner Behandlung des Problems Perspektive verleihen, und sowohl die Darstellung als auch die Art der Behandlung beanspruchen, Ausdruck einer methodischen Besinnung zu sein. Ich versuche, in die Fragestellung einzudringen, welche Bedeutung historisches (und zeitgenössisches) Denken in der menschlichen Reflexion hat und haben sollte; gleichzeitig aber analysiere und verwende ich historisches (und zeitgenössisches) Material. Ich behandle also historisches Material und führe zur gleichen Zeit mit historischem Material eine Diskussion darüber, wie historisches Material behandelt werden soll. Ich strebe also danach, Barth und Tillich zu "verstehen" und reflektiere gleichzeitig im Dialog mit ihnen darüber, was mit "verstehen" gemeint sein kann.

In meinem Streben danach, das Hauptziel der Darstellung zu erreichen, werde ich dazu getrieben, Nebenziele zu erreichen zu versuchen. M.a.W.. während es die Hauptaufgabe ist, für systematisch-theologische Thesen zu argumentieren, so werde ich ebenfalls zum Formulieren allgemein philosophischer Thesen (zB über das humanistische Problem), systematisch-theologisch methodischer Thesen (zB über das Verhältnis zwischen theologischem und humanistischem/allgemein menschlichem/philosophischem Denken und über die Relation der systematischen Theologie zu historischem Material), theologiegeschichtlicher Thesen (vor allem darüber wie Barth und Tillich verstanden werden sollen) und theologiegeschichtlich und allgemein ideengeschichtlich methodischer Thesen (darüber wie historisches Material behandelt werden soll und was Verständnis des historischen Materials bedeutet) gezwungen. Das ganze hängt nicht von jeder kleinen These ab aber ich möchte doch behaupten, dass dieses Formulieren und Prüfen ganz verschiedenartiger Thesen längs eines gemeinsamen Weges erfolgt, und es ist ein weiteres Nebenziel, anzudeuten, worin der Zusammenhang zwischen diesen verschiedenartigen Thesen besteht. Damit will ich den Leser, der - vielleicht im Blick auf eine schwedische Tradition, die meiner Meinung nach viel zu wenig über die Relation zwischen systematisch-theologischen, theologiegeschichtlichen und methodischen Thesen reflektiert hat - einige meiner Thesen überzeugender andere weniger überzeugend findet, dazu einladen, zu prüfen ob nicht diese überzeugenderen Thesen weiterführen und, allgemeiner ausgedrückt, ob nicht gerade Reflexion über die Geschichtlichkeit des menschlichen Denkens es sehr schwer macht, Relationen zwischen verschiedenen Typen von Thesen definitiv auszuschliessen.

1.3. Methodische Voraussetzungen und konkrete Durchführung.

1.3.1. Die Methode einer Modellanalyse im Dialog mit Geschichte und Mitwelt.

Bei dem Versuch, dem eigenen Denken gegenüber reflektierten Abstand zu bewahren, gilt es, nicht nur die Arbeitsweise im allgemeinen zu betrachten und zu prüfen sondern auch Struktur und Voraussetzungen des eigenen Denkens. Die Methode muss so reflektiert werden, dass man sich der Normen, die man für die eigene Arbeit gelten lässt, bewusst macht und sie prüft. Primär handelt es sich dabei also nicht um methodische Thesen, d.h. um das Resultat der eigenen Reflexionen, das den Arbeitsweisen anderer gegenübergestellt wird, sondern um methodische Voraussetzungen des eigenen Denkens, d.h. um den Versuch, sich des Grundes bewusst zu werden und ihn zu prüfen, auf dem die Ueberlegungen ruhen, die zur Formulierung der Thesen führen. Während die Thesen Punkt für Punkt das Problematische an dem, was andere als selbstverständlich angenommen haben aufzeigen sollen, so steht man hier der weitaus schwierigeren Aufgabe gegenüber, sich einen Ueberblick zu verschaffen über das Problematische an dem, was man selbst als selbstverständlich angenommen hat. Die Aufgabe scheint unlösbar zu sein aber man wird immer wieder auf sie zurückgeworfen und zwar in der (gedachten oder wirklichen) Diskussion mit anderen, die zu anderen Ergebnissen gelangt sind, da der Wert der Voraussetzungen den des Resultates bestimmt.

Methodenreflexion ist als ein Teil des Versuches, das eigene Denken zu reflektieren, in die Arbeit integriert. Ihr Ziel ist die Vertiefung, d.h. das Zurückführen der Ueberlegungen auf fundamentale Selbstverständlichkeiten. Sie soll in der gesamten Darstellung ihre Spuren hinterlassen und auch in den Thesen sichtbar werden. Eine Darstellung der "eigene Methode" ist demgegenüber ein Versuch, diesen Prozess plötzlich erstarren zu lassen und die zu diesem Zeitpunkt fundamentalsten und nun bewusst gewordenen Selbstverständlichkeiten zu beschreiben. Dies ist grundsätzlich sehr schwer, weil es eben schwierig ist, Selbstverständlichkeiten zu beschreiben. Es ist auch deshalb schwer, weil es darum geht, das Verhältnis des eigenen Denkens zur engeren oder weiteren Kontexten zu verstehen, d.h. (wegen aller hermeneutischer Komplikationen) sowohl das eigene Denken als auch das Denken der Mitwelt zu verstehen. Jede Beschreibung der "eigenen Methode" muss deshalb als ein solches, der Wirklichkeit mehr oder weniger entsprechendes Augenblicksbild einer mehr oder weniger tiefgehenden Methodenreflexion aufgefasst werden. Dabei kann es vorkommen, dass die Darstellung nicht nur unabsichtlich Mängel und Kurzschlüsse in dieser Methodenreflexion aufzeigt sondern auch die tatsächlich angewandte Methode nur schlecht wiedergibt. Das Folgende ist deshalb in erster Linie nicht der Versuch, für eine bestimmte (evtl neue) Methode zu argumentieren - d.h. eine methodische These - sondern ein relativ anspruchsloser Versuch, den Leser zur Teilnahme an meiner methodischen Selbstprüfung einzuladen. Beschreibt das Folgende wirklich die Voraussetzungen, von denen aus ich gearbeitet habe? Was ist das Problematische an diesen Voraussetzungen und was bedarf eine Vertiefung und/oder Korrektur? [7a]

Eine solche Selbstverständlichkeit ist meiner Meinung nach, dass menschliches Denken als eine Arbeit zu verstehen ist, bei der wir Denkmodelle suchen, mit deren Hilfe wir die "Wirklichkeit" oder "das Leben" "verstehen" und uns in ihnen orientieren. [8] Unser Denken, mit seinen Begrenzungen und seinen Möglichkeiten geübt und manipuliert zu werden, ist natürlich auch ein Teil dieser "Wirklichkeit", den wir zu "verstehen" versuchen, aber als der Versuch ein Modell zu erschaffen hat das Denken bestimmte Eigenschaften und steht in einer bestimmten Relation zur "Wirklichkeit".

Jedes Modell hat den Charakter eines Systems. Denken ist Explikation vom Implikationen und macht damit unvermeidlich aus einem Fragment ein System. Der Gedanke kann seine Implikationen nicht verleugnen ohne sich selbst zu verleugnen. Denken ist rational, d.h. logisch zusammenhängend, sonst ist es untauglich weil es unfähig zu Schlusssätzen und damit als Hilfsmittel zur Orientierung in der "Wirklichkeit" ungeeignet ist.

Das Kriterium für das Modell ist "die Wirklichkeit". Auch wenn das Modell systematisch ist, so ist es untauglich, wenn seine "gedachte Wirklichkeit" in der "Wirklichkeit" keine Entsprechung hat. Es ist sinnlos zu denken, wenn man sich im Denken nicht um die Schwierigkeiten kümmert vor die die "Wirklichkeit" das Denken stellt, wenn "das System" "der Wirklichkeit" gegenüber nicht "offen" ist [9].

Denken als Arbeit an einem Modell ist ein Prozess in ständiger Spannung zwischen Ordnung und Provokation, zwischen Erschaffen einer Ordnung, Zusammenfassung und Systematisierung und provozierendem In-Frage-stellen des Modells durch Konfrontation mit immer breiteren Sektoren "der Wirklichkeit". Ein Resultat des Denkens darzustellen heisst, diesen Prozess scheinbar abzubrechen und weitere Provokation zu verhindern. Wäre es etwas anderes als eine Fiktion, so würde man Konservatismus, Dogmatismus und Sterilität riskieren. Aber auch die Fiktion kann von diesem Verdacht nie ganz befreit werden. Weigert man sich jedoch einen solchen Abbruch durchzuführen, dann gerät man in die Endlosigkeit und Resultatlosigkeit eines zur Orientierung untauglichen Denkens. (Vgl. Gyllensten 1962, evtl via Isaksson 1974,41f).

Denken ist eine historisch und sozial bedingte menschliche Aktivität. Diese Selbstverständlichkeit führt direkt hinein in die Problematik der Geschichtlichkeit des menschlichen Denkens. Hier sollen nur einige der daraus folgenden Konsequenzen be-
10

-tont werden.

Denken ist ohne sprachliches Werkzeug unmöglich. Eine formalisierte, logische
"Sprache" Kann als Hilfsmittel dienen um das Denken zu systematisieren, aber sie ist
inhaltslos, weil sie die Relation des Denkens zur Wirklichkeit nicht in sich aufgenommen hat. Will man mit dem eigenen Denken ein Modell "der Wirklichkeit" erschaffen, dann muss man sich eines sprachlichen Werkzeugs bedienen, das mit Inhalt und
Assoziationen gefüllt wurde und wird, wenn Menschen das Verhältnis der Sprache zur
"Wirklichkeit" selber zu verstehen und anderen zu erklären versuchen und wenn sie zu
verstehen versuchen, wie sie sich in der Sprache der anderen ausdrückt. Sich einer
Sprache bedienen heisst, in Beziehung zu solchen, Inhalte vermittelnden Traditionen
treten. Denken heisst: in Beziehung treten zum eigenen Denken oder zu dem anderer
als Repräsentanten dieser Traditionen. (Vgl. Apel nach Böhler 1971,97)

Aber diese Relation relativiert und begrenzt nicht nur, sie kann auch verwertet werden. Die Sprache überbrückt und macht es möglich, die Bemühungen anderer bei der
Arbeit mit dem Modell zu verwerten. Nimmt man an, dass das eigene Denken sinnvoll
ist, dann sollte man wohl auch davon ausgehen, dass das Denken anderer sinnvoll sein
kann, so dass es unklug wäre dieses nicht zu verwerten. Die Frage ist dann nur, was
kann ich im Denken anderer verwerten? In erster Linie doch wohl kaum die fertigen
Modelle, d.h. Ansichten und Standpunkte. Diese kann ich registrieren, kann sie aber
nicht einfach übernehmen ohne dabei aufzuhören zu denken. Aber ich kann versuchen,
durch diese Standpunkte und Stellungnahmen hindurchzudringen zu der Problematik, zu
der sie Stellung nehmen. Ich kann ausprobieren, ob ich mit Hilfe des Modells des
anderen etwas in der "Wirklichkeit" entdecken kann, was auch bei der Arbeit mit meinem Modell berücksichtigt werden müsste. Das Gemeinsame ist dann vielleicht eine,
zumindest ihrer Struktur nach, gleich "Wirklichkeit", eine, zumindest mögliche Problemgemeinschaft. Das Wesentliche ist deshalb nicht Unterschiede zwischen meinem
Denkmodell und dem eines anderen Menschen zu registrieren oder es auf Grund des eigenen, nicht in Frage gestellten Modells zu beurteilen oder zu verurteilen. Primär
geht es darum, das andere Denken als eine Provokation zu verwerten und dem anderen
Denkmodell einen Beitrag abzugewinnen für meinen eigenen Versuch, Forderungen für
ein geeignetes Denkmodell zu formulieren. [10] Erst in zweiter Linie kann ich dann
prüfen, ob sich die Ansichten des anderen in meinem Modell verwenden lassen. [11]

Jedes Denken vollzieht sich in einem bewussten oder unbewussten Dialog mit anderem
Denken aus der Geschichte und aus der Mitwelt. [12] Konkret muss dieser Dialog in
erster Linie mit einzelnen Vertretern dieses unendlichen Dialogpartners geführt
werden. Die Wahl dieser Stellvertreter beeinflusst dann natürlich den Verlauf und
wahrscheinlich auch das Resultat des Dialogs. Alle Dialoge, ob sie ausgeführt oder

11

noch nicht durchgeführt sind, sind Teile des unbegrenzten Dialogs, den das menschliche Denken darstellt. Das hat Konsequenzen für die Interpretation und die Verwendung historischen (und zeitgenössischen) Textmaterials.

Beschäftige ich mich mit anderen Denken, dann gehe ich auf Äusserungen oder Texte
ein, die, zumindest für den Augenblick, aufgehört haben prozesshaftes Denken zu sein
und Denkresultate geworden sind. Beschäftige ich mich mit diesem Resultat, dann mit
der Absicht, es wieder in einem Denkprozess, diesmal meinem eigenen, wirken zu lassen. Schon ein einfaches Referat versucht zu strukturieren und hervorzuheben. Es
ist in diesem Zusammenhang gleichgültig ob man "nur" referieren will oder ob man dem
Material ausdrücklich mit einer eigenen Fragestellung gegenübertritt. Beide Male
versucht man, sich ein Bild oder ein Sekundärmodell des anderen Denkens zu machen,
mit dem man versucht, sowohl die systematische Struktur des Modells, als auch den
Prozess, der in dem Modell für den Augenblick festgehalten ist, zu verstehen. D.h.
einen Prozess verstehen, in dem aus der Konfrontation mit der "Wirklichkeit" Intentionen erwachsen, die sollen sie im Denken verwirklicht werden, in Wechselbeziehung
treten mit Systemeffekten des systematischen Charakters des Denkens, ein Prozess der
ein Teil des Versuches des Menschen ist, verantwortlich zu leben, seine Humanität zu
verwirklichen.

Bei der Arbeit mit Sekundärmodellen nehme ich alles zur Hilfe, was ich darüber erfahren kann, welche Forderungen die anderen an das eigene Modell stellten, wie sie
das Problem auffassten, wie sie ihre eigene Aufgabe auffassten, welche Schwierigkeiten und Risiken sie bewältigen wollten, d.h. auch, welche Schwächen sie korrigieren
wollten und welche Kritik von anderen sie meinten abwehren zu können. Dieser Hintergrund gibt den angewandten sprachlichen Werkzeugen Farbe und Inhalt. Trotzdem
ist es schwer, die systematische Struktur fremder Modelle zu verstehen, und die
Schwierigkeiten die hier auftauchen zwingen mich dazu meine Hypothesen über die
Denkprozesse anderer ständig in Frage zu stellen. Vielleicht sind Interpretationen
der sprachlichen Werkzeuge und eines Modells möglich, in dem die Schwierigkeiten die
ich sehe aufgelöst sind. Vielleicht sollte das Modell ursprünglich auf ganz andere
Fragen eine Antwort geben, als auf die, an die ich denke. Oder noch fundamentaler:
Vielleicht sah der Verfasser selbst die Schwierigkeit in dem System die ich zu se-
hen meine, und liess sie absichtlich stehen.

Vielleicht sah er sich zu mangelhafter Systematik gezwungen auf Grund einer "Wirklichkeit", die Forderungen an das Modell stellte, die sich nicht abweisen liessen,
für die sich aber kein Modell finden liess, das sie erfüllen konnte. [13] Auch wenn
ich alle Hilfe von den Aussagen anderer entgegennehme, so kann ich nicht den folgenden Fragen entgehen: Kann ich ein Sekundärmodell finden, das meine Beschäftigung

12

mit dem anderen Denken für mich sinnvoll macht, in dem der Dialog einen anderen Sinn hat als den, mein eigenes Denken als bestmögliches auszuweisen? [14] Kann ich in diesen Worten etwas sachlich Einleuchtendes finden? Kann ich mit deren Hilfe etwas in der "Wirklichkeit" entdecken, das mich dazu zwingt, dieselben Forderungen an mein Gedankenmodell zu stellen, die der andere an sein Modell gestellt zu haben scheint? Diese "Wahrheitsfrage" ist nicht ein normativer Anhang an die Aufgabe, anderes Denken zu beschreiben und zu verstehen, sondern eine Frage nach der Relation zum Vorverständnis des eigenen Denkens. Ohne diese Relation ist Verstehen nicht möglich. [15]

Ein Sekundärmodell kann anfänglich dafür bestimmt sein, das andere Denken aus einer begrenzten Fragestellung heraus zu verstehen. Jedoch beinhaltet auch ein Sekundärmodell Implikationen die ausgewiesen werden können. Der Versuch zu verstehen ist immer auch ein Versuch, ein zumindest implizite ausgedrücktes System zu verstehen, und auch Unterschiede zwischen den Primär- und den Sekundärmodellen ausserhalb des hauptsächlichen Interessenbereiches des Deutenden geben Anlass zu kritischen Fragen und fordern ein Weiterdenken: Beruhen die Unterschiede auf Inkonsequenzen in dem was ich zu verstehen versuche (oder sogar in meinem sekundären Modell) oder auf einer schlechten Uebereinstimmung meines sekundären Modells mit dem Original? Durch Vertiefung an einzelnen Punkten muss das geprüft werden, und das Resultat dieser Vertiefung muss für die fortgesetzte Arbeit mit dem sekundären Modell ausgenützt werden. Die Probe kann an benachbarten oder voneinander weiter entfernten Punkten durchgeführt werden: wie dem auch sei, der Anspruch besteht auch in den "mehr entlegenen" Implikationen des sekundären Modells.

Die Arbeit, die in dem Versuch besteht, durch ein Sekundärmodell ein bestimmtes Denken zu verstehen, ist mit Notwendigkeit ein Dialog, nicht nur mit dem zu verstehenden Denken sondern auch mit anderem Denken, das jenes Denken zu verstehen versucht hat, entweder, dass es ausdrücklich mit diesem Verstehen arbeitet, und diese Arbeit aufzeigt, oder dass es in einem Milieu geformt wurde, in dem jenes Denken in den gemeinsamen Referenzrahmen einging. Versuche, diese anderen Verstehensversuche zu verstehen müssen auf gleiche Weise durch sekundäre (im Verhältnis zum Original tertiäre) Modelle durchgeführt werden und letztlich kann jedes Denken aus der Geschichte und aus der Mitwelt in den Dialog mit einem bestimmten anderen Denken einbezogen werden. In welchem Ausmass das geschehen soll, ist eine Ermessensfrage, doch muss es das Ziel bleiben, den Dialog zu vertiefen, der im Ideal unbegrenzt ist.

1.3.2. Die Art und Weise ein theologisches Problem zu erfassen

Ziel dieser Abhandlung ist es, wie es auch im Untertitel formuliert wird, die Geschichtlichkeit des menschlichen Denkens als theologisches Problem zu beleuchten. Dieser Formulierung entspricht eine Disposition, in der am Anfang die Formulierung eines Problems steht, dem menschliches Denken begegnet, gerade wenn es menschliches Denken sein will. Dieses Problem, das (nur relativ) unabhängig von allem was Theologie heisst angegangen wird, betrachte ich dann als ein theologisches Problem in dem ich es zu einem Problem für Theologen in deren theologischen Reflexion werden lasse. Titel und Ansatz lassen es berechtigt erscheinen, in dem einleitenden Methodenabschnitt die Versuche darzustellen, die ich gemacht habe, um das Verständnis theologischer Probleme bewusst zu machen und zu prüfen, das hier zugrunde liegt.

Es geht mir nicht darum menschlich/humanistisches Denken und theologisches Denken als zwei, der Definition nach unvereinbare Grössen, einander gegenüberzustellen. Im Gegenteil: Ist die Geschichtlichkeit des menschlichen Denkens ein fundamental menschliches Problem, dann hat auch der Anspruch des Glaubens, die Situation des Menschen zu verstehen, damit zu tun, und dieses Problem muss in der Selbstreflexion des Glaubens bearbeitet werden.

Dahinter steht die Behauptung dass fides immer fides quaerens intellectum ist, das sich der Glaube immer durch Selbstreflexion selbst zu verstehen versucht. In dieser Selbstreflexion wird Glaube bewusst gemacht, gedeutet und gestaltet und es werden Deutungen und Formen des Glaubens geprüft. Ziel dieser Reflexion ist es, das, was man als die Identität des eigenen Glaubens zusammenfassen kann, zu verstehen und zu bewahren. Glaube braucht sich in seiner Selbstreflexion nicht als notwendig darstellen zu können, muss sich aber im Verhältnis zu den eigenen Grundlagen für eine Beurteilung als möglich, ja sogar als begründet und plausibel darstellen lassen. Ist es das Resultat der Selbstreflexion, dass sich Glaube auf diese Weise nicht legitimieren lässt, dann hat sich der Glaube in seiner Selbstreflexion selbst aufgehoben. Ohne Selbstreflexion verbliebe oder würde der Glaube unbewusst, konturenlos, folgenlos oder für seine Folgen nicht verantwortlich. Diese Selbstreflexion ist nicht identisch mit dem Glauben, aber von einem Glauben ohne solche Selbstreflexion zu reden würde bedeuten, (in der eigenen Reflexion) einen abstrakten Glaubensbegriff einzuführen, der von vornherein ausschliesst, dass Glaube verantwortlicher Glaube sein kann. [16)]

In dieser Selbstreflexion objektiviert der Glaube sich selbst. Er versucht sich selbst zu verstehen, zu gestalten, zu prüfen und zu legitimieren als eines unter

14

·viele Objekten der Reflexion. Diese Objektivierung der eigenen Identität ist problematisch (vgl. 2.2.1), und der Glaube kann versuchen, über das Problematische an einer Selbstobjektivierung zu reflektieren (vgl. 5.2). Das muss jedoch durch Objektivierung der Selbstobjektivierung geschehen. So kann das Objektivieren unendlich wiederholt werden, aber die Selbstreflexion kann nie etwas anderes werden als Reflexion und kann nicht vermeiden zu objektivieren.

Im logischen Sinn ist alles, über das etwas ausgesagt wird, eben durch diese Tatsache ein Objekt. (ST I,203) [17]

Die Selbstreflexion hat also den Charakter einer objektivierenden Legitimierung. Das bedeutet, dass die Selbstreflexion nicht normatives Denken im Sinne von Darstellen einer gegebenen Norm ist sondern auf ein bestimmtes Ziel ausgerichtet ist, die Selbstlegitimierung. Die Voraussetzungen, einschliesslich der Grundlagen für eine Begründung, sind dagegen in die selbstprüfende und damit mehrmals objektivierende Selbstreflexion einbezogen. Wird das Ziel wirklich ernst genommen dann müssen die Voraussetzungen von Grund auf geprüft werden.

Diese Selbstreflexion des Glaubens wird damit bis zur Verwechslung ähnlich einem wirklich ernstgemeinten Versuch "von aussen", rein beschreibend zu verstehen, was christlicher Glaube ist. Wird über die in der Geschichte betriebene Selbstreflexion des Glaubens nicht nur referiert, sondern wird sie so beschrieben, dass sie, bis in ihre äussersten Voraussetzungen hinein kritisch überprüft wird, ohne dass von vornherein ausgeschlossen wird, dass sich sehr wohl etwas in ihr finden lassen kann, was für den Versuch, menschliche Verantwortlichkeit zu verwirklichen (vgl. 2.2.2), von Wert ist, dass es eine Legitimierung geben _kann_, dann wird eine solche Beschreibung identisch mit der Selbstreflexion des Glaubens. Dasselbe gilt, wenn man mehr direkt danach fragt, wie christlicher Glaube zu verstehen ist wenn das Phänomen Christentum sinnvoll sein soll.

Mein Ausgangspunkt im Selbstverständnis des Glaubens [18] ist deshalb nicht dazu bestimmt, zu einem Theologiebegriff zu führen, in dem "Theologie" von Wissenschaft getrennt wird um etwas anderes als kritische Reflexion zu werden. Im Gegenteil: es wird beabsichtigt, die Selbstreflexion des Glaubens und objektivierende und kritische Theologie zusammenzuhalten. Beide beschäftigen sich mit derselben Aufgabe: kritische Prüfung verschiedener Versuche zu verstehen, was christlicher Glaube ist. Natürlich sind Konflikte zwischen christlichem Glauben und humanistischer Betrachtungsweise nicht ausgeschlossen, doch stellen beide Versuche dar, durch Reflexion Erklärungen für die Ursachen solche Konflikte abzugeben und zu prüfen, ob es sich wirklich um Konflikte handelt.

Meine Zielsetzung, die Selbstreflexion des Glaubens und die beobachtende Analyse zusammenzuhalten hat einen theologischen und ideengeschichtlichen Hintergrund. Theologisch wird in Frage gestellt, ob christlicher Glaube so zum Besitz werden kann, dass das eigene Denken als die Selbstreflexion des Glaubens (vgl. 5.2) charakterisiert werden kann, und damit wird in Frage gestellt ob Theologie nur von "Wiedergeborenen" (vgl. ST I,18) betrieben werden kann. Mit diesen theologischen Gründen sind oft auch existentielle verbunden:

> So ergreift mich das Paradox, dass der, der Gott ernstlich leugnet, ihn bejaht. Ohne dies hätte ich nicht Theologe bleiben können. (GW VII,14/1948a/)

Ideengeschichtlich kann meine Zielsetzung vermutlich damit verbunden werden, dass meine Aufgabe von mir verlangt, mit einer "religionswissenschaftlichen" Forschungstradition als Hintergrund, Denker zu verstehen, für die Theologie und Religionswissenschaft zwei getrennte Grössen sind. Um überhaupt verstehen zu könne, muss ich einen, Verstehen ermöglichenden Ausgangspunkt finden, den ich mit Hilfe dieses Theologiebegriffes gesucht habe. Von ihm hängt also in hohen Masse der Wert dieser Abhandlung ab. [19]

Sowohl Selbstreflexion des Glaubens als auch beobachtende Analyse muss aber nach dem fragen, was die Identität des christlichen Glaubens bewahrt und was dieser niemals aufgeben darf. Wann kann man sicher sein, dass man es mit dem christlichen Glauben zu tun hat?

Auf die eine oder andere Weise wird hier immer wieder bibeltheologisch argumentiert. [20] Dem scheint man nicht entgehen zu können, doch müssen auch hier die Voraussetzungen bearbeitet und die theologischen Komplikationen analysiert werden. Wie soll das Verhältnis zwischen dem Wort, das Gottes Tun ist, dem Wort der Zeugen erster Ordnung und dem Wort der Zeugen zweiter Ordnung (B 1962,26f,45) verstanden werden und wie werden dadurch die Bedingungen für ein bibeltheologisches Argumentieren beeinflusst (vgl. 6.1.1)?

Bibeltheologisches Argumentieren lässt sich also wohl kaum vermeiden, doch versuche ich, in dieser Abhandlung weniger, einen breiten, bibeltheologischen Grund innertheologisch aufzubauen, als vielmehr einige wenige, fundamentale Sätze darzulegen, um zu sehen, welche Bedeutung sie erlangen, wenn eine nichttheologisch formulierte Problematik in der Selbstreflexion des Glaubens bearbeitet wird. So reichen wahrscheinlich die sehr allgemeinen Sätze christlichen Glaubens, die die Abschnitte 5.1 und 5.2 einleiten dazu aus, um tief in das Verständnis von Barths und Tillichs Denken und in die Problematik des Selbstverständnisses des Glaubens zu führen.

16

1.3.3. Die Methode als Arbeitsweise in dieser Abhandlung

Ich habe mich also dafür entschieden, eine Problematik zu formulieren, die unser Denken als ein Modellbauen vor die Forderung stellt, das Involviertsein des menschlichen Denkens zu erkennen und zu berücksichtigen und menschliches Denken als eine sinnvolle und Verantwortung fordernde Handlung zu verstehen. Ich frage mich wie diese Problematik im Selbstverständnis des Glaubens aussehen muss, und ob sie eine Funktion im Selbstverständnis des Glaubens als systematischem Modell erhalten muss.

Um den Dialog mit Geschichte und Mitwelt, den diese Reflexion unvermeidlich darstellt bewusst zu machen, wähle ich Karl Barth und Paul Tillich als stellvertretende Dialogpartner, da ich Grund habe für die Annahme, dass ein Dialog mit ihnen mir zur Erweiterung und Vertiefung verhelfen kann. Barth und Tillich haben den Ruf, zwei der bedeutendsten, vielleicht die bedeutendsten systematischen Theologen des 20. Jahrhunderts zu sein, und sie haben zweifellos sorgfältig durchgearbeitete Ganzheitskonzeptionen vorgelegt. Ihre Entwürfe werden als sehr verschieden bezeichnet, was mir dazu verhelfen müsste, Begrenzungen meines Blickfeldes zu vermeiden. Schliesslich waren beide gleichaltrig, sie wuchsen im gleichen Kulturmilieu auf und wurden dort ausgebildet, und sie haben in ihrer theologischen Reflexion vielfach die gleichen Faktoren und Gedankengänge ausgenützt und darauf reagiert. Da ich die Problematik, die ich als Ausgangspunkt gewählt habe, bewusst im Anschluss an das Denken dieser Tradition formuliert habe, hoffe ich, dass die Verringerung der "Uebersetsungsarbeit", die zu einer Gegenüberstellung der beiden Modelle benötigt wird, dazu führt, dass der Dialog schneller tief in die Problematik eindringt, auch wenn es natürlich möglich wäre, dass die Mehrarbeit die eine Wahl von Dialogpartnern aus weiter von einander entfernten Kulturbereichen mit sich führen würde, sich als ergiebig erweisen könnte.

Besondere Mühe widme ich bei dem Versuch, zu verstehen, ihren Intentionen und der Frage, was ihr Denken weitergetrieben hat. Aus diesem Grund beschäftige ich mich gerne mit kleinen Schriften, Briefen und Äusserungen, um dort nach Schlüsseln für das Verständnis der systematischen Darstellungen zu suchen. [21)]

Natürlich habe ich versucht, durch Detailvertiefungen zu prüfen, of ich recht verstanden habe: gleichzeitig habe ich besonders versucht über Platz und Funktion der analysierten Details in Barths und Tillichs Gedankenmodellen insgesamt zu reflektieren, d.h. ich habe versucht, das Resultat der Detailvertiefungen in meine Arbeit mit meinem Sekundärmodell (vlg. oben 12) von Barths und Tillichs theologischen Ganzheitskonzeptionen zu integrieren. Indem ich auf dieser Weise in meinem Denken - in der Arbeit an meinem Primärmodell - meine Auffassung mit Sekundärmodellen von Ganz-

-heitskonzeptionen konfrontiere, wird der Dialog über weite philosophische und theologische Felder hin geführt. Die Details werden interessant als (notwendige) Konkretisierungen des systemtatischen, prinzipiellen Dialogs zwischen Ganzheitskonzeptionen.

In den Dialog werden ausser Barth und Tillich auch andere einbezogen: Material aus der schwedischen theologischen Situation in die hinein ich spreche, reichhaltige Sekundärliteratur zu Barth und Tillich, die überwältigende Menge von Literatur zum Thema: Glaube und Geschichte - die 80-seitige Bibliographie von Robert North (North 1973) kann trotz ihres Umfangs wesentlich ausgeweitet werden. Aus verständlichen Gründen musste ich die Verwendung dieses Materials begrenzen. Das gilt in noch höherem Masse Dialogpartnern, die jedoch ständig im Hintergrund zugegen waren und die darüber reflektieren, wie die Reflexion über die eigene, kulturell und/oder politisch definierte Situation unumgänglicher Bestandteil jeder theologischen Reflexion zu sein hat. Ausdrücke wie politische Theologie, Theologie der Revolution, Befreiungstheologie, black theology und Säkularisierungstheologie ebenso wie das aus der Missionssituation formulierte Problem einer "einheimischen Theologie" (vgl. Gensichen 1965) deuten auf solche möglichen Dialogpartner hin. Nicht zuletzt müsste ein Weiterdenken auch andere Weisen, diese, von mir als Ausgangspunkt gewählte, meiner Meinung nach allgemein menschliche Problematik, zu bearbeiten, berücksichtigen. Auch dass das Problem, um die Deutung Barths und Tillichs zu erleichtern, bewusst im Anschluss an die für sie aktuellen Traditionen formuliert wurde, ist natürlich ein Mangel, wenn die Arbeit, in die Problematik und Schwierigkeiten dieser Tradition einzudringen - d.h. die Interpretationsarbeit auch mit Hilfe andere Beiträge - nicht intensiv genug durchgeführt wurde. Das wird besonders zu einem Mangel, wenn Thesen zum Teil in ein von einer anderen philosophischen Tradition bestimmtes Milieu hinein formuliert werden. Vieles ist noch zu tun!

In meiner Sicht ist jedes Denken immer etwas Präliminares und Unabgeschlossenes, es kann durch Vertiefungen an einzelnen Punkten und durch Einbeziehung neuer Dialogpartner weitergeführt werden. Diese Sicht bedeutet Misstrauen gegenüber der Hybris und der Ideologiefunktion des (angeblich) Abgeschlossenen und ständige Offenheit gegenüber neuer Provokation. Das bedeutet aber auch wirklich ernst gemeinte Bescheidenheit dem eigenen Buch gegenüber:

> Aber dass da noch Vieles ungehört und unentdeckt ist, das ist mir am Ende
> dieser Arbeit ganz klar. Sie will darum nicht mehr sein als eine Vorarbeit,
> die um Mitarbeit bittet. (B 1919 ,VI)

1.3.4. Disposition

Die Darstellung ist in drei Teile mit jeweils zwei Kapiteln und ein abschliessendes Kapitel als Rückblick gegliedert.

In Teil I, "Vorläufiges", sollen die Voraussetzungen für meine Problembeleuchtung umringt werden. Dort lege ich Rechenschaft über meine eigenen Ausgangspunkte ab (Kap 1) und über die Auffassung von der Geschichtlichkeit des menschlichen Denkens als humanistisches Problem, von der aus ich das theologisches Problem erfasse (Kap 2). Dieses Kapitel 2 ist also eine Hilfskonstruktion (vgl. oben 6f), ein Versuch, etwas bewusst zu machen und damit zu vertiefen, was im Folgenden als unumgänglich vorausgesetzt wird, aber nicht Gegenstand des hauptsächlichen Interesses ist. Die Darstellung erhebt also keinen Ansrpuch darauf, eine strikte, philosophische Darstellung zu sein. Ihr Ziel ist es, mit ziemlich groben Werkzeugen eine Problematik einzukreisen und mit Hilfe von Zitaten von Philosophen, die diese Problematik bearbeitet haben, Entwicklungsmöglichkeiten für ein Weiterführen des Umringten anzudeuten.

Im Teil II, "Gerhörgebungen", sollen Barth und Tillich zur Sprache kommen. Das Ziel ist es, zu verstehen, mit welchen Fragestellungen sie gearbeitet haben, wie ihr Denken sich entwickelt hat, und welche Strukturen ihre Lösungsversuche haben. Meine eigenen kritischen Fragen sollen hier in den Hintergrund treten.

Im Zusammenhang der Darstellung soll dieser Teil drei Aufgaben erfüllen. Er soll zeigen, dass Barth und Tillich die von mir beschriebene Problematik behandelt haben, und dass ihre Beschäftigung damit die Strukturen ihres Denkens beeinflusst hat, und dass damit gerechtfertigt wird, sie zu Dialogpartnern gewählt zu haben. Er soll ebenfalls mein Verständnis ihrer Theologien zeigen, zu dem ich im Dialog mit ihnen gelangt bin, und er soll andeuten, worauf ich meine Deutungen stütze. Diese Präsentation zielt darauf ab, zu einer Provokation für oftmals andere Barth- und Tillich-Deutungen unter den Lesern zu werden, und meine Verwendung von Barth und Tillich im Teil III zu erklären. Schliesslich soll Teil II die Gedankengänge Barths und Tillichs auch in deren historisch-gedanklichen Kontext präsentieren, damit ich in Teil III auf diese Zusammenhänge verweisen kann, um so die Darstellung weniger schwerfällig zu machen.

In Teil III, "Versuch einer Problembeleuchtung", wird dann der, nun von mir stärker gesteuerte Dialog mit Barth und Tillich fortgesetzt. Es ist das Ziel, abwechselnd mit Detailanalysen, die grossen Linien darin zu zeigen, wie die Geschichtlichkeit des menschlichen Denkens als humanistisches Problem Punkt für Punkt im Verständnis des christlichen Glaubens aktualisiert wird, und wie Barth und Tillich Punkt für Punkt einen Anspruch des christlichen Glaubens im Verhältnis zu dieser humanisti-

-schen Problematik zu formulieren versuchen und wie sie in jedem dieser Versuche vor
eine Problematik gestellt werden, die einer Aporie gleicht, die durch einen Vergleich ihrer Lösungsversuche markiert wird und die die Geschichtlichkeit des menschlichen Denkens als theologisches Problem genannt werden kann (vlg. oben 6). Auch
wenn die Abschnitte verschieden gegliedert sind, so kommen doch deshalb immer auch
Referate mit Rückverweisen auf Teil III vor, sowie ein Versuch, eine gemeinsame Tendenz im Verhältnis zu der humanistischen Problematik zu erfassen, und ein Punkt, an
dem sich das Interesse auf Unterschiede zwischen Barth und Tillich richtet, um die
Problemaik/Aporie in der gemeinsamen Tendenz in den Griff zu bekommen zu versuchen.

Mit Ausgangspunkt in Kap 2 müsste diese Problembeleuchtung eigentlich drei Kapitel
beinhalten. Um aber zu unterstreichen, dass ich von Barths und Tillichs Bearbeitung
der in 2.2.1 skizzierten Problematik ausgehe und von dort aus den Linien zu deren Bearbeitungen der übrigen Aspekte und Fragestellungen gefolgt bin, habe ich die Problembeleuchtung, die 2.2.2 und 2.2.3 behandelt in einem Kapitel (Kap 6) mit zwei Un-
terabteilungen zusammengefasst.

1.3.5. Formalia

Einfache Hinweise werden in den Text eingeklammert () aufgenommen. Ausführlichere
Kommentare erscheinen in den Anmerkungen.

Bei den Hinweisen wurden Abkürzungen verwendet, die im Literaturverzeichnis entsch-
lüsselt sind. Prinzipiell wurde jedes ursprünglich selbständige Werk - zB ein Auf-
sats, der einzeln publiziert wurde - als eine selbständige Einheit betrachtet und erhielt eine Abkürzung, die aus Nachname des Verfassers und der Angabe des Jahres, in
dem der Text mündlich oder schriftlich veröffentlicht wurde, besteht. Hat der Verfasser im gleichen Jahr mehrere Werke veröffentlicht, so wird das durch einen zusätz-
lichen Buchstaben markiert. Die von mir benutzte Auflage eines Werkes - auf die die
Seitenangaben bezogen sind - geht aus dem Literaturverzeichnis hervor und kann also
ein anderes Erscheinungsjahr haben als das in der Abkürzung angegebene. Die Absicht
mit diesem System ist, dass die Abkürzung die Einordnung einer Äusserung in den rechten historischen Kontext erleichtern soll.

Die Hinweise auf Barths Werk betreffend, wurde das Erscheinungsjahr eines bestimmten
Bandes der Kirchlichen Dogmatik (KD) nur angeführt, wenn es für den Gedankengang von
Gewicht war. Das Erscheinungsjahr geht im übrigen aus dem Literaturverzeichnis her-
vor. Was die Hinweise auf Barths Briefe and Bultmann (GA V/1) und an Thurneysen

(GA V/3:1 und GA V/3:2) betrifft, so wurde ausserdem das Datum des Briefes in / /
angegebenen, zB (GA V/1,128f/1931-06-20/). Bei Hinweisen auf andere Werke wird
Barth mit B abgekürzt. Barths ältere Aufsätze wurden nach "Das Wort Gottes und die
Theologie" zitiert, da dies ermöglicht, sowohl diese Vortragssammlung als auch "Anfänge der dialektischen Theologie" hg.v. Jürgen Moltmann (ThB 17) Teil I, München
1962 zu benutzen.

Die Hinweise auf Tillichs Werk beziehen sich, soweit möglich, auf Gesammelte Werke
(GW). Dabei wird jedesmal, sobald ein Aufsatz aktuell wird in / / angegeben, um
welchen Aufsatz es sich dabei handelt, zB (GW IV,63/1926a/). Die Jahreszahl gibt
an, wann der Aufsatz zum ersten mal veröffentlicht wurde und soll kontextuelle Deutungen erleichtern und Ueberinterpretationen erschweren. Der benutzte Text in GW
kann sich allerdings bedeutlich vom Originaltext unterscheiden (vgl. GW XIV,
zB 78ff). Das Abkürzungssystem kann also nicht als Beleg dafür benutzt werden, dass
Tillich sich bei einer bestimmten Gelegenheit exakt so ausgedrückt hat. Da mein
Hauptinteresse eher systematisch als historisch ist, so habe ich mich dafür entschieden, den am meisten durchgearbeiteten Text zu benutzen, auch wenn dies zu historischen Ungenauigkeiten führen kann. Bei Hinweisen auf andere Werke als die Systematische Theologie (ST) oder Werke, die nicht in GW aufgenommen sind, wird
Tillich mit T abgekürzt.

In den Zitaten werden in / / Zusätze angegeben, die ich gemacht habe, zB um Bezüge
zu erklären und das Zitat an meinen Satzbau anzugleichen. Für Ausdrücke, die im
Original in Klammern stehen, wird () verwendet. "/.../" bedeutet, dass ich ein
Stück ausgelassen habe, während "..." bedeutet, dass die Punkte im Original vorkommen.

2. VORLÄUFIGES UEBER DIE GESCHICHTLICHKEIT DES MENSCHLICHEN DENKENS ALS HUMANISTISCHES PROBLEM.

> Der Mensch erschafft Geschichte, und die Geschichte erschafft den Menschen: dies ist seine Geschichtlichkeit. (Kaufman 1956,474)

Wir verstehen uns als <u>in der Geschichte</u> lebende Menschen. Wir meinen, (und wir sind uns dessen so sicher, dass wir sagen, wir sind uns dessen bewusst) dass die Weise, auf die wir unsere Gedanken für andere ausdrücken, ja unser Denken überhaupt, von der geschichtlichen Situation, in der wir leben geprägt ist und geprägt sein muss. Diese Situation ist bestimmt u.a. von früherem (situationsgeprägten) Denken, das ihr übermittelt wurde und von ihr vermittelt wird, und von kulturellen und soziologischen Faktoren, die diese Vermittlung und das Denken direkt beeinflussen.

Gleichzeitig verstehen wir <u>uns selbst</u> als in der Geschichte lebende Menschen. Wir verstehen uns selbst als Subjekte mit Identität und Willen und wir behaupten, dass unsere Entscheidungen Folgen haben. Wir empfinden Verantwortlichkeit und verlangen von uns selbst und anderen, diese Verantwortlichkeit auch im Denken wirklich zu tragen. Hier setzen wir voraus, dass es im geschichtlich Gegebenen Gut und Böse gibt und dass wir die Geschichte formen und nutzen können und sollen. Wenn, wie in dieser Abhandlung, mit der Geschichtlichkeit des menschlichen Denkens die Verbindung dieser beiden Verständnisse gemeint ist, dann ist die Geschichtlichkeit des menschlichen Denkens ein Problem, das mit fundamentalen menschlichen Erlebnissen, mit den Ergebnissen des wissenschaftlichen Denkens und mit der Humanität des Menschen gegeben ist. Wenn aber das Wort "Geschichtlichkeit" verschiedenartig benutzt ist [22], und wenn man glaubwürdig machen kann, das selbst der Begriff "Geschichtlichkeit"

> zu einer adäquaten Formulierung der Gesamtproblematik der G/eschichtlichkeit/ des Menschen und des Geistes, insbesondere für die Beziehung der Geschichte und damit der G/eschichtlichkeit/ zum Rätsel der Transzendenz nicht ausreicht (von Renthe-Fink 1974,407f),

muss hier eine Skizzierung der hiergemeinten Problematik versucht werden.

2.1. Geschichtlichkeit als relativierendes Involviertsein des menschlichen Denkens.

2.1.1. Menschliches Denken als Teil der sich wandelnden und darum relativen Geschichte - Das Problem der Wahrheit.

Menschen denken verschiedenartig.

22

Daraus erwächst zunächst eine pädagogische Aufgabe. Es ist eine Aufforderung, den Menschen zu lehren, zu denken und seine Vernunft zu benützen. Der Optimismus der Aufklärung ist von der Ueberzeugung getragen, dass nach Perioden politisch organisierter Entmündigung und repressiver (vor allem kirchlicher) Meinungsbildung, die Menschen gelehrt werden können, ihre Vernunft zu benützen, und dass der Gebrauch der Vernunft der einzigen und wahren Vernunft teilhaftig werden lässt.

> Habe Mut, dich deines eigenen Verstandes zu bedienen! ist daher der Wahlspruch der Aufklärung. (Kant nach GWE II,19/1963/)

Dass Menschen verschiedenartig denken wäre also nicht so folgenschwer, wenn man glaubwürdig machen könnte, dass die "vernünftigen" Menschen übereinstimmend denken, und dass Menschen die mit diesen uneinig sind, wirklich "unvernünftig" oder "weniger vernünftig" sind.

Aber spricht dagegen nicht die "Grunderfahrung des Historismus" "vom chaotischen Gang der Philosophiegeschichte"? Sind sich nicht grosse Denker zumindest darüber einig, dass die Geschichte der Philosophie "zum Einwand gegen sie selbst" wird? (Lübbe 1962,215)

> Von der Philosophie will ich nur soviel sagen: Ich sah, dass sie von den ausgezeichnetsten Köpfen einer Reihe von Jahrhunderten gepflegt worden ist und dass es gleichwohl noch nichts in ihr gibt, worüber nicht gestritten würde und was folglich nicht zweifelhaft wäre. (Descartes 1637,15, vgl. Lübbe 1962,215f)

> Es /Kants Bild der Metaphysikgeschichte/ ist ein Bild revolutionären Erschütterungen und Krisen ohne Ende. Die Geschichte der Metaphysik stellt sich dar als "Kampfplatz ... endloser Streitigkeiten". Der Blick in sie zurück bietet dem Aufe "zwar Gebäude, aber nur in Ruinen". Sie ist ein Trümmerfeld zerstörter Systeme, welches dem Durchzug der "Sceptiker" offen liegt, jener "Art Nomaden, die allen ständigen Anbau des Bodens" verabscheut. Niemal bislang gab es in der Geschichte der Metaphysik "Einhelligkeit ihrer Anhänger in Behauptungen", und in ihr hat "noch niemals irgends ein Fechter sich auch den kleinsten Platz ... erkämpfen und auf seinen Sieg einen dauerhaften Besitz gründen können". (Lübbe 1962,213f mit Kant-Zitat)

Wenn aber auch die grössten Denker verschiedenartig denken, wie kann man dann überhaupt menschliches Denken ernst nehmen? Wenn auch das menschliche Denken Teil der sich unaufhörlich wandelnden Geschichte ist, herrscht dann nicht auch über das menschliche Denken der unumschränkte historische Relativismus?

> Die Veränderlichkeit des Lebens ist deshalb etwas so Verhängnisvolles, weil bei jeder geschichtlichen Wandlung die Wahrheit alles dessen angetastet wird, was bisher als gut, sinnvoll, notwendig und unantastbar gegolten hat, und weil der Anblick der unaufhörlichen Wandlungen des Lebens unvermeidlich den Zweifel erregt, ob es überhaupt Wahrheit gibt. (Krüger 1958,10) 23)

Das Bild von dieser Problematik wäre aber falsch, wenn nicht sofort hinzugefügt würde, dass eine Position des historischen Relativismus wie jede relativistische Position höchst problematisch ist. Wenn die eigene Argumentation ernst genommen wird, muss auch die eigene relativistische Position relativiert werden, und der Relativismus kann so nicht als eine unangefochtene Theorie gegen andere Theorien ausgespielt werden. Anders ausgedrückt: das Vertrauen zu den Ergebnissen des menschlichen Denkens und das Selbstvertrauen des menschlichen Denkens müssten dadurch radikal beeinflusst werden, wenn eines ihrer Ergebnisse die Behauptung der Willkürlichkeit des menschlichen Denkens wäre.

Das menschliche Denken kann also - um fortsetzen zu können - nicht auf die Frage nach der Wahrheit verzichten.

> Dass es ein allem, was Menschenantlitz trägt, Gemeinsames gibt, woraufhin wir überhaupt erst vom Menschen und so auch von menschlicher Geschichte reden können, dann auch von Geschichtlichkeit, ja sogar von radikaler Wandelbarkeit des Menschen in der Geschichte - sollte evident sein. (Jonas 1970,4)

Aber soll man nach der Wahrheit fragen können, dann darf die Grunderfahrung des Historismus nicht ignoriert, annulliert oder umgestürzt werden sondern muss bewältigt werden.

Es scheint als ob der Weg der Bewältigung eine Form von Kritizismus sein muss, in dem die Subjektivität als objektives Faktum studiert und durchreflektiert wird, um ihre relativierenden Folgen zu neutralisieren. Hier kann man einen, sich über Jahrtausende hin erstreckenden "Prozess der allmählichen Bewusstwerdung des philosophischen Bewusstseins von der sophistischen Skepsis bis zu den Meditationen Descartes´ und zur Transzendentalphilosophie" sehen (Oehler 1957,508), der auch zB Marxens für das von partiellen Interessen freie Proletariat parteinehmende Reflexion und Heideggers Fundamentalontologie einschliesst. [24] Dieser Prozess ist mit Jaspers Terminologie eine Reflexion über "die Indirektheit des Seinswissens und seine Folgen" (Jaspers 1947,177ff).

2.1.2. Menschliches Denken als Teil der zusammenhängenden und darum die individuelle Denkleistung relativierenden Geschichte des menschlichen Denkens - Das Problem der Tradition.

Menschliches Denken erscheint nicht als willkürlich verschiedenartig sondern als aus der Geschichte des menschlichen Denkens erklärbar.

Wenn man mit Mandelbaum "Historismus" nicht als eine spezielle Weltanschauung defi-

24

-niert sondern als eine "methodologische Ueberzeugung bezüglich Erklärung und Beurteilung", dann erkennt man in ihm das Programm einer ideengeschichtlichen Beschrei-
bung/Erklärung menschlichen Denkens mit Hilfe des geschichtlich-genetischen Wie wieder.

> The most radical aspect of historicism as a methodological principle has
> been its conception of what is presupposed in all explanations and evalu-
> ations of past events: that each event is to be understood by viewing it
> in terms of a larger process of which it was a phase, or in which it played
> a part; and that only through understanding the nature of this process can
> one fully understand or evaluate concrete events. (Mandelbaum 1967,24)

Dieses Programm ist eine unumstrittene wissenschaftliche Methode und ein Teil unseres gemeinsamen und alltäglichen Denkens geworden. Wir verstehen/erklären das Denken anderer Menschen mit Hilfe von Kenntnissen über ihre Erziehung über ihr Studium
der Werke anderer Menschen und über die Diskussionen und Kontroversen in denen sie
engagiert sind und in denen ihre Worte Kommunikation ermöglichen sollen. Wir setzen
voraus, dass der Sinn der Worte die sie benützen und die Gedanken die sie in Worten
ausdrücken von diesen Umständen beeinflusst sind, und dass wir diese Beeinflussung
durchschauen könnten, um so das Verstehen/Erklären zumindest zu erleichtern. Wenn
der zu verstehende/erklärende Denker in einer anderen Zeit gelebt hat, benützen wir
unsere vorausgesetzten Kenntnisse von der Kultur- und Traditionsbezogenheit des menschlichen Denkens und nehmen an, dass er in Uebereinstimmung oder in Auseinandersetz-
zung mit dem Denken seiner Zeit denkt, also dass er mit den Problemen und Hilfsmit-
teln seiner Zeit arbeitet.

Die Philosophie Hegels kann als eine Quelle der Inspiration und als ein Legitima-
tionsversuch dieses Programms betrachtet werden. Die Infragestellung des traditio-
nellen Idealismus in 2.1.1 kann als die Einsicht beschrieben werden, dass die menschliche Vernunft ein Teil der "vergänglichen pragmata der menschlichen Geschichten"
war und nicht direkt verbunden war mit der Wahrheit, mit dem "wohlgeordneten ewigen
Kosmos" (Ausdrücke nach Löwith 1960,155). Hegel verwirft oder überwindet diese
Zweiteilung in einer Philosophie die zunächst eine Vergeschichtlichung des Idealismus ist. Dass die grössten Denker verschiedenartig denken, wird von ihm so erklärt,
dass die Vernunft, an der vernünftige Menschen teilnehmen oder in die sie Einsicht
haben, nicht eine unveränderliche Vernunft sondern ein lebendiger Weltgeist ist.
25)

Diese Konzeption ist auf eine sehr problematische Weise sowohl Verabsolutierung als
auch Verneinung der Geschichte. Sie ist eine Rechtfertigung der Geschichte, die im
Grunde die Wirklichkeit unkritisierbar macht. [26]

Weil Hegel die christliche Erwartung einer letzten Erfüllung in den geschichtlichen Prozess als solchen verlegte, konnte er schon in der Welt-

-geschichte als solcher das Weltgericht sehen. Dieser Satz ist in seiner
ursprünglichen Motivierung, wonach die Welt, am Ende aller Geschichte. dem
Gericht Gottes entgegengeht, ebnso religiös, wie er in seiner weltgeschicht-
lichen Umwendung, wonach sich die Weltgeschichte selber rechtfertigt, gott-
los ist. (Löwith 1960,170)

Wenn man Löwiths Terminologie verwendet, ist es diese Verwerfung oder Weiterverar-
beitung, die Hegels Denken zum Ausgangspunkt des radikal geschichtlichen Denkens
macht (Löwith 1960,171). Die Relativität der Geschichte ist so durch eine Verabsolutierung der Geschichte aufgehoben. Es schenkt ein Gefühl der Sicherheit zu "wissen", dass die Geschichte in der man lebt das Werk des "Weltgeistes" ist, in dem er
sich selbst realisiert.

Hegels Philosophie ist aber auch eine Form von Kritizismus. Auch wenn menschliches
Denken verschiedenartig ist, und auch wenn die Wahrheit keine statische Grösse ist,
so behauptet sie, dass die Wahrheit der menschlichen Vernunft zugänglich ist. Durch
Reflexion über die Wandlungen des menschlichen Denkens (und Tuns) kann der Mensch
sich Einsicht in den Weltplan Gottes erarbeiten, absolutes Wissen erreichen. Durch
diesen Kritizismus wird aber alles frühere Denken relativiert, und man kann von einer "tragischen Hybris" in Hegels Denken sprechen.

> Bei Hegel lag die Hybris in seinen Grundideen, wie der Idee, dass die Welt-
> geschichte möglicherweise mit seinem Leben zum Abschluss kommt. Der Grund,
> warum Hegel von allen Seiten angegriffen wurde, war die Tatsache, dass sein
> vollendetes System keinen Zugang zur Zukunft offenliess. Hegel hatte sich
> selbst auf den Thron der Vorsehung gesetzt, auf dem nur Gott Platz hat -
> - Gott, der gleicherweise die Vergangenheit versteht und die Zukunft schafft.
> (GWE II,96/1963/)

Diese Art von Kritizismus ist ein elitärer, ein das eigene Selbst verabsolutierender
Kritizismus, der zu keinem anderen Denken wirklich gehören will, sondern es nur benützen will, um sich selbst in die Höhe zu schwingen. Das andere Denken ist nicht
in sich selbst wertvoll. Es ist nur brauchbar für den die ganze Geschichte über-
blickenden und verstehenden Weisen, d.h. für Hegel selbst. Während alle andere Denker von der "List der Vernunft" getäuscht sind, sieht er sich selbst als einziger in
der Lage, "aus der intersubjektiv situativen 'Vermittlung' herauszuziehen und 'objektiv' sprechen zu können" (Böhler 1971,83). Die an und für sich problematische Verabsolutierung der Geschichte - das Problematische daran soll vor allem in Abschnitt
2.2 aufgezeigt werden - ist mit dem Anspruch verbunden, selbst ausserhalb der Geschichte zu stehen, ja, Geschichte aufheben und Zukunft neutralisieren zu können.
Damit glaubt er, alle anderen (ideen-) geschichtlich interpretieren zu können, während vom eigenen Denken gesagt wird es sei nicht kultur- und traditionsbezogen und
dürfe deshalb nicht interpretiert sondern nur wiederholt werden. Muss man hier
nicht die "geschichtliche Reflexionslosigkeit Hegels" kritisieren (Böhler 1971,84)?

26

Das Programm einer ideengeschichtlichen Beschreibung/Erklärung ist nicht notwendigerweise an Hegels Philosophie gebunden. Doch die Frage ist berechtigt inwieweit
die Benützung der Methode eine Ueberzeugung impliziert, die in die Nähe von Hegels
Problematik führt. Das Programm bietet in seiner Methode ein Interpretationsschema,
das die Willkürlichkeit reduziert und zu einer ziemlich eindeutigen Interpretation
führt. Muss es damit aber nicht auch Anspruch darauf erheben, zum Besitz von zumindest relativen "Wahrheiten" zu führen? Beansprucht es dann aber nicht auch, die
Kultur- und Traditionsbezogenheit des eigenen Denkens durchbrechen zu können und damit eine Form des Kritizismus zu sein, die eine Möglichkeit erbietet, "in die innerste Struktur dieses Allwandels einzudringen" (Mannheim nach Besson 1961,115)? Worauf gründet sich ein solchen Anspruch auf etwas, was für anderes Denken als unmöglich vorausgesetzt wird?

Was ist die Folge, wenn man an dieser Verabsolutierung der Geschichte festhalten will
oder wenn man sich eher gezwungen sieht dieses Involviertsein in die Geschichte zu
erkennen, aber nicht den Optimismus teilen kann, der beansprucht, sich durch eine
Art Kritizismus davon loslösen zu können?

Soweit ich sehe ist das Diltheys Problem. Er fragt nicht nach einer Methode die es
möglich macht, das Denken anderer so zu verstehen, dass man dadurch (die) Wahrheit
erlangen kann. Er fragt danach ob überhaupt Verstehen, ein Durchbrechen der Einsamkeit möglich ist. Er glaubt eine Antwort gefunden zu haben:

> Es ist das Leben selbst, das sich auf verständliche Einheiten hin ausfaltet
> und gestaltet, und es ist das einzelne Individuum, von dem diese Einheiten
> als solche verstanden werden. (Gadamer 1960,210,vgl. 212f)

Zugespitzt ausgedrückt: während Hegel versucht, das Involviertsein auszunutzen um
es aufzuheben und frei zu werden, so versucht Dilthey es dazu auszunutzen, um von
seiner Einsamkeit befreit zu werden. Die Frage ist nur ob er nicht vor die selben
Schwierigkeiten gestellt wird.

"Das Leben" steht für Dilthey im Hintergrund allen Denkens ohne selbst je als Ganzheit verstanden werden zu können. Die Zusammengehörigkeit von "Leben" und menschlichem Denken kann dann philosophisch/kritizistisch nicht ausgenutzt werden, sondern
setzt ein "nur" als Vorzeichen vor jedes Denken:

> Selbst die Philosophie gilt nur als Ausdruck des Lebens.
> (Gadamer 1960,216)

"Selbst die Philosophie", d.h. das menschliche Denken ohne Ausnahme wird als eine
Menge von verschiedenen "Weltanschauungen" verstanden, die ihre Berechtigung haben,
aber die jeden Anspruch auf Wahrheit und jede Verbindlichkeit aufgegeben haben. Und

auch wenn Philosophiegeschichte möglicherweise Wissenschaft genannt werden könnte,
muss eben sie sich "zu seinem geistesgeschichtlichen Inhalt, eben der Weltanschauung, der Sache nach relativ gleichgültig" verhalten (Lübber 1962,210). [27] Damit
scheint die Relativierung des Denkens vollständig zu sein. [28]

> Wie ist es mit der Freiheit des philosophischen Denkens bestellt, wenn es
> durch seine eigene Geschichte determiniert ist? Ist dann nicht der Weg,
> den das Denken nimmt, von seinen Anfängen her festgelegt? Relativiert
> sich nicht damit die Philosophie durch sich selbst? (Oehler 1957,506)

Auch auf diesem Weg scheint die Verabsolutierung der Geschichte zu einer Aufhebung
der Geschichte zu führen.

> Und so haben wir das Paradox, dass die Sprachführer der radikalen Historis-
> mus zum Standpunkt völliger A-historizität gelangen müssen, zum Bilde ver-
> gangenheitsloser und somit zusammenhangsloser Jetztexistenz - also zur Ver-
> neinung der Geschichte und der Geschichtlichkeit. (Jonas 1970,7)

Der Versuch, die bunte Geschichte des menschlichen Denkens als eine zusammenhängende Geschichte zu interpretieren, die den einzelnen Denkleistungen Sinn geben und
Sinn gewinnen soll, ist also zunächst ein Versuch, sie mit Hilfe einer Form von Kritizismus zu bewältigen. Sein Ergebnis aber ist die Einsicht, dass nicht nur der
chaotische sondern auch der zusammenhängende und erklärbare Gang der Geschichte des
menschlichen Denkens das menschliche Denken bedroht. Die Ueberwindung der Relativierung der Verschiedenartigkeit wurde durch eine nocht tiefgreifendere Relativierung versucht. Das Programm eine Erklärung des menschlichen Denkens mit Hilfe des
geschichtlich/genetischen Wie versteht die individuelle Denkleistung nicht aus ihrer Relation zur Wahrheit und eliminiert damit den Sinn des menschlichen Denkens.
Wenn nicht auch die Erklärung sinnlos sein soll, muss der Erklärende von dem erklär-
ten und darum relativierten Zusammenhang enthoben sein - eine Möglichkeit die das
Programm dem menschlichen Denken nicht gibt. Das Programm ist auf ein Problem gestossen, dass man das Grundproblem aller Geschichtsphilosophie nennen kann:

> Die G/eschichtsphilosophie/ begreift eine Geschichte, in der auch der Ge-
> schichtsphilosoph als Teil und Glied enthalten ist. In der G/eschichts-
> philosophie/ tritt der begreifende Teil aber gewissermassen aus seinen
> geschichtlichen Grenzen des Handelns und Begreifens heraus und begreift
> in diesem Grenzübergang nicht nur sich selbst in seiner sonstigen Begrenzt-
> heit, sondern alles Geschichtliche in seiner jeweils eigenen Begrenztheit.
> Es ergibt sich damit immer und unvermeidbar ein Rückbezug, der die Gefahr
> der Sinnentleerung mit sich bringt. (Kernig 1968,911)

Wie in 2.1.1 so ist aber auch hier der Relativismus keine mögliche Position. Wie
die Indirektheit des Seinswissens so muss die Gebundenheit unseres Erkennens an das
Sprechen und "an die Bedingung der Zeit, an die Enge unseres gegenwärtigen Bewusstseins und an die Bewegung des Nacheinander in der Zeit" (Jaspers 1947,383, vgl. 413)
nicht ignoriert, annulliert oder umgestürzt sondern bewältigt werden. Die Forde-

rung nach einem Kritzismus nimmt die Form einer Forderung nach einer reflektierten Hermeneutik an, die sich nicht nur in die Tradition stellt und die Tradition zu reproduzieren versucht, sondern ihr eigenes Verständnis sinnvoll zu machen versucht indem sie ihr eigenes Verhältnis zu Tradition in Frage stellt und die Tradition vor die Wahrheitsfrage stellt.

> Es /das Problem des sogen. Historismus/ geht darum, wie es denn zu denken ist, dass jede Epoche (jede Kultur, jedes Volk, jede Generation) ihre spezifischen Masse (Welten, Stile, Werte) hat, ohne dass auch nur eines dieser Masse die geschichtliche Stringenz seiner absoluten Verbindlichkeit einbüsst. Seit Dilthey bemüht sich die philosophische Forschung um dieses Problem: die relativistischen Konsequenzen ohne Rückgriff auf naturrechtliche, werttheoretische oder substantiell-ontologische Vorstellungen zu überwinden.
> (Habermas 1954,1)

2.1.3. Menschliches Denken als Teil der als erklärbarer Prozess verstehbaren und darum alles Denken relativierenden gesellschaftlichen Gesamtgeschichte - Das Problem der Wirklichkeit.

Menschlichen Denken ist aus psychischen und materiell-gesellschaftlichen Faktoren erklärbar.

Das Denken eines einzelnen Menschen ist nicht nur aus seiner Sprach- und Kulturbezogenheit und damit aus dem Denken anderer Menschen erklärbar. Um die Entwicklung und die besonderen Eigentümlichkeiten des Denkens eines Menschen zu beschreiben und zu verstehen, erklären wir es auch mit Hilfe der Annahme einer, aus psychologischen Kenntnissen verstehbaren Beeinflussung durch individuelle psychische Eigentümlichkeiten. Werden nur solche Erklärungen benutzt - was man Psychologismus nennen kann (vgl. Haendler 1961) - so kann man zwar über die Geschichte des Denkens des /einzelnen/ Menschen sprechen, aber jede einzelne Denkgeschichte wird ein in sich geschlossenes Ganzes, und die Verbindungen zwischen dem Denken verschiedener Menschen bleiben unberücksichtigt, die hier als die Problematik der Geschichtlichkeit des menschlichen Denkens konstituierend beschrieben werden.

Wenn aber diese Erklärungsversuche mit solchen kombiniert werden, die eine mit Hilfe soziologischer Kenntnisse verstehbare Beeinflussung durch Eigentümlichkeiten der gesellschaftlichen Situation annehmen, vertieft sich die Problematik der Geschichtlichkeit des menschlichen Denkens und man erkennt das Programm einer wissenssoziologischen Beschreibung/Erklärung mit Hilfe des als psychologisch-gesellschaftlich verstandenen Wie. [29] Das Denken eines Menschen wird dann verstanden als Produkt eines Sozialisationsprozesses, in dem das Individuum in einem ständigen Wechselspiel mit für ihn wichtigen Individuen und Gruppen und also innerhalb seiner psychischen und gesellschaftlichen Bedingungen reift und sich entwickelt. Da die gesellschaftlichen und damit in gewissem Masse auch die psychischen Bedingungen wandelbar und in eine beschreibbare/erklärbare geschichtliche Entwicklung hineingezogen sind, ist es möglich von dieser Entwicklung aus, auch Wandlungen des menschlichen Denkens zu beschreiben/erklären.

Diese wissenssoziologische Erklärungsweise darf nicht als in direktem Gegensatz zu der ideengeschichtlichen Erklärungsweise stehend verstanden werden. Selbst in den soziologischen Grundbegriffen gibt es einen historischen Ansatz, und wissenssoziologische Erklärungen nehmen ideengeschichtliche Vermittlungen an, die aber eben als Vermittlungen und aus den Beziehungen des Kulturprozesses zum Gesellschaftsprozess heraus verstanden werden. (Vgl. von Martin 1077f)

Wie von Lieber stark betont wird, ist dieses Programm in erster Linie an den allgemeinen Bedingungen und dem begrenzenden Rahmen des Denkens interessiert. Von der Anknüpfung Mannheims an Dilthey sagt er:

> Dabei ist der dadurch gegebene /bei Mannheim an Dilthey anknüpfende/ verstehenstheoretische Ansatz nicht zu missdeuten, als könne eine einzelne Aussage, ein einzelnes Erkenntnisresultat, ein einzelnes Urteil unmittelbar auf das soziale Sein relativiert werden. Alle diese Einzelaussagen, -urteile usw werden vielmehr als Glied oder Ausdruck einer bestimmten Weltanschauung begriffen, und erst diese besondere Art der Weltanschauung erscheint in Struktur und Gliederung als sozial standortgebunden. Wie sich nun die Fülle individuell differenzierter Weltanschauungen zu Typen von relativer Geschlossenheit ordnen lässt, so operiert Mannheim in seinen theoretischen und materiellen Arbeiten zur W/issenssoziologie/ mit der Voraussetzung sozial bedingter Denkstile. (Lieber 1969,1298)

Das Programm dringt aber zu mindest indirekt weiter und fragt/beschreibt wie Begrenzungen in verschiedenen gesellschaftlichen Situationen enger oder weiter sind (vgl. Shils 1969) und wie gewisse Entscheidungsalternativen in bestimmten Typen von Situationen wahrscheinlicher sind. Auch wenn der Wissenssoziologe von menschlichen Entscheidungen redet und persönlich mit einer gewissen menschlichen Freiheit rechnet, kann man letzlich sagen:

> After all it is precisely the job of the sociologist to see beliefs and experiences within particular societies 'as if' they are determined by those societies. The sociologist must normally work 'as if' there are social determinants of anything and everything. (Gill 1974,198)

Dieses "als ob" muss natürlich ernst genommen werden. aber wie es in dem Umgang mit den Erklärungen berücksichtigt werden soll, ist höchst problematisch. Wie die Benützung der Methode einer ideengeschichtlichen Beschreibung/Erklärung in die Nähe von Hegels Problematik führt, muss man fragen ob nicht hier das "als ob" die Tendenz hat zu einen "weil" zu werden. Wenn man sagt, dass es wichtig ist zu wissen und zu beachten, dass diese Erklärung möglich ist, sagt man dann nicht damit, dass die Erklä-

30

-rung selbst wichtig ist und dass ihr Bild von der Situation Kriterium für das Handeln sein soll?

Auch die wissenssoziologische Beschreibung/Erklärung kann als eine Form von Kritizismus verstanden werden. Auch wenn menschliches Denken von in jeder Situation aktuellen psychischen und vor allem von gesellschaftlichen Verhältnissen beeinflusst und damit verstellt ist, so verspricht das Programm, dass es möglich ist, diese Beeinflussung zu durchschauen, und damit die Verstellungen zu neutralisieren. Es sollte möglich sein von jedem (gesellschaftlich bedingten) Interesse einer gesellschaftlichen Gruppe befreit zu werden und im Interesse der ganzen Menschheit, d.h. unparteilich, unverstellt und damit wahrhaft humanistisch und wahrhaftig zu denken (Marx) oder von einer Position ausserhalb aller Ideologien auf die komplizierten aber durchschaubaren Ideologieverwandlungen und -verwicklungen lächelnd und herablassend zu blicken (Mannheim?).

Aber auch hier kann man von einer "tragischen Hybris" und von einem elitären, prometheischen und mit seinen eigenen Voraussetzungen schwer zu vereinbarenden Kritizismus sprechen. Um als Kritizismus verstanden werden zu können darf er sich vom "als ob" nicht zu Passivität zwingen lassen, sondern er muss alles andere Denken relativieren und dessen Ansprüche neutralisieren.

> Philosophie kommt für die Soziologie als empirische Wissenschaft nur in
> Frage als Objekt wissenssoziologischer Untersuchung, die Geschichte der
> Philosophie also nur als fortlaufende Reihe ideeller (und gegebenenfalls
> ideologischer) "Antworten" auf "herausfordernde" Fragen, welche die je-
> weilige geschichtliche als soziale Situation - mindestens immanent -
> stellt. (von Martin 1969,1079) 30)

Und damit steht diese Form von Kritizismus vor genau derselben Problematik wie in 2.1.2. Wie kann man für die eigene Argumentation etwas in Anspruch nehmen was man bei anderen für prinzipiell unmöglich hält? Marx hat einen Versuch gemacht, seinen Anspruch zu begründen aber es ist ihm nicht gelungen alle zu überzeugen. Wie zB Fetscher 1956 zeigt, ist es möglich zumindest die Aufnahme des marxschen Denkens wie früheres Denken zu beschreiben, und wie zB Böhler 1971 zeigt, ist auch die Entwicklung von Marx Denken so beschreibbar.

Der weitere Weg des menschlichen Denkens muss ein vertiefter Kritizismus sein, der auch sein eigenes Involviertsein reflektiert. Wie dies möglich sein soll und wie das Denken vor dem Relativismus gerettet werden können soll, ist aber höchst problematisch, da die Vermittlung kaum durchschaubar ist. Zunächst ist sie nichts anderes als ein "nicht - durchsichtiges, faktisch-kontingentes Vermitteltsein mit einer historischen 'Gesamtsituation', die man in der existentialphilosophischen Sprache als ein bestimmtes 'In-der-Welt-Sein' und in der dialektischen Sprache als eine

31

besondere 'Totalität' bezeichnen würde" (Böhler 1971,77,ohne B.s Hervorhebungen).

Wenn auch die Wissenssoziologie (wie die Erforschung der Ideengeschichte) wissenssoziologisch betrachtet wird, wird nach Zusammenhängen ihrer leitenden Begriffen nicht nur mit ideengeschichtlich beschreibbaren und relativierbaren Richtungen und vielleicht sogar mit speziellen Lebensbegriffen und Lebensgefühlen (vgl. 2.1.2) sondern auch mit gesellschaftlichen Interessen gefragt. Die grundlegende und zu 2.2 überleitende Frage sowohl an die ideengeschichtliche als auch an die wissenssoziologische Beschreibung/Erklärung ist, ob oder inwieweit ihre gesellschaftlich/ideologische Funktion weniger der Kritizismus als vielmehr Immunisierung gegen Kritik und damit Status-quo-Legitimationen ist.

Ihr Drang zu Determinismus kann nach den wissenssoziologischen Voraussetzungen natürlich nicht situationslos gedeutet werden. Es kann in Determinismus und Naturalismus eine kritische Potenz enthalten sein und sogar "die universale Determination durch die mathematisch fassbaren Naturgesetze" kann als "wahre Freiheit" (von dem Herrschen der Willkür) erscheinen (Blumenberg 1960,1335). "Geschichtliches Denken" in diesem 2.1-Sinn kann psychologisch gegen eine Ergebung in den Status quo oder gegen eine passivizierende (d.h. Verantwortungslosigkeit fördernde) Hoffnungslosigkeit benutzt werden um zu befreien.

> Die wichtigste Waffe im Kampf mit der bürgerlichen Ideologie ist der Gedanke der Geschichtlichkeit aller menschlichen Verhältnisse, mit dem der Anspruch der herrschenden Klasse auf die natürliche Geltung und ewige Dauer der Klassenherrschaft entscheidend berührt wird. (Werner Krauss nach Schröder 1969, 415)

Es soll keineswegs verleugnet werden, dass solche, die Verantwortlichkeit fördernde psychologische Effekte möglich sind. Doch muss man meiner Meinung nach ernsthaft prüfen, ob in dieser Perspektive - welche psychologischen Effekte sie auch immer in bestimmten Situationen haben kann - nicht vorausgesetzt wird, dass menschliches Streben im Grunde wirkungslos und damit sinnlos sei, und ob diese Voraussetzung auf die Dauer dann nicht doch zu ganz anderen psychologischen Effekten führen wird. [30a]

> Fragt man nach dem Zustandekommen deterministischer oder indeterministischer Konzeptionen, so findet man, dass sie, wie jede Auffassung, beeinflusst werden von den verschiedenen Bewusstseinslagen, für die manches stark, anders, ebenso Reales, weniger oder gar nich hervortritt. Zum anderen aber wirken hier auch alle "Interessen" im weiteren Sinne. Wenn Theodor Lessing in der Nachfolge Nietzsches darauf hinwies, dass es eine "logificatio" oder gar "sacrificatio post festum" auch in der geschichtlichen Beurteilung gebe, so spielen dabei diese jeweiligen Interessen ihre Rolle. Auch haben meist Anschauungen eine grössere Wirkungschance, bei denen man sich selbst beruhigen kann (was schon bei dem Determinismusglauben der Stoa eine Rolle spielte), und dominierende Schichten vermögen sich dieses Glaubens unbewusst oder zweckrational als eines politischen Herrschaftsmittels zu bedienen. Für

die der massgebenden Schicht, aber oft auch dem schlichteren Gruppengenossen bequeme Behauptung, die jeweilige Gegenwart sei eben zwangsläufig determiniert und der status quo daher zu akzeptieren, lassen sich unschwer historische (zB die Vorstellung von dem "gottgewollten" Ständen) und aktuelle Beispiele (zB im "Diamat") finden. (Emge 1969,1004)

Sowohl gegenüber dem ideengeschichtlichen und von der hermeneutischen Aufgabe ausgehenden, als auch gegenüber dem wissenssoziologischen Denken hat man diesen Vorwurf einer grundlegenden Passivität erhoben.

Der Begriff der Geschichtlichkeit wurzelt also insgesamt gesehen in der bürgerlichen, nicht-proletarischen, anti-revolutionären Linie des Deutschen Denkens, die nach dem Ende der Goethezeit ihren Weg durch die Krisen des Jahrhunderts suchte. (Von Renthe-Fink 1964,143) [31]

Abgesehen davon, ob Mannheims Wissenssoziologie aus dieser Tradition hervorgewachsen ist, kann man sehen, dass sie letztlich nicht analysieren, kritisieren und anklagen sondern nur erhellen und morphologisch beschreiben kann. Die trotz allem mögliche "sozial freischwebende" Intelligenz kann nicht kritisieren und nichts erschaffen sondern nur die "Intention auf das Ganze" wahren (Lieber-Bütow 1969,17f). Dieser Vorwurf wird so auch von beiden Seiten in dem Streit um Hermeneutik und Ideologiekritik benutzt (Gadamer 1967,73, Gadamer 1971,298, Habermas 1967,48,52f, Habermas 1970,159. Vgl. auch Beierwaltes 1973,7f).

Die ideengeschichtlichen und wissenssoziologischen Beschreibungen/Erklärungen drohen so zu Legitimationen des Status quo zu werden. Damit aber hängt zusammen, wie schon (2.1.2) angedeutet wurde, dass sie nicht nur von Geschichte und geschichtlich verstandenen gesellschaftlichen Situationen reden sondern auch letztlich die Geschichte vernichten und sich selbst als in "vergangenheitsloser und somit zusammenhangsloser Jetzt-Existenz" Lebende betrachten (vgl. bezüglich Mannheim, Stark 1967,151). Wie in 2.2 zu entwickeln ist, muss man fragen ob diese Vernichtung der Geschichte nicht als der Versuch einer Immunisierung gegen alle Kritik zu verstehen ist. Sie relativiert anderes Denken und macht damit unmöglich, dass es als Ausgangspunkt für Kritik gegen sie selbst benutzt werden kann.

Wie schon früher muss aber hier gesagt werden: Die Problematisierung des Soziologismus darf nicht das Ignorieren dieser Erklärungsmöglichkeiten legitimieren. Auch das geschichtlich-gesellschaftliche Vermitteltsein unseres Denkens (Böhler 1971, zB 74) darf nicht ignoriert, annulliert oder umgestürzt werden. Die Forderung nach einem Kritizismus wird zur Forderung einer Theorie und Praxis und damit Reflexion und menschliche Verantwortlichkeit vermittelnden Ideologiekritik.

2.2. Geschichtlichkeit als Forderungen an das menschliche Denken nach verantwortlicher Identität.

Kapitel 2 behandelt die Geschichtlichkeit des menschlichen Denkens als Problem. Das in 2.1 skizzierte Involviertsein des menschlichen Denkens erwies sich als problematisch in dem Sinn, dass es sich als schwierig erwies im Denken sowohl ein Involviertsein zu behaupten als auch das eigene Denken ernst zu nehmen. In 2.2 wird dies noch zugespitzt dadurch, dass sich das Denken als von der Verantwortlichkeit, in der der Mensch seine Humanität verwirklicht, untrennbar erweist. Das Kapitel soll als ganzes das Problem der Geschichtlichkeit des menschlichen Denkens als ein Problem darstellen, das auftaucht, sobald man bedenkt, dass das Denken, einerseits in die Gesamtgeschichte involviert ist, andererseits aber gleichzeitig unter der humanen Forderung nach Verantwortlichkeit steht. Dass dieses Problem humanistisch genannt wird, hängt damit zusammen, dass es aus der Forderung nach Humanität entspringt. Ob dieses Problem "vom wahren Menschen in Christus" her betrachtet dasselbe ist, d.h. ob diese humanistische Weise das Problem zu formulieren theologisch kritisiert werden muss oder nicht, ist die Hauptfrage in Teil III.

2.2.1. Die Forderung nach einer verantwortlichen Bewältigung der Wirklichkeit.

Die in 2.1 skizzierte Perspektive erwies sich als theoretisch problematisch in dem Sinne, dass sie einerseits einen fundamentalen Relativismus oder Skeptizismus beinhaltet und sich gleichzeitig selbst jeder Kritik oder Relativierung entzog. Mit der wissenssoziologischen Perspektive wird indessen auch nach dem Wirken von Theorien gefragt und, wie bereits angedeutet wurde, muss danach gefragt werden, wie solche relativistische Perspektiven oder Theorien faktisch/soziologisch wirken. Das führt zu ideologiekritischem Fragen in dem Augenblick, wo man meint aufzeigen zu können, dass und auf welche Weise sie die Funktion haben, wichtige Aspekte der zu durchleuchtenden Problematik der gesellschaftlichen Funktion faktisch zu verschleiern und gesellschaftliche Interessen fördern, die sich als suspekt erweisen.

Das Fragen wird ideologiekritisch dadurch, dass die Funktion dieser Perspektive oder Theorien in Relation gesetzt wird zu verantwortlichem menschlichen Handeln, denn "wichtige Aspekte" sind solche, auf die verantwortliches menschliches Handeln Rücksicht nehmen muss, und "suspekte" Interessen sind dehumanisierende Interessen, die das Verwirklichen von Humanität erschweren oder sich ihm in den Weg stellen. Dieser Konflikt ist nicht derselbe wie der, der immer zwischen kritischer Prüfung und dem, was kritisch geprüft wird, auftritt. Hier wird versucht Perspektiven oder Theorien kritisch zu prüfen, die die Möglichkeit einer kritischen Prüfung verneinen. Weder

34

ein 2.1.1-Relativismus noch ein 2.1.2-2.1.3-Relativismus kann von Verantwortlichkeit reden.

Gegen eine Perspektive die das Involviertsein des menschlichen Denkéns voraussetzt muss also menschliches Denken selbst als ein verantwortliches menschliches Handeln protestieren. Wenn menschliches Leben und Denken der Macht der Willkür oder des Fatum preisgegeben sind und jede individuelle Verantwortlichkeit unmöglich ist, dann bleiben in der Tat nicht anderes übrig als Resignation und Preisgabe der Reflexion. Sinnvolles Denken setzt die Möglichkeit voraus aus diesem Involviertsein ausbrechen, Verantwortung übernehmen und so Humanität verwirklichen zu können. Diese Möglichkeit wird zu einer Forderung, die dann auch an das menschliche Denken gerichtet werden muss. "Geschichtlichkeit" kann auch für diese Forderung stehen, selber Geschichte zu erschaffen und Verantwortung dafür zu übernehmen, wie man Geschichte erschafft. Denkt man sich diese Möglichkeit und diese Forderung als etwas, was den Menschen von allem anderen unterscheidet, dann wird "geschichtlich" zu einem Synonym für menschlich/human im Gegensatz zu natürlich. So kann Sartre sagen:

> Innerhalb dieses belebten Universums kommt aber unserer Auffassung nach dem Menschen eine deutliche Sonderstellung zu. Erstens deshalb, weil er geschichtlich sein kann, d.h. weil er unaufhörlich durch seine eigene Praxis gegenüber erlittenen oder bewirkten Veränderungen und durch deren Verinnerlichung sowie durch die Ueberschreitung dieser verinnerlichten Beziehungen bestimmt ist. (Sartre 1960,132) [32])

Die Forderung nach Verantwortlichkeit kann so als ein humanistischer Protest gegen die "dehumanisierenden" und den Menschen verdinglichenden Involviertsein-Perspektiven verstanden werden. Die Konfliktsituation, die aus diesem Protest entsteht, macht sich auf vielen Gebieten bemerkbar, zB in den Auseinandersetzungen zwischen behavioristischer und "humanistischer" Psychologie, zwischen einer kritisch erklärenden und einer "verstehenden" Soziologie (vgl. Hochfeld 1969,803 und Habermas 1967,54f) oder noch allgemeiner zwischen "two main traditions in science and in the philosophy of scientific method" nämlich "a 'humanist' orientation towards hermeneutics and a 'scientistic' orientation towards positivism" (von Wright 1971,XIf). Diese Konfliktsituation ist für das Problem der Geschichtlichkeit des menschlichen Denkens zentral. Hinter der Darstellung dieses Kapitels steht die Grundüberzeugung, dass dieses Problem nicht durch eine Parteinahme in diesem Konflikt gelöst werden kann. Weder das Involviertsein noch die Forderung nach Verantwortlichkeit können vernachlässigt werden. Sie müssen zusammengedacht werden. [33])

Für diese Grundüberzeugung spricht bereits, meiner Meinung nach, dass das Involviertsein selbst in 2.1 kaum hätte beschrieben werden können, wäre dort nicht eine gewisse Möglichkeit und damit eine Forderung nach Verantwortlichkeit verausgesetzt

35

worden.

Weder das Programm einer ideengeschichtlichen noch einer wissenssoziologischen Beschreibung/Erklärung ging bis zur Annahme vollständiger Gebundenheit oder Kausalität. Am häufigsten wurde "nur" der Anspruch erhoben, "Denkstile" oder "Weltanschauungen" als in ihrer Struktur und Gliederung sozial standortsgebundene zu beschreiben (vgl. Zit. Lieber oben 30). Und falls man das geschichtliche Handeln der Menschen als einen, mit theoretischer Sicherheit erklärbaren Prozess zu verstehen versucht, so muss man von dem Zusammenhang zwischen "sprachlicher Kommunikation und situativer Selbstreflexion" absehen, ohne diese Reduktion bedenken zu können und man wird infolge dessen für "geschichtsphilosophischen Dogmatismus" und "hermeneutische Reflexionslosigkeit" kritisiert (Böhler 1971,22f,231).

Ebenso fundamental ist aber letztlich, was in 2.1 durchgehend behauptet wurde, nämlich dass die Programme als kritizistische Versuche zu verstehen sind. Sie meinen sich durch einen Ueberblick über das gesamte menschliche Denken oder über die Gesamtgeschichte das leisten zu können, was anderen nicht möglich sei, nämlich einen Einblick in die Wahrheit. Damit erheben sie den Anspruch, sich von dem eigenen Involviertsein befreit zu haben und eine kritische Distanz geschaffen zu haben, die das eigene Denken sinnvoll macht, nicht nur als Teil eines Prozesses sondern als etwas, was selber entdeckt. Das eigene Denken hat seine Identität erhalten, ist verantwortliches und Handlung motivierendes Denken geworden.

Zu welchem Handeln motivieren die beiden Programme in 2.1 ? Die Wahrheit zu sehen heisst für sie, die (Gesamt-) Geschichte zu durchschauen. Damit wird (Gesamt-) Geschichte unkritisierbar. "Verantwortliches Handeln" wird dann unausweichlich zu einem sich Einordnen in die (Gesamt-) Geschichte. Könnte die soziale Bedingtheit des menschlichen Denkens durch standortwechselnde Reflexion gesprengt werden, wie Mannheim zu meinen scheint, muss es dann nicht die praktische Aufgabe sein, Sabotage an dem, was man als den Sinn der Geschichte eingesehen hat, zu verhindern oder "über alle partiellen Interessen hinweg die 'Intention auf das Ganze' zu wahren" (Lieber-Bütow 1969,18)? Die 2.1-Kritik fragt ob ein Ueberblick über die Gesamtgeschichte wirklich zugänglich ist oder, genauer, wie die Annahme einer solchen Zugänglichkeit vereinbar ist mit der Weise, auf die man sie zu erobern können meint. Hier wird gefragt, ob das, was als die (einzige) Weise menschliche Verantwortlichkeit zu verwirklichen angeführt wird, tatsächlich Verwirklichen der Verantwortlichkeit ist, ob es wirklich verantwortlich ist sich gegenüber einer "Gesamtgeschichte" so grundsätzlich kritiklos zu verhalten. Die Programme in 2.1 sind nicht von der Forderung nach Verantwortlichkeit befreit, sondern sie erheben Anspruch darauf, allein dieser Forderung zu entsprechen. Die Kritik dreht sich hier darum, ob sie der Forderung über-

36

-haupt entsprechen.

Sowohl die 2.1-Programme als auch dieser Protest lassen sich historisch leicht ver-
ankern, und es lässt sich leicht zeigen, dass dieser Prozess kaum auf bestimmte
Kreise oder eine bestimmte philosophische Schule begrenzt ist. So unterstreicht
Troeltsch bereits im Vorwort zu "Der Historismus und seine Probleme", dass in seinem
Denken "an Stelle der auf Natur-, Geistes- oder Weltgesetze begründeten objektiven
Teleologie und Kontemplation des Gesamtverlaufes der Menschheit" "die vom Subjekt
her zu schaffende gegenwärtige Kultursynthese des Europäismus" tritt (Troeltsch
1922,VIIf, vgl. 108f). Auf eine herausfordend prägnante und wirkungsvolle Weise
formuliert Marx dasselbe in seiner elften These über Feuerbach.

Die Philosophen haben die Welt nur verschieden interpretiert, es kömmt
drauf an sie zu verändern. (Marx 1845,192)

Heidegger, schliesslich, sagt sich mit Marx - auch gegen Husserl und Sartre - darin
einig zu sein, dass das Wesentliche des Geschichtlichen im Sein zu erkennen, die
Entfremdung als Entfremdung zu erfahren ist (Heidegger 1947,87, vgl. Petrović 1970).
Etwas als Entfremdung erfahren heisst, dagegen zu protestieren, auf Veränderung der
Wirklichkeit ausgerichtet zu sein.

Aber andererseits - und ebenso wichtig - spricht für meine Grundüberzeugung, dass
die Forderung nach Verantwortlichkeit und Freiheit/Entscheidung nicht gelöst von
dem Involviertsein beschrieben werden kann. Die Forderung nach Verantwortlichkeit
wird absurd und sinnlos ohne den Zusammenhang mit dem Involviertsein, das den Konflikt entstehen lässt.

Schon Reflexion über den Begriff "Freiheit" führt dahin. Die Freiheit ist

in der Tat ein schwer fassbares Phänomen. Das liegt offensichtlich an der
Besonderheit ihres ontologischen Charakter.

Freiheit ist nicht etwas Vorhandenes sondern eine Möglichkeit, eine ständige Aufgabe.

Sie ist nie anders wirklich als in der Weise, dass sie zugleich als noch un-
verwirklichte aussteht /.../ Das wird übersehen, wenn man meint, auf die
Freiheit wie auf einen verfügbaren Besitz blicken zu können. Dadurch wird
sie ihrer eigentümlichen Lebendigkeit beraubt und schlägt in Unfreiheit um.
(Weischedel 1974,498)

Die Freiheit gibt es, wenn es sie gibt, nur als etwas Nicht-Verfügbares. Damit
kann sie nicht gegen ein Involviertsein des Vorhandenen ausgespielt werden.

Die Reflexion über den Begriff "Verantwortlichkeit" verstärkt dies. Soll menschli-
liches Handeln (das Denken eingeschlossen) Identität erschaffen können, dann muss

37

es Konsequenzen haben. Verantwortlichkeit bedeutet: Verantwortung für diese Konsequenzen übernehmen. Doch wenn das Handeln eines Menschen Folgen für das Leben und die Situation auch anderer Menschen hat, letzlich auch für die Gesellschaft, dann ist das Leben des Einzelnen gesellschaftliches, involviertes Leben. Soll man von Verantwortlichkeit für die Konsequenzen seiner Handlungen sprechen können, dann muss es möglich sein, die Konsequenzen verschiedener Handlungsalternativen voraussehen/ berechnen zu können, d.h. man muss ein erklärbares Involviertsein und letzlich eine Art von Manipulierbarkeit anderer Menschen voraussetzen.

Die Geschichtlichkeit des verantwortlichen Menschen ist so mit der Geschichtlichkeit des involvierten Menschen tief verbunden. Mit Kaufman:

> Es ist gerade die Geschichtlichkeit des Menschen, die seine Existenz als freier und verantwortlicher Wille ermöglicht: wenn nämlich der Mensch keinen geschichtlichen Zusammenhang hätte, innerhalb dessen er leben und handeln könnte, und wenn - umgekehrt - der Mensch nicht auf die Geschichte einwirken könnte, gäbe es so etwas wie einen freien Wille gar nicht. Ebenso ist es die Geschichtlichkeit des Menschen, die Wissen und Wissenschaft ermöglicht; denn wäre die Vergangenheit nicht im eigentlichen Dasein des Menschen aufbewahrt, um in der Gegenwart wirksam zu werden, so könnte Wissen niemals erwachsen; Vernunft mit ihrer Voraussetzung symbolischer Vergegenwärtigung von Wirklichkeiten wäre unmöglich; und das Denken, wie wir es kennen, wäre unbekannt. Es ist die Geschichtlichkeit des Menschen, die seine personhafte Existenz ermöglicht; ohne Sprache und freien, verantwortlichen Willen könnten sich niemals die Bande der persönlichen Abhängigkeit voneinander, der Liebe und der Treue, entwickeln, die eine Gemeinschaft aufbauen und Personen als Personen auszeichnen. Es ist die Geschichtlichkeit des Menschen, die ihm zum Menschen macht. (Kaufman 1956,478)

Stellt man in Frage ob eine "Verantwortlichkeit" losgelöst von dem Involviertsein wirklich Verantwortlichkeit ist, so kann und muss das konkretisiert werden. So wie man nach der sozialen Funktion und nach gesellschaftlichen Interessen hinter deterministischem Denken wissenssoziologisch/ideologiekritisch fragen kann, so kann man es auch bezüglich radikal indeterministischen Denkens. Ein solches Hinterfragen ist bekanntlich Löwiths Kritik der Folgen einer durch das "Pathos der Entscheidung für die nackte Entschiedenheit" gekennzeichneten "Dezisionismus" (Hofmann 1972,160, Löwith 1935,117, vgl. Sitter 1970, bes. 518f).

> Kampf, Entscheidung und Entschlossenheit sollen rein als solche gewissermassen "an sich" bedeutsam sein. Diese eigentümliche Formalisierung und Verabsolutierung der Entscheidung (bzw. des Kampfes, der Entschlossenheit) bezeichnet die Denkstruktur, die wir mit Schmitt die dezisionistische nennen können. (von Krockow 1958,2 im Bezug auf Jünger, Schmitt und Heidegger).

Der Versuch, Dezisionismus zu analysieren will bekanntlich die ideologischen Voraussetzungen in der "politischen Romantik" darstellen, an die der Nationalsozialismus anknüpfen und die er ausnutzen konnte. Er ist also in höchstem Grade ideologiekri-

38

-tisch (vgl. Löwith 1935, von Krockow 1958, sowie Strohm 1970,53-60).

Hier ist es wichtig, darauf zu achten, dass dieser Dezisionismus mit seiner deutlichen Betonung der Entscheidung des Individuums dazu neigt, sich ähnlich wie die Verabsolutierung des Involviertseins auszuwirken. Der Hauptgedanke in Löwiths, unter einem Pseudonym vorgebrachten Kritik ist: Schmitts Dezisionismus führt zu dem, was Schmitt selber kritisiert, nämlich romantischem Okkasionalismus (Löwith 1935,93, 116f, vgl. Strohm 1970,53f). Ebenso beschreibt und kritisiert Marcuse Schmitts Denken als "politischen Existenzialismus" oder die politische Gestalt des Existenzialismus (Marcuse 1934,184ff). Diese Wahrnehmung hängt damit zusammen, dass es sich sowohl bei der Verabsolutierung des Involviertseins als auch bei der Verabsolutierung der Entscheidung um fundamentale Unfähigkeit zu Kritik handelt: in dem einen Fall wird eine Deutung der Gesamtgeschichte, im anderen Fall werden vorgefundene und getroffene Entscheidungen, in beiden Fällen wird (ein Teil der) Wirklichkeit mit der Wahrheit identifiziert (vgl. von Krockow 1958, zB 66 und Sitter 1970,518,529ff). 34)

Auch wenn der Weg schwer zu finden ist, müssen Versuche "über die blosse Feststellung einer unauflöslichen Antinomie von Selbstbestimmung und lückenloser Kausalität und eines unvereinbaren Nebeneinanders von Notwendigkeit und Freiheit hinauszugelangen" gemacht werden (Weischedel 1974,497, vgl. von Wright 1971,166). 35) Anders ausgedrückt: Das Problem der Geschichtlichkeit des menschlichen Denkens darf nicht eliminiert sondern muss behandelt werden.

Das Problem konzentriert sich nicht zuletzt in dem Begriff Identität. Verantwortlichkeit hat mit der Fähigkeit zu tun, Geschichte zu erschaffen, mit der Fähigkeit, "die geschichtlichen Wechselfälle zu überstehen", um Kontinuität oder Dauer zu erschaffen, in der ein verantwortlicher Mensch seine Verantwortlichkeit und also seine Identität objektiviert - im Unterschied zu einer Kontinuität, die kausal erklärt werden kann ohne dass der Versuch des Individuums, Verantwortlichkeit zu verwirklichen berücksichtigt wird (vgl. Löwith 1960,163). Identität des Individuums scheint die Voraussetzung für Verantwortlichkeit zu sein. Identität drückt die Möglichkeit zu Distanz aus, die die Voraussetzung für ein freies Handeln ist.

Das aber ist bei weitem nicht unproblematisch. Diese Sicht scheint eine Identität vorauszusetzen, die nicht nur unveränderlich sondern auch unkritisierbar ist, d.h. selbst nicht unter der Forderung nach Verantwortlichkeit steht. Doch die Forderung nach Verantwortlichkeit lässt eine solche Einschränkung kaum zu. Wir kritisieren eine Identität, die in Halsstarrigkeit und Selbstzufriedenheit erstarrt ist. Von einer "reifen" Identität verlangen wir nicht nur die Fähigkeit zu Distanz und Ab-

-grenzung sondern auch die Fähigkeit, hören, Eindrücke aufnehmen und sich so verändern zu können. Wir können mit Jaspers von zwei Unausweichlichkeiten der Existenz sprechen: Entscheiden und Offenbleiben (vgl. Bauer 1963,131) oder sie mit Tillich "die Polarität von Selbst-Identität und Selbst-Veränderung" (zB ST III,42-44,317) nennen. Verantwortlichkeit heisst dann, in Offenheit und Entscheidung in der Polarität von Selbst-Identität und Selbst-Veränderung mit dem Erschaffen der eigenen Identität zu arbeiten.

Damit hat sich der Begriff Identität verändert. Eine Identität, die sich selbst nicht als fertig und endgültig betrachtet sondern das eigene Reifen und Entwickeln bejaht, muss auch Kritik ihrer selbst bejahen können. Damit scheint man dazu gezwungen zu sein, Identität gleichsam auf zwei Ebenen zu denken: die Vorstellung einer Treue einer "echten","tieferen" Identität gegenüber durch Ueberprüfen der "äusseren", der jetzt verwirklichten Identität. Eine solche Ueberlegung ist meiner Meinung nach für jede Motivierung zu einem ehrlich gemeinten Dialog, in dem man bereit dazu ist, sich selbst zu verändern, notwendig. [36] Aber das ist bei weitem nicht unproblematisch. Wie fasst man diese "echte", "tiefere" Identität auf, die doch nicht fixierbar ist - dann könnte man ja Kritik dieser Fixierung der Identität nicht zulassen oder bejahen - und die man sich dann auch kaum denken kann? Anders ausgedrückt: Wer ist das "Ich", das seine (noch nicht existierende/vorhandene) Identität durch Verantwortlichkeit erschaffen soll? [37] Eine faktische Identität kann es also kaum sein, wie sieht aber eine "kontrafaktische" Identität (Rendtorff 1974) aus? Muss man von Aporien im Begriff Identität sprechen (vgl. Schütte 1974,24ff, Janowski 1975,326)? Wie dem auch sei, so scheint Verantwortlichkeit sowohl Identität vorauszusetzen als auch gegen jede endgültige Identität zu protestieren.

Dass die Forderung nach Verantwortlichkeit mit den Problemen im Begriff Identität verflochten ist, muss in Relation dazu gesetzt werden, dass die Forderung nach Verantwortlichkeit das Interesse auf andere Menschen richtet.

Identität bedeutet Abgrenzung auch anderen Menschen gegenüber. Identität kann an Nationalität, Zugehörigkeit zu einer Rasse oder Klasse usw gebunden werden oder sie kann auf eine bestimmte Eigenschaft oder eine Vielzahl solcher Eigenschaften gegründet sein, zB physischen Merkmalen, Intelligenz, soziales Prestige, Reichtum u.ä. Solche "faktischen" Identitäten definieren jedoch Gruppen und nicht Individuen. Zu den bereits skizzierten Schwierigkeiten, die damit zusammenhängen, dass "faktische" Identitäten unveränderlich sind, kommt hinzu, dass sie so wenig über das Verhältnis des einen Individuums zu den anderen Individuen aussagen. Da der Begriff Identität unausweichlich mit der Selbstbejahung eines zentrierten und so individualisierten und verantwortlichen Selbsts (Tillich [38]) verbunden ist, führt meiner Meinung

40

nach eine so verstandene Identität dazu, dass das Wechselspiel zwischen Individuum und Gruppe, zwischen Individuation und Partizipation (Tillich) seinen vollen Wert nur in der, durch das Verständnis von Identität definierten Gruppe erhält. Damit ist aber noch nichts darüber ausgesagt, was mit dem vollen Wert des Wechselspiels gemeint ist, und Identität ist wohl noch kaum definiert. Weiter scheint es mir als ob durch diese Begründung von Identität zwei verschiedene Arten von Verantwortlichkeit definiert worden sind. Die umfassende Verantwortlichkeit ist darauf beschränkt worden für eine in Zeit und Raum abgegrenzte Gruppe zu gelten. Es ist jedoch zumindest zweifelhaft, ob sich die Forderung nach Verantwortlichkeit so einschränken lässt. Es scheint auch so als ob ein Identitätsbegriff der aus der Reduzierung der Verantwortlichkeit gewonnen wurde, selbst reduziert zu werden droht.

Auf Grund dieser Probleme einer "faktischen" Identität wird die humanistische Perspektive zu einem immer abstrakteren Begriff der Identität getrieben. [39] Die Abstraktion führt zu Problemen, auf die wir gleich zurückkommen werden. Aber auch der Identitätsbegriff selbst wird problematisch wenn er abstrahiert wird (zu einem Persönlichkeitsideal [40]).

Bedeutet Verantwortlichkeit Arbeit mit und Erschaffen der eigenen Identität, dann wird das Sorgen für den Anderen zu einem Mittel für Selbstverwirklichung. Dadurch wird der andere Mensch verdinglicht, und die eigene Identität wird dadurch gewonnen, dass dem anderen Menschen Identität abgesprochen wird, die eigene Verantwortlichkeit wird dadurch gewonnen, dass die Verantwortlichkeit des anderen Menschens verleugnet wird. Der humanistische Protest gegen jede Dehumanisierung wirkt dann selbst dehumanisierend. Eine solche "Verantwortlichkeit" muss natürlich von der Forderung nach Verantwortlichkeit her kritisert werden.

> Die Anerkennung des Du als gleicher Würde mit dem Ich ist die Gerechtigkeit. (GW II,229/1933/)

Aber wie sieht eine Verantwortlichkeit aus, in der ein zentriertes und individualsiertes Selbst seine Identität in Handlungen objektiviert, die gleichzeitig Objektivierungen echter Fürsorge für, vom eigenen Selbst getrennte, andere Individuen sein sollen? Wie kann ein in der eigenen Identität gegründetes Handeln von der eigenen Identität absehen und zu echter Fürsorge, zu einer Hilfe werden, die abstrakte und noch mehr die konkrete Humanität eines anderen zu verwirklichen? [41]

Durch diese Tendenz, in der Forderung nach Verantwortlichkeit das Interesse in erster Linie auf das eigene Ich - seine Identität, Reife und Gesinnung - zu richten, statt auf den Nächsten, kann Verantwortlichkeit in den Gegensatz zu Verantwortung treten. Auf diese Weise stehen sich dann, mit Webers Terminologie, Gesinnungsethik

41

und Verantwortungsethik einander gegenüber. Ob aber nun das ethisch/sittlich Gute
in einer bestimmten Beschaffenheit der Gesinnung oder in der gehorsamen Ergebung der
Gesinnung vor einem Gebot oder Gesetz zu finden ist, so richtet sich das Interesse
beidemal auf eine Eigenschaft des Handelnden und nicht darauf ob die Handlung Hilfe
für andere Menschen bewirkt, ob sie Ver-antwortung einer Frage ist, vor die mich die
Lage des anderen Menschen stellt. [42]

Auch wenn man dieser Gesinnungsethik Verantwortungsethik als einen anderen Typ von
Ethik gegenüberstellen kann, so entgeht man damit doch nicht dem, was eine Aporie
allen ethischen Denkens zu sein scheint. Auch die Fürsorge für den Nächsten, die
Bereitschaft auf die Bedürfnisse des andere Menschen einzugehen, das Streben, gestützt auf eine Analyse wahrscheinlicher Folgen verschiedener Handlungsmöglichkei-
ten, zu handeln, sind Eigenschaften des Handelnden, die ebenfalls das Erschaffen von
Identität bewirken, und damit zumindest die Tendenz haben, den Nächsten für eine Objektivierung dieser Eigenschaft zu benützen. [43]

Ein weiterer Einfallswinkel für eine anscheinend zusammenhängende Problematik ist
die Aussage, dass Verantwortlichkeit nicht formal sein kann sondern immer gestaltet
werden muss. Gleichzeitig bekommt aber jede solche Gestaltung ein Eigenleben, wogegen gerade die Forderung nach Verantwortlichkeit einen fundamentalen Protest darstellt.

Verantwortlichkeit setzt die Fähigkeit und den Willen voraus, die Legitimität des
Bestehenden in Frage zu stellen, zu fragen, ob der Zustand des Bestehenden nach einer Veränderung verlangt. Verantwortlichkeit steht damit im Gegensatz zu jeder Form
des Positivismus, in der Bedeutung von unkritischem Bejahen und Interpretieren/Legi-
timieren des positiv Gegebenen, gleichgültig ob es sich dabei um eine bestimmte Ge-
sellschaftssituation, eine sich entwickelnde Gesamtgeschichte oder ein Ausnutzen der
Entscheidungsfähigkeit (Entscheidungspositivismus, Dezisionismus) handelt. Verantwortlichkeit steht auch im Gegensatz zu der Behauptung, dass jede Situation so unik
sei, dass sich verschiedene Situationen nicht vergleichen liessen (extreme Situationsethik), zu der Behauptung, dass kein Mensch der nicht in der Situation lebt, in
der ich lebe, mein Handlung verstehen oder kritisieren könne. Diese Behauptung ist
zwar keine direkte Legitimation allen Handelns, aber je enger die Grenzen für die
eigene Situation gezogen werden, desto mehr macht die Behauptung Kritik unmöglich
und legitimiert dadurch indirekt. Verantwortlichkeit aber setzt kritische Prüfung
voraus, d.h. "Erhebung des Geistes über das Sein" (GW VII,30/1929a/).

Verantwortlichkeit setzt jedoch auch positive Gestaltung voraus. Kritik heisst, Unterscheidungen treffen, denn alles kritisieren hiesse nichts kritisieren.
42

Denn wenn alles kritisiert ist, so ist im Grunde nichts kritisiert, und den Vorteil hat das Bestehende, das unangetastet wird. (GW VII,37)

Damit beinhaltet Kritik einen Vergleich dessen, was geprüft wird mit dem, worin das Kritisierte nicht vorkommt, dem Ideal. Voraussetzung für diesen Vergleich ist, dass dieses Ideal mit konkretem Inhalt gefüllt ist [44] und dieser konkrete Inhalt "der wirklichen Gestaltung, in der der Schauende steht" (GW VII,36) entspricht. Damit kann auch das Ideal beeinflusst werden wenn Kritik zu Verantwortlichkeit wird und Wirklichkeit verändert wird, d.h. Verantwortlichkeit führt mit sich die Forderung nach fortgesetzter kritischer Prüfung, ein Infragestellen auch der Ideale von denen die eigene Kritik ausgegangen ist.

Rationale Kritik ist Kritik der werdenden an der vergehenden Gestalt. Dieses ist ihre Konkretheit und ihre Macht. Dieses scheint aber auch ihre Zufälligkeit und Gleichgültigkeit zu sein. (GW VII,38)

Letzteres kann auch an der Analyse des Begriffes Freiheit gesehen werden. Freiheit muss verwirklicht werden, soll sie nicht aufhören, Freiheit zu sein.

Wer ständig in der Entscheidungslosigkeit verharrt, dem zerrinnt das Dasein, und damit entgleitet ihm auch die Freiheit ins Leere und Wesenlose. (Weischedel 1974,499)

Jede Verwirklichung der Freiheit aber verwandelt die Freiheit in frei ergriffene Möglichkeit und führt zum Verlust der Vielfalt der offenen Möglichkeiten. [45]

Heisst das aber, dass die Freiheit aufgehoben ist, wenn sie verwirklicht wird? Ja, wenn die Entscheidung nicht nur als getroffen sondern auch als keine neue Möglichkeiten eröffnend aufgefasst wird. Freiheit setzt Freiheit auch gegenüber der eigenen verwirklichten Freiheit voraus, d.h. Verantwortlichkeit auch für die eigenen Entscheidungen, in denen man seine Verantwortlichkeit auszudrücken sucht. Frei ist nur

der sich Entscheidende, so entschlossen er seine Entscheidungen trifft, ihrer im tiefsten noch Herr bleibt (Weischedel 1974,500).

Die Forderung nach Verantwortlichkeit ist also bei weitem nicht unproblematisch und kann keineswegs auf eine starre Gegensatzstellung zum Bedenken eines relativierenden Involviertseins des menschlichen Denkens beschränkt werden. Im Gegenteil besteht in ihr auch eine Forderung nach verantwortlichem Bedenken des Involviertseins auch des verantwortlichen Denkens und Tuns und so nach Offenheit für die Situation und für die Zukunft dieser Situation. [46] Oder mit Jaspers:

Vielmehr erscheint die geschichtliche Wahrhaftigkeit in dem doppelten Aspekt: aus dem Anerkennen dessen, was gegenwärtig da ist, im wirklichen Entscheiden und Schaffen einer Endgültigkeit, und zugleich im Offenbleiben für die Zukunft, die alles Getane wieder in Frage stellen, es zwar niemals rückgängig machen, aber mit neuen Bedeutungen belasten kann. Dieses Offenbleiben und Nichtfestgelegtsein ist wie die gegenwärtige Entscheidung die <u>Voraussetzung</u> für Geschichtlichkeit. (Jaspers 1932,128)

2.2.2. Die Forderung nach einer verantwortlichen Bewältigung der Tradition.

Während in 2.2.1 das Interesse auf menschliches Denken als verantwortliches Handeln und auf Identität als Verantwortlichkeit konzentriert war, so richtet es sich in 2.2.2 auf die Sprache als dem Medium, in dem sowohl das Involviertsein zur Geltung kommt als auch das Streben nach Verwirklichung von Verantwortlichkeit zum Bewusstsein gelangt. Menschliches Denken heisst dann vor allem kritisches Verstehen und Identität Selbstverständnis.

Der Mensch wird in dem Prozess durch den er in die ihn umgebende Gesellschaft und deren "Welt" hineinwächst, geformt. Durch diese Sozialisation erhält das Individuum das Werkzeug der Tradition, sich selbst zu verstehen zu können und das eigene Leben in einem gemeinsamen, Kommunikation ermöglichenden Referenzrahmen verankern zu können. Die auf diese Weise gewonnene Identität kann so lange bestehen, wie die "plausibility structure" der Gesellschaft die "Welt" wirklich plausibel machen kann. Wenn das nicht mehr der Fall ist, gerät die Identität in eine Krise, denn Identität ist nur möglich innerhalb einer funktionierenden "Welt", d.h. einer Welt mit funktionierender "plausibility structure". (Berger 1967, bes. 22f,53f, vgl. Berger - - Luckman 1966)

In dieser Sozialisation wird das Denken des Einzelnen durch Traditionsaneignung ermöglicht, - es wird in die Geschichte des menschlichen Denkens involviert (vgl. 2.1.2). Gleichzeitig erweist sich das Werkzeug, das angeboten wird bereits im Angebot als ein Instrument für die Interessen an der "Gesamtgeschichte" und an der eigenen Gesellschaft (vgl. 2.1.3). Gerade durch das Werkzeug, das mir dazu verhelfen sollte, eines unverantwortlichen, passiven Akzeptierens des Involviertseins bewusst zu werden und daraus aufzubrechen werde ich involviert. Aber die Forderung nach Verantwortlichkeit bleibt natürlich. Sie wird zu einer Forderung nach Verantwortlichkeit für die eigene Sozialisation und für die Funktion verschiedener Begriffe, Denkformen und Ideologien, die vorgeben Identität und Verantwortlichkeit zu ermöglichen, die sich aber als die Verantwortlichkeit verhindernde, interessengebundene, ideologische/wirklichkeitsverschleiernde auswirken können. Womit aber soll ich diese Forderung zu erfüllen zu versuchen, wenn gerade mein sprachliches (und damit gedankliches) Werkzeug in Frage gestellt wird?

44

Für die klassische "theoria" - Tradition (Begriff: Picht, Schmidt, Böhler, vgl. Böhler 1971, zB 70 Anm und 79) ist das kaum ein Problem. Ihre Unterscheidung zwischen "Wissen" und "Unwissen" neigt dazu, "Wissen" zu etwas Zeitlosem, Allgemeingültigem zu machen, das als Besitz überliefert werden kann und das man neben verantwortlicher Praxis als Theorie besitzt. Ihr "Wissen" erkennt sich selbst nicht als "auf einer in solcher/geschichtlicher/ Selbstreflexion gewonnenen, emanzipatorisch- -engagierten ('zentrischen') Situationsdeutung basiert" (Böhler 1971,96), nicht als einen verantwortlichen Versuch zu Situationserhellung, um Verantwortlichkeit zu ermöglichen und als solcher ständiger Selbstprüfung und Ueberprüfung bedürftigt. Es versteht sich selbst als Einsicht, d.h. als Ausdruck für die Wirklichkeit selbst, als nicht von einem Menschen erschaffen, der seine Verantwortlichkeit zu verwirklichen versucht, sondern letzlich von der Wirklichkeit selbst (die oftmals statisch, unveränderlich gedacht wird aber auch als ein Prozess, "die Entwicklung", denkbar ist, vgl. 2.1.2 - 2.1.3). Es tritt selbstsicher auf, seine Rede ist monologisch, autoritär, da es selbst ausserhalb der "Geschichte" (oder der "Vorgeschichte") zu stehen meint, ausserhalb der Verwicklungen, in denen Sprache zu Ideologie werden kann und menschliches Handeln nicht ausschliesslich guten Interessen dient. Trotz seiner Gewissheit vermag es aber nichts. Als menschliches Denken vermag es nichts. Um behaupten zu können, dass seine "theoria" "Einsicht" ist, muss man voraussetzen, dass Wirklichkeit so beschaffen ist, dass sie mit einer "theoria" übereinstimmen kann. Soll das auf die Dauer möglich sein, dann muss die Wirklichkeit von menschlichem verantwortlichen Handeln (inklusive Denken) unbeeinflussbar sein. Denken heisst dann nicht mehr Situationserhellung um Verantwortlichkeit zu ermöglichen - und also auch Wirklichkeit zu verändern -, sondern es ist ein Versuch auszusagen, wie die Wirklichkeit beschaffen ist - d.h. dann, dass es unmöglich ist, sie zu verändern, d.h. es ist unmöglich, veranwortlich handeln (einschliesslich denken) zu können. Für die gesamte "theoria" - Tradition gilt, was nach der Meinung Böhlers auch für Marx gilt:

> Mit 'Störfaktoren' von Eigengewicht, mit 'prozess'-verändernden Faktoren etwa des intentional kommunikativen Handelns, das als solches nicht auf eine Klasse beschränkt und nicht nur klassenbedingt, sondern potentiell immer schon klassentranszendent ist, oder der gesellschaftlich institutionellen und kulturell motivischen (von Nation zu Nation und von 'Subjekt' zu 'Subjekt' möglicherweise verschiedenen) Traditionsvermittlung handlungsorientierender Wertvorstellungen und Interaktionsbeziehungen (auch Hierarchien) rechnet Marx systematisch nicht. (Böhler 1971,349, vgl. zB 94-96,218-244, 321f)

Mit anderen Worten: die "theoria" - Tradition sieht von dem "Störfaktoren" sinnvoller, menschlicher,durch Sprache vermittelter Aktivität ab und eliminiert aus menschlicher, durch Sprache vermittelter Aktivität deren Charakter als "Störfaktor" (und damit ihren Sinn) in dem sie behauptet, deren Vermitteltsein sei ein durchsichtiges Vermitteltsein (vgl. oben 31f). Abgesehen von der Frage ob man damit nicht der

Naivität verfällt, muss man nach den ethischen Konsequenzen fragen, die diese Stratifizierung der Menschen nach ihrer Einsicht mit sich führt. Was ist die ethische Folge, wenn die Identität/der Wert an den Grad einer Kenntniss (von Theorien) gebunden wird, die man durch Lesen erwerben und abgesehen von jeglicher Verantwortlichkeit besitzen und die bei anderen Menschen einfach gemessen werden kann - d.h. wenn sich die Minderwertigkeit anderer feststellen lässt?

Da mich nun die "theoria" - Tradition nicht zu überzeugen vermag - die Ablehnung muss natürlich den Charakter des verantwortlichen Entwurfs haben, da die Behauptung ihrer zeitlosen und allgemeinen Unmöglichkeit "theoria" - Denken wäre -, so stehe vor der Forderung nach Verantwortlichkeit als einer Forderung, Kommunikation, eine "Intersubjektivitätsrelation" (Apel nach Böhler 1971,101) zu erschaffen, in der man sich der Destruktivität des gedanklichen Werkzeugs durch menschliche Verantwortlichkeit widersetzen kann. Der Monolog wird zu einem Dialog dadurch, dass ich einen Grund dazu bekomme, die Ideologiekritik gegen meine eigene Reflexion zu richten und mit der Möglichkeit zu rechnen, "dass die Gegenüberzeugung, ob dass nun im individuellen oder im sozialen Bereich statthat, recht haben könnte" (Gadamer 1971,316f). Ich lasse mich auf ein Gespräch ein, in dem ich die Annahme wage/prüfe, dass Solidarität möglich ist. Ich begebe mich, mit der Ideologiekritik als Aufgabe, in "die hermeneutische Sinndimension", die "auf das unendliche Gespräch einer idealen Interpretationsgemeinschaft bezogen" ist. (Gadamer 1971,316f,309,313) Die Ideologiekritik wird auch Traditionsaufarbeitung.

> Um geschichtlich emanzipatorische Orientierung geben zu können, muss sie die unreflektierte aktuelle Interessen - und die unreflektierte konventionelle Traditionsvermittlung aufdecken. Zugleich aber muss sie die Tradition in 'praktischer' Absicht beerben, d.h. unter den besonderen Aspekten der jeweiligen gesellschaftlichen Siutation und des möglichen entsprechenden emanzipatorischen Handelns. (Böhler 1971,72,vgl. 18)

Das bedeutet, dass die Forderung nach Offenheit und Entscheidung als Forderung in der Relation zum Denken anderen Menschen wieder erscheint.

Das Denken anderer bei der Arbeit mit der eigenen Identität

Wenn Denken nicht der Vergleich der von verschiedenen Menschen angeführten Ansichten mit einer Wahrheit, die man besitzt ist, sondern eine verantwortliche Handlung, dann kommt man nicht daran vorbei, dass auch das Handeln - letzlich auch alles Denken - in dem ich in eine Relation zu dem Denken anderer trete, eine verantwortliche Handlung ist, in der meine Identität auf dem Spiel steht. Damit wird das Denken der andere Menschen zu einem Mittel, wodurch ich meine Verantwortlichkeit zu verwirklichen versuche (vgl. oben 41). Das gilt, wie sehr es auch meine Absicht ist,

46

das Denken der andere Menschen zu bejahen und zu tradieren.

So fasst der Intellektuelle seinen Gedanken gleichzeitig als den seinen und als den der anderen auf /.../ Das Individuum verbesondert es /das gemeinsame Instrument/ ganz unvermeidlich, wenn es sich durch es auf seine eigene Objektivierung hin entwirft. (Sartre 1960,109, vgl. 112 Anm 24)

Aber hierbei handelt es sich nicht nur um eine unvermeidliche "Verbesonderung" sondern beinahe unausweichlich auch um Kritik. Identität bedeutet mit Notwendigkeit, Abgrenzung von anderen Menschen und von ihrem Denken.

Alles verstehen bedeutete oft alles verzeihen. (Besson 1961,103)

Und "alles verzeihen" bedeutete Verantwortungslosigkeit und damit Identitätsverlust. Ständige, zumindest protentielle Kritik ist so Bestandteil der Verantwortlichkeit und der Verteidigung und des Behauptens der eigenen Identität, d.h. der Selbstlegitimation. Was aber ist Kritik?

Sie bedeutet, dass man dem Anspruch des anderen Denkens das Recht abspricht, Verantwortlichkeit verwirklicht zu haben. In der Kritik decke ich, zumindest vorläufig auf - und meine Beurteilung kann sich nur dadurch ändern, dass ich meinen eigenen Entwurf/Versuch Verantwortlichkeit zu verwirklichen ändere - dass es sich bei dem Denken des anderen um eine der vielen und damit anspruchslosen "Ansichten" (vgl. 2.1.1) oder um nur involviertes Denken (vgl. 2.1.2 - 2.1.3) handelt. In der Kritik gelingt es mir den anderen so darzustellen, als ob er mir nichts zu sagen habe, als ob er Ausdruck oder Beispiel für die Auffassungen einer "Schule" oder eines "-Ismus" sei [47] oder als ob er nur ein Produkt seiner Zeit, seiner Gesellschaft, seiner Voraussetzungen sei. In der Kritik stelle ich den anderen als unverantwortlich, letzlich unmenschlich dar. Kritik ist Bestandteil der Verantwortlichkeit, aber gleichzeitig spreche ich mit ihr dem anderen das Recht ab, Anspruch darauf zu erheben mir zu Selbstkritik verhelfen zu können. Kritik wird Immunisierung gegen Selbstkritik. Ist aber Verantwortlichkeit möglich ohne Selbstkritik (vgl. oben 39f)? [48] Gerät man durch seine Kritik an anderen in eine unverantwortliche Absolutsetzung der eigenen Identität, ob man sich diese nun mehr cartesianisch-humanistisch [49] oder rein dezisionistisch denkt [50] ?

Liesse sich jedoch Verantwortlichkeit in Entscheidung und Offenheit verwirklichen, dann käme man aus dem Bemühen um eine fertige und damit selbstgefällige Identität heraus. Dann hätte Verantwortlichkeit mehr mit dem Erschaffen einer eigenen Identität zu tun als mit dem Ausnützen des Denkens anderer Menschen zur Bestätigung eigener Identität. Es ist ja bei weitem nicht unproblematisch, von einer offenen Identität zu sprechen, einer Identität, die im Entstehen ist (vgl. oben 40), aber wie sollen wir sonst von dem Reifen eines Individuums, von Erziehung oder zB von Litera-

-tur als sinnvollen, verantwortungsfördernden Erscheinungen sprechen können?

> Die Kenntnis anderen Geistes (oder, wenn man dies vorzieht, fremder Sub-
> jektivität), ja die Kenntnis von Geist überhaupt, ist primär nicht gewon-
> nen aus der Inspektion unseres eigenen, sondern umgekehrt ist die Kennt-
> nis unseres eigenen Geistes, ja der Besitz eines solchen, die Funktion
> der Bekanntschaft mit anderem Geist. (Jonas 1970,8f)

Zuwendung zur Geschichte wäre:

> das Interesse an der Geschichte als der Lebenssphäre, in der menschli-
> ches Dasein sich bewegt, in der es seine Möglichkeiten gewinnt und aus-
> bildet, und in Besinnung auf welche es das Verständnis seiner selbst,
> der eigenen Möglichkeiten, gewinnt (Bultmann 1950,228, vgl. Heidegger
> 1927,394).

Die Arbeit mit der Geschichte könnte zu einer Arbeit mit den Versuchen anderer Menschen Verantwortlichkeit zu verwirklichen werden und so zu einer Arbeit mit der eigenen Identität, dem eigenen Entwurf , dem eigenen vorläufigen Verständnis menschlichen Seins:

> Es gilt nicht das Vorverständnis zu eliminieren, sondern es ins Bewusst-
> sein zu erheben, es im Verstehen des Textes kritisch zu prüfen, es aufs
> Spiel zu setzen, kurz, es gilt: In Befragung des Textes sich selbst
> durch den Text befragen zu lassen, seinen Anspruch zu hören. (Bultmann
> 1950,228) 51)

Dann könnte ich mich dem Denken anderer Menschen zuwenden nicht um ihr sondern um
mein Denken zu prüfen. Als Versuch einer verantwortlichen Handlung steht mein Denken in Relation zu einer bestimmten Situation, aber bereits als Handlung und vor allem als Denken erhebt es den Anspruch auf Allgemeingültigkeit. Es ist bei weitem
nicht unproblematisch, wie das Denken über diesen Anspruch auf Allgemeingültigkeit
verantwortliches Handeln in neuen Situationen motivieren können soll, aber indem ich
es mit anderen Situationen und mit den Versuchen anderer Menschen, in dieser Situation verantwortlich zu denken, konfrontiere, kann mir dazu verholfen werden zu sehen
ob/wie eher mein eigenes Denken von der eigenen Situation bedingt ist, ohne Perspektive für die eigene Situation und damit (zumindest als Denken mit dem unabweisbaren
Anspruch auf Allgemeingültigkeit) ideologisch ist, die Wirklichkeit verdreht und
Verantwortlichkeit erschwert. 52) Wenn man so will, so handelt es sich hier um eine Praxis-Theorie-Vermittlung von Praxis her - wie in 2.2.1 in der Jaspers "Offenbleiben für die Zukunft" (vgl. oben 43) eine Radikalisierung der Bereitschaft darstellt, den Entwurf an der Verantwortlichkeit, die von anderen/neuen Situationen gefordert wird, zu prüfen. Die Verantwortlichkeit kann nicht punktuell in "Situationen" verwirklicht werden, Ethik kann nicht zu extremer Situationsethik, Theorie
nicht zu "Praxisfetischismus" (Adorno, vgl. Schellong 1973,246f) werden. Wirkliches Denken kann sich auch nicht damit zufrieden geben mit kulturellen Konjunkturen
zu wechseln (vgl. Track 1974,106f) und sagen: "so konnte ich 1960 sagen, aber
jetzt 1970 muss ich sagen ... " ohne die Ansprüche theoretisch miteinander verbin-

48

-binden zu können, d.h. ohne das Gemeinsame an ihnen erklären zu können. Umgekehrt bekommt meine Kritik erst dann Gewicht, wenn es mir gelingt, glaubhaft zu machen, dass mein alternatives Denken nicht nur in der von mir gewählten Situation ebenso gut oder besser überzeugt sondern auch in den Situationen, aus welchen das Denken der anderen als Versuch verantwortlichen Denkens hervorgewachsen ist. [53] Dann hiesse Bewältigung der Tradition im Erschaffen von Identität nicht Aufhebung oder Vernichtung der Geschichte sondern Bewältigung als Beerbung, Verwendung des Denkens anderer zur Bereicherung und Vertiefung der eigenen Identität.

Respektieren des Denkens anderer als zumindest potentiell verantwortliches Denkens

Das Streben nach einer verantwortlichen (nicht selbstgefälliger oder zu Selbstkritik unfähiger) Identität stellt also den Versuch dar, bei anderen verantwortliches Denken zu finden, das zur Bereicherung und Vertiefung der eigenen Identität verwendet werden kann. Aber die Forderung nach Respekt für die zumindest potentielle Verantwortlichkeit im Denken anderer folgt auch direkt aus dem Streben, das eigene Denken ernst zu nehmen, denn wenn mir mein Denken nicht erlaubt, das Denken anderer ernst zu nehmen, dann lässt es auch für mein Denken keine Ausnahme zu.

Dieser Respekt lässt auch die Vergangenheit und das Denken der Vergangenheit Wirklichkeit sein. [54] Das Erschaffen der Identität wird davon befreit, vorauszusetzen oder mich davon zu überzeugen versuchen, dass ich der einzige Mensch sei.

Aber dieser Respekt kann natürlich nicht die Tatsache aufheben, dass auch das Denken anderer Versuche darstellt, Verantwortlichkeit mit Hilfe widerspänstiger sprachlicher Instrumente zu verwirklichen. Auch sie können nicht Verantwortlichkeit als "theoria" verwirklichen. Auch sie müssen Verantwortlichkeit als Entwurf, als Wagnis verwirklichen. Ich kann nicht behaupten, dass alle oder auch nur einige ihrer Entwürfe so gelungen seien, dass ich sie als "theoria" tradieren könnte, doch der Respekt vor ihren Versuchen fordert "eine vorläufige Solidarität" (Gadamer 1971,306), die ständig nach dem sucht was ich bejahen könnte.

> /Es liegt/ dem Wesen der hermeneutischen Erfahrung zugrunde, unentschieden zu sein und ständig versucht, das, was man als Aussage eines anderen versteht, auch sachlich einleuchtend zu finden. (Gadamer 1971,291 Anm 4)

Was versteht man aber unter dem Versuch, die Aussage eines anderen sachlich einleuchtend zu finden?

Zunächst eine solidarische Offenheit gegenüber der Aussage des anderen. In dieser solidarischen Offenheit lasse ich mich selbst befragen. Die solidarische Offenheit ist somit ein Versuch, das System des eigenen Denkens für die Ueberprüfung und Weitentwicklung zu öffnen (vgl. oben 10). Sie ist ein Versuch, andere auf eine Weise zu verstehen, die mehr ist als "das Zeugnis anderer Innerlichkeit nur durch den Filter der fertigen eigenen zu empfangen" (Jonas 1970,10), die nicht nur eine Bestätigung des eigenen Selbsts - und damit Neutralisierung, Vergessen und letzlich Verachtung des anderen ist (vgl. Beierwaltes 1973,5). Sie ist der Versuch eines Verstehens, das die Humanität des anderen respektiert, der Versuch einer humanistischen Hermeneutik im Gegensatz zu einer ideengeschichtlich/soziologisch verschleiernden Hermeneutik (vgl. Gebhardt 1974,210, Beierwaltes 1973,9).

Aber diese solidarische Offenheit ist nicht möglich ohne gleichzeitige solidarische Kritik. Ich kann Worte nicht einfach,so wie sie sind übernehmen. Ich könnte vielleicht die Worte eines Menschen übernehmen, aber wie sollte das auf eine verantwortliche Weise geschehen können (vgl. oben 11)? Wie kann ich solidarisch offen sein gegenüber den verschiedenen, vielleicht einander widersprechenden Aussagen eines Menschen [54a] und gegenüber einer Vielzahl von Menschen, nicht nur denen gegenüber, die ähnlich gedacht haben sondern zumindest versuchsweise allen gegenüber? Meiner Meinung nach muss ich die anderen historisch verstehen, d.h. ich muss versuchen, hinter ihre Worte zu blicken, ich muss abschälen, was bewusst und vor allem unbewusst und/oder unausweichlich zeit- und gesellschaftsbedingt war, und muss versuchen zu verstehen, was in diesen Worten verwirklichte Verantwortlichkeit des anderen Menschen sein könnte, woran ich dann meinen Versuch, Verantwortlichkeit zu verwirklichen überprüfen müsste. Solidarische Offenheit wird verantwortlichkeitssuchende Offenheit und so solidarische Kritik der Worte, um die Verantwortlichkeit des Menschen zu finden, der diese Aussagen macht.

> Wenn wir nicht dauernd (allerdings vage und abstrakt), im Laufe der Lektüre, bis zu den Wünschen und Zielen, bis zum Gesamtverhaben FLAUBERTS zurückgriffen, würden wir ganz einfach das Buch (was übrigens oft genug geschieht) fetischisieren genau wie eine Ware, indem wir es als eine Sache betrachten, die spricht, und nicht als die Realität eines Menschen, die durch dessen Arbeit Objektivität erlangt hat. (Sartre 1960,128)

Bei dieser solidarischen Kritik wehre ich mich - um mit der Suche nach Verantwortlichkeit fortsetzen und den anderen ernst nehmen zu können - gegen die Ansprüche in den Aussagen, deren Ursprung eher im Involviertsein als in der Verantwortlichkeit zu suchen ist. Die Kritik muss umfassend und tieflotend sein, gerade wenn ich den anderen soll ernst nehmen können. Mit Hilfe einer kritischen Perspektive auf das Involviertsein, die ich in meiner Situation durch die Arbeit mit Traditionen gewonnen habe, muss ich der angenommenen Verantwortlichkeit den Anspruch, der über die Situation in der er geäussert wurde hinausreicht, entlocken, um sie in meiner Situation anwenden zu können und dort prüfen zu können ob ich sie als Verantwortlichkeit wie-

-dererkennen kann, als eine Verantwortlichkeit, die meine frühere Auffassung von dem
was Verantwortlichkeit in meiner Situation heisst, erweitert. Ohne Kritik und ohne
kritische Distanz (zumindest dem Versuch dazu), ist diese "Uebersetzung" unmöglich,
die den Versuch des anderen, verantwortlich zu denken, zu etwas macht, was mich angeht und einen Anspruch an mich stellt. Kritik und kritische Distanz sind notwendig
einmal, um zu finden was uebersetzt werden soll und zum anderen um das Verhältnis
der beiden "Sprachen" zueinander zu verstehen (vgl. Almēn 1973,168-170). Da diese
kritische Distanz _mein_ Entwurf ist, in dem _ich_ Respekt vor dem Denken zu verwirklichen versuche, der ein Teil _meiner_ Verantwortlichkeit ist, wird die solidarische Offenheit nicht zu einer passiven Rezeption sondern meine interpretierende Aktivität,
in der ich eine kritische Position zu finden versuche, die es mir ermöglichen soll,
das andere Denken - dessen relativierendes Involviertsein ich zugeben muss und dessen Verantwortlichkeit ich bis zuletzt voraussetze - so zu deuten, dass es ein Denken darstellt, das Anspruch darauf erhebt, von mir als ein Versuch verantwortlich zu
denken beachtet wird.

> Geistiges verstehen heisst, daran teilhaben, darüber entscheiden, es ver-
> wandeln. (GW VI.109/1948/, vgl. Beierwaltes 1973,4)

Diese Aktivität ist der Gegensatz vor allem zu einem Vergessen, dass anderes unterdrückt und sich selbst verschliesst.

> "Vergessen" bedeutet, dass man das, was geschehen ist, für die Gestaltung
> der Zunkunft nicht mehr wirksam werden lässt, dass man es als Faktor für
> die Zukunft auslöscht. Und das ist entscheidend für die Schuld des Ver-
> gessens. (GW III,132/1953/)

Verantwortliches Denken kann im Verhältnis zum Denken anderer (früherem Denken)
ebenfalls nicht Offenheit _oder_ Entscheidung bedeuten sondern muss auf irgendeine
Weise Offenheit _und_ Entscheidung heissen. [55] Wie Entscheidung mit Offenheit vereint werden soll ist hier ebenso problematisch wie in 2.2.1, weil die gesamte Identitätsproblematik hier ebenso aktuell ist. Hier ahnt man die Schwierigkeiten zB im
Ausdruck "offenes System" und in dem Gedanken, dass _ich_ das Denken anderer auf meine
Situation anwenden können soll und darin etwas als Verantwortlichkeit wiedererkennen, was sich von dem, was ich bis zu jenem Zeitpunkt als Verantwortlichkeit betrachtet hatte, unterscheidet. Aber man scheint um dieses Problem nicht herumzukommen.

Hier kommt die Schwierigkeit hinzu, zu erkennen, _wofür_ die solidarische Offenheit
offen ist. In der Arbeitsweise selbst liegt ja ein grundsätzliches Misstrauen gegenüber Ausdrücken, die nicht mehr als Instrumente zu Verwirklichung von Verantwortlichkeit behandelt werden, sondern zeit- und situationslos werden und zu "theorıai",
"Gedanken" werden. Ich erwarte mir nicht so sehr von den Ausdrücken sondern von der
Verwendung der Ausdrücke, dass sie "sachlich einleuchtend" sind.

51

Auf keinen Fall lässt sich das Handeln und Leben des Menschen, den wir
zu untersuchen haben, auf diese abstrakten Bedeutungen, diese unpersön-
lichen Haltungen zurückführen. Im Gegenteil, er verleiht ihnen durch
die Art in der er sich durch sie hin entwirft, Kraft und Leben. Es
empfiehlt sich deshalb, auf unser Objekt zurückzukommen und seine persönlichen Verlautbarungen (zB die Reden ROBESPIERRES) durch das Geflecht
der Kollektivinstrumente hindurch zu untersuchen. (Sartre 1960,110)

Ich erwarte mir einen Beitrag zu meinem Bemühen um Verwirklichung von Verantwortlichkeit. Andere haben das so formuliert, dass ich der Geschichte, Kenntnisse über existentielle Möglichkeiten oder Existenzmöglichkeiten abzugewinnen versuche. Ohne entscheiden zu können ob meine Einwände jene kritisieren, die diese Terminologie benützt haben [56] , will ich doch auf einen Mangel in dieser Terminologie hinweisen.
"Existentielle Möglichkeiten" neigen dazu als "Ansichten", "Gedankensysteme", "-Is-
men" aufzutreten. Zwischen Möglichkeiten - ebenso wie zwischen "Ansichten" - wählt
man. Aber das Problem einer humanistischen Hermeneutik ist, wie man auf verantwortlichen Weise von dem Denken anderer Menschen lernen und es berücksichtigen kann, um
den eigenen Versuch der Verwirklichung von Verantwortlichkeit zu bereichern, d.h.
wie man aus dem Gebundensein zwischen zwei einander ausschliessenden Möglichkeiten
wählen zu müssen, herausgelangen kann.

Die Aufgabe der Bereicherung setzt meiner Meinung nach ein Verständnis der Einheit
von Denken und Handeln bei dem anderen Menschen voraus, das nicht nur einen Vergleich als Vorbereitung für eine Wahl ermöglicht sondern auch eine Bearbeitung des
Begegnenden und des eigenen, so dass eine neue Einheit entsteht, die "dem Besten"
in beiden gerecht bleibt. Das scheint mir nur möglich zu sein, wenn das Verstehen/
die Uebersetzung/die Applikation in meinen Versuch Verantwortlichkeit zu verwirklichen, via eine Verallgemeinerung oder Theoretisierung des Anspruches im Denken des
anderen eingeht, auch wenn diese "theoria"/dieser "Gedanke" dann eher als meine Kon-
struktion aufgefasst werden kann, als mit dem Anspruch identisch. Der Versuch zu
verstehen kann nämlich kaum den Versuch darstellen, der Genialität des Genies oder
der Intensität der Entscheidung der anderen teilhaftig zu werden. Sollen die Qualitäten etwas mit Verantwortlichkeit zu tun haben, dann können sie nicht von der Einsicht des Genies oder dem Motiv der Entscheidung getrennt werden.

Das Problem ist dann auch hier, wie Verantwortlichkeit Theorie-Praxis-Vermittlung
werden kann und nicht Theorie-Vergessenheit (und damit Entscheidungspositivismus).
Das Problem ist auch hier, wie der eigene Versuch Verantwortlichkiet zu gestalten
für Kritik offen sein kann, wie er auch den Protest gegenüber jeder Gestalt, die Anspruch auf Entgültigkeit erhebt bejahen kann. Das Problem wird hier zu der Frage,
wie ich den Protest gegenüber jedem Verschliessen des Versuchs des anderen, Verant-

-wortlichkeit zu verwirklichen, nämlich durch eine "theoria", mit der Notwendigkeit vereinen kann, ihn selber als eine "theoria" gestalten zu müssen, um ihn mir selber aneignen zu können. [57]

Der Begriff Tradition

Die Problematik taucht in dem Begriff der Tradition [58] auf. Tradition bezeichnet zunächst die theoretischen Seiten dessen, worin die Sozialisation das Individuum eingliedert, sie ist also Ausdruck einer "automatischen" und/oder zumindest prä-verantwortlichen Kontinuität. Die Herrschaft der Tradition ist so eine Erscheinungsform des Involviertseins, das die gegenwärtige Situation und die Vergangenheit verhüllt. Die Tradition macht

> zunächst und zumeist das, was sie "übergibt", so wenig zugänglich, dass sie es vielmehr verdeckt. Sie überantwortet das Ueberkommene der Selbstverständlichkeit und verlegt den Zugang zu den ursprünglichen "Quellen", daraus die überlieferten Kategorien und Begriffe zT in echter Weise geschöpft wurden. Die Tradition macht sogar eine solche Herkunft überhaupt vergessen. Sie bildet die Unbedürftigkeit aus, einen solchen Rückgang in seiner Notwendigkeit auch nur zu verstehen. (Heidegger 1927,21)

Traditionskritik wie Ideologiekritik gehören zu dem Erschaffen von Identität das sich nur über Krisen unverantwortlich übernommener Identität verwirklichen kann.

> Die Rede von Identitätskrisen ist eine Gestalt, in der sich Identität auszudrücken vermag - nämlich als die Fähigkeit, mit sich, und das heisst mit den Vorstellungen von Welt und den empirischen Zuständen, in denen sie sich befindet, uneins zu sein. (Rendtorff 1974,7)

Traditionskritik und Ideologiekritik stellen so Versuche dar, nicht nur behauptete unabänderliche Bestimmtheit zu durchschauen sondern auch Instrumente für eine nichtideologische Situationsanalyse zu finden und die Verantwortlichkeit der Vergangenheit frei zu machen. Kritik, ja sogar Destruktion der Tradition sind also eher der Gegensatz zu einer Destruktion der Vergangenheit:

> Negierend verhält sich die Destruktion nicht zur Vergangenheit, ihre Kritik trifft das "Heute" und die herrschende Behandlungsart der Geschichte der Ontologie /.../ Die Destruktion will aber nicht die Vergangenheit in Nichtigkeit begraben, sie hat positive Absicht; ihre negative Funktion bleibt unausdrücklich und indirekt. (Heidegger 1927,22f)

"Tradition" kann indessen auch das in der Vergangenheit bezeichnen, was man sich durch Traditionskritik aneignen möchte. [59] Es gibt auch eine Traditionsanknüpfung einer emanzipatorischen Ideologiekritik und man kann dafür argumentieren, dass eine solche für die Ideologiekritik unabdingbar ist (vgl. Böhler 1971,49 über Adorno). Aber auch dieser positive Traditionsbegriff ist problematisch.

53

Die Ausgrenzung dessen, was man sich aus der Vergangenheit aneignen will und als eine Tradition bewahren will, ist selber ein Entwurf, in dem ich meine Identität auszudrücken versuche. Durch Anknüpfen an eine Tradition will ich eine kritische Distanz zur Gegenwart markieren, meine Identität in der Gegenwart definieren. Das kann als ein Umweg erscheinen, durch den der Mensch vor sich selber verbirgt, dass er selber aktiv ist und es kann dem Versuch dienen, sich von der Last der Verantwortlichkeit zu entlasten. [60] Dieser Verdacht wird meiner Meinung nach in folgenen Aussagen erhoben:

> Im geschichtlichen Selbstverständnis des modernen Geistes wirkt die Tendenz, seinen Ursprung zurückzuverlegen. (Kamlah 1957,323)

> Das moderne Bewusstsein durchbricht die lästigen Zwänge des geschichtlichen Zusammenhangs, holt sich aus der Vergangenheit Mut und Bestätigung, sucht seine Wahrheitszeugen, seine testes veritatis. (Heimpel 1954,47)

Aber Anknüpfung an von mir selbst ausgegrenzte Tradition ist kaum als ein Umweg zu verstehen, um kritische Distanz in der Gegenwart zu markieren, eher als ein unabtrennbarer Teil einer Definition meiner Identität. Auch in dem Entwurf, in dem ich Verantwortlichkeit zu verwirklichen versuche, liegt ein Anspruch auf Allgemeingültigkeit. Dieser Anspruch impliziert eine Geschichtsperspektive und der Versuch sie zu explizieren stellt den Versuch dar, das Bewusstsein von dem eigenen Entwurf zu vertiefen, und ihn zu bearbeiten/prüfen. Da Verantwortlichkeit nicht punktuell/atomistisch verwirklicht werden kann, kann man auch sagen, dass die Abgrenzung einer Tradition einen Versuch darstellt, Kontinuität zu erschaffen ohne die Humanität nicht verwirklicht werden kann. So schreibt K.E. Skydsgaard an Gerhard Krügers "Tradition und Geschichte" anknüpfend:

> Tradition gehört strukturmässig zum Wesen dieses Menschen. Ohne Tradition verliert er seine Identität. Man kann in der Tat eine Philosophie der Tradition bilden: Tradition als Zeichen der Freiheit und Verantwortlichkeit des Menschen, als Bewegung des menschlichen Geistes, in der das eigentlich Wahre immer wieder empfangen und bereichert weitergegeben wird, als die Konstante in der Wirrnis der Geschichte.

Aber dann muss "Tradition" so verstanden werden, dass sie nicht die Verantwortlichkeit des Individuums aufhebt. Skydsgaard fährt fort:

> Das alles ist wahr, aber diese Konstante kann auch eine Konstante des Bösen sein. Es existiert auch eine Tradition des Bösen und Nichtigen, und die beiden Komponenten der Tradition sind nicht zwei voneinander gesonderte Bewegungen, sondern oft unlösbar miteinander verbunden. (Skydsgaard 1969, 163f, vgl. Löwith 1960,161)

Aber gleichzeitig wurde diese Abgrenzung gemacht, damit ich dieser Tradition gegenüber "offen" bleiben soll, damit ich bereit bin, mich selbst, meine Identität, von ihr befragen zu lassen. Die eigene Identität als Anknüpfung an eine Tradition zu definieren kann einerseits als der Versuch betrachtet werden, die Offenheit der eigenen Identität auszudrücken, andererseits, den Anspruch auf kritische Distanz im eigenen Entwurf zu problematisieren, also der Versuch, das Definieren eigener Identität in die Problematik einzuführen, wie Entscheidung und Offenheit vereinigt werden können.

Wenn das geschieht "öffnen" sich die Grenzen der Tradition. Wenn die Abgrenzung einer Tradition nicht nur direkt den Entwurf der eigenen Identität wiederspiegelt sondern wenn damit Offenheit gemeint ist, die sich auf ein Denken richtet, dem gegenüber man bereit ist, den eigenen Entwurf befragen zu lassen, dann ist man bereit dafür, dass die eigene Identität verändert wird und dass man damit selbst eine neue Sicht von den Grenzen der Tradition erhält.

In dieser Offenheit liegt die Bereitschaft, Vergangenes etwas anderes sein zu lassen als nur eine Projektion der eigenen Subjektivität nämlich eine Bereitschaft nicht "an der methodisch-korrekten Erfassung des 'eigentlichen Sinnes' des Textes" vorbeizugehen. Ohne diese Bereitschaft zu einer "Askese gegenüber der eigenen Subjektivität" gibt es keine ernst gemeinte Anknüpfung an die Tradition. Aber die methodisch-korrekte Arbeit selbst zeigt solche Traditionen, die durch und durch ein Suchen nach Verantwortlichkeit ausdrücken, nicht "jenseits" der Worte auf. Solche Traditionen gibt es nur als Entwürfe, die in Respekt vor den tatsächlichen Worten solidarische Offenheit mit solidarischer Kritik zu vereinigen versuchen. (Vgl. GW IV,58-60 /1926a/) [61] In dieser solidarischen Offenheit liegt eine positive Erwartung, die Annahme, dass im anderen Denken etwas existiert, wogegen offen zu sein sich lohnt. In meinem Entwurf versuche ich in dem anderen, ganz gewiss situationsabhängigen Denken etwas zu finden, das nicht auf die andere Situation begrenzt ist, sondern auch für meine Situation von Wert ist und ich nehme an dass es so etwas Inter-situationelles gibt. [62]

2.2.3. Die Forderung nach Verantwortlichkeit als Suche des Wahren und Verpflichtetsein zum Wahren.
_____

In der Perspektive die hier in 2.2 ausgedruckt wird, lässt sich die grundsätzliche Weigerung finden, Wirklichkeit so wie sie ist zu akzeptieren, und damit eine fundamentale Weigerung, Verantwortlichkeit mit einem Streben danach zu identifizieren, sich an die Wirklichkeit, so wie sie ist, anzupassen und sie zu bewahren - und damit durch das eigene Handeln zu bejahen (2.1.1). In dieser Perspektive wird Verantwortlichkeit eher zu einem Streben danach, sich an die "wahre" Wirklichkeit anzupassen und sie zu erschaffen - und damit durch das eigene Handeln zu bejahen [63] .

55

Durch diese Weigerung, die Wirklichkeit so wie sie ist, ein Kriterium sein zu lassen - die Weigerung, "das Seiende", "das Sein" zu nennen (zB Heidegger 1927,4) die
Weigerung, essentielle und existentielle Elemente des Seins mit einander zu verwechseln (zB ST III,21f) - wird "wahr" zu einem intensiv ethisch geladenen Begriff. [64]

Diese Weigerung kann als anti-positivistisch aufgefasst werden. Wenn Positivismus
eine Theorie ist die, zB durch einen Determinismus oder durch den Versuch die Konsequenzen anderer Theorietypen als gefährlich darzustellen, das positiv Gegebene zu
dem macht, womit Denken und Handeln übereinstimmen sollen, dann kann ein Positivismus die hier gegebene Ausformung der Forderung nach Verantwortlichkeit nicht bejahen,
sondern muss eine solche Forderung als überspannt (vgl. Holte 1970,133 über
Lögstrup) oder metaphysisch auffassen. Umgekehrt knüpft die hier aufgezeigte Perspektive an die sechziger Jahre an, mit ihrer Rebellion "aus der Defizienzerfahrung
einer Wissenschaft, die die Frage nach der Wahrheit für irrelevant erklärt hatte"
und sie stellt den Versuch dar, deren Einsicht zu thematisieren, "dass der homo so-
ciologicus oder der homo oeconomicus, auf den sie reduziert wurde, eine Deformierung
der eigenen Menschlichkeit darstellte" (Gebhardt 1974,201f). In dieser Rebellion
kann man einen prometheischen Zug sehen. Es dürfte richtig sein, dies ideengeschichtlich damit zu verbinden

> that elevation of man and his concerns that began with Luther, gained
> strength with the French Revolution and forms the basis of most 'pro-
> gressive', social democratic and ethical humanist agitation and reform
> since the revolutions of 1848. It is the implicit assumption behind
> the intensified struggle for religious and political liberty, and so-
> cial and economic dignity, which marks off the modern from the medieval
> world (Kamenka 1969,21).

Es dürfte ebenfalls ideengeschichtlich richtig sein, dass

> in recent times, especially in advanced industrial countries and among
> men whose outlook was moulded by the horrifying excesses of Hitler and
> Stalin, there has been a marked revulsion from the Promethean ethic of
> human liberation on the ground that it provides no in-built check
> against such horrifying excesses (Kamenka 1969,22).

Man kann diese "revulsion" danach befragen, ob sie mehr über das Problematische in
dem Prometheischen aussagen kann (vgl. Kamenka 1969,12,23), aber die Frage ist zu
stellen, ob mit Verantwortlichkeit wirklich etwas Ernsthaftes gemeint sein kann,
ohne dass das Prometheische in irgendeiner Form bejaht wird (vgl. Lochman 1972).

In dieser Perspektive ist jedoch die prometheische Weigerung nicht das einzige.
Verantwortlichkeit besagt hier etwas ganz anderes als Willkür oder Selbstherrlichkeit. "Wirklichkeit" ist zu einem problematischen Ausdruck geworden. Auch hier
wird Verantwortlichkeit mit einer Uebereinstimmung mit der Wirklichkeit verbunden,
aber hier handelt es sich nicht um eine Uebereinstimmung mit der faktischen Wirk-

-lichkeit sondern um eine Uebereinstimmung mit der "wahren" Wirklichkeit, einer in den Möglichkeiten der faktischen Wirklichkeit [65] erkennbaren, kontrafaktischen Wirklichkeit. Diese Perspektive ist damit auch anti-existentialistisch wenn man mit existentialistisch das Verneinen der Möglichkeit oder der Sinnvollheit von etwas Essentiellem zu sprechen, gemeint ist.

> Der "Essentialismus" ist weit weniger leicht zu erledigen, als der vulgäre "Existentialismus" es glauben machen möchte. (Jonas 1970,4)

Dies taucht auch in dem Verhältnis zu Aussagen (anderer) wieder auf (2.2.2). In der hier skizzierten Perspektive liegt ein Misstrauen gegenüber unseren Gedanken und unsere Sprache (Tradition/Ideologie), nämlich nicht nur, dass sie Wirklichkeit verbergen könnten sondern dass sie letzlich der Wirklichkeit, wie sie ist, entsprechen und sie damit legitimieren könnten. Der Versuch zu verstehen, ist ein Versuch, dem anderen Denken einen Beitrag zu meiner Arbeit, Verantwortlichkeit zu verwirklichen, abzugewinnen, d.h. einen Beitrag der es mir ermöglichen soll, mein Handeln der "wahren" Wirklichkeit besser anzupassen und dazu beizutragen, die "wahre" Wirklichkeit zu erschaffen. Das andere Denken kann mich befragen, indem es in Frage stellt, ob mein eigenes Denken und das von ihm legitimierte Handeln der "wahren" Wirklichkeit gemäss ist. Was ich suche ist Kenntniss der "wahren" Wirklichkeit, also der Wahrheit. [66]

Was in anderem Denken Wahrheit sein kann, wird dadurch verdunkelt, dass die Gesprächsituation nicht ideal ist.

> Die hermeneutische Sinndimension ist /.../ auf das unendliche Gespräch
> einer idealen Interpretationsgemeinschaft bezogen. (Gadamer 1971,313
> im Anschluss an Apel. Vgl. Habermas 1970,154f)

Das faktische Gespräch aber ist nicht unendlich und das Denken beider ist an "ein zunächst nichtdurchsichtiges, faktisch-kontingentes Vermitteltsein mit einer historischen 'Gesamtsituation'", in der "das undurchschaute Interesse" "zwischen ihre Intentionen und deren theoretisch-sprachlichen Ausdruck resp. praktisch gesellschaftliche Verwirklichung tritt" (Böhler 1971,77f). Das Gespräch ist "auch ein Gewaltzusammenhang und gerade darin kein Gespräch" (Welmer nach Habermas 1970,153).

Die Einsicht, dass die Gesprächsituation nicht die ideale ist, hängt natürlich damit zusammen, dass "Wirklichkeit" zu einem problematischen Begriff geworden ist. Wenn "Wirklichkeit" problematisiert wird, dann wird auch "der überlieferte Wahrheitsbegriff" problematisiert, der veritas als adaequatio intellectus et rei versteht (vgl. Biemel 1973,62 und Aagaard 1974,158-161). Auch auf diese Weise wird das Heraustrennen des Wahren im anderen Denken erschwert. Es ist ziemlich unproblematisch, den Anspruch anderer Aussagen, mit der Wirklichkeit so wie sie ist überein-

-zustimmen, zu überprüfen; schwieriger ist es, ihren Anspruch, mit der wahren Wirklichkeit übereinzustimmen, zu prüfen.

Verstehen in der Bedeutung Sinnaufnahme/Sinnrezeption setzt voraus, dass man das zumindest zunächst nicht-durchsichtige Vermittelsein durchschaut. Dieses Durchschauen erhält den Charakter eines Entwurfes, eines Versuches der Antizipation einer Einsicht in die Beschaffenheit des Vermittelseins, darüber wie das faktische Gespräch von dem idealen abweicht, um mit Hilfe dessen das, wogegen ich offen sein will, von dem zu trennen, wogegen ich, gerade um solidarisch offen sein zu können, solidarische Kritik übe. Mit Hilfe dessen sehe ich in der durch Kultur- und Traditionsbezogenheit zusammenhängenden Geschichte des menschlichen Denkens (2.1.2) eine Problemgeschichte.

> Die Problemgeschichte der Philosophie hat es mit der sachlichen Kausalität der Probleme und ihrer Lösungsversuche zu tun, d.h. sie abstrahiert von der äusseren Kausalität und damit auch von dem denkenden Bewusstsein der einzelnen Philosophen. (Oehler 1957,522)

Dieser Entwurf erhebt also den Anspruch darauf, eine Einsicht in die Bedingungen der anderen und der eigenen Wahrheitssuche zu antizipieren. Er beansprucht also, die Begrenzungen des faktischen Gesprächs zu sprengen, d.h. zu transzendieren. Mit Hilfe dessen - und nur damit - können gemeinsame Einsicht von gemeinsamer Verblendung, wahrer Konsensus von dogmatischer Anerkennung unterschieden werden. Der Anspruch auf Einsicht in die Bedingungen der Wahrheitssuche ist nichts geringeres als der Anspruch auf Einsicht in die "wahre" Wirklichkeit, also der Anspruch darauf, Verantwortlichkeit antizipierend zu verwirklichen. (Habermas 1970,152,154,157)

> Die Idee der Wahrheit, die sich am wahren Konsensus bemisst, impliziert die des wahren Lebens. Wir können auch sagen: sie schliesst die Idee der Mündigkeit ein. Erst die formale Vorwegnahme des idealisierten Gesprächs als einer in Zukunft zu realisierenden Lebensform garantiert das letzte tragende kontrafaktische Einverständnis, das uns vorgängig verbindet und an dem jedes faktische Einverständnis, wenn es ein falsches ist, als falsches Bewusstsein kritisiert werden kann. (Habermas 1970,155)

Verantwortlichkeit scheint also nur möglich zu sein in einem Entwurf, in dem man versucht, die "wahre" Wirklichkeit zu antizipeiren, um davon ausgehend sowohl die Gegenwart als auch die Tradition in Frage stellen zu können.

> Der Wahrheit gegenüber ist die Verantwortung so gross wie dem Guten gegenüber, oder vielmehr, es ist eine Verantwortung. (GW IV,57/1926a/)

Auch im Verhältnis zu dieser Wahrheit taucht wieder die Forderung nach Entscheidung und Offenheit auf.

Diese Wahrheit ist nicht etwas Vorhandenes und Verfügbares, sondern sie wird in ei-

-nem Entwurf/einer Entscheidung <u>gegen</u> das Vorfindliche aufgestellt. Durch diesen Entwurf erhält man ein Bild der durch die Verantwortlichkeit zu verwirklichenden "wahren" Wirklichkeit, d.h. eine Utopie. Indem die Gegenwart in Relation zu dieser Utopie gesehen wird, wird die Kenntnis von der Gegenwart vertieft. In der Wirklichkeit werden Möglichkeiten entdeckt. Sinn in Geschichte und Gegenwart werden unterschieden. Die Utopie wird zu einem handlungsmotivierenden Ideal. Aber Utopie, Ideal und Sinn bleiben abhängig von einem Entwurf, der Entwurf verbleibt; sie verbleiben das Zentrale in <u>meinem Versuch</u>, in dieser Situation, in die ich involviert bin, Verantwortlichkeit zu verwirklichen.

> Als Flucht und Sprung nach vorn, als Verweigerung und Realisierung zugleich, hält der Entwurf die überschrittene und von der sie überschreitenden Bewegung zurückgewiesene Realität fest und enthüllt sie: demzufolge ist Erkenntnis ein Moment selbst der rudimentärsten Praxis: aber diese Erkenntnis hat nichts mit einem "absoluten Wissen" gemein; denn auf Grund dessen, dass sie durch die Negation der im Namen der allererst zu erzeugenden Realität zurückgewiesenen Realität bestimmt ist, bleibt sie der Aktion, die sie erhellt, verhaftet und versinkt mit ihr. (Sartre 1960,76)

Die Wahrheit bleibt geschichtlich "dadurch dass sich uns Wahrheit immer nur in geschichtlicher Konkretion zeigt", d.h. nicht abstrahierbar sondern nur einem Entwurf, der auch Applikation genannt werden kann, zugänglich ist.

"Ewige Wahrheiten" könnten niemals verstanden werden. Sie könnten niemals aus sich selbst heraus ihre Gültigkeit einsichtig machen, sondern müssten "als Fiktionen oder illusionäre Hypostasierungen erscheinen". (Beierwaltes 1973,4f)

Die Wahrheit bleibt unverfügbar. Der Entwurf darf nicht sich selbst verabsolutieren und seinen Vorgriff mit der "vollen idealistischen Sinntransparenz" verwechseln (Gadamer 1971,302).

> Entschlossenheit nimmt Utopien ernst; sie weist sie freilich darauf hin, dass sie einem jeweils herrschenden Seinsverständnis verhaftet bleiben, mithin nichts <u>gründlich</u> /vom Grunde her/ Umstürzendes vorwegnehmen vermögen. Wo aber <u>Utopie</u> in der Tat einen Umsturz einleitet, gilt sie als im Anspruch des sich "geschicklich" wandelnden Seinsverständnisses stehend. Sie <u>ist</u> selber nur als Entschlossenheit: als Offenheit einem Verständnisbereich gegenüber, <u>von dem her</u> sie die Welt verändert. (Sitter 1970,535,vgl. 527)

Aber in meinem Entwurf liegt der Anspruch nicht darin, dass es mein Entwurf ist, sondern dass er beansprucht, Verantwortlichkeit zu verwirklichen, Anspruch auf Wahrheit erhebt.

> Tatsächlich gibt es nicht <u>eine</u> unserer Handlungen, die, indem sie den Menschen schafft, der wir <u>sein</u> wollen, nicht gleichzeitig ein Bild des

Menschen schafft, so wie wir meinen, dass er sein soll. (Sartre 1946,12)

Ich akzeptiere dieses Bild als eine Norm und das Bild beansprucht von anderen Menschen als Norm akzeptiert zu werden. In dem Wahrheitsanspruch liegt ein Anspruch mehr zu sein als ein subjektiver Entwurf und damit auch das Anerkennen einer Instanz, die mehr ist, als subjektive Intensität und der sich mein Entwurf unterordnet, indem er ihr gegenüber offen zu sein versucht. Die Forderung nach Verantwortlichkeit ist nicht in erster Linie eine Forderung nach subjektiver Freiheit, sondern Forderung nach einer Suche des Wahren und einem Verpflichtetsein zum Wahren.

> Die Geschichte beschäftigt sich mit Wahrheiten, die Wahrheiten waren, nämlich für Andere, nicht mit solchen, welche Eigenthum wären derer, die sich damit beschäftigen. (Hegel 1831,58)

In dieser Perspektive kann Wahrheit nicht von Individuen erschaffen oder erobert werden.

Verantwortlichkeit kann nicht ein freies Erschaffen von Idealen werden oder Treue zu einer frei erschaffenen Utopie. Sinn kann nicht in einem praktischen Absolutismus oder Entscheidungspositivismus ergriffen werden. [67]

> Eine Forderung, die nichts mit dem Sein zu tun hat, an das sie ergeht, hat keinen Rechtsgrund, geht den nicht an, der sie vernehmen soll; und eine Verheissung, die keine Erfüllung des Seienden enthält, dem sie gegeben ist, kann von ihm nicht verstanden und nicht bejaht werden. Sie hat nichts mit ihm zu tun. Gefordert und verheissen werden kann nur, was dem Erfüllung bringt, an den sich Forderung und Verheissung wenden. Beide setzen also Unerfülltheit voraus. (GW II,314f/1933/)

Verantwortliches Denken kann nicht ein freies Konstruieren von Wahrheiten werden. Es muss den Charakter des eigenen Entwurfs als Entwurf bedenken und muss sich damit weigern, sein Urteil über die Wirklichkeit endgültig zu machen. Verantwortliches Denken muss ständige Offenheit gegenüber der Wirklichkeit sein, die, so wie sie ist, die einzige Wirklichkeit ist, der wir begegnen und in der uns die Wahrheit begegnet, wenn sie uns überhaupt begegnet. [68]

Auch im Verhältnis zu der Wahrheit führt die Forderung nach Entscheidung und Offenheit zu der Aufgabe, Protest und Gestaltung zu vereinen. Unterlässt man es einen Entwurf zu machen, in dem man die Wahrheit zu antizipieren versucht, so bedeutet das Gleichgültigkeit gegenüber der Wahrheit. Entzieht man seinen Entwurf den Protesten, so bedeutet das Identifikation der eigenen Entscheidung mit der Wahrheit und Weigerung, sich unter die Wahrheit zu stellen.

> Geschichtlich verstandene Wahrheit ist Wahrheit auf dem Wege - ist Wahrheit die lernflexibel ist, ist Wahrheit, die eigene Positionen räumen kann,

wenn sie sich als irrtümlich erweisen, ist Wahrheit als Feldwahrheit,
d.h. Wahrheit im Zeichen des Pluralismus /.../ Das Unaufgebbare, das
zu Bekennende steht unter dem Vorbehalt, dass es keinen Wahrheitsbe-
sitz gibt, sondern nur je neue Wahrheitsfindung. (Lüthi 1971,22f)

Wir leben nicht unmittelbar im Sein, daher wird Wahrheit nicht unser
fertiger Besitz. Wir leben im Zeitdasein: Wahrheit ist unser Weg
/.../ Die Vielfachheit der Wahrheit bedeutet: Der Mensch muss leben
in der Polarität des Unbedingten seines geschichtlichen Grundes und
des Relativen der objektiv gewordenen Gestalt. Seine hohe Aufgabe
ist, ohne Lähmung seiner Unbedingtheit doch die allzeitige Kommunikation zu finden. (Jaspers 1947,1,977)

3. DAS HUMANISTISCHE PROBLEM ALS FRAGEHORIZONT IN DER THEOLOGIE KARL BARTHS.

3.1. Barths Auseinandersetzung mit der "modernen" Theologie.

Auf die zahlreichen Interpretationsfragen dieses vielumstrittenen §, auf die sachkritische Frage, inwiefern es Schleiermacher gelungen oder nicht gelungen ist, den Begriff der schlechthinnigen Abhängigkeit klar in sich selber und begründet in seinen Voraussetzungen darzustellen, können wir hier nicht eintreten, sondern müssen uns begnügen mit der Feststellung dessen, was er im Allgemeinen gewollt und herausgearbeitet hat. (B 1926, 164)

3.1.1. Biographischer Zusammenhang und vorläufige Skizze.

Barths Umgang mit Geschichte ist zugleich selbstverständlich und problematisch.

Das neuzeitliche Christentum zu thematisieren, war Sache des Neuprotestantismus, war die Leistung von Ernst Troeltsch, und zu keinem Theologen seiner Zeit stand Barth in stärkerem Gegensatz als gerade zu Ernst Troeltsch. Was soll Neuzeit als Thema Karl Barths? (Steck 1973,13,8)

Barths eigene Ausdrucksweise und nicht zuletzt die Wirkungsgeschichte der Barthschen Theologie lassen erkennen, dass für Barth der Umgang mit der Geschichte etwas Problematisches ist. Die Kritik jeglicher Identifizierung von Geschichte und Offenbarung ist zweifellos für Barths Theologie zentral. Doch könnte man nicht behaupten, Barths Denken verstanden zu haben, wenn man damit verdecken würde, dass Barth, ganz bewusst, sein eigenes theologisches Denken vom Umgang mit Geschichte formen lässt. Zugespitzt: Problematisch an Barths Umgang mit Geschichte ist, dass er selbstverständlich und problematisch zugleich ist. Diese Problematik wird in unserem Umgang mit dem Barthschen Denken als (Teil der) Geschichte akzentuiert:

Mit Barths Tod ist auch seine Theologie für uns geschichtlich vermittelten Tradition geworden, die als solche begriffen werden muss, wenn sie wirksam bleiben soll. (Marquardt 1973,231)

Das Problem kann mit Schellong dann folgendermassen formuliert werden: Betrachtet man das Barthsche Denken als realitätsverbunden, so wird der, der die Kulturtheologie zu überwinden versuchte, selbst Kulturtheologe (Schellong 1973,239). Jedes Verstehen von Barths Theologie muss an diesem Punkt Barths und unsere eigene Problematik durchdringen.

Zunächst sollte man dann untersuchen, wie Barth selber im Rückblick die Funktion eines Dialogs mit früherer theologischen Reflexion in der Entwicklung seines eigenen Denkens auffasst.

62

Der Student Barth war - womit er seinem "mehr positiv-biblisch gerichteten" Vater
Kummer bereitete - von der damals als radikal beurteilten Theologie fasziniert und
war Schüler u.a. Kaftans, Gunkels, Harnacks und Herrmanns und Hilfsredakteur der
"Christlichen Welt" (Kupisch 1971,19-25). Zurückblickend summiert er selbst:

> Der damals im Mittelpunkt unserer Diskussionen stehende Name Troeltsch
> bezeichnete die Grenze, diesseits derer ich der damals herrschenden Theo-
> logie die Gefolgschaft verweigern zu müssen meinte. Im übrigen fühlte ich
> mich (wie Z.Th.K. Jahrg. 1909 aufweist!) als ihr entschlossener Anhänger.
> (B 1927,305. Barth spielt auf seinen Aufsatz "Moderne Theologie und Reich-
> gottesarbeit" an, vgl. Kupisch 1971,26-28)

Als pasteur suffragant in Genf vertiefte er sich "neben dem immer wieder gelesenen
Schleiermacher mit starken Eindrücken in Calvins Institutio" und glaubte "idealis-
tisch-romantische und reformatorische Theologie" in sich vereinigen zu können
(B 1927,305f).

> In diesem Sinn habe ich damals eine grössere Abhandlung über Glaube und
> Geschichte drucken lassen, die besser ungedruckt geblieben wäre. (B 1927,
> 306)

Als Barth 1911 nach Safenwil kam, reduzierte sich seine Beschäftigung mit der Theologie "auf die allerdings sehr sorgfältige Vorbereitung von Predigt und Unterricht",

> während mein eigentliches Studium sich auf Fabriksgesetzgebung, Versiche-
> rungswesen, Gewerkschaftskunde und dgl. richtete und mein Gemüt durch hef-
> tige, durch meine Stellungnahme auf Seiten der Arbeiter ausgelöste, lo-
> kale und kantonale Kämpfe in Anspruch genommen war.

Diese Veränderung wird von Barth so beschrieben, dass er in dem in der Gemeinde konkreten Klassengegensatz "wohl zum ersten Male von der wirklichen Problematik des
wirklichen Lebens berührt worden" ist. (B1927,306, vgl. B 1968,292) Die Folge davon bleibt so etwas wie eine Identitätskrise, zwar nicht für den christlichen Glauben aber doch für Predigt und Unterweisung der Kirche, also für die Aufgabe des
Pfarrers. [69]

> Ist es denn so sicher, dass zu jener religiösen, moralischen oder sozia-
> len Verbesserung der Menschen gerade die Predigt und die Unterweisung der
> Kirche geeignete Mittel sind? Vielleicht darf ich hier erzählen, dass ich
> selber damals mit dem Gedanken umgegangen bin, Gewerkschaftssekretär oder
> etwas ähnliches zu werden, einfach in der Erwägung, dass ich so vielleicht
> besser für das arbeiten könnte, was ich damals als Pfarrer meinte und woll-
> te und als Pfarrer nun doch nicht ganz befriedigend betätigen konnte.
> (B 1940,99)

Die entscheidende Wende, auf die Barth immer wieder zurückweist, wenn er von der
Geschichte seines Theologisierens Rechenschaft zu geben versucht, ist der Ausbruch
des Ersten Weltkrieges (B 1927,306, B 1957,6, B 1968,293). In den späteren Rückblicken ist das Interesse auf "das schreckliche Manifest der 93 deutschen Intellektuellen" konzentriert (vgl. unten 133) 1927 dagegen sagt er, dass der Ausbruch
des Weltkrieges für ihn "ein doppeltes Irrewerden" bedeutete, "an der Lehre meiner

sämtlichen theologischen Meister" und "am Sozialismus, von dem ich gutgläubig genug
mehr als von der christlichen Kirche erwartet hatte, dass er sich jener /Kriegs-/
Ideologie entziehen werde" (B 1927,306f, vgl. KD II/1,714/1940/).

In diesem Prozess spielte das Gespräch mit früherer Theologie keine grössere Rolle.
Aber er führte für Barth zu einem erneuten Umgang mit der wissenschaftlichen Theologie und der theologischen Reflexion der Vergangenheit. "In dieser heillosen Verlegenheit" wird die "Botschaft der beiden Blumhardt einleuchtend", die "allzulange
als selbstverständlich behandelte Textgrundlage meiner Predigten, die Bibel," wird
"immer problematischer" und "eines bestimmten Tages im Jahre 1916" wurde "zwischen
Thurneysen und mir ausgemacht, dass man sich zwecks weiterer Klärung der Lage der
wissenschaftlichen Theologie wieder zuzuwenden habe" (B 1927,307). Aber wie und
wohin? Nach einem späteren Bericht war es Thurneysen

> der mir einmal unter vier Augen das Stichwort halblaut zuflüsterte: Was
> wir für Predigt, Unterricht und Seelsorge brauchten, sei eine "ganz ande-
> re" theologische Grundlegung. Von Schleiermacher aus ging es offenbar
> nicht weiter. (B 1968,294)

Weitere Reflexion entschleierte, dass es auch nicht von Kutter aus weiterging, und
Hegel, die Reformatoren oder die Orthodoxie könnten, wie sie ihnen bekannt waren,
auch nicht weiterhelfen.

> Faktisch-praktisch drängte sich uns dann bekanntlich etwas viel Naheliе-
> genderes auf: nämlich der Versuch, bei einem erneuten Erlernen des
> theologischen ABC noch einmal und besinnlicher als zuvor mit der Lektüre
> und Auslegung des Alten und Neuen Testaments einzusetzen. (B 1968,294,
> vgl. B 1927,307)

Das resultierte allmählich in dem ersten Römerbriefkommentar (B 1919), in dem Barth
das Wort des Apostels Paulus zur Sprache bringen wollte. Er hat "den biblischen
Text damals (sicher auch noch später) mit sehr vielen, auch unter sich sehr ver-
schiedenen Brillen gelesen und das auch ungeniert kenntlich gemacht" (B 1968,295).
Der erste Römerbriefkommentar "stand mehr als ich selbst merkte unter starkem Ein-
fluss bengel-ötinger-beck´scher und (auf dem Umweg über Kutter auch schellingscher)
Gedanken, die sich nachher für das was zu sagen war, als nicht tragfähig erwiesen"
(B 1927,307).

Die Ueberprüfung führte zu einer Umarbeitung des Kommentars. Nach der autobiographischen Skizze von 1927 kam eine entscheidene Wendung zwischen den beiden Vorträgen auf der religiös-sozialen Tagung in Tambach im September 1919 (B 1919a) und für
die Aarauer Studenten-Konferenz im April 1920 (B 1920), eine Wendung, nach der
Barth "unabhängiger von der altwürttembergischen und sonstwie spekulativen Theologie und in jetzt erst klargewordener und ausgesprochener offener Opposition zu

Schleiermacher war. Die Inspiration zu der Wendung kam durch eine zweite Befragung "nach dem biblischen Sinn des 'Reiches Gottes'"

> angeregt durch die posthumen Veröffentlichungen von Overbeck, durch den mit Hilfe meines jüngsten Bruders (Privatdozent der Philosiphie in Basel) von Plato her neuverstandenen Kant, durch die jetzt erst in gewisser Auswahl verstandenen Kierkegaard und Dostojewski - während gleichzeitig gehaltene Serienpredigten über den Epheser- und den 2. Korintherbrief mich weiter in Paulus hinein führten. (B 1927,308, vgl. B 1922, VII)

Der Ruf an die in Göttingen zu errichtende Honorarprofessur für reformierte Theologie im Jahre 1921 intensivierte das Studium:

> Die gewisse Unbestimmtheit meines Lehrauftrags sorgte dafür, dass ich die Aneignung wenigstens der nötigsten Stoffe, die ich, auf diese Zukunft nicht gefasst, früher versäumte hatte. (B 1927,309, vgl. Kupisch 1971, 60f)

Sowohl Barths Ehrgeiz, seine hin und wieder auftauchenden Zweifel an den eigenen Möglichkeiten und sein vorsichtiges In-Frage-stellen des Sinns der ganzen Arbeit werden in einem Rundbrief vom März 1922 deutlich:

> O wenn mir doch jemand Zeit, Zeit, Zeit schenken könnte, um alles recht zu machen, alles in meinem (nicht in hirschischem!) Tempo zu lesen, zu zersetzen und wieder zusammenzusetzen! Fast möchte ich euch wie der reiche Mann in der Hölle sagen lassen, ihr möchtet doch in euren Pfarrhäusern keine Stunde unnütz verbrüten oder bei der Zeitung zubringen, wie ich es leider in Safenwil ausgiebig getan habe. Ihr könntet ja auch noch einmal Professor werden, und mit welchem Grimm sieht man dann jedes Buch an, das man nicht gelesen oder nicht so gelesen hat, dass man nachher wirklich weiss: wie und wo! Wie ganz anders könnte ich jetzt der Gesellschaft kommen, wenn ich statt knapp 1000 - 50000 solcher Zeddel um mich herum liegen hätte.

> Diese täg- und nächtliche Beschäftigung mit dem "Allertiefsten" ohne Ablenkung durch unverständige Konfirmanden, Kirchenpfleger und dergleichen ist oft angetan, einen "z⁻hinterfür /hintersinnig/ zu machen, besonders wenn man, wie ich, so gar keine Fähigkeit hat, wirkliche "historische Breite" zu gewinnen. Inwiefern das gut und möglich ist, die 34 Jahre, die mich noch von meiner Emeritierung trennen, damit zuzubringen, "darinne zu rumpeln mit gedenken", das ist mir oft und oft problematisch. Um ein richtiger Theologieprofessor zu sein, müsste man ein solch handfester, lederner, abgebrühter, nichts, aber auch gar nichts merkender Knollen sein, wie der selige Ritschl /.../ (GA V/3:2,60f,59 /1922-03-26/)

Die Nachwirkungen dieses Studiums sind vielleicht nicht leicht zu durchschauen, aber die starken Worte gegen die frühere Unbelehrtheit können andeuten, dass er diese als einen Mangel betrachtete, und dass die mindestens partielle Abschaffung dieses Mangels ihm als gewichtig erschien. Auch wenn Barth in Vorwort zu "Die protestantische Theologie im 19. Jahrhundert" es als ein Missverständnis bezeichnet, wenn man von ihm eine Anleitung zu einer durchaus kritischen Einstellung und Verhaltensweise "zu den uns unmittelbar vorangehenden Zeiten der Kirche" empfangen zu haben meint, so kann dieser Missverstand aus verschiedenen Gründen nahe gelegen haben. Man kann wahrscheinlich in Barths Denken eine Veränderung Mitte der zwanziger Jahre sehen, die nicht nur als "milde Altersweisheit" bezeichnet werden kann, sondern die das neue Studium inspiriert hat (vgl. Kupisch 1971,67f). Barth sagt selbst, dass Brunners Buch über Schleiermacher ihm in seinem "inzwischen neu und umfassend unternommenen Studium Schleiermachers ungemein anregend gewirkt hat", und er betont ausdrücklich, dass er "ohne die Voraussetzung eines über ihn /Schleiermacher/ ausgesprochenen Anathema /.../ damals in meinen drei letzten Göttinger Semestern zum erstenmal an die Ausarbeitung und an den Vortrag meiner eigenen Dogmatik herangehen" konnte (B 1968, 296f). Seine eigene Dogmatik wäre also nicht ohne diese neue Bearbeitung des Verhältnisses zu Schleiermacher möglich - oder zumindest nicht dieselbe.

Auch in der weiteren Entwicklung des Denkens Barths ist das Gespräch mit der Theologiegeschichte nach Barths Selbstverständnis einflussreich. Hier muss zB die Rolle berücksichtigt werden, die das Anselm-Studium für die "Vertiefung" und die Lösung "von den letzten Resten einer philosophischen (in Amerika sagt man wohl: 'humanistischen' oder 'naturalistischen') Begründung und Erklärung der christlichen Lehre" nach Barth spielte (B 1938,185). Auch muss die Rolle berücksichtigt werden, die "die kleingedruckten Zwischensätze" für die Entstehung der Kirchlichen Dogmatik und in der Kirchlichen Dogmatik spielen. In diesen gibt er, sagt er 1932, allen Lesern Gelegenheit

> diejenige Stimmen selbst zu hören, die mir bei der Ausarbeitung meines eigenen Textes in den Ohren lagen, die mich geführt, belehrt oder angeregt haben und an denen ich von den Lesern gemessen zu werden wünsche /.../ Ich habe, meinen eigenen Weg gehend, diejenige aufgenommen, die mir in irgendeinem Sinn Eindruck gemacht haben, und habe sie da aufgenommen, wo es mir zur Bewegung oder auch bloss zur Beleuchtung der Probleme sachlich dienlich erschien. (KD I/1,VIIf)

Später, 1951, kann er die Kirchliche Dogmatik als nur einen Anfang des Gesprächs mit der Theologiegeschichte und der Besinnung auf die Bibel bezeichnen. Er fährt dort fort:

> Da ist kein Gespräch mit den älteren und jüngeren Vorgängern, das nicht eingehender geführt, da ist kein Sachproblem, das nicht in seinen Zusammenhängen tiefer und umfassender bearbeitet, da ist vor allem kein Bibelvers, der nicht auf Grund neuer Untersuchung und Ueberlegung treuer zur Sprache gebracht werden könnte, als es bei mir geschieht. (KD III/4,VIII)

Diese Andeutungen dürften bekräftigen, was ziemlich selbstverständlich ist: Barth hat nicht unabhängig von anderem geschichtlichen Denken gedacht und hat es auch gar nicht versucht. Dass damit nur die Frage gestellt ist, wie dies in seiner Theologie durchreflektiert und motiviert wird, darf nicht die Tatsache verbergen, dass Barth Umgang mit Geschichte hat und vor allem mit der "modernen" Theologie wie er sie nennt. Bevor dieser Umgang näher untersucht wird, kann eine vorläufige Skizze die-

-ser Auseinandersetzung berechtigt sein, in der Vereinfachungen aufgedeckt werden, und das Interesse auf das für das Folgende Wesentliche gerichtet wird.

1. Dass Barth nicht unabhängig von anderem Denken gedacht hat, bedeutet natürlich, dass sein Umgang mit der "modernen" Theologie in die Geschichte seines eigenen Denkens hineingezogen ist, sodass dieser Umgang selber eine Geschichte hat, so dass die Geschichte des Barthschen Denkens als die Geschichte dieses Umgangs oder zumindest als von ihm ausgehend beschrieben werden kann. Das geschieht zB bei Glasse 1968. Wenn ich in 3.1.2 und 3.1.3 das Hauptgewicht auf diese Auseinandersetzung, so wie sie Ende der zwanziger/Anfang der dreissiger Jahre aussah, lege, so soll damit natürlich nicht die Möglichkeit von späteren Nuancenverschiebungen ausgeschlossen werden. Der Grund für die Wahl dieses Zeitpunktes ist, dass Barth damals besonders intensiv mit dieser Auseinandersetzung gearbeitet hat, dass diese Arbeit damals parallel zu der Arbeit an den dogmatischen Prolegomena geschieht, und dass Barth, meiner Meinung nach, die damals ausgearbeitete theologische Perspektive später nicht mehr aufgibt sondern nur noch verdeutlicht und erweitert. Letzteres hoffe ich damit begründen zu können, indem ich zumindest andeutungsweise aufzeigen werde, dass Barth später an den damals festgelegten Hauptlinien in seiner Auseinandersetzung festhält.

2. Barths Theologie ist eine Auseinandersetzung nicht nur mit der liberalen Theologie, sondern richtet sich ebenso stark gegen konservative Theologie und Biblizismus. Die Theologie des 19. Jahrhunderts ist in Barths Sicht trotz innerer Verschiedenheiten doch relativ einheitlich und seine Auseinandersetzung gilt der gesamten Theologie des 19. Jahrhunderts (schon B 1924, 61f, vgl. unten 3.1.3). Genauer: die Auseinandersetzung gilt der "modernen" Theologie oder der "Theologie des modernistischen Protestantismus /.../ diese neuere mit dem Pietismus und der Aufklärung an die Führung gekommenen Theologie" (KD I/1,264f). [70] Das ist das Prinzip für die Disposition in "Die protestantische Theologie im 19. Jahrhundert. Ihre Vorgeschichte und ihre Geschichte", und Barth betont dort ausdrücklich die theologische Bedeutung einer solchen umfassenderen Perspektive, in der nicht eine Tradition Aufklärung - Liberaltheologie als markant neu und abweichend abgetrennt wird (B 1933,19,64f). [71]

3. Man übersieht etwas für Barth Wesentliches, wenn man nicht sieht, dass "der moderne Mensch" und die "moderne" Theologie Typbegriffe darstellen, die Barth in seiner Deutung der Geschichte und einzelner Denker verwendet.

"Der moderne Mensch" ist nicht der heutige Mensch (B 1933,303). Er ist der Mensch "der von 1700 bis 1914 der moderne Mensch hiess" (B 1933,354). [72] Nun haben wir also eine gewisse Distanz zu diesem Menschen bekommen auch wenn wir weiterhin selber solche Menschen sind (B 1933,345,355,579, B 1957,6). Dieser Abstand macht es uns möglich, das zu durchschauen, was damals wohl kaum durchschaubar war. Das, was uns in diese Distanz gebracht hat, ist nichts worauf wir stolz sein könnten, ganz im Gegenteil:

> Wir haben härtere Zeiten erlebt /als die Theologen des 19. Jahrhunderts/, Schlimmeres mitgemacht als sie und sind seltsamerweise gerade dadurch freier gemacht, gewissen Kämpfen und Krämpfen, denen sie im Gegensatz zu und im Gespräch mit ihrem so sonnenhell sich gebenden Zeitalter ausgeliefert waren, von selbst entrückt, können gerade in der so viel rauher gewordenen Luft unbefangener atmen. Und der moderne Mensch kann uns nach dem, was er in unserem Jahrhundert geleistet hat, nicht mehr so imponieren, wie er jenen imponiert hat. In der Umgebung von so viel fröhlich schweifendem und triumphierendem Idealismus, Materialismus, Naturalismus, Skeptizismus und andern angeblichen Realismen, konnte man wohl melancholisch werden, waren wohl die evangelischen Theologen jener Zeit gerade als Menschen und Gelehrte das Beste, was sie sein konnten. (B 1957,9, vgl. B 1933,79,580)

Aber die Möglichkeiten zur Distanz sind begrenzt. Das, was in den dreissiger Jahren geschah, lässt Barth betonen, dass "das Moderne" mit 1914 nicht beendet ist (B 1937, 2, vgl. unten 151f)

"Der moderne Mensch" steht ebenfalls nicht als Ausdruck für alle Tendenzen unter den verschiedenen Varianten des Menschen dieses Zeitalters. Auch wenn Barth sich nicht besonders darum bemüht "innere Konflikte" zu analysieren (wie Tillich zB GWE II, 41ff/1963/, vgl. unten 180), so werden sie doch an einem entscheidenden Punkt vorausgesetzt:

> Indem sie sich von Hegel abwandte, bekannte die Zeit, dass sie, auf dem Gipfel ihres Wollens und Vollbringens angelangt, mit sich selbst unzufrieden sei, dass sie es so nun doch nicht gemeint habe. Sie versucht es unter Beiseitestellung Hegels noch einmal, erreicht nun nicht einmal mehr einen solchen Gipfel und kann offenbar mit sich selbst noch weniger zufrieden sein als vorher, obwohl sie tut, als ob sie es wäre. (B 1933,346)

Dagegen weigert sich Barth jedoch ausdrücklich die "moderne" Theologie mit aller Theologie, die zwischen 1700 und 1914 getrieben wurde zu identifizieren. Auch wenn es sich bei Barth dabei nicht um eine konsequent durchgeführte Terminologie handelt, so kann man sein Denken doch am besten damit wiedergeben, wenn man sagt, dass mit "moderner" Theologie bei Barth die unkritische Theologie, die Theologie des modernen Menschen, der "Reflex ihres Gegenstandes im Bewusstsein und Leben der Zeit überhaupt" gemeint ist. Dass die faktische Theologie "eine Wiederholung dieses allgemeinen Reflexes" ist, bestreitet Barth nicht. Die Frage ist nur, ob sich die Theologie "einfach mit ihm deckt". (B 1933,61) Wäre dies der Fall, so wäre "Die protestantische Theologie im 19. Jahrhundert" sinnlos. Dort werden jedoch im Gegensatz dazu der Zusammenhang und logische Fragen auf eine Weise beschrieben, die ständig eine andere Möglichkeit offen lässt, wir erkennen sie als die Möglichkeit Barths

68

wieder aber für ihn ist es die Möglichkeit, trotz aller Indizien, die dagegen sprechen, die frühere Theologie als echte Theologie, als eine kirchliche Dogmatik zu deuten [73] . Die Christlichkeit der Theologie dieses Zeitalters auszuschliessen, würde göttliche Vollmacht voraussetzen; eine solche beansprucht Barth nicht.

> Geschichtsdarstellung kann nicht Gerichtsverkündigung sein. Es wäre denn,
> dass wir durch prophetische Inspiration legitimiert wären zu der Voraus-
> setzung, dass unsere Gegenwart nicht nur Recht haben könne, sondern Recht
> habe. Wir werden aber gut tun, diese Möglichkeit nicht zu rasch und nicht
> zu oft in Anspruch zu nehmen. Genau das, was freilich des Menschen Sohn
> tun wird in seiner Zukunft, eben die Sonderung der Guten von den Bösen,
> haben wir angemessenerweise in der Regel zu unterlassen. (B 1933,9, vgl.
> KD II/1,716)

Wenn man so die Christlichkeit jeder Theologie glauben muss, so kann man sie letztlich nie konstatieren, nie beweisen - und das gilt nicht nur für die Theologie jenes
Zeitalters. Man kann nur Indizien sammeln. (B 1933,386) Aber man kann auch Indizi-
en gegen ihre Christlichkeit sammeln und muss von diesen Indizien ausgehend, Kritik
üben und Abstand nehmen. Barth kann so weit gehen, dass er die Theologiegeschichte
der letzten zweihundert Jahre "negativ", als eine Störung des Lebens der Kirche, ja,
schliesslich geradezu als eine die Kirche sprengende Häresie" beurteilt (KD I/2,317).
Aber auch wenn "das geschichtlich Erkennbare" zu einer solchen Beurteilung zwingt,
so wird dadurch nicht der Glaubenssatz von der Christlichkeit jener Theologie aufgehoben (B 1933,424). Wir sind nicht dazu in der Lage, jemanden als einen "auch für
die unsichtbare Kirche Gottes gänzlich Verlorene/n/", als "Erzketzer" zu beurteilen.

Es gibt nur relative Ketzer. (B 1933,3, vgl. KD I/1,304)

4. Man sollte darauf achten, was Barth an diesen Theologen nicht kritisiert und wofür er sie lobt. Einige Zitate aus dem Vortrag "Evangelische Theologie im 19. Jahrhundert" von 1957 können das verdeutlichen. Das Folgende ist also vier Jahrzehnte
nach dem "Durchbruch" gesagt. Er hätte es vielleicht damals so nicht sagen können
aber dadurch wird noch deutlicher, wie das Problem aussieht, nachdem Barth über seine Position weiter reflektiert hat.

Barths Kritik richtet sich nicht gegen das Interesse an der jeweiligen Gegenwart etc
[74] :

> Dass die evangelischen Theologen sich nicht abschrecken liessen, diesem mo-
> dernen Menschen - sehr viel direkter als es die gleichzeitige römisch-ka-
> tholische Theologie tat - ins Auge zu sehen, ihre Arbeit in diesem Klima
> wieder aufzunehmen und fortzusetzen, das war, wie man auch von ihren Vor-
> aussetzungen, Methoden und Ergebnissen denken mag, eine Leistung geisti-
> ger (und letztlich auch geistlicher) Standfestigkeit, die man als solche
> erkannt und anerkannt haben muss, bevor man von ihnen Abstand und Abschied
> nimmt. (B 1957,8)

> Sie war - und das war ihre Stärke - in allen ihren bedeutenden Vertretern

und Hervorbringungen eine ausgesprochen weltoffene und weltbezogene Theologie. Nun, Theologie war zu allen Zeiten in irgend einem Mass und Sinn, ihr selbst bewusst oder unbewusst, weltoffen und weltbezogen. Sie sollte und soll es auch sein. Rückzüge hinter chinesische Mauern sind ihr noch nie gut bekommen. Sie soll sich, wie immer das dann geschehen möge, im Gespräch mit der Zeitgenossenschaft befinden. (B 1957,10)

Will man den religiösen Anthropozentrismus der Theologie des 19. Jahrhundert in optimam partem interpretieren - und es empfiehlt sich, das jedenfalls zu versuchen - so wird man sich fragen müssen, ob sie nicht, mindestens auf ihre Intention gesehen, als der Versuch einer Theologie des dritten Artikels, genauer: des Heiligen Geistes zu verstehen sein möchte. Sie hätte als solche wieder einmal das gewiss Nötige, das Unverlierbare einschärfen wollen, dass man von Gottes Verkehr mit dem Menschen nicht reden kann, ohne sofort, ja ohne eben damit auch von des Menschen Verkehr mit Gott zu reden. (B 1957,16)

Die Theologie des 19. Jahrhunderts hat - und das gehört an sich zu ihren Verdiensten und gereicht ihr zu Ehre - von ihrem Ursprung bei Herder und in der Romantik her wieder erkannt und im Rahmen ihrer Voraussetzungen zur Geltung gebracht, dass es dem christlichen Glauben im Unterschied zu anderen Glaubensweisen wesentlich ist, geschichtlich, nämlich durch sein Verhältnis zu der durch den Nahmen Jesus Christus angezeigten Geschichte bestimmt zu sein. (B 1957,19)

5. Zum Schluss einige Ausdrücke in Barths Auseinandersetzung, Ausdrücke die dann im Folgenden inhaltlich mehr gefüllt werden sollen.

"Der moderne Mensch" wird von Barth mit Hilfe des Begriffs "Absolutismus" verstanden.

"Absolutismus" kann offenbar allgemein bedeuten: ein Lebenssystem, das gegründet ist auf die gläubige Voraussetzung der Allmacht des menschlichen Vermögens. Der Mensch, der seine eigene Kraft, sein Können, die in seiner Humanität, d.h. in seinem Menschsein als solchem schlummernde Potentialität entdeckt, der sie als Letztes, Eigentliches, Absolutes, will sagen: als ein Gelöstes, in sich selbst Berechtigtes und Bevollmächtigtes und Mächtiges versteht, der sie darum hemmungslos nach allen Seiten in Gang setzt, dieser Mensch ist der absolutistische Mensch. Und dieser absolutistische Mensch /.../ ist der Mensch des 18. Jahrhunderts. (B 1933, 19f)

Und obwohl die Geistigkeit des 19. Jahrhunderts nicht mit der des 18. Jahrhunderts identisch ist, so ist sie ihre Vollendung auch in dem was ihre Ueberwindung genannt wird (B 1933,303).

Selbstvertrauen, qualifiziert als Gottvertrauen, Gottvertrauen konkretisiert als Selbstvertrauen - wer, der das Blut dieses modernen Menschen in sich trägt, würde da nicht aufhorchend, den schönsten und tiefsten Widerhall seiner eigenen Stimme vernehmen? (B 1933,355, Abschnitt über Hegel)

Die "moderne" Theologie mit der jede Theologie dieser Zeit identisch zu werden droht, lässt das Reden von Gott ein Reden "in erhöhtem Ton, aber noch einmal und

70

erst recht von diesem Menschen" werden (B 1956,5), erstens von dem christlich religiösen Menschen, aber letztlich von dem absolutistischen Menschen.

> Man könnte /.../ bei der ganzen Theologie des /19./ Jahrhunderts die Frage
> stellen, /.../ ob es schliesslich in dem Ganzen der theologischen Bewegung
> des Jahrhunderts zu etwas anderem als zu einer Vollendung und durchaus
> nicht zu einer Ueberwindung der Aufklärung, ihres entscheidenden Interes-
> ses des Menschen an sich selber gekommen sei. (B 1933,599)

Theologisch wird Gottes Gegenwart im Jetzt so betont, dass der absolutistische
Mensch mit seiner Frömmigkeit (= das psychologisch Vorfindliche) und mit der von ihm
selbst erschaffenden Geschichte (= das historisch Vorfindliche) ideologisch legitimiert wird (KD II/1,713, vgl. B 1933,522). Sünde wird dann, wenn man überhaupt von
ihr spricht, zu einem Mangel, den man reparieren kann, niemals etwas wirklich Ernsthaftes. Eine unüberwindliche Distanz zwischen Gott einerseits und dem Menschen mit
seinen Taten und seiner Geschichte andererseits wird zu einer undenkbaren Vorstellung. Bereits der Pietist kämpft um die Eroberung des Christentums.

> Das erstrebte Eroberungsziel ist die Aneignung des Christentums, die dann
> als vollzogen gelten darf, wenn alles Nicht-Eigene als solches aufgelöst
> und in ein Eigenes verwandelt ist. (B 1933,94)

Die "moderne" Theologie ist von distanzlosem Monismus geprägt (B 1927a,209). Lessing entscheidet sich

> mit dem römischen Katholizismus und mit dem ganzen protestantischen Moder-
> nismus (und als einer der ersten ganz klaren Herolde des Programms dieses
> letzteren) - zugunsten der Geschichte selbst im Unterschied und Gegensatz
> zu dem gerade durch das protestantische Schriftprinzip unverwischbar be-
> zeichneten Herrn der Geschichte. (B 1933,234)

Eine solche Theologie ist nach Barth völlig harmlos (B 1930,390f). Der Offenbarungsbegriff ist immunisiert (B 1933,415). Die "natürliche" Theologie wird äusserster Masstab auch für die Offenbarung (B 1938a,45f), denn da der Monismus vorausgesetzt wird, wird das, was sich am Vorfindlichen ablesen lässt, zur Wahrheit. Die
Offenbarung wird die, die "natürliche" Religion "bestätigende und also an ihr zu
messende Offenbarung" (B 1933,151, vgl. 146).

> Religion ist eine selbstständige bekannte Grösse der Offenbarung gegen-
> über, und die Religion ist nicht von der Offenbarung, sondern die Offen-
> barung ist von der Religion her zu verstehen. Auf diesen Nenner lassen
> sich grundsätzlich die Intentionen und Programme aller bedeutenderen Strö-
> mungen der neueren Theologie bringen. Neuprotestantismus heisst "Religio-
> nismus". Auch die konservative Theologie dieser Jahrhunderte: die supra-
> naturalistische des 18. und die konfessionelle, biblizistische und "posi-
> tive" Theologie des 19. und 20. Jahrhunderts hat dabei im ganzen mitge-
> macht. (KD I/2,316)

Die Position der "modernen" Theologie ist damit eine Position über der Offenbarung,
über dem Christentum (B 1957,22). Sie glaubt dazu imstande zu sein, das Christen-

-tum "gleichsam von oben einzusehen in seinem Wesen zu eruieren und in seinem Wert zu würdigen". Sie betrachtet sich nicht als Diener sondern als Meister des Christentums. (B 1933,398f) Die "moderne" Theologie zweifelt nicht einen Augenblick an der Möglichkeit einer theologia gloriae (B 1933, 554f,523). [75]

Der von der "modernen" Theologie beschriebene Christ ist so ein alle Wahrheit und alles Heil besitzender Mensch. Die gesamte Theologie wird zu einer Bestätigung der Vortrefflichkeit dieses Menschen. Die Dogmatik kann nicht kritisch sein. (KD I/1, 299) Der Glaube hat "keinen von ihm selbst verschiedenen Grund, Gegenstand und Inhalt, kein Gegenüber" (B 1957,17). Er sieht keinen Anlass dazu, auf das Wort Gottes zu hören (KD I/2,636). Der Glaube ist das menschliche Ergreifen, nicht Ergriffensein (B 1933,95). Der Christ ist ein alle Gnade ergreifender oder sogar besitzender und nicht ein die Gnade erwartender Mensch. Die "moderne" Theologie entbehrt jedes eschatologischen Vorbehalts und dagegen protestiert Barth:

> Christentum, das nicht ganz und gar und restlos Eschatologie ist, hat mit Christus ganz und gar und restlos nichts zu tun. (B 1922,298, vgl. B 1924, 50f,61)

Aber - und das ist für Barth nicht weniger wichtig - indem sie die Frömmigkeit und die Wirklichkeit überhaupt legitimiert, wird die "moderne" Theologie auch prinzipiell unfähig zu Kritik und Verantwortlichkeit gegenüber Kultur und Politik.

> Indem man die christliche Botschaft in eine Aussage des christlichen Selbstbewusstseins transponierte, indem also ein dem christlichen Menschen real und überlegen gegenübertretender, ihn zur Rede stellender und als Herr mit ihm handelnder Gott, wie es in allen "Religionen" der Fall ist, praktisch ausser Sicht kam, wurde die Sicht auch in der Horizontale vernebelt, hatte man den christlichen Menschen grundsätzlich der Kritiklosigkeit und Verantwortungslosigkeit gegenüber den Gestalten, Mächten und Bewegungen der sonstigen menschlichen Geistes-, Kultur- und Weltgeschichte ausgeliefert. (B 1957,18f)

Die "moderne" Theologie ist deshalb für Barth nicht nur schlechte Theologie, sie war (gerade dadurch) ausserdem gefährlich und führte zu politischer Naivität und geistlichem Dilettantismus:

> Wie verworren war die Stellungnahme der evangelischen Kirche zu jenen Wechseln der Weltanschauungen! Wie lange hat es gebraucht, bis sie sich entschloss, sich mit der sozialen Frage zu beschäftigen, den Sozialismus überhaupt ernst zu nehmen und mit wieviel gerade geistlichem Dilettantismus hat sie das dann getan! Wie naiv hat sie sich in der ersten Hälfte des Jahrhunderts der politischen Reaktion und wie naiv in der zweiten der Ideologie und Erhaltung des liberalen Bürgertums und des neuen Nationalismus und Militarismus verschrieben! Das alles gewiss nicht aus bösem Willen! Aber das Schiff war offenkundig gerade theologisch steuerlos. (B 1957,19)

3.1.2. Barth und Schleiermacher

In Barths Rückblicken auf die Funktion des Gesprächs mit früherer theologischer Reflexion in der Entwicklung seines eigenen Denkens, taucht immer wieder der Name Schleiermachers auf. In seinem Nachwort zu der von Heinz Bolli besorgten Schleiermacher-Auswahl stellt Barth ebenfalls fest, dass eine "Uebersicht über die Geschichte meines eigenen Verhältnisses zu diesem 'Kirchenvater des 19. (und auch des 20.!?) Jahrhunderts'" "ein nicht unwichtiges Segment meiner eigenen Lebensgeschichte" beschreibt (B 1968,290). Die Gegensatzstellung zu Schleiermacher ist sehr wichtig, als Barth zur Klarheit über die eigenen Intentionen zu kommen beginnt, und sie wird besonders intensiv während der Zeit bearbeitet, in der die Perspektive der Kirchlichen Dogmatik klar wird. Versucht man also Barths Intentionen wiederzugeben, so ist es ganz natürlich, wenn man Barths Verständnis dieser Gegensatzstellung grösstes Gewicht beimisst. [76]

Nach Barths prinzipieller Auffassung kann man zwischen dem Menschen und seinem Werk nicht unterscheiden, und die Verwerfung eines Menschen "hat zu unterbleiben" (B 1933,9). "Resultate früherer dogmatischer Arbeit ebenso wie unsere eigenen Resultate" können nicht die Wahrheit selbst sein (das wäre theologia gloriae und also nicht theologia viatorum!), da sie Resultate menschlicher Bemühung sind. Aber sie können Zeichen des Kommen der Wahrheit und "Hilfe, aber auch Gegenstand neuer menschlichen Mühewaltung" sein (KD I/1,13). "In bewegter, liebender Aufgeschlossenheit" (B 1962,195) muss das Gespräch mit früherer Theologie daher fortgesetzt werden.

> Ein ausgesprochenes Urteil, die Meinung, dass wir mit diesem und jenem im Guten oder Bösen "fertig" seien, bedeutet so oder so immer, dass zu unserem eigenen Schaden, aber dann immer auch zum Schaden der Kirche, eine Türe zufällt, die offen bleiben, ein Ton verstummt, die weiterklingen sollte. (B 1933,9)

Das gilt auch und nicht zuletzt für Schleiermacher:

> Schleiermacher ist eine Potenz, der man weder auf den ersten noch auf den zweiten oder dritten Antrieb fertig zu sein meinen darf. (B 1926,189, vgl. B 1968,307, B 1924,55f,61)

Folglich hat Barths Verhältnis zu Schleiermacher eine Geschichte, die auch Barth selbst beschrieben hat (zB B 1927,305ff, B 1968). Barth sagt sowohl 1926 wie 1968, dass er nicht mit Schleiermacher fertig ist, und dass er nicht eine "Abrechnung" sondern nur "eine Rechenschaftsablage über den derzeitigen Stand meiner Auseinandersetzung mit ihm" geben kann (B 1926,189, vgl. B 1968,307ff). Aber die Struktur dieser Auseinandersetzung ändert sich nicht.

Die Intention Schleiermachers wird von Barth in einem "Glaubenssatz" bejaht (B 1933, 424) "die Christlichkeit seiner Theologie" wird immer gesucht (B 1926,168,176,188, B 1933,382), und die Möglichkeit sich "mit Schleiermacher im Himmelreich in dessen erst kommender Gestalt" zu unterhalten ist vorausgesetzt (B 1968,310). Das ist um so leichter als Barth "die humane Grösse Schleiermachers und seines Werkes" nur loben kann, ja

> wir haben es mit einem Heros zu tun, wie sie der Theologie nur selten geschenkt werden. Wer von dem Glanz, der von dieser Erscheinung ausgegangen ist und noch ausgeht, nichts gemerkt hätte, - ja ich möchte fast sagen: wer ihm nie erlegen wäre, der mag in Ehren andere und vielleicht bessere Wege gehen, sollte es aber unterlassen, gegen diesen Mann auch nur den Finger aufzuheben. Wer hier nie geliebt hat und wer nicht in der Lage ist, hier immer wieder zu lieben, der darf hier nicht hassen. (B 1933,380f)
> 77)

Doch Barth konnte von seinem Verhältnis zu Schleiermachers Theologie nie sagen, dass er sich dessen "freudig bewusst sein dürfte, im Grunde mit ihm einig zu gehen" und "seine Theologie nicht ablehnen müsste". Er hoffte, es im Himmelreich sein zu können. (B 1968,307,310) Aber "das geschichtlich Erkennbare würde uns hier letztlich untröstlich zurücklassen" (B 1933,424), und "die tragische Schuld" oder "der Abfall seiner Theologie" müssen trotz allem vermutet werden (B 1926,188). Barth verbleibt derjenige, "der mit Schleiermacher rebus sic stantibus sachlich von Grund aus nicht einig zu gehen vermag" (B 1968,306). Auch wenn das Verhältnis als ein Bewegungskrieg aufgefasst werden muss, so ist es doch ein Krieg (B 1926,189). Worauf läuft Barths Kritik hinaus?

Barths Kritik kann als eine Reflextion über die Voraussetzungen und Folgen von Schleiermachers apologetischen Bemühungen verstanden werden

Barth verurteilt nicht jegliche Apologetik. In seinem Versuch Bultmann zu verstehen, sagt er, dass das Wort "Apologet" nicht notwendig ein Schimpfwort sein muss:

> In irgend einem Sinn sind wohl alle Theologen aller Zeiten auch Apologeten gewesen und mussten sie es auch sein. Es ist aber klar, dass man dabei nur einen Aspekt seines Unternehmens und nun doch wohl nicht seine ihm selbst wichtigste Tendenz, sondern nur ein allerdings bemerkenswertes Nebenprodukt seiner Arbeit gesehen und erfasst hat. (B 1952,43, vgl. B 1957,10f)

In dem Vortrag von 1925 über Herrmanns Dogmatik, rühmt er nicht nur dessen Kampf "gegen die alte und die neue, die verschämte und die unverschämte Apologetik" (B 1925,267), sondern vermisst auch, zwar eine andere aber eben doch eine Apologetik. Wenn man die Autopistie der christlichen Wahrheit hervorgehoben hat, dann braucht man, nach Barth, nicht in einer Polemik gegen jegliche Apologetik zu erstarren.

Dafür brauchte sie /die Polemik Herrmanns/ dann vielleicht nicht so bit-
ter und aufgeregt zu sein, könnte mit dem von Herrmann nur nicht verstandenen Humor, den die klassische alte Theologie noch hatte, für ein bis-
chen nicht so ernst gemeinte Apologetik Spielraum lassen. Warum sollte
man denn Gott, wenn man seiner gewiss ist, nicht auch noch beweisen dürfen? (B 1925,270)

Bereits im ersten Band der Kirchlichen Dogmatik begegnet - nicht die Verurteilung
jeglicher Apologetik sondern - die Unterscheidung zwischen richtiger, d.h. ungewollter, schlechthin ereignishafter und aller unrichtigen, d.h. gewollten Apologetik
(KD I/1,28f).

Es gibt demnach für Barth eine Apologetik, die für die Theologie verheerende Folgen
hat. Barth meint, dass Schleiermacher diese Gefahr gesehen und sich gegen sie ge-
wehrt hat (B 1933,385), ihr aber andererseits auch nicht entgangen ist.

Barth betont in seiner Darstellung "Die protestantische Theologie im 19. Jahrhundert" dass das apologetische Anliegen für Schleiermacher nicht das Primäre ist
(B 1933,393), und es ist eine Folge davon, dass Barth zumindest seit Mitte der zwanziger Jahre Schleiermacher von dessen Predigten aus interpretiert.

Es hat m.W. vor und nach mir niemand den Versuch gemacht, Schleiermacher
von seinen Predigten her zu interpretieren. (B 1968,297, vgl. B 1933,
388,390, B 1926,136, B 1924,53)

Dort findet er ein ethisches Anliegen:

Was will er? Die Menschen in die Bewegung der Bildung, der menschlichen
Lebenserhöhung, die zu tiefst die religiöse, die christliche Bewegung
ist, hineinziehen. Ich getraue mich zu behaupten, dass seine ganze Religionsphilosophie, also seine ganze Lehre vom Wesen der Religion und des
Christentums, an die man bei der Nennung seines Namens zuerst zu denken
pflegt, ein Sekundäres, eine Hilfslinie gewesen ist zur Begründung dieses seines eigentlichen, des ethischen Anliegens. (B 1933,389, vgl. B 1924,
56-58)

Nicht das Zustandebringen einer Synthese ist Schleiermachers Problem. Die Synthese
besteht für ihn bereits auf ganz selbstverständliche Weise. Das Wesentliche ist
für ihn die Aufgabe, die aus der bereits existierenden Synthese erwächst, die Aufgabe, die daher nicht nur eine kulturell-pädagogische sondern gleichzeitig die tiefste religiöse Aufgabe darstellt, das Verwirklichen des Reiches Gottes (B 1933,387f).

Aber obwohl Schleiermachers apologetische Anliegen nach Barth nur ein sekundäres
ist, so ist es für die Begründung des primären Anliegens unentbehrlich. Auf Grund
der Analyse dieser Begründung wird die Kritik möglich und, nach Barth, notwendig.
Barth versucht hier der Form der Kritik zu entsprechen, die er in seiner Rezension
von Brunners Schleiermacherbuch empfohlen hat.

75

Warum den Mann nicht ganz einfach zu Worte kommen lassen, breit und viel-
seitig wie er war, in seinem eigenen Zusammenhang seine Sache selbst vor-
tragend, begründend, beleuchtend und - widerlegend? (B 1924,55)

Was geschieht in den Reden über die Religion und in den §§ 1-31 der Glaubenslehre?

Im Begriff das Christentum zu verkündigen, fällt es ihm zu seinem Bedau-
ern auf, dass die anderen modernen Menschen ja gar nicht oder nur kopf-
schüttelnd zuhören, und so lässt er den schon aufgeschlagenen Text auf
einen Augenblick liegen, wo er liegen mag, und steigt zunächst von der
Kanzel wieder herunter, um mit der für diesen Augenblick in ein Publikum
sich verwandelnden Gemeinde zu parlamentieren, ihr praenumerando, abgesehen von dem, was er nachher sagen will, die Möglichkeit und Notwendigkeit,
solches zu sagen, plausibel zu machen. (B 1933,394f)

Die Frage, ob Schleiermacher vor allem die Möglichkeit oder die Notwendigkeit zeigen wollte, muss nach Barth so beantwortet werden, dass sich bei jenem eine vorsich-
tigere und eine kühnere Apologetik abwechseln. Einmal versucht sie aufzuzeigen,
dass das Christentum in dem Denken der Zeitgenossen Raum bekommen kann "ohne durch
irgendwelche Kanten anzuecken", dann wieder versucht sie zu zeigen, - zwar nicht
etwas von Gott aber doch - dass die Religion "eine notwendige Manifestation des
menschlichen Geisteslebens" ist. Dieses Abwechseln ist keine Inkonsequenz sondern
eher etwas, was Schleiermacher vorantreibt. (B 1933, 397-402) Aber Barths kritische Fragen sind relativ unabhängig davon, ob diese Deutung richtig ist. Sie setzen
ein bei der Reflexion über die Voraussetzungen die akzeptiert werden, sobald man
überhaupt die Kanzel verlässt und sich in ein apologetisches Gespräch einlässt.
Man kann hier an Barths eigene Terminologie anknüpfenund zwischen formalen und sachlichen Voraussetzungen unterscheiden.

Formal setzt das apologetische Gespräch die Möglichkeit eines Standpunktes über dem
Christentum voraus (B 1933,396).

Wer zwischen dem Glauben und einem zunächst als ungläubig vorausgesetzten Kulturbewusstsein zuerst parlamentieren und dann einen ewigen Vertrag bewirken will, der muss, in dieser Funktion jedenfalls, grundsätzlich jenseits von Beiden, eine überlegene Stellung einnehmen, von der aus
er Beide einsehen und der gerechte Sachwalter Beider sein kann. (B 1933,
395)

Der Apologet tritt mit dem Anspruch auf in der Lage zu sein, das Christentum "gleichsam von oben einzusehen, in seinem Wesen zu eruieren und in seinem Wert zu würdigen" und "nicht als verantwortlicher Diener, sondern wie ein rechter Virtuose als
ein freier Meister" des Christentums aufzutreten (B 1933,398f). Mit einer Terminolo-
logie, die sonst bei Barth üblich ist, in "Die protestantische Theologie im 19.
Jahrhundert" im Kapitel über Schleiermacher allerdings nicht verwendet wird: Wenn
man sich auf ein apologetisches Gespräch einlässt, so setzt man eine Philosophie/
Religionsphilosophie (zumindest deren Möglichkeit) voraus, die "die freie Anerken-
76

-nung der Gültigkeit der christlichen Botschaft und also den Glauben mit mehr oder
weniger Dringlichkeit nahelegen" (B 1957,12). 1957 formuliert Barth seine Einwände
in Form zweier Fragen (B 1957,13ff):

1. Sind die, bei den apologetischen Versuchen verwendeten (Religions-) Philosophien
wirklich gut? Dass der Versuch Schleiermachers und seiner Nachfolger so geringe Bedeutung sowohl "für die breite Masse der 'Gebildeten'" als auch "für das Denken der
erwachenden Arbeiterschaft des 19. Jahrhunderts" hatte, war "immerhin nicht unbe-
denklich".

2. Ernsthafter: Wie muss die christliche Botschaft und der christliche Glaube verstanden werden, um eine Sache sein zu können, "über die sich auf dem Boden und unter
der Voraussetzung der Gültigkeit irgend eines allgemeinen Weltbildes verhandeln liesse"?

> Wie wenn sie /die christliche Botschaft/ sich dagegen sträubte? Wie, wenn
> sie, als "Religion" interpretiert, aufhörte, das zu sein, um dessen allge-
> meine freie Anerkennung man sich so eifrig bemühte? (B 1957,14f) 78)

Die zweite Frage führt zu Ueberlegungen über die sachlichen Voraussetzungen des apologetischen Gesprächs. Barth glaubt nicht an die Möglichkeit eines apologetischen
Gesprächs ohne dass dabei die Offenbarung als eine menschliche Möglichkeit gedeutet
würde, so dass "der Mensch als Subjekt des theologischen Denkens nicht etwa gebunden
<u>werde</u> und <u>sei</u>, sondern nach eigenem Ermessen sich <u>selber</u> binde". Barth meint, dass
"die ganze Geschichte der protestantischen Theologie in den letzten zweihundert Jahren" ein und dieselbe Formel bereithält, die das ermöglichen soll:

> · Es sei der ganze Komplex der konkreten theologischen Autorität zu verste-
> hen als das geschichtliche Vehikel oder Medium oder Symbol, mittels dessen
> die allgemeine, grundsätzlich auch sonst erkennbare, göttliche Wahrheit zu
> uns komme, uns einleuchte und von uns ergriffen werde. Nach dieser Formel
> ist der Masstab der theologischen Erkenntnis offenbar eben diese irgendwie
> allgemein erkennbare göttliche Wahrheit, die man sich nicht oder doch auf
> keinen Fall mit Autorität, mit Befehlsgewalt, braucht sagen zu lassen, son-
> dern deren man sich bei Anlass der Begegnung mit Christus, Bibel und Dogma
> · bloss wiedererinnert, um in dieser Wiedererinnerung Christus, Bibel und
> Dogma als "zufällige Geschichtswahrheiten" zwar dankbar zu begrüssen, aber
> auch frei meistern zu dürfen. (B 1930,390, vgl. B 1933,414)

Das ist für Barth "die Verharmlosung der Theologie" (B 1930,391), und man kann seinen Vortrag von 1930 schwerlich anders als eine Anklage gegen die gesamte zweihun-
dert-jährige Tradition inklusive Schleiermachers (B 1930,390) verstehen, dass sie
auf diese Weise die Theologie verharmlost habe. In "Die protestantische Theologie
im 19. Jahrhundert" taucht im Abschnitt über Schleiermacher der gleiche Gedankengang auf, wenn auch in der Form "einer zurückhaltenderen - sit venia verbo - 'raffi-
nierteren', einer <u>immanenten</u> Kritik an Hand einer gelassenen systematischen Entwicklung des <u>Gegenstandes</u>" (B 1924,55).

So stellt Barth zB fest, dass Schleiermacher Schwierigkeiten mit dem Kirchenbegriff hat. "Qua Apologet", muss er die Kirche als eine "aus menschlicher Freiheit entstandene und bestehende fromme Gesellschaft an/zu/sehen". "Wenn er wieder ganz bei der Sache sein und als christlicher Theologe reden wird", dann aber "wird sich alles Weitere, was über den Begriff der Kirche auch noch und ganz anders zu sagen ist, finden". (B 1933,397)

Aber der Zusammenhang, in den die Frage gestellt wird, ist hier - ebenso wie zum grossen Teil auch in B 1926 - die Frage, wie Schleiermacher die beiden Pole behandelt zwischen denen nach Barth jede Theologie steht, und die die Reformatoren Evangelium/Wort Gottes/Christus und Glaube nannten. (B 1933,410)

Hier muss man, so meint Barth, darauf achten, wie das apologetische Anliegen damit übereinstimmt und davon bestimmt wird, dass Schleiermacher

> nicht nur ein Gebildeter und Bildner seiner Zeit überhaupt, sondern ein erstens von der Brüdergemeine und zweitens von der romantischen Schule herkommender Gebildeter und Bildner jener Zeit gewesen ist. Beides bedeutet, dass Gebildetsein und Bilden für ihn entscheidend Vermittlung - Vermittlung, In-Eins-Schau, Synthese, Friede nicht nur zwischen diesen und jenen, sondern letztlich zwischen allen, auch zwischen den dezidiertesten Gegensätzen bedeuten musste. (B 1933,402f, vgl. B 1926,144ff)

Das kommt, nach Barth, auf verschiedene Weise immer wieder zum Vorschein. Schleiermacher predigt den Frieden.

> Er ist ein abgesagter Feind aller Aufregung, alles Jähen, Plötzlichen, Unvermittelten im christlichen Leben. (B 1926,147, vgl. B 1933,403f)

Barth stellt ebenfalls fest, dass Schleiermacher in seinen Predigten Schwierigkeiten damit hat, eschatologischen Texten gerecht zu werden oder Texten von der Busse als einem Weg durch den Tod, Texten über Seelenqual, Vernichtungsgefühl, Selbstverleugnung, Texten vom Tragen des Kreuzes, vom Gesetz als Trennung von Himmel und Erde (B 1926,147f, vgl. B 1924,53 Anm 2).Kirchenpolitisch arbeitet Schleiermacher für die preussische Union und für eine Vereinigung der orthodox-pietistischen mit den rationalistischen Parteien innerhalb seiner Kirche (B 1933,404, B 1926,145ff). Vor allem aber taucht das Streben nach Vermittlung sowohl als die Mitte der Philosophie Schleiermachers als auch als der Schlüssel zu seinem Verständnis der Religion auf. Seine "philosophische Lehre" ist "durch eine durchgeführte Methode der Teilung und Vereinigung aller Prinzipien" charakterisiert, und diese Methode kann auch nicht vor einem letzten oder höchsten Gegensatz haltmachen. Auf diese Weise muss der Herrnhuter und Romantiker zu einer speziellen Apologetik kommen:

> Im Gefühl und - für das allerdings inadäquate bildhafte Denken und Reden - aus dem Gefühl besteht Frieden auch zwischen dem letzten und höchsten Gegensatz, dem Gegensatz zwischen dem unendlichen und darum identischen Sein und Wissen Gottes und unserem endlichen und darum gespalteten, nicht

identischen Sein und Wissen. (B 1933,405)

Anders ausgedrückt:

> In der Religion sieht er /Schleiermacher/ Gott gesetzt im Menschen. Sie
> ist das finitum, welches capax ist infiniti. (B 1926,160)

Aber was bedeutet das? Verglichen mit der Reformation heisst das, nach Barth, dass
der Glaube "nicht als Offenbarung Gottes, sondern als Erlebnis des Menschen" verstanden wird (B 1933,414). Handelt es sich dabei dann aber immer noch um Glaube? Was
geschieht dann mit dem anderen Motiv, mit Evangelium/Wort Gottes/Christus, wenn
Glaube so verstanden wird?

Das zweite Motiv ist ohne Zweifel bei Schleiermacher vorhanden aber, nach Barth, auf
eine nicht ganz unproblematische Weise:

> So dürfte es auch in den Reden, in der Glaubenslehre und in den Predigten
> nicht zu verkennen sein, dass das Historische in der Religion, das objek-
> tive Motiv, der Herr Jesus dem Theologen ein Sorgenkind, ein Sorgenkind,
> das durchaus zu Ehren gebracht werden soll und irgendwie zu Ehren gebracht
> wird, aber ein Sorgenkind. (B 1933,412f)

"Die Christologie ist die grosse Störung in Schleiermachers Glaubenslehre" (B 1933,
385) und sie war für ihn "ein schweres Stück apologetischer Arbeit", und bereits das
ist ein Memento (B 1933,413). Aber gleichzeitig ermöglicht das die Fortsetzung des
Gesprächs zwischen Barth und Schleiermacher. Barth hat den Verdacht, dass das zweite Motiv durch Schleiermachers apologetischen Ansatz verdorben wurde (B 1933,414ff).
Aber das zweite Motiv ist doch vorhanden. Nicht alles bei Schleiermacher unterliegt
diesem Verdacht und das zwingt zu weiterer Reflexion.

Barth sieht als Ansatzpunkt in Schleiermachers Theologie eine der Psychologisierung
des Glaubens entsprechende Historisierung der Offenbarung in Jesus Christus, wonach
Offenbarung "'Causalität' einer bestimmten Modifikation unseres Selbstbewusstseins"
ist (B 1926,164). Jesus wird gedeutet als ein "Impuls des geschichtlichen Lebens",
in der Kategorie "der in dieser bestimmten, der christlichen Religion, wirksamen Urtatsache" (B 1926,169f, vgl. B 1927a,193, B 1933,414). [79] Nach Barth bedeutet
das, dass für Schleiermacher die beiden Motive zu zwei Modi menschlichen Erkennens,
einem psychologischen und einem historischen, geworden sind, und das Verhältnis zwischen ihnen zu dem Verhältnis des historischen zum psychologischen Herren geworden
ist. Zwischen den beiden Motiven ist eine Vermittlung möglich "Kraft ihrer Zusammengehörigkeit in dem einsichtigen Gesamtphänomen des höheren Lebens" (B 1933,417).
Die Aufgabe, "Lessings garstigen Graben zu überwinden und gegen Kant zu zeigen, dass
das Historische im Christentum mehr sei als ein zeitliches Vehikel zeitloser Ver-
nunftwahrheit" (B 1933,415) will Schleiermacher dadurch lösen, dass er die Offenba-

-rung als Bewirken dieses höheren Lebens deutet.

> Christus ist nach Schleiermacher insofern der Offenbarer und Erlöser, als er das höhere Leben bewirkt. (B 1933,418)

Der Forderung nach Vermittlung scheint man von der apologetischen Aufgabe her nicht entgehen zu können. Schleiermacher ist es gelungen zu zeigen, dass sich die beiden Motive so zueinander verhalten, dass Vermittlung möglich ist. Aber für Barth erhebt sich die Frage, ob die Motive die vermittelt werden können nicht andere Motive sein müssen als die beiden, die Bestandteil jeder Theologie sein müssen, ob sich daher die Forderungen der Apologetik mit denen der Theologie nicht vereinbaren lassen. Die beiden Motive der Reformation sind nämlich nach Barth streng voneinander zu trennen (B 1933,414).

> Die einzige Vermittlung, die dort in Betracht kommt, ist die Erkenntnis des Vaters im Sohne durch den Geist in der strengen unaufhebbaren Entgegenstellung dieser "Personen" der Gottheit. Diese Vermittlung ist als Modus menschlicher Erkenntnis nicht verständlich zu machen. Sie ist apologetisch unbrauchbar. Aber es fragt sich, ob das theologische Anliegen, anders als so, also anders als auf Kosten des apologetischen gewahrt werden kann. Und es fragt sich umgekehrt, ob das apologetische Anliegen bei Schleiermacher nicht auf Kosten des theologischen gewahrt worden ist. (B 1933,415)

Problematisch ist nach Barth nicht, dass Schleiermacher von dem der beiden Motive ausgeht, das für die Reformatoren erst an zweiter Stelle kam, dass Schleiermachers Theologie also anthropozentrisch ist. Problematisch ist, dass er zwischen den beiden Motiven auf eine solche Weise vermittelt, dass der Offenbarungsbegriff immunisiert wird, dass die beiden Motive dazu neigen ineinander überzugehen. (B 1933,415)

> Gegeben ist das Göttliche im Bewusstsein, gegeben in der Geschichte, ein anderes Gegenüber als dieses Relative zwischen dem subjektiven und dem objektiven Moment desselben Lebens, dessen der Mensch sich mächtig weiss, kann bei Schleiermacher nicht in Betracht kommen. (B 1927a,193)

In "Die protestantische Theologie im 19. Jahrhundert" wird das in drei Punkten ausgeführt die ich folgendermassen interpretiere:

1. Obwohl Schleiermacher ständig eine "Ueberordnung Christi über den Christen" betont, so bleibt diese Ueberordnung "eine prinzipiell fragliche" weil er nur eine relative Unterscheidung zwischen ihnen machen kann. Die beiden, die voneinander getrennt werden sollen, werden ja so interpretiert, dass eine Vermittlung, also eine Ueberwindung der Unterscheidung "vorausgesetzt ist und dann auch folgen muss". Die Unterscheidung zwischen dem geschichtlichen Moment und dem psychologischen wird

> fliessend innerhalb des Gesamtphänomens des durch Christus inaugurierten, in uns selbst aber im Werden begriffenen höheren Lebens, der einen Wirkung Christi, die ebensowohl sein Wirken wie unser Gewirktsein in sich schliesst. (B 1933,417)

Wird der Unterschied so verstanden, dann kann Schleiermacher zwar ständig versichern, dass Christus für ihn "entscheidend mehr als eine besondere, allerdings die wichtigste Näherbestimmung des Zustandes des Christen" ist, aber er kann diese Verdächtigung nicht überzeugend widerlegen.. (B 1933,415-418) Obwohl man nach Barth beim Lesen von Schleiermachers Predigten ebenfalls die Absicht und die Versicherungen erkennt, so wird doch jener Eindruck eher noch verstärkt:

> Christus erscheint oft merkwürdig abstrakt in seiner Rolle als Beweger, Geber, Anfänger dessen, was im Menschen im Werden ist und umgekehrt, oft merkwürdig konkret als Träger des Prinzips dessen, was im Menschen schon geworden ist, merkwürdig ähnlich - dem Prediger selber! Aber die Absicht ist deutlich: um zwei Pole, wie eine Ellipse und nicht um einem Pol wie ein Kreis will diese Verkündigung sich bewegen. (B 1926,169)

2. Schleiermachers Schwierigkeiten, die Motive voneinander getrennt zu halten, kann auch als die Folge des in Schleiermachers Glaubens-/Religionsbegriff implizierten Gottesbegriffs beschrieben werden:

> Das Andere, das Woher? unseres Daseins, dem gegenüber wir uns schlechthin abhängig fühlen, ist Gott. Aber "dem gegenüber" kann nun darum nicht eigentlich gesagt werden, weil das Gefühl im Unterschied zum Wissen und Tun gerade kein Gegenüber, keinen Gegenstand hat. Nur in dem Gefühl seiner Wirkung ist uns Gott als Ursache gegeben, nicht anderswie /.../ Also ist Gott uns nicht gegenständlich gegeben. (B 1933,418, vgl. 407)

Dieser Gottesbegriff scheint für die Christologie ein Dilemma zu schaffen: Ist Christus Gott, so ist er nicht gegenständlich. Ist Christus dagegen gegenständlich, als Jesus in seiner geschichtlichen Einzelheit verstanden, muss man

> auf die Gottheit Christi verzichten, bzw. unter der Gottheit Christi den unvergleichlichen Höhepunkt und die entscheidende Anregung innerhalb des Gesamtlebens der Menschheit verstehen. (B 1933,419f)

Schleiermacher wählt eindeutig die letzte Alternative, aber scheint dann dazu gezwungen zu sein, das Göttliche als das höchste Menschliche zu verstehen, und wiederum neigen die beiden Motive dazu, eines zu werden. (B 1933,418-420)

3. Zum Schluss: Schleiermachers Glaubens-/Religionsbegriff schliesst aus, dass Wahrheit und Inhalt des Christentums vom Evangelium/Wort Gottes/Christus also von der Offenbarung herkommen:

> Die Offenbarung, hier also Christus, ist das Individualisierende und also insofern Wirksame, Verwirklichende in dieser Religion. Sie hat mit dem Gegensatz des Wahren und Falschen nichts zu tun. Wahr ist alle Offenbarung und keine. (B 1933,421)

Wahrheit und Inhalt ist, dass das Gefühl schlechthinniger Abhängigkeit hier "auf seiner höchsten Stufe, in seiner Ausprägung als Erlösungsbewusstsein" begegnet. Daraus folgt:

Mit dem Ernst und der Kraft des frommen Gemüts steht und fällt auch der Ernst und die Kraft der Auszeichnung, die es Christus sich selber gegenüber zuzuerkennen bis auf weiteres geneigt und entschlossen ist. Die Urtatsache Christus und die Tatsache meiner Christlichkeit sind Glieder einer Reihe und das gegenseitige Bedingungsverhältnis, in dem Glieder einer Reihe notwendig zueinander stehen, macht die Annahme einer grundsätzlichen Unumkehrbarkeit zwischen beiden offenbar unmöglich. (B 1933,422)

Dass Schleiermacher "so etwas wie die Absolutheit des Christentums behaupten" wollte, lässt sich kaum bestreiten. Die Frage, auf die Barth keine positive Antwort finden kann, ist "ob es hier mit dieser Behauptung auch sachlich ernst gelten kann". Von "eine/r/ ewige/n/ Bedeutung Christi" kann Schleiermacher, nach Barth nicht sprechen. Die Frage nach der Wahrheit muss so nach Barth für Schleiermachers Theologie gefährlich werden. (B 1933,420-422)

Worum geht es eigentlich bei dieser ziemlich formalen Ueberlegung zu den beiden Punkten, die dazu neigen, einer zu werden? Meiner Meinung nach sollte man hier besonders auf die Verwendung des Wortes "Bestätigung" achten. In einem prinzipiell wichtigen Zusammenhang in KD I/1 stellt Barth fest, dass die gesamte Theologie Schleiermachers einer Bestätigung dient, der Bestätigung des Glaubens der Gemeinde und des Gläubigen. Schleiermachers Dogmatik kann nicht kritisch sein. (KD I/1,299) Im Aufsatz 1926 taucht das Wort ebenfalls auf und zwar im Zusammenhang mit der "Tendenz" der Theologie Schleiermachers "sich in einen Kreis mit einem Mittelpunkt aufzulösen". Dort soll es das Charakteristische des Relativismus wiedergeben, der nach Barth, Schleiermachers Theologie prägt:

> Es kann also von einer Begründung jener Gemeinschaft /von Gott und Mensch/ im strengen Sinn bei ihm /Schleiermacher/ nicht die Rede sein, sondern nur von einer Bestätigung und kontinuierlichen Vollendung der schon bestehenden. Dieser Relativismus hat natürlich nach allen Seiten seine Folgen. (B 1926, 176)

Es ist schwer, auszuweisen, dass Barth den Zusammenhang wirklich so verstanden hat, wie nun in meiner Interpretation gezeigt werden soll, aber ich meine doch, dass eine solche Deutung den Aussagen Barths Zusammenhang und Sinn verleiht.

Das Wort "Bestätigung" führt den Gedanken zu einer ideologischen Funktion, einer legitimierenden Funktion, am ehesten zu einer konservativen Bestätigung des Bestehenden. Darum geht es Schleiermacher allerdings nicht. Umgekehrt meint also Barth, dass das zentrale Motiv in Schleiermachers Denken ein (liberales) kulturethisches Pathos ist - auch wenn dies nach Barth in einem gewissen Konflikt mit dem apologetisch bestimmten, eher ästhetischen Religionsbegriff steht (B 1933,389). Dieses Pathos kann Barth an und für sich nur bewundern und ich glaube, es ist symptomatisch, dass Barth trotz allem davon überzeugt ist, dass Schleiermacher selbst nie-

-mals den gleichen politisch-ethischen Irrtum begangen hätte, wie, nach Barths Meinung, dessen Schüler 1914 begangen haben (B 1968,293f, vgl. B 1957,6 und das Zitat B 1957,19 oben 72). Aber trotzdem wird Barth den Verdacht nicht los, dass die Schüler nicht nur den Lehrer verrieten, sondern auch entschleierten.

Otto Weber beschreibt Barths Auseinandersetzung mit dem Kulturprotestantismus als eine Kritik der Bejahung einer gedachten Welt (Weber 1956,219). Ich glaube dies ist richtig und auch wichtig und dies lässt sich auch mit der Art von Kritik verbinden, die Barth in seiner Rezension von Brunners Schleiermacherbuch empfiehlt. Die Tradition , deren zentrale und feinste Gestalt Schleiermacher ist, wird dort mit dem Wort "Hybris" charakterisiert, diese Hybris soll, nach Barth, nur "von seiten der Eschatologie" her kritisiert werden. (B 1924,64) Die Verbindung würde dann so aussehen: in Schleiermachers Theologie wird der Mensch, nicht so wie er wirklich ist, sondern wie er in den Augen menschlicher Hybris aussieht, bejaht. Alles, was in dieser Theologie geschieht, ist eine Bestätigung dieses Phantasiemenschen. Es kommt kein Zusammenhang, keine Begründung zustande zwischen dem was die Theologie über den Menschen sagt und dem wirklichen Menschen. Theologisch ausgedrückt: Schleiermachers Theologie ist eine theologia gloriae und keine theologia viatorum. Sie ist ein Vorgriff auf die vollendete Einheit zwischen Theologie und Philosophie und nicht kirchliche Dogmatik. Wiederum anderes ausgedrückt: Wenn der Apologet das Christentum "so interpretiert, dass es in dieser Interpretation, in dem als massgebend vorausgesetzten Denken der Zeitgenossen ohne durch irgendwelche Kanten anzuecken, Raum bekommt" (B 1933,398), so ist das falsch, unverantwortlich und eine Verharmlosung der Theologie, es sei denn das Denken der Zeitgenossen wäre das vollendete Denken oder das Denken der Vollendung. [80)] Barth wirft Schleiermacher und dem gesamten "modernen" Protestantismus vor, dass sie übersehen, dass auch die menschliche Religion unter dem Gericht Gottes steht (KD I/2,309ff). Barth vermisst in Schleiermachers Theologie die eschatologische Perspektive:

> Frömmigkeit sucht nicht nur, hofft nicht nur, erwartet nicht nur, betet nicht nur an, sondern ist /in Schleiermachers Theologie/ jene Mitte, jener Friede, der höher ist als alle Vernunft. (B 1933,406)

Das hat kulturell-politische Folgen sowie Konsequenzen für die Auffassung von Gott und der Rechtfertigung.

Fehlt dem kulturell-ethischen Anliegen die Verankerung in der Wirklichkeit, so kann es sich nach Barth nicht gegen die Ideologiefunktion wehren. Im Anschluss an Marx elfte These ad Feuerbach ausgedrückt: wenn die Theologie nur eine gedachte Situation bestätigt, so ist sie nicht dazu imstande, die wirkliche Situation aufzudecken und zu verändern. Schleiermachers grundsätzliche Zielsetzung der Vermittlung

scheint einen Monismus vorauszusetzen, scheint vorauszusetzen, dass Gegensätze im
Grunde nur auf Missverstand beruhen, dass alles ausser der verschiedenen Auffassung-
en gut ist und bleiben soll so wie es ist, und dass nur noch die richtige Interpretation der Welt aussteht. [81) Eine Folge davon ist, dass Barth seinen Protest auch
politisch motivieren kann.

Wenn die Theologie den Menschen so bejaht, wie er in der menschlichen Hybris erscheint, dann ist die Sünde kein wirkliches Problem. Die Theologie wird monistisch.
Aber damit wird das Reden von Sünde und Gericht, Rechtfertigung und Gnade trivial.
Ersteres belegt Barth mit der Verwendung biblischer Texte in Schleiermachers Predigten (vgl. oben 78). Letzteres wird auf viele Weisen betont. Das biblische Wunder
wird von Schleiermacher, nach Barth, als "Weissagung in Bezug auf unser eigenes
Tun" gedeutet (B 1926,184, vgl. B 1933,391). Das simul iustus et peccator der Reformation wird zu einer Reihe von Zwischenzuständen. Und wenn die Theologie nur die
schon bestehende Frömmigkeit bestätigen und von ihrer Vollendung sprechen kann, dann
bleibt der Mensch sich selbst, seine Frömmigkeit überlassen, eingeschlossen in seiner
Selbstreflexion (B 1933,418).

> Das christlich fromme Selbstbewusstsein betrachtet und beschreibt sich
> selbst: das ist grundsätzlich das Eins und Alles dieser Theologie.
> (B 1933,409) [82)

Dann gibt es keine Befreiung aus der eigenen Situation, von "Glaube", "Gefühlen",
"Psychologismen und Gesetzlichkeiten" (vgl. KD I/1,18-20). Von einem wirklichen
Verhältnis (im Gegensatz zu Indifferenz) zwischen Gott und Mensch (B 1926,155), von
einer Gnade, die Hoffnung auf totale Rechtfertigung schenkt kann nicht gesprochen
werden. Hier sieht sich Barth zu stärkstem theologischen Protest gezwungen:

> Der Gott Schleiermachers kann sich nicht erbarmen. Der Gott Abrahams,
> Isaaks und Jakobs kann und tut es. (B 1956,15) [83)

Aber, wie gesagt, ein endgültiges Verurteilen kann dies nicht sein:

> Ich bin in der Tat bis auf diesen Tag nicht einfach fertig mit ihm /.../
> Könnte er nicht vielleicht anders verstanden werden, so dass ich seine
> Theologie nicht ablehnen müsste, sondern mir freudig bewusst sein dürfte,
> im Grunde mit ihm einig zu gehen? (B 1968,307)

Oder direkt im Anschluss an das Reden von den beiden Polen:

> Auch er lenkt damit grundsätzlich in die Bahn eines trinitarischen Denkens
> ein, und die Frage kann nun nur sein, ob er in die Lage sein wird, trini-
> tarisch gesprochen, die Gottheit des Logos, die für ihn dieses zweite Zen-
> trum bildet, ebenso ernstlich zu anerkennen und zur Geltung zu bringen,
> wie die Gottheit des heiligen Geistes, die sein eigentliches Zentrum ist,
> bzw. die bei dem, was er als sein eigentliches Zentrum ausgibt, offenbar
> gemeint ist - und ob es sich daran erweisen wird, ob es nicht nur so ge-
> meint ist, sondern ob wirklich die Gottheit des heiligen Geistes es ist,

die dieses sein eigentliches Zentrum bildet. (B 1933,412, vgl. B 1926, 168ff, B 1968,307ff)

Auch wenn "das geschichtlich Erkennbare" Barth "hier letztlich" nur "untröstlich zurücklassen" kann, so muss als ein "Glaubenssatz" festgehalten werden, dass Schleiermacher es so nicht gemeint haben kann (B 1933,424).

Man kann in Bezug auf diesen allerdings entscheidenden Punkt /ob der christliche Glaube, das Evangelium, vertreten und verkündigt wird/ auch bei Schleiermacher, wo man stärker als bei Luther und Calvin zu fragen geneigt sein mag, nur von Indizien reden und man wird dann nicht nur gerechterweise die positiven Indizien ebenso ernst nehmen müssen, als die negativen, sondern, wenn anders man auch mitSchleiermacher im Raum der Kirche und nicht anderswo verhandeln will, ernster als jene. (B 1933, 382)

3.1.3. Barth und die übrige Theologie des 19. Jahrhunderts.

Bereits in 3.1.1 wurde betont, dass Barths Auseinandersetzung nicht nur der von Schleiermacher ausgehenden Liberaltheologie oder dem Neuprotestantismus gilt. Die Auseinandersetzung richtet sich gegen die Theologie des 19. Jahrhunderts in allen ihren verschiedenen Formen und zwar nicht nur gegen die Theologie des 19. Jahrhunderts sondern gegen eine Theologie des 19. Jahrhunderts, deren Wurzeln bis in die Aufklärung und den Pietismus und teilweise noch weiter zurückreichen (vgl. oben 67). In diesem Abschnitt soll Barths Auffassung von der Theologie des 19. Jahrhunderts noch detaillierter untersucht werden, teils um eine Deutung der Theologie Barths zu erschweren, die diese als eine Fortsetzung des Biblizismus oder der Erweckungstheologie des 19. Jahrhunderts betrachtet, teils um anzudeuten, dass und auf welche Weise Barths Theologie letztlich den Versuch darstellt, die Religionskritik des 19. Jahrhunderts zu bearbeiten.

Barths Auffassung davon, wie mit der (Theologie-) Geschichte umzugehen sei, ist in seine Theologie integriert (vgl. unten 6.1.1) und zwingt ihn dazu so vorzulesen und so zu schreiben, wie es uns in "Die protestantische Theologie im 19. Jahrhundert" begegnet, d.h. auf ständiger Suche nach den Intentionen der anderen und nach in-optimam-partem-Deutungen. Doch ebenso wichtig wie dies zu verstehen ist es, die zusammenfassende kritische Perspektive zu entdecken. Das wird erleichtert, wenn man den Aufsatz: "Das Wort in der Theologie von Schleiermacher bis Ritschl" von 1927 als Ausgangspunkt nimmt. [83a] Dort werden vier Gruppen von Theologen kritisiert: direkte Schleiermacher-Schüler, Erweckungstheologen, Rechtshegelianer und Biblizisten - und zwar nach den gleichen Gesichtspunkten. Hat man diese Struktur einmal erkannt, dann kann man sie auch in ausführlicheren Vorlesungen wiedererkennen.

Während Barth zweifellos Schleiermacher bewundert, so hat er für diejenigen weniger übrig, die Anspruch darauf erheben, dessen direkte Nachfolger zu sein. Barth, der sich in "Die protestantische Theologie im 19. Jahrhundert" ständig darum bemüht, Indizien für die Christlichkeit der verschiedenen Theologien zu finden, fällt das offensichtlich schwer, wenn von Wegscheider, Alexander Schweizer und auch von de Wette (B 1933,431f,523,440) die Rede ist. Barth bekommt es auch nicht leichter, wenn man die Linie bis zu Ritschl und Troeltsch zieht (B 1933,499, B 1946,V). Bei ihnen allen findet er, was bei Schleiermacher problematisch war. Aber das, was bei Schleiermacher auf jeden Fall noch als Störung, als eine Unruhe vorhanden war, scheint ihm jetzt ganz verschwunden zu sein. (ZB B 1933,426 (Wegscheider), 499 (Ritschl))

Aber Barth kritisiert auch Tholuck als den Hauptrepräsentanten der Erweckungstheologie. Gewiss scheint es so als ob der Monismus überwunden sei, wenn man eine "Wiederentdeckung der anselmischen Versöhnungs- und der lutherischen Rechtfertigungslehre" vor sich zu sehen meint, aber trotzdem lässt sich dort nach Barth nur "das Wunder und die Dialektik des menschlichen Herzens, des erregten, des enthusiastischen, des erweckten, des christlichen, aber - Fleisch ist Fleisch - des menschlichen Herzens" (B 1927a,198) finden. Tholuck fällt nicht "aus dem Rahmen der theologischen Problematik seiner Zeit" heraus. Ganz im Gegenteil!

> Wichtiger kann das religiöse Individuum, gestaltloser alles Uebrige gar nicht werden, kräftiger kann die Biographie gar nicht an die Stelle der Theologie treten, mehr kann die christliche Sache unmöglich im christlichen Menschen aufgehen, als dies bei Tholuck der Fall gewesen ist. (B 1933,461)

Ob man nun Rothe mehr als denjenigen betrachtet, der die Tendenzen in der Erweckungstheologie konsequent weiterführt (B 1927a,199f) oder mehr als "ein Kompendium aller religiösen und theologischen Zeitrichtungen" (B 1933,545 wo Heckel zitiert wird), so kommt Barth zum gleichen Schlussatz: Er ist nicht nur "ein Paradigma für das theologische Wollen des ganzen Jahrhunderts" (B 1933,544) sondern auch ein Paradigma dafür, dass die "Linie der am Anfang des Jahrhunderts eröffneten theologischen Möglichkeiten" in einem "Endpunkt, um nicht zu sagen eine/r/ Sackgasse" endet (B 1933, 552).

Es scheint so, als ob der Biblizismus etwas ganz anderes sei, als ob dort die Offenbarung als vom eigenen Glauben unterschieden wiederentdeckt würde. Das ist aber, nach Barth, nicht der Fall, gleichgültig ob man dabei an Biblizismus in engerem Sinne denkt oder in ihn auch die "positive" Theologie einbezieht. Hier begegnet nach Barth der gleiche Absolutismus, die gleiche Selbstherrlichkeit (B 1933,477). Auch hier begegnet "alles Andere als ein Sich-sagen-lassen" (1927a,206). Barth betont mehrmals, dass die Biblizisten - im Unterschied zu den Reformatoren - "sozusagen mit

86

einem Sprung über die Jahrhunderte hinweg unmittelbar (je nach der individuellen Güte der Augen und Offenheit des Herzens) an die Bibel an/zu/knüpfen" wollten (B 1935, 155, vgl. B 1933,477). . Woher kommt diese Fähigkeit "sich mit seinem Appell an die Bibel so souverän über die relative, aber darum nicht minder ernst zu nehmende Autorität der Kirche hinwegzusetzen" und "an seinem Schreibtisch vor der offenen Bibel die Kirchen- und Dogmengeschichte auf eigene Faust von vorn" anzufangen? Zeigt sich nicht bei näherer Untersuchung, dass die Selbstsicherheit darauf beruht, dass man die Gnade zu besitzen meint, dass der Schriftbeweis nur beweisen soll, was der Christ auch sonst weiss? (B 1927a,204-206, vgl. dazu KD I/2,678-680) Muss man nicht sagen, dass "Schleiermacher auf einmal auf seinem eigensten Wege noch weit überboten" zu sein scheint, wenn die Theologie "schlechterdings Selbsterkenntnis und Selbstaussage des Christen und nichts als das" ist wie bei Hofmann (B 1933,555)? Und muss man nicht sagen, dass der Glaube der Biblizisten, sie seien von Philosophie unabhängig, naiv ist und dass man deren Abhängigkeiten leicht aufspüren kann (KD I/2, 816f)?

> Wir hatten uns schon bei Menken und Hofmann zu fragen, ob denn der soge-
> nannte Biblizismus etwas so prinzipiell Verschiedenes den anderen -ismen
> der neueren Theologie gegenüber gewesen sei und sein möchte. Seine Nach-
> barschaft mindestens - bei Menken zu dem genialen Individualismus des aus-
> gehenden 18. Jahrhunderts, bei Hofmann zum dem romantischen Historismus -
> wird man nicht in Abrede stellen können. Und so auch nicht bei Beck seine
> Nachbarschaft zu einem romantischen Naturalismus. (B 1933,568f)

Barths Besprechung des Rechtshegelianers Marheineke geschieht in Barths Darstellung vielleicht mehr am Rande, ist aber nicht weniger wichtig, wenn man die rechte Perspektive für Deutungen des "Barthianismus", als einem "System" mit der "Offenbarung" im Zentrum, bekommen möchte. Von Marheineke bekommt man nach Barth nicht den Eindruck, dass er "auch als Theologe, sondern dass er zuerst und vor allem eben als Theologe gedacht hat" (B 1933,443). Hier vernimmt man

> was man bei Schleiermacher so nie vernehmen konnte: was etwa der Begriff
> der Offenbarung sein möchte. Marheineke weiss, dass wirklicher Glaube Au-
> toritätsglaube ist, dass der Mensch die Religion nicht erfinden, nicht er-
> denken, sondern ihr nur nachdenken kann und auch das nur tanquam in specu-
> lo Kraft der durch Offenbarung gesetzten Position Gottes in der Vernunft.
> (B 1927a,201)

Aber dennoch bleibt Barth skeptisch. Der Anlass dazu ist, dass Marheineke meint es durchschauen zu können, dass diese Offenbarung "nur eine Phase des dialektischen Prozesses ist" und dass das Verhältnis zwischen Gott und Mensch ein umkehrbares Verhältnis ist, "dass Kraft der Menschwerdung Gottes in Christus nach lutherischem Verständnis unser Denken Gottes durchaus das Denken Gottes selber sei" (B 1927a,201f). In der ausführlicheren Darstellung: Der Begriff der Offenbarung Gottes wird unter einen Oberbegriff gestellt, unter den Begriff des Geistes der christlichen Kirche.

Dieser Geist hat "das Wissen um die Religion und insofern das Wissen um die Wahrheit", er ist "die Einheit von Offenbarung und denkendem Menschengeist" (B 1933, 47). Aber damit erhebt Marheinekes Theologie Anspruch darauf, eine theologia gloriae zu sein, die sich von der Offenbarung losgelöst hat.

> Kein Zufall darum, dass es auch bei Marheineke nur nachträgliche, bestätigende Bedeutung haben kann, wenn die Theologie sich auf Bibel und Kirchenlehre "einlässt". (B 1927a,202)

> Ist mit dem Geist /.../ nicht die Theologie, die Kirche, d.h. aber letztlich die Geschichte, an die Stelle Gottes gesetzt? (B 1933,448)

Barth kann nur fragen. Aber auch hier finden sich alle Kennzeichen für eine Immunisierung des Offenbarungsbegriffs. Ist es nicht so, dass hier alles "statt dem Triumph des menschlichen Herzens wie bei Tholuck, nun zur Abwechslung dem Triumph des menschlichen Kopfes" dient? (B 1927a,202)

Aber ebenso wichtig wie die Erkenntnis, dass Barths Auseinandersetzung der gesamten Theologie des 19. Jahrhunderts gilt, ist die Einsicht, dass ein wichtiges Moment - ja sogar der Schlüssel - für Barths kritische Auseinandersetzung das Bejahen der Kritik zweier Theologiekritiker, Ludwig Feuerbachs und David Friedrich Strauss, ist. [84)]

Barths Auseinandersetzung mit Schleiermacher hat wie oben (79f) gezeigt wurde ihre Grundlage in der Behauptung, dass Schleiermacher zumindest dazu neigt, den Glauben zu psychologisieren und die Offenbarung in Jesus Christus zu historisieren. Damit werden die beiden Motive zu zwei Modi menschlichen Erkennens, und eine Vermittlung ist - wenn auch nicht ohne apologetische Bemühungen - möglich. Barths Frage ist also, ob es sich dann immer noch um die zwei Motive handelt, die in jeder Theologie vorkommen müssen. Er hat den Verdacht, dass dies nicht der Fall ist, nachdem die einzige Vermittlung, die in der Theologie der Reformation, wie Barth sie versteht, in Betracht kommt, eine trinitarische und damit apologetisch unbrauchbare Vermittlung ist.

"Das Wort in der Theologie von Schleiermacher bis Ritschl" beginnt auf entsprechende Weise mit der Behauptung, dass die Frage, "ob der Begriff des Wortes eine Theologie beherrscht oder nicht beherrscht", zwei Seiten hat, eine psychologische und eine historische. Psychologisch: Steht der christliche Mensch

> gerade als christlicher Mensch der Wahrheit Gottes gegenüber, immer wieder gegenüber als einer Wahrheit, die wirklich zu ihm kommen muss, also jeden Morgen neu als Nicht-Wissender und darum als Hörender, als ihrer nicht Mächtiger und darum als Gehorsamer?

Historisch:

> Steht die Wahrheit Gottes dem Menschen auch in der Geschichte gegenüber als

eine von ihm selbst unterschiedene, schlechterdings an ihm herantretene
Wirklichkeit, deren Erkenntnis er sich auf keine Weise selbst beschaffen
und sichern kann /.../? (B 1927a,190f)

Die Pointe ist nun, dass Feuerbach und Strauss die Ansätze der "modernen" Theologie
zu Ende gedacht haben und gezeigt haben, dass sie als theologische Ansätze unmöglich
sind (B 1927a,207f).

Die rechte Theologie beginnt genau dort, wo die von Strauss und von Feuerbach aufgedeckten Nöte gesehen und dann zum Gelächter geworden sind.
(B 1933,515)

Man kann wohl sagen, dass Barths Auseinandersetzung mit Feuerbachs Projektionsvor-
wurf zeitlich gesehen vor seiner Auseinandersetzung mit Schleiermacher liegt - unge-
fähr 1913 - und dass er zu letzterer dadurch gezwungen wurde, dass nämlich auch
Schleiermacher, nach Barth, sich nicht gegen Feuerbach wehren kann. Auf diese Weise
kann Barths theologische Entwicklung als ein ständig vertieftes Eindringen in diese
Problematik beschrieben werden und als der Versuch, diese Problematik zu überwinden.
Als ein solches Ueberwinden ist dann das Programm einer kirchlichen Dogmatik gedacht.
(Vgl. Marquardt 1972,23f, Glasse 1968) Aber bevor man dorthin gelangt, sollte man
darauf achten, dass Barths eigener Versuch seine Auffassung voraussetzt, dass Feuerbachs Kritik die "moderne" Theologie trifft und dass andererseits mit Rücksicht darauf interpretiert werden muss, wie er die Reichweite dieser Kritik beurteilt.

Eine Frage an die Theologie ihrer Zeit und vielleicht nicht nur ihrer Zeit
bedeutet diese Anti-Theologie Feuerbachs auf alle Fälle. Wir haben in unsere bisherigen Darstellungen gesehen, wie sich die Theologie unter dem Eindruck der ihr gegenüber sich entfaltenden Humanität in die apologetische
Ecke hatte drängen lassen, wie gerade das ihr Pathos geworden war: Religion, Offenbarung, Gottesverhältnis jedenfalls auch als einnotwendiges Prädikat des Menschen verständlich zu machen, oder doch die Potentialität, im
Vermögen des Menschen für das Alles nachzuweisen. Feuerbach bedeutet jedenfalls die Frage, ob diese Problemstellung nicht eine Bejahung dessen bedeutet, worauf der Aufstieg der Humanität ohnehin hinauszulaufen schien:
der Apotheose des Menschen. So wollte er, kurz entschlossen und mit vollem
Beifall, die eigentliche Absicht der Theologie verstehen und aufnehmen.
So verstanden wollte er selber Theologe sein. Hatte er ganz Unrecht?
Hatten ihm die wirklichen Theologen etwa gar nicht in dieser Richtung vor-
gearbeitet? (B 1933,486f, vgl. B 1926a,226) [85]

Und diese Frage belastet nicht nur die "moderne" Theologie:

Er /Feuerbach/ wird als Frage offenbar überall da akut, wo man in der Theologie von den Gedanken der Mystik, der Einung zwischen Gott und Mensch un-
vorsichtigen Gebrauch, wo man anders als in eschatologisch gesicherten Zusammenhang von ihnen Gebrauch macht. (B 1933,487, vgl. B 1926a,230f)

Ebenso ist es in diesem Zusammenhang wichtig, nicht mit einemmal dazu überzugehen,
wie Barths Hermeneutik und Christologie einen Versuch darstellt, die Problematik zu
überwinden, die Strauss aufdeckt ohnezuerst darauf zu achten, dass Strauss, nach

89

Barth, eine Problematik aufdeckt, die die "moderne" Theologie nicht lösen kann, und
wie diese Problematik, nach Barths Meinung, aussieht. Ebenso wie Barth neben Feuerbach Nietzsche nennen kann (B 1930,387), so steht auch Strauss nicht einsam. Die
gleiche Problematik deckt nach Barth auch Overbeck auf (B 1920a, zB 8f, B 1922,VII,
B 1927,308, B 1933,457) und implizite finden sich diese Entschleierungen bereits bei
Baur (B 1933,451-454). Aber Strauss wird in den Vorlesungen derjenige genannt, der
die Historisierung der Offenbarung in der "modernen" Theologie aufdeckt und der damit Feuerbach als dem Enthüller der Psychologisierung des Glaubens entspricht. Es
ist Strauss Tat, "der Naivität, mit der die übrige Theologie sich damals der Offenbarung zu bemächtigen dachte, wie man sich der Geschichte überhaupt bemächtigt, die
Axt an die Wurzel zu legen" (B 1933,509). Er deckte die Vorstellung des "modernen
Historismus" auf,

> als könne und müsse es beim Lesen, Verstehen und Auslegen der Bibel darum
> gehen, über die biblische Texte hinaus zu den irgendwo hinter den Texten
> stehenden Tatsachen vorzustossen, um dann in diesen (in ihrer Tatsächlich-
> keit nun auch unabhängig von den Texten feststehenden!) Tatsachen als sol-
> chen die Offenbarung zu erkennen. (KD I/2,545f, vgl. 547 und B 1933,505f)

> Er /Strauss/ hat die Bibel als Geschichte behandelt statt als Wort Gottes,
> und hat gezeigt, dass man dann Gottes, wirklich Gottes auch in der Bibel
> nicht habhaft werden könne. Die Frage war gestellt und es war wiederum et-
> was vom Hoffnungsvollsten, dass auch diese Frage gestellt wurde, ob die
> Theologen nicht einsehen wollten, dass das, worüber sie verfügen zu können
> meinten, auch auf der objektiven Seite gerade nicht Gott, sondern ein Men-
> schliches allzu Menschliches sei. (B 1927a,208f)

3.1.4. Barth und Bultmann

Die Auseinandersetzung Barths mit der Theologie des 19. Jahrhunderts ist - natürlich - ein Teil des Barthschen Versuches, seine eigenen theologischen Intentionen zu
verstehen und die grundlegenden theologischen Probleme zu fixieren. Als nun Barth
entdeckt, dass seine Intentionen und seine Auffassung von den Problemen von seinen
Zeitgenossen missverstanden oder in Frage gestellt werden, so kann er demzufolge die
Diskussion mit zeitgenössischen Theologen als eine Fortsetzung jener Auseinandersetzung mit der Tradition betrachten, als eine Auseinandersetzung mit einer gegenwärtigen Form der Theologie des 19. Jahrhunderts. Diese Perspektive erscheint auch in
den persönlich schmerzlichen Abgrenzungen, zu denen sich Barth im Kreise früherer
"Weggenossen" gezwungen sieht (vgl. B 1938,184). Nicht zuletzt trifft das auch auf
die Abgrenzung Barths gegenüber Rudolf Bultmann zu, den er bezeichnenderweise gerade
im Rahmen der Darstellung seines lebenslangen Gesprächs mit Schleiermacher charakterisiert:

Bultmann war und ist ein Fortsetzer der grossen Tradition des 19. Jahrhun-

derts und also in neuem Gewand ein echter Schüler Schleiermachers.
(B 1968,302, vgl. 298-304)

Daher dürfte Barths Weise, sich Bultmann zu nähern und Fragen an ihn und seine Theologie zu stellen, weitere Möglichkeiten bieten, Barths Intentionen und seine Auffassung von den grundlegenden theologischen Problemen zu erfassen.

Barths Verhältnis zu Bultmann hat eine zumindest teilweise wohlbekannte Geschichte.
In den zwanziger Jahren scheinen sie gleichgesinnt zu sein, während sie in den fünfziger Jahren besonders von Barth aus gesehen durch fundamental verschiedene Auffassungen voneinander getrennt erscheinen. Der 1971 veröffentliche Briefwechsel zwischen den beiden zeugt von einer niemals bedrohten gegenseitigen Hochachtung -
Freundschaft? und ermöglicht es, ihre Diskussion im Detail zu verfolgen.

Ihre Diskussion hat zwei voneinander deutlich unterschiedene Phasen; die eine um
1930 und die andere am Anfang der fünfziger Jahre. Charakteristisch für die erste
Phase ist, dass Barth immer tiefere Zweifel hegt und 1935 schliesslich die Probe auf
Gemeinsamkeit, die Bultmann begehrt - nämlich die Aufnahme zweier Predigten Bultmanns in "Theologische Existenz heute" verweigert (GA V/1,164f, vgl. unten 135).
Während dieser Zeit scheint Bultmann derjenige zu sein, der zu verstehen versucht
und eine ernsthafte Diskussion sucht, die seiner Meinung nach Missverständnisse be-
reinigen könnte.

> Ich wünschte nur, das Verlangen zur kritischen Verständigung, wäre bei
> Ihnen ebensogross wie bei mir. (Bultmann in GA V/1,88/1928-07-22 /, vgl.
> Barths Antwort GA V/1,90) [86])

Barths eigenes Denken befindet sich in einer entscheidenden Periode, und er zeigt
nur geringe Bereitschaft, aus dem eigenen Denken herauszutreten, um Bultmanns Denken
zu verstehen. Es scheint als ob er während dieser Zeit die Diskussion in die Zukunft
verschieben möchte, in der Hoffnung, dass er bis dahin seine Zweifel überwinden könne.

> Sehn Sie, es ist bei mir einfach das, dass ich im Augenblick - der viel-
> leicht auch noch etwas andauert - nicht recht hindurchsehe durch Alles das,
> was in der Tat zwischen Ihnen, Gogarten und mir in der Luft zu liegen
> scheint /.../ Zunächst habe ich, ganz abgesehen von allen taktischen Grün-
> den, die ja auch sinnvoll sein können, das Bedürfnis, möglichst thetisch
> weiterzuarbeiten und zugleich auch Ihnen und Gogarten Zeit zu lassen, deut-
> licher zu entfalten, auf was Sie eigentlich hinauswollen. (GA V/1,69f
> /1927-04-28/)

> Fassen Sie es nicht als eine Geringschätzung Ihrer Arbeit auf, wenn ich
> Ihnen sage, dass mein sachlicher Gegensatz zu Ihnen nicht so im Vorder-
> grund meines Bewusstseins steht, wie Sie denken, und nicht so, dass ich
> mich zu einer öffentlichen Aussprache darüber aufgerufen fühlte /.../
> Lassen wir doch lieber ein paar Jahre hingehen und vor allem ein paar gu-
> te persönliche Aussprachen kommen. Ich meine immer, dass sich durch sol-

che, - vom Fortgang unserer beiderseitigen Arbeit abgesehen - Manches
klären könnte, was jetzt eben nicht zu klären ist. (GA V/1,128f
/1931-06-20/)

Die zweite Phase wird dadurch charakterisiert, dass es nun Barth ist, der zu verstehen versucht und ein Gespräch zustande bringen will, während Bultmann Barths Fragen
nicht verstehen kann und sich, nach Barth, auch nicht sehr um ein Verstehen bemüht.

Aber nun scheinen Sie ja zu fragen, worauf ich eigentlich, da ich Ihnen
nicht folgen kann - hinauswolle? Ja, lieber Herr Bultmann, wie soll ich
Ihnen das erklären, da Sie, wie ich aus dem, was Sie mir schreiben, sehe
und von allen Seiten bestätigt höre, mich Ihrerseits ja nicht im Zusammenhang lesen, sondern bestenfalls auf mein Verhältnis zu Ihrem besonderen
Anliegen abhören wollen? Ferne, ferne sei es von mir, Ihnen das übel zu
nehmen! Im Eschaton hoffe ich selbst dann ganz andere und viel bessere
Bücher vorfinden und lesen zu dürfen als die meinigen. Nur die Verständigung im zeitlichen Jetzt macht es eben ein bisschen schwierig, wenn ich
zwar Sie lese, Sie aber gar nicht wissen, an was ich nun eigentlich - mei-
nerseits in einiger Beharrlichkeit - interessiert bin? (GA V/1,199
/1952-12-24/) 87)

Barths Zweifel/Kritik geht sehr früh darauf hinaus, dass er Bultmann in Verbindung
mit der "modernen" Theologie setzt. 1927 äussert Barth also seine ersten Vorahnung-
en eines Gegensatzes in den Auffassungen (GA V/1,69f). Bultmanns Kommentare zu "Die
christliche Dogmatik im Entwurf" veranlassen dann Barth zu einer Reflexion darüber,
was er bei Bultmann als Abhängigkeit von einer Philosophie betrachtet, will aber
dann "gar keine prinzipielle Begründung dessen geben, was Sie mein Ignorieren der
philosophischen Arbeit nennen" (GA V/1,84/1928-06-12/). Die ausgesprochene Kritik
begegnet aber erst 1930, nach Bultmanns Kuhlmann-Aufsatz, den er Barth in Marburg
vorgelesen hatte.

Was ich von Ihnen hörte, reihte sich mir mit dem 8 Tage früher hier in
Münster von Schumann gehörten Vortrag und dann weiter mit dem mir grundun-
sympatischen Anthropologie-Artikel Gogartens und schliesslich mit Brunners
Eristik zu einem Bilde zusammen, das ich ja gewiss auch schon früher hätte
sehen können, das sich mir aber, langsam von Begriffen, wie ich bin, tatsächlich erst jetzt so gezeigt hat. Von mir aus gesehen bedeutet das, was
offenbar, wenn auch in verschiedener Weise im Unterschied zu mir Ihrer Aller Anliegen ist, so etwas wie eine grossartige Rückkehr zu den Fleisch-
töpfen Ägyptens. Ich meine damit: Sie sind, wenn mich nicht Alles täuscht,
Alle miteinander dabei, den Glauben aufs neue - gewiss in einer sehr neuen
und von der Theologie des 19. Jahrhunderts sehr verschiedenen Weise - als
eine menschliche Möglichkeit oder, wenn sie wollen, als begründet in einer
menschlichen Möglichkeit verstehen zu wollen und damit die Theologie aufs
neue der Philosophie in die Hände zu liefern. Was diese zunächst formale
grundsätzliche Rückkehr zu den alten Wegen, denen gerade abzusagen jedenfalls
bei mir mit unter die dringendsten Anliegen gehört,für den sachlichen Gehalt
der Theologie bedeutet, kann ich ja weithin noch nicht übersehen. Ich müsste dazu Ihre dogmatischen und ethischen Sätze im Einzelnen und Ganzen viel
besser kennen, als ich sie kenne. Ich weiss nur Eines, was ich als mir
sichtbare Frucht des da gepflanzten Baumes namhaft machen könnte, und das
sind Gogartens ethische Ansätze /.../ (GA V/1,100f/1930-02-05/) 88)

Bereits 1932 markiert Barth dies deutlich:

> Die methodische Zusammengehörigkeit der Schleiermacher-De Wetteschen und der Bultmannschen Konzeption dürfte doch nicht zu verkennen sein. (KD I/1, 36)

Diese Verbindung De Wette-Bultmann taucht dann auch später wieder auf (B 1933,441, B 1947,289) und Barth hält dann sein ganzes Leben lang daran fest, dass Bultmann "ein Fortsetzer der grossen Tradition des 19. Jahrhunderts und also in neuem Gewand ein echter Schüler Schleiermachers" war und ist (B 1968,302). Im Folgenden soll gezeigt werden, wie dies auch Barths Versuch von 1952, Bultmann zu verstehen, prägt, und es soll auf diese Weise das Bild von Barths Kritik an jener grossen Tradition schärfer umrissen werden.

Schon Barths Einstellung ist wichtig. Nachdem er mit Schleiermacher noch nicht fertig ist, kann es nicht seine Absicht sein, auf Ähnlichkeiten zwischen Bultmann und Schleiermacher zu deuten, um so mit Bultmann fertig zu werden. Vielleicht kann man Barths Fragen so verstehen, dass er jemanden, der lebt und antworten kann, um Hilfe beim Verstehen bittet. Barth kann nicht verstehen, wie einige Bestandteile der Theologie Schleiermachers, gerade Teile einer Theologie sein können, obwohl er immer wieder versucht etwas herauszuhören und sie in optimam partem zu deuten. Nun begegnen, nach Barths Verständnis, dieselben Elemente in Bultmanns Theologie. Vielleicht kann Bultmann zeigen, wie diese Elemente in eine Theologie eingeführt werden können ohne alles zu verraten. Bultmann scheint ja selber in den zwanziger Jahren in diese Fragen eingestimmt zu haben, und müsste sie also verstehen. Er müsste erklären können. Wie dem auch sei, so fällt in Barths Versuch von 1952, Bultmann zu verstehen, auf, dass er die Offenheit betont, dass er noch nicht fertig ist.

> Wobei ich betone: es geht um meinen bisherigen Versuch, ihn zu verstehen. Und ich muss sofort hinzufügen: um meinen bisher besten Falles in ersten Ansätzen gelungenen, in der Hauptsache in Form von lauter Fragen und insofern unbefriedigend verlaufenen - um nicht zu sagen: gescheiterten - Versuch das zu tun /.../ Nur die Behauptung, dass Bultmann ohne weiteres verständlich sei, könnte ich mir allerdings weder von seinen Freunden noch von seinen Feinden gefallen lassen. (B 1952,4)

Barth behält diese Offenheit, auch wenn er die Möglichkeit weiterzugelangen ziemlich pessimistisch beurteilt. Er vergleicht ihre Diskussion mit einer Begegnung zwischen Walfisch und Elephant (GA V/1,196,201/1952-12-24). Aber auch ein Walfisch und ein Elephant können ein gemeinsames Thema finden.

> Lieber Herr Bultmann, wenn ich aufs Friedlichste und Beste über Sie nachdenke, dann versuche ich es immer wieder mit der Hypothese, mit der ich mir selbst und meinen Studenten den grossen Schleiermacher nahe zu bringen suche: es möchte das worauf Sie hinaus wollen, als der Versuch einer "Theologie des dritten Artikels" und also des Heiligen Geistes zu verstehen sein. Das könnte ich als ein grundsätzlich legitimes und auch fruchtbares Unternehmen ansehen. Es müsste dann aber die Relation zwischen dem

dritten und dem zweiten Artikel geklärt sein, d.h. es dürfte dieser nicht in
jener aufgelöst werden, sondern müsste ihm gegenüber in seiner eigenen Dig-
nität sichtbar gemacht werden. Hier stocke ich Ihnen wie Schleiermacher
(oft auch dem jüngeren Luther) gegenüber. Sie in dieser Richtung einen
Ruck tun könnten, würde über Vieles gemächlich zu reden sein. (GA V/1,
200f)
Die Offenheit lässt sich auch im Vorwort zur neuen Auflage des Versuches, Bultmann
zu verstehen, finden (B 1964,5). Der alternde Barth rechnet auch Bultmann zu den
zukünftigen Gesprächspartnern "im Himmel (als dem obersten Stockwerk des mythologi-
schen Weltbildes)" (GA V/1,203/1959-12-18/).

In Barths Versuch, Bultmann zu verstehen, geht es um den Versuch zwischen zwei Anliegen, zwei Sorgen, zwei Bemühungen zu unterscheiden und um die Frage, wie sich
diese beiden jeweils zueinander verhalten. Man muss, nach Barth, zwischen einer
sachlichen Bemühung und einer Uebersetzungsarbeit unterscheiden, und Barth meint
ausdrücklich, sich "mit der Behauptung einer einfachen Identität dieser beiden Anliegen nicht werde zufrieden geben können" (B 1952,8). In Bultmanns Augen erscheint das natürlich als eine naive Hermeneutik, als ein Verleugnen dessen, dass
die Uebersetzung in die geschichtliche Erkenntnis eingeht, dass die Applikatio in
die Erfahrung der Botschaft eingeht (Bultmann in GA V/1,174). Hier wird deutlich,
dass die beiden einander nicht verstehen, und es wäre vermessen, wollte man behaupten, selber ganz durchschaut zu haben, was die Ursache dafür sein könnte. Aber ich
glaube, einige Beobachtungen sind doch wesentlich.

Es kann nicht Barths Intention sein, zu behaupten, dass eine Erkenntnis ohne Uebersetzung oder eine Erfassung ohne Applikatio möglich ist, denn das würde in Widerspruch zu seiner eigenen Theologie stehen. Ersteres wäre, worauf Bultmann selbst
hinweist, die Behauptung des Zugangs zu einer, wie Barth selber meint, eschatologischen Grösse (Bultmann in GA V/1,175), also theologia gloriae. Das zweite wäre meiner Meinung nach ein fundamentaler Angriff auf Barths Deutung des Verhältnisses von
Dogmatik und Ethik (vgl. unten 3.3). [88a] Barth beabsichtigt nicht, die Schwierigkeiten, für die Bultmann sich interessiert zu verringern, eher umgekehrt. Etwas zugespitzt kann man sagen, dass Barth ganz selbstverständlich die Problematisierung
des Verstehens bejaht, die dadurch hervorgerufen wird, dass wir mit Vorverständnissen arbeiten (B 1952,48f,51), während Bultmann die Möglichkeit betont, durch "Besinnung auf das Vorverständnis /.../ die echte an den Text zu richtende Frage" zu klären (Bultmann in GA V/1,188f), also die Möglichkeit durch Reflexion über die Gebundenheit, diese zu neutralisieren (vgl. oben 36). Die Diskussion könnte direkt in
der allgemeinen Hermeneutik aufgenommen werden (vgl. B 1952,50ff), aber Barth greift
nicht dort das Problem an.

Die Struktur in Barths Argumentierung ist folgende: Bultmanns Beschreibung der theologischen Problematik insgesamt vereinfacht diese zu sehr. Sie übergeht, was Barth als die fundamentale Schwierigkeit betrachtet und erweckt den Eindruck, als ob die, nach Barths Auffassung, fundamentale Schwierigkeit überhaupt keine Schwierigkeit sei. Barth nimmt natürlich "das ganze Kerygma-Mythos-Problem" ernst, aber es ist ihm "eine Frage zweiter Ordnung" (GA V/1,200). Wenn es, wie bei Bultmann, zum Hauptproblem gemacht wird, so erhält man, nach Barth, den Eindruck, als ob es nichts Schwierigeres gäbe. Die Problematik wird von Bultmann so beschrieben, dass nach Barths Auffassung die Grenze zwischen theologia gloriae und theologia viatorum in etwas verhältnismässig Triviales hinein verschoben wird und sogar überschreitbar erscheint, sobald man nur eine bestimmte Technik (der Entmythologisierung oder der existentialen Interpretation) beherrscht. Genau wie bei Schleiermacher (B 1933,415) wird das Problem auf Lessings Frage reduziert. Ihr gebührt gewiss, nach Barth, der Ernst, den sie verdient (KD IV/1,316), aber nimmt man nur sie ernst - was Bultmann nach Barths Auffassung zumindest im Prinzip tut - muss man dann nicht voraussetzen, dass man die in Barths Augen wesentlich fundamentalere Problematik geklärt hat (vgl. Brandenburg 1955,373)?

> Wo man mit diesem Problem allenfalls fertig werden könnte, da fangen die eigentlichen Fragen nämlich erst an. Oder sollte es wirklich keine solche Schwierigkeit geben, die noch ernster wäre als die des formalen Gegensatzes von Einst und Jetzt, Dort und Hier, samt all den Fragen, die dieser Gegensatz mit sich bringt? eine Schwierigkeit, die dann in diesem formalen Gegensatz doch nur ihren Exponenten und Anzeiger hätte? Der eigentliche Anstoss könnte ja schlicht in der Sache, nämlich in den Christusgeschehen, im Ereignis der Versöhnung selbst begründet sein. Sie könnte schlicht in der Fremdheit und Unzugänglichkeit dieses in unserem, dem anthropologischen Raum stattgefundenen Ereignisses als solchem bestehen. (KD IV/1,318/1953/)

Hier taucht also wieder die Frage von Barths Schleiermacher-Interpretation auf, die Frage nach dem Verhältnis zwischen den beiden Polen - letztlich dem zweiten und dem dritten Artikel - die Schleiermacher nach Barth in der Religion - also nicht-trinitarisch - miteinander zu vermitteln suchte. Barth hat den Verdacht, dass Bultmanns technisches Vermittlungsinteresse dadurch verursacht wurde, dass er vergessen/übersehen/sich darüber hinweggesetzt hatte, dass Vermittlung hier für den Menschen unmöglich ist.

> Sollten wir mit ihrem /der Botschaft/ Verständnis so fertig und in Ordnung sein, dass uns die Frage: Wie sage ichs meinem Kinde? (mir selbst als heutigem Menschen und meinen Zeitgenossen?) zur grösseren, zur grössten, wohl gar zur einzigen Sorge werden könnte? /.../ Hier verstehe ich wohl Bultmann nicht richtig, dem ich ohne weiteres zutraue, dass er das, was ich dieses wichtigere Anliegen nenne, auch kennt, und den ich nun doch mit einer Monotonie sondergleichen auf das Problem der verschiedenen historischen Gestalten der Botschaft pochen sehe: als ob auch er schon wisse, was im Neuen Testament steht, als ob er sich selbst und uns nur noch mit der Uebersetzung dieses schon Bekannten von einer Sprache und Begrifflichkeit in die andere zu beschäftigen wünsche, als ob diese gewiss wichtige Aufgabe gewissermassen im leeren Raum bearbeitet und gelöst werden könnte. Ich

sehe ihn und seine Schüler - merkwürdigerweise in Eintracht mit nicht wenigen unter seinen Widersachern /.../ - gerade dort seltsam ruhig, wo m E wir
alle immer wieder höchst unruhig werden müssten: weil wir hinsichtlich der
Botschaft selbst und als solcher faktisch alles Andere als beati possidentes
sind. (B 1952,7f, vgl. B 1962,43f) [89)]

Bultmanns Antwort darauf ist die Unterscheidung zwischen methodischer Besinnung/
Uebersetzen/Verstehen der im Text gestellten Entscheidungsfrage und Predigt/glauben-
des Verstehen/das glaubende Ja, wobei letztere nur als Geschenk des Heiligen Geistes
verstanden werden können (Bultmann in GA V/1,173f). Barths Antwort ist wiederum,
dass er gewiss Bultmanns Theologie als eine "Theologie des dritten Artikels" zu verstehen versucht, dass aber damit die Frage nach der Relation zum zweiten Artikel
nicht beantwortet ist, sondern nur gestellt wird (GA V/1,201). [90)]

In einer andersartigen Beschreibung des, nach Barths Meinung, Problematischen in
Bultmanns Theologie, knüpft er an das Problem der Apologetik bei Schleiermacher an.
Als Barth dazu aufgefordert wird, sich zu den erhobenen Forderungen nach kirchlichen
Reaktionen gegen Bultmann zu äussern, geht er in dem Brief an Landesbischof Wurm in
seiner Kritik von dem aus, dessen Bultmann sich rühmt. Bultmann nahm, nach Barth,
an der Neuorientierung der evangelischen Theologie am Anfang der zwanziger Jahre
teil. Er sei dieser Grundabsicht treu geblieben, und/aber:

> Für den Weg Bultmanns wurde nach meiner Einsichtdie Tatsache entscheidend
> und bezeichnend, dass er es für unentbehrlich hielt, jene Neuorientierung
> von einer (damals neuesten) philosophischen Ontologie bzw. Anthropologie
> her zu begründen. (B 1947,287) [91)]

Was Barth daran kritisiert ist nicht, dass Bultmann die Philosophie verwendet, sondern dass er zu begründen versucht, dass er als eine Apologet eine gewisse Philosophie über das Christentum stellt, als den Rahmen innerhalb dessen das Gespräch der
Gebildeten geführt werden soll und innerhalb dessen der Apologet aufzuzeigen hat,
dass "die Konfrontierung des Menschen mit irgend einem von ihm verschiedenen Anderen
als allgemeine Eigentümlichkeit des Phänomens der menschlichen Existenz zu bezeichnen wäre" und dass Konfrontierung/Offenbarung des Christentums also eine Möglichkeit
ist (B 1947,288).

> "Philosophische Brocken" schwimmen in der theologischen Sprache von uns
> Allen. Aber die Bindung an den Existentialismus hat bei Bultmann prinzi-
> pielle Bedeutung. Und das ist es, was seine Theologie auszeichnet und in
> dieser Hinsicht problematisch macht. (B 1952,45)

Barth hört Bultmanns Proteste gegen seine formale/instrumentale Verwendung der Philosophie, weist sie aber zurück (B 1952,45). Ist nicht bereits verdächtig dass alles
so gut zusammenpasst (B 1952,36f)? Ernsthafter: Was wird aus der Botschaft des Neu-
en Testamentes, wenn man innerhalb dieses Rahmen denkt? Wird sie nicht, auch wenn
Barth Bultmann nie diese Konsequenz ziehen sieht, auf das ausgerichtet, was der

96

Mensch tun soll (entmythologisieren, existential interpretieren) anstatt darauf, was Gott in Christus tut? (B 1952,39f) Wird sie nicht statt Evangelium wieder "ein neues Gesetz" (B 1952,19, vgl. 15)? Barths Verdacht richtet sich also ständig darauf, dass in Bultmanns Theologie der absolutistische Mensch das Christentum erobert (vgl. B 1933, §§ 2-3).

Noch einmal der Vollzug des christlichen Zuspruchs im Lauschen auf den massgeblichen Anspruch der zeitgenössischen Gesellschaft und Welt! Noch einmal die für Schleiermacher so bezeichnende Symbiose von Theologie und Philosophie. Noch einmal eine ebenso selbstverständlich wie bei Schleiermacher ins Werk gesetzte Anthropologisierung der Theologie, mit der er in seinen Tagen gleichzeitig die Gottesgelehrsamkeit des 18. Jahrhunderts vollendete und die des 19. Jahrhunderts begründete! Noch einmal die in der zweiten seiner "Reden" so meisterhaft beschriebene Spannungseinheit von Objekt und Subjekt! Und noch einmal die dort so triumphal verkündigte ursprüngliche und letztliche Einheit beider: die gloriose Beseitigung des "Subjekt-Objekt-Schemas". Noch einmal die im Buch "Der christliche Glaube" vollstreckte Oberherrschaft des "Gefühls", an dessen Stelle man jetzt freilich etwas bibel- oder doch reformationsnäher den "Glauben" setzte: seine Souveränität gegenüber allem, was sein Grund, Gegenstand und Inhalt sein möchte. (B 1968, 300)

Barth schliesst seinen Versuch, Bultmann zu verstehen, damit ab, dass er diesen Verdacht hermeneutisch ausdrückt (B 1952,48-53). Die hermeneutische Frage ist für Barth die Frage, wie man sich zu etwas Fremden, in dem man sich selbst nicht wiedererkennt, verhalten soll. Es ist die Frage, wie Verstehen etwas anderes werden können soll, als das Verwenden des Denkens eines anderenMenschen, mit der Absicht, sich selbst in Selbstzufriedenheit und Selbstherrlichkeit vor die Brust schlagen zu können.

Ausgangspunkt ist die Begegnung mit dem Wort Gottes, das "dem Menschen, wenn überhaupt, dann nur als die ihm von Grund aus und immer aufs neue fremde, seinem ganzen Verstehenkönnen zuwider laufende und gerade so sich ihm zu eigen gebende Wahrheit und Wirklichkeit begegnen und 'einleuchten' kann". Barth bejaht ohne weiteres, dass wir tatsächlich dem Wort Gottes gegenüberstehen "mit irgendwelchen 'Vorverständnissen' und also Bildern, d.h. mit mitgebrachtem Inbegriffen dessen, was wir für möglich, richtig und wichtig halten zu müssen, was wir also verstehen zu 'können' meinen". Was dann aber geschieht ist, seiner Meinung nach, dass der Mensch dem Fremden gegenüber sich zur Wehr setzt und es durch "Eingemeindung" oder "Domestizierung" umformt. Wenn "dieser Widerstand oder diese Nostrifizierung geradezu zum Prinzip und zur Methode erhoben wird", dann hat man nach Barth nichts anderes getan, als dass man zum Prinzip erhoben hat, nicht auf das Neue Testament als ein "Kerygma" zu hören, nicht das Wort Gottes als etwas Fremdes zu hören - d.h. nicht auf das Wort Gottes zu hören (B 1952,48f). Dann übt, nach Barth, der absolutistische Mensch seinen souveränen Formwillen auch über das Wort Gottes aus, und gebraucht es als ein Mittel,

97

sich selber zu bekräftigen und zu veredeln, sowie seine eigenen Möglichkeiten und zwar nach den Prinzipien, die er selber bejaht. Der Protest dagegen ist der Ausgangspunkt für Barths theologisches Denken:

> Als wir vor nun rund 30 Jahren in der Theologie zur Fahrt nach neuen Ufern aufbrachen, da ging es uns - ich darf das jedenfalls von mir sagen - um die hier angedeutete Umkehrung des geläufigen Begriffs vom "Verstehen" des Neuen (und des Alten) Testamentes und vom Verstehen überhaupt und als solchem, um die Begründung des menschlichen Erkennens in des Menschen Erkanntwerden und Erkanntsein vom Gegenstand seines Erkennens her, um die Freigabe des Wortes, in welchem Gott den Menschen anspricht zu Gunsten einer Freigabe auch des Wortes, in dem ein Mensch den anderen anredet. (B 1952,52)

Wie dieses Zitat zeigt, und wie auch Barth ausdrücklich betont, so liegt darin auch ein, im Sinne von Kap. 2, humanistisches Motiv. Es geht um die "Freigabe auch des Wortes, in dem ein Mensch den anderen anredet". Es geht um die Voraussetzungen dafür, einen anderen Menschen ernst nehmen zu können.

> Verstehe ich irgend einen Anderen, wenn ich nicht bereit bin, mir von ihm auch etwas ganz Neues sagen zu lassen: etwas, was ich zuvor durchaus nicht selbst sagen zu "können" meinte, etwas wogegen ich zuvor ein Vorurteil oder viele und vielleicht sehr wohl begründete Vorurteile hatte? (B 1952,51)

In Barths Kritik des absolutistischen Menschen liegt ein humanistischer Protest gegen dessen Weigerung, sich in Frage stellen zu lassen, gegen sein ständiges Umformen alles dessen, was ihm begegnet, zu einer Bestätigung des eigenen Selbsts - und zu einer Mauer gegenüber anderen Menschen (vgl. oben 41f). In der Rede von einer Beseitigung des Subjekt-Objekt-Schemas wird diese Verleugnung eines vom Subjekt Unterschiedenen auf die Spitze getrieben. Das Folgende wird zeigen, welche fundamentale Bedeutung Begriffe wie "fremd", "verborgen", "Infragestellung", "Kritik", "Bezeugung des Gerichtes" etc in Barths Denken haben. Ständig begegnet dabei aber auch ein humanistisches Pathos: die Öffnung des Menschen gegenüber dem Mitmenschen.

> Die Humanität jedes Menschen besteht in der Bestimmtheit seines Seins als Zusammensein mit dem anderen Menschen. (KD III/2,290, im Original hervorgehoben)

3.2. Werdegang und Selbstkritik als Schlüssel für das Verständnis der Theologie Barths

Wenn die dröhnende Glocke des "Römerbriefs" einen echten Klang gab, dann musste es dieser Klang sein, der, mit solcher Wucht angeschlagen, durch alles Nachfolgende hallte: die letzte Absicht eines so prophetischen Denkens und Kündens kann nicht anders als mit sich identisch bleiben. (von Balthasar 1951,181)

Barths Grösse liegt darin, dass er sich immer wieder im Lichte der Situation korrigiert und ernstlich darauf bedacht ist, nicht sein eigener Schüler zu werden. (Tillich in ST I,12)

3.2.1. Vorläufiges

So wie Barths Denken in 3.1 beschrieben wurde, gehört Selbstkritik unausweichlich zu diesem Denken hinzu. Wenn man die Geschichte bearbeitet ohne je mit ihr fertig zu werden, wenn man ständig neue Fragen stellt und bereit ist zu hören, so ist man auch bereit dazu, sich selber verändern zu lassen, sich selber zu ändern und sich selber zu kritisieren. Die Geschichte von Barths Denken bestärkt das. Man kann Barth einen "Picasso der Theologie" nennen, weil er ständig bereit ist, alles neu anzufangen aber doch in jeder seiner "Periode" vollständig echt und sich selbst ist (Casalis 1970,61f).

Barth hat selber diese Selbstkritik ernst genommen und sie nicht auf die Frage reduziert: wie sag ich es meinem Kinde? (Vgl. B 1952,8) Will man wirklich hören, so muss man auch diesen Ernst Barths beachten. Auch wenn ich im grossen und ganzen Marquardts Barth-Interpretation bejahe, so meine ich doch, man sollte sich davor hüten, das, was Barth selbst als Selbstkritik auffasste, in einen - zwar unbewussten - systematisch haltbaren Tausch von Aspekten zu verwandeln, wie Marquardt es in 1968,90f tut. Vielleicht vermag Marquardt den Zusammenhang besser zu durchschauen als ich, aber man kann auch zu gut "verstehen", was nicht zuletzt Barth betont (vgl. zB KD II/1,716, B 1933,1).

Wenn ich meinen Ausgangspunkt für die Deutung der Kirchlichen Dogmatik gelegentlich in Barths Selbstkritik nehme, so beruht das nicht nur darauf, dass ich die Probleme zu erfassen versuche, die sein Denken vorwärtstreiben sowie die Intentionen, die sich zu verschiedenen Zeitpunkten geltend machen, sondern auch darauf, dass ich meine, dass Barths ständige Bereitschaft zur Selbstkritik für seine Theologie wichtig ist, und ihr Kontinuität verleiht. Mit Jüngel:

In seiner Selbstkritik sprach sich vielmehr Barths sachliches Verhältnis zur Sache der Theologie aus. Es bestand darin, mit dieser Sache stets noch einmal anzufangen. Das hat ihn gross gemacht. Wenige Theologen waren am Ende so wenig fertig wie Karl Barth. (Jüngel 1969,623)

Ich meine auch, dass der Inhalt der Selbstkritik in gewissem Sinne ständig derselbe war. Die Selbstkritik ist die fortgesetzte Bearbeitung einer Problematik im Zentrum von Barths Ansatz und die ständige Ueberprüfung ist- ohne dass der Ernst in ihr aufgehoben würde - dennoch ein Weitergehen auf demselben Weg. Barth hat recht, wenn er meint

> doch nur auf dem damals angetretenen Weg, wie es bei einem Weg so sein muss, weiter gegangen zu sein, die Gründe, den Sinn, die Konsequenzen jenes einst gemeinsamen Ansatzes besser ans Licht gestellt zu haben. (B 1938,184, vgl. B 1924b,3)

Etwas vorsichtiger will ich auch behaupten, dass diese ständig weiterbearbeitete Problematik im Zentrum von Barths Ansatz alles andere als unabhängig von der in Kap. 2 beschriebenen Problematik ist.

3.2.2. Die frühe Selbstkritik

Die Frage nach der frühen Selbstkritik Barths ist die Frage nach Barths eigenem Verständnis seiner Entwicklung bis zum zweiten Römerbriefkommentar. Erstens handelt es sich dabei um die Frage, welche Fragen Barth dazu trieben, die Arbeit zu beginnen, die zum ersten Römerbriefkommentar führte und nach dem Kontext, in dem er diese Fragen stellte. Zweitens geht es um die Frage danach, was Barth nach seiner eigenen Auffassung dazu trieb, diesen Kommentar umzuarbeiten. Meiner Meinung nach übersieht man diese Frage viel zu oft, und es ist das Verdienst Friedrich-Wilhelm Marquardts, sie ins Zentrum gestellt zu haben, deren Bedeutung aufgezeigt und sie vertieft zu haben. (Vgl. vor allem Marquardt 1972. Marquardts Bild von der theologischen Entwicklung Barths wird zB in Gollwitzer 1972,7-13 skizziert.) Diese Art zu fragen prägt mein gesamtes Kap. 3, also auch 3.1 und 3.3. Hier möchte ich nun einige für 3.2 wesentliche Gesichtspunkte zusammenstellen.

Welche Auffassung hatte Barth selbst von seinem Weg bis zum ersten Römerbriefkommentar? Zwei wichtige Voraussetzungen bestanden bereits bevor Barth seine Arbeit begann.

Erstens: Das Vorverständnis der theologischen Problematik, mit dem Barth in die Jahre nach 1910 eintritt, kreist um die Spannung zwischen religiösem Individualismus und historischem Relativismus. Dieses Problem verbleibt für ihn zentral und steht auch, wie wir gesehen haben, im Zentrum der Auseinandersetzung mit der "modernen" Theologie

100

(Feuerbach resp. Strauss!). Im Anschluss an die, in Kap. 2 angewandte Terminologie,
kann man sagen, dass Barth in seinem Aufsatz "Moderne Theologie und Reichgottesar-
beit" (in ZThK 1909) die in 2.1 beschriebene Relativierung so vorbehaltslos bejaht,
dass sein eigener Versuch, sie, im Anschluss an seine Lehrer mit Hilfe einer als
streng individualistisch erfassten Erfahrung verstandenen Religion zu überwinden,
nach und nach immer problematischer für ihn wird. Diese Problematik hilft ihm zB
Overbeck zu formulieren (B 1920a,8f).

> An dem ganzen Ritschlianischen Werturteilsgefüge, das sich zwischen reli-
> giösem Individualismus und historischem Relativismus ergab, hat Barth schon
> gelitten, als er es sich bewusst machte und noch als ultima ratio der Theo-
> logie bejahte. Er hat diese innere Spannung so schroff beschrieben /.../
> um eigentlich die innere Unmöglichkeit dieser ganzen Konstellation aufzu-
> decken. (Marquardt 1970,33, vgl. 31-33)

Zweitens: Barth saht seine soziale und politische Praxis in Safenwil in direktem
Zusammenhang mit seinem christlichen Glauben. Er deutete sie zuerst mit Hilfe der
Theologie des religiösen Sozialismus, wurde nach und nach aber immer kritischer ge-
genüber dieser theologischen Grundlegung (vgl. unten 3.3.2).

Wie bereits angedeutet wurde (oben 63f, vgl. unten 133), so kehrt Barth, wenn er von
der Geschichte seines Theologisierens Rechenschaft abzulegen versucht, immer wieder
zu dem Ausbruch des Ersten Weltkrieges zurück. Dort wird aufgedeckt, dass seine
Lehrer - und er selber - von einer unzureichenden theologischen Grundlage aus gearbeitet hatten.

> Irre geworden an ihrem Ethos, bemerkte ich, dass ich auch ihrer Ethik und
> Dogmatik, ihrer Bibelauslegung und Geschichtsdarstellung nicht mehr werde
> folgen können, dass die Theologie des 19. Jahrhunderts jedenfalls für mich
> keine Zukunft mehr hatte. (B 1957,6)

Was ihn die Theorie der Theologie des 19. Jahrhunderts - der religiöse Sozialismus
eingeschlossen - in Frage stellen lässt, ist deren, wie er meint, ethisch-politische
Unzureichlichkeit, also eine, aus einer bestimmten, nach Barth entschleierten, gesellschaftlich-politischen Situation hervorgewachsene Kritik ihrer Praxis. Barths
Kritik muss als Kritik einer als Ideologie wirkenden Theologie verstanden werden.

Nach Barths eigener Auffassung entdeckt er also nicht die dogmatische Unzureichlichkeit der "modernen" Theologie durch ein immanentes Studium derselben und auch nicht
einsam in seiner Kammer mit Hilfe der Bibel. Dagegen treibt ihn seine Infragestellung zum Studium derselben und zu erneutem Bibelstudium. Soweit es sich beurteilen
lässt, kommen dann, bei einem Besuch Barths bei Thurneysen Anfang Juni 1916 [92],
die berühmten Erwägungen "über erneutes Philosophie- und Theologie-Studium"
(GA V/3:1,144/1916-06-21/), "sich zwecks weiterer Klärung der Lage der wissenschaft-

101

-lichen Theologie wieder zuzuwenden" (B 1927,307). Vielleicht bereits zu diesem o-
der einem späteren Zeitpunkt kamen sie zu dem Schlussatz:

> Was wir für Predigt, Unterricht und Seelsorge brauchten, sei eine "ganz
> andere" theologische Grundlegung. Von Schleiermacher aus ging es offen-
> bar nicht weiter. (B 1968,294)

"Der Versuch, bei einem erneuten Erlernen des theologischen ABC noch einmal und be-
sinnlicher als zuvor mit der Lektüre und Auslegung der Schriften des Alten und Neuen
Testaments einzusetzen" (B 1968,294) ist ein Versuch, in der systematisch-theologischen Reflexion weiterzukommen und die Ideologie- und Relativierungsproblematik zu
bearbeieten, nicht ihr zu entgehen indem wieder mit der Bibel begonnen wird, so als
ob diese Problematik damit verschwinden würde (vgl. oben 64).

Der Versuch eines erneuten Erlernens des theologischen ABC durch Bibelstudium kann
ebenfalls nicht als Abkehr vom Weltlichen, der gesellschaftlich-politischen Situation gedeutet werden. Die theologische Grundlegung, nach der man sucht, kann nicht
zum Selbstzweck werden. Parallel zum Studium des Römerbriefes setzt Barth seine politische Aktivität fort, sowohl auf lokaler Ebene als auch als Parteitagsdelegierter
der schweizerischen Sozialdemokratie (Marquardt 1972,42-45, Gollwitzer 1972,8). In
seiner Auffassung von der Predigt betont er deren Zusammengehörigkeit programmatisch.

> Er /Barth/ sagte oft - das ist ein sehr berühmt gewordenes Wort: Das ganze
> Problem der Predigt besteht darin, dass man in einer Hand die Bibel hat und
> in der anderen die Zeitung, und zwischen diesen beiden Polen muss ein Fun-
> ke entstehen, wenn der Funke nicht passiert, dann ist keine Predigt gewe-
> sen, sondern bloss ein leeres Geschwätz. (Casalis 1970,57)

Das wird besonders deutlich in einem Brief an Thurneysen, geschrieben "unter dem
Eindruck der Revolution in Deutschland und des schweizerischen Landesstreiks"
(Marquardt 1972,95, vgl. unten 132 und Anm. 116). Danach entschleiert ganz offenbar
nach Barth die Forderung der Situation die Unzureichlichkeit früherer theologischer
und biblischer Grundlegung und wird deutlich dass Barth sich von einer Erneuerung
dieser Grundlegung Hilfe für das Verstehen der Situation erwartet.

> Wir sollte man jetzt mit vollen Händen schöpfen, deuten, erhellen, Wege
> weisen und öffnen können - und wie mager fliesst das Bächlein der Erkennt-
> nis! /.../ Hätten wir doch früher uns zur Bibel bekehrt, damit wir jetzt
> festen Grund unter den Füssen hätten! Man brütet abwechselnd über der
> Zeitung und dem Neuen Testament und sieht eigentlich furchtbar wenig von
> dem organischen Zusammenhang beider Welten, von dem man jetzt deutlich und
> kräftig sollte Zeugnis geben können. (GA V/3:1,299f/1918-11-11)

Es lassen sich also starke Gründe für Marquardts Deutung anführen:

> Die zeitgeschichtlichen Umstände dieser Römerbriefparaphrase werden also
> noch genau zu beachten sein. Diese Theologie ist gewollt und bewusst zeit-
> geschichtlich bedingt. Man hinterfragt sie nicht, sondern man erfragt sie,
> wenn man nach ihrer zeitgeschichtlichen Bedingung fragt. "Gott" wird hier

als Gott in einem bestimmten Augenblick erkannt. (Marquardt 1972,156, vgl. 160 und Marquardt 1970a,21) [93])

Wie soll dann das Verhältnis zwischen den beiden Römerbriefkommentaren verstanden werden? Wie radikal ist die Selbstkritik, die sich in der Umarbeitung ausdrückt? Mit anderen Worten: Versteht man die zweite Auflage recht, wenn man sie als einen Neuansatz versteht, als eine Existentialisierung und Entpolitisierung der Barthschen Theologie und sie deshalb ohne Rücksicht auf die frühere Auflage interpretiert? Oder ist es richtiger, sie als einen Versuch zu deuten, dasselbe, nur deutlicher und in einer neuen Situation, auszusagen. Und sollte man dann versuchen eine Interpretation zu finden, die das Gemeinsame der beiden Auflagen erfasst? Soweit ich es verstehe, fordern die verschiedenen Deutungen an dieser Stelle nicht nur verschiedene Interpretationen dieser zweiten Auflage von "Der Römerbrief", sondern auch von Barths folgendem Denken, nachdem die folgenden Selbstprüfungen vor verschiedenen Hintergründen gedeutet werden.

Eine genaue Untersuchung des Verhältnisses der beiden Auflagen zueinander müsste also auch Konsequenzen haben für die Interpretation der Kirchlichen Dogmatik. Gleichzeitig muss dann natürlich auch die Berechtigung der hier aufgestellten Hypothesen an ihren Folgen für die Deutung von Barths späterem Denken überprüft werden. So scheint mir Marquardt bei der Deutung von Barths Intentionen zu verfahren. Ein detaillierter Vergleich der Behandlung von Röm. 13 in den beiden Auflagen spielt in seiner Argumentierung eine entscheidende Rolle (Marquardt 1972,126-168, vgl. Marquardt 1970a, 23ff), und die Analyse bekräftigt für Marquardt die Berechtigung einer Kontinuitätsdeutung (Marquardt 1970a,12f, Marquardt 1968,90f). Auch auf andere Weise kann eine gemeinsame Intention in den beiden Kommentaren aufgezeigt werden. Beide sind um eine - in der zweiten Auflage zwar weiterentwickelte, doch im Grunde gleichbleibende - Analyse der Religion des Menschen aufgebaut, des menschlichen "Haben" Gottes, des Phänomens menschlichen Methologisierens (Marquardt 1968,190, Marquardt 1970a,17-20). Ich beabsichtige nicht, diese Analyse Marquardts weiterzuführen und noch weniger, sie in Frage zu stellen. Ich will mich mit einigen Hinweisen begnügen und diese stützen, so weit ich es verstehe, im grossen und ganzen Marquardts Interpretation.

Man macht es sich zu leicht, wenn man meint, die erste Auflage übergehen zu können, da sie Ausdruck des religiösen Sozialismus sei, von dem Barth sich später distanzierte. Diese Distanzierung vollzieht er zur gleichen Zeit, in der er an der ersten Auflage arbeitet (Kupisch 1971,38, vgl. unten 3.3.2), gerade in der ersten Auflage begegnet die Parole "sozialdemokratisch, aber nicht religiös-sozial" (B 1919,390, vgl. unten 139), und den Vortrag in Tambach hält er in demselben Jahr, in dem die erste Auflage herausgegeben wird und vor dem, was Barth als den Bruch bezeichnet, der eine Umarbeitung notwendig macht (B 1927,308, vgl. oben 64f). Obwohl Barth beim Korrekturlesen bereits den Verdacht hat, ein Buch zu lesen, "mit dem sie wahrscheinlich zu dieser Stunde im Himmel bereits 'fertig' sind" (GA V/3:1,300/1918-11-11/), so deutet nichts darauf hin, dass er schon damals in den Gedankengängen der zweiten Auflage gedacht hätte.

Die beiden Möglichkeiten, das Verhältnis der zweiten Auflage zur ersten Auflage zu deuten, scheinen mir einen Schlüssel für das Verständnis der inneren Spannungen der "dialektischen" Theologie in den zwanziger und dreissiger Jahren abzugeben. Obwohl es die erste Auflage war, die Barth eine Professur in Göttingen einbrachte [94], so war es offenbar die zweite Auflage, die ihn berühmt machte und die für die meisten die "dialektische" Theologie oder die "Theologie der Krise" definierte. Bultmann zB scheint es sehr viel schwerer gefallen zu sein, die erste Auflage zu bejahen als die zweite (Jaspert 1971,3f Anm. 1). Aber wenn man die Spannungen innerhalb der "dialektischen" Theologie auf diese Weise versteht, so wird ebenfalls deutlich, dass Barth sich von denjenigen abgrenzt, die nur die zweite Auflage berücksichtigen [95], womit er zumindest andeutet, dass er selber mehr die Kontinuität betont.

Was hat Barth selber zum Verhältnis der beiden Auflagen zueinander geschrieben? Die wohl am häufigsten zitierten Worte aus dem Vorwort zu der zweiten Auflage besagen, dass "von jener ersten sozusagen kein Stein auf dem andern geblieben ist" (B 1922, VI). Der Disposition nach zu urteilen ist es aber nicht das, was Barth im Vorwort betonen will. Der weitaus umfassendere Teil des Vorwortes wird folgendermassen eingeleitet:

> Wichtiger /als die Faktoren, die bei der nun vollzogenen Weiterbewegung und Frontverlegung mitwirkten/ sind mir einige grundsätzliche Dinge, die das beiden Auflagen Gemeinsame betreffen. (B 1922,VIII)

In den dort behandelten Fragen gibt Barth den Kritikern der ersten Auflage nicht recht. Im Gegenteil will die zweite Auflage hier eher verdeutlichen und zusätzlich markieren. Hier scheint mir ganz offensichtlich das für Barth Wesentliche zu begegnen. Das wird auch in der Einleitung vorbereitet, in der Barth ausdrücklich die Kontinuität unterstreicht.

> Ich habe die begonnene Arbeit fortgesetzt und lege ein weiteres vorläufiges Resultat vor. Die damals gewonnene Stellung wurde auf weiter vorwärts liegende Punkte verlegt und daselbst neu eingerichtet und befestigt. Sie bietet darum einen ganz andern Anblick. Für die Kontinuität zwischen hier und dort hat die Einheit des historischen Gegenstandes und der Sache selbst gesorgt und wird auch bei den Lesern dafür sorgen, wenn sie sich der Mühe unterziehen wollen, auch bei dieser zweiten "Vorarbeit" mitzuarbeiten. (B 1922,VI)

104

Aber Barth führt natürlich nicht eine mühsame Bearbeitung wegen einiger Spitzfindig-
keiten durch. Was aber zwingt ihn dazu? Man sollte darauf achten, dass nicht nur
die erste Auflage als eine "Vorarbeit" beschrieben wird, die einen "bestimmt umge-
schränkten Dienst" leistet (B 1922,VI). Dies ermöglicht, die Veränderungen auf die
veränderte Situation zu beziehen, so wie es Marquardt 1972,159-162 tut. Das wird allerdings im Vorwort nicht explizit betont. Stattdessen sagt Barth, dass er auf
Grund einiger günstiger Besprechungen, "so erschrocken" ist, dass er "die Notwendigkeit, die Sache anders zu sagen und einen energischen Stellungswechsel vorzunehmen,
alsbald nicht mehr ausweichen konnte" (B 1922,VIIf). Es ist naheliegend, hinter dieser Aussage die deutlich positive Aufnahme der ersten Auflage in theologisch konservativen Kreisen zu vermuten, die Barth in einem Brief an Thurneysen mit Besorgnis erwähnt (GA V/3:1,328/1919-05-21/).

Aber der entscheidende Punkt, "die eigentliche Schwäche der ersten Auflage" wurde,
nach Barth, von der öffentlichen Kritik überhaupt nicht gesehen - und selber will er
auch nicht direkt darauf deuten. Er deutet auf Faktoren, mit deren Hilfe er diese
Schwäche verringern konnte: die fortgesetzte Beschäftigung mit Paulus, die Inspiration durch Overbeck, das vertiefte Studium Platos, Kants, Kierkegaards und Dostojew-
skis und, wie gesagt, jenes von ihm nicht erwünschte Lob (B 1922,VIIf). Barths Weigerung, aufzuzeigen, was ihm als Schwäche der ersten Auflage erscheint, kann jedoch
zumindest teilweise durch andere Aussagen Barths neutralisiert werden. Bei Beginn
der Umarbeitung schreibt er an Thurneysen:

> Aber besser diese Verzögerung /einer neuen Auflage/, als dass die 1. Fas-
> sung, die ich auf einmal, wo ich hineingucke, schloddrig, überladen,
> schwammig etc finde, fortgesetzt zu Missverständnissen und Irrungen An-
> lass gibt. (GA V/3:1.435f/1920-10-27/)

In der autobiographischen Skizze von 1927 erläutert er das damit, dass er einen
"starken Einfluss bengel-ötinger-beck´scher und (auf dem Umweg über Kutter auch
schellingscher) Gedanken, die sich nachher für das, was zu sagen war, als nicht
tragfähig erwiesen", entdeckte. Gerade mit Hilfe derjenigen, die er im Vorwort zur
zweiten Auflage erwähnt, soll Barth "unabhängiger von der altwürttembergischen und
sonstwie spekulativen Theologie" geworden sein. (B 1927,307f)

Dies ist nicht nur eine Erneuerung des Sprachgebrauchs zur Vermeidung von Missverstand. Aber es ist auch nicht ein Wechsel des Standpunktes. Allgemein ausgedrückt
ist es eine Fortsetzung der früher begonnenen Prüfung der Voraussetzungen des eigenen Begriffsapparates, wenn man so will, eine fortgesetzte ideologiekritische Analyse des eigenen Denkens. Konkret bedeutet das, dass die Auseinandersetzung ausgedehnt wird (Frontverlegung!). Was in der ersten Auflagen vor allem gegen den Pietismus gerichtet war, wird nun auch gegen die "positive" Theologie (Beck) gerichtet

105

und - wie sich zeigt - gegen Schleiermacher (GA V/3:1,491f/1921-05-23/). Er schreibt die zweite Auflage "in jetzt erst klargewordener und ausgesprochener offener Opposition zu Schleiermacher" (B 1927,308). Auch die Reformation erscheint jetzt in neuem Licht. Barth spricht von einer, sich gegenüber der ersten Auflage "wie ein Katastrophe" auswirkenden "Wendung von Osiander zu Luther" (GA V/3:1,448/1920-12-03/).

3.2.3. Die die Kirchliche Dogmatik motivierende Selbstkritik

Barth begnügte sich - natürlich - auch nicht mit den Gedanken und Formulierungen in der zweiten Auflage des Römerbriefkommentars. Die neuen Arbeitsaufgaben als Professor, die Forderungen nach einer erweiterten und vertieften Bearbeitung der Theologiegeschiche und einer zusammenhängenden dogmatischen Darstellung zwingen ihn natürlich zum Teil zu diesem Weiterdenken. Diese beiden Aufgaben befruchten einander, und sowohl "Die protestantische Theologie im 19. Jahrhundert" und "Fides quaerens intellectum" als auch "Die christliche Dogmatik im Entwurf" sind Voraussetzungen für "Die kirchliche Dogmatik". Dabei handelt es sich natürlich nicht um Voraussetzungen im logischen Sinn, wonach ein Endergebnis nur expliziert was bereits in den Voraussetzungen gegeben ist. Es handelt sich hier wiederum um einen Weg voller mühsamer und ernstgemeinter Selbstkritik, wobei die Voraussetzungen eher historisch-hermeneutisch sind, in dem Sinne, dass sie selber Ausdruck einer früheren Selbstkritik sind, die in der späteren Selbstkritik vorausgesetzt und ihr selber unterworfen wird. Im Folgenden werde ich versuchen zuerst Barths eigene Kritik zu deuten, die ihn veranlasste 1932 von neuem anzufangen und nicht "Die christliche Dogmatik im Entwurf" fortzusetzen, dann werde ich versuchen, die Perspektive nach und nach bis zum Verständnis des Verhältnisses zu den Römerbriefen in der frühen Kirchlichen Dogmatik zu erweitern.

Als Barth in Vorwort zu KD I/1 motivieren soll, warum er von neuem anfängt, beschreibt er das neue Buch als eine zweite Auflage des alten, wenn auch mit neuem Titel (KD I/1,VIII,X), und das Verhältnis zwischen den beiden Auflagen wird ausdrücklich als eine Parallele zum Verhältnis zwischen den beiden Auflagen des Römerbriefkommentars beschrieben:

> Was ich vor zwölf Jahren bei der Neubearbeitung des Römerbriefs erlebt hatte, wiederholte sich: ich konnte und wollte dasselbe sagen wie einst; aber so wie ich es einst gesagt, konnte ich es jetzt nicht mehr sagen. Was blieb mir übrig, als von vorn anzufangen, und zwar noch einmal dasselbe, aber dasselbe noch einmal ganz anders zu sagen? (KD I/1,VI)

Was die neue Auflage deutlicher hervorheben soll ist, dass Dogmatik "keine 'freie' sondern eine an den Raum der Kirche gebundene, da und nur da mögliche und sinnvolle

106

Wissenschaft" ist:

> Das bedeutet vor allem, dass ich einiges (worunter doch auch meine eige-
> nen Absichten) jetzt besser verstanden zu haben meine, indem ich in die-
> ser zweiten Fassung des Buches tunlichst Alles, was in der ersten nach
> existentialphilosophischer Begründung, Stützung oder auch nur Rechtfer-
> tigung der Theologie allenfalls aussehen mochte, ausgeschieden habe.

(KD I/1,VIII)

Man sollte in diesem Zitat sich in erster Linie an Ausdrücke wie "Begründung, Stüt-
zung oder auch nur Rechtfertigung der Theologie" halten, in zweiter Linie an die Bestimmung "philosophischer" und erst an dritter Stelle an die nähere Bestimmung "exi-
stentialphilosophischer". Das bestärkt Barth in seinem Rückblick von 1938:

> Die Vertiefung war diese: Ich hatte mich in diesen Jahren von den letz-
> ten Resten einer philosophischen bzw. anthropologischen (in Amerika sagt
> man wohl "humanistischen" oder "naturalistischen") Begründung und Erklä-
> rung der christlichen Lehre zu lösen. (B 1938,185)

In diesem Zitat sollte man auf den Ausdruck "von den letzten Resten" in jenem auf
den Ausdruck "allenfalls aussehen mochte" achten. Nach Barths Selbstverständnis handelt es sich also nicht um einen Standortwechsel sondern um besseres Verstehen der
eigenen Absichten und um eine für diese mehr adäquate Ausdrucksweise (vgl. auch
KD I/1,135).

Die beiden, nach Barths Selbstverständnis, kritischen Punkte in "Die christliche Dogmatik im Entwurf" waren der in § 5.1 vollzogene Uebergang von einer phänomenologisch-
en zu einer existentiellen Betrachtungsweise und dass in §§ 5-7 gewisse "Näherbestim-
mungen des Wortes Gottes" als Ergebnis einer "Analyse der konkreten Situation des
Predigers, des Hörers bzw. des das Wort Gottes erkennenden Menschen überhaupt" dargestellt wurden (KD I/1,128-130). Der Uebergang konnte so gedeutet werden - und wurde so gedeutet - als wollte er die Lehre vom Worte Gottes und so die ganze Dogmatik
damit begründen, "dass sie als eine Setzung existentiellen Denkens aufgewiesen und
also als ihr Hintergrund und ihre Rechtfertigung eine Existential-Philosophie geltend gemacht wurde". Barth betont, dass eine solche Begründung nicht durchgeführt
wurde, dass aber die Stelle Anlass zu einem Verständnis des Ganzen geben konnte, das
offenbar Barths Intention widerstritt. (KD I/1,129) Allem Anschein nach war als
Selbstkritik noch wichtiger, dass die Disposition von §§ 5-7 "im selben Sinn und in
derselben Richtung das Verfolgen einer 'falschen Tendenz' /bedeutete/, wie die vor-
hin kritisierte Einführung und Verwendung der Begriffe des phänomenologischen und
existentiellen Denkens". Die Darstellung hielt nicht und konnte es auch nicht, aber
das was in ihr "wenn nicht geschehen ist, so doch intendiert und behauptet wurde"
musste kritisiert werden. Auch wenn die Anthropologie, aus der Barth Schlüsse ziehen wollte, eine kirchliche Anthropologie war, so versuchte er doch, eine Anthropologie zum "Erkenntnisgrund der entscheidenen Sätze über das Wort Gottes" zu machen.

107

(KD I/1,130, vgl. 135) Aber:

> Wenn das Wort Gottes etwas sicher nicht ist, dann nicht ein Prädikat des
> Menschen, auch nicht des Menschen der es empfängt, also auch nicht des
> im Raum der Kirche redenden, hörenden und erkennenden Menschen. (KD I/1,
> 130)

Das ist keine periphere Selbstkritik sondern Selbstkritik im Zentrum selbst. Es
gilt, die eigenen Intentionen so effektiv wie möglich auszudrücken, aber das gilt
nicht nur der Ausdrucksweise. Es geht darum, die Intentionen selbst so zu verstehen,
dass man auch deren Konsequenzen verwirklichen kann. Die Selbstkritik gilt der Frage nach dem Wesen des Wortes Gottes (KD § 5.1) und damit auch nach der Möglichkeit
und Aufgabe dogmatischer Prolegomena (KD § 2.2). Ein längeres Zitat soll hier beleuchten, wie die Ablehnung einer (philosophischen) Begründung des dogmatischen Er-
kenntnisweges als der Ansatz in der Kirchlichen Dogmatik bezeichnet werden kann:

> Wie sind dogmatische Prolegomena, wie ist eine Vorverständigung über den
> in der Dogmatik zu begehenden Erkenntnisweg möglich? Eine solche setzt
> offenbar einen Ort voraus, von dem aus dieser Weg sichtbar und verständ-
> lich ist. Welches ist dieser Ort? /.../
>
> Wir können zum Zweck jener Rechenschaftsablage über den in der Dogmatik
> zu begehenden Erkenntnisweg nicht einen solchen Ort beziehen, der irgend-
> wo abseits von diesem Wege selbst, irgendwo oberhalb der dogmatischen Ar-
> beit läge. Ein solcher Ort abseits und oberhalb wäre eine Ontologie bzw.
> Anthropologie als Grundwissenschaft von den menschlichen Möglichkeiten,
> unter denen irgendwo auch die des Glaubens und der Kirche vorgesehen wäre.
> Als einen solchen Ort abseits und oberhalb müssen wir aber auch eine angeb-
> liche kirchliche Wirklichkeit verstehen, in der die Entscheidung des Herrn
> der Kirche schon vorweggenommen ist. In beiden Fällen, in der Prolegomena
> modernistischer und katholischer Dogmatik, kann man vorher, bevor man ihn
> antritt, wissen und sagen, welches der rechte Erkenntnisweg sein wird.
> Evangelische Dogmatik kann das nicht. Sie kann es nur wagen, ihren Weg
> anzutreten, und dann auf diesem Weg - sei es denn, wie wir dies als not-
> wendig erkannt haben, zuerst, aber auf diesem Weg - sich um die Erkennt-
> nis der Richtigkeit dieses Weges zu bemühen. Sie weiss, dass man in den
> in sich geschlossenen Kreis dieser Bemühung nicht von aussen hineintreten
> kann, weder von einer allgemeinen menschlichen Möglichkeit, noch von einer
> kirchlichen Wirklichkeit her. Sie weiss, dass alle ihre Erkenntnis - auch
> und gerade die Erkenntnis von der Richtigkeit ihrer Erkenntnis - nur Er-
> eignis sein, nicht aber von einem Ort abseits und oberhalb dieses Ereig-
> nisses als richtige Erkenntnis gesichert werden kann. Als Versuch einer
> solchen Sicherung kann sie also auch ihre in den Prolegomena zu liefern-
> de Rechenschaftsablage auf keinen Fall verstehen. Diese Rechenschafts-
> ablage wird sich vielmehr nur innerhalb, wenn auch am Anfang der (von je-
> dem Punkt abseits und oberhalb her gesehen ungesicherten) dogmatischen Ar-
> beit selbst vollziehen können.
>
> Wir sehen den möglichen Ansatzpunkt solcher Rechenschaftsablage in der Tat-
> sache, dass die christliche Kirche es wagt, von Gott zu reden, bzw. es wagt,
> ihr Reden als Reden von Gott zu verstehen. (KD I/1,35,41f)

Daher kann Barth Gogartens Forderung nach einer "eigentlichen Anthropologie" (KD I/1,
130-135) nicht nachgeben und auch nicht Bultmanns Streben danach, Glaube und Kirche

108

"aus der allgemeinen Geschichtlichkeit des menschlichen Daseins" (KD I/1,38, vgl. 36)
"mittels dessen /Vorverständnisses in bezug auf den Menschen/ wir in den bewussten
Zirkel des Verständnisses von Gott und Mensch in ihrer Zusammengehörigkeit sozusagen
hineinspringen würden" (KD I/1,133).

In der Kirchlichen Dogmatik ist, wie bekannt, "natürliche" Theologie der zusammenfassende Begriff für alle Versuche, die Dogmatik zu begründen. [96] Es ist bezeichnend,
dass Barth gerade in der selbstkritischen Auseinandersetzung mit Gogarten sich dazu
veranlasst sieht, die Voraussetzungen der "natürlichen" Theologie darzulegen. Er beschreibt sie so, dass die "moderne" - oder "modernistische" - Theologie und die katholische, als die neue und die alte letzlich dieselbe "natürliche" Theologie erscheinen. Beide wollen eine "direkte Einsicht in die Schöpfung des Menschen, die als
solche auch Offenbarung Gottes ist" auszunützen (KD I/1,134, vgl. 185,276). Aber das
ist nach Barth unmöglich:

> Denn auch um unser Geschaffensein wissen wir nicht aus unserem Geschaffen-
> sein, sondern durch das Wort Gottes, aus dem wir keine selbständigen, im
> allgemeinen wahren, vom Worte Gottes selbst verschiedenen und also zu ihm
> hinleitenden Erkenntnisse ableiten können. Und es ist die Erkenntnis in
> diesem Zirkel keine umkehrbare. (KD I/1,135)

Die Abgrenzung gegenüber der "natürlichen" Theologie ist im Verhältnis zum Denken
der "Römerbriefe" terminologisch neu. Im Hintergrund dieser terminologischen Veränderung steht zumindest teilweise, dass Barth neue Gesprächspartner erhalten hat. In
der Schweiz bearbeitete Barth, was er in der eigenen Tradition vorfand, um dessen
Tragkraft in einer, mit vor allem sozialistischen Begriffen analysierten Situation
zu prüfen. Jetzt hat er eine Gemeinsamkeit in dieser Tradition entdeckt, die dazu
berechtigt, von der "modernen" oder der "modernistischen" Theologie als ganzer zu
sprechen. Er befindet sich jetzt aber in Münster und Bonn auch

> im Dialog mit dem tridentinischen Katholizismus, den er in den zwanziger
> Jahren mit grösserem Ernst als irgendein anderer protestantischer Theolo-
> ge aufgenommen hat, und in dem er die Profilierung der von Neuprotestan-
> tismus durch natürliche Theologie und Semipelagianismus so verwischten re-
> formatorischen Position als Hauptaufgabe aussieht. (Gollwitzer 1972,36,
> vgl. Weber 1956,231)

"Natürliche" Theologie ist der Begriff, mit dessen Hilfe Barth seine Kritik der "modernen" Theologie mit seiner Kritik des Katholizismus zusammenordnen kann. Was
Barth hier kritisiert ist das apologetische Unternehmen des Versuches einer Begründung, das also, was nach Barths Verdacht die Theologie Schleiermachers allzu sehr
bestimmen durfte. Historisch gesehen verhält es sich ja so, dass die Arbeit mit
"Die protestantische Theologie im 19. Jahrhundert" (und mit "Fides quarens intellectum") parallel mit der Umgestaltung der dogmatischen Prolegomena geschah (B 1938,185,

109

B 1946,V).

Die Kritik der "natürlichen" Theologie drückt dasselbe aus wie Barths Kritik jeglicher theologia gloriae. Im "Römerbrief" behauptet Barth

Christentum, das nicht ganz und gar und restlos Eschatologie ist, hat mit Christus ganz und gar und restlos nichts zu tun. (B 1922,298, vgl. KD II/1, 715)

Hier knüpft Barth an Luthers, einer theologia gloriae gegenübergestellten, theologia crucis an. Nach Barth ist Gottes Selbstmitteilung durch eine doppelte Indirektheit charakterisiert - durch die Kreatürlichkeit und durch die Sündigkeit der Kreatur -, und diese doppelte Indirektheit ist nicht von der Selbstdarbietung Gottes in seinem Wort aufgehoben. [97] Die indirekte Mitteilung Gottes ist nicht in direkte Mitteilung bzw. Erkenntnis aufzulösen. (KD I/1,171-174) Barths daran anknüpfende Beispiele zeigen deutlich, wogegen er sich wendet:

Man kann also zB die kirchliche Verkündigung nicht so gestalten wollen, dass sie innerhalb des Kosmos als Element der Bildung, der Erziehung, der Pflege des Volkstums, des sozialen Fortschritts usw als Notwendigkeit einleuchtend wird. Man kann die Bibel nicht, wie es in der Zeit der Orthodoxie und der Aufklärung üblich war (wie es leider Instit. I,8 nebenbei auch Calvin versucht hat) und wie es dann seit Herder mit allen Mitteln des neuen historischen Denkens versucht wurde, unter allerlei humanen Gesichtspunkten als ein glaubwürdiges und empfehlenswertes Buch hinstellen wollen. Und man sollte vor allem die Offenbarung selbst, Jesus Christus, mit allem direkten oder bloss relativ indirekten Aufweisenwollen ihrer Superiorität über die anderen Religionen /.../ grundsätzlich verschonen. (KD I/1,174)

Dieser Charakter einer theologia crucis gilt nach Barth für alle loci der Dogmatik. Zwar gibt es zB eine theologische Anthropologie, aber über sie wird "eine Verständigung mit irgendeinem Philosophen so wenig möglich sein /.../ wie über irgendeinem anderen Locus der Dogmatik" (KD I/1,134f). [98]

Als Ansatz ist das kaum etwas Neues. Was ich als Selbstkritik auffasse ist das Durchdenken der Konsequenzen dieses Ansatzes, wodurch entschleiert wird, dass sich nichts verändert, wenn der kritisierte Ansatz nur mit einem negativen Vorzeichen versehen wird. Es gibt auch eine negative theologia gloriae, in der Verzweiflung als Teilhabe an der Vollendung bezeichnet wird (KD I/1,186). Es gibt auch eine negative natürliche Theologie, in der die Möglichkeit der Offenbarung - und vielleicht deren Notwendigkeit - aus der Fragwürdigkeit der menschlichen Existenz begründet wird. Diese Form der natürlichen Theologie liegt vielleicht, von einer Existentialphilosophie aus gesehen am nächsten. Aber Barth erkennt hier dieselbe Immunisierung des Offenbarungsbegriffes. Offenbarung ist "die göttliche Entscheidung darüber, ob mein Tun Glaube oder Unglaube, Gehorsam oder Ungehorsam, rechtes oder nicht rechtes Hören ist".

110

Sie ist nicht ein Spezialfall unter den Möglichkeiten menschlicher Entscheidung überhaupt. Sie kann also nicht im Rahmen einer allgemeinen
Anthropologie vorverstanden werden. Auch die radikalste Krisis, in der
der Mensch allgemein anthropologisch sich selbst verstehend, sich entdecken mag, hat mit dieser Krisis nichts zu tun. Denn auch in der radi-
kalsten Krisis allgemein menschlicher Art entdeckt sich der Mensch zugleich als eigener Wähler seiner eigenen Möglichkeit. Ihm widerfährt
nicht, sondern er vollzieht eine Entscheidung. Und dieses sein eigenes
Verhalten ist das eigentliche und primäre Offenbaren Gottes. (KD I/1,
166) 99)

Auch wenn es nicht ausgeführt wird, so ist dies auch eine Bearbeitung des Ansatzes

in den "Römerbriefen" und vor allem der Rezeption der "Römerbriefe" und der "Theolo-

gie der Krise" überhaupt. Barth wollte bereits damals vermeiden, auf einer Art ne-

gativen religiösen Erfahrung aufzubauen (B 1922,121, vgl. Althaus 1924,753 Anm. 1).

Trotzdem bleibt die Frage bestehen, ob er nicht den Zusammenbruch des Optimismus des

19. Jahrhunderts zumindest indirekt als ein Argument benutzte und ob er nicht die

Gefühle der Zeit ausnutzte und selber Ausdruck für sie war.

Die Durchschlagskraft der Theologie Barths muss natürlich wissenssoziologisch ver-

standen werden. Ein Ansatz dazu liegt in der Bezeichnung "Theologie der Krise" und

im Schempps Formulierung von 1928 vor:

> Barth macht Schule, weil seine Theologie der heutigen Geisteslage mehr
> entspricht als andere Theologieen. (Schempp 1928,305)

Das kann dann so durchgeführt werden, wie bei Klaus Scholder 1963. Er setzt ein bei

Sontheimers und von Krockows Analysen und meint, dass das Gefühl der Krise oder das

Krisenbewusstsein "nicht, wie man zunächst annehmen könnte, bloss Reflexion einer

objektiv kritischen Situation" war (Scholder 1963,515). Es war, umgekehrt, an die

antiaufklärerische Tradition gebunden, die in der Lebensphilosophie ihren Ausdruck

gefunden hatte und die nun "die konservative Revolution" motivierte.

> Die Rede von der grossen Krise enthüllt sich uns hier als eine ideologische
> Hilfskonstruktion grössten Ausmasses. Sie bildete die Voraussetzung und
> zugleich die Legitimation der geistigen Rechten, entgegen dem historischen
> Faktum der Niederlage an ihren Ideen festzuhalten, ja ihre Stärkung und Ra-
> dikalisierung als Forderung der Zeit zu verkünden. Die grosse Krise er-
> laubte, ja verlangte geistige Radikalität und Absolutheit; sie verbot alle
> "relativen", alle "vernünftigen" Lösungen, die angesichts ihrer immer wie-
> der beschworenen gewaltigen Dimensionen leicht lächerlich zu machen waren.
> (Scholder 1963,516)

Obwohl Scholder erkennt, dass bei Barth die Krise nicht so verabsolutiert wird wie

bei Gogarten, und dass Barth sich also nicht mit dieser "geistigen Rechten" identi-

fiziert, so zieht er den Schlussatz:

> Man wird den Verdacht nicht los, als ob auch bei der Verlagerung des Schwer-
> punktes auf das im engeren Sinne Kirchlich-Theologische, die die Arbeit

Barths in diesen Jahren charakterisiert, die Faszination der Krise eine
Rolle gespielt hat dergestalt, dass sie die Radikalität des Fragen pro-
vozierte, ohne ihrerseits in ihrer Fragwürdigkeit deutlich zu werden.
(Scholder 1963,523) [100]

Als einem Aufruf zur Selbstprüfung nach der Rezeption der "Römerbriefe" kann Barth,
meiner Meinung nach, einer solchen Fragen nur schwer entgehen. Will man diese Ermahnung jedoch zum Ausgangspunkt für eine Kritik machen, so muss man allerdings ernsthaft prüfen, ob nicht gerade eine solche Selbstprüfung in Barths Bearbeitung seiner
Ausgangspunkte um 1930 bereits vorliegt und zwar in seiner Abgrenzung gegenüber jeder negativen natürlichen Theologie und in seinem Versuch, Gottes gnädige Ja besser
hervortreten zu lassen (KD II/1,715). So sagt er selbst:

> So kam es, dass wir nun doch auch von der Nachzeitlichkeit Gottes nicht
> so zu reden wussten, dass es deutlich wurde, was wir eigentlich meinten:
> dass wir von Gott und nicht etwa von dem allgemeinen Begriff der Grenze
> oder der Krisis reden wollten. (KD II/1,716)

Als Ermahnung zur Selbstprüfung scheint also Barth eine wissenssoziologische Perspektive der "Theologie der Krise" zu bejahen. Wir werden darauf zurückkommen, da dies
direkt in das christologische Denken der Kirchlichen Dogmatik hineinführt. Eine
ideengeschichtlich-wissenssoziologische Perspektive ist aber auch eine alles Denken
relativierende Perspektive (vgl. 2.1). Es lohnt sich, darauf zu achten, dass Barth
auch diese Relativierung seines eigenen Denkens sehr weitgehend bejahen kann und ü-
ber den Inhalt dieser Bejahung meditieren kann. 1940 schreibt er:

> Stammt die Erneuerung der Theologie aus der grossen Enttäuschung des letz-
> ten Weltkrieges und seiner Folgen? Antwort: In jener Zeit hat sie aller-
> dings ihren Anfang genommen. Und wir haben schon in jener Zeit tatsäch-
> lich nicht geschlafen, sondern uns durch die Ereignisse einiges sagen las-
> sen. Ich kann und will wirklich nicht beweisen, dass wir auch ohne den
> Weltkrieg da stünden, wo wir jetzt stehen. Aber wer kann denn beweisen,
> dass wir gerade durch den Weltkrieg dahin geführt wurden? Wer eine geis-
> tige Erscheinung nur aus solchen äusseren Gründen erklären zu können meint,
> der muss vom Leben des Geistes eine etwas merkwürdige Vorstellung haben.
> (B 1940,100)

Dies betrachte ich nicht als eine Art Kompromissweisheit, sondern als eine Ueberlegung, die genau zu der Problematik gehört, die ich in Kap. 2 skizziert habe. Barth
kann nicht verstehen, wie man "geistige Erscheinungen" nur aus äusseren Gründen erklären zu können meint, was ich als eine Weigerung betrachte, das eigene Denken als
etwas anzusehen, wofür man nicht Verantwortung zu übernehmen braucht. Aber er kann
sich nicht denken, dass man relevant denken kann, wenn man schläft und nicht auf die
Ereignisse, die Situation, achtet. Relevantes Denken ist für Barth situationsgemäs-
ses Denken. Selbstkritik ist dann sowohl sachliche Selbstkritik als auch eine Prüfung, ob ich dass, was ich einmal gesagt habe, auch jetzt sagen soll. (Vgl. KD II/1,
715f und die deutlichen Beispiele unten 118 und 148)

Aber auch wenn Barth einerseits Anlass zu sachlicher Selbstkritik im Verhältnis zu der "Theologie der Krisis" sieht und sie andererseits als sein Denken in einer nun nicht mehr aktuellen Situation betrachtet, so bleiben die Krisis, der Zusammenbruch des Optimismus des 18. und 19. Jahrhunderts als Argumente in Barths Denken bestehen. Sie begegnen zB in einem Vortrag von 1957 über die evangelische Theologie im 19. Jahrhundert:

> Wir haben härtere Zeiten erlebt, Schlimmeres mitgemacht als sie und sind seltsamerweise gerade dadurch freier gemacht /.../ Und der moderne Mensch kann uns nach dem, was er in unserem Jahrhundert geleistet hat, nicht mehr so imponieren, wie er jenen imponiert hat. (B 1957,9, vgl. oben 68)

Immer noch ist die Krise vorhanden, die Apotheose des Menschen entschleiert und damit das Bedürfnis nach einer "ganz anderen" theologischen Grundlegung aufgedeckt,als die, worauf jene Apotheose aufbaute (vgl. oben 64). Hier scheint Barth während der ganzen Zeit existenzphilosophisch argumentieren zu können. Was er nach und nach immer deutlicher markiert, ist der Unterschied zwischen einer solchen existenzphilosophischen (anti-idealistischen) Argumentation und der theologischen Grundlegung selbst. 101)

Wenn Barth die Theologie von jeder "natürlichen" Theologie abgrenzt - also auch gegenüber jeder negativen "natürlichen" Theologie - so wird er vor die Frage gestellt, wie diese Abgrenzung begründet werden kann/soll. Bei Bultmann findet er einen Versuch, die Abgrenzung anthropologisch zu begründen (vgl. oben 96). Barth kann diesen Versuch nicht gutheissen, denn, um anthropologisch begründen zu können muss Bultmann, nach Barth, gerade das tun, was die Abgrenzung verbietet, er muss nämlich "Offenbarung" als etwas verstehen, was man im Rahmen der Anthropologie diskutieren kann, d.h. als eine menschliche Möglichkeit. Gegen Bultmann (und Gogarten) wird Barth zur Behauptung gezwungen, dass es nicht "möglich ist",

> aus dem einzusehenden Verhältnis von Philosophie und Theologie die Möglichkeit der Theologie abzuleiten. (KD I/1,132)

Es wird Barth immer klarer, dass die Theologie und auch die Selbständigkeit der Theologie im Verhältnis zur Philosophie sich nicht philosophisch begründen lässt kann. Das ist nach Barth einfach nicht möglich, weder durch eine Metaphysik, eine Ontologie des Hohlraums, eine "eristische" Theologie, noch durch eine Lehre von der Geschichte oder eine Anthropologie. (B 1930,394f) Das alles ist wohlbekannt, aber man muss zu verstehen versuchen, wie Barth sich das denkt und wie er es sich nicht denkt.

Bereits auf den ersten Seiten in der Kirchlichen Dogmatik schlägt Barth fest:

> Schon die behauptete Selbständigkeit der Theologie gegenüber den anderen Wissenschaften ist jedenfalls nicht als prinzipiell notwendig zu erweisen

> /.../ Nur theologischer Uebermut könnte hier anders als praktisch argu-
> mentieren wollen /.../ Weder verfügt sie /die Theologie/ über einen Er-
> kenntnisgrund, der nicht sofort auch in jeder anderen Wissenschaft Aktua-
> lität haben könnte, noch kennt sie ein Gegenstandsgebiet, das irgendeiner
> anderen Wissenschaft verborgen sein müsste /.../ Philosophie und "profane"
> Wissenschaft überhaupt muss wahrlich nicht "profan", nicht heidnisch sein.
> Sie könnte philosophia christiana sein. /.../ Theologie als besondere Wis-
> senschaft ist wie die "Theologie" des Gottendienstes als besondere christ-
> liche Rede nur zu rechtfertigen als relative, faktische Notwendigkeit.
> Als solche ist sie gerechtfertigt. (KD I/1,3f)

Diese Unterscheidung zwischen einer prinzipiell notwendigen Selbständigkeit und einer

praktischen oder relativen, faktischen wird offenbar auf die Unterscheidung zwischen

theologia gloriae und theologia crucis bezogen. So geschieht das bereits früh in

Barths Denken:

> Denn in dieser Deutung /die Deutung des Weltgeschehens, die sich aus der
> in der Bibel gebotenen Erkenntnis ergibt, also die Deutung sub specie
> aeterni/ sind alle Deutungen, die naturwissenschaftliche, die histori-
> sche, die ästhetische und die religiöse zugleich inbegriffen und aufgeho-
> ben - und mit der philosophischen Deutung wird sie, sofern es sich um ei-
> ne Philosophie handelt, die sich selbst versteht, letzten Grundes iden-
> tisch sein. (B 1920,50)

Und daran hält Barth auch im Alter fest:

> Ist nicht die Existenz der Theologie in jener Isolierung, ist nicht schon
> die Besonderheit ihrer Existenz als solche ein (von ihrem Wesen wie von
> dem der anderen Wissenschaften her gesehen) im ersten und letzten Grund
> abnormales Faktum zu verstehen und zu bezeichnen? /.../
>
> Eine noch sündlose oder eine schon vollendete und vollends eine Theologie
> Gottes selbst könnte selbstverständlich keine besondere, von der Philoso-
> phie, bzw. von der übrigen Wissenschaft verschiedene, geschweige denn ei-
> ne von dieser in der Winkel gedrängte, sondern nur (sei es kraft ihrer un-
> getrübten Erleuchtung durch das Licht Gottes, sei es in Identität mit die-
> sem selbst) die Philosophie, die Wissenschaft sein. Nun kann aber, was
> Menschen jetzt und hier als Theologe kennen und unternehmen mögen, weder
> (wir sind nicht mehr da!) paradiesische, noch (wir sind noch nicht da!)
> vollendete, noch gar (wir werden nie da sein!) göttliche Theologie sein,
> sondern nur /.../ theologia ektypa viatorum. (B 1962,124-126, vgl. oben
> 72 mit Anm. 75)

Wenn Salaquarda behauptet, dass zwei Aspekte der Auffassung Barths vom Verhältnis

zwischen Dogmatik und Philosophie die "Identität der geschöpflichen Anlage" und die

"Gleichartigkeit in der Verwendung durch den Sünder" sind (Salaquarda 1969,96ff,85f),

so ist das gar nicht so überraschend, wie es auf den ersten Blick scheint. Nach Barth

haben beide, der Theologe wie auch der Philosoph, ihre Aufgabe darin, die "eine

ganze Wahrheit" zu bedenken, und keiner von beiden kann diese ganze Wahrheit besit-

zen.

> Sind sie Beide als Menschen der einen ganzen Wahrheit konfrontiert, mag
> es ihnen als Menschen tatsächlich Beiden um sie und nur um sie gehen, so

ist und bleibt sie ihnen doch Beiden überlegen, so hat doch Keiner von
Beiden die Macht, als ein sie Besitzender, ihr also Ueberlegener zu denken und zu reden, sie auf den Plan zu führen, für seine eigene Sache und
gegen die des Anderen sprechen zu lassen. (B 1960,94)

Das Hauptgewicht liegt für Barth darauf, dass dies für die Theologie gilt, näher bestimmt für die Dogmatik. Die Dogmatik verfügt weder über ihren Realgrund noch ihren
Erkenntnisgrund, weder über "Gottes der Kirche verheissene Offenbarung" noch über
"die Kraft des die Verheissung ergreifenden Glaubens" (KD I/1,21)

> Und nun gibt es, menschlich geredet, keine Ueberwindung dieser fundamen-
> talen und so unter allen Wissenschaften nur die Theologie (und in der Theo-
> logie so nur die Dogmatik) bedrückenden Schwierigkeit, keinen angebbaren
> Weg zur Beschaffung jener besonderen entscheidenden Bedingung der Dogmatik
> /.../

> Wir sagen, menschlich geredet, nichts zur Erleichterung jener Schwierig-
> keit (KD I/1,22f)

Aber das hat Konsequenzen, auch für Barths Philosophieverständnis. Die Philosophie,
die Moral und die Politik sind, nach Barth, "die Philosophie, die Moral, die Politik
des sündigen und verlorenen Menschen" (KD I/1,270). Die Philosophie thematisiert,
nach Barths Sprachgebrauch, nicht nur einen Aspekt des Menschseins, sondern das
Menschsein selbst (vgl. B 1960,94, Salaquarda 1969,101). Das Bedenken der Wahrheit
aber, von sündigen Menschen ausgeführt, lässt sich nicht von "Religion" unterscheiden. Nach Barth kann die Philosophie nicht von der Weltanschauungs- und damit der
Ideologieproblematik befreit werden. Die "wissenschaftlichen, speziell geisteswis-
senschaftlich-hermeneutischen Prinzipien und Methoden" sind der "zu dieser und dieser Zeit hier und dort herrschende/n/ Weltanschauung" abgelauscht. Sie sind also
"irgendwo zutiefst" ein Exponent "ihrer besonderen Religiosität oder Irreligiosität".
(KD IV/3,939f, vgl. Salaquarda 1969,70) Die Annahme, dies könne dadurch, dass "die
zu verwendenden philosophischen Begriffe","erst als solche 'geklärt' werden", aufgehoben werden, heisst, "Vernunft und Geschichte" als eine andere Offenbarungsquelle
(B 1935,158) anzunehmen. Ebensowenig wie Barth eine theologia gloriae kennt, kennt
er eine philosophia gloriae, und die Unterscheidung Form - Inhalt ist äusserst problematisch für ihn, auch wenn er sie ab und zu verwendet. [102)]

> Er /Barth/ kennt keine theologisch neutralen Begriffe und weigert sich
> darum, eine ganze "Begrifflichkeit" in philosophischer Reinheit und sys-
> tematisch aufzubauen. (Marquardt 1968,98)

Oder mit Barths eigenen Worten an Bultmann:

> Sehen Sie: nachdem ich in jungen Jahren Kantianer bis über die Ohren ge-
> wesen bin, nachdem ich es dann ebenso komplett mit Schleiermachers Roman-
> tik versucht habe, nachdem es mir später (beim Studium der Theologie des
> 19. Jahrhunderts) unvergesslich eindrücklich geworden ist /.../ mit wel-

cher strahlenden Selbstverständlichkeit man einst gemeint hat, bei Hegel das erste und letzte Wort hinsichtlich alles und jedes "Verstehens" gehört zu haben - bin ich zwar kein Feind der Philosophie als solcher, wohl aber jedem Absolutheitsanspruch jeder Philosophie, Erkenntnis- und Methodenlehre gegenüber hoffnungslos zurückhaltend geworden. (GA V/1,197 /1952-12-24/)

Ebensowenig, wie die Unmöglichkeit einer theologia gloriae die Theologie von ihrer Aufgabe befreit, so befreit nach Barth die Unmöglichkeit einer philosophia gloriae (die dasselbe wie eine theologia gloriae wäre) die Theologie von ihrer Abhängigkeit von der Philosophie, von philosophischen Voraussetzungen und philosophisch gefärbten Begriffen. Ebensowenig wie der Glaube eines Menschen die "Religion" aufheben kann, so kann die Theologie, nach Barth, die Philosophie - also "streng theologisch von ihrer Entsprechung zur Dogmatik her begriffen" die "Dogmatik der 'Religion'" (Salaquarda 1969,88) - aufheben. Wenn Barth dafür argumentiert, dass die Theologie nicht philosophisch begründet werden kann, so argumentiert er damit nicht für eine Abgrenzung und Abschirmung von allem, was Philosophie heisst. So etwas zu vertreten wäre nach Barth äusserst naiv und vollständig sinnlos.

> Und vergessen wir nicht: die Theologie ist in der Tat, so gewiss sie sich der menschlichen Sprache bedient, auch eine Philosophie oder ein Konglomerat von allerlei Philosophien. (KD I/1,171, vgl. B 1935,158)

Das gilt nicht nur für die anderen, so wie liberale Dogmengeschichtler es vorauszusetzen neigten:

> Mit dem Nachweis philosophischer Bedingtheiten kann man sich der Bekenntnisse und der Theologie aller Zeiten und aller Richtungen erwehren, umso wirkungsvoller, je weniger man den Balken in seinem eigenen Auge sieht. Denn von irgendeiner Philosophie haben die Theologen sprachlich immer gelebt und werden sie sprachlich immer leben. (KD I/1,398)

Ja, dass ist nicht nur ein zu registrierendes Faktum, sondern ein, von der um die Unmöglichkeit einer theologia gloriae bewussten Theologie, zu bejahendes Faktum:

> Bei dem Versuch, das uns im Bibeltext Vorgesagte nachzudenken, müssen wir uns zunächst von den von uns mitgebrachten Denkmöglichkeiten, müssen wir also von irgendeiner Philosophie Gebrauch machen. Die Legitimität dieses Müssens grundsätzlich in Frage zu stellen hiesse: in Frage stellen, dass der sündige Mensch als solcher und also mitsamt den ihm gegebenen Denkmöglichkeiten zum Verständnis und zur Erklärung des uns im Schriftwort begegnenden Wortes Gottes aufgerufen ist. Kann und darf man das nicht bestreiten, wenn man nicht die Gnade und letztlich die Inkarnation des Wortes Gottes bestreiten will, dann darf man auch den Gebrauch der Philosophie in der Schrifterklärung nicht grundsätzlich bestreiten. Die Frage der Legitimität erhebt sich erst bei dem Wie? (KD I/2,818) 103)

Die Dogmatik ist also, nach Barth, wie alles andere menschliche Denken, auf menschliche Ausdrucksweisen angewiesen und damit abhängig von einer oder mehreren Philosophien. Die Dogmatik ist unerbittlich in die Weltanschauungs- und Ideologieproblematik des menschlichen Denkens verwickelt und (durch menschliche Verfahren) untrennbar von Religion und Religiosität. Anstatt etwas anderes - unwahres - zu begründen zu versuchen, gilt es, sich des faktischen Verhältnisses bewusst zu werden und im Bewusstsein davon zu handeln.

Es muss sich der Erklärer bei der Anwendung des von ihm mitgebrachten Denkschematismus zum Erfassen und also zum Deuten des im Schriftwort uns Vorgesagten, dessen was er tut, grundsätzlich bewusst sein /.../ Welcher Art unser Denken immer sein mag, von der Art des biblischen Denkens ist es als unser Denken von sich aus und in sich bestimmt nicht. (KD I/2,818)

Eine mitgebrachte Denkweise wird der Schrifterklärung - und so der Theologie - gefährlich "wenn man sich bei ihrem Gebrauch ihrer Verschiedenheit von der biblischen Denkweise, ihrer ursprünglichen Nicht-Eignung zu deren Erfassung und Deutung nicht bewusst ist", "wenn man sie für ein für diese Sache an sich geeignetes, ihr adäquates Instrument hält".

Dann wird man die Schrift notwendig verfälschen. Nicht mehr als Mensch steht man jetzt dem Worte Gottes gegenüber, sondern als ein zweiter Gott, selber mächtig, selber zu verfügen, dem Wort des ersten Gottes, der als solcher nicht mehr der wahre Gott sein kann. Inter pares denkt man ja dann dem nach, was uns im Schriftwort vorgesagt ist. Es gibt in der ganzen Kirchengeschichte keinen Irrtum, keine Ketzerei, die nicht aus dieser post Christum ausgeschlossenen curiositas, aus dieser Verkehrung der notwendigen Haltung des Schrifterklärers, aus dieser Ueberschätzung der vom Menschen mitgebrachten Denkweise, aus dieser Verselbständigung des philosophischen Interesses und insofern allerdings aus der Philosophie entstanden wäre. (KD I/2,821)

Unsere Denkweise können wir ebensowenig wie unseren eigenen Schatten los werden (KD I/2,816). Deshalb stellt Barth nicht in Frage, sondern unterstreicht, dass es richtig ist,

wenn man vom Theologen und vom Dogmatiker nicht zuletzt geisteswissenschaftliche Bildung, Vertrautheit mit dem Denken des Philosophen, des Psychologen, des Historikers, des Ästhetikers usw verlangt. Auch der Dogmatiker muss ja in einer bestimmten Zeit denken und reden und dazu muss er ein Mensch seiner Zeit, d.h. aber auch ein Mensch der seine Zeit konstituierenden Vergangenheit, m.a.W. ein gebildeter Mensch sein. (KD I/1,300)

Aber weder dadurch, dass man eine vollständig eigene Philosophie oder eine nur angeblich unphilosophische Denkweise ausspielt oder dadurch, dass man die eigene Bildung erweitert, kann man dem Risiko der Häresie entgehen. Je mehr man sich hier abschliesst, desto wahrscheinlicher ist das Misslingen. Das einzige, was man machen kann ist, dem "Gebrauch der von uns mitgebrachten Denkweise" "den Charakter eines Versuchs", den Charakter "einer Hypothese zu geben (KD I/2,819). Das ist das Motiv für Barths nahezu prinzipiellen Eklektizismus.

117

Es wird sich also für den Theologen praktisch empfehlen, sich an keiner-
lei Begriffe allzu dauernd und allzu prinzipiell zu binden, d.h. es wird
sich empfehlen, sich auf keine Begriffssprache systematisch festzulegen
/.../ Ein Beispiel: Es trat mir aus Ihren Reihen die Klage darüber entgegen, dass ich die Sprache des "Römerbriefs" nicht mehr führe. Sie sollten im Gegenteil dankbar sein, dass ich Sie heute nicht mehr mit "Hohlraum" und "Todeslinie" belästige!! Das hat damals seinen Dienst getan.
Heute wäre es verwirrend und langweilig, wenn ich dabei beharren wollte.
Ich hoffe sehr, dass ich in fünf oder zehn Jahren wieder eine andere
Sprache als heute sprechen kann und dann auch sprechen muss. (B 1935,159)

Das ist kein vereinzelte Ausspruch. Die eigenen kritischen Perspektiven auf die bei-

den Auflagen des "Römerbriefes" sind von derselben Einstellung zu den Begriffen ge-

prägt. Thurneysen schreibt 1925 an Kutter:

In diesem Selbstaufgeben aller Begriffe besteht Barths dogmatische Arbeit,
und darin, damit bezeugt doch auch er - Gott. (Thurneysen in GA V/3:2,316)

Und in einem Brief an Bultmann bekennt Barth, was seiner Meinung nach Bultmann "als

ein Bekenntnis zu einem fürchterlichen Dilettantismus" (GA V/1,86) vorkommen muss:

Mein Weg war im Römerbrief und jetzt in der Dogmatik tatsächlich der,
dass ich in Bez. auf die Angelegenheit um die ich es in der Bibel und
in der Dogmengeschichte gehen sah, links und rechts nach den "Begriffen"
fasste, die (ich) eben für und am geeignetsten fand, ohne über das Problem einer prästabilierte Harmonie zwischen der Sache und diesen bestimmten Begriffen nachzudenken, weil ich alle Hände damit zu tun hatte, dass
ich etwas ganz Bestimmtes sagen wollte. (GA V/1,85/1928-06-12/)

Dieser Eklektizismus wird natürlich sinnlos, wenn er als eine Methode aufgefasst

wird. Ein prinzipieller Eklektizismus ist natürlich auch eine Philosophie und als

solche ebenso menschlich wie jede andere Philosophie (KD I/2,816), und ausserdem

nicht einmal eine besonders gute Philosophie. Wie Barth bereits 1928 zugibt, hat

"dieses Verfahren" "etwas Zigeunerhaftes", "weshalb ich es auch nie zum Prinzip er-

hoben und zu Nachahmung empfohlen habe" (GA V/1,85). Eher soll Barths Eklektizismus

als eine Einstellung verstanden werden, die relativiert, ohne von fortgesetzter auf-

richtigt und ernst gemeinter philosophischer Arbeit zu befreien. Barths philosophi-

scher Eklektizismus ist teilweise ganz allgemein zu verstehen als ein Versuch, die

hermeneutische Aufgabe ernst zu nehmen. Er kennt, wie wir gesehen haben, keine neu-

tralen Begriffe und damit auch kein sicheres Verfahren, den Inhalt von der Form zu

unterscheiden. Aber er beruhigt sich nicht mit dem Feststellen dieser Schwierig-

keit, sondern versucht trotzdem nach dem Inhalt dessen zu fragen und hypothetisch zu

formulieren, was diejenigen, die etwas gesagt haben, sagen wollten.

Denn von irgendeiner Philosophie haben die Theologen sprachlich immer gelebt und werden sie sprachlich immer leben. Aber statt sich pharisäisch
darüber zu entrüsten und ganze Vorzeiten in den Orkus einer angeblich das
Evangelium verleugnende Philosophie zu schicken - nur darum, weil man selber eine andere Philosophie hat - wäre es besser danach und streng nur danach zu fragen, was denn nun die Theologen der Vorzeitin der Sprache ihrer

Philosophie eigentlich haben sagen wollen. (KD I/1,398)

Barth erhebt nicht Anspruch darauf, zu wissen, was andere sagen wollten, so dass die hermeneutische Aufgabe darin bestehen würde, das, was jene sagen wollten, denen zu erklären, die das nicht wissen. Umgekehrt kritisiert er gerade Bultmann, weil dieser die Problematik so auffasst (vgl. das Zitat B 1952,8 oben 95f). Barth behauptet hingegen, dass die nicht abschliessbare aber ganz fundamentale Aufgabe darin besteht, danach zu fragen was der andere Mensch sagen wollte. Ich fasse das (im Sinn von 2.2) als eine humanistische Intention auf. Sie begegnet bei Barth durchgehend. Sie bestimmt auch, wie er selbst aufgefasst werden will (denn es ist die humanistische Intention, anderen die gleiche Verantwortlichkeit und Menschenwürde zuzuerkennen, die man für sich selber begehrt). Obwohl Barths Begriffsapparat nicht konsequent war, so wollte er doch etwas sagen (GA V/1,85) und er wollte, dass andere versuchen sollten dies zu hören und sich nicht auf eventuelle Unstimmigkeiten der Begriffe konzentrieren sollten. Als er seine Abhängigkeit von der Nachkriegssituation erkannte, wollte er, dass andere danach fragen sollten, ob in dem zeitbedingt Gesagten trotzdem etwas ausgesagt wurde und nicht, dass andere sich damit begnügen sollten, seine Abhängigkeit von der Zeit zu registrieren (B 1940,100). Vor allem gilt das Barths Verhaltensweise gegenüber der Theologiegeschichte. Er hält daran fest, dass "die Christlichkeit einer Theologie" "nicht zu den konstatierbaren Motiven einer Theologie" gehört (d.h., dass die Aufgabe, den entscheidenden Inhalt einer Theologie festzustellen, niemals zu einem Abschluss kommt), aber er hält auch daran fest, dass dieses Motiv "das in Frage zu stellende Motiv ist" (B 1933,382, vgl. oben 69).

Barths philosophischer Eklektizismus muss aber vor allem als eine Einstellung von Offenheit und als Bewusstsein davon verstanden werden, dass die Theologie nicht Herr über ihren Gegenstand ist, und dass eine Theologie nur aus Gnade wirkliche Theologie werden kann.

Barth kann sicherlich von seiner Bibelauslegung (und damit seinem gesamten Denken) als einem Explizieren einer grundlegenden Annahme sprechen. Dieses Denken wäre dann also zumindest falsifizierbar, wenn seine Konsequenzen absurd würden (B 1922,XIIIf). Er kann Theologie als Denken "unter Berücksichtigung des theologischen Themas" definieren(KD I/1,129). Er kann ebenfalls sagen, dass das, was den Theologen zum Theologen macht, ein Bildungselement ist, "das in allen jenen/geisteswissenschaftlichen/ Disziplinen nicht vorgesehen ist, welches besteht in jenem unbegründbaren und anspruchslosen Achten auf das Zeichen der Hl. Schrift, um das versammelt die Kirche je und je zur Kirche wird" (KD I/1,300). Klingt das nicht so, als ob Theologie eine für den Menschen mögliche Denkweise wäre, für die oder gegen die er sich entscheiden könnte?

Barth kann jedoch auch sagen, dass Dogmatik nicht nur "wie alle menschliche Erkennt-
nisarbeit die intellektuellen Fähigkeiten der Aufmerksamkeit und der Konzentration,
des Verstehens und des Urteilens", "den besten Willen von diesen Fähigkeiten Gebrauch zu machen und schliesslich die Hingabe des ganzen Menschen an diesen Gebrauch"
fordert.

> Es /dieses Stück menschlicher Erkenntnisarbeit/ setzt aber darüber hinaus
> den christlichen Glauben voraus, der auch in der tiefsten reinsten Hingabe
> an dieser Aufgabe an sich durchaus nicht Ereignis ist /.../ Im Glauben
> und nur im Glauben ist menschliches Handeln auf das Sein der Kirche, auf
> das offenbarende und versöhnende Handeln Gottes bezogen. Darum ist Dogma-
> tik nicht anders möglich denn als ein Glaubensakt, in der Bestimmtheit
> menschlichen Handelns durch das Gehör und als Gehorsam Jesus Christus ge-
> genüber. (KD I/1,16f)

Und dort bedeutet "Glaube" natürlich nicht eine verfügbare Religiosität:

> Nun aber ist der Glaube keine solche Bestimmtheit menschlichen Handelns,
> die der Mensch seinem Handeln nach Belieben zu geben oder die er ihm, ein-
> mal empfangen, nach Belieben zu erhalten vermöchte. Er ist vielmehr sel-
> ber die gnädige Zuwendung Gottes zum Menschen, die freie persönliche Gegen-
> wart Jesu Christi im Handeln des Menschen. (KD I/1,17)

Letztlich wird die Dogmatik durch Gottes Erwählung begründet. Aber diese ist nicht
verfügbar und ihr gegenüber gibt es keine sicheren Begriffe.

> Immer ist der Glaubensakt, d.h. aber sein Grund in der göttlichen Prädes-
> tination, die freie Tat Gottes am Menschen und seinem Werk, die Bedingung,
> durch die dogmatische Arbeit ermöglicht wird, durch die sie aber auch mit
> letztem Ernst in Frage gestellt ist. (KD I/1,21)

Eklektizismus wird zu einer Art von Vorstellen von Begriffen, um Antwort darauf zu
erhalten, ob sie "erwählt" sind.

> Seine /Barths/ Lehre von der analogia fidei ist methodisch gesehen seine
> Reflexion über die Bildung theologischer Begriffe und enthält in sich die
> Erzählung der Geschichte, in der es zur Verwerfung unzureichender und zur
> Wahl zureichender Begriffe, zu ihrer Partizipation an der Wahrheit, von der
> sie sprechen, kommt. (Marquardt 1970,29f) [104])

Selbstkritik bedeutet Abgrenzung. Im Vorhergehenden standen diese Abgrenzungen im
Zentrum. Aber vielleicht immer und auf jeden Fall für den Barth von 1930 dienten diese Abgrenzungen einem positiven Ziel. Das Zentrum in Barths Weiterdenken ist die Reflexion darüber, dass die Offenbarung "wohl eine ewige, aber darum keine zeitlose,
sondern jedenfalls auch eine zeitliche Wirklichkeit" ist.

> Sie ist also nicht so etwas wie der ideale, aber selber zeitlose Gehalt
> aller oder einiger Zeiten. Sie bleibt der Zeit nicht transzendent, sie
> tangiert sie nicht bloss, sondern sie geht in die Zeit ein, nein: sie
> nimmt Zeit an, nein: sie schafft sich Zeit.

> Ich möchte an dieser Stelle ausdrücklich warnen vor gewissen Stellen und
> Zusammenhängen meiner Römerbrieferklärung, wo mit der Vorstellung von ei-

-ner der Zeit transzendent bleibenden, die Zeit bloss begrenzenden und
von aussen bestimmenden Offenbarung mindestens gespielt und gelegentlich
doch auch gearbeitet wurde. (KD I/2,55f, vgl. KD II/1,714ff)

Dieses Zentrum leuchtet hervor als ein Motiv für Barths philosophischen Eklektizismus. Dem Verstehen dieses Zentrums gilt der nächste Abschnitt, denn dieses zu verstehen heisst, die Kirchliche Dogmatik verstehen. Aber es muss dann so verstanden
werden, dass Barths Abgrenzungen verständlich bleiben.

3.2.4. Versuch einer Interpretation des Ansatzes in der Kirchlichen Dogmatik aus
       Werdegang und Selbstkritik.
       _____

Die Kirchliche Dogmatik ist kirchlich nur von einem besonderen Verständnis der Kirche aus, einem Verständnis der Kirche von der Rechtfertigung aus.

Im Radiovortrag von 1940 - "Die Neuorientierung der protestantischen Theologie in
den letzten dreissig Jahren" - beschreibt Barth das Fortschreiten des eigenen Denkens als eine beginnende Einsicht darüber, was die Kirche ist.

Wir wussten zunächst alle nicht, was man hier zuerst wissen müsste: was
denn eigentlich die Kirche ist. Die Vorstellung, die man damals von der
Kirche hatte und die zunächst auch die unsrige war, war die, sie sei ein
Institut - man sagte, für die Aufrichtung des Reiches Gottes, man meinte
aber, zur religiösen und moralischen Verbesserung der Menschen, wobei die
einen mehr an die Pflege der Frömmigkeit, die anderen mehr an die der intellektuellen und sittlichen Bildung, die dritten endlich besonders an die
Verbesserung oder vielmehr Umgestaltung der sozialen Verhältnisse und Ordnungen dachten /.../

Die Vorstellung von der Kirche, als ob sie im Wettbewerb mit der Schule,
mit dem Sozialismus und anderen menschenfreundlichen Einrichtungen und Be-
strebungen der allgemeinen Welt- und Menschenverbesserung zu dienen habe,
liess sich von der Bibel her nicht länger halten. Es musste uns deutlich
werden: die Kirche ist der Ort, wo Jesus Christus, sein Kreuz und seine
Auferstehung, seine Demut und seine Herrschaft verkündigt werden darf und
muss. Das heisst aber, sie ist der Ort, wo Gott zu uns Menschen redet als
der, von dem wir auch beim denkbar grössten Erfolg aller unserer Verbes-
serungsversuche, auch als die klügsten und reinsten Individuen in der besten Gesellschaftsordnung verloren wären, weil wir vor ihm alle immer Sünder sind, der uns aber eben als solche einladet, uns an ihn zu halten, der
uns allen, so wie wir sind, Trost und Mahnung und Verheissung sein will.
Nicht wir bauen sein Reich, und nicht wir schaffen unser eigenes Heil,
sondern er tut beides, indem er uns sein Wort gibt und uns zum Glauben
erweckt. Uns Menschen bleibt nur das allerdings Unermessliche, ihm unser
Leben lang und mit unserem ganzen Leben dafür dankbar zu sein. Das ist
es, was wir in der Bibel fanden, als wir anfingen, sie ruhig und ohne Vor-
urteil zu uns reden zu lassen. (B 1940,98f)

Im Römerbrief wird dies als eine fundamentale Kritik der Religion des Menschen ausgedrückt. Diese Kritik ist ein Versuch Barths, darüber Rechenschaft abzulegen, wie der Mensch mit allen seinen Möglichkeiten und seinem Streben aussieht, der in der Rechtfertigung als "der alte Mensch" entschleiert wird.

> In dieser Welt ist kein andrer Mensch als eben dieser alte Mensch. Jede direkte Aussage, jedes Seins- oder Werturteil über den Menschen bezieht sich ohne weiteres und ausschliesslich auf diesen Menschen. Das Subjekt Ich ist (sofern es nicht grundsätzlich aufgehoben ist durch das "Nicht ich, sondern Christus lebt in mir") bei allen möglichen Prädikaten, die ihm gegeben, bei allen Hemmungen, Veredlungen, Vertiefungen und Ueberhöhungen, die ihm zuteil werden können, immer dieser Mensch /.../
>
> Gerade diesen Menschen (den einzigen, von dem wir wissen und diesen in seiner letzten, höchsten Möglichkeit) sehe ich in Christus gerichtet /.../ Eben in diesem Gericht /.../ erscheint mir also (als Nicht-Erscheinendes!) dieses Gegenüber, dieses mich erkennende X, der Punkt, von wo aus ich negiert, als "alter" Mensch rekognosziert bin /.../ Von jenem gegenüberstehenden X aus wird erstens der alte Mensch, der Mensch der Sünde rücksichtslos als solcher festgestellt: denn das Nein, das aus diesem Ja geboren ist, ist unerbittlich. Von dort aus werde ich zweitens unausweichlich darauf behaftet, mit diesem alten Menschen identisch zu sein: ich selbst bin der Gekennzeichnete, der mir im Spiegelbild des Todes Christi entgegentritt. Von dort aus werde ich drittens genötigt, das Kreuzigungsurteil über diesen alten Menschen selbst zu unterschreiben; denn "dadurch, dass Christus zu uns kam und für uns auferstand, sind Menschen wie wir es sind, alt geworden, veraltet und überholt" (Schlatter). Von dort aus wird viertens jene Distanz geschaffen zwischen jenem alten Menschen und mir, die rätselhafte Möglichkeit, dass ich mir selbst gegenständlich werden kann, als ob ich nicht identisch mit mir selbst wäre. Und von dort aus wird fünftens meine Identität mit einem unanschaulichen neuen Menschen gesetzt, vorausgesetzt als Sinn und Bedingung des ganzen Vorgangs (der kein "Vorgang" ist). (B 1922,177-179)

Dieses Verständnis der Kirche führt dazu, dass Barth, gerade wenn er im Titel betone will, dass Dogmatik "keine 'freie' sondern eine an den Raum der Kirche gebundene, da und nur da mögliche und sinnvolle Wissenschaft" ist (KD I/1,VIII), in eine Gegensatz stellung zu der selbstbewussten Kirchlichkeit verantwortlicher Vertreter der evangelischen Kirche kommt. Ausdruck dafür ist der Aufsatz "Quousque tandem ...?" (B 1930 und der Vortrag "Die Not der evangelischen Kirche" (B 1931) (vgl. Kupisch 1961,211f, Kupisch 1971,70-72). Diese selbstbewusste Kirchlichkeit ist nach Barth "ein zum Himmel schreiender Skandal" (B 1930a,28). Eine Kirche, die so redet, verleugnet "die Verheissung und den Glauben",

> weil sie in solchen Worten und Taten so unzweideutig wie nur möglich sich selber will, sich selber baut, sich selber rühmt und eben darin von den um andere Fahnen und Fähnlein Gescharten nur dadurch sich unterscheidet, dass sie das - gebläht durch den Anspruch, die Sache Gottes zu vertreten - viel ungebrochener, viel pausbackiger, viel hemmungsloser tut als alle anderen /.../ Wem es um seine Sache, um sein Geschäft, um seine Partei, um seinen Stand und dergleichen geht, der mag und darf vielleicht so reden /.../ Aber nicht wie, sondern dass die Kirche hier mittut, ist empörend. Wenn sie das

tut, wenn sie dazu übergeht und dabei bleibt als eine Marktbude neben anderen /.../ sich selbst anzupreisen und auszuposaunen, dann hat sie einfach
und glatt aufgehört, Kirche zu sein /.../ Und unterdessen wird, man ver-
lasse sich darauf, das, was die Kirche tun sollte und könnte, die Predigt
des Evangeliums versäumt dahinten bleiben: die gänzlich anspruchslose,
die nicht welterobernde, nicht sich selbst behauptende, nicht die Jugend
und die Arbeiter gewinnen wollende, nicht mit dem "Vorwärts" und mit den
Katholiken zankende, die nicht nach dem in der deutschen Volksseele verwurzelten religiösen Gedanken schielende, sondern aufrichtige und lautere
Predigt des Evangeliums. Man kann nicht Gott dienen und mit Teufel und
Welt solche Rückversicherungen eingehen. (B 1930a,30f)

Die in ihrem Wesen begründete Not der evangelischen Kirche ist, "dass sie die Kirche

unter dem Kreuz ist" (B 1931,34).

Sie /die in der Reformation neu sich bildende Kirche/ musste als Kirche
des gekreuzigten Christus die Kirche der Sünder, die Kirche der Vergebung,
des Glaubens und der Hoffnung werden. (B 1931,38)

Es kann angesichts des gekreuzigten Christus nicht in Betracht kommen ir-
gendein Greifen des Menschen nach seinem Heil, aber auch nicht irgendein
Uebergehen seines Heils in sein eigenes Besitzen und Verfügen. Es kann
nur herkommen zum Menschen, so gewiss es Gottes Gut und Gerechtsame und
Wohltat ist und so gewiss der Mensch sich angesichts des gekreuzigten
Christus immer aufs neue auch auf den höchsten ihm erreichbaren Stufen
als den erkennen muss, der Gott verworfen und damit den Anspruch und die
Organe für das Heil verloren hat. (B 1931,37)

Die Not der heutigen Existenz der evangelischen Kirche ist, dass in ihr die in ihrem

Wesen begründete Not "verleugnet, vermieden und beseitigt wird" (B 1931,34), dass

die Kirche "sich faktisch des Evangeliums schämt" (B 1931,43). Stattdessen wird

"eine mit etwas Moral versetzte Mystik oder eine mit etwas Mystik versetzte Moral"

gepredigt:

Was der durchschnittliche Pfarrer heute zu sagen hat, das gilt dem guten
und mit Hilfe Gottes hoffentlich immer besser werdenden und nicht dem
verlorenen und nur in Christus geretteten Menschen, das gilt einem in uns
und unter uns gegenwärtigen und durch uns zu schaffenden und zu bauenden
und nicht dem schlechthin zu uns kommenden Heil und Reich Gottes. Es ist
in biblischer Sprache - manchmal freilich auch in sehr anderer Sprache -
ausgedrückt, eine Ideologie des gehobenen Mittelstandes, die hier zu Worte
kommt. (B 1931,55f)

Aber:

Wer sie /die im Wesen der evangelischen Kirche begründete Not/ nicht sieht,
der sieht auch die evangelische Kirche nicht. Wer sie vermeiden oder umgehen will, der trennt sich von der evangelischen Kirche oder er arbeitet
an ihrer Zerstörung. (B 1931,33)

Diese Auseinandersetzung wird im Vorwort zur Umarbeitung der Prolegomena angedeutet:

Einige werden doch daraus ersehen, wie es gemeint war, wenn ich in den
letzten Jahren (und übrigens auch in diesem Buche selbst) mehrfach etwas
lebhaft gegen - nein für die Kirche das Wort ergriffen habe. (KD I/1,VIII)

Wer nicht sieht, dass Barth eben kirchenkritisch "kirchlich" denkt und ist, sieht den Ansatz der Kirchlichen Dogmatik nicht. [105] Dies ist natürlich nicht ein lose angehängtes Detail. Ohne dies bleibt die gesamte Auseinandersetzung mit der "modernen" Theologie unverständlich (vgl. 3.1) ebenso wie Barths gesamte ethisch-politische Reflexion (vgl. 3.3). Hier begegnet derselbe ideologiekritische Ansatz, dieselbe Kritik jeglichen menschlichen Besitzens und Verfügens. Mit Schellong:

> Ich halte es für nötig, auf die kirchenkritische Seite von Barths Religionskritik besonders hinzuweisen, weil diese Seite lange unterschlagen worden ist und immer noch unterschlagen wird, wo man die Beziehung der Barthschen Theologie auf die Kirche positivistisch missversteht und vereinnahmt. Kritik an einer Kirche. die meint, das Götliche verwalten zu können, ist durchgängige Linie der Theologie Karl Barths. (Schellong, 1973a,71) [106]

Wenn Barth von einer kirchlichen Dogmatik redet, dann spricht er also nicht von der Dogmatik einer selbstbewussten Kirchlichkeit. Auch wenn die Dogmatik eine im Raum der Kirche mögliche und sinnvolle Wissenschaft ist (KD I/1,VIII), so kann die Dogmatik auch dort ihren Gegenstand nicht besitzen und über ihn verfügen. Umgekehrt: Dogmatik ist nur im Raum der Kirche möglich und sinnvoll, weil sie nur dort grundsätzlich weiss, dass sie ihren Gegenstand nicht besitzen und nicht über ihn verfügen kann. Mit "kirchlich" ist auch "demütig" gemeint - "christlich wird zugunsten von "kirchlich" aufgegeben, weil Barth nicht selber dem von "mir bekämpften leichtfertigen Gebrauch des grossen Wortes 'christlich'" verfallen will (KD I/1,VIII). Barths Bezeichnen seiner Dogmatik als "kirchlich" ist eine fundamentale Relativierung der eigenen Position [107], letztlich ein Bejahen des Gerichts über die eigene Position als der Position eines auf Gnade angewiesenen Sünders.

Kirchliche Dogmatik ist eine um die Bedrängnis der Theologie bewusste Dogmatik:

> Wir sollen als Theologen von Gott reden. Wir sind aber Menschen und können als solche nicht von Gott reden. Wir sollen Beides, unser Sollen und unser Nicht-Können, wissen und eben damit Gott die Ehre geben. Das ist unsre Bedrängnis. Alles Andre ist daneben Kinderspiel. (B 1922a,158)

Kirchliche Dogmatik ist gebunden. Diese kirchliche Gebundenheit ist eine andere und eine fundamentalere als die geschichtliche Gebundenheit die Barth bei Herrmann findet (B 1925,274).

> Dass wir in der Macht Jesu den wirkenden Gott "erfassen", diesen Sachverhalt kann man nicht erst nachträglich auf Grund entsprechender Erlebnisse feststellen, wie es nach Herrmanns Christologie (die darum selbstverständlich in den unverbindlichen Klasse B der Theologumena gehört) sein soll. Sondern dieser Sachverhalt ist Anfang, Grund und Voraussetzung, abgesehen von der die christliche Predigt und Dogmatik von Christus kein einziges sinnreiches Wort sagen kann, ohne die sie unweigerlich in der Geschichte stecken bleibt. (B 1925,275f, vgl. KD I/1,436)

Kirchliche Dogmatik ist ein Denken, das sich dessen bewusst ist, dass Offenbarung ⟩
Offenbarung ist und dass die Offenbarung nicht von der Religion her, sondern die
Religion von der Offenbarung her zu verstehen ist. Kirchliche Dogmatik ist so nicht
Religionismus. (KD I/2,316 und oben 71)

Kirchliche Dogmatik ist ein Denken, das sich dessen bewusst ist, dass die Offenbarung eine dieses Denken selbst ermöglichende Tat Gottes ist. Es ist nach Barth so,

> dass auch die Theologie, und wäre sie die beste, ein an sich und als solches
> sündiges, unvollkommenes, ja verkehrtes, dem Nichtigen verfallenes Menschen-
> werk ist, das zum Dienste Gottes und seiner Gemeinde und in der Welt an sich
> nichts taugt, ganz allein durch Gottes Barmherzigkeit recht und brauchbar
> werden und sein kann. Gottes Barmherzigkeit ist aber Gottes Erwählung,
> in der er auch verwirft - Gottes Berufung, in der er auch verabschiedet
> und absetzt - Gottes Gnade, in der er auch Gericht übt - Gottes Ja, das
> auch sein Nein ausspricht. (B 1962,150f, vgl. oben 120)

Mehr formalisiert (aber auch dann ist Gottes Offenbarung Gottes unverfügbare, erwäh-
lende Gnade):

> Theologie ist nur möglich als Theologie des verkündigten Gottes, des Got-
> tes, den wir nicht erst zu suchen haben, sondern der sich uns zu finden
> gegeben hat und noch gibt, der sich offenbarte und noch offenbart, des
> Gottes, der sein Wort ergehen lässt. Theologie meint um Gott nur insofern
> zu wissen - insofern aber meint sie das in der Tat - als Gott selbst sich
> uns zu wissen tut. (B 1929,56)

Oder:

> Das Wort Gottes wird erkennbar, indem es sich erkennbar macht. Dass man
> bei diesem Satz stehen bleibt und keinen Schritt darüber hinaus tut, dar-
> in besteht die Anwendung des eben Gesagten auf das Erkenntnisproblem. Die
> Möglichkeit, das Wort Gottes zu erkennen, ist Gottes Wunder an uns, so gut
> wie das Wort und sein Gesprochenwerden selber. (KD I/1,260) [108]

Kirchliche Dogmatik ist nur möglich als hörender Gehorsam:

> Darum ist Dogmatik nicht anders möglich denn als ein Glaubensakt, in der
> Bestimmtheit menschlichen Handelns durch das Gehör und als Gehorsam Jesus
> Christus gegenüber. (KD I/1,16f)

Barth legt seine ganze Energie hinter die Betonung, dass kirchliche Dogmatik sich
niemals frei machen kann von dieser Relation des hörenden Gehorsams. Sie kann nicht
von einem Reden aus dem Gehörten zu einem Reden über das Gehörte übergehen - das würde bedeuten, so wie Schleiermacher die Kanzel zu verlassen um Apologetik zu betreiben (vgl. das Zitat B 1933,394f oben 76). [109] "Aller Nachdruck" ist nach Barth
"darauf zu legen, dass das Verhältnis zwischen dem Namen Jesus Christus und der
christlichen Religion nicht etwa umzukehren ist" (KD I/2,384, vgl. zB B 1933,422).

> In dem Mass unterscheiden sich theologische Sätze in der Tat von den Sät-
> zen jeder Metaphysik und jeder Moral, als sie die Wirklichkeit und Wahr-
> heit, von der sie reden wollen, entsprechend dem Immanuel, das den Inhalt

der Offenbarung bildet, verständlich machen als Wirklichkeit und Wahrheit von Gott her zum Menschen hin. (KD I/1,131f) [110]

Das Wort Gottes ist "einseitig". Es kann daher nicht erobert und Besitz und so etwas anderes als _Gottes_ Wort werden. Es setzt eine "Grenze, die es nun gerade nicht zu einem Ganzen, zu einer Synthese, zu einem System, kommen lässt, weder in unserer Theorie noch in unserer Praxis".

Kraft dieser seiner Einseitigkeit bleibt das, was Gott uns sagt, was es ist, bleiben seine Wege höher als unsere Wege und bleiben seine Gedanken höher als unsere Gedanken (Jes 55,8f), nicht nur ihrer Quantität, sondern ihrer Art und Möglichkeit nach. Je das verborgen Bleibende in dem, was uns offenbar wird, bleibt in Gottes eigener Hand, bleibt dort, bei ihm selbst, zu suchen und zu finden, lässt sich nicht in unsere eigene Einsicht, nicht in eine entsprechende Haltung übersetzen: weil das ja der Sinn der Rede Gottes ist, nicht uns zu bestimmten Gedanken oder zu einer bestimmten Haltung zu veranlassen, sondern durch die Klarheit, die er uns gibt, und die uns allerdings zu beidem veranlassen wird, uns an ihn selbst zu binden. (KD I/1,181f) [111]

Daher kann kirchliche Dogmatik nicht von einer analogia entis, sondern nur von einer analogia fidei Gebrauch machen. Die Ähnlichkeit, kraft der es Kirche, kirchliche Verkündigung und Dogmatik geben kann (KD I/1,257) ist eine spezielle Ähnlichkeit:

In aller Unähnlichkeit ist die menschliche Möglichkeit, im Glauben die Verheissung zu ergreifen, nicht ohne Ähnlichkeit mit der göttlichen Möglichkeit ihrer Verwirklichung. (KD I/1,256)

Die Ähnlichkeit setzt also die Rechtfertigung allein aus der Gnade voraus. Die Ähnlichkeit, die besteht, lässt sich nicht im "alten" (anschaulichen, verfügbaren) Menschen finden (vgl. oben 122), sondern in der von Gott geschenkten Identität, die ich nicht erschaffen oder aufrechterhalten kann, die ich nicht besitzen und über die ich nicht verfügen kann, sondern die nur im Glauben existiert.

Es geht aber darum, dass er im Glauben eben diese seine keineswegs geschmälerte Selbstbestimmung, dass er sich selbst eben in seiner Aktivität, in seinem Leben seines eigenen Lebens als durch das Wort Gottes bestimmt, dass er sich eben in seiner Freiheit, in vollem Gebrauch seiner Freiheit als Mensch als ein Anderer verstehen muss, der zu werden er kein Vermögen hatte, der zu sein er auch kein Vermögen hat, der zu werden oder zu sein er also nicht frei ist (obwohl er frei ist, indem er es wird und ist!) - kurz, der er nur sein kann, indem er es ist. Der Mensch handelt, indem er glaubt, aber dass er glaubt, indem er handelt, das ist Gottes Handeln. Der Mensch ist Subjekt des Glaubens. Nicht Gott, sondern der Mensch glaubt. Aber gerade dieses Subjektsein des Menschen im Glauben ist eingeklammert als Prädikat des Subjektes Gott, so eingeklammert wie eben der Schöpfer sein Geschöpf, der barmherzige Gott den sündigen Menschen umklammert, d.h. aber so, dass es bei jenem Subjektsein des Menschen bleibt, und gerade dieses, gerade das Ich des Menschen als solches, nur noch von dem Du des Subjektes Gott her ist. (KD I/1,258)

Kirchliche Dogmatik versteht Gott als den handelnden Gott.

> Gott ist, der er ist in der Tat seiner Offenbarung. (KD II/1,288, Leit-
> satz zum § 28)

> Was Gott zu Gott macht: die göttliche Selbstheit und Eigentlichkeit, die
> essentia oder das "Wesen" Gottes - wir werden ihm entweder da begegnen, wo
> Gott an uns handelt als Herr und Heiland oder wir werden ihm gar nicht be-
> gegnen. (KD II/1,293)

> Der Gegenstand evangelischer Theologie ist Gott in der Geschichte seiner
> Taten. In ihr gibt er sich selbst kund. In ihr ist er aber auch der, der
> er ist. (B 1962,15) 112)

> Die Absicht und also auch der Sinn der Schöpfung ist aber nach diesem Zeug-
> nis /der biblischen Schöpfungsgeschichten/ die Ermöglichung der Geschich-
> te des Bundes Gottes mit dem Menschen, die in Jesus Christus ihren Anfang,
> ihre Mitte und ihr Ende hat. (KD III/1,44, Leitsatz zum § 41) 113)

Nach einer kirchlichen Dogmatik ist Offenbarung "die Selbstinterpretation Gottes",

ein Ereignis, das sich nicht in Form und Inhalt unterscheiden lässt (KD I/1,329,323,

vgl. Jüngel 1967,27), und sie kann nie etwas anderes werden. Jüngel paraphrasiert:

> In seiner Selbstenthüllung enthüllt sich Gott als unenthüllbar /.../ So
> bleibt die Offenbarung Gottes Offenbarung. So bleibt das Ereignis der Of-
> fenbarung davor bewahrt, zu einem Geschehen zu werden, in das Gott sich
> verliert. Als Ereignis lässt sich die Offenbarung nur denken, sofern die-
> ses Ereignis durch Gottes Subjektsein konstituiert ist. (Jüngel 1967,31)

In Bezug auf die Offenbarung bedeutet das:

> Der Begriff "Offenbarungswahrheiten" im Sinn von nach Wortlaut und Sinn ein
> für allemal mit göttlicher Autorität gegebenen und geprägten lateinischen
> Sätzen ist theologisch unmöglich /.../ Offenbarungswahrheit ist der frei
> handelnde Gott selber und ganz allein. (KD I/1,14f)

Dies prägt auch die Weise, von Gott zu reden. Mit Jüngel:

> Wenn im Folgenden von Gottes "Gegenständlich-Sein" die Rede ist, so dürfte
> nach dem soeben Erörterten klar sein, dass für BARTH darunter ganz gewiss
> nicht eine Offenbarung des Seins Gottes in dem Sinne zu verstehen ist, dass
> das erkennende menschliche Subjekt sich Gott als zu erkennendes oder er-
> kanntes Objekt verfügbar machen könnte. Dieses Missverständnis abzuwehren,
> war ja gerade eine wesentliche Funktion der BARTHschen Trinitätslehre.
> Dass Gott als Subjekt seines Seins auch das Subjekt seines Erkannt-Seins
> und Erkannt-Werdens ist, hatte die Trinitätslehre zu begründen. Deshalb
> steht für BARTH die Trinitätslehre am Anfang der Dogmatik und also auch
> der Gotteslehre im engeren Sinne. (Jüngel 1967,54)

Oder mit Barth selbst:

> Ich versteht die Trinität als das Problem der unaufhebbaren Subjektivität
> Gottes in seiner Offenbarung. (GA V/3:2,254/1925-05-28/, vgl. Marquardt
> 1972,232)

Dies ist kritische Selbstreflexion der Theologie, also ein Versuch, Rechenschaft darüber abzulegen, was man selber tut. Barths gesamte Reflexion darüber, was "kirchliche Dogmatik" ist (also zumindest zum grossen Teil auch seine Trinitätslehre), ist
eine solche Selbstreflexion und Jüngel führt zweifellos eine Tendenz bei Barth selbst
zu Ende, wenn er diese Selbstreflexion thematisiert und sie in ontologischen Termini
auszudrücken versucht. Man muss aber auch bedenken, ob nicht schon diese Thematisierung oder sogar schon die Selbstreflexion, von Barths eigenem Denken aus, problematisch ist. Dann kann man mit Marquardt darauf hinweisen, dass die Barthsche

> Begrifflichkeit von "Sein und Tat" nicht nur auf die ontologische Problema-
> tik der traditionellen Philosophie von "Akt und Sein", "Sein und Werden"
> verweist, sondern einen anti-ontologischen, vorsichtig gesagt: linkshege-
> lianischen Ton mit hören lässt. (Marquardt 1972,232, vgl. 269)

Im Anschluss an das Vorhergehende kann die Frage so formuliert werden: Riskiert
Theologie nicht, etwas anderes zu werden als Theologie, wenn sie nicht mehr hört,
sondern stattdessen darüber reflektiert, was es bedeutet, zu hören, wenn sie aufhört,
aus dem Gehörten zu reden, nicht um über das Gehörte zu reden, sondern darüber, was
es heisst, aus etwas Gehörtem zu reden, wenn sie aufhört nachzudenken, um über den
Charakter des Nachdenkens zu reflektieren?

Wie dem auch sei, so ist diese Selbstreflexion nicht das Primäre. Das Primäre sind
die verändernden Taten Gottes. Die Grundkategorien der Barthschen Theologie sind
"Geschichte", "Tat" und "Veränderung" (Schellong 1973a,67).

> Dies ist es ja, was Gott mit den Menschen und von den Menschen will laut
> seines Wortes: sie dürfen und müssen hören, glauben, wissen, damit rech-
> nen, sie dürfen und müssen im Grossen und im Kleinen, im Ganzen und im
> Einzelnen, in der Totalität ihrer Existenz als Menschen leben mit der Alle
> und in Allen Allesnicht nur neu beleuchtenden, sondern real veränderten
> Tatsache, dass Gott ist. (KD II/1,289) [114)

Die Theologie kann dieser Geschichte der grossen Taten Gottes folgen, sie beschreiben, erklären, ihr dienen, sie bezeugen. Eine kirchliche Dogmatik, eine evangelische
Theologie ist eine Theologie, die diese Aufgabe sieht und erfüllt.

> Kein Menschenwerk, und so auch nicht das der Dogmatik, kann dieses Werk
> Gottes vollstrecken. Sie kann es aber, sofern es sich im Wort Gottes er-
> eignet, sofern es in der biblisch bezeugten Offenbarung Gottes in Jesus
> Christus der Kirche gegenwärtig ist, bezeugen und das heisst konkret: im
> Blick auf diese seine Gegenwart beschreiben und erklären. Dies und nur
> dies ist es, was die kirchliche Verkündigung und was zu deren Erweckung,
> Bewährung und Belebung exemplarisch auch die Dogmatik zu tun hat. (KD I/2,
> 957)

> Man merke: Evangelische Theologie soll die Geschichte, in der Gott ist,
> der er ist, weder wiederholen, noch vergegenwärtigen, noch vorwegnehmen,
> sie darf sie nicht als ihr eigenes Werk auf den Plan führen wollen. Sie
> hat anschaulich, begrifflich und sprachlich von ihr Rechenschaft zu geben.

Sie tut das aber nur sachgemäss, indem sie dem lebendigen Gott in jenem
Vorgang, in welchem er Gott ist, folgt und also in ihrem Wahrnehmen, Be-
denken, Besprechen selbst den Charakter eines lebendigen Vorgangs hat.
(B 1962,15f)

Kirchliche Haltung schliesst aus die Möglichkeit eines sozusagen zeitlos
denkenden und redenden Dogmatik. (KD I/2,940, vgl. 939)

Die Einsicht in diese Aufgabe eröffnet allerdings nicht eine besondere theologische
Methode, die die Kirchlichkeit einer Theologie garantieren könnte. Sie kann weiterhin nur durch einen Glaubenssatz bejaht werden (vgl. oben 69). Die Selbständigkeit
gegenüber der Philosophie kann auf diese Weise ebenfalls nicht begründet werden
(vgl. oben 113ff). Das Bewusstsein um die Bedrängnis der Theologie (vgl. oben 124)
befreit keineswegs von dieser Bedrängnis: Theologie ist nach Barth nur aus Gnade
möglich.

Wie nun die Kirche dennoch und gerade so ein menschlicher Lebensbereich
und ihre Verkündigung ein menschliches Wagnis ist, so ist auch die Theologie dennoch und gerade so ein Unternehmen menschlicher Wissenschaft, ihr
Instrument kein anderes als eben das menschliche Denken und Reden mit seinen bestimmten Gesetzen, Möglichkeiten und Grenzen, auf seiner jeweiligen
Entwicklungsstufe, dasselbe menschliche Denken, mit dem auch alle andern
Wissenschaften arbeiten. Wie die Kirche als Gemeinschaft, als die Gemeinschaft, als die sie sich selbst versteht, nicht ohne Konkurrenz mit dem
Staate eben im Raum des Staates sich befindet, so die Theologie als (die!)
grundsätzliche Besinnung über die Existenz, in der wir Menschen uns vorfinden im Raum der Philosophie. Sie kann diesen ihren Anspruch, mehr zu
sagen, als Philosophie auch sagen kann, ihren Anspruch, solche menschliche
Erkenntnis zu sein und zu bieten, die auf Anerkenntnis göttlicher Offenbarung beruht - sie kann diesen Anspruch nicht einmal direkt kenntlich, ge-
schweige denn geltend machen, einfach darum, weil sie selber ja auch nur
menschliche Erkenntnis sein und bieten kann /.../ Der Theologe kann wohl
innerhalb der Grenzen der Humanität bestimmte, relativ ausserordentliche
Zeichen aufrichten, Zeichen, die in diesem Raum Aufmerksamkeit erregen sollen und eine gewisse, staunende oder auch peinliche Aufmerksamkeit daselbst
auch sicher erregen. Philosophia sacra oder christiana hat sich darum die
Theologie - war es Demut?, war es Selbstbewusstsein? - nicht selten genannt.
Mit der Aufrichtung dieser relativ ausserordentlichen Zeichen - ich meine
die Entfaltung der auf die Bibel sich gründenden Begriffswelt der christlichen Dogmatik - soll er die Wahrheit des Wortes Gottes dienen,
soll er die Wahrheit des Wortes Gottes als Wissenschaft zur Geltung bring-
en. Wohl ihm, wenn er das tut, wenn er wirklich das und nicht etwas anderes tut. Wohl ihm, wenn er, im Raum der Philosophie, des in der grundsätzlichen Besinnung auf die menschliche Existenz begriffenen Denkens und selber nichts anderes auch ein menschlicher Denker, ein philosophus unter
anderen, nun doch ein Zeuge des offenbarten göttlichen Denkens ist, wenn
in der Hülle des ganz und gar Ähnlichen, das auch er allein denken und sagen kann, das ganz und gar Unähnliche, in der Hülle des bloss relativ Ausserordentlichen, das ihm zu sagen zusteht, das absolut Ausserordentliche,
was Gott selber sagt, sichtbar wird, wenn er, in der Welt redend, doch
nicht von dieser Welt, sondern in der ganzen Menschlichkeit auch seiner
Worte nun dennoch wirklich von Gott redet. Dann heisst er nicht nur, dann
ist er Theologe /.../ Aber es ist das Wunder Gottes, wenn das geschieht,
weder Natur noch Kunst des Theologen, sondern Gnade, mit der man nicht rechnen, die man sich nicht nehmen, die man nur empfangen kann. Und wenn wir

129

von diesem grossen Vorbehalt, unter dem das Tun des Theologen steht oder
von dieser grossen Erfüllung, die es allein sinnvoll machen kann, jetzt
absehen wollen, so ist zu sagen, dass dieses nur unter Voraussetzung des
Wunder Gottes nicht zum Misslingen verurteilte Unternehmen auch in sich
betrachtet, ein restlos versuchliches und gefährliches Unternehmen ist.
(B 1929,56-58)

3.3. Politische Auseinandersetzungen als Schlüssel für das Verständnis der Theologie Barths.

Nachdem das Barthsche Theologisieren unter einer inner-dogmatischen und, in begrenztem Ausmass, einer kulturell-philosophischen Perspektive betrachtet wurde, muss es nun auch unter einer politisch-gesellschaftlichen Perspektive gesehen werden. Das ist wichtig, einmal auf Grund meiner Beschreibung des humanistischen Problems in Kap 2, zum anderen auf Grund der Art und Weise, wie Barth selbst arbeitet. In Kap 2 wird an menschliches Denken die Forderung gestellt, in einer gesellschaftlich verstandenen Gesamtgeschichte verantwortlich zu sein und zu handeln; dann stellt sich die Frage, wie Barth in seinem theologischen Denken dieser Forderung begegnet. Barth ist allerdings selber der Ansicht, dass seine "ganze Theologie immer eine starke politische Komponente hatte, ausgesprochen oder unausgesprochen" (B 1968a, 21), dann aber muss der Versuch zu hören und zu verstehen auch dieser Komponente gelten.

Ziel dieser neuen Perspektive ist es deshalb nicht, einen weiteren Teil von Barths Denken zu beschreiben und zu deuten, sondern es wird beabsichtigt, einen neuen Einfallswinkel anzuwenden, der es möglich macht, die Deutung zu prüfen und am liebsten auch zu vertiefen, zu der ich durch den inner-theologischen Werdegang und durch die Selbstkritik Barths inspiriert wurde.

Doch es wird bestritten, und es ist problematisch, ob Barths Theologie unter einer politisch-gesellschaftlichen Perspektive betrachtet werden kann. Die aktuelle Debatte darüber, wie Barths Theologie interpretiert werden soll, wird besonders intensiv, wenn die Frage nach der Realitätsverbundenheit der Barthschen Theologie politisch formuliert wird. Die Ursache dafür kann meiner Meinung nach folgendermassen formuliert werden (vgl. oben 62): Das Problematische an Barths Umgang mit der Politik ist, dass er einerseits ganz selbstverständlich ist - Barth betont ständig den politischen Inhalt seiner Theologie - andererseits aber problematisch ist - Barths Theologie ist in ihrem Zentrum Kritik jeder politisierenden Theologie. 115)

Gleichzeitig aktualisiert die Debatte darüber, wie Barth zu interpretieren ist, die weitaus grundsätzlichere Fragestellung wie ein Denken überhaupt politisch-gesellschaftlich interpretiert werden soll. Sauters Frage, "Soziologische oder politische Barth-Interpretation?" (Sauter 1975), führt nicht nur tief in die Debatte über Barth ein, sondern aktualisiert auch die ganze Problematik, die ich in 2.2.2 skizziert habe und auf die ich in 6.1.1 zurückkommen werde. Es wird nicht beabsichtigt, in diesem Abschnitt diese Problematik zu behandeln, doch im Hintergrund meiner Darstellung steht meine, in Kap 2 motivierte, allgemeine Auffassung, dass eine rein relativie-

-rende 2.1.3-Perspektive nicht das Endziel sein kann, doch sehr wohl ein notwendiges Hilfsmittel, um dem anderen Denken in einer Solidarität begegnen zu können, die
sowohl Kritik als auch Offenheit beinhaltet (oben 49f). Es kann nicht das Ziel
sein, alle Ansprüche im anderen Denken zu neutralisieren und sich selbst davon zu
überzeugen, dass man von dem Anderen nichts zu lernen hat. Das Endziel muss ein,
in Offenheit und Entscheidung herauszuhören, worin der Anspruch mir gegenüber liegen
könnte, und was ich von dem Anderen lernen könnte. Es kommt hinzu, dass dieses Kapitel (ebenso wie Kap 4) eher den Charakter einer Introduktion hat, in der ich versuche, Barths (bzw. Tillichs) Intentionen und Selbstverständnis zu verstehen. Auch
wenn ein solches Verstehen vertieft werden muss durch ein immer radikaleres Infragestellen von Antworten prima facie, das gleichzeitig ein Hören auf Bearbeitungen und
Antworten dieses Infragestellens ist, so muss man diesen Prozess mit einem ersten
Hören beginnen, das mit Kritik relativ zurückhaltet ist.

3.3.1. Das Politische in der Auseinandersetzung mit der "modernen" Theologie.

Wie in 3.1.1 gezeigt wurde, beginnt die Auseinandersetzung Barths mit der "modernen"
Theologie in einer Zeit, in der ihn die politischen Probleme, die "wirkliche Problematik des wirklichen Lebens" (B 1927,306) intensiv beschäftigten, nicht als etwas
neben seiner Aufgabe als Pfarrer sondern als deren Voraussetzung. Er tritt in die
schweizerische sozialdemokratische Partei (SPS) ein, um seine Solidarität mit denen
auszudrücken, die die politische Aufgabe ernst nehmen, um zu zeigen, dass er theologisch behauptet, dass die Aufgabe (sozialistisch-) politisch zu arbeiten wichtig ist.

> Ich bin nun in die sozialdemokratische Partei eingetreten. Gerade weil
> ich mich bemühe, Sonntag für Sonntag von den letzten Dingen zu reden,
> liess es es mir nicht mehr zu, persönlich in den Wolken über der jetzi-
> gen bösen Welt zu schweben, sondern es musste gerade jetzt gezeigt wer-
> den, dass der Glaube an das Grösste die Arbeit und das Leiden im Unvoll-
> kommenen nicht aus- sondern einschliesst. (GA V/3:1,30/1915-02-05/)

Und als der Prozess beginnt, in dem er meint die Bibel nun wirklich zu entdecken,
erwartet er sich nicht, die Bibel allein und für sich zu entdecken, sondern den Zusammenhang zwischen Bibel und Zeitung/(politische) Welt.

> Hätten wir uns doch früher zur Bibel bekehrt, damit wir jetzt festen
> Grund unter den Füssen hätten! Nun brütet man abwechselnd über der
> Zeitung und dem N.T. und sieht eigentlich furchtbar wenig von dem or-
> ganischen Zusammenhang beider Welten, von dem man jetzt deutlich und
> kräftig sollte Zeugnis geben können. (GA V/3:1,300/1918-11-11/) 116)

Barth sah seine Aufgabe als Pfarrer in einem politischen Kontext und die Problematik
dieser so aufgefassten Aufgabe treibt seine Reflexion zu der Auseinandersetzung mit
der "modernen" Theologie. Anders ausgedrückt: Die "moderne" Theologie konnte die-

132

-se Aufgabe nicht erfüllen.

In Barths selbstbiographischen Rückblicken spielt der August 1914 eine wesentliche Rolle. Da wurden, nach Barth, die liberalen Theologen und auch die Sozialisten entschleiert, da wurde Barth vor die Aufgabe gestellt das, was da entschleiert wurde, theoretisch zu bearbeiten. Man kann bezweifeln ob gerade "das schreckliche Manifest der 93 deutschen Intellektuellen" (B 1968,293) dabei wirklich eine so entscheidende Rolle gespielt hat, wie Barth es ihm später zuschreibt. [117] Nichtsdestoweniger dürfte es für das Verständnis der Barthschen Denkweise wichtig sein zu sehen, dass Barth seiner eigenen Meinung nach, von einer ethisch-politischen Kritik zu seinem theologischen Infragestellen getrieben wurde:

> Irre geworden an ihrem Ethos /dem aller meiner bis dahin gläubig verehrten theologischen Lehrer/, bemerke ich, dass ich auch ihrer Ethik und Dogmatik, ihrer Bibelauslegung und Geschichtsdarstellung nicht mehr werde folgen können, dass die Theologie des 19. Jahrhunderts jedenfalls für mich keine Zukunft mehr hatte. (B 1957,6)

Die Auseinandersetzung mit der "modernen" Theologie vollzieht sich also in einem Kontext, in dem Barth zu selben Zeit auch politisch denkt und politisch handelt, und Barth behauptet, dass es die Schwierigkeiten, mit diesem gesamten Kontext zurechtzukommen, waren die ihn zu theologischem Weiterdenken getrieben haben. Darf man deshalb die gesamte Auseinandersetzung mit der "modernen" Theologie auch als eine politische Auseinandersetzung lesen? Da diese Auseinandersetzung in hohem Masse Barths Theologie geformt hat, würde das bedeuten, dass es möglich wäre, die gesamte Theologie Barths so zu lesen. Wie bereits angedeutet, so meine ich, dass das Interessante darin liegt, dass Barths Theologie eine solche Lesart zur gleichen Zeit ganz selbstverständlich bejaht und auch problematisiert. An einigen Punkten will ich das mit Ausgangspunkt in seiner Auseinandersetzung mit der "modernen" Theologie beleuchten.

Im Rückblick sagt also Barth 1957:

> Wie verworren war die Stellungnahme der evangelischen Kirche zu jenen Wechseln der Weltanschauungen! Wie lange hat es gebraucht, bis sie sich entschloss, sich mit der sozialen Frage zu beschäftigen, den Sozialismus überhaupt ernst zu nehmen und mit wieviel gerade geistlichem Dilettantismus hat sie das dann getan! Wie naiv hat sie sich in der ersten Hälfte des Jahrhunderts der politischen Reaktion und wie naiv in der zweiten der Ideologie und Erhaltung des liberalen Bürgertums und des neuen Nationalismus und Militarismus verschrieben! Das alles gewiss nicht aus bösem Willen! Aber das Schiff was offenkundig gerade theologisch steuerlos. (B 1957,19, vgl. oben 72)

Das theologisch steuerlose Schiff konnte auch nicht politisch steuern. Dann wird Barths Streben danach, das theologische Steuerungsvermögen wiederzugewinnen zu einem Streben nach einer Theologie, die politische Naivität aufzudecken vermag. Die Wort-

133

-wahl entschleiert wohin, nach Barths Meinung, eine nicht-naive Theologie gesteuert
hätte. Sie hätte sich nicht der politischen Reaktion, dem liberalen Bürgertum oder
dem neuen Nationalismus und Militarismus verschrieben, sondern sich mit der sozialen
Frage beschäftigt und den Sozialismus ernst genommen.

Doch strebte Barth nicht danach, ein anderes politisches Programm theologisch zu legitimieren. Ungefähr bei Ausbruch des zweiten Welkrieges schreibt er:

> Unter dem Eindruck des Weltkrieges und der in ihm Ereignis gewordenen
> Kompromettierung sowohl der Träger der sozialistischen Zukunftserwar-
> tung, als auch derer der eben noch einmal erneuerten uneschatologischen
> Innerlichkeit "persönlichen Lebens" haben dann Viele von uns versucht,
> dort noch einmal anzuknüpfen, von wo wir den älteren Blumhardt hatten
> ausgehen sehen. Indem wir weder zu dem alten noch mit Joh. Müller und
> Anderen zu einem modernen säkularisierten Pietismus zurückkehren woll-
> ten, indem wir in der Lehre Schleiermachers den theologischen Herd ei-
> nes weder mit der Bibel noch mit dem Aspekt der wirklichen Welt verein-
> baren Gegenwartschristentums entdeckt zu haben und bekämpfen zu sollen
> meinten, mussten wir auch die von dem jüngeren Blumhardt, von Kutter
> und Ragaz vollzogene Zusammenschau der christlichen Reichgotteserwar-
> tung und der sozialistischen Zukunftserwartung - das, was bei jenen
> Männern leicht als Identifikation verstanden werden konnte und tatsäch-
> lich als solche verstanden worden war - hinter uns zurücklassen und
> über alle innerzeitlichen Erwartungen, die individuellen wie die kul-
> turell politischen hinaus, hinaus auch über das, was uns auch bei dem
> älteren Blumhardt als Vordergrundsaspekt erscheinen musste - vorstos-
> sen zu der Anschauung von einer reinen und absoluten Zukünftigkeit
> Gottes und Jesu Christi als der Grenze und Erfüllung aller Zeit.
> (KD II/1,714f)

Der politische Kontext wird unterstrichen, ebenso wie das Streben nach einem, "mit
dem Aspekt der wirklichen Welt vereinbaren" Christentum, aber dies wird nicht unter
politischen Programmen und Formen des Gegenwartschristentums gesucht. Mit einem
Ausdruck von 1922: Er schränkt nicht die Wirklichkeitsrelation des Glaubens (und
der Theologie) ein, aber es wird zum "Programm", "Notzeichen einer Verlegenheit", zu
sein.

> Wir haben unser Amt als Theologen nicht verstanden, solange wir es
> nicht verstanden haben als Exponenten und Wahrzeichen, nein Notzei-
> chen einer Verlegenheit, die über die ganze Skala wirklicher und mög-
> licher menschlicher Zuständigkeiten sich ausbreitet /.../ in der sich
> der Mensch einfach als Mensch befindet. (B 1922a,160)

Aber auch dieses Notzeichen kann politisch ausgedrückt werden. Kritik gegen die natürliche Theologie kann als ein Kritik der "Verbürgerlichung des Evangeliums" ausgedrückt werden.

> Der eigentliche Held dieses Vorganges ist aber immer der Mensch, der
> eben darin der typisch bürgerliche Mensch ist, dass er sich gegen die
> Gnade zu behaupten gedenkt /.../ In ihr /der natürlichen Theologie/
> redet niemand Anderes als der Christ als Bourgeois. Und welcher

Christ würde an sich und als solcher jemals anders denn als Bourgeois reden? (KD II/1,157, vgl. 182f)

Warum gerade diese Bezeichnungen für "den alten Menschen"? Es sind gewiss sehr allgemeine Ausdrücke, aber haben sie nicht trotz allem eine politische Spitze? Führen nicht Linien von diesem Sprachgebrauch zu der Skizzierung des absolutistischen Menschen des 18. Jahrhunderts, die den Ausgangspunkt in "Die protestantische Theologie im 19. Jahrhundert" bildet? Ist nich der Abschnitt gerade über die "Verbürgerlichung und Moralisierung des Problems der Theologie" (B 1933,71-79) eine Schlüsselstelle in diesen Buch? Und ist es nicht schliesslich die in dieser Auseinandersetzung geformte Geschichtsperspektive, mit ihrer Deutung der verschiedenen politischen Richtungen - mit Ausnahme des Sozialismus - als Varianten des Absolutismus (B 1933,24-36), der sich Barth in der Auseinandersetzung mit dem Nationalsozialismus bedient (vgl. unten 3.3.3)?

Bei einigen entscheidenen Gelegenheiten sieht Barth auch die Relation zu Bultmann in einer teilweise politischen Perspektive. Was in ihrem Briefwechsel als der Bruch angedeutet wird, lässt also bis Dezember 1935 auf sich warten (vgl. oben 91). Bultmann sendet Barth zwei Predigten, in der Hoffnung, dass sie zeigen sollen, dass Barth und er trotz gegenseitigen Misstrauens doch "gemeinsam für die gleiche Sache kämpfen":

> Es wäre eine Probe auf die Gemeinsamkeit, wenn Sie die Predigten in die "Theol. Existenz" aufnehmen. (Bultmann in GA V/1,162/1935-12-10/)

Barth lehnt ab, und die Art auf die er es tut, ist interessant. Obwohl es Bultmann war, der gewählt hatte, die Beurteilung der Predigten entscheiden zu lassen, so passt das Barth ausgezeichnet. Barth beurteilte Bultmanns Theologie nicht auf Grund einer wissenschaftlichen/methodischen Prüfung sondern über zwei indirekte Wege, einmal über Bultmanns Predigt, zum anderen über dessen praktisch-politisches Handeln. "Was wir /Barth und Thurneysen/ für eine gute Predigt halten" ist offenbar ziemlich wohldefiniert. Bultmanns Predigten sind nach dieser Definition keine guten Predigten und deshalb setzt Barth ein Fragezeichen vor dessen Theologie. Die Theologie wird mit diesem Argument nicht abgefertigt, aber sie wird in Frage gestellt. Barth behält die Offenheit, aber man bekommt den Eindruck, dass er noch nicht auf starke Argumente gestossen ist.

> Ich sehe angesichts Ihres Kreisens um die Existenz des Glaubenden - wie ich sie auch in diesen Predigten wiederfinde - nicht ein, inwiefern Sie nun eigentlich, nachdem allerlei Pulverdampf sich verzogen hat, das Schema der Theologie des 18. und 19. Jahrhunderts durchbrochen haben. (GA V/1,164f/1935-12-22/)

Diese Fragezeichen wird durch Bultmanns praktisch-politisches Handeln, das sich teilweise von dem Barths unterschied, verstärkt. Ebenso sicher wie Barth bei seiner

Beurteilung der Predigten zu sein scheint, scheint er sich dessen sicher zu sein, richtig gehandelt zu haben. Die festgestellten Abweichungen führen auch hier zu der Frage, ob nicht die Theologie diese Abweichungen legitimiert. Barth fährt fort:

> War es nicht eine schmerzliche Bestätigung dessen, dass wir an entscheidender Stelle noch nicht beieinander sind: dass sich im Kirchenkampf zwischen Marburg und Bonn so gar keine Einigkeit erzielen liess, dass Sie den Eid, über den ich "gestolpert" bin, ruhig geschworen haben und auch mich dazu veranlassen wollten, dass Ihr Freund v. Soden (den auch ich unterdessen persönlich aufrichtig schätzen gelernt habe) sicher nicht ohne Ihr Einverständnis das Kirchenregiment Marahrens eingesetzt hat, auf das ich meinerseits alle Uebel des vergangenen Jahres zurückführe, nachdem ich von Anfang an dagegen protestiert habe. Ich glaube, dass das Alles mit unserer Differenz über das Verhältnis von Christologie und Anthropologie sehr viel zu tun hat. (GA V/1,165)

Das Zweite, worauf ich die Aufmerksamkeit richten möchte, ist Barths Brief an Landesbischof Wurm 1947. Dort meint Barth, dass das einzig wichtige und wirkungsvolle Argument gegen Bultmanns Theologie, nicht theoretisch-dogmatisch ist, sondern die Praxis der Kirche im weiten Sinne, d.h. der Gehorsam der Kirche.

> Wenn Rudolf Bultmann von einer Kirche umgeben wäre, die in ihrer Verkündigung und Ordnung, in ihrer Kirchenpolitik und in ihrem Verhältnis zu Staat und Gesellschaft in der ganze Art, wie sie gerade ihre heutigen Probleme durcharbeitet ihren Glauben an den Auferstandenen auch nur ein wenig in Uebung setze, so würde sie damit nicht nur gegen die "Ketzereien" der Bultmannschen Konklusionen und ihrer Spitzensätze praktisch immun gemacht sein, sondern sie würde damit auch Bultmann selber das einzige Argument entgegenhalten, das ihn vielleicht veranlassen könnte, seine Grundsicht mit ihrer Fesselung des Evangeliums an eine heidnische Ontologie fallen zu lassen und damit zu einem freien Ausleger des frei für sich selbst sprechenden Neuen Testamentes zu werden /.../

> Das eigentlich kirchliche Tun gegenüber dem von Bultmann gegebenen Ärgernis kann ja doch nur darin bestehen, dass die Kirche selbst gerade in dem von Bultmann angegriffenen Punkt nicht nur theoretisch sondern praktisch Kirche ist. Sicher ist dies, dass ein geistlicher und geistiger Irrtum, wie er in der Theologie Bultmanns nach meiner Einsicht bestimmt vorliegt, nicht durch die mechanischen Massnahmen, die Pastor Brun ins Auge fasst, sondern nur in der Freiheit des Geistes - des heiligen und des menschlichen Geistes! - überwunden werden kann. (B 1947,294,296) [118])

Im Verhältnis zu diesem Gehorsam als dem Werk des Heiligen Geistes (mit und nicht gegenüber dem menschlichen Geist!) ist jeder theologische Ausspruch - auch ein zustimmender "Kommentar zum ersten Satz der Barmer Erklärung" (B 1947,295) - etwas weniger Wichtiges, das immer unter dem Vorzeichen "nach meiner Einsicht" steht, d.h. theologia viatorum bleibt.

3.3.2. Der Bruch mit dem religiösen Sozialismus.

Es ist offenbar, dass Barth vom religiösen Sozialismus beeinflusst wurde und Leonhard Ragaz und Herrmann Kutters Gedanken verwendet hat, um die Safenwiler Situation gedanklich zu bewältigen. Ebenso deutlich ist aber auch, dass er sich später vom religiösen Sozialismus distanziert hat und ihn als eine Variante der "modernen" Theologie kritisiert hat.

Diese (Selbst-) Kritik öffnet die Tür zu Barths politisch-ethischem Denken, ist aber auch in das gesamte Weiterdenken Barths integriert. Sie darf nicht nur abgehorcht und analysiert werden, sondern muss auch datiert werden, um in ihrer Relation zu Barths späterem Denken beurteilt werden zu können. Es ist von besonderem Interesse dass diese Auseinandersetzung vor der ersten Auflage des Römerbriefes deutlich wird und formuliert wird und eine Voraussetzung für diesen ist. Die Auseinandersetzung darf nicht mit der Selbstkritik in der zweiten Auflage identifiziert werden und darf damit nicht als eine Legitimation dafür dienen, die erste Auflage weniger ernst zu nehmen. Im Gegenteil muss die Auseinandersetzung mit dem religiösen Sozialismus so verstanden werden, dass sie die erste Auflage ermöglicht und verständlich macht.

In Safenwil (Kupisch 1971,31) oder bereits in Genf (Gollwitzer 1972,7) wird Barth vor "die soziale Frage gestellt". Zur gleichen Zeit befindet sich die schweizerische religiös-soziale Bewegung auf ihrem Höhepunkt. In nähere Berührung mit dieser Bewegung kommt Barth durch Thurneysen (Kupisch 1971,34), den er 1913 zu seiner Hochzeit "als Vertreter der Marburger Vergangenheit ... und auch der religiös-sozialen Gegenwart, wenn du willst, und im Uebrigen als Mensch und Freund und Christ" einlud (GA V/3:1,3/1913-02-23/). Die Tatsache, dass er eine Predigt in Ragaz Zeitschrift "Neue Wege" veröffentlichte [119] deutet darauf hin, dass er sich auch im Sommer 1914 selbst als zu dieser Bewegung gehörig rechnete. Auch die Notiz 1915-01-20, dass "das Lesen der Russen", dem sich auch Barth selbst widmet, "unter den Religiös-sozialen epidemisch zu werden" scheint (GA V/3:1,25) kann vielleicht als eine Loyalitätserklärung gesehen werden. [120]

Aber bereits im Brief an Thurneysen 1914-09-25 kann man eine erste Distanzierung erkennen. Erregt über den Kriegsausbruch und die Reaktionen darauf fragt Barth:

> Woher soll die notwendige neue Orientierung kommen? Wenn irgend einmal,
> so möchte man jetzt Gott bitten, Propheten aufstehen zu lassen. Wir sind
> es jedenfalls nicht mit unseren paar Sprüchen, wenn wir jetzt auch ein
> klein wenig weiter sehen als die draussen. Auch Kutter und Ragaz nicht.
> Ich habe beide besucht und war eigentlich von beiden etwas enttäuscht.
> Bei Ragaz störte mich eine gewisse unangenehme Sicherheit ("wir haben es
> immer gesagt"), und Kutter fand ich in einem bei ihm mir ganz unbegreif-

-lichen Interesse für die Détails der Zeitgeschichte und in einer noch
unbegreiflicheren Parteinahme für Deutschland und dessen relativ gerechtere Sache /.../ Es war mir auch unerfreulich, in welchem Ton
er ... von den andern Pfarrern redete, die jetzt bis an den Hals von
Unterstützungsarbeiten in Anspruch genommen sind /.../ Ein überlege-
ner Geist könnte nicht so davon reden, mit solcher Selbstbespiegelung,
wie Kutter es gestern tat. (GA V/3:1,12f)

Während die Stellungnahmen zu Kutter und Ragaz während des Herbstes von Stellungnahmen zum Krieg bestimmt zu sein scheinen - Kutter wird negativ, Ragaz positiv beurteilt (GA V/3:1,16/1914-10-28/, 20/1914-11-05/) - werden die Bedenken gegen Sicherheit und Selbstbespiegelung, soweit ich sehen kann, im Brief 1914-12-07 fortgesetzt.
Dort weigert sich Barth, den Sozialismus religiös zu unterbauen und er betrachtet
seine Position als eine Radikalisierung des Sozialismus. [121]

> Die Schwierigkeit für uns, bei und zu den Sozialdemokraten zu reden, wur-
> de mir aufs Neue klar: entweder man bestärkt sie in ihrer Parteigesin-
> nung durch religiöse Unterbauung und mit allerlei christlichen Wünschen
> für ihr politisches Ethos - oder man versucht, sie über sich selbst hinaus-
> zuweisen, und legt ihnen damit, wie es mir gestern den Eindruck machte,
> eine Last auf, die Vielen zu schwer ist. Das Richtige wird trotz dieser
> Gefahr das Letztere sein, wenn man überhaupt solche Referate annehmen
> will. Ich halte es doch für das Richtige, wenn man darum gefragt wird.
> Gerade jetzt ist es für einen radikalen Sozialismus bei den Arbeitern mehr
> Verständnis da, als man denkt. (GA V/3:1,21)

Auch wenn Kutter und Ragaz in diesem Brief nicht ausdrücklich genannt werden, so
führen die Linien von hier aus zu dem Brief, in dem Barth Thurneysen mitteilt, dass
er in die sozialdemokratische Partei eingetreten ist. Dort wird ausdrücklich gesagt, dass der Eintritt durch eine theologische Vertiefung möglich wurde.

> Und ich hoffe nun auch, der "wesentlichen" Orientierung nicht mehr un-
> treu zu werden, wie es mir vielleicht noch vor zwei Jahren bei diesem
> Schritt hätte passieren können. (GA V/3:1,30/1915-02-05/)

Der Abschnitt des Briefes, der die Mitteilung des Parteieintritts vorbereiten soll,
ist jedoch gerade eine Diskussion Kutters und Ragaz, in der Barth sich von beiden
distanziert, indem er sie gegeneinander ausspielt. Barth schätzt an Ragaz "den ernsten Willen, die religiöse Orientierung in Zusammenhang mit den praktischen ethischen Zielen zu bringen" aber kritisiert, dass er "sehr oft die religiöse Tiefe ein-
büssen" mag, was man, ausgehend von den früheren Briefen, so deuten kann, dass Barth
meint, "die religiöse Tiefe" dürfe nicht Ragaz "Sicherheit" zerbrechen, sondern die-
ne einer "religiösen Unterbauung". Barth meint, er könne mehr von Kutter lernen,
"weil er in der Tat radikaler ist als Ragaz" aber er kritisiert, dass Kutter "mit
seiner abgrundtiefen radikalen Orientierung gleichsam nackt dasteht und dastehen
will" und daher ethisch zu nichts anderem motiviert als einem "prinzipielle/n/ und
ausschliessliche/n/ Quietismus" [122] und in der Praxis "wenns ihm passt (Deutschland!)" sein ethisches Urteil von der radikalen Orientierung loslösen kann. Mit
Hilfe der früheren Briefe gedeutet: Trotz der Radikalität wird bei Kutter, nach

138

Barth, dem ich und dessen Handeln nicht widersprochen. Auch die radikale Perspektive kann dann religiöse Unterbauung der "Sicherheit", "Selbstbespiegelung" werden, d.h. etwas anderes als ein radikaler Sozialismus (GA V/3:1,29). Man darf annehmen, dass diese Distanzierung von Kutter und Ragaz - mit Blick auf einen radikalen Sozialismus - - einen wesentlichen Teil der theologischen Vertiefung ausmacht, die die Voraussetzung für den Eintritt in die Partei darstellt [123].

Der Besuch bei Christoph Blumhardt in April 1915 kann daher kaum zu dem Beginn des Bruches geführt haben (so Kupisch 1971,37), wohl aber begann Barth nach diesem Besuch mit der Lektüre Johann Christoph Blumhardts, bei der er Inspiration zum Weiterdenken und Bestätigung der "Richtigkeit seines eigenen theologischen Suchens" fand (Kupisch 1971,38). Im Rückblick misst Barth diesem Einfluss entscheidende Bedeutung bei, er bedeutete für ihn Distanzierung von der Religiös-sozialen Bewegung, aber nicht Aufgabe sondern eher Vertiefung in jene theologische Tradition (KD II/1,714f).

Die begonnene Auseinandersetzung formt Barths Denken in der ersten Auflage des Römerbriefes und man findet sie in prägnanten Formulierungen:

> Sie /eure Anteilnahme an der Gestaltung des politischen Lebens/ kann nach Massgabe der Umstände sehr weitgehend sein und ihr werdet euch schwerlich anderswohin stellen können als auf die äusserste Linke. Aber darüber müsst ihr im Einzelnen die Ethik konsultieren. Nur dass ihr euch bewusst seid: solche Ethik ist immer eine Ethik der verfahrenen Situationen. Und eure Arbeit als Christen besteht in keinem Fall in solcher Anteilnahme /.../ Das Göttliche darf nicht politisiert und das Menschliche nicht theologisiert werden, auch nicht zugunsten der Demokratie und Sozialdemokratie. (B 1919,381)

> Sang- und klang- und illusionslose Pflichterfüllung, aber keine Kompromettierungen Gottes! Zahlung des Obulus, aber keinen Weihrauch den Cäsaren! Staatsbürgerliche Initiative und staatsbürgerlicher Gehorsam, aber keine Kombinationen von Tron und Altar, kein christlicher Patriotismus, keine demokratische Kreuzzugsstimmung. Streik und Generalstreik und Strassenkampf, wenn's sein muss, aber keine religiöse Rechtfertigung und Verherrlichung dazu! Militärdienst als Soldat oder Offizier, wenn's sein muss, aber unter keinen Umständen als Feldprediger! Sozialdemokratisch, aber nicht religiös-sozial! (B 1919,390)

Dieses Programm wird im gleichen Jahr im Tambacher Vortrag ausgeführt, den Barth selbst als "eine nicht ganz einfache Maschine /.../, vorwärts- und rückwärtslaufend, nach allen Seiten schiessend, an offenen und heimlichen Scharnieren kein Mangel" bezeichnet (GA V/3:1,344/1919-09-11/). Kupisch stellt fest:

> Seit der Tambacher Konferenz waren die Wege zwischen Karl Barth, seinen engeren Freundeskreis und der Schweizer Religiös-sozialen Bewegung endgültig geschieden. (Kupisch 1971,45)

In diesem sehr häufig angeführten Vortrag will ich einige, meiner Meinung nach, wichtige Züge markieren.

Die Kritik "alle/r/ jene/r/ Kombinationen, wie 'christlich-sozial', 'evangelisch-sozial', 'religiös-sozial'" beinhaltet, dass "die Bindestriche" nicht ernsthaft die "Absonderung des religiösen Gebietes" angreifen, sondern nur Verbindungen zur schaffen versuchen zwischen zwei weiterhin als voneinander getrennt aufgefassten Gebieten. Die Philosophie betrachtet das als eine verdächtige Anmassung. Theologisch gesehen ist das ein Missverständnis des Göttlichen (B 1919a,35f, vgl. zB KD II/2,582f).

> Das Göttliche ist etwas Ganzes, in sich Geschlossenes, etwas der Art nach Neues, Verschiedenes gegenüber der Welt. Es lässt sich nicht auftragen, aufkleben und anpassen. Es lässt sich nicht anwenden, es will stürzen und aufrichten. Es ist ganz oder es ist gar nicht. (B 1919a,36)

Deswegen müssen "die Bindestriche" kritisiert werden als Versuche, Christus auszunützen und anzuwenden,

> ja, Christus zum soundsovielten Male zu säkularisieren, heute zB der Sozialdemokratie, dem Pazifismus, dem Wandervogel zu Liebe, wie ehemals den Vaterländern, dem Schweizertum und Deutschtum, dem Liberalismus der Gebildeten zu Liebe (B 1919a,36)

Der Versuch, "die Gesellschaft zu klerikalisieren" muss deshalb als ein Versuch kritisiert werden, "der weltlichen Gesellschaft einen kirchlichen Ueberbau oder Anbau anzugliedern" (B 1919a,38) und setzt also die Absonderung voraus.

Man kann sagen, dass Barth "den Reich-Gottes-Gedanken und den Gottesbegriff aus dem Kontext der Geschichtdeutung löst und sie damit von der weltanschaulichen Ueberfremdung befreit" (Breipohl 1971,238) aber das darf nicht dahingehend missverstanden werden, als ob Barth theologisch zu einem geringeren Engagement in der Geschichte auffordern würde. Die Kritik der Bindestriche mündet statt dessen in Fragen aus.

> Wie gefährlich ist es, sich mitten in den Fragen, Sorgen und Erregungen der Gesellschaft auf Gott einzulassen! Wohin werden wir geführt, wenn wir die Absonderung des religiösen Gebietes aufgeben und uns im Ernst auf Gott einlassen, und wohin, wenn wir uns nicht im Ernst auf ihm einlassen? (B 1919a,36f)

Und der Versuch, die Gesellschaft zu klerikalisieren wird als Verrat an der Gesellschaft kritisiert, weil man dann sagt, dass Hilfe von der Religion komme, d.h. von woandersher als von Gott selbst.

> Gewiss werden wir gerade diesen Versuch ablehnen als den gefährlichsten Verrat an der Gesellschaft. Denn die Gesellschaft wird um die Hilfe Gottes, die wir doch eigentlich meinen, betrogen, wenn wir es nun nicht ganz neu lernen wollen, auf Gott zu warten, sondern uns statt dessen aufs neue eifrig an den Bau unserer Kirchen und Kirchlein machen (B 1919a,38)

Das, worauf es nach Barth ankommt, ist also nicht ein Beeinflussen der Welt durch die Kirche, sondern "der Durchbruch des Göttlichen ins Menschliche hinein" und die "Einsicht" in diesen Durchbruch. Entscheidend ist also nicht, was die Kirche tut, sondern was Gott tut, also das "Wunder der Offenbarung Gottes" und das "Wunder des Glaubens". Entscheidend ist nicht, dass die Welt Hilfe von der Kirche erhält, sondern "die Unruhe die uns Gott bereitet", uns als Menschen, uns in Welt und Kirche. (B 1919a, 43f)

> Die Unruhe, die uns Gott bereitet, muss uns zum "Leben" in kritischen Gegensatz bringen, kritisch im tiefsten Sinn zu verstehen, den dieses Wort in der Geistesgeschichte gewonnen hat. Es entspricht dem Wunder der Offenbarung das Wunder des Glaubens. Gottesgeschichte ist auch diese Seite der Gotteserkenntnis, und wiederum kein blosser Bewusstseinsvorgang, sondern ein neues Müssen von oben her. (B 1919a,44)

Schon in der Kritik an Kutter hat Barth sich geweigert, diesen absolut kritischen Gegensatz zum Leben jeden relativ kritischen Gegensatz - jedes "Müssen" - ausschliessen zu lassen, und im Quietismus zu enden. Nach Barth gilt es auch jetzt, das Problem in seiner absoluten und relativen Bedeutung zu verstehen:

> Wir müssen ganz hinein   in die Erschütterung und Umkehrung, in das Gericht und in die Gnade, die die Gegenwart Gottes für die jetzige und jede uns vorstellbare Welt bedeutet /.../ Doch was geht uns die Kirche an? /.../ Haben wir verstanden, was wir verstanden haben? Dass eine Neuorientierung an Gott dem Ganzen unseres Lebens gegenüber, nicht nur ein in die Opposition treten in einigen oder vielen Einzelheiten heute die Forderung des Tages ist? Dass wir diese Wendung im ganzen dann aber auch erwahren und bewähren müssen in einer grossen kritischen Offenheit im einzelnen, in mutigen Entschlüssen und Schritten, in rücksichtslosen Kampfansagen und geduldiger Reformarbeit, heute wohl ganz besonders in einer weitherzigen, umsichtigen und charaktervollen Haltung gegenüber, nein, nicht als unverantwortliche Zuschauer und Kritiker gegenüber, sondern als mithoffende und mitschuldige Genossen innerhalb der Sozialdemokratie, in der unserer Zeit nun einmal das Problem der Opposition gegen das Bestehende gestellt, das Gleichnis des Gottesreiches gegeben ist und an der es sich erweisen muss, ob wir dieses Problem in seiner absoluten und relativen Bedeutung verstanden haben. Wer von uns dürfte sich rühmen, tief genug in dieser gebrochenen Lebenserkenntnis zu stehen? (B 1919a,63f) 124)

Wie kann die Sozialdemokratie als das unserer Zeit (nicht prinzipiell, zeitlos!) gegebene Gleichnis des Gottesreiches verstanden werden, wenn alles unter dem Gericht steht?

Die Pointe in Barths Ueberlegung ist nicht eine Kritik jeder Weltbejahung und ein Plädoyer für jede Weltverneinung, sondern das Aufzeigen einer falschen Weltverneinung und einer falschen Weltbejahung. Das wird, nach Barth, durch die Reflexion darüber

141

entschleiert, dass die Schöpfung durch Christus geschehen und zu Christus hin ist. (B 1919a,52) Dort zeigt sich die "Freiheit, mit Gott naiv oder mit Gott kritisch zu sein" (B 1919a,67), also nicht nur das Letztere. Gerade unter der absoluten Kritik erweist sich das Weltliche als - nur, aber wirklich [125] - eine Analogie des Göttlichen, und daraus folgt ein Imperativ:

> Nur aus der radikalsten Erkenntnis der Erlösung heraus kann man das Leben, wie es ist, so hinstellen, wie Jesus es /in den Gleichnissen der synoptischen Evangelien/ getan hat /.../ So kann nur einer reden, der dem Leben absolut kritisch gegenübersteht, und der darum /wie Dostojewski/, anders als Tolstoj, mit der relativen Kritik immer auch zurückhalten, der aus einer letzten Ruhe heraus ebensogut im Weltlichen die Analogie des Göttlichen anerkennen und sich ihrer freuen kann /.../

> Was folgt aus dem allem? Offenbar der Hinweis darauf, dass schlichte Sachlichkeit unseres Denkens, Redens und Tuns auch innerhalb der jeweiligen bestehenden Verhältnisse und im Bewusstsein der Gefangenschaft, in der wir uns hier befinden, eine Verheissung hat - nicht mehr, aber auch nicht weniger folgt daraus. Wir haben uns in keiner Weise als Zuschauer neben den Lauf der Welt, sondern an unserm bestimmten Platz in diesen Lauf hineinzustellen. Das Bewusstsein der solidarischen Verantwortlichkeit, die auf unsere Seele gelegt ist der entarteten Welt gegenüber oder anders ausgedrückt: der Gedanke an den Schöpfer, der auch der gefallenen Welt Schöpfer ist und bleibt, zwingt uns zu dieser Haltung. Mag denn alles, was wir im Rahmen des jeweilig schlechthin Seienden und Geschehenden tun können, nur ein Spiel sein im Verhältnis zu dem, was eigentlich getan werden sollte, so ist es doch ein sinnreiches Spiel, wenn es recht gespielt wird. (B 1919a,55-57)

Jene "schlichte Sachlichkeit" ist "wirkliche Lebenserkenntnis" und also "allen Abstraktionen feind":

> Sie /wirkliche Lebenserkenntnis/ kann Ja sagen, aber nur um aus dem Ja heraus noch lauter und dringender Nein zu sagen. Denn sie richtet sich nicht nach der systematischen Vollständigkeit, sondern nach dem Stand ihrer eigenen Geschichte, nach dem Gebot der Stunde. Sie hat ihren eigenen Gang. Sie ist bewegt und mehrdimensional. (B 1919a,60)

Die Spitze in dieser Situationsethik ist gegen eine regelbesitzende Ethik einer theologia gloriae gerichtet [126]. Die Handlungen erheben nicht den Anspruch darauf, durchgeführt worden zu sein, nachdem man "alles vom Standpunkt des lieben Gottes aus" betrachtet hat (vgl. GA V/3:1,13/1914-09-25/) [127]. "Staat, Kirche, Gesellschaft, positives Recht, Familie, zünftige Wissenschaft usf." werden ihres "Pathos" beraubt (B 1922,467-469). Die "unverschämte/n/ Identifikationen", vor allem die Identifizierung unseres Tuns mit dem Tun Gottes (B 1922 nach Gollwitzer 1972,10) werden vermieden. Man bemüht sich nicht um eine Legitimierung des Tuns, so dass man weiss, dass man richtig gehandelt hat und sich dessen rühmen kann. [128] Das Streben nach einer Legitimation wird durch ein "rätselhafte/s/ Nicht-Handeln" aus Gnade, aus dem

"Urquell des 'Nicht-Handelns'" ersetzt (B 1922,464f).

Das ist das Muster der (eschatologisch verstandenen) Rechtfertigungslehre.

> Der Christ ist der Christus. Der Christ ist das in uns, was nicht wir
> sind, sondern Christus in uns. (B 1919a,34,vgl. B1922,279)

Christ sein ist also nicht etwas, dessen wir uns rühmen können, eine Eigenschaft, die wir besitzen oder die wir anwenden. Wir können es auch nicht erobern. Christ sein ist immer ein "Wunder", "Tun Gottes" (B 1919a,69,41f). Wir können nicht davon ausgehend handeln, aber wir können und sollen handeln, im Warten darauf.

> Wir setzen darum unsere Kraft ein zur Erledigung nächstliegender ban-
> alster Geschäfte und Aufgaben, aber auch für eine neue Schweiz und ein
> neues Deutschland, weil wir des neuen Jerusalem, das von Gott aus dem
> Himmel herabfährt, gegenwärtig sind. (B 1919a,67)

Gerade im Zusammenhang dieser Darstellung ist es befugt, diese Deutung des Bruches Barths mit dem religiösen Sozialismus an dem zu prüfen, was Barth später in seinem Brief an Tillich 1933-04-02 schreibt. Nach dem nationalsozialistischen "Gesetz zur Wiederherstellung des Berufsbeamtentums" hatte die SPD im März ihre Mitglieder (unter ihnen also Barth und Tillich) wissen lassen, dass die Partei "nicht wünsche, dass ihre Beamten ihre Beamtenqualität der Zugehörigkeit zur SPD opferten". Tillich tritt daraufhin aus der Partei aus, und erklärt seine Stellungnahme in einem Brief an Barth 1933-03-29 (Breipohl 1971,220 mit Anm. 173) während Barth in seinem Antwortbrief ein paar Tage später erklärt warum er meint, dies nicht tun zu können. (Kupisch 1971,75).

Barths zentrale Distinktionen sind hier die Unterscheidung zwischen "Idee und Weltanschauung des Sozialismus" und "eine/r/ praktische/n/ politische/n/ Entscheidung" und zwischen einem "esoterischen Sozialismus" und einem "exoterisch/en/". Eine "ordentliche Theologie" muss nach Barth, "ohne esoterischen Sozialismus" sein und er kritisiert Tillich nicht für dessen Austritt an sich, sondern er kritisiert, dass dessen Theologie einen esoterischen Sozialismus zulässt und daher keine "ordentliche" Theologie ist. (B 1933a,290f)

Diese Kritik Barths scheint mir meine Deutung des Tambacher Vortrags zu unterstützen. Barths Sozialismus ist nicht zeitlos, prinzipiell, eine handlungslegitimierende "Idee und Weltanschauung", sondern "eine praktische politische Entscheidung" auf Grund des Gebots der Stunde:

> Vor die verschiedenen Möglichkeiten gestellt, die der Mensch in dieser
> Hinsicht hat, halte ich es rebus sic stantibus für richtig /.../ Diese
> Erfordernisse einer gesunden Politik sah ich in der SPD und nur in ihr

erfüllt. Darum wähle ich diese Partei. (B 1933a,290, Hervorhebungen
von mir)

Barth kann sich "zu keiner Idee noch Weltanschauung in ernsthaften Sinne 'bekennen'",
aber er kann und muss in der theologischen Ethik die "sozialistische Idee /.../ in
Erwägung /zu/ziehen und in ihrer relativen kritischen Bedeutung zur Geltung /zu/bri-
ngen" (Hervorhebungen von mir). Es kommt nicht darauf an, eine Idee zu verteidigen,
sondern die Ideen in schlichter Sachlichkeit zu prüfen, was jetzt heisst:

> Umgekehrt ist nun gerade die Freiheit zur rein politischen Entscheidung,
> Stellungnahme und ev. Betätigung der Punkt, auf den für mich alles an-
> kommt. Die Freiheit, bzw, der bestimmte Gebrauch, den ich von ihr mache
> /.../ das gehört (im Unterschied zur Idee des Sozialismus) zu meiner Exi-
> stenz, und wer mich so nicht mehr haben will, der kann mich überhaupt
> nicht haben. (B 1933a,290)

Nicht das Verhältnis zu einer Idee, aber die Fähigkeit jede Flucht vor jener Sachlichkeit aufzudecken, jene verantwortliche Freiheit zur politischen Praxis, wird für
Barth zum Kriterium einer ordentlichen Theologie. Barth ist überzeugt davon, dass
diese Verantwortlichkeit in der bestimmten Situation, - je nach persönlichen Voraussetzungen und den Forderungen der Situation (B 1933a,290) - Arbeit in der SPD zur
Folge haben müsste, aber er kann das diskutieren, ohne eine theologische Streitfrage
daraus zu machen, es soll sachlich an der Situation geprüft werden. Theologisch entscheidend ist aber für ihn, dass man Stellung bezogen hat in schlichter Sachlichkeit
und solidarischer Verantwortlichkeit (B 1919a,56f) - nicht prinzipiell, situationslos, auf der Idee-Ebene, d.h. "abstrakt" (B 1919a,60). Barth meint, dass die Glaubwürdigkeit seiner eigenen Theologie davon abhängt, ob/in welchem Masse er selbst in
dieser Sachlichkeit lebt und sie verteidigt:

> Ich könnte mir selbst und anderen auch als Theologe nicht mehr glaub-
> würdig sein, wenn ich mir in dieser bürgerlichen Beziehung eine andere
> Entscheidung aufdrängen liesse als diese, die meiner Ueberzeugung in
> politischer Beziehung entspricht. (B 1933a,290)

3.3.3. Der Protest gegen den Nationalsozialismus.

Ideengeschichtlich/wirkungsgeschichtlich ist es wohl so, dass Barths Theologie weithin als die Theologie verstanden wurde, die die Bekennende Kirche zum Protest gegen
den Nationalsozialismus inspiriert hat. Der bedeutende Einfluss Barths, zB im Zusammenhang mit der Barmer Theologischen Erklärung ist unumstritten. Daraus folgt
jedoch nicht, dass die Stellungnahmen der Bekennenden Kirche als Schlüssel zum Verständnis der Barthschen Theologie verwendet werden könnten. Es ist nämlich keinesfalls sicher ob der Protest Barths gegen den Nationalsozialismus mit dem der Bekennenden Kirche gleichgesetzt werden kann. Barths Protest gegen den Nationalsozialis-

144

-mus kann vermutlich als Schlüssel zum Verständnis seiner Theologie verwendet werden, aber dann muss man von seinem eigenen Protest ausgehen, und dann ist es gar nicht so sicher ob man einen einfachen Schlüssel findet.

Barth verlässt Deutschland im Sommer 1935 und damit auch seine Aufgaben in der Bekennenden Kirche. Das kann zumindest nicht nur damit erklärt werden, dass Barth von Minister Dr. Rust in den Ruhestand versteht wurde, nachdem das Oberverwaltungsgericht in Berlin die Absetzung aufgehoben hatte. (Vgl. Lind 1975,97f) Wie aus einem Brief an Hermann Hesse 1935-06-30 hervorgeht, so bestanden Pläne, eine "Hochschule" oder "Akademie" der Bekennenden Kirche einzurichten und Barth an sie zu berufen. Barth hatte jedoch vergeblich "auf einen deutlichen und bestimmten Ruf seitens der verantwortlichen Bruderräte der Westkirche, also von Rheinland und Westfalen, gewartet" (B 1935a,1, vgl. Kupisch 1962,505,507f). Aber nach Barths Auffassung ist dieser ausgebliebene Ruf nur ein Beweis für einen grundlegenden Meinungsgegensatz. Letzlich macht Barth aus seinem Verlassen Deutschlands eine Anklage gegen die Bekennende Kirche, vor allem gegen ihre politischen Stellungnahmen (vgl. Marquardt 1973a,288f). Er kann sich nicht mit Beschlüssen - "dieses Augsburger Religionsfriedens" - der Augsburger Synode der Bekenntniskirche solidarisieren, von der er gebeten worden war, fernzubleiben (B 1935a,2f, vgl. GA V/1,165 mit Anm. 2). Er verstand nicht "wie man aufrichtigerweise noch und noch einmal so tun konnte, als ob für das christliche Verständnis des heutigen konkreten Verhältnisses von Evangelium und Staat allein Röm 13 etc. und nicht auch die Apokalypse, nicht auch das Verhalten der alttestamentlichen Propheten massgebend sein müsste" (B 1935a,3). Das bedeutet, mit Barths Terminologie, nicht "nach meinem politischen Denken und Tun" zu fragen, was weniger interessant wäre (B 1935a,2), es bedeutet, nach den Forderungen des Bekenntnisses in der Gegenwart zu fragen.

Mit dem im Hinblick auf den Tenor der Augsburger Beschlüsse Gesagten steht ein Viertes in Zusammenhang. Meine Gedanken über das gegenwärtige Regierungssystem in Deutschland, die von Anfang an ablehnend waren, in denen ich mir aber anfangs, wie meine Veröffentlichung zeigen, immerhin eine gewisse Zurückhaltung auferlegen konnte, haben sich mit der Zeit und mit dem Lauf der Ereignisse so zugespitzt, dass meine weitere Existenz in Deutschland, da die Bekenntniskirche mich bei diesen Gedanken im Ganzen nicht tragen kann, sozusagen physisch unmöglich geworden ist. Ich zweifle nicht daran, dass Unzählige unter ihren Gliedern im Stillen genau so denken wie ich. Und ich bin überzeugt, dass auch die Bekenntniskirche als solche über kurz oder lang vor der Frage stehen wird, ob sie nicht vom Bekenntnis her genau so denken - und dann auch entsprechend reden oder handeln müsse. Im gegenwärtigen Augenblick aber steht die Bekenntniskirche als solche wie gerade Augsburg zeigt, nicht dort. Sie denkt noch gar nicht daran, dass sie, ein "Wort an die Obrigkeit" richtend, auch noch etwas anderes auszusprechen haben könnte als die mit der Beteuerung ihrer politischen Zuverlässigkeit begründete "inständige" Bitte um die Erhaltung ihres durch die Reichsregierung garantierten Bestandes, und dass ihr Gebet für die von Gott gesetzt Obrigkeit seine Echtheit darin erweisen

müsste, dass es, wo sie die Lüge und das Unrecht zum Prinzip erhoben
sieht, eines Tages auch zu dem in den Psalmen vorgesehenen Gebet um
Befreiung von einer fluchwürdig gewordenen Tyrannei werden könnte.
Sie hat für Millionen von Unrecht Leidenden noch kein Herz. Sie hat
zu den einfachsten Fragen der Öffentlichkeit noch kein Wort gefunden.
Sie redet - wenn sie redet - noch immer nur in ihrer eigenen Sache
(B 1935a,3f)

Spätestens 1938, nach dem Hromádka-Brief wird die Kritik gegenseitig. Die Vorläufige
Leitung der Deutschen Evangelischen Kirche setzt in einem Rundbrief "gegen Barths Un-
terstützung der tschechoslowakischen Armee das Gebet für 'unsere sudetendeutschen
Brüder' und gegen die Ermutigung der tschechoslowakischen Führung das Gebet für 'die
Führung unseres Volkes'" (Marquardt 1973a,284) durch und führt die Meinungsgegensätze
darauf zurück, dass aus Barths Wort "nicht mehr der Lehrer der Theologie, sondern der
Politiker" redet (nach Marquardt 1973a,284, vgl. Kupisch 1956,522). Auch wenn es
schwierig ist, diese Aussage als unpolitisch zu betrachten, so ist ihre Pointe, dass
Barth 1938 die von ihm in "Theologische Existenz heute!" und in der Barmer Erklärung
formulierte gemeinsame theologische Grundlage aufgegeben habe, die als eine strenge
Konzentration auf eine, vonallem Politischen befreite "theologische Existenz" gedeutet wurde.

Auch für diejenigen, die Barths politische Praxis [129] positiver deuten, ist das
Verhältnis zwischen Barths Aussagen 1933/34 und 1938 problematisch, so zB für seinen
damaligen Assistenten Gollwitzer:

> Noch 1933/34 wird er Wert darauf legen, dass sein theologischer Wider-
> spruch gegen die Deutsche Christen nicht politisch motiviert sei (was
> richtig ist, da ja immer seine politische Position evangelisch, also
> theologisch motiviert ist), und dass - seine studentischen Hörer ruft
> er dafür als Zeugen an - seine theologische Position keine Affinität
> etwa zu Demokratie oder Sozialismus impliziere (was ein eigenartiges,
> durch jene besondere Situaiton verursachtes Selbstmissverständnis war,
> das er wenige Jahre später korrigierte). (Gollwitzer 1972,10 Anm. 2),
> vgl. 25,44. Vgl. auch B 1938b, Anm. 30b) [130]

Die Deutung, dass Barth seine Ansicht geändert habe, wird auch durch Barths eigene
selbstkritische Aussagen bestärkt. Es ist für ihn schon im Brief an Hesse im Sommer
1935 "eine peinliche Erinnerung an die letzten zwei Jahre", "dass ich selber nicht
kräftiger in der hier gebotenen Richtung zu den einfachsten Fragen der öffentlichen
Redlichkeit vorgestossen habe" (B 1935a,4). Barth wiederholt 1945 die Selbstkritik
vor den deutschen Theologen in der Kriegsgefangenschaft:

> Ich will Ihnen darum offen gestehen: Wenn ich mir selbst im Blick auf
> meine in Deutschland verbrachten Jahre etwas vorwerfe so ist es dies,
> dass ich es damals aus lauter Konzentration auf meine theologisch-kirch-
> liche Aufgabe und auch in einer gewissen Scheu vor der Einmischung des
> Schweizers in deutsche Angelegenheiten unterlassen habe, vor den Ten-

-denzen, die mir, seit ich 1921 den deutschen Boden betreten hatte,
in der mich umgebenden Kirche und Welt sichtbar und unheimlich genug
waren, zu warnen, nicht nur implizit, sondern explizit, nicht nur
privatim, sondern auch öffentlich zu warnen! (B 1945,91)

Aber diese Selbstkritik gibt nur zu, dass er es unterlassen habe, zu explizieren,
was seiner Meinung nach, immer implizit vorhanden war, und dass es an seiner Fähigkeit als politischer "Visionär" (B 1938c,81f) gemangelt habe, nicht aber, dass sich
seine Auffassung prinzipiell verändert habe.

Man hat sich über die "Veränderung" meiner Haltung auch sofern sie in
diesen Zusammenhang gehört, sehr verwundert: zuerst darüber, dass ich
kirchenpolitisch, dann noch viel mehr, dass ich nun auch noch direkt
politisch zu werden begann. Dass es mir früher und jetzt nicht immer
gelungen ist, mich für alle verständlich auszudrücken, das ist ein Stück
von der Schuld, die ich, wenn ich mich von so viel Ärger und Verwirrung
umgeben sehe, gewiss vor allem mir selber zu zuschreiben habe. Ich möchte aber doch gern sagen dürfen, dass, wer mich wirklich vorher gekannt hat,
sich auch jetzt so sehr nicht verwundern dürfte /.../ Handelt es sich
bei der bei mir vorgefallenen "Veränderung" um etwas anderes als darum,
dass die praktische Relevanz, der Kampf- und Bekenntnischarakter einer
theologischen Lehre, die eben jenen Mittelpunkt hatte und noch hat, vielen oder den meisten erst jetzt, auf dem Hintergrund der eben durch den
Nationalsozialismus gestalteten Zeit sichtbar geworden ist? (B 1938,189f)

Meinem Vorsatz in diesem Kapitel getreu, mit Barths Selbstverständnis zu beginnen,

gehe ich von einem Vortrag Barths im Jahre 1938 aus, in dem er ausdrücklich darüber

reflektiert, wie sich das, was er da sagt, zu dem verhält, was er 1933/34 gesagt hat.

Im Anschluss daran gehe ich auf die früheren Aussagen ein.

Die im Vortrag "Die Kirche und die politische Frage von heute" meiner Meinung nach

entscheidende Distinktion wird auf etwas verschiedene Weisen ausgedrückt. Sie un-

terscheidet zwischen "Fragen, zu denen die Kirche im Vollzug des Bekenntnisses zu

Jesus Christus reden und zwar entscheidend mit Ja oder Nein reden muss" und "Fragen,

zu denen auch im Vollzug des Bekenntnisses nicht entscheidend, nicht mit Ja oder

Nein geredet werden kann und dann auch nicht geredet werden darf", zu denen die Kirche "mit ihrem Ja und Nein" schweigen "kann und darf und muss" (B 1938c,75). 131)

Es ist die Distinktion zwischen "einer gerade an die Kirche gerichteten Entschei-

dungsfrage" und einer Frage, die "'nur' eine politische Frage ist" (B 1938c,84), oder

auch eine Distinktion zwischen "Zeugnis und Bekenntnis" und "eine/r/ persönliche/n/,

womöglich 'nur' politische/n/ Meinungsäusserung" (B 1938c,104f, vgl. 79).

Eine traditionelle Barthdeutung kann es leicht übersehen, aber für Barths Versuch,

den Zusammenhang zwischen dem was er jetzt sagt und dem was er 1933/34 sagte zu er-

klären, ist es von entscheidener Bedeutung, dass die Grenze zwischen den beiden Ty-

pen von Fragen und zwischen den beiden Weisen darauf zu reagieren, nicht ein für al-

147

-lemal gezogen werden kann. Die Grenze verschiebt sich, und deshalb muss das Bekenntnis in Bewegung vollzogen werden.

> Die Kirche ist ja in Bewegung im Vollzug des Bekenntnisses. Die Kirche
> kann und darf und muss zu vielen Fragen der jeweiligen Gegenwart auch
> schweigen mit ihrem Ja und Nein. Vielleicht vorläufig schweigen, viel-
> leicht bei veränderter Zeit und Möglichkeit auch wieder schweigen! /.../
> Mit dem allem ist aber nicht geleugnet sondern behauptet, dass die Kirche
> dann im Vollzug ihres Bekenntnisses entscheidend mit Ja oder Nein zu reden,
> weiss weiss und schwarz schwarz zu nennen hat, wenn die Stunde und Gelegen-
> heit da ist, dies in Bezeugung Jesu Christi zu tun. Sie wird nicht immer
> da sein. Sie kann vorübergehen, Sie kann erst kommen. Aber wehe der Kir-
> che, wenn sie dann, wenn die Stunde und Gelegenheit da ist, schweigt oder
> bloss meditiert und diskutiert oder gar in ein blosses Rezitieren zurück-
> fällt. (B 1938c,75)

Dies ist der Hintergrund, der Barths These möglich macht: "dass es dem Nationalso-zialismus gegenüber eine kirchliche Neutralität, ein Abwarten mit dem Ja oder Nein, heute nicht mehr gibt". Deshalb kann Barth "die Mehrheit der Bekennenden Kirche in Deutschland" kritisieren, nicht wegen ihres veränderten Standpunkts, sondern wegen ihres "An-Ort-treten in der einst gebotene Ausgangsstellung, in der 'Theologischen Existenz heute' - von 1933" (B 1938c,83) 132)

Dieser Hintergrund ist inhaltsreich. "Echte Bezeugung Jesu Christi" kann dann "nie raum- und zeitlos, nie leiblos und also nie ohne die Gestalt, den Ton und die Farbe bestimmter Entscheidungen in den die Kirche und die Welt heute, jetzt und hier bewe-genden Fragen sein" (B 1938c,74). "Um die Bezeugung Jesu Christi" besorgt zu sein ist etwas anderes als "etwa um die seiner politischen Prinzipien besorgt" zu sein (B 1938c,83). Das bedeutet, dass echte Bezeugung Gegenwartsanalyse voraussetzt -
- zwar aus einer bestimmten Perspektive, aber eben doch Gegenwartsanalyse:

> Heute, will sagen: im Lichte dessen, was der Kirche und ihrer Bezeugung
> Jesu Christi gegenüber in den seitherigen Zeiten /seit 1934/ als der Sinn
> und Charakter des Nationalsozialismus sichtbar geworden ist und heute
> sichtbar ist. (B 1938c,83)

Das wiederum bedeutet, dass garantiert echte Bezeugung nie erreicht werden kann. Be-zeugung ist Zeugnis und Bekenntnis und damit Wagnis. Auch Barth kann nur in seinem Namen zur Kirche, aber nicht im Namen der Kirche reden. Auch sein Zeugnis und Be-kenntnis kann "das Zeugnis und Bekenntnis eines irrenden oder falschen Zeugen sein". Aber in der evangelischen Kirche hat niemand das Recht, "mit seinem Zeugnis und Be-kenntnis darauf zu warten, dass sein Inhalt von irgend einer höheren kirchlichen In-stanz als 'de fide' erklärt wird". Dass man es wagen muss, eine Grenze für das Zeug-nis zu ziehen, bedeutet nicht, dass man niemals zeugen muss. Man muss "die Kraft ei-nes entsprechend begründeten Gegenzeugnisses" prüfen - ob der heilige Geist dort wirkt!? - aber man muss dennoch versuchen, die Grenze zu sehen, zum Zeugnis, zu ver-bindlich gemeinter Rede bereit sein. (B 1938c,88,104f)

Welche Ueberlegungen sollen angestellt werden, wenn die Grenze gezogen wird? Worauf soll sich die Gegenwartsanalyse richten, die notwendig dafür ist, dass diese Grenze richtig gezogen wird? Hier argumentiert Barth in zwei Schritten, und für das Verständnis ist es grundlegend wichtig, das Verhältnis dieser beiden Schritten zueinander zu erfassen.

Im ersten Schritt wird den Nationalsozialismus als "politisches Experiment" beurteilt:

> Es hat heute keinen Sinn mehr, sich die Augen davor zu verschliessen und zu leugnen: dass der Sinn und Charakter des Nationalsozialismus schon als politisches Experiment die totale, die prinzipielle, die den Menschen und die Menschen in schlechthiniger Ganzheit nach Leib und Seele nicht nur umfassende und bestimmende, sondern in ihrer Humanität aufhebende, die menschliche Freiheit nicht nur begrenzende und ordnende, sondern vernichtende Diktatur ist. Dass der Nationalsozialismus sich selbst in den sechs Jahren seiner Existenz als das herausgestellt hat, das ist es, was heute gerade von der Kirche, von ihrer Botschaft an den Menschen und die Menschen her nicht mehr übersehen werden kann. Damit ist er aber zu einer gerade an die Kirche gerichteten Entscheidungsfrage geworden: zu einer Frage, auf die sie mit Ja oder Nein antworten muss. (B 1938c,84)

Barth betont, dass nicht die Diktatur als solche das Entscheidende ist. Entscheidend ist, dass die Humanität und die Freiheit des Menschen aufgehoben und vernichtet werden, und unabhängig davon, ob dies in einer Diktatur, in einer Monarchie oder in einer Demokratie geschieht, so kann auf Grund dessen eine Staatsform "nicht mehr als eine Ausführung eines göttlichen Auftrags","nicht mehr als 'Obrigkeit' im Sinne von Röm. 13" verstanden werden. (B 1938c,84). Die Deutung liegt nahe, dass Barth meint, dass es das Entscheidende ist, dass die Möglichkeit zu "schlichte/r/ Sachlichkeit" (B 1919a) und jede "Freiheit zur rein politischen Entscheidung, Stellungnahme und ev. Betätigung" (B 1933a) in der nationalsozialistischen Gesellschaft fehlen. Wie wir gesehen haben, behauptete Barth auch im Bruch mit dem religiösen Sozialismus, dass es theologisch wichtig ist, dass politische Entscheidungen in freier Sachlichkeit getroffen werden. Nun sagt er, dass es deshalb ein Teil des Bekenntnisses ist, diese Möglichkeit sich politisch so zu entscheiden, zu verteidigen. [133]

Nach diesem ersten Schritt geht Barth dazu über, den Nationalsozialismus unter einem anderen Aspekt zu betrachten, dem er grösseres Gewicht beizumessen scheint:

> Erst recht unter diesem zweiten Aspekt sollte die christliche Kirche sich wohl fragen, ob sie es wirklich vermeiden kann, zu dieser Sache mit Ja oder Nein Stellung zu nehmen. (B 1938c,87)

Der Nationalsozialismus muss, nach Barth, dann verstanden werden als "eine religiöse Heilsanstalt", als "eine regelrechte, sehr säkulare, aber in ihrem ganzen Inventar deutlich als solche zu erkennende Kirche, deren eigentliche, ernstliche Bejahung (mit oder ohne die Rosenbergsche Doktrin) nur in Form des Glaubens, der Mystik, des Fana-

149

-tismus möglich ist" (B 1938c,85-87)

Bedeutet dies, dass Barth zu einer anderen Art von Ueberlegungen übergeht? Meint Barth, dass diese spätere Ueberlegung - also nicht die erste - entscheidend für die Grenzziehung zwischen Bekenntnis und politischer Entscheidung sein soll? [134] Eine solche Deutung begegnet meiner Meinung nach zwei Schwierigkeiten: Einmal würde, meiner Meinung nach, die Argumentation in dem Vortrag zusammenbrechen, wenn auf Grund der beiden Aspekte die Grenze verschieden gezogen werden könnte. Damit wäre Barths Wort im ersten Schritt der Argumentation - "das ist es /.../ was heute nicht mehr übersehen werden kann. Damit ist er aber zu einer /.../ Entscheidungsfrage" (B 1938c,84) - nicht ernst gemeint gewesen und seine Rede wäre alles andere als "verbindlich". Zum anderen scheint mir eine solche Deutung den Zusammenhang der Argumentation mit § 17 in der, gerade 1938 herausgekommenen, KD I/2 und mit Barths auch an andere Stelle vorkommenden Religionskritik zu übersehen.

Interessant ist, dass Barth bereits 1931 im Aufsatz "Fragen an das Christentum" "Bolschewismus", "Faschismus" und "Amerikanismus" als zumindest "verkappte Religonen" betrachtet und dies ausdrücklich dazu in Beziehung setzt, dass das "Christentum" (bei Barth hier immer in Anführungszeichen) keine Religion ist:

> Nun können die Religionen unter sich Toleranz üben. Bolschewismus und Islam, Faschismus und Amerikanismus können sich eines Tages gegenseitig finden und sicher jetzt schon viel voneinander lernen. Ein Hitlerianer kann Kommunist werden oder umgekehrt, ohne dass allzuviel anders wird: er hat Götter gewechselt, die man wirklich wechseln kann. Aber wenn die Religionen auf das "Christentum" stossen, werden sie alle unerbittlich werden. Dem "Christentum" gegenüber haben sie alle ihre heiligsten Güter, nämlich gerade ihr Wesen als Religionen, zu verteidigen. Denn das "Christentum" stellt die Gottheit aller Götter und mit ihnen den Ernst aller Religiositäten in Frage. Es verkündigt ja nicht einen Gott, der sich schon durch seinen Namen als eine Gewalt der Natur oder des menschlichen Geistes und damit als einen Gott neben andern verrät, sondern den Gott. (B 1931a,95)

Davon ausgehend kann man vermuten, dass Barth in B 1938c meint, "die christliche Kirche" (B 1938c,87) müsse nein zum Nationalsozialismus sagen, nicht weil sie als Kirche eine religiöse Heilsanstalt sei, die einer anderen gegenübergestellt wird, sondern weil sie als christliche Kirche zu jeder religiösen Heilsanstalt nein sagen muss. Dies wird durch ein genaueres Studium der Argumentation bestärkt, und damit wird der zweite Aspekt in der Argumentation dem ersten sehr ähnlich. Der Kern in der Beschreibung des Nationalsozialismus als religiöse Heilsanstalt oder Kirche ist nämlich, dass "die Unterscheidung zwischen Weltanschauung und Politik dem Nationalsozialismus gegenüber" "studierstubenhaft irreal" ist, und dass der Nationalsozialismus seine Politik dadurch zu legitimieren versucht, dass er "sich selbst, seine eigenen, zu-

-nächst und an sich politischen Grundbegriffe /.../ zum Mythus" erhebt (B 1938c,85f).
Der Grundfehler dieses Versuches, Politik mit Hilfe einer zum Mythus erhöhten Weltanschauung zu legitimieren, ist nach Barth, nicht, dass eine andere Politik mit Hilfe einer anderen Weltanschauung/Mythus hätte legitimiert werden müssen, sondern dass der Mensch überhaupt Legitimation zu seiner Aufgabe macht und zu seinem Kompetenzbereich rechnet.

> Der Mythus ist das sich selbst verabsolutierende Leben des national-
> sozialistischen Menschen /.../ B (1938c,86)

Der Angriff auf den Nationalsozialismus als eine religiöse Heilsanstalt ist ein Angriff auf dessen Erschaffen eine Mythus, dessen Legitimierungsversuch, dessen Weigerung, Weltanschauung und Politik voneinander zu trennen [135] und damit dessen politische Argumentation, die jede schlichte und frei Sachlichkeit zunichte macht. Beide Aspekte bemühen sich um die gleiche Grenze [136] und deuten auf einen Zusammenhang zwischen Barths Religionskritik und seiner Ethik, der in den Abschnitten 5.2 und 5.3 noch einmal aktualisiert werden wird. [137]

In dem Ausdruck: "das sich selbst verabsolutierende Leben des nationalsozialistischen Menschen" wird ein, für Barth, wichtiges Hilfsmittel zur Interpretation angedeutet: der Nationalsozialismus als die äusserste Konsequenz des "Modernen". "Absolutismus" ist eine Schlüsselbegriff in Barths Beschreibung der Denkweise des "modernen" Menschen (B 1933,24-36) und der Geschichtsperspektive, von der aus er seine eigene Theologie versteht. Die Auseinandersetzung mit dem "Religionismus" (KD I/2,316) ist im Grunde genommen eine Auseinandersetzung mit diesem "Absolutismus". Wenn Barth den Nationalsozialismus als Absolutismus versteht, so kann er daher die Auseinandersetzung mit diesem als Anwendung der früheren Auseinandersetzung mit der "modernen" Theologie verstehen. [138]

Das geht auch deutlich aus dem Vortrag "Vom Kampf und Weg der evangelischen Kirche in Deutschland" von 1937 hervor. [139] Dort wird ausdrücklich gesagt, dass "diese moderne Welt des Menschen, der sein eigener Herr sein will und der sich selber für gut hält", diese Welt die "erst seit 200 Jahren das Gesicht bekommen hat, das sie heute hat" nicht durch den ersten Weltkrieg zerstört wurde. Ihre beiden politischen Varianten - die liberale Welt und die autoritäre (vgl. B 1933,33f) - sind Varianten der gleichen Welt, und die autoritäre Form ist, nach Barth, "die konsequentere, die kühnere, darum die lebenskräftigere". Das was jetzt geschieht ist, dass "der Liberalismus reif wird und in sein natürliches Gegenstück umschlägt". (B 1937,2,3,5) Barth fragt sich selbst und seine Zuhörer:

> Macht jener Uebergang, der sich im deutschen Leben vollzogen hat, von der
> ersten zur zweiten Form der modernen Welt, vom Liberalismus zum Absolutis-

151

-mus, vielleicht ein allgemeines Gesetz der geschichtlichen Lebens der Gegenwart sichtbar? (B 1937,7)

Dieser Analyse der Nationalsozialismus entspricht Barths Beurteilung des Widerstandes gegen ihn:

> Der Widerstand, der sich erhob, war nur da echt und stark, wo er sich nicht nur gegen diesen zufälligen Augenblicksgegner, also gegen den Nationalsozialismus und seinen Terror richtete, sondern wo er auf der Erkenntnis beruhte, dass er sich gegen die ganze Welt des modernen Welt richtete, also auch gegen den Liberalismus. Nur da kam es zu echtem starkem Widerstand, wo die Erkenntnis Platz griff, die einfache Erkenntnis: der Mensch ist nicht gut, und der Mensch kann darum nicht sein eigener Herr sein. Aber der Mensch hat einen Herrn. (B 1937,6)

Dies wird von dem Widerstand gesagt, der in der deutschen Kirche hervorgewachsen war, und es wird betont, dass diese Widerstandsbewegung "nicht aus dem politischen Gegensatz heraus entstanden" ist (B 1937,5), Das ist wichtig. Aber es ist auch wichtig, dass Barth, wenn er den Widerstand analysiert und erklärt, wie dieser sich, seiner Meinung nach, seblst verstehen müsse, sich gleichzeitig politisch und theologisch ausdrückt und genau die Perspektive anlegt, die er angewandt hatte, um den ersten Weltkrieg und den Zusammenbruch der bürgerlichen Welt zu erklären. Zu den Idealen des Sozialismus kann Barth ebensowenig "ein absolutes Vertrauen" haben wie zu den Idealen der Demokratie, der Bildung oder des Sports (B 1937,8), aber die Perspektive die er anlegt - mit ihrer Rede vom "Uebergang" als "allgemeines Gesetz" - erscheint hegelianisch-marxistisch und kann sich wohl kaum sehr viel von der unterschieden, in der er während des ersten Weltkrieges seinen Sozialismus verstand.

Nach diesem Versuch, Barths Denken 1937/38 zu verstehen, kann es jetzt befugt sein, auf seine Aussagen von 1933/34 zurückzukommen. Die Unterschiede sollen dabei nicht verleugnet werden, aber es wird beabsichtigt, Verbindungen, gleichartige Züge zu suchen, die es ermöglichen könnten, von Kontinuität/Identität in Barths Denken zu sprechen, vielleicht von einer Entwicklung, aber nicht von einem radikalen Bruch (vgl. oben Anm. 55).

In der Eidesfrage forderte Barth im November 1934, den Zusatz machen zu dürfen, "soweit ich es als evangelischer Christ verantworten kann", während er am 18. Dezember - - zwei Tage vor dem Prozess im Köln - sich dazu bereit erklärt, den Beamteneid zu leisten. Der Anlass dazu waren zwei kirchliche Kundgebungen, die, nach Barth, klar gemacht hatten, dass alle evangelischen Christen die Eidesformel als den Zusatz beinhaltend interpretierten, und dass damit dem Staat und der Öffentlichkeit gegenüber selbstverständlich war, dass auch Barth den Zusatz voraussetzte in dem Augenblick wo er den Eid ablegte. Die Gerichtsverhandlung behandelte daher grösstenteils Barths politische Aussagen bei einer privaten Zusammenkunft in Berlin, die bekannt geworden

152

waren. Barth behauptete bei der Verhandlung, dass dies seiner Meinung nach nichts mit der Frage zu tun hatte, wie er seinen Dienst als Theologe erfüllt hatte. (Vgl. Lind 1975,92-99, Kupisch 1962,491f,498f,501)

Einige Beobachtungen: Als Barth sich dazu bereit erklärt, den Eid zu leisten ändert er nicht seine Auffassung, sondern meint, er habe Beweise für die Annahme, dass seine Eidesleistung als den geforderten Vorbehalt beinhaltend, gedeutet wurde. Später hält er daran fest, dass entscheidend wichtig war, dass seine erste Weigerung dies klar machte. Wie wir gesehen haben, wirft er im Dezember 1935 Bultmann vor "dass Sie den Eid, über den ich 'gestolpert' bin, ruhig geschworen haben", und betrachtet dies als ein Symptom für einen fundamentalen theologischen Gegensatz (GA V/1,165). 1938 meint Barth, dass die "Eidesfrage" ein entscheidender Punkt war, an dem man hätte einsehen müssen, "dass es dem Nationalsozialismus gegenüber eine kirchliche Neutralität /.../ heute nicht mehr gibt":

> Die Mehrheit der Bekennden Kirche in Deutschland meint das leider nocht immer: ihr Verhalten in der Eidesfrage und einiges Andere zeigen es. (B 1938c,83)

Weiter: Wenn Barth sich als Theologe auf das Problem des Totalitätsanspruchs des Staates konzentriert, dann ist das als eine Konzentration auf die Freiheit der Kirche Jesu Christi (die nach Barth auch für den Staat notwendig ist) zu verstehen, ihren Glauben an einen Herrn über allen irdischen Fürsten und Herren zu bekennen und zu verkünden, aber kaum als eine Kirchenzentrierung in dem Sinne, dass sich alles Interesse darauf richtet, dass die Kirche in Frieden leben darf. Im Blick auf die Argumentation von 1938 kann man sagen, dass Barth hier als Theologe behauptet, dass das christliche Bekenntnis jedem menschlichen Totalitätsanspruch das Recht abspricht, jeden Versuch, menschliches Handeln prinzipiell zu legitimieren, jeden Versuch politisches Handeln sachlicher Prüfung zu entziehen, jeden Ausschluss der Möglichkeit, dass das Handeln des "Führers" dem Gebot Gottes widerspreche, in Frage stellt. Das sagt Barth als Theologe und es ist nicht ein Aufruf zur kirchlicher Isolierung sondern zu sachlicher Prüfung und zu aktiver Uebernahme der Verantwortung, die von sachlichen Ueberlegungen geleitet wird. Zu den Aussagen in Berlin ist er durch seine eigene sachliche Prüfung gelangt und er steht für sie ein (vgl. B 1933a) aber er behauptet, dass er sie in seinem Unterricht nicht als Teil des christlichen Bekenntnisses dargestellt hat. So verstanden scheint der Gedenkengang zusammenhängend zu sein. Vielleicht kann man einwenden, dass Barth 1934 den Unterschied grundsätzlicher darstellt als er in Barths eigenem Denken tatsächlich war. Trotz des Selbstverständnisses zB in "Abschied von 'Zwischen den Zeiten'" (B 1933c,319f) fallen die Äusserungen in Berlin doch im Rahmen zentraler theologischer Ueberlegungen (Marquardt 1973a,287)!

Kann man auch "Theologische Esistenz heute!" in dieser Perspektive verstehen? Wiederum muss ich mit einigen Beobachtungen begnügen. Warum "heute"? Barth selbst legt 1938 sehr grosses Gewicht darauf:

> Ich hatte doch in jenem ersten Heft "Theologische Existenz heute" im Juni 1933 nichts Neues zu sagen, sondern eben das, was zu sagen ich mich immer bemüht hatte /.../ Nur dass ich eben dies nun auf einmal in einer Situation zu sagen hatte, in der eben dies nicht mehr den Charakter einer akademischen Theorie haben konnte, sondern, ohne dass ich es wollte und dazu machte, den Charakter eines Aufrufs, einer Herausforderung, einer Kampfparole, eines Bekenntnisses bekommen musste /.../ Die konsequente Wiederholung jener Lehre wurde gerade in ihrer gleichzeitig vollzogenen Vertiefung in diesem neuen Raum von selbst zur Praxis, zur Entscheidung, zur Handlung. (B 1938,187f)

Obwohl der Kontext kirchenpolitisch war, so wehrt sich Barth 1938 intensiv gegen alle Deutungen, die das, was er dort gesagt hatte, als Isolierung des kirchenpolitischen vom allgemeinpolitischen Bereich auslegen. Das, meint Barth, hat er niemals getan.

> Ich denke, dass die Majestät Gottes, der eschatologische Charakter der ganzen christlichen Botschaft, die Predigt des reinen Evangeliums als die alleinige Aufgabe der christlichen Kirche die Gedanken sind, die nach wie vor den Mittelpunkt meiner theologischen Lehre bilden. Es existierte aber der abstrakte transzendente Gott, der sich des wirklichen Menschen nicht annimmt: "Gott ist alles, der Mensch ist nichts!" Es existierte eine abstrakt eschatologische Erwartung ohne Gegenwartsbedeutung und es existierte die ebenso abstrakt nur mit diesem transzendenten Gott beschäftigte, von Staat und Gesellschaft durch einen Abgrund getrennte Kirche nicht in meinem Kopf, sondern nur in den Köpfen mancher meiner Leser, und besonders solcher, die Rezensionen und ganze Bücher über mich geschrieben haben. (B 1938,189)

Die Entstehungsgeschichte des Aufsatzes scheint zu bestätigen, dass auch politische Implikationen mitgedacht waren, als er geschrieben wurde. Hellmut Traub hat Helmut Gollwitzer erzählt, dass Barth "ein ganz politisches, unerhört scharfes Manifest" Charlotte von Kirschbaum und Traub vorgelesen hat. "Theologische Existenz heute!" soll dann zustandegekommen sein, nachdem die beiden Zuhörer es für unmöglich befunden hatten, das zuerst gelesene Manifest zu publizieren. Als nun beide begeistert waren, warf er ihnen "in hellem Zorn die Blätter vor die Füsse und lief aus dem Zimmer mit den Worten: 'Da habt ihr eure gleichgeschaltete theologische Existenz!'" (Gollwitzer 1972,59) Marquardt (1973a,286) sieht in diesem Geschehen den Hintergrund zu den einleitenden Aussagen des Aufsatzes.

> Ich habe Gründe, mir an diesem Reden und Gehörtwerden innerhalb der Schranken meiner Berufung genügen zu lassen. (B 1933b,3)

Gollwitzer (1972,59) verbindet dies damit, dass Barth 1932 die KD I/1 als einen Versuch ansieht, "zu denjenigen umfassenden Klärungen in der Theologie und über die

154

Theologie sebst" zu kommen, die es möglich machen sollen, "zu der Klärungen besonders auf den weiten Feld der Politik, die heute nötig sind und zu denen die Theologie heute ein Wort sagen möchte (wie sie denn auch in der Tat ein Wort dazu zu sagen
haben sollte!)" zu kommen (KD I/1,XI).

Da der Ausdruck "als wäre nichts geschehen" in der Einleitung zu "Theologische Existenz heute!" (B 1933b,3) oftmals zu einer anderen Auslegung der Schrift führen
konnte, kann es befugt sein, die Bedeutung dieses Ausdrucks für Barth näher zu untersuchen. 140)

Dort, wo der Ausdruck in positiver Bedeutung gebraucht wird,dient er sicher zur Abgrenzung gegenüber jeglicher "Geschichtsphilosophie" und "natürlicher Theologie",
d.h. gegenüber jeder Suche nach Gott und der Offenbarung im Geschehen (vgl. unten
5.1). Das bedeutet aber nicht Abschirmung vom Geschehen, sondern der Ausdruck "als
wäre nichts geschehen" soll die rechte Relation zum Geschehen bezeichnen:

> In seinem Vollzug greift das Bekenntnis notwendig hinein in die die
> Kirche und die Welt bewegenden Fragen der jeweiligen Gegenwart /.../
> Es tut es also gewiss zu jeder Zeit "als wäre nichts geschehen" - so
> gewiss es heute wie gestern, hier wie dort nur Jesus Christus zu be-
> zeugen hat. Es tut es aber immer angesichts dessen, was tatsächlich
> geschehen ist. (B 1938c,73f)

Meiner Meinung nach zeigt der Kontext in B 1933b, dass der Ausdruck dort in einem
ähnlichen Sinn gebraucht ist. Barth grenzt nicht "unsere theologische Existenz" von
einer politischen Existenz ab - umgekehrt hält er "Vorlesungen und Uebungen nach wie
vor und als wäre nichts geschehen - vielleicht in leise erhöhtem Ton, aber ohne direkte Bezugnahmen - Theologie und nur Theologie zu treiben", für "auch eine Stellungnahme, jedenfalls eine kirchenpolitische und indirekt sogar eine politische
Stellungnahme" (B 1933b,3). Das wogegen die theologische Existenz abgegrenzt wird,
ist

> die kräftige, in allen möglichen Gestalten auftretende Versuchung
> dieser Zeit /.../ Dass wir in der Ängstlichkeit vor allerhand Ge-
> fahren der Gewalt des Wortes Gottes nicht mehr so ganz trauen, son-
> dern ihm mit allerhand Veranstaltungen zu Hilfe kommen zu müssen
> meinen und damit unser Vertrauen auf seinen Sieg ganz und gar weg-
> werfen. (B 1933b,5f)

Die Frontlinie wird gegen das Besitzen, das Verfügen, gegen das Vergessen, dass die
Gnade Gnade - nämlich Gottes Gnade - ist gezogen:

> Es kann sein, dass sie /diese unsere theologische Existenz/ uns heute
> nicht mehr geschenkt wird, wie sie uns jeden Tag neu geschenkt werden
> müsste, weil wir vergessen, darum zu bitten und uns danach auszustrecken,
> wie es jetzt mehr als je geschehen müsste, damit sie uns geschenkt werde.
> (B 1933b,5)

Die Frontlinie wird also auch hier gegen das "Moderne" gezogen. Was Barth mit theologischer Existenz meint, ist also nicht eine Abgrenzung des Interessengebietes, am allerwenigsten ein Biblizismus - denn dieser gehört, nach Barth, gerade zum "Modernen" (vgl. oben 3.1.3). "Als wäre nichts geschehen", "so gut /.../ als es inmitten der mannigfaltigen Aufregungen unserer Tage möglich sein mag" (B 1933b,3) muss nach Barth vielmehr so gehört und verstanden werden, dass wir auch jetzt auf die Gnade angewiesen sind.

Diese Deutung wird meiner Meinung nach auch dadurch gestützt, dass Barth den Ausdruck "als wäre nichts geschehen" auch rein negativ verwenden kann. Dann scheint er auf die Unfähigkeit zu deuten, zu erkennen, dass jetzt eine Situation eingetroffen ist, die ein Ja oder Nein, nicht aber ein Ja und Nein fordert, eine Situation die ein Bekenntnis verlangt. In "Abschied von 'Zwischen den Zeiten'" sagt Barth:

> Die Entscheidung des grösseren Teiles der Leserschaft von ZZ /.../
> geht dahin, dass die kirchliche Krise dieses Jahres für ZZ keine
> Entscheidung notwendig mache /.../ kurz, dass als wäre nichts ge-
> schehen in ZZ alles so weitergehen könne wie bisher. (B 1933c,317)

Ziemlich oft scheint allerdings "als wäre nichts geschehen" auf eine Möglichkeit zu deuten, die es in gewissen Situationen gibt und die in anderen fehlt - scheint also mit einer wenig idealistischen Perspektive verbunden zu sein.

1948 schreibt Barth in seinem Rückblick:

> Für meine nächstliegende und wichtigste Pflicht hielt ich die: an meinem
> Teil dafür zu sorgen, dass wenigstens an einer Stelle inmitten des irr-
> sinnig gewordenen Europas, nämlich auf unserer schweizerischen Insel
> und speziell in dieser unserer Grenzstadt Basel /.../ ordentlich und
> "als wäre nichts geschehen" Theologie getrieben werde. Und ich war
> wie nie zuvor froh, gerade durch diese auf alle Fälle haltbare, dau-
> ernde und verheissungsvolle Sache in Anspruch genommen zu sein. Aber
> es war klar, dass das nicht bedeuten konnte, dass ich mich dem ganzen
> bedrängenden Zeitgeschehen fernhalten durfte /.../ (B 1948,192f)

Hier wird "ordentlich und 'als wäre nichts geschehen' Theologie" zu treiben als eine gewiss "auf alle Fälle haltbare, dauernde und verheissungsvolle", aber nicht die einzige Sache beschrieben. Barth wirft den Theologen in den kriegführenden Ländern auch nicht vor, dass sie nicht dasselbe getan haben; er bindet seine Möglichkeit (auch seine Art sie zu verwirklichen?) an seine geographische und politische Lage.

Dieselbe Art, das Denken in seiner Gebundenheit an die Situation zu betrachten tritt dort zum Vorschein, wo Barth die Theologen des 19. Jahrhunderts nicht anklagt, sondern erklärt:

156

Wir haben härtere Zeiten erlebt, Schlimmeres mitgemacht als sie und
sind seltsamerweise gerade dadurch freier gemacht, gewissen Kämpfen
und Krämpfen, denen sie im Gegensatz zu und im Gespräch mit ihrem so
sonnenhell sich gebenden Zeitalter ausgeliefert waren, von selbst
entrückt, können gerade in der so viel rauher gewordenen Luft unbe-
fangener atmen. (B 1957,9)

Ebenso wie Barth dem August 1914 grosse Bedeutung als Augenblick politischen Ent-
schleierns beimisst, so kann er auch in seiner Beschreibung der "Genesis von Barmen"
eine "Nachträglichkeit der Theologie der politischen Wirklichkeit gegenüber"
(Marquardt) betonen:

Das war das neue der deutschen Situation von 1933, dass die Kirche
nicht durch theologische Belehrung, sondern durch harten Druck von
aussen in die ... Wahl gestellt wurde /.../

Alle theologische Besinnung kam notorisch erst hinterher.
(Barth nach Marquardt 1973a,299)

In dieser Perspektive sieht sich Barth nicht immer dazu in der Lage "'als wäre
nichts geschehen' Theologie" zu treiben. So sagt er in Holland im April 1935, als
Einleitung zu einer "Fragebeantwortung" nach den Credovorlesungen:

Ich will Ihnen zunächst sagen, worin ich das spezifisch Holländische
in den mir gestellten Fragen sehe im Unterschied zu der Situation, aus
der ich spreche: Ein wenig alle Ihre Fragen verraten mir, dass Sie
noch in der Lage sind, in Gemächlichkeit Theologie zu treiben, in einer
gewissen Ruhe und Distanz zu den Problemen, wie wir es in Deutschland
auch einmal gekannt haben, aber wie wir es so heute nicht mehr kennen.
Sie haben hier noch eine schöne Möglichkeit, den theologischen Dingen
wirklich gegenüber zu stehen, sie zu betrachten, sie an sich herankom-
men zu lassen /.../ Sie müssen alles nicht als Kritik verstehen.
Es hat mich gefreut zu sehen, dass diese Art von Theologie in der heutigen Welt noch möglich ist, denn ich bin überzeugt davon, dass die
Theologie es nötigt hat, auch in dieser Art zu existieren, wie es hier
noch der Fall sein darf.

Ich komme aus einer Kirche und ich komme von einer Fakultät, deren Leben äusserlich und innerlich sehr anders ist als Ihr kirchliches - und
Ihr Fakultätsleben hier. Machen Sie sich klar, was in diesen letzten
Monaten in Deutschland und in Bonn passiert ist /.../ Wenn Sie auf
meine Vorlesungen zurückblicken oder wenn Sie jetzt meine Antworten
auf Ihre Fragen hören, so müssen Sie daran denken, dass dies die Situation ist, aus der heraus ich rede. (B 1935,150f)

Ebenso wie wir unsere Deutung des Tambachers Vortrages 1919 an Barths Aussagen im
Brief an Tillich 1933 kontrollierten, so kann es jetzt befugt sein, diese Deutung
des Protestes gegenüber dem Nationalsozialismus in den dreissiger Jahren an Barths
Stellungnahmen zu der Aufgabe der Kirche in Ungarn 1948 zu kontrollieren.

Barth wurde von Freunden dazu eingeladen, die Reformierte Kirche von Ungarn zu besu-

-chen. Er verstand und billigte dort "die mir vorgetragene Ansicht, nach der eine mit grösstem inneren und äusseren Ernst in Angriff zu nehmende Evangelisation des verirrten und verwirrten ungarischen Volkes die Frucht des Glaubens und der Busse sei, die zunächst gerade von der Kirche erwartet sei" (B 1948,196f)

Diese Stellungnahmen Barths weckte Beunruhigung und Kritik. So schrieb u.a. Emil Brunner einen offenen Brief an ihn, in dem er sich Barth gegenüber sehr fragend stellt,und in dem sich Enttäuschung ahnen lässt.

> Bist du nun also wirklich, nach einem 15jährigen Intermezzo eines theologisch politischen Aktivismus, wieder zurückgekehrt zu jener Haltung passiver Unbekümmertheit, mit der du in der ersten Nummer von "Theologische Existenz heute" die Kirche aufriefst, ganz einfach ihrer Aufgabe der Verkündigung zu obliegen, "als nichts geschehen wäre"? (Brunner 1948,65f)

In seiner Antwort widerspricht Barth der These, er habe seine Ansicht geändert, weder einmal noch zweimal. Nach Barth lag die Pointe in "Theologische Existenz heute" nicht in dem "als wäre nichts geschehen" im Sinne von "passive Unbekümmertheit", so wie Brunner es deutet, sondern eher im "heute":

> Für die Einheit und Kontinuität der theologischen Existenz ist gerade dann aufs beste gesorgt, wenn sie es sich nicht verdriessen lässt, immer wieder theologische Existenz "heute" zu sein. (B 1948a,66f. vgl. 70)

Barth kritisiert Brunners Argumentation als einen Versuch zu falscher, zeitloser, von der Situation unabhängiger Theologie. Er spricht ironisch von Brunners "Wissenschaft von der Verwerflichkeit des 'Totalitarismus'" (B 1948a,70) [141]) und behauptet prinzipiell:

> Sie /die Kirche/ hat es nicht zeitlos mit diesen oder jenen -ismen und Systemen, sondern mit den jeweils in das Licht des Wortes Gottes und des Glaubens tretenden geschichtlichen Wirklichkeiten zu tun. Sie ist nicht irgend einem Naturrecht, sondern ihrem lebendigen Herrn verpflichtet. Sie denkt, redet und handelt darum gerade nie prinzipiell. Sie urteilt vielmehr geistlich und darum von Fall zu Fall. Sie verweigert sich jeder Systematisierung der politischen Geschichte und ihrer eigenen Teilnahme daran. Sie wahrt sich darum die Freiheit, neue Erscheinungen auch neu zu würdigen. (B 1948a,66)

Die Situationsanalyse soll die Unterlage für eine Beruteilung liefern, ob "bekenntnismässige, geistlich und theologisch verbindliche Stellungnahmen der Kirche im politischen Bereich" notwendig sind oder nicht. Das Kriterium ist, dass sie gefordert wird, "wo Not am Mann ist", wo ein "Zauber" ist, wo wir in Gefahr sind, etwas "als einem falschen Gott zuerst Weihrauchkörner und dann Ganzopfer darzubringen" (B 1948a,66f). Die Parallele zur Kritik des Nationalsozialismus als "eine religiöse Heilsanstalt" ist offenbar. Die Pointe in Barths Antwort ist nun, dass eine solche

Stellungnahme der Kirche - in der sie immer "in Furcht und Zittern gegen den Strom
und nicht mit ihm" geht [142] - gerade jetzt nicht gefordert ist:

/Ich bin/ der Meinung, dass die Kirche sich heute - in der Tat ganz
anders als 1933-1945 - aus dem heutigen Konflikt ruhig draussen halten,
ihr Pulver nun gerade nicht vorzeitig verschiessen, sondern ruhig abwarten sollte, ob und in welchem Sinn die Situation für sie wieder ernst
und spruchreif werden möchte. (B 1948a,69f)

Aber: Auch wenn Barth (zu diesem Zeitpunkt - nicht prinzipiell) die Stellungnahme
zum Kommunismus als Anschauung, d.h. geistige Macht, potentieller Abgott, nicht zu
einer Bekenntnisfrage, die theologisch motivierte Stellungnahme fordert, machen
will, so tut er es dennoch politisch und zwar zu "System und Methoden" des Kommunismus, in einem Versuch, sachliche Verantwortlichkeit zu verwirklichen:

Wer eine politische Absage an dessen System und Methoden auch von mir
haben will, kann sie sofort haben. (B 1948a,68)

Da ist er mit vielen einer Meinung - "sind wir nicht alle /.../?" - "überzeugt davon, dass wir die Lebensordnung der Menschen unter der Sowjetmacht und in den ihr
angegliederten 'Volksdemokratien' für keine würdige, keine annehmbare, keine von uns
gut zu heissende, weil für keine unseren wohlbegründeten Begriffen von Recht und
Freiheit entsprechende Lebensform halten können" (B 1948a,68). Man beachte die Wahl
der Adjektive und die Motivierung!

3.3.4. Versuch einer Interpretation der prinzipiellen Darstellungen der theologischen Ethik Barths aus diesen Auseinandersetzungen.

In 3.3.1 - 3.3.3 begegnet eine ausgeprägte Zurückhaltung, nicht gegenüber politi-
schem Engagement, sondern gegenüber der direkten Herleitung dieses Engagements aus
dem Glauben und damit gegenüber dem Versuch, Gott dieses Engagement legitimieren zu
lassen.

In 3.3.1 begegnet diese Zurückhaltung in der Kritik jeglichen Besitzens, Verfügens,
Benützens, etc. Sie kommt auch in der Kritik jeder Identifizierung von Gehorsam des
Glaubens mit Treue zu ethischen Prinzipien und Normen zum Ausdruck, denn Prinzipien
und Normen sind zeitlos, unabhängig von der Situation und verfügbar, und Treue zu
ihnen wird zu einer möglichen menschlichen Leistung, einer Möglichkeit, über die der
Mensch verfügt. Dort begegnet auch eine fundamentale Kritik jeder theologia
gloriae, die solche Prinzipien und Normen legitimieren könnte.

in 3.3.2 begegnet diese Zurückhaltung in der grundsätzlichen Kritik jeder Identifi-

-zierung des Handeln Gottes mit einem menschlichen politischen Programm, jedes Versuches, Christus zu säkularisieren und so die Gesellschaft zu klerikalisieren. (B 1919a,36,38, vgl. oben 140), der "Umkehrung der göttlichen Identität von Reich Gottes und Sozialismus in die Identifizierung unseres Tuns mit dem Tun Gottes" (Gollwitzer 1972,10), jedes Versuches, von der Dogmatik auf direktem Wege, an der schlichten Sachlichkeit vorbei, zum rechten Handeln zu gelangen.

3.3.3 ist voll von derselben Zurückhaltung und derselben Kritik. Hier kann sie als Kritik jeder religiösen Heilsanstalt formuliert werden, als Kritik jedes Versuches, das Handeln mit Hilfe einer zum Mythus erhobenen Weltanschauung zu legitimieren (B 1938c,85f, vgl. oben 151). Hier wird von Bekenntnisfragen gesprochen, aber es fällt auf, teils dass diese als, aus prinzipiellen Gründen, selten bezeichnet werden, teils dass das Bekenntnis so oft (immer?) als die Aufgabe formuliert wird Mythenbildung zu bekämpfen und für Sachlichkeit einzutreten.

Diese Zurückhaltung lässt sich nicht aus Barths Selbstverständnis entfernen. Sie zu eliminieren hiesse für Barth, die Abgrenzungen zu vergessen, die seine eigene Theologie geformt haben und damit seinen eigenen Ansatz zu verwerfen. Die Behauptung, dass Barth in seinen prinzipielleren Darstellungen selber dafür argumentiert, dass ethische Prinzipien und Normen aus dogmatischen Sätzen abzuleiten seien um so diesen Normen eine Art göttliche Legitimation zu geben, und dass Barth selber den christlichen Glauben als ein Streben, nach diesen Normen zu leben, bezeichne, diese Behauptung beschreibt nicht Barths Selbstverständnis, sondern besagt, dass Barth seinem Ansatz nicht treu blieb, eventuell dass er die Unmöglichkeit seines eigenen Ansatzes aufgezeigt habe. [143]

Ganz in der Nähe des Zentrums von Barths Kritik an der "modernen" Theologie liegt seine Kritik an der Selbständigkeit der Ethik, die ermöglichen würde, die Ethik apologetisch auszunützen, zB indem die Fähigkeit des christlichen Glaubens, ethisch hochstehende Persönlichkeiten hervorzubringen, behauptet wird. Eine solche Selbständigkeit der Ethik würde nach Barth ein menschliches Wertsystem zu einem dogmatischen Kriterium erheben, d.h. , würde die Dogmatik der Ethik unterordnen. [144]

Aus der ständig betonten Zurückhaltung folgt jedoch, dass Barth nicht die Ueberordnung umkehrt, d.h. die Dogmatik der Ethik überordnet. Weit davon entfernt, die Ethik der Dogmatik unterzuordnen, kann Barth, worauf bereits hingewiesen wurde (vgl. 133, 135f), politische Stellungnahmen dafür zu Hilfe nehmen, den Gehalt einer Theologie zu prüfen. [145] Casalis meint, dass dies Barths bewusste Methode war:

Denn er meinte: wer nicht politisch recht denkt und nach dem handelt, kann kein richtiger Theologe sein. Entweder haben sie eine
richtige Theologie, dann wird es sich auch an richtigen politischen
Konsequenzen erweisen, oder es ist ein Zeichen, dass etwas an ihrer
Theologie faul ist /.../
/.../ Aber er hat nie die Situation mit dem Worte Gottes verwechselt,
noch die Geschichte als Offenbarung betrachtet. (Casalis 1970,58 hauptsächlich im Blick auf Barths Denken 1937/38)

Der letzte Satz ist wichtig und beinhaltet Barths Abgrenzung gegenüber einer Ueberordnung der Ethik über die Dogmatik. Diese Weigerung, irgend etwas zum Kriterium
für Gottes Wort/Gottes Gnade/Christus werden zu lassen, steht im Zentrum. Barth
lehnt es ab, ethische/politische Normen als Kriterien zu verwenden, aber er benützt
sie als heuristische Hilfsmittel, als Indizien dafür, dass mit grosserer Wahrschein-
lichkeit irgend etwas in der Dogmatik falsch ist.

Aber wie soll man dann Barths Rede von "Gleichnisse/n/, Entsprechungen, Analogien
des in der Christengemeinde geglaubten und verkündigten Reiches Gottes im Raum der
äusserlichen, relativen, vorläufigen Fragen des Lebens der Bürgergemeinde" (B 1946a,
33f) verstehen - ohne dass sie Barths eigenem Ansatz widerspricht? Und warum behandelt dann Barth die Ethik als einen Teil der dogmatischen Darstellung? [146]

Dieser Abschnitt versucht eine Deutung zu finden, die mit Barths früheren Abgrenzung-
en übereinstimmt. Vorwegnehmend behaupte ich, dass Barth nicht von einem selbst-
verständlichen Verhältnis zwischen Dogmatik und Ethik, zwischen Soteriologie und
Ethik (vgl. Sauter 1975a,410f), zwischen dem göttlichen Abstraktum und dem politischen Konkretum (Marquardt 1973a,290), zwischen Glauben und Handeln ausgeht, um dann
in seiner Arbeit Schlussätze daraus ziehen zu können, und dieses Verhältnis anwenden
und verwenden zu können. Man kann eher sagen, dass seine Arbeit darauf ausgerichtet
ist, zu einer Verhältnisbestimmung zu gelangen. [147] Ein nicht unwesentliches Motiv für die Konzentration auf Theologie-als-wäre-nichts-geschehen ist, dass es nach
Barth nicht ausreicht, "grosses Gewicht" "auf Ethik, Heiligung, christliches Leben,
praktische Entscheidung usw" zu legen, wenn die fundamentalen Fragen nicht durchdacht sind. Darin fand sich Barth bestärkt durch "die Vertreter der anderen (liberalen, pietistischen, konfessionellen, biblizistischen) theologischen Schulen und
Richtungen in Deutschland", die trotz des Gewichtes, das sie auf jenes legten, "jene /aus Christentum und Deutschtum wunderlich gemischte neue/ Häresie zT offen bejahen, zT ihr gegenüber eine merkwürdig neutrale und tolerante Haltung einnehmen"
konnten. (B 1938,187) [148]

Barths Schlussätze zu dieser Verhältnisbestimmung sind eher eine Ablehnung von
Schlussätzen, Ableitungen, Uebertragungen. Auch wenn Barth so reden kann, als ob es

161

sich um eine "Reihenfolge" handelte - "zuerst die theologische Klärung und dann erst
die Wendung zum Politischen" zuerst Theorie, dann Praxis - so handelt es sich doch
eher um "ein Neben- und Miteinander" (Gollwitzer 1972,44f,57). Nach Sauter besteht
dieses Neben- und Miteinander prinzipiell in jedem Versuch einer "christologischen
Begründung" - unabhängig von den, bei mir vermuteten, Intentionen Barths:

> "Christologische Begründung der Ethik" heisst im Grunde: /.../ Soterio-
> logie und Ethik sind gleichursprünglich: sie sind nicht gegenseitig ver-
> rechenbar. (Sauter 1975a,410f)

Die Zurückhaltung, die Weigerung, das Handeln theologisch zu legitimieren
(vgl. B 1933a) bleibt bestehen, und ist weiterhin das Hauptthema. Aber es existiert
zweifellos ein untergeordnetes Thema, das letztlich vielleicht eine unausweisliche
Konsequenz des übergeordneten darstellt. Das Analogiedenken zB in B 1938b, KD II/2
/1942/ und B 1946a, muss meiner Meinung nach, als die Bearbeitung einer Problematik
verstanden werden, die sich in der beschriebenen Zurückhaltung immer mehr aufdrängt.
Mit der Grenzziehung zwischen Bekenntnis einerseits und Lebenserkenntnis/persönlicher
politischer Meinung, die auf jene "schlichte Sachlichkeit" hingewiesen wird andererseits, kann doch wohl kaum gemeint sein, dass ein Christ nur dann aus dem Glauben
heraus handelt und seine (geschenkte) Identität in Handlung ausdrückt, wenn er ein
Bekenntnis ablegt. Aber wie soll die Relation zwischen empfangener Gnade und Handeln
in diesem alltäglichen Tun verstanden werden? Besteht nicht das Risiko, dass es für
den Glauben/die Gnade gleichgültig wird, mit der Folge, dass auch der Glaube/die Gnade gleichgültig wird? Meiner Ansicht nach sind diese Fragen nicht apologetisch -
wie die der "modernen" Theologie - sondern Fragen nach der Identität des christlichen
Glaubens, die doch wohl nur in Handlung, in der Praxis, im Leben der Christengemeinde
existiert (B 1946a,42, vgl. oben 136)? Anders ausgedrückt:

> Ich sehe die massgebende Absicht der Formel "christologische Begründung
> der Ethik" darin, die Einheit der theologischen Erkenntnis wieder zu ge-
> winnen und vor allem Soteriologie und Ethik nicht auseinander zu reissen.
> Denn eine unabhängigkeit der ethischen Urteilsbildung von der theologi-
> schen Erkenntnis des gnädigen Handelns Gottes nicht nur für die Menschen,
> sondern für die Welt würde zu dem doppelten Verhängnis einer privaten
> Frömmigkeit und einer theologisch unverbindlichen Theoretisierung ethi-
> scher Normen führen. Auf der anderen Seite richtet sich aber die Formel
> "christologische Begründung der Ethik" ebenso gegen eine christliche Ideo-
> logie, die behauptet, die soteriologische Erkenntnis sei mit der Aufstel-
> lung ethischer Normen zu verrechnen, entweder so, dass aus dem Heilshan-
> deln Gottes bestimmte, unzweideutig als "christlich" zu deklarierende Nor-
> men zu erheben wären (das "Christliche" würde dann zu einer Parteibezeich-
> nung), oder dadurch, dass die Erfüllung bestimmter ethischer Maximen das
> Heilsgeschehen hervorbrächte, also Gott und sein Handeln durch eine be-
> stimmte ethische Praxis zu verifizieren trachtete. (Sauter 1975a,410) [149]

Worauf kann sich meine Deutung stützen? Wiederum muss ich mich mit einigen Hinweisen und Andeutungen begnügen, die allerdings zusammengenommen, meiner Meinung nach,

die Durchführung anderer Deutungen erschweren und in Richtung auf die skizzierte
Deutung weisen.

Die Schrift "Rechtfertigung und Recht" bezeichnet Barth ausdrücklich als "eine Studie
und zwar eine biblische, genauer neutestamentliche Studie zur Beantwortung dieser
Frage" ob eine Beziehung zwischen der (reformatorisch verstandenen) Rechtfertigung
und dem menschlichen Recht besteht (B 1938b,7):

> Die Frage lautet zunächst: Gibt es eine Beziehung zwischen der Wirklich-
> keit der von Gott in Jesus Christus ein für allemal vollzogenen Rechtfer-
> tigung des Sünders allein durch den Glauben und dem Problem des menschli-
> chen Rechtes: eine innere, eine notwendige, eine solche Beziehung, durch
> die mit der göttlichen Rechtfertigung auch das menschliche Recht in irgend
> einem Sinn zum Gegenstand des christlichen Glaubens und der christlichen
> Verantwortung und damit auch des christlichen Bekenntnisses wird? /.../
> Gibt es bei aller Verschiedenheit in irgend einer inneren und notwendigen
> Zugehörigkeit /.../ auch so etwas wie einen politischen Gottesdienst /.../?
> (B 1938b,3) 150)

Die Reformatoren haben sich, nach Barth, sehr darum bemüht "klar zu machen, dass Beides einander nicht widerspreche, wie Beides vielmehr wohl nebeneinander bestehen und
gelten könne", aber sie sind uns hier "etwas schuldig geblieben":

> Auf die Frage nach dem Zusammenhang dessen, was sie hier - und gerade
> mit höchstem polemischen Nachdruck - bekannten, mit der sonst streng
> genug als solche geltend gemachten Mitte ihrer christlichen Botschaft
> bekommt man bei den Reformatoren keine oder in Form dürftigster Andeu-
> tung nur sehr unbefriedigende Antwort. (B 1938b,4)

Die ausgebliebene Antwort lässt uns mit der Frage allein, ob das, was sie hier sagen.
losgelöst ist von der Identität schenkenden Mitte, der Rechtfertigung, "ob sie hier
nicht heimlich auf einem anderen Grund gebaut" haben. Hier wird die Identität des
Glaubens bedroht:

> Was hat Christus mit dieser Sache zu tun? fragen wir und werden mit
> dieser Frage wirklich ohne Antwort stehen gelassen, als ob ein beson-
> deres Walten einer allgemeinen, gewissermassen anonymen Vorsehung hier
> doch das letzte Wort wäre /.../
> Man bedenke, was geschehen musste, wenn dem so war: war der Gedanke des
> menschlichen Rechtes der Erkenntnis der göttlichen Rechtfertigung bloss
> angeklebt, statt sachlich mit ihr verbunden, dann musste es einerseits
> möglich sein, die Erkenntnis der göttlichen Rechtfertigung von dem frem-
> den Zusatz gewissermassen zu reinigen und auf sie eine sehr spirituale
> Botschaft und Kirche zu begründen, die in grosser Innerlichkeit Alles
> von Gott und von Gott Alles zu erwarten vorgab, und die dieses "Alles"
> nun doch faktisch bestritt, indem sie zu der ganzen Welt des menschli-
> chen Fragens nach Recht und Unrecht vor lauter Reich Gottes, Sündenver-
> gebung und Heiligung keinen Zugang mehr suchte und fand. Und es musste
> dann andererseits möglich sein, die Frage nach dem menschlichen Recht
> mit festem Griff, vielleicht immer noch unter Berufung auf die allge-
> meine göttliche Vorsehung, aber nun gelöst aus dem reformatorischen Ne-
> beneinander von Recht und Rechtfertigung selbständig in die Hand zu neh-

-men und eine säkulare Botschaft und Kirche des Menschenrechtes zu
bauen, bei dessen emphatischer Zurückführung auf "Gott" es doch nicht
verborgen bleiben konnte, dass damit der, der der Vater Jesus Christi
ist, dass also seine Gerechtigkeit mit dem proklamierten Menschenrecht
auf keinen Fall gemeint sein könne. Diese beiden Möglichkeiten und damit die pietistische Unfruchtbarkeit auf der einen, die aufklärerische
auf der andern Seite sind bekanntlich seit der Reformation in vielen
Spielarten Wirklichkeit geworden. Man wird aber nicht gut leugnen
können, dass zwischen dieser Tatsache und jener Lücke in der reformatorischen Unterweisung ein Zusammenhang besteht. (B 1938b,5-7)

Barth setzt also nicht einen Zusammenhang voraus, den er dann massiv behauptet und
entwickelt; eher sucht er nach irgendeiner Beziehung, die den Glauben vor dem Verlust
der Identität retten könnte, der im Pietismus und der Aufklärung, d.h. im Bejahen des
absolutistisch Modernen (vgl. B 1933) nach Barths Meinung vorliegt.

Barth kann sich diesen Zusammenhang jetzt ebensowenig wie zuvor beliebig denken.
Man sollte beachten, dass Barth die Frage sorgfältig formuliert, so dass sie nicht
zu der Frage wird nach der Beziehung zwischen dem Recht und etwas, worüber der Glaubende, die Kirche oder die Theologie verfügen können, worauf sie sich berufen und
dessen sie sich rühmen können, sondern nach der Beziehung zwischen dem Recht und
"der Wirklichkeit der von Gott in Jesus Christus ein für allemal vollzogenen Rechtfertigung des Sünders allein durch den Glauben" (B 1938b,3). Barth hat nur ironische
Worte übrig für eine Kirche, die (Ueber-) Staat zu werden versucht (B 1938b,31). Der
Unterschied zwischen dem "ewige/n/ Recht Jesu Christi" und dem, was die Kirche sagen
kann ist fundamental.

Es ist wesentlich, dass es zu dieser Andeutung - man möchte fast sagen:
zu dieser Prophetie - kommen muss: dass die Predigt der Rechtfertigung
als Predigt vom Reiche Gottes schon jetzt und hier das wahre Recht, den
wahren Staat, begründet. Es ist aber ebenso wesentlich, dass es bei dieser Andeutung oder Prophetie als solcher bleibt, dass die Kirche auf Erden nicht etwa dazu übergeht, sich selbst als solche mit den Prädikaten
des himmlischen Staates auszustatten und sich so dem irdischen Staat konkret als der wahre Staat gegenüberzustellen bzw. überzuordnen.
(B 1938b,25f)

Dieses ewige Recht Jesu Christi ist der Inhalt der Rechtfertigungsbot-
schaft, die jetzt und hier die Aufgabe der Kirche ist. Die Kirche kann
die Enthüllung dieses ewigen Rechtes nicht vollziehen, weder an ihren
eigenen Gliedern, noch an der Welt. Sie kann die "Hochzeit des Lammes"
(Apc. 19,7) nicht vorwegnehmen, nicht in diesem Äon feiern wollen. Sie
kann und soll sie aber ankündigen. (B 1938b,27)

Barth meint, dass ein Zusammenhang besteht, dass "auch das Recht auf die Rechtfertigung, auch die politische Gewalt auf die Gewalt Christi begründet" (B 1938b,6) werden muss, d.h. dass die Identität des Glaubens hier nicht zerstört wird. Er kann
diesen Zusammenhang ganz massiv ausdrücken:

Wie die göttliche Rechtfertigung das rechtliche Kontinuum ist, so
ist die Kirche das politische Kontinuum. (B 1938b,40)

Aber bei der Deutung dieser Aussagen darf seine Abgrenzung gegen jede Deutung der
Kirche als der wahre Staat nicht vergessen werden. Die Beziehung legitimiert kein
formuliertes politisches Programm. "Die Leistung der Kirche für den Staat"(B 1938b,
34-37) ist die Fürbitte und sind die damit verbundenen "nüchterne/n/ Taten einer
entschlossenen Verantwortlichkeit" (B 1938b,34,42), denn

Kann man Gott um etwas bitten, das man nicht in den Grenzen seiner
Möglichkeiten herbeizuführen im selben Augenblick entschlossen und
bereit ist? (B 1938b,43f)

Die Pointe in dem Satz, der scheinbar politisches Uninteresse durch extreme Kirchenzentrierung legitimiert -

Die Garantierung des Staates durch die Kirche geschieht entscheidend
eben dadurch, dass die Kirche die Garantie des Staates für sich selber, d h seine Garantie der Freiheit ihrer Botschaft in Anspruch
nimmt (B 1938b,45) -

liegt darin, dass das Wort der Kirche "sofern es das Wort Gottes ist", gerade diese
entschlossene Verantwortlichkeit fordert, jede Begrenzung desselben verhindert, den
Staat "so unerbittlich ernst" nimmt (B 1938b,46f).

Nach allem, was uns als konstitutiv für das Verhältnis der beiden Bereiche entgegengetreten ist, ist zunächst die Antwort zu geben: dass
es ausser der Kirche keine Stelle in der Welt gibt, in der ein grundsätzliches Wissen um die Berechtigung und Notwendigkeit des Staates
vorhanden ist und zur Aussprache kommt. Von allen anderen Stellen aus
kann der Staat und kann jeder einzelne Staat mit seiner Bemühung um
menschliches Recht grundsätzlich problematisiert werden. (B 1938b,39)

"Von der göttlichen Rechtfertigung des sündigen Menschen" aus allein kann der Staat
"gegen die Sophismen und Entschuldigungen des sich selbst rechtfertigenden und darum
gerade vor dem Recht heimlich immer auf der Flucht begriffenen Menschen in Schutz genommen" werden (B 1938b,40).

Das Gebet muss ernst genommen werden, "als verantwortliches Eintreten der Christen
für den Staat". Die Christen müssen "den irdischen Staat nicht nur erdulden, sondern
wollen". Das Eintreten für den Staat steht unter dem Vorzeichen des Gebetes, damit
muss die "politische Pflichterfüllung" als "aktives politisches Handeln" unerbittlich
verantwortlich sein. (B 1938b,48f) Der verantwortlich Eintretende ist "kein ewiger, kein unversuchlicher, kein sündloser Salomo", aber vor dem verantwortlichen Eintreten fällt manches "zu Boden" (B 1938b,46 und Anm. 30b). Das Wort der Kirche bedeutet damit - nicht durch das Diktieren von Normen, sondern durch den Aufruf zur
Fürbitte und sofern es das Wort Gottes ist - "die Begründung, die Erhaltung, die Wiederherstellung alles - wirklich alles Menschenrechtes" (B 1938b,46).

165

In "Christengemeinde und Bürgergemeinde" scheint mir dasselbe Muster vorzuliegen:

> Die Christengemeinde /.../ ist nicht in der Lage, eine Lehre als die
> christliche Lehre vom rechten Staat aufzustellen. Sie ist auch nicht
> in der Lage, auf eine schon vollzogene Verwirklichung des vollkommenen
> Staates hinzuweisen oder die Herstellung eines solchen in Aussicht zu
> nehmen. Es gibt, aus Gottes im Glauben vernommenen Wort geboren, nur
> einen Leib Christi. Es gibt also keinen der christlichen Kirche ent-
> sprechenden christlichen Staat, kein Duplikat der Kirche im politischen
> Raum. (B 1946a,14,vgl. 21f)

"Dementsprechend" können "die verschiedenen politischen Gestalten und Systeme"
"nicht Anspruch auf Glauben erheben", nicht angebetet werden, sondern "die Christengemeinde betet für die Bürgergemeinde" (B 1946a,14,12). Barth mahnt daher nicht zu
Besserwisserei und nicht zum Gründen einer "christlichen" Partei (B 1946a,37f) [151]
sondern zur einer resolut ins Werk zu setzenden "Solidarität" und zur "Mitverantwor-
tung, in der die Christen sich mit den Nicht-Christen an dieselbe Aufgabe begeben,
derselben Regel unterstellen", eine mitverantwortliche Beteiligung "an dem menschlichen Fragen nach dem sachgemässesten System des politischen Wesens" (B 1946a,12,
13,15).

Aber die Christengemeinde glaubt und verkündigt "ja den, der wie der Herr der Kirche so auch der Herr der Welt ist". Sie vertraut und gehorcht "der Kraft des Wortes
Gottes, durch das Gott alle Dinge trägt (Hebr. 1,3; Barmer These 5), auch die politischen Dinge". Sie verkündigt das ganze Evangelium "von Gottes Gnade, die als solche des ganzen - auch des politischen - Menschen ganze Rechtfertigung ist".
(B 1946a,12,15,39, Hervorhebungen von mir) Wie aber soll auch sein politisches Handeln davon Zeugnis ablegen können, ohne dass er dabei seinen Glauben verrät und
zeigt, dass seine Identität trotz allem an einem anderen Ort besteht?

Die Christengemeinde soll, nach Barth, "im politischen Raum" " das Christliche, nämlich ihre Botschaft" "sichtbar machen", aber sie kann das "gar nicht direkt, sondern
eben nur im Spiegel ihrer politischen Entscheidungen". Die Christen sollen "gerade
mit ihrem Christentum" "auftreten", aber sie können das, "nur anonym". (B 1946a,38)
Sie erkennen neben dem Evangelium kein "angeblich christliches, in Wirklichkeit aus
humaner Weltanschauung und Moral zusammengeleimtes Gesetz" (B 1946a,39) an, um das
sie sich "zusammenballen" können. [152]

> Ihr /der Christengemeinde/ muss doch alles daran liegen, dass die
> Christen sich im politischen Raum /.../ gerade nicht zusammenballen,
> sich gerade als die zeigen und verhalten, die, indem sie ihren beson-
> deren Weg gehen, nicht gegen Irgendwelche, sondern schlechterdings
> für Alle, für die gemeinsame Sache der ganzen Bürgergemeinde sind
> /.../ In den eigentlich politischen, den Aufbau der Bürgergemeinde
> als solcher betreffenden Fragen können sie nur in Form von Entschei-
> dungen antworten, die nach Form und Inhalt auch die anderer Bürger

sein könnten, ja von denen sie geradezu wünschen müssen, dass sie
ohne Rücksicht auf deren Bekenntnis auch die aller anderen Bürger
werden möchten. (B 1946a,37f)

Die Christen können hier "weder an das Wort noch an den Geist Gottes appellieren"
(B 1946a,5). Ihre Entscheidungen können "nicht dadurch, dass sie christlich begründet, sondern allein dadurch, dass sie politisch besser, zur Erhaltung und zum Aufbau.
des Gemeinwesens faktisch heilsamer sind, einleuchtend gemacht und zum Sieg geführt
werden" (B 1946a,38).

Aber die Entscheidungen müssen dennoch "das Christliche" "im Spiegel" "sichtbar machen", "anonym" das Auftreten der Christen "gerade mit ihrem Christentum" ausdrücken, "Zeugnis sein und als solches wirken" (B 1946a,38) Damit gilt:

> Dieses Evangelium, dessen Inhalt der König und sein jetzt verborgenes,
> einst zu offenbarendes Reich ist, ist von Haus aus politisch, und wenn
> es in Predigt, Unterricht und Seelsorge in rechter Auslegung der heili-
> gen Schrift und in rechter Anrede an den wirklichen (christlichen und
> nicht-christlichen) Menschen verkündigt wird, notwendig prophetisch-
> politisch. (B 1946a,39)

Erst hier und ohne die früheren Abgrenzungen aufzuheben, erst in der Behauptung der
ganz anderen, nicht-gesetzlichen Identität des christlichen Glaubens, spricht Barth
von "Gleichnissen, Entsprechungen, Analogien des in der Christengemeinde geglaubten
und verkündigten Reiches Gottes im Raum der äusserlichen, relativen, voläufigen Fragen des Lebens der Bürgergemeinde". Es handelt sich dann nicht um "Paragraphen einer Staatsverfassung", "zwar nicht um ein System, aber auch nicht um je und dann zu
realisierende Einzeleinfälle, sondern um eine stetige Richtung, um eine kontinuier-
liche Linie doppelseitiger Entdeckungen, um einen Zusammenhang von Explikationen und
Applikationen" (B 1946a,34). Diese Richtung und Linie (vgl. B 1946a,42) wird nicht
als Prinzip oder übergeordnete Norm ausgedrückt. "Die Uebersetzungen und Uebergän-
ge" sind "immer diskutabel, mehr oder weniger einleuchtend":

> Man überbiete also das hier Gesagte durch grössere Weite, Tiefe und
> Genauigkeit! (B 1946a,34)

Die Richtung und Linie macht "allen politischen Konzeptionen gegenüber ihre Hoffnu-
ngen, aber auch ihre Fragen geltend" (B 1946a,15), sie dient nicht der Legitimierung, Vertiefung oder Befestigung (vgl. B 1946a,37), sondern als "das politische
Salz, das zu sein sie /die Christengemeinde/ ihr /der Bürgergmeinde/ schuldig ist"
(B 1946a,39), als "die heilsame christlich-politische Beunruhigung des weiteren Be-
reichs der Bürgergemeinde" (B 1946a,40).

"Dass man auf diesem Weg durchaus nicht etwa Alles und Jedes begründen und ableiten
kann" (B 1946a,34) beruht darauf, dass nicht alles mit einer von der Rechtfertigung
aus freigemachten, unerbittlichen Verantwortlichkeit vereinbar ist (vgl. oben über

167

B 1938b), aber vor allem und letztlich nicht auf eine Identität (einer -keit) im
Menschen, - "auch die Kirchengemeinde 'hat' ja weder den Glauben noch die Liebe noch
die Hoffnung" (B 1946a,6) - sondern auf der "Eindeutigkeit der biblischen Botschaft"
(B 1946a,34), d.h. der Treue Gottes. Im Anschluss an den parallelen Aufsatz
"Christliche Ethik": Die Identität liegt in der Geschichte von Gottes Taten mit denen unsere Taten nicht indentifiziert werden können (vgl. 3.3.2); im Verhältnis zu
ihr sollen unsere Taten keine für die "Feuerbachschen Gleichsetzungen und Umkehrun-
gen" offene Gleichung sein (Gollwitzer 1972,40), wohl aber ein nichtumkehrbares
Gleichnis und Entsprechung, verantwortliche Antwort und Nachfolge:

> Diese Geschichte ist es, die nach einer Entsprechung ruft im Handeln
> des Menschen /.../ Diese Geschichte ist das Wort, welches nach des
> Menschen Antwort ruft, die er mit seiner Tat zu geben hat. Jesus
> Christus ruft nach Nachfolge, d.h., nach einem menschlichen Leben
> auf dem von ihm eröffneten Wege, nach einem menschlichen Leben in
> der von ihm gegebenen Freiheit. (B 1946b,5, vgl. 7)

Wie wird dies dann als ein Teil der prinzipiellen Darstellungen in der Kirchlichen
Dogmatik ausgedrückt?

Auch hier haben wir es natürlich mit Texten zu tun, die in derselben Geschichte des
Barthschen Denkens wie die anderen Texte - KD II/2 also zwischen 1938 und 1946 - zustande gekommen sind. Aber es kann so sein, dass die Konzentration auf das Prinzipielle, auf die Voraussetzungen der Theologie und der Fragestellungen, nicht nur die
Dastellung vertieft, sondern auch das Risiko für Missverständnisse erhöht, da man
missverstehen kann, wie Barth sich das Verhältnis seiner prinzipiellen Darstellung
zur Praxis vorstellt. Daher auch eine Warnung davor, prinzipielle Texte als entgül-
tigeren und klareren Ausdruck der eigentlichen Meinung des Verfassers zu betrachten.
Barths Art, von konkreten Stellungnahmen aus nach den theologischen Voraussetzungen
zu fragen und sein Widerwille gegen jedes System, aus dem man verbindliche Schluss-
sätze ziehen könnte - und das voraussetzt, dass man über die fundamentalsten Wahrheiten verfügt! - das alles berechtigt zu dieser Warnung, wenn es um das Verstehen
seines Denkens geht. Trotzdem müssen natürlich die prinzipiellen Darstellungen dazu benützt werden, das Verständnis dafür zu verschärfen, was man auf Grund des Handelns und der anderen Texte zu verstehen begonnen hat.

> Das Charakteristische dieser, der theologischen Beantwortung des eth-
> ischen Problems, besteht darin, dass sie - indem auch sie auf die
> Frage nach der Güte menschlichen Handelns Antwort gibt - den Menschen
> von Haus aus versteht als von Gott angeredet, sodass sie hinsichtlich
> der Güte seines Handelns nur von ihm weg und auf das Reden Gottes, auf
> Gott selbst, hinweisen kann. (KD II/2,607f)

Das bedeutet, dass die theologische Ehtik nicht in "Gesetzesaufrichtung" besteht.
Sie entwirft nicht "irgendein Idealbild christlichen Lebens /.../ um dann dieses als

168

die Verwirklichung des Guten, als die Norm christlichen Gehorsams auszugeben".

Sie /die theologische Ethik/ kann, indem sie nach dem rechten Handeln des Menschen fragt, nicht etwa unter der Hand zu einer indikativischen oder imperativischen Darstellung des christlichen Menschen, zu einer empirischen oder idealen Schilderung der christlichen Existenz werden. (KD II/2,597)

Das bedeutet, dass die theologische Ethik nicht von "jenem allgemeinen Begriff von Ethik" ausgeht, wonach der Mensch "wie Herkules am Scheidewege wählen würde zwischen gut und böse, um nun selbst auf Grund seiner Wahl des Guten gut zu sein" (KD II/2, 573) und wonach es "eine Selbstbestimmung, Selbstverständigung und Selbstverantwortung" gibt, "in der der Mensch sich selber zu sagen hätte was gut ist" (KD II/2, 600).

Gerade jener allgemeine Begriff von Ethik fällt merkwürdigerweise genau mit dem Begriff der Sünde zusammen! (KD II/2,574)

Es /gnoti seauton/ kann strikt und historisch genuin verstanden nur als die Aufforderung zum Aufruhr gegen die Gnade Gottes verstanden werden: einem Aufruhr, der damit nicht besser wird, dass er vielleicht nachträglich auch noch die Gnade Gottes zu einem Gegenstand menschlicher Selbstbesinnung, Selbstverständigung und Selbstverantwortung, zu einem besonderen Inhalt des menschlichen Selbstbewusstseins macht und also diesem Selbstbewusstsein neben anderem auch einen religiösen, vielleicht christlichen Inhalt gibt, wie es Schleiermacher als der christliche Apologet unter den Idealisten in klassischer Weise versucht hat. (KD II/2,601)

Die theologische Ethik beschreibt nicht das Gute als "eine blosse Möglichkeit" des Menschen, sondern als eine in der Wirklichkeit Gottes eingeschlossene Möglichkeit (KD II/2,595). Sie bezeugt, dass die Gnade Gottes die Beantwortung des ethischen Problems nicht ermöglicht sondern ist (KD II/2,571f).

Der Mensch Jesus, der das Gebot Gottes erfüllt, gibt nicht, sondern ist durch Gottes Gnade die Antwort auf die durch Gottes Gnade gestellte ethische Frage. Des Menschen Heiligung und Inanspruchnahme für Gott, die Erfüllung seiner Vorherbestimmung in seiner Selbstbestimmung zum Gehorsam, Gottes Urteil über den Menschen und sein Befehl an ihn in leibhaftiger Vollstreckung - das Alles ist ja hier, in Jesus Christus Ereignis. Das Gute - hier geschieht es: wahrhaftig das kritisch verstandene Gute jenseits alles dessen, was gut zu heissen bloss vorgibt. (KD II/2,573)

Die theologische Ethik fragt nach der manifestierten Identität nicht des sich selbst zu rechtfertigenden versuchenden Menschen, sondern des erwählten und in Christus gerechtfertigten Menschen. Sie fragt - und ihr Problem hat "dem der Erwählungslehre gegenüber einen selbständigen Gehalt" (Neben- und Miteinander, Gleichursprünglichkeit!) - nach der der Erwählungsbestimmung"entsprechenden menschlichen Selbstbestimmung" (KD II/2,566). Sie fragt nach der manifestierten Identität des Menschen, "an den sich das Wort Gottes wendet und für den das Werk Gottes geschehen ist - ganz gleichviel ob wir dabei an den Christen denken, der es im Glauben begriffen und auf

169

sich bezogen hat, oder an den Menschen im Kosmos, der das noch nicht getan hat", der "existiert, weil und indem Jesus Christus existiert", der "als Prädikat dieses Subjektes", als "gar kein selbständiges und selbständig zu betrachtendes Subjekt" existiert (KD II/2,599).

Sie ist Ethik der Gnade oder sie ist nicht theologische Ethik. (KD II/2,598)

Barths theologische Ethik muss also als Frage nach dem Handeln verstanden werden, in dem ein Mensch seine Identität nicht als Glaubender, sondern als eine Gerechtfertigter ausdrückt. [153]. Sie ist eine Frage nach dem Handeln, das diese Identität nicht erschafft - denn sie ist geschenkt - sondern bezeugt und bestätigt.

> Die göttliche Vorentscheidung, die dem Menschen in der Erwählung Jesu Christi von Ewigkeit her und also ein für allemal widerfahrene Heiligung ruft danach, dass das Leben der Erwählten in seiner ganzen menschlichen Fragwürdigkeit und Hinfälligkeit ihr Gleichnis, ihre Wiederholung, Bezeugung und Anerkennung werde. (KD II/2,568)

Die theologische Ethik fragt, nach Barth, "ob und inwiefern das menschliche Tun ein Lobpreis der Gnade Jesu Christi ist" (KD II/2,600).

Pointe dieser Frage ist es also nicht, dass sie menschliches Handeln, das ein Lobpreis ist, von dem Handeln abgrenzt, das kein Lobpreis ist. Eine solche Skizze einer "der göttlichen Erwählung entsprechende/n/ Lebensgestaltung" kann interessant sein, aber ihr kann "keine theologische Autorität also, keine letztlich bindende und verpflichtende Autorität" gegeben werden (KD II/2,597f, vgl. 606). Es ist nicht die Aufgabe der theologischen Ethik, ein bestimmtes Handeln zu legitimieren.

> Ist der Gehorsam gegen Gottes Gebot das rechte Handeln des Menschen - welchen durchschlagenden Grund könnten wir dann haben, gerade diese oder jene individuelle oder allgemeine menschliche Gestaltung als Gehorsam auszugeben? Mit welcher Autorität würden wir gerade sie zur Norm erheben? (KD II/2,597)

Die Pointe dieser Frage ist es eher, dass es nicht in der Macht des Menschen steht, gut zu handeln, "dass der Mensch durch Gottes Gebot in Frage gestellt ist" (KD II/2, 606) dass sie den Menschen betrachtet "als den durch die Gnade Gottes eben so schlechthin aufgerichteten und zurechtgerichteten Sünder" (KD II/2,576). Gerade dieses Problematisieren des ethischen Subjekts führt zu dem Widerspruch zu der Ethik im allgemeinen:

> Was der Ethik im Allgemeinen Problem ist: das Gesetz oder das Gute oder der Wert, nach dem sie fragt als nach dem Masstab, an dem das Handeln und die Handlungsweisen des Menschen zu messen, nach denen sie auszurichten sind, das Problem der Wahrheit und der Erkenntnis des Guten, das ist hier, in der dem christlichen Gottesbegriff immanenten Ethik, in der Lehre von Gottes Gebot gerade kein Problem, sondern laut dessen, dass ja das

170

Gebot Gottes die Gestalt seiner erwählenden Gnade ist, vielmehr
der vorausgegebene und insofern vorausgesetzte, in sich selbst
gewisse, von nirgends her zu überbietende und in Frage zu stellende Ausgangspunkt alles ethischen Fragens und Antwortens. Und
umgekehrt: was dem ethischen Denken im allgemeinen kein Problem
ist - oder doch nur ein solches Problem, das man verhältnismässig
unbeschwert beiseite schieben und offen lassen kann: die wirkliche Situation des Menschens angesichts der ihn gerade von der Beantwortung der ethischen Frage her angehenden Frage, seine wirkliche Bindung an das Gute, sein wirklicher Abstand von diesem und
die wirkliche Ueberwindung dieses Abstandes (nicht von ihm, wohl
aber von der Wirklichkeit des Guten selbst her) - das Alles ist
es, was hier gerade brennendes Problem, gerade Ziel und Inhalt
alles ethischen Fragens und Antwortens ist. (KD II/2,576) 154)

Wird gutes Handeln beschrieben, so werden "die Offenbarung und das Werk des erwählen-

den Gnade Gottes" (KD II/2,571), "Gottes Wort und Werk in Jesus Christus, in welchem

das rechte Handeln schon geschehen ist" (KD II/2,603) beschrieben. 155) Aber dieses

gute Handeln ist für den Menschen nicht möglich. Möglich ist für ihn nur ein Han-

deln, das "für sich betrachtet" verkehrt und ungerecht ist, aber das trotzdem Lob-

preis, Bezeugung, Bestätigung, Entsprechung und so - aber nur so - ein gehorsames

Handeln sein kann. Das simul iustus et peccator der Rechtfertigungslehre gilt auch

für das Tun des Gerechtfertigten:

Welches auch das von uns geforderte Tun sei, es wird unser, es wird
ein menschliches Tun sein. Es wird die grossen Taten Gottes bezeugen und bestätigen müssen; es wird sie aber nicht fortsetzen und
nicht wiederholen können. Es bleibt beim Bunde, bei der Partner-
schaft, es kommt aber zu keiner Identität zwischen Gott und Mensch
/.../
Wir können weder für uns selbst noch für Andere das Gute tun, das
Gott für uns tut. Wir sollen und können diesem Guten entsprechen.
Wir können und sollen in ihm das Vorbild dessen suchen und finden,
was wir zu tun haben. Es wird aber das, was wir jetzt tun, immer
ein Anderes, es wird unser geschöpfliches und es wird jetzt und
hier auch immer ein durch unsere Sünde bedingtes, ja verkehrtes Tun
sein: gerecht und heilig, sofern es im Respekt jenem Vorbild gegenüber geschieht, sofern ihm jenes Vorbild gegeben ist, aber sicher ungerecht und unheilig, sofern es für sich betrachtet, nach seinem eigenen inneren Gehalt gefragt und untersucht würde. In seiner Entsprechung und nur in seiner Entsprechung zu Gottes Gnade ist alles
jenes Tun ein gutes Tun. Gerade indem es in dieser Entsprechung
gut ist, wird es sich selbst aus dieser Entsprechung nicht lösen,
wird es keine immanente Güte für sich in Anspruch nehmen wollen.
(KD II/2,641-643)

Entscheidend ist, dass Bezeugung, Bestätigung und Lobpreis nicht eine Qualität neben

dem fragwürdigen menschlichen Handeln ist, dass die "Qualität" auch Gleichnis und

Entsprechung genannt wird - und dass sie auch als Verantwortlichkeit beschrieben wer-

den kann:

171

Man kann es auch so sagen: der Mensch handelt gut, sofern er handelt als der, der von Gott zur Verantwortung gezogen ist. In und aus der Verantwortlichkeit gegen Gott handeln, heisst gebunden handeln. Frei ist unser Handeln ja nur insofern, als es unsere eigene, die von selbst gegebene Antwort ist auf das, was uns von Gott gesagt ist. (KD II/2,607)

Es ist der Begriff der Verantwortlichkeit, in welchem wir die exakte-ste Beschreibung der menschlichen Situation der souveränen göttlichen Entscheidung gegenüber zu erkennen haben. (KD II/2,713)

Ja, Barth geht sogar noch weiter und behauptet, dass der Begriff der Verantwortlich-keit "streng und eigentlich verstanden, nur ein Begriff der christlichen Ethik sein" kann und dass man, wenn die Relation des menschlichen Handelns zur Gnade Gottes in Jesus Christus unberücksichtigt lässt, "von Verantwortlichkeit und Verantwortung im-mer nur in Abschwächungen denken und reden können /wird/, die dem Gewicht dieser Be-griffe nicht gerecht werden, ja sie letztlich leugnen und auflösen müssen" (KD II/2, 714f). 156)

Der Gedankengang ist folgender: Gerade weil wir nicht "im gleichen Sinn, Heilige sind, wie Gott heilig ist", gerade weil "Jesus Christus als Mittler des Bundes zwi-schen Gott und uns" nicht überflüssig ist, gerade weil wir kein "Wissen um das, was wir tun sollen" besitzen, kann unser Tun nicht darauf abzielen, ein solches Wissen, oder eine solche Heiligkeit aufzuzeigen, kann es nicht darauf ausgerichtet sein, "die Kontinuität unserer bisherigen Werke" zu verlängern, sondern wir müssen bestän-dig nach Gottes Gebot fragen, "fragen: Was sollen wir tun? ohne die Antwort darauf etwa schon bereit zu haben und wirklich ohne sie uns selbst geben zu können". "Ethi-sche Besinnung" wird nie überflüssig. Gerade weil wir kein "Wissen um Gottes Wille und Gebot", sondern nur "mehr oder weniger begründete Hypothesen und Ueberzeugungen hinsichtlich dessen, was Gottes Gebot von uns getan haben möchte" haben, werden wir zu ständiger Ueberprüfung gezwungen, zu einer "Infragestellung alles mitgebrachten Das!", "zu jener Infragestellung unseres ganzen Ethos", die das Zeugnis dafür ist, "dass wir nicht irgendwo im leeren Raum, sondern angesichts des Gebotes Gottes, dass wir wirklich nach ihm, nach dem, was wir nach seinem Befehl tun sollen, gefragt ha-ben". (KD II/2,717-719,722) Kontinuität des Glaubens heisst nicht Bewahren/Erfül-len bestimmter Normen, sondern Bereitschaft zu ständig neuer, sachlicher Prüfung der eigenen Normen/Hypothesen 157) :

Wohlgemerkt: gerade die Kontinuität der Gnade Gottes in unserem Leben und unseres Gehorsams ihr gegenüber wird allein dadurch gewahrt, dass wir uns der Züchtigung durch den in der ethischen Besinnung je heute zu vollziehenden Neuanfang unserer Erkenntnis und Existenz nicht ver-weigern. Es könnte die Kontinuität eines von einer Entscheidung zur anderen gemächlich sich selbst bestätigenden, aus sich selbst heraus sich entwickelnden Menschenlebens nur die Kontinuität des Ungehorsams sein. (KD II/2,720) 158)

Im Verhältnis zu allen ethischen Auffassungen ist eine solche Ethik "komprehensiv" und eben "darum auch grundsätzlich kritisch und gerade nicht schiedlich-friedlich". Sie bringt "die Stimme der Vernunft und der Erfahrung /.../ nicht weniger sondern erst recht /.../ zur Sprache". Sie weigert sich irgendwelche Instanzen die Verantwortlichkeit begrenzen zu lassen und sie kritisiert andere dass "sie diesem /Gottes Gebot/Gnade/ gegenüber andere selbständige Prinzipien aufrichten", zB in Form "eine/r/ menschliche/n/ Welt- und Lebensanschauung". (KD II/2,585,vgl. 715) Die christliche Ethik steht unter der Forderung nach einer unerbittlich ideologiekritischen Verantwortlichkeit.

Diese Forderung nach Verantwortlichkeit ist "sachlich keine christliche Sonderangelegenheit, sondern die allgemeine menschliche Notwendigkeit" (KD II/2,716, vgl.583f).

> Wie wäre sie christliche Ethik, wenn sie nicht wüsste und nicht damit rechnete, dass eben der Gnadenbund Gottes mit dem Menschen der Anfang aller seiner Wege und Werke, dass also die in ihm begründete menschliche Lebenssituation des Menschen die Situation eines jeden Menschen ist? (KD II/2,715)

Gerade weil die theologische Ethik "wohl weiss, dass sie selber dieses Wort /Gottes/ auch nur mit menschlicher Stimme und also irrtumsfähig bezeugen und erklären kann", gerade weil Gottes Wort/Gnade mächtiger als sie selbst ist, darf sie "ihr eigentümliches Woher? und Wohin? nicht verharmlosen, um sich selbst einen Platz an der Sonne der allgemeinen ethischen Problematik zu sichern",muss sie selbst bereit sein zu lernen.

> Wie sollte sie da nicht hören, wo, wie sie allem Protest zuwider weiss und festhält, das eine Wort Gottes objektiv auch laut ist und herrscht inmitten aller menschlichen Verkehrtheit? Wie sollte sie nicht bereit sein, von daher Belehrung und Korrektur zu empfangen, wo das Wort Gottes in aller Verborgenheit auch in Kraft steht /.../? (KD II/2,580f)

Eine "christliche" Ethik ist "nicht nur im geschichtlichen Bereich des Christentums" zu finden, eine Ethik, die

> das ganze Problem des Gefragtseins, der Fraglichkeit aber auch der Fragwürdigkeit des menschlichen Daseins und Handelns aufwerfen würde, ohne sich im Hintergrund jener Apotheose schuldig zu machen, ohne vom menschlichen Selbst aus oder im menschlichen Selbst als solchen eine Letztwirklichkeit zu behaupten, ohne das Prinzip und die Wirklichkeit des Guten im Menschen zu suchen und aufzuweisen: eine Ethik, die um die Grenzen der Humanität wüsste, die die Humanität also nicht als ein Absolutes behandeln und ihr gerade deshalb gerecht werden und dienen würde (KD II/2,601).

Barth nennt Beispiele:

> Man kann mit den nötigen Vorbehalten an Phänomene wie das Lebenswerk von H. Pestalozzi denken. Man kann der Ansicht sein, dass solche Ethik in den Romanen von Jeremias Gotthelf, von H. de Balzac, von Charles Dickens,

173

von Dostojewski, von Tolstoj, von Theodor Fontane, von John Galsworthy
mehr oder weniger deutlich und folgerichtig und unter sich sehr verschieden vorgetragen worden sei. Man kann ihr - nicht nur im geschichtlichen Bereich des Christentums übrigens! - in gewissen alten und neuen
politischen und sozialen Konzeptionen und selbstverständlich auch in den
Entwürfen der philosophischen Ethiker nachzugehen versuchen.
(KD II/2,602)

Dies zeigt, dass er es ernst meint, wenn er die christliche Ethik unter der Forderung
nach einer unerbittlich ideologiekritischen Verantwortlichkeit stellt. Barths theologische Ethik argumentiert nicht für einen höheren moralischen Gehalt des Lebens
christlicher Menschen, sie argumentiert einmal dafür, dass eine Ethik, die sich unter
die Forderung nach unerbittlich ideologiekritischer Verantwortlichkeit stellt lo-
gisch/systematisch Gnade/Rechtfertigung in Jesus Christus voraussetzt und, "wollte
sie wissenschaftlich werden" würde sie "grundsätzlich werden", "von theologischer
Ethik sich nicht unterscheiden kann" (KD II/2,602f), zum anderen und vor allem anderen, dass Gottes Wort und Werk in Jesus Christus uns alle unter diese Forderung
stellt, "dass alles als Lehre von Gott bisher Gesagte auch diesen Sinn hat: den Sinn
grundsätzlich ethischer Besinnung und Verständigung" (KD II/2,568). [159)]

4.   DAS HUMANISTISCHE PROBLEM ALS FRAGEHORIZONT IN DER THEOLOGIE PAUL TILLICHS.

4.1   Tillichs Deutung der Philosophie und Theologie des 19. Jahrhunderts.

Der Versuch, Tillichs Theologie zu verstehen, kann nicht ebenso selbstverständlich
mit deren Verhältnis zum 19. Jahrhundert beginnen, wie es bei Barths Theologie der
Fall war.   Tillichs Theologie ist nicht so offenbar geformt von einer Auseinandersetzung mit dem Denken des 19. Jahrhunderts.   Aber wie im Folgenden gezeigt werden
soll, ist es dennoch möglich und berechtigt dort zu beginnen.   Ja, es stellt sich sogar die Frage, ob die Bearbeitung des Denkens des 19. Jahrhunderts in Tillichs Theologie nicht eine viel zentralere Rolle spielt als in Barths Theologie.   Man könnte
sagen, dass Barths Denken in der Auseinandersetzung mit dem Denken des 19. Jahrhunderts geformt wurde, während Tillichs Denken eine Bearbeitung der Tendenzen im Denken des 19. Jahrhunderts ist, oder zumindest als eine solche betrachtet werden kann.
Tillich muss so verstanden werden, wie er andere versteht:

> You must understand an idea out of the sources from which it comes.
> You must know the negative implications, the struggle in which a per-
> son was involved, the enemies against which he fought, and the pre-
> suppositions which he accepted. If you do not know these things,
> everything becomes distorted when dealing with an important figure
> like Schleiermacher. (T 1963(e),91) [160])

4.1.1.   Tillichs Attitüde als Denker: Das Suchen nach einer Synthese.

Als Denker sucht Tillich nicht die Auseinandersetzung, sondern er ist auf Synthese
ausgerichtet [161)] .   Sein Leben war von einem "dialogischen Lebensstil" (Rode 1972,
576) geprägt.

Tillichs ehemaliger Schüler und jahrelanger Freund Theodor W. Adorno charakterisiert
Tillich folgendermassen:

> ein Mensch - wenn man es einmal so ein bisschen grossprecherisch aus-
> drücken darf - der Erweiterung, einer, der die Tendenz hatte, auch ihm
> sehr entgegengesetzte Möglichkeiten noch in sich sehr tief hineinzuneh-
> men /.../ Er hatte etwas Homiletisches, etwas von der Fähigkeit des
> Predigers, grosse, zuweilen auch in sich widerspruchsvolle Massen von
> Gedanken zu organisieren. Diese geistige Organisationsbegabung, die
> Fähigkeit des Einbauens und Verfügens, die sicherlich aus der prote-
> stantischen Predigttradition stammte, war eine der auffallendsten Sei-
> ten seiner Begabung. Darin allein schon steckt jenes Irenische, sich
> Versöhnende, zugleich jedoch auch der Drang, nicht bei sich selbst zu
> bleiben, sondern sich zu erweitern. (Adorno 1966,32)

Hier wird wohl in erster Linie beschrieben, was für das Individuum Tillich psychologisch charakteristisch war. Diese Charakteristik beschreibt jedoch auch eine Einstellung in Tillichs Denken, wonach eine "Wiedervereinigung mit unseren wahren Wesen, und das heisst, mit uns selbst, mit den anderen und mit dem Grund unseres Seins" (ST III,314) die eschatologische Vollendung darstellt, und wonach Liebe als eine Antizipation dieser Vollendung, "der Drang nach Wiedervereinigung des Getrennten" (ST III,160) ist.

Tillich beschreibt sich auch selber so. Aber er beschreibt dies nicht als etwas, was selbstgewählt und unproblematisch ist. In der selbstbiographischen Skizze, mit der er sich 1936 in seiner neuen Heimat, USA, vorstellt, beschreibt er sich als auf der Grenze lebend, mit allen Möglichkeiten und Gefahren dieser Position.

> Fast auf jedem Gebiet war es mein Schicksal, zwischen zwei Möglichkeiten der Existenz zu stehen, in keiner ganz zu Hause zu sein, gegen keine eine endgültige Entscheidung zu treffen. So fruchtbar diese Haltung für das Denken war und ist, weil Denken Offenheit für neue Möglichkeiten voraussetzt, so schwierig und gefährlich ist sie vom Leben her, das ständig Entscheidungen und damit Ausschliessen von Möglichkeiten fordert. Aus diesen Anlagen und diesen Spannungen ergaben sich Schicksal und Aufgabe zugleich. (GW XII,13/1936/)

Diese Position und diese Attitüde haben auch seine Arbeitsweise und seine Schreibweise geprägt. Tillich wollte seiner Leser selbst auf die Nachteile dieser Arbeitsweise aufmerksam machen:

> Der wesentliche Teil meiner literarischen Arbeit besteht aus Essays /.../ Diese Arbeitsmethode hat - wie schon erwähnt - ihre Vorteile, sie hat aber auch ihre Nachteile. Selbst in einem organisch angelegten Werk wie meiner "Systematischen Theologie" findet sich ein gewisser Mangel an Konsistenz und an Genauigkeit in der Terminologie; verschiedene, manchmal einander entgegengesetzte Gedankengänge zeigen ihren Einfluss, und Begriffe und Argumente sind vorausgesetzt die in anderen Werken behandelt worden sind. (GW XII,70f/1952/) [162]

Es dürfte kaum möglich sein, Tillichs Denken zu verstehen ohne die einzelnen Stellungnahmen und Aussagen mit seinem Suchen nach Synthesen in Verbindung zu setzen. In der Fülle des bearbeitenden Materials, der Anspielungen und Assoziationen, gilt es, grundlegende Strukturen in Tillichs Suche nach Synthesen zu erkennen. Gewiss kann das, was nach einer Synthese verlangt, für Tillich als Prinzip formuliert werden, wobei allerdings Prinzipien niemals von historischem Material unabhängig sind. Damit wird aus dem Suchen nach Hauptlinien in Tillichs Bearbeitung zB des Denken des 19. Jahrhunderts zugleich ein Versuch, solche grundlegenden Strukturen in dem Suchen nach Synthesen selbst zu finden.

4.1.2. Der Versuch einer Synthese zwischen der religiösen und der humanistischen Tradition.

Es ist offenbar, dass das Material, das Tillich bearbeitete, als sein Denken geformt wurde, vor allem die Geschichte der Philosophie und besonders die Philosophie des 19. Jahrhunderts war.

> Als ich zur Universität kam, kannte ich die Geschichte der Philosophie gut und Kant und Fichte gründlich. Es folgte das Studium von Schleiermacher, Hegel und vor allem von Schelling. Sowohl meine Doktor- wie meine Lizentiaten-Dissertation behandelten Schellings Religionsphilosophie. (GW XII,65/1952/, vgl. GW XII,31ff/1936/)

Später erhielt die Entdeckung Kierkegaards für Tillich Bedeutung (vgl. auch GWE II, 134/1963/), und dieser Hintergrund sollte Tillichs Reaktion auf den, nach dem ersten Weltkrieg entstehenden Existentialismus bestimmen.

> Als dieser nach dem Ersten Weltkrieg überall auftauchte, war ich offen für ihn und betrachtete ihn im Licht jenes allgemeinen Widerstandes gegen Hegels System der Versöhnung, der die Jahrzehnte nach Hegels Tod beherrscht hatte und der durch Kierkegaard, Marx und Nietzsche für die Entwicklung des zwanzigsten Jahrhunderts entscheidend wurde. (GW XII,66)

Aber welche Fragestellung bestimmte seine Bearbeitung der Philosophie des 19. Jahrhunderts?

Im Rückblick beschreibt Tillich 1952 den Weg des eigenen Denkens als den Weg der Synthese zwischen der religiösen und der humanistischen Tradition.

> Während in den Vereinigten Staaten der Konflikt zwischen Religion und wissenschaftlichem Naturalismus zum entscheidenden geistigen Konflikt geworden ist, stehen in Europa die religiösen und humanistischen Traditionen schon seit der Renaissance in fortwährender Spannung zueinander, und zwar nicht nur in der naturwissenschaftlichen Weltbetrachtung /.../ Die erwähnte Spannung führte entweder zu einer Entscheidung in dieser oder jener Richtung oder zu einer allgemeinen Skepsis oder zu einer Bewusstseinsspaltung oder zu dem Versuch, den Konflikt schöpferisch zu überwinden. Der letzte Weg, der Weg der Synthese, wurde mein Weg. Er folgte den klassischen deutschen Philosophen von Kant bis Hegel und blieb die treibende Kraft in meiner ganzen theologischen Arbeit. Seine endgültige Form fand er in meiner "Systematischen Theologie". (GW XII,64f)

Die gleiche Perspektive liegt seinen Vorlesungen über die protestantische Theologie im 19. und 20. Jahrhundert zu Grunde, die Tillich in Frühjahr 1963 in Chicago hielt und die auf frühere Vorlesungen aufbauten (Henel 1971,10f):

> Der Gesichtspunkt, unter dem wir die Geschichte der Theologie betrachten wollen, ist durch die wiederholten Versuche gegeben, die auseinanderstrebenden Elemente des modernen Denkens wieder zusammenzubringen. Am wichtigsten war der Veruch, die orthodoxe und die humanistische Tradition zu vereinen. Wem der Begriff "orthodoxe Tradition" zu eng er-

scheint, kann ihn durch "klassische Tradition" ersetzen. Man kann
die gesamte moderne Theologie als den Versuch bezeichnen, diese beiden
Richtungen in der neueren Geschichte des christlichen Denkens zu vereinen. (GWE II,15)

Das Bild von der Geschichte von diesem Gesichtspunkt aus, ist aus der Disposition
der Vorlesungen abzulesen, und wird von Tillich selbst so zusammengefasst:

> Die ganze Entwicklung hat also dramatischen Charakter: mitten des
> Christentums kommt der Humanismus auf, der sich dem Christentum ge-
> genüber kritisch verhält, sich von ihm trennt und eine Welt säkula-
> ren Lebens und Denkens schafft. Die grössten unter den Philosophen
> und Theologen bemühen sich dann, die auseinanderstrebenden Elemente
> wieder zu vereinen. Aber ihre Synthesen zerbrechen, und die verschie-
> denen Elementen geraten in Konflikt miteinander und versuchen, sich ge-
> genseitig zu verdrängen, so dass neue Versuche zur Synthese nötig werden.
> (GWE II,16)

Im Zentrum des Geschehens des 19. Jahrhunderts stehen "die klassische theologische
Synthese" Schleiermachers und "die universale Synthese" Hegels, sowie der Zusammenbruch dieser Synthesen. Jedoch muss nach Tillichs Meinung - "wenn systematische
Theologie sinnvoll sein soll" - ein neyer Versuch zur Synthese gemacht werden. Solche Versuche wurden gemacht - und scheiterten. Nach Tillich erwächst daraus die
sinnvolle Aufgabe von neuem zu versuchen und in diesem Versuch die Lehren aus dem
früheren Scheitern zu ziehen (GWE II,74, vgl. GW V,168/1955/).

Aber wie versteht dann Tillich die beiden Traditionen, die in einer Synthese vereint
werden sollen? Ein kurzes Stück der Vorlesungen trägt die Ueberschrift "Die Synthese von Spinoza und Kant". Soweit ich sehe, ist dieses Stück sehr wichtig, es um-
reisst die Perspektive für zumindest Schleiermachers Theologie:

> Kants Nachfolger, und das heisst die ganze kontinentale Philosophie und
> Theologie, standen also vor dem Problem: wie kann die Mystik mit dem
> protestantischen Prinzip vereinigt werden? Wie können das Identitäts-
> prinzip, d.h. die Partizipation am Göttlichen in jedem Menschen, und das
> Prinzip der Differenz, des moralischen Gebots, das gegen den Menschen
> steht, vereinigt werden? (GWE II,59)

Ungefähr die gleichen Ausdrücke erscheinen in der Beschreibung der geistigen Voraussetzungen Schleiermachers:

> Spinozas Philosophie beruht auf dem Identitätsprinzip im Gegensatz zu
> dem Prinzip des Abstandes und der Dualität, das in der Aufklärung herr-
> schte. (GWE II,76)

Das wird folgendermassen weiter ausgeführt: Das Prinzip der Theologie der Aufklärung "war das der Trennung von Gott und Welt, Gott und Mensch", ein Prinzip "demge-
mäss Gott neben der Welt steht". Dieses Prinzip war Rationalisten und Supranatura-
listen gemeinsam. Ihm gegenüber stand "die Idee vom deus sive natura" - "von der
Romantik als Identität von Endlichem und Unendlichem, ihrem wechselseitigen Ineinan-

178

-ander, übernommen" - als "die eigentliche Antithese zur Aufklärung". (GWE II,75f)
Ähnliche Formulierungen lassen sich bei Tillich oft finden. In einer Beschreibung
des biographischen Hintergrundes der eigenen Religionsphilosophie verwendet Tillich
die Unterscheidung zwischen einerseits mystischen, sakramentalen und ästhetischen
Elementen und andererseits ethischen und logischen Elementen und diese Distinktion
veranlasst ihn sogleich auf Ähnlichkeiten mit Schleiermacher hinzuweisen (GW XII,61
/1952/). Ähnliche Termini können von Tillich auch dazu verwendet werden, um ältere
Philosophie zu beschreiben. So suchten die Neuplatoniker die Vereinigung des Rationalen mit dem Mystischen (GW XIII,479/1960/).

Wenn Tillich von der Geschichte des 19. Jahrhunderts spricht, sieht er ihre Dynamik
als durch die Spannung zwischen diesen Prinzipien erzeugt. Das Spezifische dieses
Jahrhunderts (und unserer Zeit) aber ist, dass die Aufklärung "auf einer anderen
Ebene" überwunden aber nicht geleugnet werden kann (vgl. GWE II,74 über
Schleiermacher). Es stehen, streng genommen, nicht drei Alternativen zur Verfügung
(die beiden Prinzipien - und der Versuch der Synthese) sondern nur zwei. Die Spannung

> führte einerseits zu einer Gegnerschaft gegen jede Art von Mystik, d h
> gegen alle Formen des Identitätsprinzips, wie bei Karl Barth, anderer-
> seits aber auch zu den grossen Synthesen zwischen Kant und Spinoza.
> (GWE II,60)

Dies war auch biographisch-existentiell wichtig für Tillich selbst. Das protestantische Prinzip kann nicht von sich allein leben, gewiss, aber es ist unbedingt notwendig, denn ohne es droht Heteronomie. Der eigene "schwierige schmerzhafte Durchbruch zur Autonomie" hat Tillich geprägt (GW XII,63).

4.1.3. Die existentialistische Revolte

Ist aber eine Synthese möglich nach dem Zusammenbruch der grossen Synthesen
der zweifellos im Zentrum von Tillichs Deutung der, unsere Situation formenden, Geschichte steht? Tillich spricht von "dem grossen Schock-Erlebnis der 40er Jahre
des vorigen Jahrhunderts" (GW XIII,25/1943/). Er meint, dass sich das, was damals
geschah, erst im 20. Jahrhundert voll auswirkte (GWE II,134, vgl. GW X,15-20/1926/).
Er deutet das 20. Jahrhundert ausdrücklich mit Hilfe der Hegelrevolte bei
Kierkegaard und Marx (oftmals werden gleichzeitig auch Nietzsche und Freud genannt),
die fast immer von Schelling aus gedeutet wird.

> In der systematischen Theologie können wir uns mit den einzelnen Kri-
> tikern /Hegels/ wie Schelling, Schopenhauer, Kierkegaard oder Marx

nicht befassen. Es genügt festzustellen, dass in den Jahrzehnten von 1830 bis 1850 das historische Schicksal und das kulturelle Selbstverständnis der westlichen Welt des 20. Jahrhunderts vorbereitet wurden. (ST II,31)

Nach Tillich richtete sich diese Revolte gegen Hegels System oder Idee der Versöhnung (GW XII,66, GWE II,134), gegen Hegels Hybris:

> Der Grund, warum Hegel von allen Seiten angegriffen wurde, war die Tatsache, dass sein vollendetes System keinen Zugang zur Zukunft offenliess, Hegel hatte sich selbst auf den Thron der Vorsehung gesetzt, auf dem nur Gott Platz hat - Gott, der gleicherweise die Vergangenheit versteht und die Zukunft schafft. Hegels Hybris bestand darin, dass er sich diesen Platz anmasste, und die Folge war das tragische Schicksal seines Systems. (GWE II,96)

Wenn Tillich die Revolte von dem späten Schelling aus sieht, kann er sagen:

> Das Negative wurde in der Romantik zum Dämonischen. Sie enthüllte die dämonischen Tiefen der menschlichen Seele - eine Dimension, der sich die Aufklärung kaum bewusst war. Nachdem die Frühromantik die Gegenwart des Unendlichen im Endlichen erkannt hatte, entdeckte die Spätromantik das Dämonische im Endlichen. (GWE II,71)

Und von Kierkegaard aus:

> Hegel hat nicht zwischen essentieller Erfüllung und existentieller Entfremdung unterschieden. (GWE II,136)

Indem die Hegelrevolte existentialistisch genannt wird, wird sie von Tillich in einen grösseren historischen Zusammenhang versetzt. Der Existentialismus ist nicht nur negativ bestimmt von Hegel (vgl. GWE II,93f), sondern hat auch einen seiner Hauptbegriffe, Entfremdung, von ihm übernommen (GWE II,100,136). Für Tillich ist es wichtig, dass es Andeutungen in dieser Richtung bei Kant gibt (GWE II,52), und dass selbst die Aufklärung "nicht monolithisch, ebensowenig wie andere Perioden der Geschichte" war, sondern dass sie ihre "Untergrundbewegungen" hatte wie einen kosmischen Pessimismus, einen Kulturpessimismus und das Lustprinzip um einer Konsumtionssteigerung willen inmitten der bürgerlichen Moral.

> Sie /diese Untergrundbewegungen/ konnten den Optimismus und den Fortschrittsglauben der Aufklärung nicht erschüttern. Aber sie waren vorhanden und machten sich in den inneren Konflikten des Bürgertums bemerkbar und bereiteten so im Verborgenen den Weg für eine neue Einstellung im 20. Jahrhundert. (GWE II,41)

Das Begriffspaar essentialistisch-existentialistisch erweist sich als ein Instrument womit Tillich die gesamte Geschichte des menschlichen Denkens versteht:

> Die existentialistische Philosophie ist eine Auflehnung gegen die Vorherrschaft essentialistischer Elemente in den meisten westlichen Philosophien und eine Wiederbelebung existentialistischer Elemente des frühen Denkens, bei Plato, in der Bibel, bei Augustin, Duns Scotus, Jakob Böhme

und anderen. Bei den grossen Philosophen der Vergangenheit steht in der
Regel das essentialistische Element im Vordergrund, aber es ist immer
mit dem existentialistischen verbunden. (GWE II,203)

Die existentialistische Revolte spielt in Tillichs Geschichtsperspektive eine zentrale Rolle und damit auch für das Verständnis seinen eigenen Gegenwart. Er beurteilt sie, sowohl als Philosoph als auch als Theologe, als etwas Positives. Ausserdem bedient er sich sehr gerne selbst der existenzphilosophischen Terminologie.
Aber obwohl er sich ab und zu anscheinend zu den Existentialisten gerechnet hat
[163], so ist es wichtig, dass diese Einordnung und diese Bejahen bei gleichzeiti-
ger Suche nach einer Synthese kritisch verbleiben [164]. Für das Verständnis der
gesamten Tillichschen Denkweise und der Struktur in der Systematischen Theologie ist
das wichtig (ebenso wie für das Verständnis von Tillichs Stellungnahme zu Barths
Theologie).

Das Ziel einer Synthese, in die der Existentialismus aufgenommen - aber auch gleichzeitig kritisiert - wird , geht deutlich aus dem Abschluss der Vorlesungsreihe hervor, deren letztes Thema "Der Existentialismus und das theologische Problem" ist.
Dort heisst es:

> Man hat mich häufig gefragt, ob ich als Theologe ein Existentialist sei,
> und meine Antwort war immer einfach: halb bin ich es und halb nicht.
> Das heisst, dass für mich Existentialismus und Essentialismus zusammen-
> gehören. (GWE II,204)

Diese Zielsetzung ist sehr deutlich in der Vorlesung vor japanischen Zuhörern über
den philosophischen Hintergrund seiner Theologie. Da er sie in diesem Milieu hielt,
musste er versuchen, eine sehr fundamentale Perspektive anzulegen. Von zwei Zügen
in Augustins Theologie aus zieht Tillich die Linien bis zu Hegel, der Hegelrevolte
und seiner eigenen Theologie. Er bezeichnet die beiden Züge ausdrücklich als den
essentialistischen und den existentialistischen, und einige Zeilen machen deutlich
wie wichtig die Suche nach einer Synthese an diesem Punkt für Tillich war:

> Meine Theologie stellt einen Versuch dar, diese beiden Linien zu ver-
> einigen, Wenn wir uns ausschliesslich auf eine der beiden philosophi-
> schen Linien berufen, kommen wir niemals zu einem Verständnis der reli-
> giösen Symbole. (GW XIII,483/1960/)

4.1.4. Tillichs Beurteilung der Theologie des 19. Jahrhunderts.

Tillich war Philosoph und als solcher wurde er geschätzt. Für viele, darunter auch
für seinen eigenen Lehrer (GW XII,31/1936/) war er "der 'kommende Man' in der Philosophie" (Medicus 1929,564, vgl. Albrecht 1972,84) und er wurde als Nachfolger

181

Max Schelers zum Professor für Philosophie und Soziologie nach Frankfurt berufen.
Tillich war jedoch auch Theologe und es fragt sich, ob er nicht gerade in seiner Beziehung zu den grossen Philosophen in erster Linie Theologe war. In seinem selbstbiographischen Rückblick 1952 konstatiert er nach dem Bericht über Kant-, Fichte-,
Schleiermacher-, Hegel- und Schelling- Studien:

> Diese Studien schienen mehr auf einen Philosophen als auf einen Theo-
> logen zu deuten.

In einer für andere vielleicht gewaltsamen, für Tillich selbst aber ganz natürlichen
Wendung kann er kurz darauf fortfahren:

> Dennoch war und bin ich Theologe, denn für mein geistiges Leben war und
> ist die existentielle Frage nach dem, was uns unbedingt angeht, und die
> existentielle Antwort der christlichen Botschaft von höchster Bedeutung.
> (GW XII,65)

Wir werden auf dieses Verhältnis zwischen Philosophie und Theologie im Denken
Tillichs zurückkommen müssen, vor allem bei der Deutung der Methode der Korrelation
in 4.4. Zwei Zitate sollen hier genügen um zu zeigen, wie nahe Philosophie und Theologie für Tillich miteinander verbunden waren:

> Wo immer Existenz gedeutet wird, verschwindet der Unterschied zwischen
> Philosophie und Theologie, und beide treffen sich im Bereich des Mythos
> und des Symbols. (GW VI,110/1948/)

> This means that the secular ultimates (the ontological concepts) and
> the sacred ultimates (the conceptions of God) are interdependent.
> (ST(e) I,221) [165)

Aber Tillich nimmt auch auf das im engeren Sinne theologische Denken des 19. Jahrhunderts Bezug. Auch dies sieht er in der skizzierten Perspektive. Nach "dem
Schock-Erlebnis der 40er Jahre des vorigen Jahrhunderts" (GW XIII,25) versuchten gewisse "Vermittlungstheologen" "soviel wie möglich von Schleiermachers und Hegels
Theologie und Philosophie - beide waren sowohl Theologen wie Philosophen - zu retten
und der christlichen Tradition anzupassen" (GWE II,172). Aber auf diesem Weg kam
man nicht mehr voran. Andere gaben die Suche nach einer Synthese auf und begaben
sich in eine Repristinationstheologie hinein, die eine Rückkehr zur Orthodoxie, zum
Pietismus oder zum Biblizismus anstrebte (GWE II,129f,177). Aber Tillich konstatiert:

> Die theologische Entwicklung lag nicht in der Richtung der Repristina-
> tionstheologie, sondern in der Vermittlungstheologie, die von Leuten
> wie Martin Kähler und der Ritschl-Schule vertreten wurde. (GWE II,130)

Man sollte darauf achten, welches Gewicht die Auseinandersetzung mit der Ritschlschen Theologie für Tillichs Geschichtsperspektive und für das Zustandekommen seiner Theologie gehabt zu haben scheint, während Tillich immer die Bedeutung

182

Martin Kählers für sein eigenes Denken betont und ihm gegenüber mit seiner Kritik sehr zurückhaltend ist.

Auch wenn die Auseinandersetzung mit Ritschl oftmals nur zwischen den Zeilen geführt wird oder in Andeutungen durchscheint, so kann man anhand der späten Vorlesungsreihe von 1963, dem Brief an Thomas Mann 1943 und einem frühen Artikel über Ritschl zu dessen 100. Geburtstag 1922, ein ziemlich gutes Bild von dieser Auseinandersetzung gewinnen.

In dem Artikel 1922 betont Tillich Ritschls positiven Ansatz. Nach Tillich erkannte Ritschl, dass die grossen Synthesen zusammengebrochen waren, und dass dieses Scheitern theologisch zu bejahen war. In Hegels Synthese hatte das Identitätsprinzip die Funktion eines Versuches der Rechtfertigung durch das Gesetz erhalten. Ritschls Protest ist somit, nach Tillich, echt protestantisch. Ritschl "gleicht einem Feldherrn, der ein durch fremde Schuld geschlagenes Heer an eine enge, aber vorerst sichere Stelle geführt hat". Dafür kann man ihn nicht kritisieren. Die Frage ist nun ob man an dieser Stelle stehenbleiben kann. (GW XII,157f/1922/)

> Ritschl war ein Theologe der Not. Wie die älteste Christenheit sich vor den Verfolgerungen in Erdhöhlen und Katakomben verborgen hielt, so flüchtete die Theologie seit der Mitte des 19. Jahrhunderts vor der Katastrophe des Geistesleben, die sie zu erschlagen drohte, auf die Insel des sittlichen Bewusstseins und der neutestamentlichen Geschichte. Es war eine rettende Tat; aber es war zugleich die grösste Verkürzung, die das Christentum je erlebt hat. Verkürzungen können eine Erleichterung sein - wenn es Ballast ist, der abgeworfen wird; sie können aber auch eine Schwächung sein - wenn sie Wesentliches abschneiden. (GW XII,154)

Nach Tillichs Beurteilung war Ritschls Versuch, eine neue Synthese zu erschaffen, zwar für das liberal-fortschrittliche Milieu ausreichend (vgl. GWE II,179f), sollte aber dann zusammen mit diesem Milieu zerbrechen. Da zeigte sich, dass diesem Versuch nie die Synthese gelungen war.

Sicherlich hatte, nach Tillich, die liberale Theologie gegen Hegels Synthese protestiert, sie sah jedoch nicht ein, worum es in der existentialistischen Revolte ging.

> Es fehlte uns in ihr /der theologischen Position der Liberalen/ die Einsicht in den "dämonischen" Charakter der menschlichen Existenz (in dem Sinne, wie ich es in meiner zwischen den Weltkriegen entwickelten Theologie dargestellt habe und wie es sich, zum Teil mit Hilfe von Reinhold Niebuhr, gegenüber dem liberalen Moralismus und Humanismus zur Zeit weithin durchgesetzt hat) /.../ Uns fehlte in der liberalen Theologie die Tiefe und das Paradox; und ich glaube, die Weltgeschichte hat uns recht gegeben. (GW XIII,24/1943/)

"Die Weltgeschichte", das sind natürlich vor allem die beiden Weltkriege - diese
Theologie reichte "nicht mehr weit in 20. Jahrhundert hinein" (GWE II,180). Aber
als Idee war dieser Versuch einer Synthese bereits überholt von "Marx, Nietzsche,
Freud etc", durch deren Analyse der menschlichen Moral, wie auch sie in das "Dämonische" verwickelt ist.

> Die Ritschlsche Theologie ist eine typische "Escape"-Theologie. Sie
> versucht, in der sittlichen Persönlichkeit eine sichere Festung gegen-
> über dem sonst überall siegreichen Naturalismus zu finden. Sie wagt
> es nicht, diesem Naturalismus anzugreifen. Er ist vorausgesetzt, soll
> aber an einem Punkt keine Macht haben, nämlich in der Sphäre der Werte
> (die weitere Ritschlsche Schule hat sich im engsten Zusammenhang mit
> der Wertphilosophie entwickelt). Dass man auf diese Weise die gesamte
> Wirklichkeit, Natur und Geschichte, dem Mechanismus der bürgerlichen
> Weltanschauung überliess, bemerkte man kaum in der Freude, eine schein-
> bar sichere Insel gefunden zu haben. Marx, Nietzsche, Freud etc bewie-
> sen, dass es nur eine scheinbare Sicherheit war /.../ (GW XIII,25)

Dadurch, dass die liberale Theologie nicht die Tiefe des "Dämonischen" einsah, wurde
auch sie von der existentialistischen Revolte erfasst und wurde selbst als essentialistisch und damit "wirklichkeitsfremd" betrachtet (GWE II,194f)

Diese fundamentale Kritik kann auch so formuliert werden, dass Ritschls Theologie
als Versuch einer Synthese nicht ernst genommen werden kann, d.h. dass sie nach
Tillichs Auffassung ihre theologische Aufgabe nicht erfüllt.

Die Rückkehr zu Kant war Ergebnis der Deutung des Zusammenbruchs der Synthese als
von dem Identitätsprinzip verursacht. So lehnte man "nicht nur die echte Mystik ab,
sondern auch alle Formen der Erfahrungstheologie" (GWE II,178). Der Inhalt des
Glaubens kann so nur mit Hilfe eines "biblischen Positivismus" gewonnen werden, was
nach Tillich das zweite Merkmal der liberalen Theologie ist (GWE II,177,90). Den
Inhalt so zu gewinnen ist aber unmöglich, weil historisches Wissen nur wahrscheinlich sein kann. Deshalb kann Tillich auch sagen:

> Mein Einwand gegen die ganze liberale Theologie, Harnack eingeschlos-
> sen, ist, dass sie keine wirkliche systematische Theologie entwickelt
> hat. Sie hat in verkehrter Weise den Glauben auf die Ergebnisse der
> historischen Forschung gegründet. (GWE II,184)

Die Ursache dafür sieht Tillich darin, dass man meinte, Kant für eine "Rückzug von
der Ontologie auf die Moral" ausnützen zu können, was nach Tillich jedoch "eine
Selbsttäuschung" ist, weil man nicht auf alle ontologischen Fragen verzichten kann
(GWE II,179). Das Ergebnis ist stattdessen eine Kapitulation vor einer naturali-
stisch-bürgerlichen Weltanschauung, die ein Reden von Gott im Zusammenhang mit Wirk-
lichkeit-Natur-Geschichte nicht zulässt (vgl. 4.1.2).

184

Die Gottheit Gottes liegt eben darin, dass er die letzte, unbedingte Macht des Seins ist. Dass sie ihm diese Seite genommen hat, ist der schwächste Punkt in der Theologie der Ritschlianer. (GWE II,181, vgl. GW XII,155)

Damit hängt zusammen, dass man "in Uebereinstimmung mit der Aufklärung, dem Kantianismus und der gesamten humanistischen Tradition" die Symbole des göttlichen Zorns und des göttlichen Gerichts nicht verstehen kann, dass die Liebe Gottes ausserhalb der Polarität von Macht und Liebe verstanden wird (GWE II,180f) und mit "einer ethisch verstandenen Liebe" gleichgesetzt wird, was aber folgenschwer war.

Das führte zu einem ethischen Theismus, der das göttliche Mysterium und die Majestät Gottes fast gänzlich vernachlässigte. Die Vorstellung von Gott als Macht des Seins wurde als Einbruch heidnischen Denkens verworfen. Damit war die Symbolik der Dreieinigkeitslehre aufgelöst, das Reich Gottes auf das Ideal einer ethischen Gemeinschaft beschränkt. Die Natur wurde ausgeschlossen, weil die Macht ausgeschlossen wurde, und die Macht wurde ausgeschlossen, weil die Seinsfrage ausgeklammert blieb. Denn nur wenn die Frage nach dem Sein gestellt wird und Begriffe wie Liebe und Macht im Lichte der ontologischen Frage gesehen werden, tritt die Einheit ihrer Grundbedeutung hervor. (GW XI,150/1954/)

Von der Auseinandersetzung mit dieser Gleichsetzung führen Linien zu der Darstellung der Theologie Tillichs im folgenden. Das Ergebnis der Ritschlschen Theologie ist nach Tillich eine sozialethische Verwirrung (GW XI,150) die der religiöse Sozialismus zu überwinden sucht. Die Auseinandersetzung mit den ethischen Theismus taucht in "Der Mut zum Sein" an zentraler Stelle wieder auf (GW XI,135f/1952a/). Weil Ritschl aber jede Möglichkeit zu Identität verneint, gibt es bei ihm ein deutliches supranaturalistisches Element (GW XII,151-154), während Tillich in der Systematischen Theologie den Gegensatz von Naturalismus und Supranaturalismus zu überwinden versucht (ST II,11ff). Ebenso kann Tillichs Auseinandersetzung mit dem "theologischen" Theismus mit ihren harten Anschuldigungen (GW XI,136) als gegen Ritschl gerichtet gedeutet werden.

Wenn man diese Auseinandersetzung mit Ritschl mit Tillichs Behandlung der Erlanger Schule und vor allem Martin Kählers vergleicht, ist es auffallend, dass die letzteren nach Tillich trotzdem das "Grundproblem, mit dem die moderne Theologie noch immer ringt", nämlich das Problem der Reichweite der Erfahrung, sehen (GWE II,174). Tillich scheint der Auffassung zu sein, dass sie irgendwie doch auf dem rechten Weg sind auch wenn sie die historisch-kritische Sicht auf die Bibel nicht durchdacht hatten und nicht recht bejahen konnten, d.h. die humanistische Tradition in ihrem Versuch einer Synthese nicht bejahen konnten - und im Grunde auch nicht die existentielle Entfremdung und das simul iustus et peccator der Rechtfertigungslehre ernst nahmen (ST I,53,56-58).

4.2. Das protestantische Prinzip.

In 4.1 wurde Tillichs Denken als eine Bearbeitung von Tendenzen im Denken des 19. Jahrhunderts beschrieben. Dabei wurde Material aus verschiedenen Zeiträumen dieser Bearbeitung verwendet. Auch im weiteren soll nicht der Entwicklung im Denken Tillichs chronologisch genau gefolgt werden. Eine solche Darstellung würde voraussichtlich mit der Religionsphilosophie Tillichs und ihrer Verbindung mit dem mehr optimistischen religiösen Sozialismus Tillichs beginnen um dann zu beschreiben, wie dieser Optimismus in der Mitte der zwanziger Jahre erschüttert wird, und wie sich Tillichs Denken daraufhin verändert und vertieft durch eine immer breitere Verwendung des protestantischen Prinzips, das in Relation zu dem "Dämonischen" gesehen wird. [166] Darauf würde dann Tillichs Denken nach der Emigration und bis zur Systematischen Theologie beschrieben werden.

Da mit diesem Teil der Abhandlung beabsichtigt wird, den Hintergrund für Barths und Tillichs Denken zu zeichnen und der Entwicklung ihres Denkens so zu folgen, dass hervorgeht, wie und in welchem Zusammenhang sie die in Kap. 2 skizzierte Problematik bearbeiten, werde ich die skizzierte Disposition so modifizieren, dass ich zuerst das protestantische Prinzip im Denken Tillichs darstelle und der Entwicklung dieses Denkens bis zur Emigration folge; dem folgt die Darstellung seines religiösen Sozialismus und dessen Entwicklung und schliesslich, wie diese Gedankengänge von Tillich in Amerika aufgegriffen und weiterentwickelt werden, vor allem in der Systematischen Theologie.

4.2.1. Die Unformung eines Kählerschen Gedankens.

Aus 4.1.4 geht hervor, dass Tillich Martin Kähler nicht nur als einen Lehrer auffasste, sondern dass ihm auch Kählers Vermittlungsversuch ergiebiger als Ritschls erschein, obwohl Kählers Versuch, nach Tillich, die historische Kritik auf verhängnisvolle Weise zu leicht nahm und damit die Forderung der humanistischen Tradition nach Autonomie nicht ganz bejahen konnte.

Kählers "Kerngedanke" war

> die Rechtfertigung durch den Glauben, der Gedanke, der den Protestantismus vom Katholizismus trennt und das sogenannte materiale Prinzip der protestantischen Kirche wurde, wobei die biblische Norm das formale Prinzip bildet. (GW VII,14/1948a/)

Dieser Gedanke des protestantischen Prinzips oder der beiden protestantistischen Prinzipien [167] war damals nicht unumstritten. Seine Entstehung und Entwicklung schien mit der Vermittlungstheologie im engeren Sinne verknüpft zu sein und er wurde von Ritschl in dessen Auseinandersetzung mit dieser Theologie ausdrücklich bekämpft (vgl. Holte 1965,150ff und zB Kattenbusch 1905,146). Tillich übernimmt den Gedanken auch nicht unverändert, und die Veränderung steht in direkter Beziehung zu Tillichs Kritik an Kähler, zu der Frage, wie das radikale Fragen (die Autonomie) bejaht werden kann.

> Unter seinem /Kählers/ Einfluss entwickelte eine Gruppe älterer Studenten und jüngerer Dozenten auf verschiedenen Wegen ein neues Verständnis des protestantischen Prinzips. Der Schritt, den ich selber in diesen Jahren tat, war die Einsicht, dass das Prinzip der Rechtfertigung durch den Glauben sich nicht nur auf das religiös-moralische, sondern auch auf das religiös-intellektuelle Leben bezieht. Nicht nur der, der in der Sünde ist, sondern auch der, der im Zweifel ist, wird durch den Glauben gerechtfertigt. (GW VII,14, vgl. GWE II,126f,175f)

Diese "Einsicht" und die daraus folgenden Gedanken waren für Tillich persönlich von grosser Bedeutung und sollten es auch verbleiben.

> Zur Zeit ihrer Entdeckung, und seitdem fortdauernd, vermittelten sie mir persönlich ein starkes Gefühl der Befreiung. (GW VII,15, vgl. Zitat oben 16)

Wenn man so will, so kann man dies als den existentiellen Hintergrund für Tillichs Suche nach einer Synthese betrachten. Als Glaube kann Tillich nur einen Glauben bezeichnen, der die Forderung nach Autonomie in sich aufnehmen kann, einen Glauben der das radikale Fragen, den Zweifel in sich aufnehmen kann. Das verbleibt der Hauptgedanke in Tillichs Verfasserschaft, auch in "Der Mut zum Sein" und in der Systematischen Theologie.

4.2.2. Religionsphilosophische Konsequenzen.

Im Vorwort zu "The Protestant Era" betont Tillich, dass seine religionsphilosophische Arbeit in den zwanziger Jahren als ein Versuch angesehen werden muss, die Konsequenzen des neugewonnenen Verständnisses des protestantischen Prinzips zu durchdenken (GW VII,15f). Ist man einmal darauf aufmerksam gemacht worden, dann erkennt man schnell, welche zentrale Rolle dieses Prinzip in jenen Schriften spielt, und wie für Tillich das Durchdenken dieses Prinzips mit der Aufgabe der Suche nach einer Synthese zusammenfällt. So zB in dem Aufsatz "Die Ueberwindung des Religionsbegriffes in der Religionsphilosophie" von 1922.

Nach diesem Aufsatz erhebt die Religion vier Einwände gegen den Religionsbegriff. Sie besagen, dass ein Denken, das vom Religionsbegriff bestimmt wird, das Ich, die Welt, die Kultur und die Religionsgeschichte als gewiss voraussetzen. Gott und Got-

tes Handeln ist das Ungewisse. Für dieses Denken ist die Frage der Religion, ob man
von dem aus, was man als gewiss aufgefasst hat, zu Gewissheit über Gott und sein Handeln gelangen kann. Nach Tillich steht die Religionsphilosophie im Abendland in allen ihren drei Perioden - der rationalen, der kritischen und der intuitiven - unter
der Herrschaft des Religionsbegriffes. Aber die Religion muss gegen den Religionsbegriff protestieren, wenn sie aus Gnade und nicht aus dem Gesetz leben will. Zwei
längere Zitate aus Tillichs Resümee zeigen dies deutlich:

> Unter der Herrschaft des Religionsbegriffs gründet sich die Offenbarung
> auf das autonome Geistesleben, sei es im Sinne einer offenbarten Vernunft-
> religion, sei es im Sinne der Religionsgeschichte. Dadurch wird die ab-
> solute Tat Gottes zu einer relativen Entwicklung des religiösen Geistes.
> Die Religion aber will nicht Religion, auch nicht absolute Religion, son-
> dern sie will Erlösung, Offenbarung, Heil, Wiedergeburt, Leben, Vollen-
> dung, sie will das unbedingt Reale, sie will Gott. Und sie nennt wahre
> Religion die, in welcher Gott sich gibt, und falsche die, in welcher er
> vergeblich gesucht wird. - Der Religionsbegriff aber kann derartige Un-
> terschiede nicht anerkennen, auch nicht in der verhüllten Form von erleb-
> barer und nicht erlebbarer Religion. Der Religionsbegriff macht gleich,
> bringt Göttliches und Menschliches auf eine Ebene.
>
> Es wird eine Kultur, die die Beziehung auf das Unbedingte verloren hat, ein
> Denken, das nichts mehr weiss von Inspiration als dem Durchbruch der unbe-
> dingten Realität, ein Anschauen, das nichts mehr weiss vom Mysterium des
> Grundes in den Formen der Dinge, ein Handeln, das ohne Gnade dem Gesetz
> verfallen ist, eine Gemeinschaft, die fern ist von dem Durchbrechen der
> unbedingten Liebe - das auf der einen Seite - und eine Religion, die aus
> all diesen Begriffen supranaturale Gesetze, Objektivierungen der Paradoxie,
> Verendlichungen des Unbedingten gemacht hat: das ist der Zustand des Geis-
> tes unter der Herrschaft des Religionsbegriffs. (GW I,382/1922a/)

In den Anklagen des zweiten Zitats, gegen den Naturalismus und den Supranaturalismus
(vgl. GW I,381), die beide Gefangene des Religionsbegriffes genannt werden, wird auch
angedeutet wie Tillich beide überwinden will, ein Streben, das nach Tillichs Meinung
auch für die spätere Systematische Theologie entscheidend ist. Dieses Streben wird
bereits in der Einleitung des Aufsatzes angedeutet:

> "Religion" ist der Begriff einer Sache, die eben durch diesen Begriff zer-
> stört wird. Und doch ist er unvermeidlich; es käme also darauf an, ihn so
> zu verwenden, dass er einem höheren Begriff untergeordnet wird, der ihm sei-
> ne zerstörende Kraft nimmt. Das aber ist der Begriff des Unbedingten.
> (GW I,368)

Damit wird der Begriff "Religion" zweideutig, aber es wird möglich und wichtig, die
Paradoxie, die der Begriff der Religion enthält und den Protest den jede Religion
gegen das Religiöse in sich selbst richtet, philosophisch [168] zu beschreiben. Man
muss also, nach Tillich, so von dem Unbedingten reden, dass es nicht in die Gegen-
standswelt eingereiht wird, dass es nicht in das Bedingte aufgelöst wird (GW I,379,
377). Die Paradoxie kann nicht aufgelöst werden.

Und doch kann die Religion nicht anders, als mit diesen Begriffen arbeiten; sie muss vergegenständlichen, um aussagen zu können; dass sie gegenständlich aussagen will, ist ihre Heiligkeit; dass sie gegenständlich aussagen muss, ist ihre Profanität. (GW I,382)

Die Paradoxie wäre aber aufgelöst, wenn die Religion ohne das leben würde, was an andere Stelle das protestantische Prinzip genannt wird. In diesem Aufsatz wird es so ausgedrückt:

Es ist nun aber die Eigenschaft jeder lebendigen Religion, dass sie eine ständige Opposition gegen das Religiöse in ihr in sich trägt. Der Protest gegen die Vergegenständlichung ist der Pulsschlag der Religion. Erst wo er fehlt, ist nichts Absolutes mehr in ihr, ist sie ganz Religion, ganz Menschliches geworden. (GW I,383)

Das protestantische Prinzip besagt aber nicht, dass man durch Protest gerechtfertigt wird, sondern durch Gnade. So endet der Aufsatz mit einem Abschnitt über die Dialektik der Autonomie. Tillich nennt hier seine eigene Methode "kritisch-intuitiv" (Suche einer Synthese!):

Sie ruht auf dem Boden der kritischen Methode; sie geht aus von den Funktionen des Geistes als den Formen aller Gegebenheit. Aber sie wendet sich auf sich selbst zurück und sieht, dass all diese Formen mehr als leere Formen nur dadurch sind, dass sie erfüllt sind mit dem Gehalt eines Unbedingt-Wirklichen, das jeder Einzelform, wie der Totalität aller Formen unerfassbar ist. (GW I,385f)

Der Protest wird bejaht aber es kann ihm keine formale Unbedingtheit beigemessen werden:

Die autonome Form ist Gesetz. Mit dem Gesetz kann man technisieren und rationalisieren, aber unter dem Gesetz kann man nicht leben. Wo das Unbedingte in keiner anderen Weise erfasst wird, als in der unbedingten Geltung der logischen oder ethischen oder ästhetischen Form, da tötet er das Leben. (GW I,387)

Der Protest ist dazu da, das Paradox am Leben zu erhalten, damit das Wirken der Gnade nicht erzwungen, nicht durch Prästationen ergriffen, sondern gesehen werden kann.

Es ist die Methode des Paradox, der ständigen Durchbrechung und Aufhebung der Form zu Gunsten des Wirklichen in ihr. Nicht Formlosigkeit, nicht fremde Formherrschaft darf die kritische Form durchbrechen; das wäre verzicht auf Methode, d.h. auf Philosophie; sondern bei vollem Ja zur autonomen, kritischen Form soll der Gehalt des Unbedingten hervorbrechen und zerbrechen, nicht formlos, sondern paradox. Leben in dieser höchsten Spannung ist Leben aus Gott. Anschauen dieser unendlichen Paradoxie ist Denken über Gott, und wenn es methodisch wird, Religionsphilosophie oder Theologie. (GW I,386)

Nach dieser relativ ausführlichen Behandlung des Artikels von 1922 reicht es nun mit Andeutungen, die zeigen, dass das protestantische Prinzip auch in Tillichs weiterem Denken zentral ist.

189

In Tillichs 1925 veröffentlichten Beitrag "Religionsphilosophie" zu dem von Max Dessoir herausgegebenen Lehrbuch der Philosophie wird das protestantische Prinzip an
entscheidenden Punkten explizit behandelt.

Im Abschnitt "Glaube und Unglaube" wird wie 1922 "die Richtung auf das Unbedingte"
Glaube genannt. Dass das Unbedingte als solches nie Gegenstand sein kann, und dass
deshalb der einzige Zugang zu ihm über das Verhältnis zu "gewöhnlichen" Gegenständen
führt, wird jetzt, vielleicht noch prägnanter, folgendermassen ausgedrückt:

> Es gibt ein gläubiges theoretisches und praktisches Verhalten, aber es gibt
> kein gläubiges Verhalten an sich. Jeder Akt des Glaubens ist eine aufneh-
> mende oder gestaltende Wendung zum Unbedingten. (GW I,331/1925/)

Dasselbe wird auch mit Hilfe des Wortes "Symbol" gesagt:

> Glaube ist Richtung auf das Unbedingte im theoretischen und praktischen Ak-
> te; nun aber kann niemals das Unbedingte als solches Gegenstand sein, son-
> dern nur Symbol, in dem das Unbedingte angeschaut und gewollt wird. Glaube
> ist Richtung auf das Unbedingte durch Symbole aus dem Bedingten hindurch.
> Jeder Glaubensakt hat also einen doppelten Sinn: er richtet sich unmittel-
> bar auf ein heiliges Objekt. Aber er meint nicht das Objekt sondern das
> Unbedingte, das in dem Objekt symbolisch ausgedrückt ist. (GW I,331f)

Nach der Konfrontation dieser - theonomen - Auffassung vom Glauben mit den autonomen
und heteronomen ungläubigen Haltungen, folgt dann der direkte Hinweis auf das protestantische Prinzip.

> Mit dieser Einsicht in das Wesen des Glaubens sind die Probleme "Glaube
> und Wissen", "Glaube und Werke" gelöst. Beide Probleme entstammen dem
> Gegensatz von Autonomie und Heteronomie, und beide Probleme sind gelöst
> in der Theonomie /.../ - Der Glaube ist das Prius des Erkennens und des
> sinnerfüllten Handelns. Erkennen und Handeln ohne Glaube ist leer und
> realitätslos. Ein Glaube aber, der durch die Anerkennung einer bestimm-
> ten Form im Erkennen und Handeln begründet werden soll, ist ein Gesetz,
> das unerfüllbar ist, die Wahrhaftigkeit und die Liebe zerbricht, und dar-
> um zum Kompromiss oder zur Verzweiflung führt. - Die Reformation hat von
> dem Gesetz des Handelns befreit; spät katholischen Heteronomie befreit; sie
> hat der Geisteslage entsprechend das Gesetz des Erkennens unangetastet
> gelassen; der moderne Protestantismus hat von dem Gesetz des Erkennens be-
> freit, aber in die Leere der ungläubigen Autonomie geführt. Der Sinn ei-
> ner kommenden Theonomie ist es, gläubig zu sein in der autonomen Form des
> Erkennens und Handelns. (GW I,332f)

Eine weitere zentrale Stelle ist der Abschnitt "Die religiösen Grundrichtungen", in
dem die sakramentale Richtung der theokratischen oder reformatorischen gegenübergestellt wird. In letzterer Richtung wird der anti-dämonische Kampf aufgenommen.

> Das Göttliche ist die unendliche Forderung. (GW I,342)

Aber die Theokratie bejaht nicht nur und nicht in erster Linie die Gesetzesform sondern den auch im Gesetz gegenwärtigen Gott.

In der vollendeten, sittlichen Theokratie ergibt sich daraus die ungeheure Spannung zwischen der unbedingten Forderung und der bedingten dämonisch
beherrschten Wirklichkeit, aus der die Erscheinungen der religiösen Verzweiflung und die Durchbrüche der Gnadenreligion als Synthesis von theo-
kratischer und sakramentaler Richtung folgen. Das theokratisch-reformato-
rische Prinzip ist also das eigentlich Bewegende in der Religionsgeschichte. Aus ihm kommt die Zersetzung des Sakramentalismus, aus ihm der Durchbruch zur Synthesis der Gnadenreligion, während die sakramentale Geisteslage auch in ihrer mystischen Auflösung die ruhende Basis darstellt, von
der alle Bewegungen ausgehen, die nie ganz verlassen werden kann und zu
der in paradoxer Synthesis alle Bewegungen zurückkehren. (GW I,342f)

Ähnliche Wendungen und auch direkte Hinweise zum "paradoxen Begriff der 'Rechtferti-

gung aus Glauben'" tauchen ausserdem in dem Abschnitt "Der Kultus" (GW I,359) auf.

Auch wenn es sich zeitlich und im Blick auf das Thema um eine Erweiterung handelt,

so will ich doch diesen Abschnitt mit dem Hinweis darauf abschliessen, dass sich das

"echt Protestantische" auch in Tillichs Antrittsvorlesung als Professor der Philoso-

phie in Frankfurt finden lässt. Diese philosophische Vorlesung ist besonders inte-

ressant im Zusammenhang dieser Abhandlung. Tillich beschreibt und behandelt dort

unter der Rubrik "Philosophie und Schicksal" die hier in Kap. 2 beschriebene Proble-

matik auf eine Weise, die der meinen sehr ähnlich ist, und in der die Aufgabe, die

existentialistische Revolte zu bejahen und die zentrale Funktion des protestantischen

Prinzips in Tillichs Lösungsversuch deutlich hervortreten.

Der Ausgangspunkt der Vorlesung ist der Frage nach dem Verhältnis von Schicksal und

Freiheit. Sie wird so expliziert:

Gilt auch für uns der Satz, dass Erkenntnis schicksalslos ist, weil das
Sein jenseits des Schicksals steht? Ist für uns das Sein schicksalslos,
auf das sich die Erkenntnis richtet? Ist die Wahrheit schicksalslos?
Können wir sagen, dass sowohl Denken als auch Sein schicksalslos sind,
oder ist die Wahrheit dem Schicksal unterworfen? Und wenn sie im Schicksal steht, was bedeutet es für sie? Wie sieht Wahrheit aus, die im Schicksal steht? Wie schicksalsgebundene Erkenntnis? Und welche gewaltigen
Wandlungen muss die Philosophie erlebt haben, in welchem Schicksalswandel
muss sie selbst gestanden haben, damit sie den Weg gehen konnte von der
schicksalslosen zur schicksalsgebundenen Wahrheit? (GW IV,23/1929/)

Um die Fragen zu verstehen, muss man auf das, was Tillich über den Begriff des

Schicksals sagt, hören:

Schicksal ist die transzendente Notwendigkeit, in die die Freiheit verflochten ist. Darin liegt ein dreifaches: zuerst dies, dass Schicksal
bezogen ist auf Freiheit. Wo keine Freiheit, da ist kein Schicksal, da
ist nur Notwendigkeit /.../

Zweitens besagt Schicksal, dass ein Freies einbezogen ist in die Notwendigkeit /.../ Nur derjenige, dessen Freiheit absolut wäre, hätte kein Schicksal /.../

Drittens besagt Schicksal, dass Freiheit und Notwendigkeit nicht getrennt sind, sondern dass in jedem Moment schicksalhaften Geschehens Freiheit und Notwendigkeit sich durchdringen /.../ (GW IV,23f)

Nun deuten bereits die letzten einleitenden Fragen an, in welcher Richtung Tillich die Antworten auf die ersten Fragen sucht. Ein Schlüsselsatz in der Darstellung ist:

Aber der Anspruch der modernen Philosophie, jenseits von Schicksal und Freiheit zu stehen, wurde durch ihre eigene Geschichte widergelegt. (GW IV,30)

Dieser Satz zielt auf das ab, was in 4.1.3 als die existentialistische Revolte geschildert wurde. Männer wie Schelling, Feuerbach, Marx, Nietzsche, James, Freud und Jung, durch "die grossen französischen und russischen Romanschriftsteller und Dichter" unterstützt, entdeckten "die nichtrationale Schicht des Seienden und des Denkens" wieder:

Jede dieser Richtungen stellte mit neuer, immer gesteigerter Eindringlichkeit die Frage nach der geschichtlichen Existenz, der Schicksalsgebundenheit des Denkens. Nur die Schulphilosophie vernahm die Frage nicht. Sie wiegte sich mit Erkenntnistheorie und Morallehre in das Gefühl schicksalsloser Geborgenheit. Aber die Frage ist unentrinnbar an uns gestellt. (GW IV,31)

Wie aber ist die Frage zu beantworten? Für Hegel liegt die Wahrheit im Schicksal - aber nur in der Zeit vor Hegel.

War einmal das Schicksal zugegeben, wie konnte es vor dem Hegelschen Denken haltmachen? /.../ War nicht vielleicht, so konnte man fragen, der Volkswille oder der Machtwille der Klassen oder waren die Triebtendenzen der Seele das Ueberlistende und die Idee das, was die vitalen Mächte benutzten, um sich durchzusetzen? (GW IV,32)

Aber eine allgemeine Ideologielehre aufrechtzuerhalten ist unmöglich, denn wie sollte diese Lehre Anspruch auf Wahrheit erheben können, darauf, dass sie sich nicht selbst relativiert? So suchen "alle Irrationalisten" einen festen Punkt. Marx im Proletariat, die Psychoanalytiker in der völlig analysierten Persönlichkeit, die Vertreter des Vitalismus in dem stärksten Leben, einer Rasse und dergleichen. Aber wie kann man dort das Schicksal zum Stillstand bringen? Gibt es etwas, wovor das Schicksal halt macht? Hier greifft Tillich auf das protestantische Prinzip zurück, auf den Protest gegen jede Vergegenständlichung in der Gewissheit auf Gnade.

Schicksal ist nicht wahrheitsfremd, es betritt nicht nur den Vorhof der Philosophie, sondern lässt auch das Heiligtum selbst nicht unberührt. Selbst in das Heiligtum der Philosophie, in die Wahrheit als solche, dringt das Schicksal ein und macht nur halt vor dem Allerheiligsten: der Gewissheit nämlich, dass das Schicksal göttliches und nicht dämonisches Schicksal ist, dass es sinnerfüllend und nicht sinnzerstörend ist /.../ diese Gewissheit, die das Innerste des Christentums ist /.../

Aber die Wahrheit, der transzendente Sinn selbst, ist nicht ein Gedanke, mit dessen Hilfe sich eine schicksalsfreie Philosophie schaffen liesse.

Sie steht, wie es echt protestantischem Geiste entspricht, jeder Verwirklichung unbedingt gegenüber. Sie ist die "Rechtfertigung" des Denkens,
das, wovon aus das Denken seine unbedingte Grenze, aber auch sein unbedingtes Recht empfängt. (GW IV,33f)

Auch wenn Tillich hier nicht diese Ausdrücke verwendet, so behauptet er doch implizit, dass man über Rationalismus und Irrationalismus hinausgelangen muss, um dem
Schicksal Einlass in das eigene Denken geben zu können. Aber dann ist die Trennung
von Idee und Existenz aufgehoben. Auch wenn das Denken "aus jeder gegebenen existentiellen Situation herausspringen und etwas Neues schaffen kann", bleibt es ein Teil
der Existenz und schicksalsgebunden. Und so kann es die Wahrheit haben, die nur dem
offen ist, der mit ihr im Schicksal steht. Ja, es kann sie desto mehr haben, je
tiefer es das Schicksal versteht, das eigene und das gesellschaftliche. (GW IV,34f).

Wer Tillichs Systematische Theologie gelesen hat weiss, dass diese Synthese jenseits
von Rationalismus und Irrationalismus nur im Neuen Sein, in Jesus als dem Christus,
möglich ist. (ZB ST I,186) [168a] Tillich versucht in seiner philosophischen Vorlesung nicht etwa zu beweisen, dass das Schicksal gezwungen sei, vor dem Innersten
des Christentums haltzumachen; die Gnade kann nicht bewiesen werden. Aber er beschreibt die Bedingungen des philosophischen Denkens so, dass sie in einer Frage enden, die nach dieser Antwort verlangt.

4.2.3. Protestantische Gestaltung.

Im Vorhergehenden wurde Tillichs Reflexion über das protestantische Prinzip und dessen Implikationen so dargestellt, als ob Tillich dieses Prinzip als Instrument verwendet beim Erschaffen einer Synthese, deren Herstellung er als Aufgabe der Theologie ansah. Dabei wurde Tillich als abstrakt Denkender dargestellt, was zweifellos
stimmt. Doch soll das Bild von Tillich als Denker korrekt sein, so muss auch beschrieben werden, dass er sein Denken als eng verbunden mit einem persönlichen, kulturellen und religiösen Anliegen betrachtete.

Ausgangspunkt für eine solche Beschreibung kann der erste Abschnitt jener Darstellung der Entwicklung seines eigenen Denkens sein, die Tillich für "The Protestant
Era" schrieb:

> Seit meinen ersten Jahren als Student der protestantischen Theologie habe
> ich stets versucht, den Protestantismus sowohl von aussen als auch von in-
> nen zu sehen /.../ Keiner der in diesem Band enthaltenen Aufsätze betrach-
> tet die Lage des Protestantismus rein faktenmässig und statistisch, sondern
> jeder verrät das Anliegen des Autors und sein aktives Mitbetroffensein.
> (GW VII,11/1948a/)

Seine Ausrichtung auf den Protestantismus und dessen Probleme ist besonders deutlich in einigen Aufsätzen von 1928-1929, die dann in den beiden bekanntesten Büchern Tillichs vor der Systematischen Theologie, nämlich in "Religiöse Verwirklichung" 1930 und "The Protestant Era" 1948 ("Der Protestantismus. Prinzip und Wirklichkeit", 1950) eine zentrale Rolle spielten. Diese Artikel bedeuteten eine Konkretion gegenüber der konkreten Situation des Protestantismus und damit ihrer Gegenwart. Diese Ausrichtung auf die Gegenwart wird durch Tillichs Reflexion über Prinzip und Wirklichkeit des Protestantismus erweitert und motiviert. Die Motivierung erscheint in dem Programm "Gläubiger Realismus", die Erweiterung kommt dadurch zustande, dass Tillich das protestantische Prinzip nicht nur für das Verstehen und Beeinflussung der protestantischen Wirklichkeit verwendet, sondern für die gesamte gegenwärtige Wirklichkeit:

> Und doch gibt es ein protestantisches Prinzip, das ebenso lebendig und wirksam ist, wie die protestantische Verwirklichung vieldeutig und fragwürdig ist. Die gesamte neuere Geschichte, die Gestaltung der Welt nach allen Richtungen ist wesentlich mitbestimmt durch die verborgene Wirkung dieses Prinzips. (GW XIII,96/1930/)

Man kann über die Ursachen für diesen speziellen Charakter dieser Aufsätze nachdenken. Bedeuten sie ein Weiterdenken oder explizieren sie vielmehr etwas, was bereits implizit vorhanden war? Vielleicht ist diese Konkretisierung notwendig für ein Denken, das, wie wir bereits gesehen haben, betont, dass die Wahrheit "nur dem offen ist, der mit ihr im Schicksal steht" (GW IV,35/1929/). Vielleicht hängt ihr Charakter mit dem Beginn der dreissiger Jahre zusammen, damit, dass das frühere doch ziemlich optimistische Kairos-Erlebnis problematisch zu werden beginnt. Vielleicht hängt er damit zusammen, dass Tillich als etablierter Professor mehr dazu aufgefordert wird, - und es auch selber will - seine Gedanken zu erklären.

Tillichs Vortrag auf der Aarauer Studentenkonferenz im März 1928 veranschaulicht einmal, wie das frühere Denken im Verhältnis zu der protestantischen Wirklichkeit gedacht ist, und zum anderen, wie sich daraus die Frage nach einer Gestaltung aufdrängt.

In "Die protestantische Verkündigung und der Mensch der Gegenwart" will Tillich (natürlich) zeigen, dass der (richtig interpretierte) Protestantismus die Antwort auf das (richtig verstandene) Problem des modernen Menschen ist. Der Mensch der Gegenwart ist, nach Tillich, nicht einfach der gegenwärtig lebenden Mensch, auch nicht, der Durchschnittsmensch, sondern, er ist

> der durch die Gegenwart bestimmte und seinerseits die Gegenwart bestimmende Mensch, der Mensch, der der Gegenwart ihr Gesicht gibt (GW VII,70/1928/).

Dann kann er so charakterisiert werden:

194

Er ist der autonome Mensch, der in seiner Autonomie unsicher geworden ist. (GW VII,70, im Original hervorgehoben)

Menschsein ist, nach Tillich, eine "Erhebung über das blosse Dasein", ein "Stehen in der Freiheit /.../ ja oder nein zu sagen zum Dasein". Es ist von einer "Unentrinnbarkeit der Freiheit, des Entscheidenmüssens" geprägt. Damit steht jedoch der Mensch in einem unentrinnbaren und verhängnisvollen Forderungszusammenhang:

> Der Mensch aber muss fragen und muss fordern; er kann diesem seinem Schicksal, das heisst dem Schicksal, Mensch zu sein, nicht entgehen /.../
>
> Das Unentrinnbare der Freiheit würde uns nicht bedrohen, wenn es für unser Sein letztlich gleichgültig wäre, ob wir uns so oder so entscheiden. Das Stehen in der Freiheit bedeutet aber, dass es nicht gleichgültig ist, dass vielmehr der unbedingte Anspruch über uns steht, das wahre Sein zu erfassen, das Gute zu verwirklichen. Wird dieser Anspruch nicht erfüllt - und es wird ja nicht erfüllt -, so wird unsere Existenz in die Zwiespalt getrieben, in die verborgene Qual jedes Lebens, von der auch der Tod nicht befreien kann. Wo diese Situation in ihrer Unbedingtheit, Unentrinnbarkeit erfassen wird, da ist die menschliche Grenzsituation erfasst. (GW VII,75f)

Was den Menschen der Gegenwart auszeichnet ist also sein besonderes Bewusstsein davon, dass der Anspruch nicht erfüllt wird, und dass seine Existenz dadurch in den Zwiespalt getrieben wird. Die existentialistische Revolte hat seine Autonomie verunsichert.

> Auch der Mensch der Gegenwart - und gerade er - weiss um die menschliche Zweideutigkeit. Er kennt die Zerrüttung des Innenlebens, die Zerspaltung seines Handelns, die dämonische Besessenheit seiner seelischen und gesellschaftlichen Existenz. Und er weiss, dass mit seinem Sein auch sein Erkennen hineingerissen ist in das Chaos und die Wahrheitslosigkeit, ja in die dämonische Verzerrung und Verhinderung der Wahrheit und fast noch mehr im sozialen als im seelischen Leben. Und in dieser Situation, in der die meisten der traditionellen Werte und Formen zerbrechen, wird er bis an den Abgrund der völligen Sinnlosigkeit getrieben, der ihn einzusaugen droht mit seinem dämonischen und doch faszinierenden Antlitz. Und auch das weiss der Mensch der Gegenwart, dass diese seine Lage nicht das Ergebnis einer mechanischen Notwendigkeit ist, sondern ein Schicksal, das Freiheit und Schuld in sich begreift. Wo er das aber weiss, da steht er in der Nähe der Grenzsituation, die der Protestantismus verkündet. (GW VII,79)

Nach Tillich ist es nun aber wichtig, zu verstehen, dass die protestantische Kirche in dieser Situation nicht den Menschen der Gegenwart von dem Leben in der Grenzsituation befreien soll. Die katholische Kirche kann "die Befreiung von der Last autonomer Verantwortung und das Anerbieten uralter, einst eigener Lebenssubstanz" bieten. Ihr Angebot einer Antwort ist "eine konsequent durchgeführte Heteronomie". (GW VII,72) Nach Tillich ist das allerdings keine Antwort, sondern eine Flucht. Die Aufgabe der protestantischen Verkündigung aber ist "nicht die Verteidigung des religiösen Gebietes sondern die Verkündigung der Grenzsituation" sie muss "auf das radikale Durchleben der Grenzsituation dringen"(GW VII,78,80). Die protestantische Kirche "hat nicht die Aufgabe und das Recht, auf dem Felde der streitenden Weltan-

195

-schauungen zu kämpfen" (GW VII,78), sondern sie muss alle Reste der Weltanschauung-
en, idealistische wie materialistische, als zweifelhafte Sicherungen gegenüber der
Grenzsituation, als Ideologien, entlarven.

> Sie muss dem Menschen der Gegenwart die heimlichen Vorbehalte nehmen, die
> ihn hindern, sich mit unbedingter Entschlossenheit an die Grenze seiner
> menschlichen Existenz zu stellen. (GW VII,80)

So weit ist jedoch die protestantische Verkündigung nichts anderes als ein Verstär-
ken der Unsicherheit des gegenwärtigen Menschen in seiner Autonomie, nicht mehr als
ein Bejahen der radikalen Ideologiekritik und ihrer Entsprechungen wie zB die Kritik
des Naturrechts. In protestantischer Terminologie heisst das, Verurteilung jedes
Versuches einer Rechtfertigung durch das Gesetz, heisst aber noch nicht, Verkündigung
der Gnade. Aber ebenso wie für die Reformatoren contritio der richtige Kontext für
das Reden von der Gnade war, so ist nach Tillich heute die Grenzsitutation der richtige Kontext:

> Zweitens muss die /die protestantische Verkündigung/ sprechen von dem Ja,
> das in der unbedingt ernst genommenen Grenzsituation über den Menschen er-
> geht. Sie muss reden von dem Urteil, das uns sicher spricht, indem es uns
> jede Sicherung wegschlägt, das Urteil, das uns Heil spricht gerade in der
> Zerrüttung und Heillosigkeit der Seele und des Gemeinschaftslebens, das
> Urteil, das uns die Wahrheit zuspricht gerade in dem Chaos der Wahrheits-
> losigkeit, auch der religiösen Wahrheitslosigkeit, das Urteil, das von un-
> serem Lebenssinn zeugt, gerade in der Bedrohtheit jedes Lebenssinnes. Die-
> ses ist die Mitte, der Kern der christlichen Verkündigung. (GW VII,81f)

Das, was ermöglicht, dies "in Vollmacht" zu sagen, so dass "es nicht wieder zur Sicherung wird" - also als Wort Gottes (GW VII,41/1929a/) - ist das neue Sein, "anschaubar geworden /.../ in Jesus als dem Christus", "wirksam im Leben der Einzelper-
sönlichkeit wie auch der Gemeinschaft" und sogar, wie die Sakramente zeigen, in der
Natur. Das neue Sein aber ist nicht der Besitz der protestantischen Kirche, sondern
"Protestantismus ist, wo in der Vollmacht des neuen Seins die menschliche Grenzsituation in ihrem Nein und Ja verkündet wird", in der organisierten Kirche oder ausserhalb von ihr, mit oder ohne christliche und protestantische Symbole. (GW VII,82f)

Dieser Vortrag scheint zwei Absichten zu haben. Einmal soll er zeigen, dass "das Moderne" und "das Protestantische" nicht miteinander unvereinbar ist. Es soll also
diejenigen unsicher machen, die die Unvereinbarkeit behaupten und jene ermutigen,
die beide zusammenzuhalten versuchen. Zum anderen soll er die protestantische Verkündigung kritisieren, die, nach Tillich, sowohl sich selbst als auch die Situation
missverstanden hat. Allerdings wird sehr wenig darüber gesagt, wie die Verkündigung
"in Vollmacht" aussehen soll, die vom neuen Sein aus möglich sein soll. Es heisst,
dass sie nicht "eine direkte Verkündigung der religiösen Inhalte, wie sie in Bibel
und Tradition gegeben sind" sein kann (GW VII,80). Aber was kann sie anderes sein?

Kann protestantische Verkündigung überhaupt gestaltet werden?

Nachdem das Unbedingte, nach Tillich, nur in "gewöhnlichen" Gestalten begegnet, die also nicht das Unbedingte rein darstellen, ist das Problem der Gestaltung in seinem Denken fundamental. Verkündigung muss Wörter benutzen und muss also eine Gestalt haben, um überhaupt Verkündigung sein zu können. Jede Gestalt aber ist etwas Bedingtes, und etwas Bedingtes kann nur Symbol sein, nicht das Unbedingte besitzen. Jede Gestalt muss also von dem protestantischen Prinzip aus kritisiert werden.

> Das ist die tiefe, innere Not des Protestantismus, dass er gegen jede religiöse und kulturelle Verwirklichung, die für sich etwas sein will, das Nein sprechen muss, dass er aber solche Verwirklichung braucht, um auch nur das Nein sinnvoll sprechen zu können. (GW X,80/1926/)

Auch der Protestantismus ist, nach Tillich, ein Teil der Dogmengeschichte, die "unter diesem doppelten Geschichtpunkt des Durchbruchs und der Realisierung" gesehen werden muss (GW VIII,87/1924/) [169]. Diese Geschichte ist speziell auf Grund ihrer Zurückhaltung gegenüber jeder religiösen Gestaltung. Aber auch der Protestantismus konnte Gestaltungen nicht entbehren, und man kann Tillichs Kritik folgendermassen zusammenfassen: Der Protestantismus hat die Frage mehr oder weniger vor sich selber verborgen und nicht bedacht, was eine protestantische Gestaltung beinhalten sollte.

Daher konnte der Protestantismus nicht verhindern, dass aus dem Schriftprinzip eine neue Vergegenständlichung, die reine Lehre mit ihrem eigenen Priestertum, entstand (GW X,81). Selbst die Rechtfertigung

> die Durchbruch war, /ist/ Lehre geworden, also ein Ding, ein Gegenstand, von dem man weiss, also das, was ihrem Charakter am meisten zuwider ist: Man weiss um das, was absolut Ueberraschung, Paradoxie und Durchbruch ist (GW VIII,88).

Man verschliesst sich "in wechselseitiger Bekämpfung Schrift und Autonomie" (GW VIII, 88) und die Auflösung dieser Bekämpfung ist, wie wir gesehen haben, das Ziel Tillichs. Daher versuchte der Protestantismus auch nicht Luthers und dessen eigene Abhängigkeit von der Laisierung des mönchischen Ideals der Seelenformung zu durchschauen. So ist "die Gestaltung des persönlichen Lebens, sei es im Sinne der sittlichen Persönlichkeit, sei es im Sinne frommen Erlebens, das eigentliche protestantische Gestaltprinzip". (GW VII,46,48/1929a/) Daher verstand er auch nicht, was eigentlich geschah, als diese Gestalt profaniert wurde (GW VII,47). Er verstand nicht, dass eine Gestaltung nicht auf die "aktuelle Entscheidungssphäre des Persönlichkeitszentrums" beschränkt werden kann, da sonst das schon Entschiedene, das - seelische und soziale - Sein anderen gestaltenden Kräften geöffnet wird (GW VII,52, vgl. GW X,81 und die Kritik an Ritschl oben 4.1.4).

Diese Problematik muss durchdacht werden, und Tillich versucht es 1929 in den beiden Aufsätzen, "Der Protestantismus als kritisches und gestaltendes Prinzip" und "Protestantische Gestaltung".

In dem Aufsatz "Der Protestantismus als kritisches und gestaltendes Prinzip" unterscheidet Tillich zwischen zwei Arten der Kritik und zwischen zwei Arten der Gestaltung. Es gibt danach rationale Kritik und prophetische Kritik. Die Voraussetzung jeder rationalen Kritik ist die rationale Gestaltung, und die Voraussetzung jeder prophetischen Kritik ist eine Gestalt der Gnade. Die rationale Kritik wird nach Tillich von dem Standort des Ideals aus geübt (GW VII,29/1929a/). Sie wurzelt in der Erhebung des Geistes über das Sein. Das Gegebene wird in ihr an dem Gesuchten und dem Geforderten gemessen, und ihre Voraussetzung ist demnach "die Zerspaltung des Seins in eine Wesenschicht und eine dem Wesen entfremdete Schicht", also in Essenz und Existenz. (GW VII,30f) Nun aber muss verstanden werden, "dass alle rationale Kritik von einer gegebenen Gestalt ausgeht", wenn auch nicht als Abbild der tatsächlichen Gestalt:

> Das Ideal ist der Ausdruck der aus den Spannungen einer gegenwärtigen Gestalt sich herausringenden werdenden Gestalt. (GW VII,37)

Rationale Kritik ist so "Kritik der werdenden an der vergehenden Gestalt" (GW VII, 38). Die Spannung von Sein und Geist ist also eine Spannung innerhalb des Seins.

> Die Kritik geht vom Sein aus und wendet sich gegen das Sein. (GW VII,30)

So muss man den "Versuche/n/, den Geist vom Leben her, die Idealbildung vom sozialen und seelischen Sein her zu verstehen", zB bei Marx, Nietzsche und der Tiefenpsychologie, Recht geben (GW VII,39) [170]. Der Kritizismus ist hier ein Sonderfall, aber keine Ausnahme. Seine Kritik "setzt eine geistige und soziale Gestalt voraus, deren Wesen die Gestaltauflösung ist", also die bürgerliche Gestalt der Gesellschaft (GW VII,36 mit Anm. 12). Man darf aber nicht vergessen, dass es der Ideal-Charakter ist, der "in die Tendenzen der lebendigen, seelischen, sozialen Substanz" eingeschlossen ist. Erst wenn die Versuche, den Geist vom Leben her zu verstehen, mit dem "gereinigten kritischen Bewusstsein" zusammengeschlossen werden, kann man "zu einer angemessenen Theorie der Idealbildung, sowie der rationalen Kritik und Gestaltung" kommen. (GW VII,38f)

Soweit halten sich Tillichs Ueberlegungen innerhalb der in Kap. 2 skizzierten Problematik. Mit den Ueberlegungen zu einer prophetischen Kritik und einer Gestalt der Gnade will er aber diese Problematik sprengen.

Wenn rationale Kritik ein Vorgang innerhalb des Seins ist und auf einem "bedingten Transzendens des Geistes" beruht, so beruht nach Tillich die prophetische Kritik da-

198

-gegen "auf dem Ueberschreiten des Seins", auf dem Glauben (GW VII,31). Sie wird also von einem "Standort des Jenseits der Gestaltung" aus geübt und in ihr wird "die
Gestaltung als solche in Frage gestellt" (GW VII,29). Sie ist mit einer (kritizistischen) Kritik des "Abstrakt-Formale/n/ des Ideals" (GW VII,36) nicht identisch,
sondern sie stellt Sein und Geist in Frage (zB GW VII,31). Auch die prophetische
Kritik aber muss auf einem Sein ruhen, von dem aus sie ergeht. Dieses Sein aber
kann nicht in die Spannung von Sein und Geist hineingezogen sein. Die "Gestalt der
Gnade" kann so weder mit einer rationalen Idealgestalt (dann werde die Kritik ratio-
nal/autonom) noch mit einer "Seins-Gestalt höher Ordnung" wie der Kirche (dann werde
die Kritik heteronom) identifiziert werden. Die prophetische Kritik muss vom "Jenseits von Sein und Freiheit" aus sprechen (um theonom zu werden). (GW VII,39f)

Dass Tillichs Terminologie von einer Unterscheidung zweier Arten von Kritik und im
Zusammenhang damit zweier Typen von Gestalt bestimmt ist, darf nicht zu der Auffassung verleiten, dass es die Pointe dieses Aufsatzes ist, diese Verschiedenheiten zu
unterstreichen. Wie bereits deutlich wurde, ist es ja gerade die Pointe, zu einer
angemessenen Theorie der Idealbildung jenseits des Kritizismus und der Marx-
Nietzsche-Freud zu gelangen zu versuchen. In dieser Theorie müssen also (rationale)
Kritik und Gestaltung zusammengedacht werden. Aber noch wichtiger ist für Tillich
die Frage, wie das Verhältnis zwischen den beiden Arten von Kritik und Gestaltung
beschrieben werden kann. (Die Terminologie kann hier verwirrend werden. Von der
prophetischen Kritik/der Gestalt der Gnade aus handelt es sich hierbei um die Frage,
wie sie konkret werden können, Gestalt im eigentlichen Sinne gewinnen können. Auch
das hat also mit Gestaltung zu tun.) Letzteres ist auch von besonderem Interesse im
Zusammenhang unserer Darstellung. Es geht hier nicht nur direkt um die Frage nach
der Relation des Glaubens zu der in Kap. 2 skizzierten Problematik und darum, dass
dies in Tillichs Denken fundamental ist, sondern auch darum, dass Tillich, gerade
wenn es um diese Fragen geht, öfter als sonst sein Denken in Beziehung zu Barths
Denken setzt. Bereits 1923 hatte Tillich sich - von der Schriftleitung der Theologischen Blätter dazu aufgefordert und ausdrücklich "nur ungern" - mit Barth ausein-
andergesetzt (GW VII,216ff). Im Aufsatz von 1929 nimmt Tillich dieselben kritischen
Gesichtspunkte dann wieder auf und bezieht sie auf sein eigenes, nun teilweise wei-
terentwickeltes Denken.

Nach Tillich hat die prophetische Kritik keinen Masstab, von dem aus das Ja und Nein
verteilt werden kann, denn "das, was jenseits der Gestaltung liegt, ist keine ver-
wendbare, zum Messen benutzbare Gestalt". Die prophetische Kritik als solche verteilt also nicht Ja und Nein, "sondern sie verbindet ein unbedingtes Nein mit einem
unbedingten Ja" (GW VII,29). Damit droht aber die prophetische Kritik etwas anderes
zu werden als Kritik:

Wenn die aus dem Jenseits von Sein und Geist kommende Kritik wirklich Kritik, d.h. Kraft der Scheidung sein soll, so darf sie nicht so ergehen, dass sie Sein und Geist in abstracto in Frage stellt; ein solches Infragestellen würde zu keiner Scheidung (Krisis) führen können, würde alles beim alten lassen oder vielmehr: würde die konkrete, also wirkende Kritik dem rationalen Weg überlassen. Es stehen dann auf der einen Seite radikal negative Urteile über das Sein als solches, auf der anderen Seite findet sich letzte Gleichgültigkeit gegen die kritische Lage innerhalb des Seinskreises. (GW VII,31)

Wie "in der massgebenden alttestamentlich-prophetischen Kritik" muss so "immer konkret-rationale Kritik in die prophetische aufgenommen" werden (GW VII,31). Oder, mehr formelhaft:

Die prophetische Kritik wird konkret in der rationalen Kritik. Und die rationale Kritik bekommt durch die prophetische den Charakter der Unausweichlichkeit. Unbedingtheit /.../ In der rationalen Kritik wird die prophetische konkret. In der prophetischen Kritik erhält die rationale ihre Tiefe und ihre Grenze, ihre Tiefe durch die Unbedingtheit des Anspruchs, ihre Grenze durch die Gnade. (GW VII,32f)

Entsprechend kann die "Gestalt der Gnade" nach Tillich nicht von Gestalten innerhalb der Spannung von Sein und Geist getrennt werden. Das Sein von dem aus die prophetische Kritik ergeht muss freilich das "Jenseits von Sein und Freiheit" sein, aber wenn die prophetische Kritik wirklich Kritik sein soll, so muss sie von einer Gestalt ausgehen, und diese Gestalt muss der Wirklichkeit angehören. So muss Tillich sagen:

Wenn die prophetische Kritik aus einem Sein heraus spricht, so muss sie aus dem transzendenten Sein heraus sprechen, das als transzendentes zugleich der Wirklichkeit angehören muss. (GW VII,40)

Wie Tillich selbst betont, droht "Gestalt" im Ausdruck, "Gestalt der Gnade", ein "allseitigem Missverständnis ausgesetzte/s/ Wort" zu werden (GW VII,40 Anm. 18), denn die "Gestalt der Gnade" ist nicht gegenständlich. Aber sie muss, nach Tillich, wirklich sein in Gegenständen (GW VII,41). Die Mühe, die Tillich für die Terminologie verwendet, deutet an, dass diese für ihn zentral ist. Wenn Tillich "Gestalt der Gnade" definiert, wird daher nicht nur die Parallele zur prophetischen Kritik, sondern auch die Uebereinstimmung mit seiner in 4.2.2 skizzierten religionsphilosophischen Reflexion deutlich:

Die Gestalt der Gnade ist die Gestalt dessen, was jenseits von Sein und Freiheit liegt, sofern es in der Spannung von Sein und Freiheit erscheint. Sie ist; und als Seiendes ist sie anschaubar. Aber sie ist als Erscheinung des Jenseits des Seins, und als solche ist sie unfassbar, unfixierbar, ungegenständlich /.../ Die Wirklichkeit kann Träger werden einer so unbedingt überschreitenden Bedeutung. Wo sie das ist, da ist Gestalt der Gnade /.../

Die Gestalt der Gnade ist wirklich nur in rationalen Gestalten, und zwar so, dass sie diesen einerseits eine Bedeutung verleiht, die über sie hinausgeht, andererseits sich mit der Eigenbedeutung der rationalen Gestalten vereinigt. (GW VII,41-43)

In dieser Ueberlegung wird also die Abgrenzung gegenüber der "dialektischen" oder der "neu-protestantischen" Theologie wichtig. Tillich bejaht von ganzem Herzen die Absicht dieser Theologie, denn prophetische Kritik ist die Kritik des Protestantismus [171]. Tillichs Einwand läuft darauf hinaus, dass die Bedingungen und die Voraussetzungen der prophetischen Kritik übersehen wurden, und die Kritik damit am Ende aufhört, prophetisch zu sein.

Die dialektische Theologie fasst nach Tillich ihre Kritik als rein prophetisch auf, als eine Kritik direkt von der Gnade aus. Nach Tillich ist allerdings eine solche Kritik unmöglich. Die dialektische Theologie missversteht sich selbst. In Wirklichkeit übt sie "mit der entschlossenen Verkündigung des 'Jenseits von Sein und Geist' ganz konkrete, vom Ideal der Theologie aus rationale Kritik an der tatsächlichen Theologie, also am Geist". Dieses falsche Selbstverständnis hat zwei ernste Folgen. Einmal wird das theologische Ideal von allen anderen Idealen getrennt, d. h. das Theologische wird "zum Sondergebiet der prophetischen Kritik". Daraus folgt "zum Teil die Entmächtigung der religiösen Kritik an den übrigen Kulturgebieten, wie sie zB im 'religiösen Sozialismus' vorlag, und damit eine Ermächtigung der bestehenden Formen und Gewalten des profanen Lebens". Zum anderen wird das eigene, tatsächliche theologische Ideal der Kritik entzogen, es wird nicht als ein Ideal betrachtet sondern als reiner Ausdruck der Gnade. Das Resultat ist eine Ideologisierung, die letztlich theologisch konservativ wirkt. (GW VII,31f, ausführlich zitiert unten 5.3).

Die gleiche Kritik kann auch gegen ein Missverständnis des Verhältnisses der Gestalt der Gnade zu den rationalen Gestalten gerichtet werden. Diese Kritik wird 1929 kaum ausgeführt, taucht aber auf wenn man die Kritik von 1929 parallel zu der Kritik von 1923 liest. Tillich bejaht natürlich die Betonung der dialektischen Theologie, dass die Gnade nie Besitz sein kann und er stimmt Barths eschatologischer Deutung von 1. Kor 13 zu. Was in dieser Zustimmung wie ein unbedeutender Vorbehalt aussieht hat allerdings nach Tillich eine entscheidende Bedeutung:

> Barth übersieht nur, dass alles Reden von der eschatologischen Erfüllung erst möglich wird durch "Vorwegnahme" in der Gestalt der Gnade. (GW VII, 42 Anm. 23)

"Vorwegnahme" ist nämlich für Tillich ein Ausdruck, der die Einheit von Anschaulichkeit und Ungegenständlichkeit beschreibt, die die Relation zwischen der Gestalt der Gnade und den rationalen Gestalten bestimmt. Ist Vorwegnahme unmöglich, dann ist eine Gestalt der Gnade und so jede prophetische Kritik unmöglich. Die Kritik bleibt dann Tat, Werk, Gesetz mit Ausgangspunkt in etwas, wovon eine Seins-Gestalt höherer Ordnung behauptet wird, und diese supranaturalistisch fixierte Gestalt der Gnade soll mit bestimmten Akten wirksam gemacht werden. (GW VII,40,42,44, GW VII,218f /1923/) Das, so meint Tillich, nehmen Barth (und Gogarten) zu leicht. Sie glauben anscheinend, dass prophetische Kritik direkt von Christus ausgehen kann und gegen jede menschliche Vorwegnahme gerichtet werden kann. [172] Aber keine Position in der Geschichte kann zu solch einem Ausgangspunkt für die Verkündigung der Krisis erhöht werden, auch nicht die des historischen Menschen Jesus von Nasareth.

Der unanschauliche, ungegenständliche Charakter des Glaubens ist durchbrochen. An einem Punkt ist die Glaubensrichtung gebunden durch ein objektiv historisches Faktum. In den Glaubensakt ist die Anerkennung einer empirischen Tatsache aufgenommen. In diese Öffnung aber brechen ungehemmt Heteronomie, Gesetz und absolute Religion ein. (GW VII,223) [173]

Da Tillich das protestantische Prinzip auf diese Weise deutet, so motiviert dieses nicht nur zu einem Bejahen der Ideologiekritik, sondern deutet auch ein positives Programm an. Das grundlegende Prinzip für dieses Programm einer protestantischen Gestaltung hat Tillich folgendermassen ausgedrückt:

In jeder protestantischen Gestalt muss die Haltung des gläubigen Realismus zum Ausdruck kommen. (GW VII,64/1929a/) [174]

Tillich entwickelt dieses Programm besonders in zwei Vorträgen von 1927 mit demselben Titel "Gläubiger Realismus" (GW IV,77-87/1927/ und GW IV,88-106/1927a/) und einem Vortrag von 1929 mit dem Titel "Protestantische Gestaltung" (GW VII,54-69/1929b/). [175]

Protestantische Gestaltung kann also nicht neben und unabhängig von rationaler Gestaltung geschehen. Es ist notwendig, die Gestalt der Gnade zu vergegenwärtigen, "denn nur als gegenwärtige ist die Gnade wirklich Gnade" (GW VII,45/1929a/). Dabei kann allerdings nicht die Gestalt der Gnade mit irgendeiner rationalen Gestalt identifiziert werden. Gegen jede derartige Vergegenständlichung der Gnade muss ein prophetischer Protest erhoben werden. Damit gibt es "kein Sondergebiet, keine religiöse Sphäre, die gegenständlich abgegrenzt wäre, kein sanctum oder sanctissimum gegenüber dem profanum" (GW VII,50). Protestantische Gestaltung ist damit auf die rationalen Gestalten, auf die Wirklichkeit angewiesen, aber sie ist nicht mir rationaler Gestaltung identisch. Dasselbe Thema wird in den Vorträgen von 1927 durchgeführt, als Abgrenzung des "gläubigen Realismus" einerseits von verschiedenen Formen des Idealismus und andererseits von verschiedenen Formen eines "sich selbst begrenzende/n/ Realismus" (GW IV,89).

Es ist, nach Tillich, "die Grösse des Idealismus, dass er das Stehen in der Wirklichkeit und das Ueberliegen der Wirklichkeit vereinen will". "Die Grenze und Tragik des Idealismus" aber, ist "dass er die Wirklichkeit übersteigert, aber nicht übersteigt". Der Idealismus übersieht "die Kluft zwischen dem Unbedingten und dem Bedingten, die durch keine ontologische oder ethische Selbsterhebung überbrückt werden kann". (GW IV,90/1927a/) Deswegen behauptet der Idealismus, dass er das Unbedingte ergriffen hat, aber das, was er ergriffen hat, ist etwas Bedingtes, etwas innerhalb der Spannung von Sein und Geist (GW IV,99). Das Resultat erinnert an den Sakramentalismus oder den Supranaturalismus:

> Der Idealismus in seinen verschiedenen Formen /ist .../ wesensmässig religiös, aber in einer Weise, dass echte Religion sich kritisch dazu verhalten muss. (GW IV,90)

Tillichs Idealismuskritik ist - im Gegensatz zu dem, was viele Tillich-Interpreten behaupten - fundamental:

> Glaube und Realismus gehören zusammen /.../
>
> Gehören Glaube und Realismus zusammen, so stehen Glaube und Idealismus, und Glaube und Romantik in Spannung zueinander. Beide, Idealismus und Romantik, entfliehen dem historischen Schicksal. (GW IV,85/1927/)

Aber Tillich kann sich andererseits auch wieder nicht mit einem "sich selbstbegrenzende/n/ Realismus" begnügen wie er ihn im "Positivismus, Pragmatismus, Empirismus" vorfindet. Mit der früheren Terminologie kann man sagen, dass dann die rationale Kritik ihre Kraft verliert, oder dass die prophetische Kritik von der Wirklichkeit isoliert wird. Dieser Realismus ist nicht notwendigerweise "unreligiös", aber seine Religion hat nichts mit prophetischer Kritik und so nichts mit protestantischer Gestaltung zu tun.

> /Die verschiedenen Formen des Realismus/ können die Religion als einen Bereich neben der philosophischen und wissenschaftlichen Deutung der Wirklichkeit anerkennen, oder sie können die zwei Bereiche in den Begriffen einer Theologie der immanenten Erfahrung miteinander verknüpfen (jener mehr der englische, dieser mehr der amerikanische Typus). (GW IV,89)

In dem anderen Vortrag von 1929 werden ähnliche Anklagen gegen "unsere akademische Wissenschaft" gerichtet, und hier wird deutlich wie Tillich sich den gläubigen Realismus mit seiner Ideologiekritik auch politisch denkt. "Unsere/r/ meiste/n/ Schulwissenschaft" wird vorgeworfen, dass sie die Ohnmachtsschichten unseres seelischen Seins und unseres sozialen Daseins nicht durchstösst. Sie bleibt so über den Wassern der historischen Realität schweben auch wenn sie sie geschichtlich bearbeitet:

> Denn auch dann bleibt sie über den Wassern, taucht nicht ein in die Spannungen, die aus der Vergangenheit in die Zukunft drängen und erfasst darum immer nur den Schaum des Wirklichen, nicht seine Macht, seine gewaltige, umwälzende Dynamik. (GW IV,83/1927/) 176)

Die Wissenschaft resultiert im Angebot von Möglichkeiten ohne Mächtigkeit, sie verbleiben Möglichkeiten und überschatten die Wirklichkeit.

Da niemand in blossen Möglichkeiten leben kann, erfüllt man den Geist
mit Wirklichkeiten geringer Macht und führt diesen Wirklichkeiten die
Kraft des Geistes zu, man stützt sie, statt sie zu durchstossen. So
wird der Geist von vielem benutzt, um ihren seelischen Ohnmachtsschichten einen Halt zu geben. Es entsteht die geistige Verhärtung der Ober-
flächenschicht des Seelischen. Und so wird der Geist von der Mehrheit
unserer Gebildeten benutzt, um ihrer sozialen Zufallslage Halt zu geben.
Es entsteht die geistige Verhärtung der sozialen Herrschaftslage, das,
was das Proletariat mit Bitterkeit als bürgerliche Bildung verwirft.
(GW IV,83f)

Durch Abgrenzungen hat Tillich einen Weg für das, was er "gläubigen Realismus" nennt,

geschaffen. Es ist ein Programm, das auf die Wirklichkeit, auf die gegenwärtige

Wirklichkeit hingewiesen ist:

> Das Unbedingt-Mächtige, die letzte Macht des Seienden, ist nicht durch
> Weggehen von dem Hier und Jetzt, sondern durch Standhalten in ihm, durch
> Eingehen in seine Spannungen, durch Ergriffenwerden vom historischen
> Schicksal. (GW IV,85)

Es ist ein Programm, in dem Realismus und Glaube, Gehorsam und Wagnis (Offenheit und

Entscheidung, vgl. 2.2) miteinander vereint sind. Mit den Worten des Vortrags "Pro-

testantische Gestaltung":

> Das Wagnis der protestantischen Gestaltung ist nicht Willkür, denn es ist
> gehorsam einerseits dem protestantischen Prinzip, andererseits den Forde-
> rungen, die in der Wirklichkeit der Gegenwart liegen. Wagnis ohne Gehor-
> sam gegen die Realität ist Willkür. Realität aber wird nur erfasst durch
> Wagnis. Das wahrhaft Wirkliche kann nicht unter Sicherungen logischer o-
> der methodischer Art erreicht werden. Ein Akt des Wagnisses wird gefor-
> dert, ein Akt, der in die tiefsten Schichten der Realität eindringt bis
> zu ihrem transzendenten Grund. Ein solcher Akt ist das, was in der reli-
> giösen Tradition Glaube genannt wird und was wir gläubigen Realismus ge-
> nannt haben. Nur "gläubiger Realismus" ist wirklicher Realismus. Nur er
> lässt sich von keiner vorläufigen Schicht des Seins und des Sinnes fest-
> halten, er schneidet hindurch bis zu der letzten Schicht. Und so befreit
> der gläubige Realismus in gleicher Weise vom zynischen wie vom utopischen
> Realismus. (GW VII,63f/1929b/)

Das hat zur Folge, dass die protestantische Gestaltung, wenn sie theoretisch ist,

nicht oder nur in zweiter Linie "die Entfaltung einer Tradition" ist:

> Religiöse Erkenntnis ist Erkenntnis der Dinge und Geschehnisse in ihrer
> religiösen Bedeutung, ihrer Beziehung zum transzendenten Grund. Religiö-
> se Erkenntnis ist die Erkenntnis des wahrhaft Wirklichen. Sie ist nicht
> die Entfaltung einer Tradition, sie ist nicht die Diskussion und Weiter-
> führung tradierter Probleme, sie ist nicht die Antwort auf das Fragen nach
> Sinn und Wahrheit tradierter Begriffe. Religiöse Selbstbesinnung kann in
> zweiter Linie dies auch alles sein. Aber zuerst und vor allem ist sie
> Hinwendung zur Wirklichkeit, Befragen der Wirklichkeit, Sich-Hineinbohren
> in die Existenz, Vorstossen auf die Ebene, wo die Welt über sich hinaus-
> weist auf ihren Grund und unbedingten Sinn. (GW VII,65)

Wenn die protestantische Gestaltung praktisch ist, also Kultur schafft, kann sie

auch nur versuchen, "Wirklichkeit in einen unmittelbaren Ausdruck einer Gestalt der

Gnade" zu verwandeln (GW VII,68, im Original hervorgehoben).

> Kultus soll dem Alltäglichen letzten Sinn geben. Nicht Schaffung neuer
> Liturgien ist wichtig, sondern Eindringen in die Tiefe dessen, was täg-
> lich geschieht, in der Arbeit, in der Wirtschaft, in der Ehe, in der
> Freundschaft, in der Geselligkeit, in der Erholung, in der Sammlung, in
> der Stille, im unbewussten und bewussten Leben. All dies in das Licht
> des Ewigen zu heben, ist die grosse Aufgabe des Kultus, und nicht, eine
> Tradition traditionell umzuformen. (GW VII,67)

Aber was ist dann der Unterschied zwischen dieser Weise, das Unbedingte auszudrücken
und der idealistischen Weise? Ständig muss die Unmöglichkeit, über das Unbedingte
zu verfügen, es zu greifen, oder zu besitzen, bewusst bleiben. Alles, was bisher im
Aktiv ausgedrückt wurde, muss gleichzeitig auch ständig im Passiv ausgedrückt werden.
Das geht deutlich aus einem Zitat hervor, das das Bisherige zusammenfasst und noch
deutlicher zeigt, wie in Tillichs Programm eines "gläubigen Realismus" der Systematischen Theologie vorgegriffen und diese motiviert wird.

> So wird die Mächtigkeit eines Dinges zugleich bejaht und verneint, wenn
> es für den Grund seiner Mächtigkeit, das letztlich Wirkliche, transparent
> wird. Es ist wie ein Aufreissen der Finsternis, wenn der Blitz eine blen-
> dende Helle über alle Dinge wirft, um sie im nächsten Augenblick in tief-
> ster Dunkelheit zurückzulassen. Wenn die Wirklichkeit so mit dem Auge des
> gläubigen Realismus gesehen wird, ist sie etwas Neues geworden Ihr Grund
> ist sichtbar geworden in einer ekstatischen Erfahrung, die Glaube heisst.
> Sie ist nicht mehr selbstgenügsam, wie es vorher zu sein schien, sie ist
> transparent geworden, oder wie gesagt werden kann, theonom. (GW IV,101
> /1927a/)

4.2.4. Geschichtliche Geschichtsdeutung.

Der Bezug des gläubigen Realismus auf die gegenwärtige Wirklichkeit bedeutet für
Tillich jedoch keineswegs Uninteresse für die Geschichte. Es geht ja darum, "in die
Spannungen /einzutauchen/, die aus der Vergangenheit in die Zukunft drängen" (GW IV,
83/1927/). Tillich selbst misst dem geschichtlichen Verstehen der Wirklichkeit
grosse Bedeutung bei und er beansprucht, im Unterschied zu den meisten anderen, am
historischen Charakter der Wirklichkeit festzuhalten und Geschichte wirklich geschichtlich zu deuten. [177] Auch dies leitet er aus dem protestantischen Prinzip
ab. [178]

Nach "Der Protestantismus als kritisches und gestaltendes Prinzip" hat "die protestantische Entgegenständlichung der Gnade" nicht nur die Folge, dass der Gegensatz
von heilig und profan aufgehoben wird (GW VII,50/1929a/), sondern auch eine zweite
Folge, die die Deutung der Geschichte betrifft. Wenn eine Gestalt der Gnade gegenständlich fixiert ist, sind "die Formen, in denen sie erscheint, die rationalen Ge-

stalten, die sie in sich aufnimmt", dem Wechsel enthoben. "Die ideale Sphäre" wird
statisch gedacht "als System einmal zu erfassender Wesenheiten, deren prinzipielle
Erfassung nicht überboten werden kann". Die Geschichte bedeutet

> nichts Entscheidendes. Die Möglichkeit des Wesenhaft-Neuen schlummert
> nicht in ihr. Denn das Wesenhafte ist aussergeschichtlich und überzeit-
> lich. (GW VII,51)

Aber für eine echt protestantische Sicht spielt die Geschichte eine ganz andere Rolle:

> Für die protestantische Entgegenständlichung der Gnade ist die Wesens-
> Sphäre dynamisch; in ihr wird das Neue gesetzt. Die Geschichte ist der
> Ort der Wesenheiten. Die Idee steht im Historischen, nicht jenseits sei-
> ner. Die Gestalt der Gnade ringt ständig um Verwirklichung in den wech-
> selnden historischen Gestalten. Sie ist auf den Weg angewiesen, der zwi-
> schen Fixierung und Preisgabe ihrer selbst mitten hindurchführt. Die Ge-
> stalt der Gnade ist lebendige, ringende Gestalt. Und doch ist in jedem
> Augenblick ihrer Verwirklichung das anschaubar, was jenseits des Ringens
> steht. Die Vorwegnahme, das transzendente Bedeuten bleibt. Aber die ra-
> tionale Gestalt, in der die Gestalt der Gnade erscheint, wechselt. Die
> Gestalt der Gnade als lebendige Gestalt und damit die Geschichte als Ort
> der Wesensverwirklichung: das liegt im protestantischen Prinzip beschlos-
> sen und muss aus ihm herausgeholt werden. (GW VII,51f)

Deshalb sind sich "gläubiger Realismus" und "historischer Realismus" bei Tillich so
ähnlich, dass Amelung zu dem Ergebnis kommt, "dass der historische und der gläubige
Realismus identisch sind" (Amelung 1972,171). [179]

Von besonderem Interesse ist hier der Aufsatz "Kairos und Logos. Eine Untersuchung
zur Metaphysik der Erkenntnis". [180] Der Aufsatz hat zum Ziel, eine "protestantische Auffassung des Erkennens" und den "protestantische/n/ Wahrheitsgedanke/n/"
zu beschreiben/auszuarbeiten (GW IV,51,75/1926a/). Als Schlüssel für die Darstellung dienen die Ausdrücke "das geschichtliche Denken", "schicksalsschwere Geschichtlichkeit", "die Lehre von der Geschichtlichkeit des Erkennens" und "der dynamische
Wahrheitsgedanke" (GW IV,49,64,76).

Der Titel dieses Aufsatzes wird dadurch bestimmt, dass Tillich zwei geistesgeschicht-
liche Linien aufstellt, die sehr dem ähneln, was er sonst Essentialismus und Existentialismus nennt. Die Hauptlinie ist "ihrem stärksten Antrieb nach methodisch". Car-
tesius und Kant sind ihre zentralen Namen. Eng verbunden mit dieser Hauptlinie und
im Prinzip Teile von ihr, sind auf der einen Seite eine "mystisch-metaphysische" Linie (Nicolaus Cusanus) und eine "mathematisch-neuplatonische" (Spinoza) und auf der
anderen Seite "die Linie des englischen Empirismus von Baco bis Hume und weiter bis
zu den Positivisten des 19. Jahrhunderts" (GW IV,43). Die Pointe ist, dass dies im
Grunde eine Linie ist, dass das, was so verschieden aussieht, einen gemeinsamen historischen Hintergrund hat und "auf einem gemeinsamen Boden", auf "dem Denken im

zeitlosen Logos" ruht (GW IV,45,47), und dass dieses Gemeinsame keinesfalls unproblematisch ist.

> Die Philosophie der Renaissance, wie vor ihr die griechische und nach ihr
> die moderne Wissenschaft, will die Gestalt der Welt, die Elemente und die
> Gesetze ihrer Verbindung erkennen /.../
>
> Bei Demokrit und bei Plato, bei Spinoza und bei Goethe, bei den Kantianern
> und bei den Phänomenologen ist die ewige Form des Seienden das Erkenntnis-
> ziel. Ob diese Form als Gegensatz der Atomenbewegung oder als transzen-
> dente Idee, ob sie als Modus der ruhenden Substanz oder als lebendige Form,
> ob sie als Geistesfunktion oder als erschauende Wesenheit gedacht ist, im-
> mer steht sie unter dem ewigen Gesetz der Gestalt. (GW IV,45f)

Nach Tillich gibt es aber auch eine "Nebenlinie", die sich nicht eine solche Aufmerksamkeit zugezogen hat.

> Ihre Breite war gering. Ihre Haltung war innerster Widerstand gegen die
> methodische Hauptlinie, aber aufs Ganze gesehen, erfolgloser Widerstand
> /.../ Dass sie trotzdem eine tiefgehende geistige und religiöse Erschüt-
> terung bewirkte, wie die protestantische Mystik, die spätere Romantik und
> Reaktionen den Pessimismus, die von Nietzsche ausgehende geistige Revolu-
> tion den Irrationalismus - das hat an ihrer philosophischen Bewertung nicht
> viel geändert. (GW IV,44f)

Für das Denken dieser Nebenlinie ist "das Denken im Kairos" bestimmend (GW IV,47).
Ihr Erkenntnisziel ist nicht "die ewige Form des Seienden", sondern "der formschaf-
fende Prozess selbst". Die Welt wird nicht als "Gestalt, Element und Gesetz", sondern als "Schöpfung, Widerstreit und Schicksal" verstanden.

> Während in jenem statischen Formdenken die Zeit bedeutungslos bleibt und
> selbst die Geschichte nur die Entfaltung der Möglichkeiten und Gesetze
> der Gestalt "Mensch" darstellt, ist in diesem dynamischen Schöpfungsden-
> ken die Zeit allentscheidend, nicht die leere Zeit, der reine Ablauf,
> auch nicht die blosse Dauer, sondern die qualitativ erfüllte Zeit, der
> Augenblick, der Schöpfung und Schicksal ist. Wir nennen diesen erfüllten
> Augenblick, diesen als Schicksal und Entscheidung uns entgegentretenden
> Zeitmoment <u>Kairos</u>. (GW IV,46) 181)

Vor diesem Hintergrund "wird die Frage nach dem wesensmässigen Verhältnis von Kairos
und Logos drängend" (GW IV,47). Es überrascht wohl kaum, dass Tillich auf "die Einheit von Kairos und Logos" abzielt (GW IV,73), aber man sollte doch zu verstehen versuchen, wie Tillich sich diese Einheit denkt. Im letzten Satz des Aufsatzes findet
sich eine Andeutung:

> So dient der Kairos nicht der Verhüllung, sondern der Offenbarung des
> Logos. (GW IV,76)

Für die "Philosophie der Methode" ist die Entleerung des Subjekts unumgängliche Forderung. Das erkennende Subjekt muss zeitlos werden, es muss "die Haltung der reinen
Theorie" einnehmen. Diese Forderung war relativ unproblematisch für Zeitalter, "die

grundsätzlich eine statische Bewusstseinslage hatten" (GW IV,47f). Aber jetzt ist
sie problematisch geworden:

> Ernsthafter wurde die Frage nach dem erkennenden Subjekt erst, als das ge-
> schichtliche Denken durch den Protestantismus in die Sphäre der Uebernatur,
> durch den Humanismus in die Sphäre der Natur eindrang. Die Einheit der
> heiligen Tradition zerriss, der rationale, immer identische Charakter des
> menschlichen Wesens individualisierte und differierte. Diese Individuali-
> tät, diese Differenz war aber nicht mehr bedeutungsloser Zeitverlauf, son-
> dern sie war schicksalsschwere Geschichtlichkeit. (GW IV,49)

Daraus wurden, nach Tillich, allerdings nicht mit Klarheit die Konsequenzen gezogen
- weder vom Humanismus noch vom Protestantismus. Aber sie muss gezogen werden, was
nach Tillich mit der Ausarbeitung einer protestantischen Auffassung des Erkennens
identisch ist. Diese kann nicht eine unmittelbare, naiv in der Natur und der Geschichte bleibende Haltung der reinen Praxis fordern. Diese reine Praxis wäre unverantwortliche Praxis. Ihre Zeit wäre ebenso wie die der Philosophie der Methode
von Qualität, Schicksal und Entscheidung entleert, und wäre ebensowenig Kairos.
Sie fordert eine Theorie und Praxis vermittelnde Haltung:

> In der Natur stehen, die unausweichliche Wirklichkeit auf sich nehmen,
> ihr nicht entfliehen, weder in die Welt der idealen Formen noch in die
> verwandte der Uebernatur, sondern in der Wirklichkeit selbst sich ent-
> scheiden, das ist protestantische Grundhaltung. Hier hat das Subjekt
> keine Möglichkeit zu einer absoluten Position. Es kann nicht heraus aus
> der Entscheidungssphäre. Es steht mit jeder Seite seines Wesens in dem
> Zwiespalt. Schicksal und Freiheit reichen in den Erkenntnisakt hinein
> und machen ihn zu einer geschichtlichen Tat: Der Kairos bestimmt den
> Logos. (GW IV,50)

Hier ist äusserst wichtig, dass das, was Tillich Entscheidungssphäre nennt nicht nur
Freiheit sondern Schicksal und Freiheit enthält, dass nicht nur Freiheit sondern
Schicksal und Freiheit den Erkenntnisakt zu einer geschichtlichen Tat machen, dass
nicht willkürliche menschliche Schöpfung und Entscheidung (Dezisionismus!) sondern
Schöpfung und Schicksal, Schicksal und Entscheidung die Zeit zu qualitativ erfüllter
Zeit, zu Kairos macht.

> Es ist überaus wichtig, die Lehre von der Geschichtlichkeit des Erkennens
> abzugrenzen gegen den Vorwurf, sie befördere die Subjektivität des Erken-
> nens. (GW IV,64)

Versucht man an dieser Stelle Tillichs Gedankengang zu folgen, dann ist es hilfreich,
sich daran zu erinnern, dass diese "Untersuchung zur Metaphysik der Erkenntnis" in
Entsprechung zu dem protestantischen Prinzip gedacht ist, und dass Entscheidung allmählich als Beschreibung des Glaubens gedacht ist. Wenn man nun von Rechtfertigung
durch Glauben spricht, Glaube aber als etwas, für den Menschen Verfügbares, als eine
Prästation versteht, dann wird das protestantische Prinzip verfälscht. In diesem
Zusammenhang bedeutet das: Wird Entscheidung als etwas rein Subjektives betrachtet,
dann denkt man nicht mehr geschichtlich. Es würde bedeuten, wie Tillich ausdrück-

208

-lich sagt, dass man das Subjekt weiterhin der Wirklichkeit gegenüberstehen lässt
und nicht als mit ihr verbundet versteht. Das Denken würde in vorgeschichtlichen
Kategorien verharren, im "Wechselbalg von Zufall und Notwendigkeit" und würde nichts
von Schicksal und Freiheit verstehen (GW IV,64f). Deshalb bemüht sich Tillich nun
sehr darum, zu umgrenzen, was er mit Geschichte konstituierender Entscheidung meint.
Sie ist weder intellektuelle Entscheidung noch moralische, und auch nicht "Entscheidung im Sinne einer spezifisch religiösen Haltung":

> Gemeint ist vielmehr die Stellung zum Unbedingten, die Freiheit und Schick-
> sal zugleich ist und aus der das Handeln ebenso quillt wie das Erkennen.
> (GW IV,57, vgl. 52)

Eine solche Entscheidung gibt es, nach Tillich, in jedem Erkennen. Es gibt nämlich
"ein drittes Element des Erkennens, das weder formal noch material ist und wodurch
das Erkennen erst zu einer geistigen Angelegenheit wird": "die Wesensdeutung, das
geistige Verstehen der Wirklichkeit" (GW IV,55f). Es ist etwas, was "nie Objekt
werden kann im Erkenntnisakt selbst", und sobald man es zu einer Technik, einer Methode machen will, verwandelt es sich zu "subjektive/r/ Willkür und psychologische/r/
Notwendigkeit" (GW IV,58). Entscheidung muss so gedacht werden, dass sie den Entscheidenden nicht von der Wirklichkeit ablöst, sondern dass sie gleichzeitig freie
Tat und Ausdruck der Wirklichkeit ist:

> Die freie Tat des Erkennens ist Ausdruck des Schicksals, in dem erkannt
> wird /.../ Das Erkennen ist wahr, insofern es subjektiv frei, objektiv
> Schicksal ist. Dann, und nur dann ist es Ausdruck des Daseins, also in
> Uebereinstimmung mit seinem Gegenstand /.../
>
> Die dritte Schicht des Erkennens ist also diejenige, in der das Schicksals-
> mässige der Wirklichkeit zum Ausdruck gebracht wird, die Lebenstiefe, die
> es vor dem Unbedingten hat. (GW IV,65)

Hier liegt ein bestimmter Wahrheitsbegriff zu Grunde und im Zusammenhang damit eine
bestimmte Auffassung von der eigenen Wahrheitssuche. Erkenntnis ist nicht eine ständig gleichbleibende Möglichkeit, offen für den, der die (beste) Erkenntnismethode
kennt. Sie ist "abhängig von Entscheidung und Schicksal, ist begründet im Kairos"
(GW IV,60). Wesenserkenntnis ist nie abgeschlossen (GW IV,69). Das dialektische
Denken weiss um seine Abhängigkeit aber auch

> dass das Gesamtschicksal an ihm gebunden ist und in ihm neu zur Wirklich-
> keit kommt. In dieser Wechselwirkung des Verstehens von Gegenwärtigem und
> Vergangenem, von Eigenem und Fremdem verwirklicht sich die Einheit von
> Kairos und Logos. (GW IV,73)

Der "statische Wahrheitsgedanke" wird von der "Hybris des absoluten Standpunktes"
aufrechterhalten. Ist sie zerbrochen, dann hat er dem Relativismus nichts mehr ent-
gegenzusetzen. Der "dynamische Wahrheitsgedanke" scheint von Anfang an dem Relativismus ausgeliefert zu sein, er scheint "den Erkennenden ins Grenzenlose und Halt-

-lose zu stürzen". (GW IV,76) Aber indem er zu einem Leben in der Grenzsituation aufruft, deutet er auf den "Standpunkt des gläubigen Relativismus" hin, "d.h. desjenigen Relativismus, der den Relativismus überwindet" (GW IV,74, vgl. die Struktur in /1928/ oben 194ff).

Der behandelte Aufsatz von 1926 beinhaltete einige der wichtigsten Intentionen Tillichs. Die in einer ideengeschichtlichen Perspektive verstandene geistige Lage der Gegenwart und ihre Probleme wurden dort auf eine Weise analysiert und formuliert, so dass die Probleme zu einer Frage nach der paradoxen Gnade werden. Dabei wird - mit deutlichen politischen Implikationen, die in 4.3 behandelt werden sollen - betont, dass die Wahrheit nur durch eine Entscheidung in der Wirklichkeit gewonnen werden kann. Dabei ist die Wirklichkeit die soziale und politische Wirklichkeit, und die geforderte Entscheidung ist eine konkrete Verantwortlichkeit verwirklichende intellektuelle und moralische Entscheidung. Es ist interessant zu sehen, wie die Grundgedanken dieses Aufsatzes auch in einem späteren Aufsatz, "Geschichtliche und ungeschichtliche Geschichtsdeutung", veröffentlicht 1948, wiederkehren. Die Perspektive hat sich dort sowohl geographisch als auch historisch geweitet. Das Material, das auf zwei Haupttypen der Geschichtdeutung zurückgeführt werden soll, ist nun die chinesische Lehre von Tao, die indische Brahma-Lehre, die griechische Philosophie, "der moderne europäische Naturalismus seit der Renaissance", die Religion des Zarathustra, die jüdische Prophetie und verschiedene Geschichtsdeutungen der christlichen Kirchengeschichte. Um so interessanter ist, dass Tillich diese Haupttypen nicht nur zu beschreiben versucht. Die Unterscheidung zwischen einer Deutung der Geschichte, die die Geschichte aus der Natur (oder aus der Uebernatur) heraus versteht und einer Deutung, die "sowohl die Natur als auch die Uebernatur in ihre eigene Entwicklung /die der Geschichte/ hineinzuziehen versucht" (GW VI,109/1948/), bezeichnet Tillich als von entscheidender theologischer Bedeutung:

> Zwischen diesen beiden Möglichkeiten, die letztlich einander ausschliessen, muss die Religion ebenso wie die Philosophie wählen. Und diese Wahl heisst Entscheidung für oder gegen das Christentum. (GW VI,110)

Aber dies sind Typen, und es ist wichtig darauf zu achten, dass Tillich betont, "dass in der Geschichte keine reinen Typen erscheinen" (GW VI,109). Damit will er wohl sagen, dass "das Christliche" etwas unausweichlich Menschliches ist, das auch dort durchdringt, wo ein anderes Denken vorherrscht. Dies wird von Tillich vielleicht noch stärker in der Vorlesungsreihe, "Die politische Bedeutung der Utopie im Leben der Völker" betont, in der er ebenfalls "Geschichtliches und ungeschichtliches Denken" behandelt (GW VI,172-185/1951/). [182] So will er zB zeigen:

> Das indische Denken /hat/ trotz seiner Ungeschichtlichkeit dem utopischen Denken seinen Tribut gezahlt; es konnte ihm nicht ganz entgehen, weil es im Wesen des Menschen liegt. (GW VI,175)

Das geschichtliche Denken macht sich deshalb, nach Tillich, auch im Naturalismus
(Stoizismus und Nietzsche) und im Existentialismus (Heidegger und Sartre) geltend,
trotz des ungeschichtlichen Rahmens (GW VI,176f,178). Aber nicht nur dies ist wichtig; auch der andere Schlussatz, der daraus folgt, dass in der Geschichte keine reinen Typen erscheinen, ist von Bedeutung.

> Der Raum wird vertrieben, lässt sich aber nicht ganz vertrieben, nicht
> einmal in Israel, nicht einmal in der Kirche und, wir wir heute sehen,
> nicht einmal im Proletariat. (GW VI,183/1951/, vgl. GW VI,110/1948/)

Mit der Ausarbeitung dieser beiden Typen zielt Tillich ja auf ein besseres Verstehen
gerade dieser geschichtlichen Spannungen ab.

4.3. Der religiöse Sozialismus

4.3.1. Tillichs politische Praxis

Als Sohn des Superintendenten für den Kirchenkreis Schönfliess gehörte Paul Tillich als Kind der sozialen Oberschicht an (GW XII,58/1952/, GW XII,16/1936/). Sein Vater war nach Tillich selbst "ein gewissenhafter, würdevoller, überzeugter und manchmal zorniger Vertreter des konservativen Luthertums"(GW XII,62). Tillich war, mit anderen Worten, kein Sozialist auf Grund seiner Herkunft, aber er akzeptierte auch nicht seine Herkunft ohne weiteres. Schon in der Schule "blieben Volkschulkinder meine eigentlichen Freunde". Der junge Tillich lebte seiner Auffassung nach "auf der Grenze der sozialen Klassen" und entwickelte ein soziales Schuldbewusstsein, "das später für meine Arbeiten und mein Lebensschicksal so entscheidend werden sollte". (GW XII,16f) Die Bearbeitung seines Verhältnisses zum Vater erhielt deutlich politische Implikationen. Den Ausbruch aus dem "autoritäre/n/ väterliche/n/ System" beschreibt er als einen "schwierige/n/ und schmerzhafte/n/ Durchbruch zur Autonomie". Das Ergebnis ist für ihn "ein revolutionäre/r/ Anstoss" und der Kampf gegen jedes heteronome System, ein Kampf,in dem "das protestantische Prinzip" die Hauptwaffe war. (GW XII,63)

Obwohl Tillich bereits vor dem Krieg für "die politische Linke" gestimmt haben soll (Rathmann 1972,565) [183], so hat er seiner Meinung nach die politische und soziale Lage erst nach dem ersten Weltkrieg durchschaut (GW XII,66). Erlebnisse während des Krieges scheinen hier für ihn wichtig gewesen zu sein. Sie zeigten die Zersplitterung der Nation in Klassen und "den dämonisch-zerstörerischen Charakter des machtpolitischen Nationalismus". Sie schufen auch ein Gefühl des Zusammenbruchs der gesamten alten Kultur. (GW XII,24,56,67) Die gedankliche Bearbeitung dieses Geschehens wurde für Tillich selbst sehr wichtig [184] und das war es auch, was seine Zuhörer nach dem Krieg faszinierte:

> Dieser Theologe hatte den Krieg nicht anders mit all seinen Schrecknissen und Dämonien erlebt als seine Hörer, aber auch verarbeitet und bewältigt. Er stand ganz mit beiden Füssen in der Gegenwart und ihrer grundstürzenden Problematik, aber war durchdrungen von dem Bewusstsein, dass ein Kairos angebrochen und ein Neues im Kommen sei. (Müller 1972,546)

Dieses Neue, das im Kommen war, wurde von Tillich in deutlich sozialistischen Termini aufgefasst. Seine politische Stellungnahme scheint deutlich und öffentlich gewesen zu sein. Er sprach 1919 auf Parteiversammlungen der Sozialdemokratischen Partei (Albrecht 1972,153), und nachweislich ein Vortrag in Berlin-Zehlendorf erregte das Missfallen des Brandenburgischen Konsistoriums. Tillich musste eine Anfrage entgegennehmen, auf die er mit einem prinzipiellen Bericht, "Christentum und Sozialismus" antwortete (GW XIII,154-160/1919/) [185], in dem er davon ausgeht, dass sein eigenes

Handeln als die "politische Tätigkeit bei einer bestimmten Partei, nämlich die Unabhängigen Sozialdemokratischen Partei Deutschlands" zu verstehen sei (GW XIII,154). Er stellt fest:

> Wir lehnen deshalb alle Versuche ab, das Christentum mit einer Gesellschaftsordnung gleichzusetzen und es seines innerlichen, persönlichen Charakters zu berauben /.../
>
> Dabei ist aber zu beobachten, dass das Christentum für gewisse Formen der Gesellschaftsordnung eine grössere Affinität besitzt als für andere /.../ darum muss es unserer Ueberzeugung nach im gegenwärtigen Moment in Opposition treten gegen die kapitalistische und militaristische Gesellschaftsordnung, in der wir stehen und deren letzte Konsequenzen im Weltkrieg offenbar geworden sind. (GW XIII,155f)

Er meint mit dieser Ueberlegung zeigen zu können, "dass das Christentum nicht nur die Möglichkeit, sondern die Verpflichtung hat, mit dem Sozialismus in Verbindung zu treten" (GW XIII,157). Ja, er behauptet sogar "die Notwendigkeit einer positiven Stellungnahme der Kirche gegenüber Sozialismus und Sozialdemokratie" und meint, dass diese Stellungnahme nicht zum "Wille/n/ zur christlichen Sozialreform" oder zu dem "Versuch, die Arbeiterschaft für die gegenwärtigen Kirchen zu gewinnen" reduziert werden darf. Ersterem würde entgehen, dass es "dem Geist der Liebe mehr /entspricht/, das Uebel selbst auszurotten, als die Leiden, die es immer wieder bringt, durch Teilmassregeln mildern zu wollen". Letztere würde, auf Grund der Auffassung der Arbeiter von der Kirche als "eine Verbündete des kapitalistischen Klassenstaates und in ihren Einrichtungen und Lebensformen eine bürgerliche Schöpfung" bedeuten, "den Sozialisten das Gesetz der bürgerlichen Lebensform auferlegen wollen". (GW XIII,159f)

Im Herbst 1919 war Tillich einer von denen, die in Tambach zusammentraffen (Breipohl 1971,14). Dies war offensichtlich seine erste Begegnung mit Barths Theologie, und allem Anschein nach hat Tillich - im Gegensatz zu den meisten anderen Deutschen - im Kontext des religiösen Sozialismus zu dieser Theologie Stellung genommen. Wiederholt bejaht er Barths Protest gegen die Ideologisierung des Bürgerlichen und er beschuldigt Barths Theologie, dass sie den religiösen Sozialismus neutralisiere und unschädlich mache (vgl. oben 201 und unten 218f).

Man kann also feststellen, dass Tillich seinen Sozialismus mit dem konkreten Aufbau der Gesellschaft verband und sein eigenes Denken in Beziehung zu der Arbeit der SPD sah. Gleichzeitig ist aber auch deutlich, dass Tillich (und der Kreis, der um ihn herum entstand), sein Hauptaufgabe nicht in der kirchen- und allgemeinpolitischen Arbeit sah, der sich die meisten religiösen Sozialisten widmeten, sondern in der theoretischen Arbeit an den Grundlagen, dem Inhalt und den Konsequenzen des religiösen Sozialismus (GW XII,24f/1936/, vgl. Breipohl 1971,25 Anm. 50 und 59ff, Breipohl 1972, 15f). [186]

213

Tillich konnte sich indessen nur schwer gedanklich mit der SPD identifizieren. In "Auf der Grenze" meint er, dass die Opposition gegen die Bürgerlichkeit im Sozialismus weithin selbst bürgerlich wurde, indem sie die bürgerliche Kritik auch derjenigen Elemente "der feudalen Tradition, die mit der sozialistischen Idee in innerer Affinität stehen" übernahm:

> Nur schwer und nur unter dem Zwang der politischen Situation konnte ich mich darum entschliessen, einer so verbürgerlichten Partei wie der deutschen Sozialdemokratie beizutreten. (GW XII,17, vgl. 24f/1936/)

Diese theoretische Reflexion ist natürlich äusserst eng verbunden mit Tillichs übriger theoretischer Reflexion während dieser Zeit. Zusammen mit der allgemein philosophischen, der religionsphilosophischen und im engeren Sinne theologischen Reflexion entwickelt Tillich während der zwanziger Jahre seine Reflexion über den religiösen Sozialismus. Allgemein kann man sagen, dass Tillich während dieser Zeit immer seltener Aussagen über das konkrete Jetzt, als einem alles umwälzenden Kairos macht und immer häufiger die Zweideutigkeit in der Geschichte betont, die zur Entscheidung in einem Kairos zwingt. Die kulturphilosophischen Fragestellungen werden immer mehr verallgemeinert und auf anthropologische und ontologische Ueberlegungen zurückgeführt (Vgl. Breipohl 1971,170,186f,189 und die dort genannte Lit.) Aber damit ist noch nichts darüber ausgesagt, wie diese Entwicklung gedeutet werden soll. Man braucht nicht von einem Bruch zu sprechen, sondern kann stattdessen betonen, dass das zu diesem Zeitpunkt Gesagte auch schon früher gesagt oder vorausgesetzt wurde (so Schneider Flume 1973,118f Anm. 28). Vielleicht kann man sagen, dass ein früherer Optimismus bezüglich der Möglichkeiten zu konkreter Gestaltung geringer wird, und dass das Denken konsequenter und grundsätzlicher wird. Aber es wäre falsch von einer Resignation Tillichs zu sprechen, die ihn zu etwas anderem als einem religiösen Sozialisten machen würde und seine Reflexion gelöst von der Praxis deuten würde. Weder in den zwanziger Jahren noch später will Tillich so etwas zugeben:

> Wenn die Botschaft der Propheten wahr ist, gibt es kein "Hinaus über den religiösen Sozialismus /.../

> Die Politik /blieb/ ein wesentlicher Faktor, meines theologischen und philosophischen Denkens und wird es immer bleiben. (GW XII,68,75/1952/)

Tillichs eigene Aktivität bestätigt das. Ob es nun damit zusammenhängt, dass die politische Lage ernster geworden war (GW XII,17) oder damit, dass "die Periode der Selbstbesinnung und theoretischen Klärung" sichtbar beendet war (Rathmann 1972,566), so kann man feststellen, dass Tillichs Interesse für die Tagespolitik am Ende der zwanziger Jahre und Anfang der dreissiger Jahre wächst. Tillich wird nun Mitglied der SPD "um durch Ausgestaltung der Theorie auf sie wirken zu können" (GW XII,24 /1936/) [187]. Er ist eine treibende Kraft hinter der Zeitschrift "Neue Blätter für den Sozialismus" die 1930-1933 herauskommt und "ihr Schwergewicht mehr und mehr zur

214

Politik hin verlagerte, wobei seine eigenen /Tillichs/ Beiträge vorbildlich für die zunehmend beteiligten jüngeren Führungskräfte das Aktuelle grundsätzlich kritisch und zugleich positiv radikal zu behandeln wussten" (Rathmann 1972,567). In der Monatszeitschrift "Der Staat seid ihr", die 1931 zu Abwehr des Nationalsozialismus gegründet wurde, schrieb Tillich die Leitartikel im ersten Jahrgang (GW XIII,167-177/1931/). Er schrieb dort u.a.:

> Mythos des Volkes oder Einheit der Menschheit, das ist der gegenwärtige Kampfpunkt zwischen Heidentum und Christentum. (GW XIII,177)

Im Jahr darauf veröffentlicht er dann zehn Thesen unter dem Titel "Die Kirche und das Dritte Reich" (GW XIII,177-179/1932/). Ohne Zweifel bezieht er deutlich Stellung:

> 1. Ein Protestantismus, der sich dem Nationalsozialismus öffnet und den Sozialismus verwirft, ist im Begriff, wieder einmal seinen Auftrag an der Welt zu verraten.
> /.../
> 7. Der Protestantismus hat seinen prophetisch-christlichen Charakter darin zu bewähren, dass er dem Heidentum des Hakenkreuzes das Christentum des Kreuzes entgegenstellt. Er hat zu bezeugen, dass im Kreuz die Nation, die Rasse, das Blut, die Herrschaft in ihrer Heiligkeit gebrochen und unter das Gericht gestellt sind. (GW XIII,177f)

Im gleichen Jahr publiziert er auch "Protestantismus und politische Romantik" (GW II, 209-218/1932a/). Dort werden Konservatismus und Nationalsozialismus zusammen als eine menschliche Möglichkeit betrachtet, die aber im Gegensatz zu der protestantischen steht. Wenn der Protestantismus die politische Romantik unterstützt, dann wird nicht nur der Protestantismus sondern die abendländische Gesellschaft bedroht (GW II,218). 1933 wird dieser Gedankengang in "Die sozialistische Entscheidung" (GW II,219-365 /1933/) weiterentwickelt.

Obwohl Tillichs Praxis meist darin bestanden hatte, Artikel und Schriften zu verfassen und andere zu inspirieren, so hatte wahrscheinlich Horkheimer recht mit seiner Annahme, dass Tillich nach der Machtübernahme Hitlers Deutschland würde verlassen müssen. Mehr erstaunt, dass Tillich selbst davon erst überzeugt werden musste. (Horkheimer 1971,568, Horkheimer 1966,16f, Horkheimer 1966a,127) [188)]

Mit der Emigration nach den USA veränderte sich natürlich Tillichs Situation radikal. Die Sprache war neu, die Theologie, die Philosophie, die Kultur,die ein selbstverständlicher Kontext für Tillichs Denken gewesen waren und auf die sich seine Arbeiten bezogen hatten, waren hier so gut wie unbekannt. Fast alle Beziehungen, die Tillich mit Kulturpersönlichkeiten der Weimarer Republik gepflegt hatte, waren jetzt abgebrochen und neue liessen sich nicht ohne weiteres aufnehmen. Es gab auch keine direkte Entsprechung zu dem Kontext, innerhalb dessen Tillichs ausgesprochen politische Aktivität stattgefunden hatte. Dieser Typ einer theoretischen Reflexion über die Voraussetzungen eines politischen Programms, spielte ja in Amerika eine wesentlich geringere Rolle als in Deutschland der Weimarer Republik. Aber während des Krieges entstand für Tillich, als in den USA verhältnismässig etablierter antinazistischer Deutscher, ein neuer Kontext. In diesem Zusammenhang scheint Tillich ziemlich aktiv gewesen zu sein:

> Die politischen Interessen meiner deutschen Nachkriegsjahre blieben auch in Amerika bestehen. Sie fanden ihren Ausdruck in meiner Beteiligung an der amerikanischen religiös-sozialistischen Bewegung, in der jahrelangen aktiven Beziehung zu der Graduate Faculty of Political Sciences in der New School for Social Research, New York, durch meinen Vorsitz im Council for a Democratic Germany während des Krieges und in vielen religiös-politischen Ansprachen, die ich hielt. (GW XII,74f/1952/)

Spuren dieser Tätigkeit lassen sich auch in GW XIII und GWE III finden, GWE III enthält seine Radioansprachen für Deutschland über "Voice of America" während des Krieges.

Mit dem Ende des Krieges verschwand auch dieser Bereich für Tillichs politische Aktivität. Zu den Schwierigkeiten, theoretisch an amerikanische Politik anzuknüpfen, kommt nun hinzu, dass Tillich vom Ausgangspunkt seines Denkens her dazu gezwungen wird, auch den zweiten Weltkrieg, dessen Folgen und den kalten Krieg in sein Denken zu integrieren, und dass das Resultat dieser Reflexion Tillich nicht besonders optimistisch im Blick auf die Möglichkeiten der Situation stimmt. Noch als er Deutschland verliess war "für ihn der Kairos noch nicht verloren". Später meint er "dass nur ein Vakuum entstanden und uns nur die Hoffnung auf einen neuen Kairos geblieben ist". (Rathmann 1972,567) Dies ist, so weit ich sehen kann, ein sehr wichtiger Schlüssel zum Verständnis dessen, was Tillich während der fünfziger und der sechziger Jahre schrieb. Dadurch wurde natürlich auch seine politische Aktivität beeinflusst. Mit seinen eigenen Worten:

> Nach dem zweiten Weltkrieg empfand ich mehr die tragischen als die aktivierenden Elemente unserer historischen Existenz und verlor die Begeisterung für die aktive Politik und den Kontakt mit ihr. (GW XII,75/1952/)

Dies soll qualifizieren, was er im Satz zuvor gesagt hat, nämlich, dass "die Politik ein wesentlicher Faktor meines theologischen und philosophischen Denkens" blieb und immer bleiben wird (GW XII,75).

Auch wenn die marxistischen Termini für Tillich in Amerika eine geringere Rolle spielen, so hat er doch während der ganzen Zeit seine Hochachtung für Marx beibehalten und er hat - mehr als in Deutschland - direkt von Marx und dessen Bedeutung gesprochen (GW XIII,303-312, bes. 309/1942/, GW XII,265-272/1948b/, GW XII,273-285/1960a/). 1948 äussert er sich beinahe ironisch zu dem Widerwillen in den USA gegenüber allem was sich als marxistisch verdächtigen lässt:

216

/.../ in einem Lande wie den Vereinigten Staaten, wo jede Kritik am Kapitalismus des 19. Jahrhunderts als "rot" verdächtigt und bewusst oder aus
Unwissenheit mit dem Kommunismus sowjetischer Färbung verwechselt wird.
Die unglückliche Folge dieser Haltung ist, dass damit ein Hindernis er-
richtet wird gegen jedes wirkliche Verständnis dessen, was in unserer
Welt, besonders in Europa und Asien, vorgeht, und der Wandlungen, die in
allen Lebensbereichen vor sich gehen, in der Religion wie in der Wirt-
schaft, in der Wissenschaft wie in der Kunst, in der Moral wie in der Erziehung - im ganzen der menschlichen Existenz. (GW VII,17, vgl. 18/1948a/)

Eine fundamentalere Kritik kann von Tillichs Denken aus kaum formuliert werden! Allein das Aussprechen solche Ansichten war natürlich eine politische Handlung, in einem Milieu, das bald den Mc Carthyismus hervorbringen sollte. [189]

Tillich konnte den Kreuzzugsgedanken des kalten Krieges als Ausdruck für national-
messianischen Utopismus kritisieren (Leibrecht 1972,578). Aber nachdem er während
der ganzen Zeit nicht nur Stellung nehmen will (Dezisionismus!) sondern auch über
Möglichkeiten der Situation und eines Handelns reflektiert - sich also in Freiheit
und Schicksal befindet (vgl. 4.2.4) - so vermischt sich bald der eigene religiöse
Sozialismus und dessen Protest gegen den kalten Krieg

> mit Resignation und einer gewissen Bitterkeit über die Teilung der Welt
> in zwei allmächtige Gruppen, zwischen denen die Ueberreste eines demo-
> kratischen und religiösen Sozialismus zermalmt werden. (GW XII,67)

Die Frage, ob Tillich jemals aus diesem, auf einen neuen Kairos hoffenden, Pessimismus herauskommt, ist nicht einfach zu beantworten. Tillich "betrachtete die politischen Tagesereignisse nicht mehr primär unter dem Gesichtspunkt der Ideologie, wie
er dies früher noch bis hin zu den Jahren nach dem Zweiten Weltkrieg getan hatte"
(Leibrecht 1972,579). Liest man genau, so kann man sehen, dass er während des kalten
Krieges einen Vertrag zwischen den Atommächten und eine Einschränkung der Propaganda
als Akt des "Widerstand/es/ gegen die selbstmörderischen Absichten der menschlichen
Rasse" empfahl (GW XIII,454/1954a/). Man sagt, er habe während seiner Jahre in Har-
vard (1955-1961) regen Anteil an der amerikanischen Politik genommen und an der Wahl-
kampagne Kennedys "grosse/n/ Anteil" genommen (Leibrecht 1972,579). 1960 nahm er,
zusammen mit Eleanor Roosevelt, Dean Rusk, Max Freedman, Henry Kissinger und James
Reston, an einer Fernsehsendung über den Atomkrieg teil, in der seine "weitgehend ab-
lehnende/n/ Haltung zum Atomkrieg" ein gewisses Aufsehen erregte (Albrecht 1972,453).
Es ist jedoch schwer zu unterscheiden, ob dies wirklich eine neue, an die Struktur
der amerikanischen Politik angepasste - eher liberale als sozialistische? - politische Aktivität war, oder ob Tillich dies als Punkteinsätze verstand, im Warten auf
und als Versuche zum Erschaffen von neuen Möglichkeiten, einem neuen Kairos.

4.3.2. Das Protestantische im Sozialismus

Aufgabe dieses Abschnittes ist es, zu zeigen, wie das Denken, das in 4.2 unter der Rubrik "Das Protestantische Prinzip" behandelt wurde von Tillich selbst "religiöser Sozialismus" genannt werden kann, also von ihm als in irgendeiner Weise auf sozialistische politische Praxis ausgerichtet, aufgefasst werden kann.

Eine Verbindung des Protestantischen mit dem Sozialistischen war im Blick auf deren früheres Verhältnis zueinander alles andere als selbstverständlich. In dem Deutschland und vor allem in dem Preussen, in dem Tillich aufwuchs, wurde nämlich das Protestantische als selbstverständliche Stütze für das Konservative, ja, als identisch mit ihm betrachtet. Zumindest galt dies für das lutherisch Protestantische. So ist zB der Ausdruck "das protestantische Prinzip" in Tillichs Milieu dadurch belastet, dass Julius Stahl dieses Prinzip mit dem "konservativen Prinzip" identifiziert hatte (Strohm 1970,27-29):

> Damit habe ich die Folgerungen, die der Protestantismus als politisches Prinzip in sich schliesst, dargelegt, die selbständige Gewalt des Königs, die höhere Freiheit und geistige Gemeinschaft des Volkes, die religiöse Duldung im Staate. Ich habe ihren Ursprung im Wesen des evangelischen Glaubens, ihre Bestätigung in der Geschichte aufgezeigt. Es sind die wirklichen Aufgaben, der wahre Fortschritt der Weltepoche. Sie sind eine Läuterung und Steigerung des frühern katholischen Zustandes, also unterschieden vom Katholizismus; aber sind im äussersten Gegensatz gegen die Revolution. Der Protestantismus gründet durch sie den gesellschaftlichen Zustand immerdar auf Gottes Ordnung, nicht auf den Willen der Menschen, er bewahrt, ja befestigt die Obrigkeit von Gott, den christlichen Staat, die gliedlichen Unterschiede der Gesellschaft. Er weist nur jedem Elemente die Stelle an, die es wahrhaft nach Gottes Ordnung haben soll /.../ (Stahl 1853,57, vgl. Strohm 1970,29)

In dieser Perspektive wurde die Aufklärung "als eine Art vorübergehende Krankheit" aufgefasst. Ihre Heilung lag in der Wiederanknüpfung an Luther und die typisch deutsche Reformation. Semler und Lessing hatten die Reformation missverstanden und bei Fichte, Hegel, Feuerbach und Marx übernahm das Böse und Widerchristliche die Macht. (Strohm 1970,37)

Tillich selbst nimmt dies in "Auf der Grenze" auf, ein Abschnitt hat dort den Titel "Auf der Grenze von Luthertum und Sozialismus" erhalten (GW XII,45-49/1936/). Tillich reflektiert dort nicht nur über seine eigenen prinzipiellen Schwierigkeiten an diesem Punkt, sondern auch über die des deutschen Volkes:

> Die bekannten Vorgänge in der deutschen Nachkriegstheologie zeigen schliesslich aufs klarste, dass es für eih vom Luthertum erzogenes Volk fast unmöglich ist, von der Religion her zum Sozialismus vorzudringen. Dem religiösen Sozialismus standen zwei lutherisch bestimmte theologische Richtungen gegenüber /.../ Beide Richtungen - und die Barthsche Indifferenz gegenüber dem Sozialen noch mehr als die junglutherische Weihung /Hirschs/ des Natio-

nalismus - entsprachen so sehr der deutschen Tradition in religiöser,
sozialer und politischer Hinsicht, dass ihnen gegenüber die Position des
religiösen Sozialismus aussichtslos war. Aber die Aussichtslosigkeit
eines religiösen Sozialismus auf deutschen Boden ist keine Widerlegung
seines theologischen Rechtes und seiner politischen Notwendigkeit.
(GW XII,46)

Aber wie motiviert er dann das theologische Recht und die politische Notwendigkeit
des religiösen Sozialismus? [190] Ein geeigneter Ausganspunkt für eine Antwort sind
zwei Artikel aus Tillichs ersten Jahren in den USA: "Prophetische und marxistische
Geschichtsdeutung", geschrieben zwischen 1934 und 1936 (GW VI,97-108/1935a/) und
"Marxismus und religiöser Sozialismus" (GW XIII,303-312/1942/). Diese Artikel können
leicht mit anderem Material ergänzt werden.

Man kann, nach Tillich, eine historische Abhängigkeit des Marxismus von prophetischen
Gedanken nachweisen. "Als Jude durch Tradition und Rasse" hatte Marx "einen unmittelbaren Zugang zu dem Geist der Prophetie". Als "in seiner Ethik, seiner Lehre vom
Menschen und vor allem in seinem persönlichen Pathos" von dem Humanismus des west-
europäischen Liberalismus abhängig, ist er auch beeinflusst von "Elemente/n/ prophetischer Verkündigung, wenn auch in rationaler Umformung". "Eine wichtige, wenn auch
sehr vermittelte Abhängigkeit vom Prophetismus" bedeutet endlich Marx Schülerverhält-
nis zu Hegel. (GW VI,97)

Tillich meint, dass die geschichtliche Geschichtsdeutung zwar von der konservativen
kirchlichen Form von Geschichtsdeutung im Gefolge Augustins verfälscht wurde, und er
knüpft selber an Joachim von Floris an (GW VI,117/1948/). Wir haben gesehen, dass
diese Anknüpfung in Tillichs Theologie eine zentrale Stelle einnimmt und "mit der
Entscheidung für oder gegen das Christentum" zu tun hat (GW VI,110 oben 210). Nachdem Marx historische Abhängigkeit von prophetischen Gedanken vor allem eine Abhängigkeit von Traditionen ist, die mit Joachim von Floris zusammenhängen, so nimmt Tillich
sie sehr ernst. Letztlich ist dies eines der Probleme, die Tillichs Theologie formen
und seine Reflexion weitertreiben, nämlich, dass das Christentum "den prophetischen
Geist seiner Ursprünge so weit verloren hat, dass dieser Geist sich in einer bewusst
antichristlichen Bewegung seine Stätte suchen musste" (GW VI,108/1935a/). [191]

Aber das Aufzeigen einer historischen Abhängigkeit ist für Tillich an sich nicht
ebenso wichtig wie das Aufzeigen der strukturellen Analogien zwischen den Geschichtsdeutungen (GW VI,98).

> Der Hauptgrund für die theologische Bejahung des Marxismus ist eine auf-
> fallende Strukturanalogie zwischen der prophetischen und der marxistischen
> Deutung der Geschichte. (GW XIII,304/1942/)

Wie wir gesehen haben (4.2.4), ist die Geschichtsdeutung in Tillichs Denken alles andere als perifer. In ihr werden die Ergebnisse seiner Reflexion über das protestantische Prinzip zusammengefasst. Eine Strukturanalogie in der Geschichtsdeutung wird sich dann zu einer Strukturanalogie der Theorie erweitern.

Prophetisches Denken ist, nach Tillich, echt geschichtliches Denken. Im Gegensatz zu allem Idealismus weist es den Menschen und sein Denken auf die Wirklichkeit, auf die ganze Wirklichkeit in ihrer Profanität, auf die Situation und die Geschichte hin.

> Nicht durch Erhebung über das Dasein kann das Göttliche erreicht werden, sondern durch Entscheidung für das Gute im Dasein, in Raum und Zeit. Nicht verlassen, sondern gestaltet muss das Dasein werden. (GW VI,99)

Diese Aufforderung bekommt ihren Ernst dadurch, dass die Forderung nach Gestaltung mit der Forderung nach Gerechtigkeit zu tun hat. Im prophetischen Denken und in jedem geschichtlichen Danken gibt es ein Bewusstsein von der Macht des "Dämonischen" und von der Unmöglichkeit für den Einzelnen, dem Kampf zwischen Gut und Böse zu entfliehen und den Sieg der Gerechtigkeit vorwegzunehmen.

> Jeder einzelne hat sich zu entscheiden, auf welcher Seite er kämpfen will; und auch die Nichtentscheidung ist eine Entscheidung, nämlich für das Böse. Zwar ist das Gute am Ende siegreich, aber noch geht der Kampf hin und her. Kein Einzelner kann den Sieg vorwegnehmen. Jeder ist an den Stand des Kampfes in seiner Periode gebunden. Flucht aus dem Schein in das Wesen, Einswerden mit dem Göttlichen jenseits dieses Kampfes ist unmöglich. Nicht Einswerdung, sondern Erwartung, theologisch gesprochen, nicht Mystik sondern Hoffnung ist die geforderte Haltung des Menschen /.../ Sie /Erlösung/ ist nicht Befreiung des Einzelnen aus der unvollkommenen Existenz, sondern sie ist Ueberwindung und Ausrottung des Bösen im Ganzen des Seins. Sie ist nicht Verschmelzung mit dem Ewig-Einen, sondern Verwirklichung des Reiches Gottes, das heisst des Mannigfaltigen, das geeint ist durch Gerechtigkeit und Liebe. (GW VI,99f)

Es ist offenbar, dass sich die Struktur dieses geschichtlichen Denkens - die also nach Tillich Ausdruck des protestantischen Prinzips ist - auch in Marx Denken wiederfindet.

> Ganz ohne Zweifel ist zunächst, dass der Marxismus einen extremen Fall geschichtlichen Denkens darstellt und darin mit der Prophetie auf gleichem Boden steht. (GW VI,103)

Ganz offenbar behauptet auch Marx gegenüber jedem Idealismus die Hingewiesenheit des Menschen und des menschlichen Denkens auf die Wirklichkeit in ihrer Profanität. Ebenso offenbar ist, nach Tillich, dass Marx Denken von der Einsicht der existentialistischen Revolte in die Macht des "Dämonischen" über die gesamte Wirklichkeit, einschliesslich des Menschen, geformt wurde. [192]

> Er /der Mensch/ ist entfremdet von sich selbst und seinem wahren Menschsein, er ist entmenschlicht, er ist zum Objekt geworden, zum Mittel des Profits, zur Ware Arbeitskraft - nach Marx. (GW XIII,305f)

Aber diese Einsicht in die Hingewiesenheit auf die Wirklichkeit, in der die Macht des "Dämonischen" sehr gross ist - dieser "empirische Pessimismus" - darf auf bei Marx nicht zur Kapitulation vor dem Bösen, zum Aufgeben der Forderung nach Gerechtigkeit führen.

> Kultus und Gottesdienst, die auf dem Boden sozialer Vergewaltigung wach-
> sen, werden von den Propheten verworfen, wie eine Kultur, die auf dem
> Boden der Ausbeutung einer Klasse durch die andere wächst, vom Marxismus
> bekämpft wird. (GW VI,104)

Dasselbe gilt auch für den Begriff der Wahrheit, die sowohl im Christentum als auch im Marxismus "jenseits der Spaltung von Theorie und Praxis" liegt:

> Die Wahrheit muss "getan" werden, um erkannt zu werden. Ohne Verwandlung
> der Wirklichkeit ist keine wahre Erkenntnis der Wirklichkeit möglich. Die
> Situation des Erkennenden ist entscheidend für die Fähigkeit oder Unfähig-
> keit zu erkennen. (GW XIII,306)

Auf Grund der Macht des "Dämonischen" wird ständig neuer Götzendienst geschaffen bzw. werden immer wieder Ideologien hervorgebracht. Ständig versuchen Menschen von neuem der Forderung nach Gerechtigkeit zu entfliehen und sie motivieren diese Flucht, die-se Ungerechtigkeit durch den Hinweis auf die Nation usw. Ständig muss prophetische Kritik bzw. Ideologiekritik von neuem geübt werden. Diejenigen, die das können - die Auserwählten bzw. das Proletariat - sind "Menschen in der Situation äusserster Angst, Verzweiflung, Sinnlosigkeit", "an der Grenze aller menschlichen Möglichkeiten". (GW XIII,306f, GW VI,104f) Die Strukturanalogie kann daher in der Behauptung aus-münden, dass sowohl prophetisches Denken als auch Marxismus "diese Einheit von dia-lektischer Notwendigkeit und menschlicher Freiheit" zusammenhalten, die man nicht auseinanderreissen darf, wenn man "den Sinn unserer geschichtlichen Existenz" nicht verfehlen soll (GW VI,106).

> Freiheit und historisches Schicksal sind keine Gegensätze für das prophe-
> tische und das marxistische Denken. (GW XIII,305)

Nach dem Vorhergehenden überrascht es kaum, dass Tillich an einer programmatisch for-mulierten Stelle in "Die sozialistische Entscheidung" behaupten kann:

> Sozialismus ist Prophetie auf dem Boden einer autonomen, auf sich selbst
> gestellten Welt. (GW II,310/1933/) 193)

Tillich spricht also von einer Strukturanalogie; darauf legt er grossen Wert, aber er weigert sich, von einer Identität zu sprechen, weshalb?

Bereits in dem programmatischen Satz in "Die sozialistische Entscheidung" wird eine Distanz ausgedrückt, die man leicht übersieht, die aber äusserst wesentlich ist. "Prophetie auf dem Boden einer autonomen Welt" ist für Tillich ein widerspruchsvoller

Ausdruck. Auf dem Boden einer autonomen Welt ist nur rationale Kritik möglich. Prophetische Kritik beruht, mit der Terminologie von 1929, auf einer Gestalt der Gnade. Protestantische Verkündigung ist, mit der Terminologie von 1928, nicht nur eine Verkündigung der Grenzsituation, sondern auch ein Sprechen "von dem Ja, das in der unbedingt ernst genommenen Grenzsituation über den Menschen ergeht" (GW VII,81 /1928/). Auf dem Boden einer autonomen Welt kann von dieser Gnade nicht gesprochen werden. Die Folge davon ist

> dass die prophetischen Elemente im Marxismus immer nur indirekt und in einer durch die rationale Form verhüllten Weise zum Ausdruck kommt. (GW VI,103)

Soll man die Bedeutung der Strukturanalogie erkennen, dann muss man "die latente Transzendenz im Marxismus" sehen und muss ebenso "die, wenn auch nicht latente, so doch verhüllbare Immanenz in der Prophetie gleichzeitig sichtbar" machen (GW VI,103, vgl. GW II,310/1933/). Die Distanz wird dadurch markiert, dass der Marxismus selbst keine Möglichkeit hat, dieser latenten Transzendenz gerecht zu werden. Der Marxismus kann, nach Tillich, mit sich selbst nicht zurechtkommen. Er befindet sich in einem inneren Widerstreit, den der Marxismus selbst nicht auflösen kann. Das ist der leitende Gedanke in "Die sozialistische Entscheidung", und er wird in 4.3.3 weiter entwickelt werden.

Die Strukturanalogie, die nicht zu einer Identität führt, taucht auch in einer Strukturanalogie zwischen historischem Realismus und gläubigem Realismus wieder auf (vgl. oben 206). Wenn Tillich den historischen Realismus beschreibt, so ist sein einziger konkreter Ausgangspunkt Karl Marx. [194)

> Die historische Analyse des kapitalistischen Zeitalters, die Karl Marx getan hat, ist Beispiel machtvoller Durchbrechung der Ohnmachtsschichten des Seins bis zur Schicht der wahren Seinsmächtigkeit/.../ Der Existenz hatte sich schon der technische und ökonomische Realismus zugewandt, aber der Existenz im Sinne des zufälligen Bedürfnisses und der Existenz im Sinne des immer gleichen Machtwillens. Beides wird durchbrochen vom historischen Realismus. Das Hier und Jetzt ist nicht das Zufällige, nicht der Augenblick, sondern das, was in diesem Augenblick getragen ist vom Vergangenen, gespannt ist zum Zukünftigen. Es ist christlich-protestantische Haltung, die im Jetzt, im historisch gefüllten und gespannten Hier die Macht des Seins sucht. (GW IV,82/1927/)

Was hier bejaht wird ist die Ideologiekritik (vgl. GW IV,83,97), die philosophisch-politische Analyse, die "die Ohnmachtsschichten des Seins" aufdeckt und damit alle essentialistischen Versuche zu "Antworten aus der menschlichen Existenz heraus" (ST I,79) als falsch, als Götzen entlarvt. Bejaht wird, dass Marx Analyse logisch zu einer unbeantwortbaren Frage nach Gnade, nach Transzendenz, zu der Bitte um Ergriffensein, Glaube führt (vgl. GW IV,84,101). Marx sieht das nicht selbst; nach Tillich, auf Grund eines inneren Widerstreites in seinem Denken. Aber es wäre nach

Tillich falsch, würde man übersehen, dass diese Frage in seinem Denken latent besteht.

Niemand versteht den Sozialismus, der seinen prophetischen Charakter übersieht. Dass er übersehen werden kann, ist in dem autonomen Charakter der sozialistischen Lebens- und Denkformen begründet. Dass er nicht übersehen werden darf, zeigt jede tiefere Analyse dieser Formen, zeigt vor allem eine klare Erfassung des sozialistischen Prinzips. (GW II,310/1933/)

Das ermöglicht dem Protestantismus "unter dem neutestamentlichen Begriff des 'Kairos' das sozialistische Prinzip in sich aufzunehmen" (GW II,349), und dies ist das Ziel für Tillichs religiösen Sozialismus (GW II,349 Anm. 23). Aber es handelt sich dabei immer noch nicht um eine Identifikation.

Tillich betont also die Strukturanalogie, weigert sich aber von Identität zu sprechen. Ebenso wichtig ist, dass Tillich es ablehnt den christlichen Glauben via diese Strukturanalogie eine konkrete politische Aktivität legitimieren zu lassen, auch wenn diese sozialistisch genannt wird. Tillich sieht sich 1948 dann dazu veranlasst, dies vor der amerikanischen Öffentlichkeit zu unterstreichen, und mag er dabei auch von der Situation abhängig sein, so sollte man doch dies ernst nehmen:

Der religiöse Sozialismus ist keine politische Partei, sondern eine geistige Kraft, die in so viel Parteien wie irgend möglich wirksam zu sein versucht. Er hatte und hat Sympathisierende und Gegner auf der Linken wie auf der Rechten. Aber er steht unzweideutig gegen jede Form der Reaktion - sei es die halbfeudale Reaktion wie in Deutschland, sei es eine bürgerliche status-quo-Politik wie in den Vereinigten Staaten, sei es die kirchliche Reaktion, die sich in grossen Teilen des Nachkriegseuropa zu entwickeln droht. Der religiöse Sozialismus ist nicht "Marxismus" - weder politischer Marxismus im Sinne des Kommunismus, noch "wissenschaftlicher" Marxismus im Sinne der ökonomischen Doktrinen. Wir haben freilich mehr aus Marx˜ dialektischer Analyse der bürgerlichen Gesellschaft gelernt als aus jeder anderen Analyse unseres Zeitalters. Wir fanden darin ein Verständnis der menschlichen Natur und Geschichte, das der klassischen christlichen Lehre viel näher ist mit seiner empirischen Pessimismus und seiner eschatologischen Hoffnung, als es das Bild des Menschen in der idealistischen Theologie ist. (GW VII,18/1948a/)

In Aussagen dieser Art hat man den Beweis dafür gesehen, dass Tillichs religiöser Sozialismus relativistisch und "bewusst standpunktslos" war, was ihm dann vom marxistischen Standpunkt aus als "verschleierter Konservatismus" und "bürgerlicher Standpunkt" (zB Winter 1969,269) vorgeworfen wurde. Solche Kritik kann nicht vernachlässigt werden (vgl. unten 5.3), aber sie wird glaubwürdiger wenn sie auch dann noch aufrechterhalten werden kann, nachdem man in Tillichs Auseinandersetzung mit diesem Problem eingedrungen ist.

Erstens ist natürlich auffallend, dass Tillich selbst andere für solchen Relativismus, leeren Formalismus, Gestaltlosigkeit kritisiert, dass er selber dies als ty-

-pisch bürgerlich bezeichnet, und dass sein gesamtes Denken als ein Versuch betrachtet werden kann, dies zu überwinden. Natürlich ist es möglich, dass ihm der
Versuch nicht gelungen ist, doch dann muss die Analyse weitergetrieben werden um zu
zeigen, wo sein Denken mit den eigenen Intentionen im Widerstreit steht. Selber
meint er ja, dass Aussagen, wie die oben zitierte, notwendig sind, wenn er den eigenen Intentionen treu bleiben will.

Zweitens gibt es in der Strukturanalogie, die nach Tillichs Meinung zwischen christlichem Glauben und Marxismus herrscht, eine Art Metatheorie zum Verhältnis der Wahrheit zu Schicksal und Freiheit oder wenn man so will zu Theorie und Praxis. Interessant dabei ist gerade, dass es diese gemeinsame Metatheorie ist, die ein unkritisches Akzeptieren eines konkreten politischen Programms, wie sehr dies auch sozialistisch genannt wird, ausschliesst. Ein solches unkritisches Akzeptieren wäre
eine Flucht vor der Forderung nach Gerechtigkeit zu einer Ideologie und damit
Flucht vor dem geschichtlichen Denken. Gerade die Treue zu dem für prophetisches
Denken und Marxismus Gemeinsamen zwingt zu "anti-ideologische/r/ Kritik ebenso gegen
sich selbst wie gegen alle anderen sozialistischen und marxistischen Gruppen und
gegen die Feinde des Sozialismus". Daher muss "das Fehlen einer solchen Selbstkritik in den sozialdemokratischen Parteien" kritisiert werden (GW XIII,308, vgl.
GW II,224/1933/). Wendland drückt dies mehr "protestantisch" aus, wenn er sagt:

> Man kann nicht den Sozialismus als eine Art religiösen oder christlichen
> Gesetzes verstehen. (Wendland 1962,167)

In Tillichs Verhältnis zum Sozialismus besteht daher dauernd ein Moment der Entscheidung, wenn man so will, ein dezisionistisches Moment (Breipohl 1971,201 Anm.
113 im Anschluss an Theodor Strohm). Tillich entscheidet sich für ein sozialisti-
sches Programm. Er legitimiert das nicht. Das hat seine tiefen Ursachen in den
Voraussetzungen für Tillichs Denken.

Wäre nämlich der Sozialismus identisch mit einem Ideal, von dem aus rationale Kritik geübt werden sollte, so müsste es von der prophetischen Kritik in Frage gestellt werden. Die Pointe in der Strukturanalogie war ja, dass auch der Marxismus
kein Ideal als unkritisierbaren Ausgangspunkt anerkannte, dass auch marxistische
Kritik - recht verstanden - rationale Kritik "transzendierte", dass auch marxistische Kritik - recht verstanden - prophetische Kritik war. Aber - und das war für
Tillich in der Auseinandersetzung mit Barth wichtig - prophetische Kritik kann nur
als rationale Kritik von einem Ideal aus geübt werden. Dort wo prophetische Kritik
zur rationaler Kritik gestaltet wird, kommt immer ein Moment der Entscheidung vor.
195) An dieser Stelle muss die Wahrheit getan werden um erkannt zu werden. Dies
zu verleugnen würde für Tillich eine Verfälschung der prophetischen Kritik bedeuten

und sie unmöglich machen, würde Bindung an Ideologie, Götzendienst bedeuten. Eine Theorie-Praxis-Vermittlung ist so für Tillich nicht als theoretische Legitimierung einer Praxis möglich. Auf Grund der Macht des "Dämonischen" kann das Gute nicht durch eine unbegrenzte Offenheit der Wirklichkeit gegenüber ergriffen werden, sondern das ist nur in einer Entscheidung für das Gute möglich. Tillich meint nicht, dass Marx Analyse richtig sei, seine ethisch-politischen Konsequenzen aber willkürlich seien. Die Pointe ist, dass das Element der Entscheidung im "Uebergang" von prophetischer Kritik zu rationaler Kritik aus Idealen liegt. Innerhalb des Rationalen müssen alle rationalen Möglichkeiten ausgenützt werden. Dort helfen keine Versuche der Forderung nach Gerechtigkeit durch eine irrationale Philosophie mit irrationalen "Argumenten" zu entgehen. Das Element der Entscheidung hat für Tillich damit zu tun, wie der Glaube, obwohl er in diesem Rationalen lebt, ohne Möglichkeiten anders argumentieren zu können, dennoch das Immanente als vom Transzendenten, von der Gnade kritisiert und aufrechterhalten betrachtet. Es hat auch mit der Frage nach der protestantischen Gestaltung zu tun (vgl. 4.2.3). Es ist die "Schwierigkeit des protestantischen Ethos überhaupt" (GW X,85/1926/),

> die tiefe, innere Not des Protestantismus, dass er gegen jede religiöse oder kulturelle Verwirklichung, die für sich etwas sein will, das Nein sprechen muss, dass er aber solche Verwirklichung braucht, um auch nur das Nein sinnvoll sprechen zu können (GW X,80).

Zusammen mit dem Bemühen, "religiöse Verwirklichung" unter Beachtung des protestantischen Prinzips möglich zu machen, will Tillichs Theologie auch die Neigung der "extrem protestantische/n/ Theologie /.../ die Ethik überhaupt aus dem theologischen System zu verbannen" überwinden (GW X,85).

> Der Religiöse Sozialismus ist durch die für ihn grundsätzlichste und schwerste Frage erschüttert, wie vom Religiösen, also Ewigen her überhaupt eine Entscheidung in der Zeit möglich ist. Unter dem Druck dieser Frage wird auch er zusehends entromantisiert. Von ihm vor allem geht die Forderung dessen aus, was wir an verschiedenen Stellen als gläubigen Realismus bezeichnet haben: ein unbedingtes Ernstnehmen der konkreten Lage unserer Zeit und der Zeit von der Ewigkeit überhaupt, also ein Nein zu jeder Romantik und Utopie aber die Hoffnung auf eine Gesellschafts- und Wirtschaftslage, in der der Geist des Kapitalismus - das stärkste Symbol der in sich ruhenden Endlichkeit - überwunden ist. (GW X,46, vgl. Amelung 1972,167)

4.3.3. Die Auflösung des inneren Widerstreits des Sozialismus.

Tillichs Verhältnis zu Marx war, wie er selbst sagt, "immer dialektisch, verband also das Ja und das Nein". Das schliesst natürlich nicht aus, dass er Marx zu den grossen geschichtlichen Persönlichkeiten rechnen kann, denn "solange unser Denken autonom bleibt, muss unsere Beziehung zu den grossen geschichtlichen Persönlichkei-

-ten ein Ja und ein Nein sein". (GW XII,68/1952/). Im vorhergehenden Abschnitt wurde betont, dass Tillich Marx und den Sozialismus bejahte und es wurde gleichzeitig auch Tillichs Kritik angedeutet. In diesem Abschnitt soll sein Versuch einer "Auflösung des inneren Widerstreites des Sozialismus durch Entfaltung des sozialistischen Prinzips" (GW II,332ff/1933/) in den Mittelpunkt gestellt werden und zwar als eine weitere - für Tillich wichtige und auf die Problembeschreibung in Kap. 2 bezogene - Art, religiöse Verwirklichung /protestantische Gestaltung/gläubigen Realismus/religiösen Sozialismus zu beschreiben und dafür zu argumentieren - also Tillichs Theologie.

Tillichs Kritik richtet sich gegen "dogmatischen" Marxismus, der nach Tillich eine "im Grunde untheoretische/n/ Haltung" ist, und der nicht sieht, dass "die Voraussetzungen für jede einzelne Behauptung des ökonomischen Marxismus" in den Problemen des jungen Marx stecken. Daher können diese Voraussetzungen von dem dogmatischen Marxismus nur "ununtersucht übernommen oder durch Primitivisierung verdorben" werden. (GW II,330f) Dem wird der "wirkliche" Marx, "Marx im Zusammenhang seiner Entwicklung, also die Einheit des jüngeren und des älteren Marx" (GW II,222 Anm. 4) gegenübergestellt, und dies wird folgendermassen entwickelt:

> In all dem /in den Bemühungen dieser Arbeit/ ist die Absicht wirksam, den Marxismus aus der dogmatischen Enge, in die er bei den Epigonen geraten ist, wieder in die Breite zu stellen, die er bei dem jungen Marx hatte und die der "Marx des Kapitals" nicht grundsätzlich, sondern nur um der Arbeitsbeschränkung willen verlassen hat - womit er freilich seinen dogmatisch gebundenen Nachfolgern einen bequemen Vorwand gab, die Fülle seiner älteren Probleme beiseitezulegen. (GW II,331) [196]

Aber daraus kann man nicht schliessen, dass Tillich gegenüber Marx unkritisch gewesen sei. Umgekehrt: Es lohnt sich, mit Marx sich auseinanderzusetzen. Bei Marx gibt es eine Fülle von Problemen, doch er hat sie nach Tillich nicht in ihrer ganzen Weite und Tiefe durchschaut und er hat nicht den inneren Widerstreit seines Denkens entdeckt. Daher entdeckt er auch nicht, dass es in seinem Denken manches gibt, was die Probleme verschleiert und das Wichtige an ihnen unschädlich zu machen droht.

Wie in 4.3.2 betont wurde, bejahte Tillich im Denken Marx den empirischen Pessimismus und die eschatologische Hoffnung (GW VII,18, oben 223). Das Problem ist, nach Tillich, dass Marx kaum gesehen hat, wie problematisch es ist, diese beiden zu vereinen.

> Der Begriff der Ideologie war ein Kampfmittel von geradezu dämonischer Genialität, um alle geheiligten Wahrheiten der bürgerlichen und feudalen Kultur auf einmal zerbrechen zu lassen. (GW IV,63/1926a/)

Aber der Begriff war doch von einer "offenkundigen, logischen Fragwürdigkeit" geprägt (GW IV,63f). Mit welchen Gründen kann man behaupten, dass das eigene Denken dem Ideologieverdacht entgeht? Eine "allgemeine Ideologienlehre aufrechtzuerhalten ist natürlich unmöglich", gleichgültig ob man sie sich soziologisch oder psychologisch denkt, ob sie von Marx oder Nietzsche/Freud inspiriert ist (GW IV,32f/1929/). Das wird, für Tillich, durch Mannheims Buch "Ideologie und Utopie" bestätigt. (GW XII,255-261, bes. 260/1929c/, GW II,323 Anm. 9/1933/). Marx selbst hatte auch nie eine solche allgemeine Ideologienlehre zum Ziel, die ja niemals als ein Kampfmittel dienen konnte (vgl. GW XII,260):

> Das /eine Gleichzetzung von Wirklichkeit und gesellschaftlicher Struktur/ war nun keineswegs die wirkliche Meinung von Marx, der in dieser Beziehung dem allgemeinen Wissensglauben seiner Zeit durchaus zustimmte. Wie sich aber dieser zum Begriff der Ideologie verhält, was Ideologie im echten Sinne ist, was gegenständliche Wahrheit ist, diese Fragen hat sich Marx nicht gestellt; und die spätere Marxismus war nicht einmal mehr dazu imstande infolge seiner materialistischen Naivität. (GW IV,63) [197])

Es besteht also, nach Tillich, ein innerer Widerstreit des Sozialismus. Es handelt sich nicht um einen Widerspruch, der zu einer "Entscheidung im Sinne des Entweder-Oder" zwingt. Es handelt sich um eine in der Sache selbst begründete Antinomie, die nur aufgelöst werden kann "durch eine Wandlung der Struktur, aus der der innere Widerstreit notwendig hervorgeht". (GW II,281)

Dieser Widerstreit erstreckt sich über die gesamte Theorie (GW II,281-305). Allgemein wird er als ein Widerstreit des sozialistischen Verhältnisses zum bürgerlichen Prinzip formuliert:

> Das Proletariat muss das verneinen, in dessen Kraft er das bürgerliche Prinzip bekämpft, den Ursprung; und es muss das bejahen, das es zerbrechen will, eben das bürgerliche Prinzip. Das ist der innere Widerstreit seiner Lage. (GW II,282, im Original hervorgehoben)

In der Auffassung vom Menschen teilt der Sozialismus nicht den bürgerlichen Harmonieglauben, weder in dessen empiristischer noch in dessen rationalistischer Form. Die Gegenwart - und alle Vergangenheit - ist nach dem Sozialismus unter der Herrschaft der Disharmonie. Es gibt keine Naturgesetze, die garantieren, "dass die Empfindungs- und Triebelemente /.../ zu einer rationalen Form gelangen". Und es gibt auf Grund der Klassenherrschaft nicht die "Bedingungen für eine wirksame Erziehung des Einzelnen und der Menschheit". (GW II,286f). Aber wie kann dann die Erwartung eines Menschen "der im Erkennen und Handeln durch die Vernunft bestimmt ist" Wirklichkeit werden?

> Diese Menschen aber, die der Voraussetzung nach nicht durch Vernunft bestimmt sind, sollen den Zustand herrschender Vernunft herbeiführen. Der Sprung aus der Unvernunft in die Vernunft ist durch nichts vermittelt.

Zwischen Wirklichkeit und Erwartung liegt ein Abgrund. (GW II,287)

Aber obwohl der Sozialismus nicht den bürgerlichen Harmonieglauben teilt, muss er die bürgerliche, optimistische Auffassung von Menschen bejahen, damit er nicht selbst die ideologische Funktion einer passiven, einer pessimistischen Auffassung von Menschen in der Klassenherrschaft erhält.

> Das Verständnis des Menschen vom Ursprung, von der seelisch-vitalen Mitte, hat, ganz gleich, welche Wahrheit ihm zukommt, in der Klassenherrschaft ideologische Funktion. Es dient zur Rechtfertigung herrschaftlicher Tendenzen, zur Festigung der bürgerlichen Macht gegenüber der proletarischen Bewegung, zur Behauptung eines ewig gleichen Wesens "Mensch", dem bestimmte gottgewollte Ordnungen allein angemessen wären. (GW II,289)

So vertritt "im Kampf gegen diesen Missbrauch der vorbürgerlichen Menschenauffassung zur Befestigung der Klassenherrschaft" "der Sozialismus das bürgerliche Prinzip gegen das Bürgertum und gegen sich selbst" (GW II,289). [198]

Der Widerstreit prägt auch die sozialistische Gesellschaftsauffassung. Auch hier ist der Harmonieglaube für den Sozialismus zerbrochen. Es gibt keine Gesetze, die die Entstehung eines vernünftigen Allgemeinwillens aus Macht und Klasseninteressen garantieren und es gibt in der Klassenherrschaft auch nicht die Bedingungen dafür, ihn durch Erziehung herbeizuführen, ihn mit Macht zu erschaffen. Trotzdem hofft der Sozialismus auf eine Gesellschaft ohne Macht. Aber wie? Der Sozialismus glaubt nicht, dass dies von allein geschieht und auch nicht, dass dies mit Macht geschehen kann. Gerade weil das Proletariat keine Machtposition hat, bedarf es keiner ideologischen Ueberdeckung einer solchen (GW II,290). Wie im AT ist "die Erwählung mit politischer Entmächtigung, mit Leiden und Verfolgung verbunden":

> Die Situation der äussersten Sinnentleerung, der radikalsten und schutzlosesten Form der Ausbeutung, wie sie im frühkapitalistischen Proletariat vorlag, schliesst die Berufung zur Ueberwindung der Klassengesellschaft in sich. (GW VI,105/1935a/)

Auch das ist Wunderglaube:

> Um des Sozialismus willen muss das Proletariat sein Klasseninteresse gegen das bürgerliche durchkämpfen. Es muss Macht in Bewegung setzen, um die Macht überhaupt zu überwinden. Es muss den Staat als Instrument der bürgerlichen Klassenherrschaft verneinen und zugleich erobern, um die proletarische Klassenherrschaft aufzurichten. Ziel der Eroberung des Staates ist die Beseitigung von Staat, Macht und Klasse. In der Gegenwart wird Macht mit Macht bekämpft, damit in der Zukunft Macht auf Macht verzichten kann. Wieder erweist sich der sozialistische Glaube als Wunderglaube: in der Menschenauffassung und in der Gesellschaftsauffassung. (GW II,290) [199]

Auch das Verhältnis zu den bürgerlichen Prinzipien ist voller Widerstreit. Die Macht wird nun von der bürgerlichen Gesellschaft zur Befestigung der Klassenherrschaft benutzt.

Darum steht der Sozialismus in einer notwendigen Widerspruch gegen alle
Machtideologie. Er muss von sich aus das bürgerliche Prinzip gegen das
Bürgertum durchkämpfen, nicht um es stehen zu lassen, sondern um es zu
zerbrechen. (GW II,292)

Tillich behauptet, dass dieser innere Widerstreit auch in der Kulturidee, der Ge-
meinschaftsidee und der Wirtschaftsidee des Sozialismus vorhanden ist (GW II,293-
305).

Dieser innere Widerstreit des Sozialismus kann nach Tillich nur im "sozialistischen
Prinzip" aufgelöst werden. Seine drei Elemente - die Kraft des Ursprungs, das Zerbrechen der Harmonie, die Richtung auf das Geforderte - werden dann im "Symbol der
Erwartung" zusammengefasst. In ihm wird der Widerstreit im Verhältnis zum bürgerlichen Prinzip geklärt.

Der Sozialismus tritt mit dem Symbol der Erwartung gegen Ursprungsmythos
und Harmonieglauben. Er hat Momente beider in sich, aber er geht über
beide hinaus. (GW II,309, im Original hervorgehoben)

In diesem Symbol werden "zwei Momente, die in einer eigentümlichen und folgenschwe-
ren Spannung stehen" miteinander vereint.

Das Erwartete ist das, was kommen wird und sofern es kommen wird, unabhängig ist von menschlichem Tun. Und das Erwartete ist das, was kommen
soll, das Geforderte, und sofern es gefordert ist, nur zu verwirklichen
durch menschliches Tun. (GW II,312)

Im Symbol der Erwartung liegt, dass die Erwartung eine Erwartung ist - mit der genannten Spannung - der Erfüllung von dem, was unerfüllt ist. Sie will nicht "ein
ursprungsloses Sein im Sinne des bürgerlichen Prinzips":

Sie will das Sein in seiner wahren Macht, mit seinen Besonderungen, seinen Spannungen und seinen Eroskräften - freilich nicht so, wie es vorge-
funden wird vor jeder Frage und Forderung, nicht so, wie es ungebrochen
herrscht und menschliches Bewusstsein und menschliche Gesellschaft knech-
tet. Das Sein kommt zu seiner Erfüllung nur durch die Aufhebung seiner
unmittelbaren Macht. (GW II,315)

Das bedeutet, nach Tillich, dass das sozialistische Prinzip "dem Gehalt nach prophetisch" ist:

Der Sozialismus ist eine prophetische Bewegung, aber auf dem Boden einer
Wirklichkeit, in der der Ursprungsmythos gebrochen und das bürgerliche
Prinzip zur Herrschaft gekommen ist. Sozialismus ist Prophetie auf dem
Boden einer autonomen, auf sich selbst gestellen Welt. (GW II,310)

Im Sozialismus drückt sich die prophetische Substanz rational aus. Das ist also
für Tillich ein widerspruchsvoller Ausdruck (oben 221f). "Die Beziehung zur Transzendenz", die die Prophetie ihrem Wesen nach niemals verlieren kann, ist im Marxis-

-mus eine "latente Transzendenz" (GW VI,103/1935a/). Diese Latenz ruft eine Spannung hervor, aber keinen Gegensatz, "weil die Spannung des prophetischen und des rationalen Elementes im Sozialismus /.../ der echte Ausdruck der lebendigen Erwartung /ist/, die sein Wesen ausmacht" (GW II,320)

> Das sozialistische Prinzip hat grössere Weite, als dass die Spannung von prophetischer und rationaler Erwartung es zerreissen könnte. Das wirklich menschliche Sein steht jenseits dieses Gegensatzes. Menschliche Erwartung ist immer zugleich jenseitig und diesseitig, genauer: der Gegensatz existiert für die Erwartung nicht. (GW II,318)

Tillichs Auseinandersetzung mit dem Marxismus gilt also der Frage, ob dieser sich selber verstanden hat. Er hat den Verdacht, dass dieser von seiner rationalen/ /autonomen/immanenten Form verleitet wurde und nicht seinen prophetischen Charakter verstanden hat, und dass dieses mangelhafte Selbstverständnis ihn vor Neutralisierung und Missbrauch ungeschützt lässt. Das Prophetische droht in einer einseitigen Immanenz, einer Rationalisierung des Wunders, des Sprunges von Unerfülltheit zur Erfüllung unterzugehen. Kritik muss "an der einseitigen Immanenz des Marxismus, die er im Widerspruch mit sich selber durchbrechen muss, sobald er seine Zukunftserwartung ernst nimmt" erhoben werden (GW VI,108/1935a/). Wenn "die Transzendenz der kämpfenden Mächte" "in die Immanenz einander widerstreitenden Prinzipien verwandelt" und "die transzendente Erfüllung jenseits der Geschichte" "durch die immanente Erfüllung innerhalb der Geschichte ersetzt" ist, ist die Geschichtsdeutung vor einem Zurückfall in einen "ungeschichtlichen Naturalismus" ungeschützt (GW VI, 119f/1948/).

Aber dies ist für Tillich nicht ein direktes Programm zur "Verbesserung" von Marx. "Auf dem Boden einer autonomen, auf sich selbst gestellten Welt" ist keine andere Prophetie als der Sozialismus möglich. Die "einseitige Immanenz des Marxismus" kann dort nicht durch die Behauptung einer Jenseitserwartung einfach durchgebrochen werden, denn auch sie würde eine Ideologiefunktion erhalten.

> Im Bürgertum wird die Jenseitserwartung als antirevolutionäre Ideologie benutzt. Der Sozialismus ist gezwungen, diese Ideologie zu enthüllen, und wird dabei auf die Seite der reinen Immanenz gedrängt. (GW II,284)

Dieser Widerstreit - dass die Prophetie gegen den Missbrauch der Jenseitserwartung die Immanenz vertritt um sie zu durchzerbrechen - kann nicht durch eine theoretische Einsicht aufgelöst werden. Das wäre reiner Idealismus. Er kann nur dadurch aufgelöst werden, dass die Situation verändert wird, die den Widerstreit in seinen verschiedenen Formen hervorruft:

> Das sozialistische Prinzip hat die Kraft, den inneren Widerstreit des Sozialismus aufzulösen. Wie aber der Widerstreit des Sozialismus in dem Widerstreit der proletarischen Situation begründet ist, so kann die Auf-

-lösung nur in einer Auflösung des Widerstreits der proletarischen Situation begründet sein. Das sozialistische Prinzip hat die Kraft, die sozialistische Antinomien aufzulösen, nur dann und nur insoweit als in ihm Kräfte der proletarischen Bewegung zum Ausdruck kommen, in denen das Proletariat seine eigene Antinomik überwindet. (GW II,332, vgl. 281)

Aber Versuche zu theoretischer Einsicht können und müssen die Folgen dieser, von der Situation hervorgerufenen, einseitigen Immanenz bearbeiten. An dieser Stelle kann und muss Marx, nach Tillich, "verbessert" werden. Diese theoretische Bearbeitung (= vertieftes Selbstverständnis) ist wichtig, denn die Folgen sind fundamentale Bedrohungen des sozialistischen Prinzips selbst, und es muss ihnen als Bedrohungen begegnet werden.

Die Wahrheit neigt dazu, ein (rationales) Ideal zu werden, das man besitzen kann und das also nicht mehr allein in der Handlung vorliegt (vgl. GW XII,261/1929c/). Es ist verständlich, dass die Wahrheit in der Kampfsituation verteidigt und daher verriegelt und verhärtet wird. Aber damit verliert sie ihren Charakter als Wagnis. Sie wird zu Orthodoxie, Vergötzung, Ideologie.

Angst kann nie, auch nicht in dieser ihrer tiefsten Form, bejaht werden. Denn sie ist das Einbruchstor für alle Arten von Verhärtung und Vergewaltigung und Schwachheit. Sie muss überwunden werden im Wagnis. Der Sozialismus muss neu gewagt werden, wie er einmal gewagt worden ist. Das Wagnis hört nicht auf, so lange Leben sein soll. Denn Leben heisst Vorstossen ins Unbestimmte. (GW II,140/1930b/)

Bei einseitiger Immanenz verliert das Wunder den Charakter des Wunders. Der Sprung wird ein natürlicher Prozess. Aber wie soll das möglich sein, ohne dass der Unterschied Jetzt - Damals verfälscht wird? Wenn die Erwartung nicht in Resignation verwandelt werden soll, wie kann man dann vermeiden, die Macht des "Dämonischen" zu verleugnen und in eine Utopie zu geraten (GW II,312), in einen bürgerlichen Harmonieglauben, entweder in der Form eines Glauben an Kausalgesetzlichkeit und Berechenbarkeit oder in der Form eines Glaubens an die Fähigkeit der ethischen Initiative, also an das Gute im Menschen (GW II,326f)? Besonders beschäftigten Tillich die Risiken eines Utopismus. Er sieht, wie angedeutet wurde, die Aufgabe des religiösen Sozialismus darin, den lutherischen Transzendentalismus und säkularen Utopismus miteinander zu vereinen (GWE II,197/1963/, oben Anm. 191). In Berlin hielt er vier Vorträge über "Die politische Bedeutung der Utopie im Leben der Völker" (GW VI, 157-210/1951/) und er kam oftmals auf die Frage der Utopie in Reden und Diskussionen zurück, zB in "einer tief in die Nacht reichenden Auseinandersetzung zwischen ihm und Herbert Marcuse" (Leibrecht 1972,577f). Das Problem wird auch in der Systematischen Theologie behandelt (ST III,393-395,443f). [200]

Bedroht wird also der Charakter des sozialistischen Denkens als ein geschichtliches Denken und dessen Verständnis für die Dialektik von Freiheit und Schicksal. Der Sozialismus droht das Verständnis für das Zentralste der menschlichen Existenz zu verlieren. Er droht Ideologie zu werden.

4.3.4. Religiöser Sozialismus und Nationalsozialismus.

Wie wir gesehen haben (oben 214f) nahm Tillich sowohl vor als auch nach der Emigration dem Nationalsozialismus gegenüber deutlich Stellung. Die Integrität in dieser Stellungnahme ist kaum in Frage gestellt worden. Es wurde jedoch in Frage gestellt, ob Tillichs Theorie zu einer ebenso klaren Stellungnahme motivieren kann; eine Untersuchung der Gründe dafür könnte das Verstehen von Tillichs Denken vertiefen.

Theodor W. Adorno erweist einerseits dem Individuum Tillich seinen Respekt und setzt andererseits vor dessen Denken ein - vorsichtiges - Fragezeichen:

> Er war von einer schwer zu beschreibenden Integrität. Seine Lauterkeit in politischen Dingen ging noch hinaus über seine Ueberzeugung und seine Einsichten. Hier war etwas am Werk, was sich nicht ohne weiteres auf Positionen hätte bringen lassen. Er hat zum Beispiel die damals modischen Ursprungstheoreme, die einerseits von Heidegger kamen, andererseits aber doch mit der Rassentheorie und den Nationalsozialisten zusammenhingen, nicht etwa radikal abgelehnt, sondern von Ursprungsmächten geredet, als ob es so etwas wirklich gäbe. Wir sind gerade darüber heftig aneinander geraten, dass er in diesen Dingen das Ideologische nicht entfernt so heftig ablehnte, wie ich es gewünscht hätte. Aber es war dann etwas in ihm, was ihm trotzdem nie gestattet hätte, sich damit zu identifizieren, selbst wenn er´s intellektuell gern gemocht hätte. (Adorno 1966,30f)

Adornos Pointe scheint mir zu sein, dass Tillich zwar "den Ursprungsmythos mit aller Energie abgelehnt" hat, aber "wie eine Seinsweise des Seins, wie eine Möglichkeit", nicht wegen seiner Unwahrheit. Eine solche Entscheidung führt jedoch für Tillich nicht zu einer eindeutigen Abstandnahme, denn auch in seiner Entscheidung ist er ein Mann "der Erweiterung, einer, der die Tendenz hatte, auch ihm sehr entgegengesetzte Möglichkeiten noch in sich sehr tief hineinzunehmen". (Adorno 1966, 31f, vgl. oben 175)

Adorno scheint Tillichs Schwierigkeiten, eine deutliche Abstandnahme theoretisch zu motivieren, auf dessen Haltung als Denker auf der Suche nach einer Synthese zurückzuführen. Andere sprechen lieber von der "ideologische/n/ Anfälligkeit von Tillichs politischer Theorie und ihrer terminologischen Nähe zur NS-Ideologie (Schwerdtfeger 1969,42) und können als Argument dafür Tillichs philosophische Abhängigkeit von der Romantik (Schelling) und der Lebensphilosophie (Nietzsche) anführen.

Die härtesten Worte gebraucht Gerhard Winter, der meint, dass Tillichs Theologie des Kairos sicherlich nicht so wie seine spätere Position "eine eindeutig reaktionäre und konterrevolutionäre Position" ist, aber auf jeden Fall doch ein historischer Relativismus und so "weiter nichts als verschleierter Konservatismus" ist (Winter 1969,265,269)

Breipohl setzt bei der ausdrücklichen Absicht Tillichs ein, Marx und Nietzsche zu vereinigen (vgl. GW VI,40f/1926b/, GW VII,39 Anm. 15/1929a/, GW XII,68/1952/) und meint, dass das Bürgerliche in Nietzsches Denken, dem bei Tillich nicht genügend widersprochen wird, den Versuch der Synthese bestimmt.

Das Ergebnis der folgenden Untersuchung sei vorangestellt:

Es wird sich zeigen, dass sich bei Tillich das bürgerliche Denken gegenüber dem sozialistischen durchsetzte und die von ihm angestrebte Synthese darauf beruht, dass der historische Materialismus ähnlich, wie es bei den religiösen Sozialisten sonst schon zu beobachten war, so starken Umgestaltungen unterliegt, dass Zweifel daran aufkommen müssen, ob bei Tillichs Programm des religiösen Sozialismus zu Recht von Sozialismus überhaupt noch gesprochen werden kann. (Breipohl 1971,194)

Schwerdtfeger meint, dass Tillich in der Diskussion mit Hirsch in "Theologische Blätter" 1934 "die ideologische Anfälligkeit der Kairostheologie" selbst eingesehen hat (vgl. GWE II,199/1963/ und ST III,422) und daher eine - auf gewisse Weise ebenfalls problematische (vgl. unten 5.3) - "Hinwendung zur Ontologie" eingeschlagen hat (Schwerdtfeger 1969,48,56).

Nicht zuletzt geht es darum zu verstehen, was Tillich meint, wenn er in "Die sozialistische Entscheidung" von "Ursprungskräften" spricht sowie seine Behauptung, dass gegenwärtig "die Verbindung des revolutionären Proletariats mit den revolutionären Gruppen der politischen Romantik angestrebt werden muss" (GW II,334, im Original hervorgehoben).

In 4.3.3 wurde Tillichs Buch "Die sozialistische Entscheidung" nicht in seiner Gesamtheit diskutiert. Das Buch wurde in einer bestimmten Situation, mit der Absicht, diese zu beeinflussen, geschrieben. Es sollte zu der sozialistischen Entscheidung auffordern.

Ihr Recht soll begründet, ihr Wesen beschrieben, ihre Notwendigkeit gezeigt werden. (GW II,219)

Tillich hat zwei Adressaten, von beiden wird die sozialistische Entscheidung gefordert

von denen, die heute den Sozialismus tragen, und von denen, die heute sein Gegner sind, ihn aber in Zukunft mittragen müssen. (GW II,219)

Man sollte beachten und darüber nachdenken, nicht nur was Tillich der ersten Gruppe - den Sozialisten - sagen will, sondern dass er tatsächlich auch einen anderen Adressaten hat - die Nationalsozialisten -, was dies voraussetzt und was er ihnen sagen will.

Dass Tillich sagen konnte:

> Aber auch von den Gegnern des Sozialismus wird eine sozialistische Entscheidung verlangt. Diejenigen Gruppen vor allem, die heute schon das Wort Sozialismus in ihren Namen führen, sollen zu einer wirklichen sozialistischen Entscheidung gebracht werden (GW II,219),

bedeutet, dass er nach den Möglichkeiten in der aktuellen Situation sucht. Er ist nicht daran interessiert, die eigene Auffassung (Sozialismus) [201] zu definieren, sie von einer anderen Auffassung (Nationalsozialismus) abzugrenzen und sich damit der Verantwortung für alles, was von den Anhängern der anderen Auffassung getan wird, zu entledigen, Er interessiert sich für die Wirklichkeit, die er geschichtlich, dynamisch versteht. Er ist dazu bereit, in ihr Verantwortung zu übernehmen und ist auf der Jagd nach Möglichkeiten, sie zu verändern. Er sieht, dass die Nationalsozialisten "durch ihre gegenwärtige Stellungnahme nicht nur den Sozialismus verneinen, sondern auch die Zukunft des Volkes und des Abendlandes bedrohen". Aber er weigert sich zu glauben/handeln, so als ob diese Bedrohung mit Notwendigkeit Wirklichkeit werden müsste. Der Ernst der Situation ist ihm klar, aber gerade der Ernst der Situation macht das Suchen nach Möglichkeiten und ein Handeln, so als ob es Möglichkeiten gäbe, noch wichtiger. Er glaubt immer noch an die Möglichkeit, dass die nationalsozialistischen Gruppen an die Seite des Proletariats in gemeinsamer sozialistischer Entscheidung gestellt werden können. (GW II,219, vgl. 334f, GW II,218/1932a/)

Tillich will den Nationalsozialisten sagen, dass sie ihre augenblickliche Position aufgeben müssen, weil dadurch auch das bedroht wird, was sie verteidigen wollen. Tillich geht dabei folgendermassen zuwege: Er deutet den Nationalsozialismus als eine (revolutionäre) Form der politischen Romantik und zeigt, dass es einen "inneren Widerspruch der politischen Romantik in allen ihren Äusserungen" gibt (GW II, 230f). Dieser Widerspruch (nicht Widerstreit, vgl. oben 227) ist so fundamental, dass die politische Romantik unmöglich und selbstzerstörerisch ist.

Dieser Gedankengang ist ein weiterer Ausdruck für die Struktur mit der Tillich bei seiner Forderung nach geschichtlichem Denken und historischem Realismus (und damit bei seiner Forderung nach protestantischer Gestaltung und gläubigem Realismus) arbeitet. Sein Ausgangspunkt sind hier "die beiden Wurzeln des politischen Denkens" (GW II,224-234).

234

Wir finden uns zwar als Gesetzte, aber zugleich als Eigene. In der Spannung zwischen Gesetztsein und Eigensein verläuft unser Leben /.../

Der Mensch findet sich nicht nur vor; er weiss sich nicht nur gesetzt und zurückgerufen im Kreislauf von Geburt und Tod wie alles Lebendige. Er erfährt eine Forderung, die ihn loslöst von der einfachen Gebundenheit an das Vorgefundene, die ihn zwingt, zu der Frage nach dem "Woher" die Frage nach dem "Wozu" hinzufügen. Mit dieser Frage ist der Kreislauf grundzätzlich gebrochen, der Mensch über die Späre des bloss Lebendigen erhoben. Denn die Forderung fordert etwas, was noch nicht da ist, was sein soll, was zur Erfüllung kommen soll. (GW II,227f)

Der Mythos antwortet auf die Frage nach dem Woher und ist so Ausdruck des Stehens im Ursprung und in der Gebundenheit an seine Macht. "Aller Mythos ist Ursprungsmythos", und "das ursprungsmythische Bewusstsein ist die Wurzel alles konservativen und romantischen Denkens in der Politik". (GW II,227f) Der Ursprungsmythos ist aber durch die Forderung gebrochen. Historisch gesehen geschieht dies im Judentum - vor allem in der jüdischen Prophetie - und in der Aufklärung - d.h. wenn das Bewusstsein autonom wird(GW II,228,239-246). Die politische Romantik ist der Versuch, den gebrochenen Ursprungsmythos geistig und gesellschaftlich wiederherzustellen (GW II,246, vgl. GW II,210/1932a/).

Aus dem, was bisher über Tillichs Denken gesagt wurde, geht hervor, dass Tillich die Forderung, den protestantischen Protest, den Protest der Autonomie (des Liberalismus) gegen die Heteronomie selbstverständlich bejaht. In diesem Zusammenhang sagt er, "dass die Forderung dem blossen Ursprung, die Gerechtigkeit der blossen Macht übergeordnet ist" (GW II,230). Aber es ist ebenso selbstverständlich, dass Tillich nicht in einer "leeren" Autonomie, in einem bürgerlichen Kritizismus, in einem isolierten und damit verabsolutierten und ideologisierten prohetischen Protest stehenbleiben will (vgl. GW II,245). Eine Entsprechung zur Theonomie wird hier im sozialistischen Prinzip und in dessen Symbol der Erwartung gesucht.

Im sozialistischen Prinzip findet sich ein Ja zu der Voraussetzung der politischen Romantik, der Macht des Ursprungs, ein Ja zu der Voraussetzung des bürgerlichen Prinzips, der Brechung der Ursprungsbindung durch die unbedingte Forderung, ein Nein zu dem metaphysischen Kern des bürgerlichen Prinzips, dem Harmonieglauben /.../ Der Sozialismus tritt mit dem Symbol der Erwartung gegen Ursprungsmythos und Harmonieglauben. Er hat Momente beider in sich, aber er geht über beide hinaus. (GW II,309)

Die politische Romantik endet in einem unausweichlichen Widerspruch. Sie fordert den Ursprung:

Auch sie /die politischen Richtungen, in denen die Ursprungsbindung Uebergewicht hat/ müssen verstanden werden, auch in ihnen spricht Geist zu Geist und zwingt zur Entscheidung. Aber die Entscheidung soll gerade in der Richtung ergehen, dass man auf Frage und Entscheidung verzichtet und zum blossen Sein zurückkehrt. Man bejaht das Ursprüngliche und sucht, mit seiner Hilfe das Geforderte abzuwehren. Man gebraucht zwar den Geist, aber gegen den Geist, man fragt, aber gegen das Fragen, man fordert, aber gegen das Fordern. Man sucht geistig den Geist zurückzuholen in die Gebundenheit des Seins. (GW II,230f)

Das autonome Bewusstsein (der bürgerliche Liberalismus) verdrängt die Ursprungsdimension und glaubt in seinem Harmonieglauben (Essentialismus), dass es die Kräfte, von denen der Ursprungsmythos spricht, nicht mehr gibt, was jedoch ein Verstehen der menschlichen Existenz unmöglich macht. (GW II,245f)

Der Sozialismus - wenn er sich selbst richtig versteht - bejaht "das rationale, analytische Prinzip" nicht als den tragenden Grund sondern als "Korrektiv und kritische Norm". Er bejaht die Forderung nach Gerechtigkeit nicht als eine Forderung für das wirklich Ursprüngliche (für den zweideutigen Ursprung), wie in der politischen Romantik, und nicht als eine Forderung gegen das Ursprüngliche, gegen das Sein, wie im bürgerlichen Liberalismus, sondern als eine Forderung für das in Wahrheit Ursprüngliche (GW II,229). Er ist nicht ungläubiger Realismus oder gläubiger Idealismus, sondern gläubiger Realismus. [202]

> Die Härte des proletarischen Schicksals, die Last des sozialistischen Kampfes gegen die bestehenden Mächte duldet keine Ekstasen und Verklärungen. Der Sozialismus ist auf den klarsten, nüchternsten Realismus angewiesen; aber auf gläubigen Realismus, Realismus der Erwartung. (GW II,224)

Vor diesem Hintergrund muss auch das, was Tillich dem anderen Adressaten, den Sozialisten, sagt verstanden werden. Wenn Tillich sagt, dass "die 'sozialistische Entscheidung' die vom deutschen Sozialismus verlangt wird" die ist, dass er "sich in klarer Entscheidung für die Kräfte des Ursprungs, aber gegen die bürgerlich gewordenen Ursprungsmächte und gegen das bürgerliche Prinzip einsetzt" (GW II,283), so ist dies deshalb kein Aufruf zu politischer Romantik. Im Gegenteil ist seine Kritik an der politischen Romantik fundamental wichtig für ihn, da sie identisch ist mit seiner Behauptung des Prophetisch-Protestantischen. [203] Nach Tillich können nämlich die Mythen der politischen Romantik - in der revolutionären Form erhebt sich "die paradoxe Forderung eines neuen Mythos" - nur offenes oder verhülltes Heidentum zustandebringen (GW II,212/1932a/). Aber davon ausgehend wird auch deutlich, dass Tillich, wenn er von den Kräften des in Wahrheit Ursprünglichen redet, nicht der Denkweise jener Zeit nachgibt. Vielleicht ist die Wortwahl ungeeignet, doch entspricht der Gedankengang seiner Struktur nach exakt dem, der uns in vielen verschiedenen Gestalten begegnet ist, nämlich immer dort wo Tillich seine innerste Intention ausdrücken wollte.

Schliesslich muss deutlich gemacht werden, dass Tillich in eine bestimmte Situation hinein redet. Er setzt voraus, dass es Möglichkeiten gibt, sie zu verändern, nicht aber, dass diese Möglichkeiten unbegrenzt sind; er versucht, Freiheit und Schicksal der eigenen geschichtlichen Situation zu verstehen, und was er sagt handelt davon, wie die Freiheit, die seiner Meinung nach in der bestimmten Situation besteht, verwirklicht werden soll. Die Situation fasst er folgendermassen auf:

> Entscheidend für Impuls und Durchführung der Schrift waren die politischen Ereignissen der letzten Jahre, der Rückgang des politischen Einflusses der Sozialdemokrate, die anscheinend endgültige Spaltung der proletarischen Arbeiterschaft, der Siegeslauf des Nationalsozialismus, die Konsolidierung der spätkapitalistischen Mächte auf militärischer Grundlage, die wachsende Gefährdung der aussenpolitischen Lage. (GW II,220)

Der Versuch, "die Verbindung des revolutionären Proletariats mit den revolutionären Gruppen der politischen Romantik" (im Original hervorgehoben) zustandezubringen, ist ein Versuch, diese Gruppen davor zu bewahren, "von der konservativen Form der politischen Romantik aufgesogen und wieder in den Dienst der Klassenherrschaft zurückführt" zu werden. Würde dies geschehen "so ist eine Verwirklichung des Sozialismus auf deutschem Boden ausgeschlossen, so lange nicht durch wirtschaftliche oder politische Katastrophen neue Bewegungen einsetzen". Dies ist das Motiv für den Versuch. (GW II,334f)

Auch Tillich würde sagen, dass seine Deutung der Situation und sein Handlungsmodell ein Wagnis darstellen. Aber es ist genau durchdacht, wie dieses Wagnis zu verstehen ist, und wie darüber reflektiert werden kann, denn es ist das Resultat der gesellschafts- und kulturphilosophischen Reflexion Tillichs und als solches eng mit seiner Theologie verbunden.

4.4. Strukturen der Systematischen Theologie.

4.4.1. Die Kulturphilosophie einer verlorenen Dimension und eines Epochenendes.

Die Emigration nach einem anderen Kontinent, eine andere Sprache und eine andere
Kultur, das bedeutete für Tillich, ebenso wie für andere Emigranten eine gewaltige
Umstellung. Für den Denker Tillich bedeutete es, dass er sich in einer neuen Sprache verständlich machen musste und zwar ohne die eigenen Gedanken in Relation zu
den theologischen und philosophischen Traditionen, von denen sie geformt wurden,
ausdrücken zu können. Als Kulturpersönlichkeit und politischer Denker hatte er seinen alten Kontext verloren und wohl kaum einen neuen erhalten. (Vgl. oben 215f).

Diese Umstellung hat natürlich seine Theologie beeinflusst. Dass Tillich den ge-
sellschaftlich-marxistischen Kontext, in dem er "existentialistisch" gedacht hatte,
verlor und stattdessen einen neuen psychologisch-freudianischen fand, kann natürlich zu verminderter Konkretion und wachsender Zeitlosigkeit/Ontologisierung geführt
haben, was man in der Entwicklung des Tillichschen Denkens durchaus feststellen
kann (vgl. zB Amelung 1972,175). Aber die Ursachen dafür können durchaus auch im
Ansatz Tillichs liegen, dessen Anfänge viel früher liegen (vgl. zB Schwerdtfegers
Deutung oben 233).

Solche Ueberlegungen sind natürlich nicht uninteressant, doch sollte man beachten,
dass Tillichs Denken Anspruch darauf erhebt, geschichtliches Denken zu sein, d.h.
ein Denken, dass von einer bestimmten Situation aus,mit deren Schicksal und Freiheit,und in sie hinein geschieht. D.h. Tillichs Denken hätte nicht seine Identität
bewahrt, wenn es in der neuen Situation ebenso verblieben wäre,wie es in der alten
Situation war. Tillichs Denken erhebt gerade dadurch Anspruch darauf, seine Identität bewahrt zu haben, dass die Situations-/Kulturanalyse fortgesetzt/erneuert wurde, und dass auf sie Rücksicht genommen wurde. Die Aufgabe, diesen Anspruch zu prüfen bedeutet erst einmal die Aufgabe, die neue Analyse zu verstehen zu versuchen.

Tillich betrachtet die Kultur in den USA als die unerschütterte Aufklärung. "Der
alte Glaube an die Ideale des 19. Jahrhunderts", der Glaube "an einen universalen
Fortschritt nach dem Modell des unleugbaren technischen Fortschritts", "an die Erziehung des Menschengeschlechts zu höheren Formen des persönlichen und gesellschaftlichen Lebens", d.h. der bürgerliche Harmonieglaube ist in weiten Kreisen immer
noch sehr stark (GW III,185f/1954b/):

> Das gilt von Amerika mehr als von Europa, weil Amerika den Erschütter-
> ungen des 20. Jahrhunderts weniger ausgesetzt war. Aber es gilt auch
> für Europa /.../ (GW III,186)

238

In der Kultur der USA fehlen sogar die Erfahrungen der inneren Konflikte der Aufklärung und die idealistische Form des Essentialismus (vgl. GWE II). Was Tillich
in den USA vorfindet - und was sich seiner Meinung nach überall immer mehr ausbrei-
tet - ist ein Leben, geprägt von dem "'Symbol' des Fortschritts" (GW III,193
/1958a/), "ein Leben, das vergeht, indem es jeden einzelnen Augenblick mit etwas
ausfüllt, das getan, gesagt, gesehen oder geplant werden muss" (GW V,45/1958/). Er
deutet diese Kultur mit Hilfe der Metapher "Dimension der Tiefe" und spricht vom
Verlust dieser Dimension.

> Es gibt zahlreiche Analysen des heutigen Menschen und der modernen Ge-
> sellschaft. Aber die meisten gehen nicht über eine Diagnose wichtiger
> Einzelzüge hinaus, und nur wenigen ist es gelungen, einen Schlüssel für
> das Gesamtverständnis unserer gegenwärtigen Lage zu finden. Obwohl dies
> nicht leicht ist, will ich es doch versuchen und mit einer Behauptung
> beginnen, die zunächst unverständlich klingen mag: Das entscheidende
> Element in der gegenwärtigen Situation ist der Verlust der Dimension der
> Tiefe. "Dimension der Tiefe" ist eine räumliche Metapher - was bedeutet
> sie, wenn man sie auf das geistige Leben des Menschen anwendet und sagt,
> dass sie ihm verlorengegangen sei? Es bedeutet, dass der Mensch die Ant-
> wort auf die Frage nach dem Sinn seines Lebens verloren hat, die Frage
> danach, woher er kommt, wohin er geht, was er tun und was sich aus
> machen soll in der kurzen Spanne zwischen Geburt und Tod. Diese Fragen
> finden keine Antwort mehr, ja, sie werden nicht einmal mehr gestellt,
> wenn die Dimension der Tiefe verlorengegangen ist. (GW V,43)

> Die Menschen sind heute weder besser noch schlechter als früher. Dass
> der Mensch die Dimension der Tiefe verloren hat, liegt vielmehr in sei-
> nem Verhältnis zur Welt und zu sich selbst. Er hat sich mittels der
> Wissenschaft die Welt unterworfen und nützt sie mit Hilfe der Technik
> aus. Dabei drängen ihn die treibenden Kräfte der industriellen Gesell-
> schaft, von der er selbst ein Teil ist, in horizontaler Richtung voran.
> Sein Leben vollzieht sich nicht mehr in der Dimension der Tiefe, sondern
> in der horizontalen Dimension. Redensarten wie "immer mehr", "immer
> grösser" und "immer besser" sind für diese Richtung symptomatisch. Man
> darf die Kraft, die dieser Bewegung zugrunde liegt, nicht geringschätzen.
> Der Mensch besitzt die Fähigkeit, die Welt zu verstehen und zu verwan-
> deln; und heute ist er sich bewusst, dass dieser Fähigkeit keine sicht-
> baren Grenzen gesetzt sind. (GW V,44f)

Tillich ist offensichtlich dieser Kultur gegenüber kritisch. Sein Protest ist humanistisch und die Frage ist, ob es sich hier nicht um Tillichs, zum grossen Teil
im europäischen Humanismus fest verwurzelten Protest gegen einen "oberflächlichen"
amerikanischen "Naturalismus" handelt. [204)]

> Nachdem der Mensch sich von der Dimension der Tiefe abgeschnitten und
> sich ihrer Symbole beraubt hat, wird er selbst zu einem Teil der hori-
> zontalen Ebene. Er verliert seine Identität und wird zu einem Ding
> unter Dingen, zu einem Faktor in dem Prozess von errechneter Produktion
> und berechnetem Verbrauch. Dies ist heute allgemein bekannt. Wir wis-
> sen, dass die Rolle jedes einzelnen im Gesellschaftssystem berechenbar
> ist, und wir können uns diesem Spiel nicht entziehen, selbst wenn wir
> die Regeln kennen und selbst zur Spielleitung gehören. Der Einfluss
> der Mentalität der Führenden in Jugendgruppen, der Einfluss des Betriebs-

-geistes auf die höheren Angestellten, die geistige Nivellierung, die
von den öffentlichen Kommunikationsmitteln, von Reklame und Propaganda
ausgeht, zum Teil mit Hilfe wissenschaftlich berechneter Reklamemetho-
den - all dies ist oft genug beschrieben worden.

Unter solchem Druck kann kaum jemand dem Geschick entgehen, mit den Ding-
en, die er produziert, selbst zum Ding zu werden, zu einem Bündel beding-
ter Reflexe, das keine Selbständigkeit mehr hat, keine Entscheidungs-
kraft und kein Verantwortungsbewusstsein. Der ungeheure Mechanismus,
den der Mensch in Gang gesetzt hat, um Gegenstände für seinen Gebrauch
zu produzieren, verwandelt ihn selbst in einen Gegenstand zum Gebrauch
in dem gleichen Mechanismus. (GW V,47)

Dem Protest scheint aber auch theologische Bedeutung beigemessen zu werden, dadurch,
dass "die Dimension der Tiefe im Menschen als seine 'religiöse Dimension'" bezeichnet wird (GW V,44).

Das Christentum, d.h. viele Vertreter des gegenwärtigen christlichen Denkens, wie auch ich selbst, glauben nun zu sehen, dass diese Dimension, die
Dimension des Religiösen, dem typisch modernen Menschen verlorengegangen
ist. Und es ist die Aufgabe des Theologen, der sich um ein Verständnis
des modernen Menschen bemüht, zu zeigen, warum dieser Verlust eingetreten
ist, was er bedeutet und wie das Verlorene wiedergewonnen werden kann.
(GW III,189/1958a/)

Das klingt so, als ob der typisch moderne Mensch für den Verlust seines Glaubens an-
geklagt würde, aber so ist es kaum gemeint. Es wird beabsichtigt, den modernen Menschen zu verstehen. Es geht hier um Kulturanalyse, und eine Kultur wählt man nicht
frei. Der Artikel "The Lose Dimension in Religion" in The Saturday Evening Post
stellt die Behauptung auf, dass "the tremendous success of men like Billy Graham and
Norman Vincent Peale, who attract masses of people Sunday after Sunday, meeting after meeting" nicht "the true religious question of our time" beantwortet, sondern
als "expressions of the predicament of Western man in the second half of the twen-
tieth century" betrachtet werden muss, d.h. als ein Phänomen, das bestärkt, dass die
Dimension der Tiefe verlorengegangen ist (T 1958(e),29,79). Tillichs theologische
Pointe ist, dass eine Kultur, die die Tiefendimension verloren hat, nicht einfach
aufgegeben werden darf, sondern ausgehalten werden muss.

Is there an answer? There is always an answer, but the answer may not be
available to us. We may be too deeply steeped in the predicament out of
which the question arises to be able to answer it. To acknowledge this
ist certainly a better way toward a real answer than to bar the way to
it by deceptive answers. And it may be that in this attitude the real
answer (within available limits) is given. The real answer to the question of how to regain the dimension of depth is not given by increased
church membership or church attendance, nor by conversion or healing ex-
periences. But it is given by the awareness that we have lost the deci-
sive dimension of life, the dimension of depth, and that there is no easy
way of getting it back. Such awareness is in itself a state of being
grasped by that which is symbolized in the term, dimension of depth. He
who realizes that he is separated from the ultimate source of meaning
shows by this realization that he is not only separated but also united.

And this is just our situation. What we need above all - and partly
have - is the radical realization of our predicament, without trying
to cover it up by secular or religious ideologies. The revival of religious interest would be a creative power in our culture if it would
develop into a movement of search for the lost dimension of depth.
(T 1958(e),79)

Aber zurück zu Tillichs Kulturanalyse. Sie endet trotz allem nicht damit, dass die
Dimension der Tiefe verloren ist - und dass Tillich der einzige ist, der protestiert und nach unzweideutigem Leben verlangt. Im Gegenteil: Es gibt auch "das
grosse 'Aber' der Tillichschen Zeitanalyse" (Amelung 1972,185):

> Aber der Mensch hat trotzdem nicht aufgehört, Mensch zu sein. Er setzt
> sich zur Wehr gegen dieses Schicksal - mit Angst, Verzweiflung und Mut.
> Er stellt noch immer die Frage nach dem Wozu, aber er weiss keine Antwort
> darauf. Er fühlt die Leere und die Sinnlosigkeit seines Lebens unter dem
> ununterbrochenen Betrieb, der Produktion von Mitteln für Zwecke, die
> selbst wieder zu Mitteln werden und auf kein endgültiges Ziel hinweisen.
> Ohne zu verstehen, was geschehen ist, empfinden viele, dass sie den Sinn
> des Lebens, die Dimension der Tiefe verloren haben. (GW V,47, vgl. GW III,
> 190f,191f,193)

Auch das ist Kulturanalyse. Aber diese Kulturanalyse zeigt, dass die religiöse Frage (GW V,47), die Frage nach unzweideutigem Leben (vgl. ST III,130ff) trotz allem
gestellt wird. Die Dimension der Tiefe ist also nicht ganz verloren gegangen (vgl.
oben das Zitat GW V,43). Dem misst Tillich in seiner Kulturanalyse theologisches
Gewicht bei.

Diese Kulturanalyse ist aber bei weitem nicht unproblematisch, nicht einmal für
Tillich selbst. Wie wir gesehen haben, verschmilzt die Metapher "die Dimension der
Tiefe" mit der Metapher "horizontal-vertikal" (vgl. oben das Zitat GW V,44f,47).
Der Verlust der Dimension der Tiefe bedeutet Gebundenheit an die Horizontale d.h.
Verlust der Vertikalen. Das Problem besteht darin, dass die Metapher "horizontal-
vertikal" zwei gleichgewichtige Tendenzen des Religiösen hervorheben will (Amelung
1972,181,183). In "Die Frage nach der Zukunft der Religion" ("Vertical and Hori-
zontal Thinking") wird dies deutlich ausgeführt und zwar auf eine Weise, die die
Gedanken auf "die beiden Wurzeln des politischen Denkens" in "Die sozialistische
Entscheidung" (vgl. oben 234f) zurückführt.

> Vertikal und horizontal sind räumliche Metaphern für religiöse Erfahr-
> ungen. In dem, was wir die vertikale religiöse Richtung nennen, erlebt
> der Mensch das Ewige als den immer gegenwärtigen Seins- und Sinngrund
> seines Lebens. Er erfährt das Ewige in der geistigen Fähigkeit, sich
> über die Angst der Endlichkeit und die Verzweiflung der Schuld zu erhe-
> ben, sowohl in der persönlichen Existenz wie im Leben in der Gemeinschaft.
> Religiöser Kult, Gebet und Meditation, künstlerische Intuition und philo-
> sophischer Eros, mystische Versenkung und überlegene Ruhe angesichts der
> Unbeständigkeit alles Existierenden sind Ausdruck dieses religiösen Er-
> lebnisses. Dagegen bedeutet horizontal, dass man das Ewige als die Kraft

241

erlebt, die verwandelt, was von ihr ergriffen wird. "Horizontal" in diesem Sinn ist der prophetische Kampf um soziale Gerechtigkeit und persönliche Verwirklichung, der Kampf gegen die Strukturen des Bösen in unserem Innern wie in unserer Gesellschaft. Ethik, Erziehung, Politik, Medizin, Technik sind Ausdruck des horizontalen Elements im menschlichen Dasein.

Wenn immer der Mensch sich auf das Unbedingte richtet, wirken beide Elemente in ihm, das vertikale und das horizontale, denn das Seiende und das Seinsollende sind eins im Grunde des Seins. Eine Religion, die das Unbedingte nur als Sein begreift, wird zu einer statischen, weltabgewandten Mystik ohne ethische Dynamik und ohne Willen und Kraft, die Welt zu verwandeln. Eine Religion, die das Unbedingte nur als das Seinsollende begreift, wird zu einem Aktivismus, der nach der moralischen Vervollkommnung im Sozialen wie im Persönlichen strebt, aber ohne tragende Substanz ist und ohne die geistige Kraft, über das Endliche hinauszugreifen. (GW V,33/1946/)

Die Rede von der verlorenen Dimension der Tiefe ist natürlich als Weise von der Leere der Autonomie zu reden, gedacht (deutlich GW V,34). Die Frage ist jedoch, ob dies nicht ein schlechterer Ausdruck ist, und ob Tillich durch ihn nicht in Schwierigkeiten gerät. Zwei Beobachtungen scheinen mir darauf hinzudeuten.

1. In welchem Denken "ist es die Dimension der Tiefe, aus der heraus alles verstanden wird, in die alles versinkt und aus der alles kommt"? Ja, "in der Mystik" deren Denken "fundamental ungeschichtlich" ist. (GW VI,174/1951/, vgl. GW VI,112 /1948/). Aber die Wahl zwischen geschichtlichem und ungeschichtlichem Denken ist ja "Entscheidung für oder gegen das Christentum" (GW VI,110, vgl. oben 210) ...!

2. Ist es richtig, wie Tillich selbst, zu behaupten, dass "wir", die religiösen Sozialisten, "die Vertikale in neuer Form wieder aufzurichten" versuchten (GWE II, 199)? Natürlich stimmt das in gewisser Weise im Verhältnis zum Sozialismus. Aber mit dieser Ausdrucksweise wird dort das prophetisch-protestantische Bejahen der "Horizontalen", die Ausrichtung auf geschichtliches Denken und historischen/gläubigen Realismus verschleiert. In der Naturalismuskritik droht die Idealismuskritik zu verschwinden. Die alten Intentionen sind weiterhin vorhanden in Andeutungen wie diesen, dass die Prinzipien, die zum Verlust der Dimension der Tiefe beigetragen haben - "das Prinzip der Innerweltlichkeit, das Prinzip der Vergegenständlichung und das Prinzip der Umgestaltung" - "in ihrer ursprünglichen Bedeutung keineswegs antireligiös waren, es aber im Laufe ihrer Entwicklung geworden sind" (GW III,189 /1958a/), oder im Protest dagegen, dass "das horizontale Element seiner Tiefe und seiner geistigen Substanz" beraubt ist (GW V,34/1946/, Hervorhebung von mir) [205] oder wenn Tillich von einem Protestantismus aus spricht, "der so viele moderne Elemente in sich aufgenommen hat, dass er über sich selbst spricht, wenn er über den modernen Menschen spricht" (GW III,188) - aber dringen diese Andeutungen durch?

Das Problem kann folgendermassen formuliert werden: Lenkt die Metapher "die verlorene Dimension" die Gedanken davon ab, dass Tillich auf eine Synthese aus ist, in
der auch die Horizontale, die Autonomie, der aktive Kampf für Gerechtigkeit voll bejaht werden, ja sogar weitergeführt werden? Wird nicht der fundamentale Unterschied
zwischen politischer Romantik und Sozialismus, zwischen Heteronomie und Theonomie
in den Hintergrund gerückt? Wird wirklich betont, dass der Ursprungsmythos nur gebrochen aufgenommen werden kann? Mit Amelung:

> Die Gestalt der Gnade - Tillich benutzt diesen Begriff nicht mehr - und
> die dämonischen Strukturen fliessen ineinander. (Amelung 1972,175)

Damit die Menschen die vertikale Dimension erkennen sollen, zwingt das Tillich dazu,
sie zumindest dazu zu bringen, dass Dämonisch-Zerstörerische zu erkennen (vgl.
GW III,190)?

Die Frage soll noch offen bleiben, ob diese Schwierigkeiten Tillichs theologisches
Denken beeinflussten. Wir gehen zu einer, mit der Perspektive der verlorenen Dimension verbundenen aber mit ihr nicht identischen Perspektive über: die Perspektive
des Epochenendes.

In "Der Mut zum Sein" skizziert Tillich, wie bekannt, eine Perspektive von "Epochen
der Angst" (GW XI,50-54/1952a/). Nach Tillich bricht besonders am Ende einer Ära
die Angst aus.

> Die Angst, die in ihren verschiedenen Formen potentiell in jedem Indivi-
> duum vorhanden ist, wird allgemein, wenn die traditionellen Strukturen
> des Sinnes, der Macht, des Glaubens und der Ordnung zerfallen. Solange
> diese Strukturen bestehen, wird die Angst durch Partizipation des Indivi-
> duums an einem System, in dem kollektiver Mut verkörpert ist, niederge-
> halten. (GW XI,53)

Die als Analyse vor allem der amerikanischen Situation gedachte Perspektive der verlorenen Dimension wird hier universal und dient der Beschreibung eines entscheidenden Wendepunktes in der Geschichte der Menschheit. Die Perspektive wird nicht länger auf eine Art Kulturkritik begrenzt, sondern behandelt die Einsicht in ein allum-
fassendes Schicksal. Das Bewusstsein der zwanziger Jahre, in einem von mehreren
Kairoi zu leben, wird gleichsam von einem Bewusstsein davon ersetzt, in dem radikal-
sten Anti-Kairos der universellen Geschichte zu leben. Das Erlebnis einer Grenzsituation (vgl. oben 195) und "das Erlebnis der 'heiligen Leere'" (GW XIII,350/1955a/)
ist total.

> Der Zusammenbruch des Absolutismus, die Entwicklung des Liberalismus und
> der Demokratie, das Aufkommen einer technischen Zivilisation, die alle
> gegnerischen Kräfte verdrängt, und der Beginn auch ihrer Auflösung - das
> sind die soziologischen Voraussetzungen für die dritte bedeutende Epoche
> der Angst. In ihr herrscht die Angst vor Leere und Sinnlosigkeit vor.
> Wir sind vom geistigen Nichtsein bedroht. (GW XI,53)

Tillichs Kulturanalyse gipfelt also in der Behauptung, dass unsere Situation davon geprägt ist, dass die "Angst vor der Sinnlosigkeit" alle Dämme durchbricht und "Die Verzweiflung des Zweifels und der Sinnlosigkeit" hervorruft. Die gesamte Situation wird zu einem nahezu verzweifelten Ausdruck für den Ruf, der aus fast allen Situationen ertönt, den Ruf nach einem "Mut, der die Angst vor der Sinnlosigkeit und dem Zweifel besiegen kann". (GW XI,129) [206)]

Dieses Resultat der Tillichschen Kulturanalyse hat deutlich die Systematische Theologie geprägt. Tillich wird hier zu einer schwer zu überbietenden Radikalität getrieben. "Der absolute Glaube" (GW XI,130f) ist "ein extremer Punkt" und als solcher "kein Raum in dem man leben kann" (ST II,19). Es gibt bei Tillich ein letztes Vertrauen, dass auch in dieser Grenzsituation über den sie ernstnehmenden Menschen ein Ja ergehen soll (vgl. GW VII,81f/1928/ oben 196), dass auch hier eine Antwort irgendwie vorhanden ist (GW V,49 = T 1958(e),79 oben), dass auch in diesem Dilemma "eine neue Wirklichkeit, die dem Dilemma nicht ausgesetzt ist" dem begegnen wird, der dem Dilemma nicht aus dem Weg geht (auch nicht religiös) (GW XII,349/1955a/).

> Der christliche Mensch des 20. Jahrhunderts ist ohne die Erwartung, die
> der Mensch des 19. Jahrhunderts, auch der christliche Mensch des 19. Jahr-
> hunderts, hatte. Und doch ist er nicht ohne Hoffnung. Wäre es so, so
> könnte man ihn nicht den "christlichen Menschen" nennen. (GW III,181
> /1952b/)

Sicherlich kann diese Radikalisierung als eine folgerichtige Entwicklung von Tillichs Denken gesehen werden, als Aufdeckung der zu Grunde liegenden Struktur [207)]. Aber ist es ganz sicher, dass die Theologie nach der Radikalisierung die gleiche geblieben ist? Muss die Frage, ob die Prophetie neutralisiert wurde, nicht weiterhin offengehalten werden?

4.4.2. Die Zweideutigkeiten der Religion und ihre Ueberwindung.

Will meine Darstellung Anspruch darauf erheben, eine Deutung der Theologie Tillichs zu sein, so muss in ihr auch versucht werden, die Systematische Theologie zu verstehen. Wurde bisher der Versuch unternommen, die Fragestellungen zu finden, die Tillich zu der zusammenfassenden Systematisierung führten und einen, mit Tillich kongenialen Ausgangspunkt für eine Deutung zu finden, so kann das Folgende als Ueberprüfung des Vorhergehenden betrachtet werden.

In 4.4.2 und 4.4.3 konzentriere ich mich auf eine Deutung des vierten Teils der Systematischen Theologie und zwar aus zwei Gründen. Einmal auf Grund des Aufbaus der Systematischen Theologie. Im vierten Teil - mit dem fünften Teil als eine Erwei-
244

-terung (ST III,341) - analysiert Tillich "das Leben" und die Ueberwindung der Zweideutigkeiten des Lebens. Die Analysen der "Essenz- und Existenzmerkmale" sind Analysen von "Abstraktionen", die die Analyse der Wirklichkeit vorbereiten, die als
"eine 'Mischung' von essentiellen und existentiellen Strukturen" verstanden wird
(ST I,81f, ST III,22). Man kann daher den vierten Teil als den Abschnitt betrachten, auf den die übrigen Teile abzielen. Der zweite Grund für meine Auswahl sind
praktische Bedürfnisse meiner eigenen Darstellung. Eine Analyse gerade dieses Teils
ist für mein Kap. 5 notwendig und es erscheint mir geeignet, die Struktur und die
Korrelationsmethode gerade von diesem Teil aus zu interpretieren.

In der Religion manifestieren sich, nach Tillich, "sowohl die tiefste Zweideutigkeit des Lebens als auch die Macht sie zu besiegen" (ST III,282). Das ist allem
Anschein nach für Tillich ein äusserst zentraler Satz. Im Folgenden will ich den
Versuch machen, diesen Satz als Zusammenfassung von Teil IV der Systematischen Theologie zu deuten, und so in ihm den Schlüssel für das Verständnis von Tillichs Theologie - und für das Problematische an Tillichs Theologie zu sehen.

Tillichs "System" ist nach der Methode der Korrelation aufgebaut. Für Teil IV bedeutet das, dass Abschnitt I, "Das Leben. Seine Zweideutigkeiten und die Frage nach
unzweideutigem Leben", ein philosophischer Abschnitt ist, der zum Ziel hat, "die
Hauptfunktionen des Lebens", d.h. Moralität, Kultur und Religion philosophisch zu
verstehen. Es geht also darum, zu berücksichtigen, wie diese Funktionen mit allen
Komplikationen faktisch aussehen und sie zu verstehen versuchen, d.h. ein Modell zu
finden, das sie zusammenfassend beschreibt und in diesem Sinne erklärt. [208)]

Ohne auch nur Anspruch darauf erheben zu wollen, diesem, meiner Meinung nach, philosophisch sehr beachtlichen Abschnitt gerecht werden zu können, will ich darauf hinweisen, dass er zum Ziel hat, die Zweideutigkeit der Hauptfunktionen des Lebens aufzudecken. Im Blick auf die Moralität will Tillich die Zweideutigkeiten der personhaften Selbst-Integration hervorheben (ST III,55f), die auf eine Weise beschrieben
wird, die an meine Beschreibung der Problematik der veränderlichen Identität erinnert und er will die Zweideutigkeiten des moralischen Gesetzes hervorheben (ST III,
57ff). Ebenso ist auch der kulturelle Akt selbst nach Tillich zweideutig: Sinn-
Setzung ist immer mit Sinn-Zerstörung verbunden (ST III,85ff). Die zentrale These
in der Ontologie, mit der Tillich diese Zweideutigkeiten zu "erklären" versucht -
ebenso wie die der Religion, auf die wir gleich zurückkommen werden - ist, dass das
Leben als eine Mischung von essentiellen und existentiellen Elementen zu verstehen
ist. Wesentlich ist nun, dass die Beziehungen zwischen Moralität, Kultur und Religion essentiell und existentiell ganz verschieden aussehen.

Gemäss ihrer Wesensstruktur liegen Moralität, Kultur und Religion ineinander. In ihrer Einheit konstituieren sie die essentielle Struktur des Geistes, in der sie zwar unterschiedbar, aber nicht voneinander trennbar sind /.../

Wir gehen nun zum Bild des existentiellen Verhältnisses der drei Funktionen über: Die drei Funktionen des Lebens in der Dimension des Geistes trennen sich voneinander, wenn sie sich aktualisieren /.../

Das Leben beruht jedoch auf dem Verlust der "träumenden Unschuld", auf der Selbstentfremdung des essentiellen Seins und auf der zweideutigen Mischung von essentiellen und existentiellen Elementen. Im aktuellen Leben finden wir Moralität für sich mit ihren Zweideutigkeiten, Kultur für sich mit ihren Zweideutigkeiten und Religion für sich mit ihren tiefen Zweideutigkeiten. (ST III,116f)

Der Versuch, die Religion zu verstehen, ist ein Teil dieses Tillichschen Versuches, die Hauptfunktionen des Lebens zu verstehen. Daher sollte, nach Tillich, "eine ausführlich entwickelte Religionsphilosophie" logischerweise in Teil IV, Abschnitt I, Unterabschnitt B 3 ihren Ort haben. [209] Der Versuch, die Religion zu verstehen, beeinflusst das Modell, wird aber auch von ihm beeinflusst, da es ja so durchgeführt werden muss, dass das Modell auch für die anderen "Hauptfunktionen" passt. Dieses natürlich unausweichliche Wechselspiel macht es Tillich möglich in der Darstellung dieses Abschnitts mehr von der Religionsdefinition des Modells auszugehen, als von den Zweideutigkeiten, die verstanden werden sollen. Es dürfte allerdings auch möglich sein, die Darstellung umzukehren. Das soll im Folgenden versucht werden - was natürlich in gewissem Sinne ein Wagnis darstellt.

Was versucht Tillich in seiner Religionsphilosophie zu verstehen? Was mit Religion gemeint ist, ist ja nicht selbstverständlich! Die Abgrenzung einer Anzahl Phänomene ist ja bereits eine Deutung, ob man sich dabei von einem vorausgesetzten allgemeinen Sprachgebrauch oder einer ausgesprochen stipulativen Definition leiten lässt. Was Tillich vor dem Hintergrund des referierten Denkens interessiert, ist die Tatsache, dass es eine Gruppe von (menschlich-kulturellen) Phänomenen gibt, die Anspruch darauf erheben, die Zweideutigkeiten aufzuheben, die er im menschlichen Leben analysiert hat. Geleitet von dem allgemeinen Sprachgebrauch (?) nennt er diese Phänomene religiöse und geht dazu über, die Struktur dieser Phänomene zu analysieren. Dabei entdeckt er, dass die Phänomene, die die Zweideutigkeiten aufzuheben beanspruchen, selber auf ganz fundamentale Weise zweideutig sind.

Als die selbst-transzendierende Funktion des Lebens behauptet die Religion, die Antwort auf die Zweideutigkeiten des Lebens in allen Dimensionen zu sein: sie transzendiert deren endlichen Spannungen und Konflikte. Aber indem sie dies behauptet, fällt sie in noch grössere Spannungen, Konflikte und Zweideutigkeiten. Die Religion ist der höchste Ausdruck der Grösse und Würde des Lebens; in der Religion wird Grösse zur Heiligkeit. Dennoch ist die Religion auch die radikale Widerlegung des Anspruchs des Lebens auf

Heiligkeit; in ihr wird das Heilige am meisten entheiligt. Die Einsicht in diese Zweideutigkeiten ist von zentraler Bedeutung für ein vorurteilsloses Verständnis der Religion. Sie sollten bei aller kirchlichen und theologischen Arbeit immer im Bewusstsein sein, sie sind der Beweggrund für alle religiöse Erwartung einer Wirklichkeit, die die Religion als Sondersphäre überwindet. (ST III,120)

Der Anspruch dieser Phänomene macht also, nach Tillich, die Zweideutigkeit dieser Phänomene unvermeidlich. Der Anspruch liesse sich nur in etwas Wirklichem und damit Endlichem verwirklichen, beansprucht aber gleichzeitig, die Zweideutigkeit des Endlichen aufheben zu können (ST III,119). Dadurch, dass das Religiöse etwas Wirkliches sein muss, kann das Heilige niemals vom Profanen getrennt werden. Das Wirkliche, in dem sich der Anspruch verwirklichen liesse, muss eine Institution sein, die gleichzeitig, wie alles Institutionalisierte mit seinen Vorschriften, Lehrsätzen, Machtgruppen, die "den soziologischen Gesetzen unterworfen" sind, Teil des Endlichen ist. Die theoretischen religiösen Phänomene, die religiösen Symbole, müssen sich als "Schöpfungen der kulturellen Tätigkeit", als "die Manifestationen der Religion in der praxis" "als Entwicklungsformen des personhaften und des gemeinschaftlichen Lebens im allgemeinen" auffassen lassen (ST III,121f, vgl. oben 2.1). Und indem das Religiöse seinen Anspruch erhebt, obwohl es unausweichlich endlich ist, und sich nicht vom Profanen reinigen lässt, so kann es auch nicht von dem "Dämonischen" gereinigt werden, dass die Selbst-Transzendierung verfälscht "indem es einen bestimmten Träger der Heiligkeit mit dem Heiligen selbst identifiziert" (ST III, 125).

Aber dennoch kann man nach Tillich das Leben nicht verstehen ohne auf diesen Anspruch Rücksicht zu nehmen. Selbst-Transzendierung kann zwar nicht wie Selbst-Integration/Moralität und Sich-Schaffen/Kultur "empirisch beschrieben, sondern nur im Spiegel des menschlichen Bewusstseins gesehen werden", aber sie erscheint "im menschlichen Bewusstsein als eine Erfahrung, die sich in allen Epochen der menschlichen Geschichte findet" (ST III,107). Sie ist eine Erfahrung auch des radikalen Säkularismus, zB im unbedingten Imperativ, wissenschaftlich redlich zu sein oder im Protest gegen den Missbrauch kultureller Leistungen, etwa wenn ein grosser Roman als reine Unterhaltungsliteratur benutzt wird (ST III,124). Man kann diese Erfahrung zu verdecken suchen und vermeiden, ihr Ausdruck zu verleihen, aber die Erfahrung ist vorhanden auch wenn man sie zu neutralisieren und unschädlich zu machen versucht. Der Philosoph muss zu verstehen versuchen, was geschieht, wenn ihr Ausdruck verliehen wird oder wenn sie unterdrückt wird. Tillichs Pointe ist, dass beide Weisen, mit dieser Erfahrung umzugehen, Spannungen, Konflikten und Zweideutigkeiten ausgeliefert sind. Im Zusammenhang dieser Abhandlung fällt auf, wie sehr diese Ueberlegung meiner Darstellung in Kap. 2 gleicht.

Tillichs Religionsphilosophie gipfelt also in diesen Zweideutigkeiten der Reiligion.
Das Leben kann nicht verstanden werden ohne dass die Erfahrung der Selbst-Transzendierung und die der Profanisierung verstanden werden (ST III,107), und diese Erfahrungen können nur verstanden werden, wenn die Dialektik der Selbst-Transzendierung
(ST III,119) und die damit zusammenhängenden Zweideutigkeiten der Selbst-Transzendierung verstanden werden. Die Religionsphilosophie kann nach Tillich also nicht
in einer Legitimation der Ansprüche der Religion resultieren, sondern muss zum Aufweis der Zweideutigkeiten in den Ansprüchen der Religion führen. Religionsphilosophie ist ein Teil der Philosophie, die das Leben als zweideutig versteht,als etwas
was in seiner Zweideutigkeit eine Frage nach dem unzweideutigem Leben ist (ST III,
130). Die Religionsphilosophie kann einmal zeigen, dass die Religion Anspruch darauf erhebt, etwas teilhaftig zu sein und auf etwas ausgerichtet zu sein, das sie
nicht selber erschaffen kann, zum anderen dass auch wenn dies alles dem Menschen gegeben wird, die Religion als empfangende dennoch zweideutig bleibt. Oder mit umge-
kehrtem Vorzeichen:

> Die Erfüllung des Verlangens nach unzweideutigem Leben transzendiert jede
> Form von Religion und jedes religiöse Symbol, das Ausdruck dieser Erfül-
> lung ist. Der Mensch kann in seiner Selbst-Transzendierung das niemals
> erreichen, zu dem hin er sich transzendiert, aber er kann dessen Selbst-
> Manifestation in der zweideutigen Form der Religion empfangen. (ST III,
> 130)

Wenn Tillich sagt, dass sich in der Religion "sowohl die tiefste Zweideutigkeit des
Lebens als auch die Macht sie zu besiegen" manifestieren (ST III,282), so ist dies
daher nicht ein religionsphilosophischer Satz sondern ein theologischer. Sowohl
für diesen Abschnitt als auch für die Fortsetzung der Abhandlung ist das Verständnis dieses Satzes von grösster Bedeutung.

Oftmals wird die Terminologie Frage-Antwort von Tillich übernommen und wird als eine Art Modell dafür verwendet, wie 'die Beziehung der Theologie zur jeweiligen Gegenwart zu verstehen ist. Die Pointe ist dann, dass man eine Art direkte Relation
zwischen der individuell und sozial existentiellen Situation des Menschen und "der
christlichen Botschaft" herstellen muss, dass theologisches Umdenken notwendig wird,
und vor allem homiletisches Neuformulieren, um eine solche Relation herzustellen.
Oftmals zeigt man mehr Interesse dafür, dass eine solche Relation geschaffen wird
als dafür, wie eine solche Relation auszusehen hat. Oftmals wird Tillichs Terminologie als ein Modell dafür verwendet, die Technik einer an Religions- und Kirchenkritik uninteressierten Kirche, sich in ihrer Umwelt Gehör zu verschaffen, zu verbessern und nicht als etwas, was mit dem Eindringen des protestantischen Prinzips
in die Arbeit des Glaubens, sich selber zu verstehen, zu tun hat. Meiner Auffassung nach will Tillichs theologische Methode letzteres ausdrücken und wendet sich
248

gegen das erste. Dann aber muss Tillichs theologisch-methodische Grundeinstellung sehr ernst genommen werden und darf nicht so oberflächlich behandelt werden, dass sie zu einer Plattheit wird [210]. Drei einfache Beobachtungen sind hier berechtigt:

1. Die Aufgabe, mit Hilfe "unser/es/ heutige/n/ Wissen/s/ von den allgemeinen psychologischen und soziologischen Strukturen der Gesellschaft" und "ein/es/ praktische/n/ und theoretische/n/ Verständnis/ses/ der psychologischen und soziologischen Situation besonderer Gruppen" "eine Brücke zwischen der christlichen Botschaft und der menschlichen Situation im allgemeinen und besonderen" zu sein ist nach Tillich die Aufgabe der praktischen Theologie (ST I,43). Das ist auch von Interesse für die systematische Theologie, aber mehr indirekt. Die Korrelationsmethode hat vor allem mit dem Verhältnis Philosophie-Theologie zu tun. "Existenzanalyse, einschliesslich der Entfaltung der in der Existenz liegenden Fragen, ist eine philosophische Aufgabe" (ST I,78), die ebenfalls das obengenannte Wissen und Verständnis benutzt. Die primär theologische Aufgabe, Antworten zu formulieren, soll von ihren Quellen her und unter der Norm aber durch das Medium der Erfahrung vollzogen werden (ST I,78,51). Daher kann sie nur in einer Korrelation mit der philosophischen Aufgabe durchgeführt werden.

> Es besteht eine gegenseitige Abhängigkeit von Frage und Antwort. Inhaltlich hängen die christlichen Antworten von dem Offenbarungsgeschehen ab, in dem sie sichtbar werden; formal hängen sie von der Struktur der Fragen ab, auf die sie Antwort sein sollen. (ST I,78f)

Die Existenzanalyse ist also nicht ein Trick um etwas zu erklären, was man bereits im voraus weiss. Nur in einer Korrelation mit der Existenzanalyse/Philosophie kann der Inhalt eine Form erhalten, so dass man selber verstehen kann. Es gibt keine theologische Antwort ausserhalb der Korrelation. Das Formulieren der theologischen Antwort innerhalb der Korrelation ist ein Teil des Verstehensprozesses. Das hängt natürlich damit zusammen, dass man ohne Begriff, d.h. ohne Existenzanalyse/Philosophie weder denken noch verstehen kann (zB ST I,148, ST II,101).

2. Tillich sagt selber, dass seine Theologie apologetisch ist (ST I,12f,40). Aber das bedeutet nicht, dass sie natürliche Theologie ist, also ein Versuch, auf philosophischem Weg die christliche Botschaft "zu beweisen" (vgl. zB ST I,40, GW XIII, 396-398/1957/). Ein Hauptpunkt der Korrelationsmethode ist, dass sich die Antwort nicht aus der Frage ableiten lässt (ST I,79), dass die Antwort nicht ein Teil der Philosophie ist, ein Teil des für alle, durch Analyse des Lebens, gleichermassen Zugänglichen. Man sollte darauf achten, dass Tillich das meiner Meinung nach Wesentliche in Barths Kritik an der "modernen" Theologie bereits im Abschnitt "Die Methode der Korrelation" in der Systematischen Theologie aufnimmt. Der Inhalt des

christlichen Glaubens darf nach Tillich nicht als Schöpfung der religiösen Selbstverwirklichung im fortschreitenden Prozess der Religionsgeschichte gedeutet werden.
Fragen und Antworten liegen nicht auf derselben (philosophischen) Ebene menschlichen Schaffens:

> Alles wurde /in der liberalen Theologie in den letzten zwei Jahrhunder-
> ten/ vom Menschen selbst gesprochen, nichts zum Menschen. Die Offen-
> barung aber wird zum Menschen gesprochen, sie ist kein Monolog des Mensch-
> en mit sich selbst. (ST I,80)

3. In der Methode der Korrelation wird deutlich zwischen dem Inhalt der Antwort und
der Form, die die Theologie diesem Inhalt zu geben versuchen soll, unterschieden.
Die Theologie kann diesen Inhalt weder erschaffen noch aufrechterhalten noch für irgendwelche Zwecke verwenden. Dies entspricht Tillichs Beschreibung des Verhältnisses zwischen der "Gegenwart des göttlichen Geistes" und der Religion. Ebensowenig
wie man, nach Tillich, das Religiöse, das ja immer zweideutig ist, mit der Gegenwart des göttlichen Geistes, der ja immer unzweideutig ist, identifizieren kann
(und falls das Religiöse auf diese Identität Anspruch erhebt, so wird sie dämonisch), ebensowenig wie man, nach Tillich, die Frömmigkeit eines Individuums, ritu-
elle Handlungen oder Lehre, Ethik oder Gesellschaftsprogramm der Kirche mit der
Macht, die die Zweideutigkeiten des Lebens besiegt, identifizieren kann, ebensowenig können nach Tillich irgendwelche Lehren überhaupt oder ein theologisches System
überhaupt (dann natürlich auch nicht sein eigenes) auf eine solche Identität Anspruch erheben. Das Bewusstsein davon durchdringt Tillichs gesamte System und erscheint auch in der Methode. Aber in dem gesamten System und auch in der Methode
besteht auch ein Anspruch darauf, dass es in der Religion und in den Formen einen
Inhalt geben kann, der diese Macht, diese Gegenwart des göttlichen Geistes, diese
Gnade ist, auch wenn dieser Inhalt nicht von den Zweideutigkeiten getrennt vorliegt.

Tillichs religionsphilosophische Verständnis der Religion ist dialektisch, denn "die
Dialektik sieht auf die Wirklichkeit nicht nur von aussen, sie geht sozusagen in sie
hinein und partizipiert an ihren inneren Spannungen" (ST II,100). Aber das theologische Verständnis der Religion, das wir skizziert haben, und wonach nicht nur die
Zweideutigkeiten des Lebens, sondern auch die Macht sie zu besiegen, sich in der Religion manifestieren, sollte mit Tillichs Terminologie paradox genannt werden. [211)]
Wenn es sich bei Tillichs Offenheit dem Glauben gegenüber nicht nur um Offenheit gegenüber einer für das menschliche Leben unausweichlichen wenn auch dialektisch zweideutigen Religion handelt, sondern um Offenheit gegenüber einem theologisch relevan-
ten Glauben, dann tritt damit Tillichs Verständnis des Wortes "paradox" in das Zentrum des Interesses.

Was das Christentum als ein manifestes Phänomen definiert (vgl. ST I,159), ist nach Tillich die Behauptung des Paradoxes der christlichen Botschaft, nämlich "dass Jesus von Nazareth, der der Christus genannt worden ist, wirklich der Christus ist" (ST II,107) oder "dass in einem personhaften Leben das Bild wesenhaften Menschseins unter den Bedingungen der Existenz erschienen ist, ohne von ihnen überwältigt zu werden"(ST II,104, im Original hervorgehoben). Das ist die "Grundthese des Christentums" (ST III,414).

> Historisch und systematisch ist alles andere im Christentum Bestätigung der schlichten Behauptung, dass Jesus der Christus ist. (ST II,102)

Diese "einzige Paradox" ist "die Quelle aller paradoxen Aussagen des Christentums" wie der paradoxen Behauptung "dass der Christ 'simul peccator, simul justus' ist" (ST II,102, vgl. ST I,71, ST III,326). Voraussetzungen und Folgerungen dieser paradoxen Behauptung zu entfalten ist "der Hauptzweck des ganzen Systems" Tillichs (ST I,61f).

Das tritt in Tillichs System Punkt für Punkt hervor. Der Gedanke, dass die Behauptungen des Christentums paradoxe Behauptungen sind, erhält eine zentrale Funktion sowohl als Hilfsmittel, wenn Tillich seinen eigenen Standpunkt formuliert, als auch als Kriterium, wenn er prüft ob ein bestimmter Standpunkt gute Theologie ist. [212] Die Stellen, die im Register unter dem Stichwort "Paradox" angegeben sind, stellen daher einen interessanten Querschnitt durch die Systematische Theologie dar. So wird an diesem Begriff viel aufgehängt sowohl wenn es um das Verständnis der Offenbarung (ST I,179-181), das Verständnis Gottes (ST I,239,266) und natürlich die Christologie (zB ST II,100-102 mit der Rubrik "Der Begriff des Paradoxes in der christlichen Theologie") geht, als auch wenn es um den "Einzelne/n/ in der Kirche und die Erfahrung des Neuen Seins" also um die Gegenwart des göttlichen Geistes in der Religion geht (ST III,257-263).

Wenn Tillich von der paradoxen Behauptung des Christentums spricht, so ist die Spitze gegen zwei Richtungen gewendet, so wie sein gesamtes System den Versuch darstellt, jenseits von Naturalismus und Supranaturalismus zu gelangen (ST II,11ff). Tillich meint, dass er dieselbe Sache nach beiden Richtungen hin verteidigt, die Frontstellungen und das Ziel Tillichs sind die gleichen wie 1930 in der Diskussion des protestantischen Prinzips (vgl. zB ST II,156-161). Die paradoxe Behauptung ist die Behauptung, dass es eine Antwort gibt, dass es unzweideutiges Leben gibt. Sie ist aber eine paradoxe Behauptung und sie wird verfälscht, wenn sie etwas anderes als ein Paradox wird. [213]

Dass die Behauptung paradox ist bedeutet, dass sie "gegen das alltägliche Verständ-

-nis des Menschen von sich selbst, seiner Welt und dem, was beiden zugrundeliegt"
also "gegen die Selbstbeurteilungen und gegen die Erwartungen des Menschen" gerichtet ist, sie ist "ein Ärgernis, das sich gegen das unerschütterte Vertrauen des
Menschen zu sich selbst und gegen seine Versuche der Selbst-Erlösung richtet" (ST II,
102, vgl. ST I,71).

Tillichs Terminologie scheint nicht ganz konsequent zu sein. Er kann einmal von
"rationalen, dialektischen, paradoxen Begriffen" sprechen (ST II,102), aber im übrigen ist er kritisch dagegen, dass es besondere Sprache dafür geben soll eine paradoxe Behauptung auszudrücken (zB ST I,148f, ST II,153, ST III,326). Der Glaube kann
möglicherweise dazu gezwungen werden, Paradoxe anzuhäufen aber das ist dann keine
Lösung sondern nur eine zufällige Massnahme in Ermangelung anwendbarer begrifflicher Mittel. Die theologische Aufgabe besteht nach Tillich darin, die Voraussetzung-
en und Folgerungen der paradoxen Behauptung zu entfalten und diese muss entsprechend
der Korrelationsmethode mit Hilfe der menschlichen, im Prinzip philosophischen Sprache geschehen. [214)]

Ausgehend von dem,was ich als im frühen Denken Tillichs entscheidend betrachte, werde
ich in meiner Deutung der Systematischen Theologie betonen, dass die Behauptung der
christlichen Botschaft paradox ist. Daher kann ich zB Sigurd Martin Daeckes Deutung
von Tillichs Theologie schwerlich bejahen. Daecke unterscheidet zwischen zwei, mit
zwei verschiedenen Traditionen verbundenen Wirklichkeitsverständnissen, zwischen dem
panreligiösen und dem nichtreligiösen. Das erste ist verbunden mit einem "Tradi-
tionsstrom von Jacob Böhme über Oetinger, Hegel, Schelling, Rothe bis zu R. Otto und
den ihm verwandten Denker"(Daecke 1967,37 Anm. 1) und das zweite mit einer Tradition
von Ritschl und Herrmann bis Gogarten, Barth und Bonhoeffer.

> Pierre Teilhard und Paul Tillich fassen - jeder auf seine Weise - das ge-
> samte reiche Erbe des panreligiösen Traditionsstromes zusammen /.../ Sie
> beide sind Brennpunkte, in denen sich alle Strahlen von Mystik und Idea-
> lismus, Theosophie und Realismus sammeln /.../ So hört man hier jetzt
> dieselben Intentionen, dieselben Programme wie bei Hegel und Rothe - aber
> mit neuem Inhalt gefüllt, auf neue Weise realisiert. (Daecke 1967,39)

Was ich als Haupteinwand Daeckes gegen Tillich verstehe, wird bei ihm im Anschluss
an Ebeling unter der Rubrik "Die Verwechslung des in der Weltwirklichkeit verborgenen Gottes mit dem offenbaren Gott" angeführt:

> Wer wie Tillich (und Teilhard in den idealistischen Schichten und Elementen
> seines Denkens) in der Gotteserfahrung Gesetz und Evangelium nicht unter-
> scheidet, der erfasst nur die als Anspruch sich manifestierende Tiefe oder
> das bewegende und ausrichtende Prinzip der Wirklichkeit, nur das Gesetz,
> aber nicht das Evangelium, nur den verborgenen, aber nicht den offenbaren
> Gott, der allein in der Begegnung mit der Botschaft,die von aussen auf den
> Glauben zukommt, in der Rechtfertigung des Sünders, die die gegenläufige
> Bewegung zur Selbst-Transzendenz und Ekstase ist. (Daecke 1967,53)

Der Schlussatz ist, dass "die Entwürfe Tillichs und auch Teilhards" - auch wenn Teilhard "mit anderen seiner Gedanken über Tillich hinaus" geht- zu "jener theologia gloriae" gehören (Daecke 1967,54).

Eine solche Tillich-Deutung scheint mir einer Vielzahl der Züge in Tillichs Denken, die ich in meiner Darstellung hervorgehoben habe, kaum gerecht werden zu können. Ist wirklich Tillichs leidenschaftliches Bejahen der existentialistischen Revolte gegen den Essentialismus, als dessen Hauptrepresentanten er Hegel ansieht, nur ein Geschehen am Rande? Ist es nicht eher so, dass er damit jede theologia gloriae unmöglich machen will, jeden Versuch, eine Antwort - d.h. etwas ganz anderes als eine Frage - aus einer Analyse der Wirklichkeit und damit der menschlichen Existenz herzuleiten? Ist wirklich Tillichs leidenschaftliche Behauptung des protestantischen Prinzips gegenüber jedem Verabsolutieren eines Bedingten und gegenüber der Rede von den ungebrochenen Ursprungsmächten, die ihm in der politischen Romantik begegnete und deren Ahnenreihe der des "panreligiösen Wirklichkeitsverständnisses" ähnlich ist, nur eine Randerscheinung? Steht das nicht vielmehr ganz in der Nähe des Zentrums von Tillichs philosophisch-theologisch durchreflektierter politischer Position? Ist Tillichs leidenschaftliche Behauptung des Unterschiedes zwischen (Religions-) Philosophie und Theologie, des Satzes, dass die Grundthese des Christentums eine paradoxe Behauptung ist, dass das Hauptparadox, von dem aus andere christliche Paradoxe wie das der Rechtfertigung des Sünders abgeleitet werden, das christologische Paradox ist, ist dies wirklich ein Selbstmissverständnis (vgl. Daecke 1967, 53)? Ist es nicht eher so, dass gerade hier das Zentrum liegt von dem aus Tillichs Theologie verstanden werden muss? [215]

Aber auch meine Betonung des Paradoxen ist nicht ohne Probleme, denn Tillich betont immer wieder, dass das Paradox ein positives Paradox ist, dass die paradoxe Behauptung doch immerhin eine Behauptung ist. Das stellt mich vor ein fundamentales Deutungsproblem, das mir als eine fundamentale Zweideutigkeit in Tillichs Denken erscheint. Ich werde noch öfter darauf zurückkommen, hier kann dieses Problem nur als die Frage formuliert werden, ob Tillich eine christliche Identität behauptet oder nicht und wie er sie sich insofern vorstellt.

Das protestantische Prinzip verurteilt "religiöse" Ansprüche, Ansprüche einer religiösen Persönlichkeit und Ansprüche einer religiösen Gruppe.

> Selbstbehauptete "Grösse" im Gebiet des Heiligen ist dämonisch. Das trifft auch auf eine Kirche zu, die behauptet, in sich selbst die Geistgemeinschaft unzweideutig zu repräsentieren. Der sich daraus ergebende Wille zu unbegrenzter Macht über alles Heilige und Profane ist in sich selbst ein Urteil gegen eine Kirche, die diesen Anspruch erhebt. Das gleiche gilt von Individuen, die als Glieder einer Gruppe, die einen sol-

-chen Anspruch erhebt, selbstgewiss und fanatisch werden und schliesslich das Leben anderer und den Sinn ihres eigenen Lebens zerstören. Wo aber der göttliche Geist die Religion überwindet, überwindet er auch den Anspruch der Kirche und ihrer Glieder auf Absolutheit. Wo der göttliche Geist wirkt, ist der Anspruch einer Kirche, dass sie unter Ausschluss aller anderen Kirchen Gott vertrete, verworfen. Die Freiheit des göttlichen Geistes steht gegen einen solchen Anspruch. Und wo der göttliche Geist wirkt, ist der Anspruch eines einzelnen Gliedes, ausschliesslich im Besitz der Wahrheit zu sein, zunichte gemacht. Die Geistgemeinschaft macht Fanatismus unmöglich, denn wo Gott gegenwärtig ist, kann kein Mensch sich rühmen, Gott zu besitzen. Niemand kann das ergreifen, wodurch er ergriffen wird - den göttlichen Geist.

In anderem Zusammenhang habe ich diese Wahrheit als das "protestantische Prinzip" bezeichnet /.../ (ST III,280f)

Aber:

Der Protestantismus erkennt keine Heiligen an, aber er erkennt Heiligung an, und er kann bejahen, dass es Menschen gibt, die durch die Kraft des göttlichen Geistes geformt sind und diese repräsentieren. (ST III,273)

So kann Tillich von einer antizipatorischen Repräsentation des Neuen Seins sprechen. Er unterscheidet das sehr genau von dem "religiösen" Anspruch, denn das Neue Sein transzendiert sowohl das Religiöse als auch das Profane. [216] Aber das ist ja gerade seine Hauptpointe, dass ein Transzendieren zB der Subjekt-Objekt-Spaltung in der existentiellen Situation des Menschen "in jeder Begegnung mit dem göttlichen Grund des Seins Wirklichkeit ist, wenn auch in den Grenzen menschlicher Endlichkeit und Entfremdung, d.h. fragmentarisch, antizipatorisch und bedroht durch die Zweideutigkeiten der Religion" (ST III,278). Trotz allem scheint Tillich dort von konkreten Unterschieden zu sprechen. Aber wird der Anspruch nicht eher grösser - und dämonischer -, es geht ja doch um die Fähigkeit die Religion zu überwinden? Oder wie soll man das Folgende verstehen:

Das Kommen des Christus bedeutet nicht die Begründung einer neuen Religion, sondern die Verwandlung dieses Äons in einer neuen Äon. Folglich wird die Kirche nicht als eine religiöse Gruppe angesehen, sondern als die Gemeinschaft, die eine neue Wirklichkeit, das Neue Sein, antizipatorisch repräsentiert, In gleicher Weise wird das einzelne Glied der Kirche nicht als eine religiöse Persönlichkeit betrachtet, sondern als eine Persönlichkeit, die die neue Wirklichkeit, das Neue Sein, antizipatorisch repräsentiert. (ST III,279)

4.4.3. Theonomie und theonome Moralität.

Im vorhergehenden Abschnitt richtete sich das Interesse auf die Frage, welche Auffassung Tillich von der Religion hat, wenn er die Voraussetzungen und Folgerungen der paradoxen Behauptung, dass Jesus der Christus ist, entfaltet. Für Tillichs Denken ist jedoch entscheidend, dass sich "die Kraft der Selbstkritik im protestan-

-tischen Prinzip" gegen jede "dämonische/n/ Identifikation von Kirche und Geistgemeinschaft" wendet, gegen jeden "Versuch, die Freiheit des Geistes zu begrenzen"
und damit "die Freiheit des göttlichen Geistes von der Kirche, selbst von der protestantischen Kirche" und das Prinzip "der 'Heiligung des Profanen'" oder der "Emanzipation des Profanen" anerkennt und verteidigt, nach dem "das Profane für den göttlichen Geist offen ist und der Vermittlung der Kirchen nicht bedarf" (ST III,283f).
Das, was die paradoxe Behauptung des Christentums als eine Wirklichkeit hervorhebt, eine Geistgemeinschaft, die an der transzendenten Einheit unzweideutigen Lebens partizipiert, kann nicht eine abgegrenzte religiöse Wirklichkeit sein, es muss
auch eine kulturelle und moralische Wirklichkeit sein. (zB ST III,185).

So weit wurde Tillich von dem "protestantischen Prinzip" getrieben. Aber wie soll
er fortsetzen können? Wie kann man von einer kulturellen und moralischen Wirklichkeit sprechen, ohne die Paradoxie zu verraten? Wie soll das Protestantische Gestalt gewinnen können und von der Ohnmächtigkeit befreit werden? Mit dieser Frage
kämpft Tillich immer wieder, und die Frage ist, ob er je eine Lösung findet. Nach
Amelung:

> Im Zusammenhang der Ethik muss noch das Problem des protestantischen Ethos
> erörtert werden. Tillich nennt es die "tiefe, innere Not des Protestantis-
> mus". Es handelt sich um die religiöse Verwirklichung, das Kulturideal,
> das Voraussetzung aller kulturellen Schöpfungen ist, die Organisation der
> Kirche, den tertius usus legis u.a.m. Tillich hat nach immer neuen Lö-
> sungen dieses Problems gesucht. Er hat das Protestantische Prinzip mit
> der katholischen Substanz zusammengebracht, er hat den Versuch mit der Ge-
> stalt der Gnade unternommen und hat die Bedeutung des priesterlichen Prin-
> zips gegenüber dem prophetischen betont. In all diesen Versuchen ist er
> aber über die Verbindung des protestantischen mit einem seiner Meinung nach
> nichtprotestantischen Element nicht hinausgekommen. (Amelung 1972,207f)

Mit Tillichs eigenen Worten:

> Für die Lösung dieses Problems gibt es nach meiner Meinung keinerlei For-
> mel. Die Spannung zwischen dem prophetischen Prinzip und seiner Verwirk-
> lichung ist ein ewiges Problem der Religion, denn es wurzelt in dem Grund-
> verhältnis von Gott und Mensch. (GW VII,215/1950/)

Die Struktur im vierten Teil der Systematischen Theologie ist bereits skizziert worden. Dem Abschnitt "I. Das Leben. Seine Zweideutigkeiten und die Frage nach unzweideutigem Leben" entspricht der Abschnitt "III. Der göttliche Geist und die Zweideutigkeiten des Lebens", zu dem der Abschnitt "II. Die Gegenwart des göttlichen
Geistes" wohl am ehesten als eine Einleitung zu betrachten ist. Dort wo es um Kultur und Moralität geht, entsprechen den Zweideutigkeiten des kulturellen Aktes, in
dem Sinn-Setzung und Sinn-Zerstörung von einander nicht zu trennen sind, und den
Zweideutigkeiten der personhaften Selbst-Integration und des moralischen Gesetzes,
Theonomie beziehungsweise theonome Moralität. Die Beschreibungen der Theonomie und

der theonomen Moralität sind stilisiert und abstrakt, was, zumindest für mich, mit
Deutungsschwierigkeiten verbunden ist. Vielleicht hängt die Abstraktion damit zusammen, dass Tillich in diesem zentralen Abschnitt zur Askese gezwungen wird und
sich mit Andeutungen über den Zusammenhang mit der Gesamtstruktur der Systematischen
Theologie begnügen muss. Aber vielleicht hängt das ebenso auch damit zusammen,
dass Tillich hier ganz einfach Schwierigkeiten hat.

In der "Theonomie" als dem "Zustand einer Kultur unter der Einwirkung des göttlich-
en Geistes" hat die Kultur, nach Tillich, "eine Richtung, die jede partikulare
menschliche Zielsetzung transzendiert" erhalten (ST III,286f).

> Theonome Kultur ist eine Kultur, die vom göttlichen Geist bestimmt und
> auf ihm gerichtet ist. (ST III,287)

Das bedeutet für Tillich natürlich nicht, dass "die Kultur in Religion aufgelöst
werden sollte", sondern dass die Kultur, gerade als Kultur, von der "Selbst-Transzendierung der Kultur" geprägt wird (ST III,286, vgl. die Disposition von ST III,
45-130).

> Das Profane wird zur Vereinigung mit dem Heiligen getrieben, eine Vereini-
> gung, die in Wirklichkeit Wiedervereinigung ist, denn das Heilige und das
> Profane gehören zusammen. (ST III,284)

Diese Offenheit der Theonomie in Richtung auf eine Wiedervereinigung ist das durch-
gehende Thema. "Die Spaltung zwischen Subjekt und Objekt" wird als "die fundamentale Zweideutigkeit /.../ die mehr oder weniger deutlich in allen kulturellen Funktionen sichtbar ist" bezeichnet. In der Theonomie soll nun "die Sprache fragmentarisch von der Bindung an die Subjekt-Objekt-Spaltung befreit" sein. In der Erkenntnis "tritt an die Stelle der Beobachtung Partizipation (die Beobachtung einschliesst) und an die Stelle der Schlussfolgerung Einsicht (die Schlussfolgerung einschliesst)". (ST III,290-293)

> Solche Geist-bestimmte Erkenntnis ist "Offenbarung" ebenso wie die Geist-
> bestimmte Sprache "Wort Gottes" ist. (ST III,293)

Dies gilt auch im Verhältnis zu den Dingen, wodurch die Auffassung von zB technisch-
en Prozessen und der Kunst beeinflusst wird.

> In der Gegenwart des göttlichen Geistes verliert jedes Ding seinen bloss
> dinghaften Charakter, es wird zu einem Träger von Form und Sinn und damit
> zu einem möglichen Gegenstand des _eros_. (ST III,296)

Wo Theonomie ist, wo der göttliche Geist wirksam ist, ist kein "Ästhetizismus" möglich, der sich der Partizipation entzieht und "jedes Subjekt in einen 'blossen Gegenstand'" verwandelt. Stattdessen versucht das Subjekt sich dem Objekt "in einer
Wiedervereinigung des Getrennten zu nähern". (ST III,294)

256

Auch in der Behandlung "der Person- und Gemeinschafts-bildenden Funktion" der Kultur - den "Funktionen der Praxis" (ST III,82) - ist Wiedervereinigung der zentrale Ausdruck. Unzweideutige Identität ist ein Zeichen einer Theonomie, "weil die Spaltung des Selbst in ein beherrschendes Subjekt und ein beherrschtes Objekt nur in der Vertikalen überwunden werden kann, wo die Wiedervereinigung gegeben und nicht gefordert wird". (ST III,299)

> Ähnliches gilt für die Begegnung von Person mit Person. Der Andere ist ein Fremder, aber ein Fremder nur in Verkleidung. Eigentlich ist er ein entfremdeter Teil des eigenen Selbst. Daher kann die eigene humanitas nur in Wiedervereinigung mit ihm verwirklicht werden - eine Wiedervereinigung, die auch für die Verwirklichung seiner humanitas entscheidend ist. (ST III,300)

Ähnliches gilt auch für die theonome Moralität, die die Zweideutigkeiten der personhaften Selbst-Integration und des moralischen Gesetzes überwindet. Der Geist integriert das Selbst, indem er "das personhafte Zentrum - symbolisch gesprochen - in das göttliche Zentrum, in die transzendente Einheit unzweideutigen Lebens, die Glaube und Liebe möglich macht" erhebt (ST III,308). Er erschafft auch die Liebe, agape, "die Person mit Person wiedervereinigt":

> Der göttliche Geist erhebt die Person in die transzendente Einheit des göttlichen Lebens und vereint auf diese Weise die entfremdete Existenz der Person wieder mit ihrer essentiellen Natur. Es ist diese Wiedervereinigung, die von dem moralischen Gesetz gefordert ist und die dem moralischen Imperativ unbedingte Gültigkeit verleiht. (ST III,312)

Wie soll das eigentlich verstanden werden? Ist auch dies eine Entfaltung von Voraussetzungen und Folgerungen der paradoxen Behauptung, dass Jesus der Christus ist? Das müsste es sein, wenn meine Deutung der Korrelationsmethode richtig ist, denn nach der Disposition müsste dies wohl eher ein theologischer als ein philosophischer oder religionsphilosophischer Abschnitt sein. Tillichs eigene Aussagen scheinen das zu bestärken. Seine Ethik sei nicht "bewusst präjudiziert". Seine Argumente haben "dieselbe Erfahrungsbasis und dieselbe rationale Strenge der Beweisführung", wie diejenige jedes Philosophen. Aber selber beschreibt er sich so:

> Der Theologe tritt in die Debatte als Philosoph ein, dem die Augen durch etwas Unbedingtes, von dem er selbst ergriffen ist, geöffnet sind. (ST III,306)

Und wenn er "Theonom" erklärt, so gebraucht er gerade das Wort "paradox":

> Der Begriff "theonom" in bezug auf Kultur und Moralität hat die paradoxe Bedeutung von "trans-kultureller Kultur" und "trans-moralischer Moral". (ST III,305, vgl. 311)

Aber wird "paradox" hier von der Rechtfertigungslehre her verstanden? Ist nicht "paradox" eher zu einem Begriff geworden, mit dessen Hilfe man den dialektischen Prozess besser erklären kann - also ein philosophischer Begriff? Hat Amelung nicht recht - und ist das insofern nicht etwas ganz anderes als die Paradoxie des protestantischen Prinzips?

> Die Paradoxie hat ihren Platz in dem 'Aber' im dialektischen Prozess, das in seiner sprachlichen Funktion mit einem 'Dennoch' identisch ist. Es ist paradox, dass der dialektische Prozess trotz der zerbrochenen polaren Spannung weitergeht, dass die Tiefe trotz des Verlustes der Tiefe immer wieder aufbricht, dass die Gnade trotz der Entfremdung nicht verloren gehen kann usw. (Amelung 1972,206f)

Anders ausgedrückt: Theonomie kann, nach Tillich, "niemals absolut siegreich sein, wie sie auch niemals vollständig vernichtet werden kann". Sie kann "zum Schlüssel für die Geschichtsdeutung werden". (ST III,287) Besagt das dann aber nicht, dass Theonomie in verschiedenen Graden auftritt - vgl. "in dem Masse, in dem die Subjekt-Objekt-Struktur überwunden wird" (ST III,293), "in dem Grade, in dem ein Mensch von Geist-geschaffener Liebe bestimmt wird"(ST III,314) und das ständig wiederkommende "fragmentarisch" (zB ST III,177) - die jeder erkennen kann, die aber nicht auf andere Weise als als Wirkungen des göttlichen Geistes erklärt werden können? Inwiefern weist die Aussage "wenn die Gemeinschaft zwischen Person und Person in Erziehung und Beratung durch den göttlichen Geist über ihre Grenzen hinausgehoben wird" (ST III,299) wirklich auf etwas Paradoxes hin? Ist es nicht vielmehr so, dass Tillich auf etwas hinweisen will, was jeder wahrnehmen kann, was aber schwer zu erklären ist?

Wiederum anders ausgedrückt: Ist es so, dass Tillich sein Interesse mehr darauf richtet, auf die Wirkungen des göttlichen Geistes zu zeigen, so dass andere sie als solche erkennen können, als dass er konkrete kulturelle Gestaltungen unter das Gericht Gottes stellt, sie der prophetischen Kritik aussetzt? Wird dasjenige in der Gestalt der Gnade, von dem aus prophetische Kritik ausgehen konnte, zu etwas, von dem aus rationale Kulturkritik oder ein allgemeines Unbehagen an der Kultur motiviert werden kann - wie konkret soll zB der "Bann" gegen die Strukturen der Destruktion in der Technik (ST III,298) verstanden werden (vgl. auch Amelung 1972,41f)? Oder sind tatsächlich aus der Gestalt der Gnade konkrete Gestalten geworden, die der prophetischen Kritik entzogen und als Wirkungen des göttlichen Geistes legitimiert werden sollen?

Die Fragen drängen sich auf, auch wenn ganz offenbar dies unmöglich die Intention Tillichs sein kann. Was Tillich hier als eine kuturelle und moralische Wirklichkeit beschreibt, ist ja nichts anderes als die antizipatorische und fragmentarische Repräsentation des Neuen Seins, dessen sich kein Mensch rühmen kann und das, wie

258

wir ebenfalls bereits gesehen haben, unter dem protestantischen Prinzip steht (vgl. 4.4.2 besonders das Zitat ST III,280f).

Anders ausgedrückt: Das, was die Fragen als Position Tillichs andeuten, kann unmöglich stimmen, denn bezüglich der Kultur wäre sie dann Idealismus/Essentialismus und bezüglich der Moral wäre sie Moralismus/Heteronomie. Aber die gesamte Geschichte des Tillichschen Denkens ist voll von Kritik an einem essentialistischen, unrealistischen Essentialismus und gegen jede Form des Moralismus und der Heteronomie. Diese Kritik hat soweit ich es verstehe, die ganze Disposition der Systematischen Theologie bestimmt. Im Detail kann man sie zB in ST III,89f beobachten, wo auf "die Zweideutigkeiten des idealistischen Stils" hingewiesen wird, und das, wovon behauptet wird, es geschehe im Idealismus als "die Vorwegnahme einer Erfüllung, die in der Wirklichkeit nicht vorzufinden,die - theologisch gesprochen - eschatologisch ist" bezeichnet wird, oder in den Diskussionen ST III,231f und 235f über naturalistische und idealistische Kunst- und Denkstile. Im Verhältnis zum Moralismus ist natürlich Tillichs Reden vom "Mut der Liebe" (ST III,314) entscheidend. Entsprechend der Struktur des Tillichschen Denkens werden Idealismus/Essentialismus (das was dazu berechtigt ist) - ebenso wie Naturalismus/Existentialismus (das was dazu berechtigt ist) - in die Theonomie aufgenommen. Aber gerade das macht deutlich, dass Tillich nicht nach einer theologischen Legitimierung des Idealismus strebt. Ebenso wird die Autonomie (das was dazu berechtigt ist) aufgenommen und in der theonomen Moralität vertieft - aber kaum etwas aus der Heteronomie wenn nicht die Rede von den gebrochenen Ursprungsmächten (GW II/1933/) als eine solche Aufnahme betrachtet werden soll.

Ich komme hier auf das zurück, was ich nur als eine fundamentale Zweideutigkeit im Denken Tillichs betrachten kann. Was wird behauptet? Haben die kulturelle und die moralische Wirklichkeit, die behauptet werden, irgendwelche Grenzen? Ich kann unmöglich erkennen, dass Tillich seine Einwände gegen Heteronomie, Moralismus und Essentialismus aufgegeben hat. Aber er hält daran fest, dass er von einer bestimmten Wirklichkeit spricht und von einer durch die Gnade ermöglichten, vertieften konkreten Verantwortung. Steht er damit nicht zumindest vor zwei Schwierigkeiten?

Wird er nicht aus lauter Furcht davor, die Gnade als etwas zu beschreiben, das man besitzen kann, und worauf man Anspruch erheben kann, dazu getrieben, sie als etwas zu beschreiben, das (fragmentarisch) überall vorhanden ist und damit relativ uninteressant und wenig herausfordernd zu werden riskiert? Deshalb kann ich Daeckes kritische Fragen bejahen d.h. in dem Sinne, als sie sich gegen eine Konsequenz richten, zu der Tillich getrieben wird, obwohl sie seinen Intentionen widerspricht.
217) Wie soll man zB folgendes Reden von der Gnade verstehen?

259

Elemente der Gnade durchdringen das Leben eines jeden Menschen. Man könnte sie auch als heilende Kräfte bezeichnen, die den Zwiespalt zwischen unserem essentiellen und unserem aktuellen Sein überwinden und mit dem Zwiespalt die Entfremdung des Lebens vom Leben und die verborgene oder offene Feindschaft des Lebens gegen das Leben. (GW III,54)

Riskiert Tillich nicht auch - obwohl er ständig betont, dass die Forderung, die Verantwortung,durch diesen Gedankengang eher radikalisiert als verringert wird, dass er in einer Art untätiger Introspektion endet? Wird die Identität "jenseits" der Subjekt-Objekt-Spaltung in eine wiedervereinigende Gnade verlegt, wird man dann nicht eher versuchen, diese Eigenschaft zu verstehen und wiederzuerkennen statt zu versuchen,Bedürfnisse und Wünsche anderer Menschen zu verstehen und zu erfüllen? Besteht nicht die Gefahr, dass der Protest gegen die Ungerechtigkeit in ein System eingebaut wird und dann kein Protest mehr ist? Weiter als zu diesen tastenden Fragen kommen wir hier nicht, aber wir können uns nicht von ihnen lösen, sie werden wiederkommen, vor allem in Abschnitt 5.3.

5. DIE BEWÄLTIGUNG DER WIRKLICHKEIT ALS THEOLOGISCHES PROBLEM.

5.1. Offenheit und Entscheidung der Wirklichkeit gegenüber im Selbstverständnis des Glaubens.

Zum christlichen Glauben gehört die Offenheit der Wirklichkeit gegenüber, die mit der Bejahung der Wirklichkeit als Wirklichkeit Gottes zusammenhängt, als eine Wirklichkeit, die Gott nicht nur erschaffen hat, sondern auch erhält und zur Vollendung führen wird.

Die christliche Tradition schliesst nicht aus, dass das Böse existiert und dass es ernst genommen werden muss. Aber sie hat als einen fundamentalen und unaufgebbaren Bestandteil den Glauben an die Vorsehung Gottes und daran, dass Gott, trotz allem was dagegen zu sprechen scheint, "letztlich" stärker ist als das Böse.

Aber die christliche Tradition bedeutet kaum ein unbedingtes Bejahen der gegebenen Wirklichkeit. Das erste Gebot und das Bilderverbot richten sich gegen jede Identifizierung von Gott und Geschöpf/dem Erschaffenen. Im christlichen Sprachgebrauch ist "Welt" nicht nur Gottes Schöpfung sondern auch die gefallene Welt, die Welt, die Gottes Handelns und seiner Erlösung bedarf. Christlicher Glaube kann kaum beschrieben werden als die Ueberzeugung davon, dass die Welt gut ist, so wie sie ist, als "die Grundhaltung des Einverständnisses". Im Gegenteil ist er ein Vertrösten darauf, dass Gott trotz allem mächtig ist, dass die Situation nicht hoffnungslos ist trotz ihres gegenwärtigen Zustandes.

> Die Grundhaltung des Einverständnisses mit dem, was ist, korrespondiert der griechischen Rechtfertigung der Welt als Kosmos. Die Grundhaltung des Nicht-Einverständnisses mit dem, was ist, entspricht dagegen der hebräischen Erfahrung der Unvollkommenheit dieser (geschaffenen) Welt, jener Erfahrung also, die sich nicht nur in Vertrauen und Hoffnung auf den zukünftig erst eingreifenden Gott äusserte, sondern auch in Klage und Protest sich zu Wort meldete und durch "Theodizee" beschwichtigt werden sollte.
>
> /.../ Das Vertrauen auf Gott hat aber gerade zur Voraussetzung die Erfahrung eines fundamentalen Dissenses im Verhältnis zu dieser Lebenswirklichkeit als ganzer und damit die Möglichkeit zum ständigen Fragen nach dem Warum der Absichten Gottes. Ohne diese Fragen wäre Vertrauen auf Gott weder möglich noch erforderlich und wäre es überhaupt kein Vertrauen. (Schlette 1973,199) 218)

Diese Problematik entspricht ihrer Struktur nach der in Kap 2 skizzierten. Die Forderung nach Verantwortlichkeit ist eine Forderung, die gegen ein Registrieren, gegen nur passiv akzeptierende Offenheit der Wirklichkeit gegenüber, in der das menschliche Handeln und Denken nur involvierte und also bedingte Grössen sind, erhoben wird.

Die Forderung nach Veränderung der Wirklichkeit ist eine Forderung, die _gegen_ eine nur passiv akzeptierende Interpretation der Wirklichkeit erhoben wird.

Aber diese Forderung nach Verantwortlichkeit und Veränderung hebt sich selber auf, wenn sie gegen _jede_ Offenheit gerichtet wird. Die Verantwortlichkeit kann nicht zu der Aufgabe reduziert werden, ständig von neuem eine behauptete Fähigkeit zur freien Entscheidung zu verwirklichen. Abgesehen von den Fragen, wie eine solche Fähigkeit aussehen sollte, und ob sie wirklich als eine menschliche Fähigkeit bezeichnet werden kann, so muss in Frage gestellt werden, ob ein solcher Entscheidungspositivismus oder Dezisionismus wirklich etwas mit Verantwortlichkeit zu tun hat. Muss nicht Verantwortlichkeit mit Relationen zu anderen Menschen und mit Rücksichtnahme auf die möglichen Konsequenzen des eigenen Handelns für andere Menschen zu tun haben und damit ein Interesse für das Aussehen und Funktionieren der Wirklichkeit, eine Offenheit der Wirklichkeit gegenüber beinhalten? Und muss nicht ein Entscheidungspositivismus oder Dezisionismus als eine extreme und dem Problematischen im passiven Akzeptieren gegenüber unbekümmerte Offenheit der Wirklichkeit gegenüber betrachtet werden, die (von wem?) als eine "spontane" oder "freie" Entscheidung bezeichnet werden kann? Die Forderung nach Veränderung kann schlechterdings eine Forderung nach Veränderung um der Veränderung willen sein und damit eine Legitimation für jede Veränderung. Dann wird aber die Forderung nach Veränderung zu einer, dem Problematischen im passiven Akzeptieren gegenüber unbekümmerten Offenheit der Wirklichkeit gegenüber, die als eine Veränderung bezeichnet werden kann.

Ebensowenig können auch Offenheit und Entscheidung einander gegenübergestellt werden. Bereits das _Wählen_ der Offenheit wäre ja eine Entscheidung. Aber soweit sich beurteilen lässt, wird die Offenheit immer selektiv sein. "Die Wirklichkeit" ist immer ausreichend komplex um nicht nur eine harmonisierende Deutung unmöglich zu machen, sondern auch eine unproblematische Deutung dieser Komplexität überhaupt. Was eine Offenheit der Wirklichkeit gegenüber sein sollte wird so zu einer Bejahung eines bestimmten Bildes der Wirklichkeit, eines Bildes von ihrer gegebenen "klassischen" Gestalt, eines Bildes vom Progressiven oder dem was die Geschichte in ihren Veränderungen und Möglichkeiten bestimmt, u.ä.

Diese Problematik in der in Kap 2 skizzierten humanistischen Perspektive, die es unmöglich macht, Offenheit _oder_ Entscheidung zu wählen und damit Passivität/Wahrnehmung gegen Aktivität/Veränderung, oder Theorie gegen Praxis auszuspielen, scheint also ihrer Struktur nach dem zu entsprechen, dass christlicher Glaube die Welt sowohl als gut bezeichnet, weil sie von Gott geschaffen ist, als auch ihr Bedürfnis nach Erlösung ausspricht, und dass sie sich nicht selber retten kann.

262

Aber diese Strukturgleichheit zwischen der Problematik der christlichen Tradition und der in Kap 2 skizzierten, ist vielleicht doch nicht ganz unproblematisch. Die Perspektive in Kap 2 ist humanistisch in dem Sinne, dass es sich dabei um ein Denken von der Verantwortlichkeit des Menschen, seiner Identität und Würde aus handelt. Die Problematik in Abschnitt 2.2 geht darauf hinaus, dass diese Identität kaum aus der Verantwortlichkeit als solcher, aus der "Erfahrung, Person zu sein" aufgebaut werden kann. Der Standpunkt, "als moralische Personen sind wir unser gewiss", die "unmittelbare persönliche Erfahrung", kann kaum die Identität eines Menschen aufbauen, neben und im Gegensatz zu allem, was in Begriffen wie Mystik, Ontologie, Wahrheit (zu den Ausdrücken: GWE II,178f) ausgedrückt wird. Die Identität kann nicht aus der Entscheidung allein gewonnen werden, sondern muss aus dem Wechselspiel oder der Dialektik von Offenheit und Entscheidung gewonnen werden.

Im Bezug darauf muss man zumindest fragen, ob nicht die Relation zwischen Identität und Würde des Menschen und das Wechselspiel oder die Dialektik zwischen Offenheit und Entscheidung der Wirklichkeit gegenüber, im Selbstverständnis des Glaubens anders aussehen als in der humanistischen Perspektive von Kap 2. Mit einer solchen Infragestellung trifft man den Kern des Problems des dritten Teils dieser Abhandlung sowie der Problematik, die diese Abhandlung als ganze beleuchten will. Die Abhandlung als ganze erhebt also nicht Anspruch darauf eine eindeutige Lösung dieser Frage anbieten zu können, noch weniger kann eine solche Lösung also hier vorliegen. Aber nichtsdestoweniger muss ein Versuch gemacht werden, eine Ausgangspunkt für den Versuch einer Beschreibung der Problematik zu finden.

In dem, was ich die humanistische Perspektive nenne, wird also von der Verantwortlichkeit des Menschen, seiner Verantwortung für seine Identität und Würde ausgegangen. Die Pointe ist, dass diese Verantwortung nur in einer Dialektik von Offenheit und Entscheidung der Wirklichkeit gegenüber verwirklicht werden kann. Die Identität und die Würde scheinen aber hauptsächlich in den aktiven Entscheidungstermini verstanden zu werden. Identität scheint durch eine, in der Dialektik von Offenheit und Entscheidung sich entscheidende Verantwortlichkeit erschaffen zu werden. Gegenüber dieser Entscheidung scheint keine Entscheidung möglich zu sein, sondern nur Offenheit.

Wenn man diese Perspektive mit dem Selbstverständnis des christlichen Glaubens vergleicht, so fällt auf, wie in letzterem Offenheitstermini ebenfalls fundamental wichtig werden, wenn es um Identität geht. Man scheint nicht nur von einer (selbst-) erschaffenen Identität reden zu können sondern auch von einer geschenkten - das Individuum ebenso konstituierenden und echten - Identität, von einer Identität als dem Resultat des Handeln Gottes, oder als dem Werk des Heiligen Geistes, von einer Iden-

-tität aus Gnade. Der Glaube scheint seine eigene Identität sowohl als eine geschenkte Identität als auch als eine, von dem Glaubenden gestaltete, Identität zu
verstehen, und damit kann die Forderung nach Treue gegenüber der eigenen (geschenkten) Identität Entscheidung gegenüber der eigenen (gestalteten) Identität fordern.
Für das Selbstverständnis des Glaubens scheint also eine Dialektik von Offenheit und
Entscheidung auch dem Glauben der eigenen Identität gegenüber zu existieren.

Ich wiederhole: Wir befinden uns am Anfang des Versuches, einen Weg zu der Beschreibung der Problematik zu finden. Ich glaube natürlich nicht, damit das Verhältnis
zwischen Humanismus und christlichem Glauben, zwischen Philosophie und Theologie endgültig beschrieben zu haben. Die Formulierungen hier sollen eine Frage danach sein,
was Reden von Gnade als etwas anderem als menschliches Handeln im Selbstverständnis
des Glaubens bedeutet. Es ist nicht die Absicht, dieses Reden als unproblematisch
darzustellen, es soll vielmehr ins Zentrum meines Versuches gestellt werden, die Geschichtlichkeit des menschlichen Denkens als theologisches Problem zu beschreiben.

Die gewählten Formulierungen verlegen den wesentlichsten Unterschied auf das Verständnis der eigenen Identität. In 5.2 soll darauf näher eingegangen werden. Aber
die Formulierungen dürfen nicht dazu führen, dass diese Problematik von 5.1 fern gehalten wird, so als ob sie keinen Einfluss auf das Verständnis der Dialektik von Offenheit und Entscheidung der Wirklichkeit gegenüber hätte. Dies ist, soweit ich sehe, dieselbe Frage wie die, ob der erste Glaubensartikel ein Glaubensartikel ist
oder eine natürliche Theologie, eine Philosophie. Sich bereits durch das Fragen für
letztere Alternative zu entscheiden würde natürlich eine Weigerung sein, auf Barth,
und auch auf Tillich zu hören.

Die Offenheit des Glaubens der geschenkten Identität - der Gnade - gegenüber ist Offenheit gegenüber Gottes Handeln in der Wirklichkeit, also gegenüber Gottes Offenheit und Entscheidung der Wirklichkeit gegenüber. Die Dialektik zwischen Offenheit
und Entscheidung der Wirklichkeit gegenüber findet sich also auch im Selbstverständnis des Glaubens, aber sie wird durch eine Offenheit gegenüber Gottes Handeln betrachtet, d.h. sie wird geprägt vom Glauben an Gottes Vorsehung und Führung. [219)]
Wie sieht die Dialektik aus, wenn sie von diesem Glauben geprägt wird?

Es ist offenbar, dass sowohl Barth als auch Tillich die Wirklichkeit als Gottes Wirklichkeit bejahen und so der Wirklichkeit gegenüber offen sind.

Was Horkheimer als den Unterschied zwischen sich und Tillich bezeichnet, scheint gerade diese Bejahung der Wirklichkeit oder der Schöpfungsglaube zu sein:

264

Er beharrte jedoch als Theologe darauf, dass das Jenseits die Gerechtigkeit bedeute /.../ Ich kann seinen grossen Optimismus nicht mitmachen, nur das Heimweh. (Horkheimer 1966,23f) [220]

Dass Tillich selber diesen Unterschied als eine Beschreibung des christlichen Glaubens betrachtet, wird zB in seiner philosophischen Antrittsvorlesung in Frankfurt deutlich, wo er die Gewissheit, "dass das Schicksal göttliches und nicht dämonisches Schicksal ist, dass es sinnerfüllend und nicht sinnzerstörend ist", "das Innerste des Christentums" nennt (GW IV,33f/1929/) und wo er den "Schöpfungsgedanken" gegen den "Glauben an eine widerstrebende ewige Materie" stellt, den "Sieg des Schöpfungsgedankens" mit dem "Sieg des Christentums" identifiziert und den Sieg des Christentums als "die radikale Entdämonisierung des Seienden als solchem und das Ja zur Existenz" und so ein "Ja zum Geschehen" beschreibt (GW IV,28). Es ist ebenfalls bezeichnend, dass Tillich den "absoluten Glauben" als den "Mut zum Sein" beschreibt, als eine Ueberzeugung davon, dass hinter alle Sicherungen, hinter dem Zerfall alles Seienden nicht das Chaos sondern Gott wartet, d.h. "das Sein-Selbst /.../ im Sinne von Seinsmächtigkeit oder der Macht, Nichtsein zu besiegen" und dass dies ausdrücklich in Relation zum Zentrum der Systematischen Theologie gesetzt wird (GW XI,127ff /1952a/, ST II,18f). [221]

Auch wenn man bei Barth nicht sehr oft Aussagen darüber findet, was "von aussen gesehen", im Vergleich mit anderen Auffassungen das Spezifische für den christlichen Glauben ist, so ist offenbar jenes Bejahen der Ausgangspunkt auch für Barths Denken. Nicht ohne Grund beschreibt Berkouwer Barths Theologie unter dem Titel "Der Triumph der Gnade" (Berkouwer 1954). Charakteristikum für ein theologisches Verständnis der Wirklichkeit und für theologische Orientierung in der Wirklichkeit heisst ja für Barth immer von Menschen weg auf Gott und sein Handeln hinzuweisen (zB KD II/2,607f), und seine Theologie kann sehr wohl als ein einziger grosser Lobgesang über Gottes freie und mächtige Tat, die das für das Sein ganz und gar Entscheidende ist und den Lobgesang zu dem einzig Adäquaten macht, beschrieben werden.

> Dies ist es ja, was Gott mit den Menschen und von den Menschen will laut seines Wortes: sie dürfen und müssen hören, glauben, wissen, damit rechnen, sie dürfen und müssen im Grossen und im Kleinen, im Ganzen und im Einzelnen, in der Totalität ihrer Existenz als Menschen leben mit der Alle und in Allen Alles verändernden Tatsache, dass Gott ist. (KD II/1,289, vgl. oben 128)

Und wenn Barth einmal tatsächlich die christliche Auffassung mit anderen vergleicht, so tritt gerade diese Freude ins Zentrum, die Freude darüber, dass die Wirklichkeit nicht so ist wie uns der "Aspekt des allgemeinen und des besonderen Kreaturgeschehens, unser Weltbewusstsein und unser Selbstbewusstsein" glauben machen will, sondern so, "wie sie im Blick des christlichen _Glaubens_" "nachdem Gott die Auseinandersetzung mit ihm /dem Nichtigen/ in seinem Sohn zu seiner eigenen Sache gemacht und vollzogen hat" ist. (KD III/3,420)

> **Mehr als** eine von den Auffassungen vom Nichtigen, die wir hier als un-
> christlich abzulehnen hatten, hat gerade darin ihre Stärke und ihr
> Recht, dass sie bei aller anderweitigen Schwäche und Verkehrtheit je-
> denfalls insofern von christlichem Durchblick zeugt, dass sie offenbar
> eine _freudige_ Auffassung sein, dass sie das Nichtige offenbar als eine
> Sache _ohne_ Bestand behandeln und darstellen wollte. Die christliche
> Auffassung von dieser Sache müsste sich darin vor allen anderen aus-
> zeichnen, dass sie eben das _stärker,_ weil begründet - mutiger, weil in
> Gebrauch und in Verkündigung _der_ Freiheit, die uns eben dazu gegeben
> ist - _konsequenter,_ weil nicht in irgend einem Wagnis, sondern in
> schlichtem Gehorsam - herauszustellen in der Lage ist. (KD III/3,421)

Daraus folgt eine bejahende Offenheit, ein Vertrauen der Wirklichkeit gegenüber:

> Wir werden und sind ja im Zug der Ereignisse des göttlichen Handelns
> Gottes Geliebte, seine Bundesgenossen und können davon, dass wir dies
> sind, nicht mehr abstrahieren und also auch nicht mehr willkürlich
> von anderswoher reflektieren und argumentieren /.../ Für dieses Ge-
> schöpf gibt es nur die grosse _Offenheit_ für die ganze Wirklichkeit in
> ihrer doppelten Bestimmung. Für dieses Geschöpf gibt es aber auch
> nur das grosse _Vertrauen_ der ganzen Wirklichkeit gegenüber. Es ist
> das notwendige _und darum_ gewisse Vertrauen derer, die Gott zuerst in
> sein Vertrauen gezogen hat und immer wieder in sein Vertrauen zieht
> durch die Offenbarung seines Handelns, im Blick auf das es sich im-
> mer wieder erneuern, seine Gewissheit immer aufs neue gewinnen und
> bestätigen wird. (KD III/1,444f)

Aber weder bei Tillich noch bei Barth ist dieses Bejahen ohne Probleme. Beide weigern sich konsequent, Gott und Wirklichkeit oder Gottes Handeln und Geschichte zu
identifizieren.

Bei Barth ist diese Weigerung so in die Struktur eingebaut und in ihr vorausgesetzt,
dass man sie bei allzu kurzsichtigem Betrachten übersehen kann. Tritt man dagegen,
bildlich gesprochen, einen Schritt zurück, um sich einen Ueberblick zu verschaffen
und Barths Denken von der Auseinandersetzung mit der "modernen" Theologie aus zu verstehen versucht, die dann als eine Auseinandersetzung mit der "natürlichen" Theologie
formuliert wird, dann kann man kaum der Feststellung dessen entgehen, was Marquardt
ein "a priori kritisches Verhältnis zum Gegebenen" in der Kirchlichen Dogmatik nennt
(Marquardt 1972,166). Diese "Kluft zwischen Welt und Gott" bei Barth hat, worauf
Tillich übrigens 1932 hinweist, direkte politische Implikationen. [222] Theologisch
gesehen kommt man direkt ins Zentrum dieser Auseinandersetzung Barths, wenn man
Barths Kampf gegen eine Verwandlung des christlichen Vorsehungsglaubens in eine Geschichtsphilosophie beachtet (vgl. Steck 1973,14f)

In aller natürlichen Theologie ist, nach Barth, vorausgesetzt, dass

266

das Offenbarsein Gottes in unserem Geschaffensein, die Schöpfung
des Menschen, die zugleich Offenbarung Gottes ist, sei un irgendwo und irgendwie, etwa daraufhin, dass sie durch das Evangelium
bestätigt wird, direkt einsichtig (KD I/1,134).

Diese Voraussetzung macht die analogia entis möglich, aber gerade diese Voraussetzung
ist nach Barth falsch. Nichts in der Geschichte, nicht einmal das Vorkommen des
Glaubens erlaubt uns auszurechnen, was die Vorsehung Gottes beinhaltet. Anders ausgedrückt: Die Vorsehung Gottes in Analogie zu dem Gegebenen zu verstehen, heisst zu
verleugnen, dass Gott etwas gegen das Gegebene tun kann, heisst zu verleugnen, dass
Gottes Werk in Christus und damit das Heil eine wirkliche Veränderung bedeuten kann.
Gerade das ist Barths Hauptanklage gegen die "moderne" Theologie. Oder, wie Barth
in seiner Behandlung Lessings in "Die protestantische Theologie im 19. Jahrhundert"
darstellt: Dies bedeutet "mit dem römischen Katholizismus und mit dem ganzen protestantischen Modernismus" das protestantische Schriftprinzip "zugunsten der Geschichte selbst im Unterschied und Gegensatz zu dem gerade durch das protestantische
Schriftprinzip unverwischbar bezeichneten Herrn der Geschichte" zu eskamotieren zu
versuchen (B 1933,234).

Auf ähnliche Weise wird in der Struktur des Denkens Tillichs konsequent die Ablehnung der Identifikation Gottes mit der Wirklichkeit vorausgesetzt. Dazu lassen sich
auch direkte Behauptungen finden. Die Aussage "das Sein ist heilig" wird als typisch für unhistorisches Denken und für politische Romantik bezeichnet (GW II,238
/1933/), was Tillich mit seinem Denken bekämpfen will. Tillich betont ausdrücklich,
dass es ein Missverständnis ist, "Gott über den Gott des Theismus" "im Sinne einer
pantheistischen oder mystischen Aussage" verstehen zu wollen. (ST II,18f) Weiter:

> Es gibt keine Universalgeschichte als Theodizee, als Nachweis sieg-
> reicher Durchsetzung des Gesollten im Seienden. (GW II,328/1933/,
> im Original hervorgehoben)

Oder direkt in der Struktur des Denken Tillichs: Sowohl das Bejahen der existentialistischen Revolte als auch die Behauptung des protestantischen Prinzips setzen jene
Weigerung voraus.

> Das protestantische Prinzip /.../ enthält den göttlichen und mensch-
> lichen Protest gegen jeden absoluten Anspruch, der für eine bedingte
> Wirklichkeit erhoben wird. (GW VII,86/1931a/)

Sich des "Dämonischen" bewusst werden bedeutet ja, Einsicht in die menschliche
Existenz zu erlangen, es bedeutet die Möglichkeit des geschichtlichen Denkens und
der echt protestantischen Geschichtsdeutung, die, nach Tillich, das typisch Christliche ist (zB GW VII,18/1948a/, GW VI,110/1948/, vgl. 4.2.4). Ohne diese Weigerung
des protestantischen Prinzips und ohne die Entgegenständlichung der Gnade ist
Tillichs Religionsphilosophie sinnlos (vgl. 4.2.2), ohne sie ist es unverständlich,

weshalb Tillich in seiner "Korrelationsmethode" so ausdrücklich betont, dass eine Analyse der menschlichen Wirklichkeit, d.h. eine Philosophie mit einer Frage enden muss (vgl. ST I,76) [223]

Aber damit ist die Problematik nur angedeutet. Wie versuchen Barth und Tillich ihre Bejahung der Wirklichkeit als Gottes Wirklichkeit mit ihrer Weigerung zu vereinen, die Wirklichkeit (oder einen Teil davon) mit Gott, und die Geschichte (oder einen Teil davon) mit Gottes Handeln zu identifizieren?

Das Denken des jungen Barths kann als ein Protest gerade gegen ein unproblematisches Bejahen der Geschichte oder einen Teil davon, oder gegen die Religiosität beschrieben werden. In diesem Protest wird daher die Ablehnung einer Identifikation, der Abstand zwischen Gott und Mensch betont. Aber riskierte er damit nicht, von einem Monismus zu einem radikalen Dualismus überzugehen, in dem Gott als der radikale Gegensatz zur Gegenwart, als ihr Gericht erscheint? Gott scheint als der verstanden zu werden, der die Schöpfung richtet nicht aber als der Schöpfer. Durch ihren Gegensatz zur Profangeschichte scheint "Offenbarung" etwas ganz anderes zu werden, ein "supranaturales" Geschehen woran der Glaube festhält, mehr oder weniger weil es mit dem Alltag nichts zu tun hat. Die Weigerung, Gott mit der Wirklichkeit zu identifizieren scheint unausweichlich in einem "Offenbarungspositivismus" zu enden. (Zu diesen Ausdrücken: Huntemann 1959,70, Bonhoeffer 1943/44,184f,219/1944-05-05 und 1944-06-08/). Auch wenn oftmals die Kritik damit meint, mit Barth fertig zu sein oder dass der ältere Barth aus dieser Problematik nicht herauskommt, so war es eine Pointe in Kap 3, zu zeigen, dass Barth in seiner Selbstkritik sich gerade damit auseinandersetzt und ständig versucht aus dem herauszukommen, was ein prinzipielles Nein (= die existenzphilosophische Grundlegung) zu sein scheint und stärker Gottes Ja zu betonen - ohne dabei den Protest aufzuheben. [224]

Die zentrale Terminologie in diesem Versuch Barths, mit dieser Problematik zurechtzukommen, ist seine Unterscheidung zwischen analogia entis und analogia fidei. Barths gesamtes Denken scheint auf diesem Unterschied zu ruhen, dem Unterschied zwischen dem Verwenden einer Analogie zwischen Gott und seinem Handeln einerseits und der Welt und der Geschichte andererseits, um von der Welt auf Gott zu schliessen (analogia entis) oder um von Gott auf die Welt zu schliessen (analogia fidei). Man kann sich fragen, ob diese Terminologie besonders geeignet ist nachdem ja eine Analogie normalerweise beide Wege zulässt, aber es dürfte doch deutlich sein, was Barth hervorheben will, und dass Barth auf diese Weise zu beschreiben versucht, wie Offenheit und Entscheidung der Wirklichkeit gegenüber sich im Selbstverständnis des Glaubens zueinander verhalten. Die terminologische Schwierigkeit ist wohl auch kaum

268

ohne Absicht. Man kann sagen, dass die Analogie, nach der Hoffnung des Glaubens, in der eschatologischen Vollendung in beiden Richtungen möglich sein wird, es aber nicht in der Gegenwart ist,und dass der Versuch, eine analogia entis jetzt zu verwenden ein (im Augenblick natürlich falscher) Versuch einer theologia gloriae ist. Anders ausgedrückt: Der Glaube and Gottes Vorsehung ist nicht ein Glaube an die Vortrefflichkeit des Lebens so wie es ist, sondern ein Glaube an Gott der handelt, verändert, erlöst und vollendet, ein Glaube an die Vortrefflichkeit des Lebens so wie es sein wird, wenn Gott es vollendet hat.

> Der einfache Sinn der Lehre von der Vorsehung lässt sich also in dem Staz zusammenfassen, dass Gott der Schöpfer als solcher sich seinem Geschöpf als solchem im Akt der Schöpfung als Herr seiner Geschichte zugestellt hat und ihm als solcher treu bleibt. (KD III/3,12)

Der Vorsehungsglaube ist also Glaube an den "lebendigen Gott" der "handelt", der "immer und überall gegenwärtig, aktiv, verantwortlich, allmächtig" ist, der "in jeder Hinsicht - auch da, wo er zu warten scheint, auch indem er 'zulässt' - in der Initiative begriffen" ist (KD III/3,12f). Der christliche Vorsehungsglaube ist "die praktische Erkenntnis, dass dem so ist wie wir jetzt umrissen haben" (KD III/3,14).

Der Vorsehungsglaube darf, nach Barth, auf keinen Fall zu einer Theorie werden, mit deren Hilfe auch die Welt, die Natur, die Geschichte und so der Mensch als göttliche - und die Geschöpfe anzubeten als dasselbe wie den Schöpfer anzubeten - erklärt werden können.

> Die Erkenntnis von Gottes Uebermacht gegenüber aller Macht des Geschöpfes, die Erkenntnis des Qualitätsunterschiedes der göttlichen und der geschöpflichen Potenz und also die Erkenntnis von der Unumkehrbarkeit der Rangordnung des göttlichen und des geschöpflichen Wirkens - das Alles muss hier unerbittlich in Kraft treten und bleiben. (KD III/3,125)

Diese Uebermacht Gottes ist für den christlichen Vorsehungsglauben nicht die Folge eines prinzipiellen Gottesbegriffes, der sich gerade um Ueberlegenheit und Herrschaft aufbaut (KD III/3,30,34). "Jener synkretistische Gottes- und Vorsehungsglaube" mit seinem abstrakten Gottesbegriff war es, der nichts gegen das Erdbeben von Lissabon vermochte und die "Vorsehung" zu einem "Lieblingswort im Munde von Adolf Hitler" werden liess und auf so verhängnisvolle Weise die Entwicklung in Richtung auf die "moderne" Theologie hin steuerte (KD III/3,37). Der christliche Vorsehungsglaube ist Glaube nicht an irgendeine Gottheit, sondern an den Vater Jesu Christi, an den Gott der "Gnadenwahl und des Gnadenbundes" (KD III/3,30).

> Eben in dieses allgemeine Geschehen ist ja das besondere Geschehen in Israel, in Jesus Christus, in dessen Gemeinde nicht nur eingebettet, sondern bis zur Ununterschiedbarkeit verwoben. (KD III/3,43)

Aber der christliche Vorsehungsglaube bleibt Glaube, der "dennoch zu sagen" wagt, der "über das, was man aus eigener Erfahrung und Ueberzeugung sagen kann, offenbar weit hinausgeht", der "nur auf Grund eines gar nicht aus unserem frommen Herzen kommenden, sondern uns gleichsam von aussen aufgenötigten Trotzdem!" glaubt. "Die Geschichte der Herrlichkeit Gottes" ist - und bleibt - "eine verborgene Geschichte". Der christliche Vorsehungsglaube wagt zu behaupten, dass die Wendungen und Ereignisse in dieser Geschichte alle "mit dem Walten seiner /Gottes/ Herrschaft" zu tun haben und "in irgend einem Sinn unmittelbar auch Akte seiner Herrschaft" sind, nicht auf Grund einer Analyse dieser Geschichte sondern vom Wort Gottes aus, von da aus, wo der Wille Gottes nicht verborgen ist, von Jesus Christus aus. (KD III/3,16,18, 21,13,16,33). Also muss "die ganze Lehre von Gottes Vorsehung" "in einem klaren Verhältnis zwischen dem ersten und dem zweiten Glaubensartikel entfaltet werden" (KD III/3,118). Alles kommt auch hier darauf an dass man versteht, dass die Offenbarung nicht ein Prädikat der Geschichte, sondern die Geschichte ein Prädikat der Offenbarung ist (KD I/2,64) [225].

Aber das Interesse für diese, für Barth fundamentalen Abgrenzungen gegenüber jeder analogia entis oder jeder "natürlichen" Theologie, darf natürlich nicht das, was Barth als den positiven Inhalt des Vorsehungsglaubens hervorhebt, verdrängen. Barths Theologie betont nämlich auf eine äusserst zugespitzte Weise gerade das Angewiesensein des Christen auf die Geschichte, was mit dem fundamentalen Bejahen der Geschichte als Werk Gottes zusammenhängt - interpretiert man Barths Theologie als offenbarungspositivistisch und kirchenzentriert so wird dies nicht deutlich.

Der christliche Vorsehungsglaube sagt nach Barth:

> Es sind also in dieser Geschichte solche Wendungen und Ereignisse nicht zu erwarten, die mit dem Walten seiner /Gottes/ Herrschaft nichts zu tun hätten, die nicht in irgend einem Sinn unmittelbar auch Akte seiner Herrschaft wären. (KD III/3,13)

Diese Aussage ist nicht auf einige immanente Eigenschaften des "kreatürlichen Geschehens" begründet sondern muss im Verhältnis dazu "immer ein Dennoch! sein" (KD III/3,51) aber es wird etwas über dieses Geschehen ausgesagt, eine Aussage, die diesem Geschehen weitaus grössere Bedeutung beimisst als sich aus ihm begründen lässt.

> Der Glaube, der durch Gottes Offenbarung dort /auf der schmalen Linie der Bundesgeschichte/ erweckt wird, wird - weil er Glaube an Gott den Herrn ist - notwendig zum Glauben an seine Herrschaft auch da, wo solche Offenbarung nicht stattfindet, auch da, wo wir es sichtbar nur mit dem kreatürlichen Geschehen zu tun haben, wo sichtbar die Ordnungen und Zufälle der Natur, die Werke der Willkür, die Klugheit oder Torheit, die Güte oder Bosheit des Menschen die ganze Wirklichkeit sind. (KD III/3,50)

Deshalb ist der Vorsehungsglaube nicht irgendein Wissen "in abstracto und im Allgemeinen" sondern eine praktische Erkenntnis dessen, der "Gottes Willen und seine Absichten auch je und je wahrnehmen in ganz bestimmten Ereignissen,Verhältnissen, Verknüpfungen und Veränderungen in der Geschichte des geschöpflichen Seins" darf (KD III/3,25).

> Im Glauben an Gottes Vorsehung wird der Mensch allerdings mit sehr offenen, sehr aufmerksamen, sehr teilnehmenden Augen in die Geschichte blicken. Wie könnte es anders sein? In ihr existiert er ja, und indem er in ihr existiert - wie denn sonst? - hat er seinen Glauben an den regierenden Gott zu leben und zu üben, sein bisschen Vertrauen und Gehorsam zu bewähren. Eben die Geschichte des geschaffenen Seins in ihren grossen und kleinen Folgen und Zusammenhängen ist ja der Bereich, über den und in dem das mächtige und durchgreifende Walten dieses regierenden Gottes stattfindet. (KD III/3,25)

Im Vertrauen auf Gottes Treue sagt der Glaube, dass die Tatsache, dass Gott ist, eine real verändernde Tatsache ist, ja, gerade darin liegt Gottes Treue:

> Das ist Gottes Treue, dass er das geschöpfliche Geschehen unter seiner Herrschaft dem Geschehen des Bundes, der Gnade und des Heils zuordnet, unterordnet, dienen lässt, dass er es dem Kommen seines Reiches, in welchem die ganze von ihm verschiedene Wirklichkeit ihren Sinn, ihre geschichtliche Substanz hat, "hinzufügt", es eben an diesem Geschehen "mitwirken" lässt. (KD III/3,47)

Marquardt betont dies sehr stark in seiner "tendenzanalytische/n/ Darstellung" von KD (Marquardt 1972,242) - meiner Meinung nach mit recht. Da die Auferstehung das Zentrum im Geschehen des Bundes ist, und da Gott das geschöpfliche Geschehen dem Geschehen des Bundes zu- und unterordnet, kann man mit Marquardt von einem "Auferstehungsrealismus" Barths reden, in dem Barth "sich nicht begnügt mit einer Lehre vom real verändernden Wort, sondern vorwärtsschreitet zu der Lehre von einer durch das Wort real veränderten Situation" (Marquardt 1972,243 [226]). Dieser "Auferstehungsrealismus" hängt nach Marquardt mit Barths Betonung des "Extra-Calvinisticum" zusammen und mit Hilfe dieser Gedankengänge soll Barth sich die Möglichkeit geschaffen haben, "sein theologisches Interesse an Kultur, Geschichte, Gesellschaft in die christologische Konzentration seines Denkens mit zu überführen"(Marquardt 1972,262). Marquardt wagt sogar so zugespitzte Formulierungen wie diese, dass Barth sich "zweifellos im Genus von Geschichtstheologie" bewegt (Marquardt 1972,245) und dass auch Barths Offenbarungstheologie "ohne metabasis eis allo genos auch 'natürliche' Theologie sein" kann (Marquardt 1972,262). Natürlich will Marquardt damit nicht sagen, dass es sich hier um eine Geschichtstheologie oder eine natürliche Theologie jener Art handelt, die Barth selbst kritisiert. Aber es geht hier trotzdem um eine Art Geschichtstheologie und natürliche Theologie, und nach Marquardts Auffassung ist es "unumgänglich /.../ diesen Aspekt des Barthschen Theologisierens zu erkennen, beim Namen zu nennen, seine Notwendigkeit und seinen spezifischen Wert im Zusammenhang

271

der Barthschen Theologie zu würdigen" (Marquardt 1972,245). [227]

Ein Merkmal der Barthschen "Geschichtstheologie" ist, dass die Uebermacht Gottes auch gegenüber jeder menschlichen Konzeption vom Weltlauf und jeder Philosophie der Geschichte, auch gegenüber jedem "christlichen" Geschichtsbild behauptet wird (KD III/3,21f,23ff,25). Der Vorsehungsglaube ist also, nach Barth, nicht eine Weltanschauung (KD III/3,19,125). Er ist nicht

> eine Meinung, ein Postulat, eine Hypothese über Gott, die Welt, den Menschen und einige andere Dinge, ein auf allerhand Eindrücke und Bedürfnisse begründeter, in irgend einer Konstruktion durchgeführter Deutungs-, Auslegungs- und Erklärungsversuch, den einmal zu wagen man sich schliesslich wohl aufmachen könne. (KD III/3,17)

An so etwas zu glauben - auch wenn man dabei Gott als allmächtig bezeichnet - ist Glaube an etwas Menschliches, letztlich also ein Selbstvertrauen [228] des Wissen besitzenden, nicht an Gottes eigene, sondern an seine eigene, in seinem System dokumentierte, Vorsehung glaubenden (KD III/3,23) Menschen, der "mit sehr offenen, sehr aufmerksamen, sehr teilnehmenden Augen in die Geschichte", nicht blicken muss, und der also "Gott gegenüber blind, zu jenem Umgang und Verkehr mit seiner Vorsehung untauglich" ist (KD III/3,25f).

Aber auch wenn der Vorsehungsglaube nicht eine menschliche Konzeption vom Weltlauf etc ist, so schliesst er nicht menschliche Konzeptionen aus - im Gegenteil!

> Der Mensch macht sich solche Konzeptionen. Es ist unvermeidlich, dass er das tut, weil er sich sonst praktisch nicht orientieren und entscheiden könnte. Es ist auch nicht einzusehen, dass ihm das verboten sein sollte /.../ Es ist nichts dagegen, es ist sehr viel dafür zu sagen, dass der Mensch sich solche kleine und grosse Konzeptionen vom Weltlauf macht. Es gehört bestimmt selber zum Weltlauf und also zur Geschichte des geschöpflichen, jedenfalls des menschlichen Seins, dass es immer wieder auch solche Konzeptionen gibt, die ja im Kleinen wie im Grossen nie als blosse Bilder von der Geschichte aufgefasst sein wollen, sondern den Anspruch erheben und in irgend einer Tiefe und Breite immer auch durchzusetzen wissen, die Geschichte zu bilden, selber Geschichte zu machen. (KD III/3,22) [229]

Der an Gottes Vorsehung glaubende Mensch macht sich sogar,

> sei es selbständig, sei es angeregt und belehrt durch Andere, in irgend einem Umfang und in irgend einem Genauigkeitsgrad gewiss so etwas wie eine Philosophie der Geschichte. Warum sollte er das nicht tun? (KD III/3,24)

Ja es ist ihm nicht nur erlaubt sich darauf einzulassen, es ist etwas unausweichlich Menschliches, es sind "notwendige menschliche Lebensäusserungen und Lebensmittel" (KD III/3,22f) und er kann auch darin "Gottes Fügung, Wille und Zulassung" sehen (KD III/3,23, vgl. 28)

Deshalb muss auch der glaubende Mensch ständig die Geschichte zu verstehen zu versuchen und ständig mit Konzeptionen und Bildern arbeiten. Aber er betrachtet auch diese Konzeption, der er im Augenblick "seinen herzlichsten Beifall" gibt als eine "Arbeitshypothese", als ein "Instrument", und kann "von daher höchstens seine vorletzten, aber gerade nicht seine letzten und eigentlichen Direktiven empfangen". Der Vorsehungsglaube bemüht sich ständig um Offenheit der Geschichte (für Gottes Werk in ihr) und wehrt sich dagegen, dass sich der Mensch hinter diesen "Gottes Larven" "(unter dem Namen und Vorwand irgendeines 'ismus'!) vor Gott und seinen Mitkreaturen" verstecken will. (KD III/3,23f)

> /Dem Menschen, der an Gottes Vorsehung glaubt, wird es/ nicht darauf
> ankommen, durch starres Innehalten einer bestimmten "Linie" seiner
> Sicht und seiner Stellungnahmen seinen Charakter (sein "Gesicht")
> zu bewahren, sich nur ja nicht durch den Verweis darauf, dass er
> früher anders gedacht und geredet habe, beschämen zu lassen. Wer
> an Gottes Vorsehung glaubt, der unterscheidet sich vielmehr von dem,
> der das nicht tut, sondern an Stelle dessen an seine eigene Vorsicht
> glauben will, dadurch, dass er sich gerade nicht schämt, immer wieder etwas lernen zu müssen. (KD III/3,28) 230)

Theologisch will also Barth dies dadurch ausdrücken, dass er zwischen analogia fidei (oder operationis oder relationis, KD III/3,116) und analogia entis, unterscheidet. Anders ausgedrückt, "Gottes Gegenwart und Mitwirkung" sollen behauptet werden, aber können "nicht etwa als ein Prädikat oder Exponent des kreatürlichen Geschehens verstanden werden". Barth kann den "Satz, dass <u>Gott diesem Geschehen immanent</u> ist" bejahen in dem Sinne, dass Gott sich selbst zum Begleiter schenkt und, in seiner Uebermacht, in allem geschöpflichen Wirken mitwirkt. Aber er kann nicht sagen, "dass das <u>geschöpfliche Geschehen Gott</u> immanent sei". (KD III/3,124).

Barth weigert sich, Gottes Handeln als eine immanente Eigenschaft im Geschaffenen zu sehen, die man herausanalysieren könnte oder die die Offenbarung aufdecken könnte. 231) Vorsehungsglaube heisst nicht, dass man eine "Offenbarung und Schau <u>des</u> Geheimnisses, <u>der</u> Geschichte" empfangen hat, die die "Geschichte der Herrlichkeit Gottes zu etwas anderem als "eine/r/ <u>verborgene/n/</u> Geschichte" machen könnte (KD III/3, 27,21) Aber es besteht nach Barth eine Analogie, und es gibt die "<u>praktische</u> Erkenntnis" (im Gegensatz zu "Selbstzweck" und "Sache ästhetischer Betrachtung"), die nie in "ein praktisches Prinzip im Sinne eines konstanten <u>Programmes</u>" umgewandelt werden kann, die "relative, vorläufige, bescheidene, korrekturbedürftigte, aber wirkliche, dankbare und mutige Erkenntnis" ist (KD III/3,27,25). Dies ist eine praktische Erkenntnis, die nur in Praxis, nur als Verhältnis <u>zur</u> Geschichte wahr sein kann. Es ist die Erkenntnis und das Verhältnis der Propheten:

> Eben so: also nicht <u>aus</u> der Geschichte bzw. aus ihrer eigenen Geschichtsschau heraus, sondern in die Geschichte <u>hinein,</u> <u>ohne</u> ihre

Geschichtsschau und gegen sie ist den Propheten ein ganz bestimmtes
Licht gegeben; in Form von konkret gerichteten und gestalteten Er-
kenntnissen, die in einzelnen Feststellungen, in Zustimmungen und
Ablehnungen, Drohungen und Verheissungen, in besonderen Entscheidungen, aber auch in mehr oder weniger zusammenhängenden, mehr oder
weniger weit ausgreifenden Geschichtsbildern nicht nur ihnen selbst
klar waren, sondern die sie nun auch Anderen anzuzeigen hatten. Dieses prophetische Verhältnis zur Geschichte ist grundsätzlich, strukturmässig auch das des Vorsehungsglaubens. (KD III/3,27)

In Tillichs Verständnis des Vorsehungsglaubens laufen die Fäden des referierenden
Kapitels zusammen. Dieses Verständnis hat als Hintergrund die historischen Ereignisse, die den liberalen, essentialistischen Optimismus untergraben haben und ist also
in (Kor-) Relation zu der berechtigten existentialistischen Revolte gedacht. Diese
historischen Ereignisse haben Menschen, die den Vorsehungsglauben mit Optimismus
identifizierten, dazu gebracht, sich in ihrer Enttäuschung vom Christentum abzuwenden. Dadurch wird es auch eher zu einer direkt apologetischen Aufgabe, zu zeigen,
dass die Enttäuschung durch einen falsch verstandenen Vorsehungsglauben bedingt war,
und dass ein richtig verstandener Vorsehungsglaube auch diese historischen Ereignisse "bewältigt".

Tillichs fundamentale Ansatz ist die Behauptung, dass Vorsehung "ein paradoxer Begriff" ist, dass Vorsehung missverstanden wird, wenn sie "in ein rationales Prinzip
auf Kosten ihres paradoxen Charakters" umgewandelt wird, und dass sie tatsächlich
auch so missverstanden wurde (ST I,304f, vgl. T 1948,99f). Der Vorsehungsglaube
wird in ein rationales Prinzip umgewandelt, wenn man versucht "sich selber auf den
Thron Gottes zu setzen und die Gründe für Gottes providentielles Handeln genau zu
bestimmen" (ST I,305). Das ist, nach Tillich, "in der modernen Philosophie" (und
der "moderne/n/ Weltanschauung", ST I,302) geschehen, ob sie nun von einem mehr direkten "teleologischen Optimismus" geprägt ist, oder wie zB der Liberalismus, ein
"Gesetz der Harmonie" voraussetzt, das "'hinter dem Rücken' der Menschen und ihrer
egoistischen Absichten am Werke ist". Aber auch wenn das Denken "tiefer und pessi-
mistischer wird, wenn die Vorsehung, wie bei Hegel und Marx, als eine historische
Dialektik verstanden wird, so handelt es sich auch dabei um eine "Form des rationalen Vorsehungsbegriffs", und "die Katastrophen des 20. Jahrhunderts haben sogar diesen begrenzten Glauben an eine 'rationale Vorsehung' erschüttert". (ST I,305f, vgl.
302). [232)

Dagegen stellt also Tillich die Vorsehung als einen "paradoxe/n/ Begriff" und "Glaube an die Vorsehung" als "Glaube 'dennoch', trotz der Dunkelheit des Schicksals
und der Sinnlosigkeit der Existenz" (ST I,304).

Er /Paulus/ kennt sie alle /die dämonischen irdischen Mächte/ ebenso
gut wie wir, die wir sie in unseren Tagen wiederentdeckt haben, nachdem eine Zeitlang der Vorsehungsglaube selbstverständlich zu sein
schien. Aber er war es niemals, und er kann es niemals werden. Der
Vorsehungsgedanke ist vielmehr Sache des machtvollsten, paradoxesten
und wagemutigsten Glaubens. Nur als solcher hat er Sinn und Wahrheit.
(T 1948,100)

Vorsehung ist keine Theorie über gewisse Handlungen Gottes, sondern
das religiöse Symbol für den Mut des Vertrauens in Bezug auf Schicksal und Tod; denn der Mut des Vertrauens sagt "Trotzdem" selbst
zum Tode. (GW XI,125/1952a/)

Tillich betont diese Paradoxie auf eine Weise, wie sie sich kaum härter ausdrük-
ken liesse.

Der Glaube an die Vorsehung ist paradox. Er ist ein "Dennoch". Wird
das nicht verstanden, bricht der Glaube an die Vorsehung zusammen und
reisst den Glauben an Gott und an den Sinn des Lebens und der Geschichte
mit sich. Zynismus ist die Folge falschen und daher enttäuschten Vertrauens auf die individuelle oder geschichtliche Vorsehung. (ST I,309)

Aber - und das ist keineswegs weniger wichtig - es handelt sich dabei doch um ein
Vertrauen. Wie wir gesehen haben ist dieses Vertrauen für Tillich das "Innerste des
Christentums" (GW IV,33f/1929/). Die historischen Eregnisse haben, nach Tillich,
nicht nur den Optimismus zerstört, sondern auch "den revolutionären Existentialismus
des 19. Jahrhunderts" - vor allem den Marxismus - problematisiert und dessen "radi-
kale/n/ Formen des Mutes, man selbst zu sein" zerbrochen (GW XI,115f/1952a/). Die
einzige wirkliche Alternative zum Christentum ist nach Tillich in der abendländisch-
en Welt der Stoizismus und zwischen ihnen liegt "die Kluft /.../ die zwischen der
stoischen Haltung einer kosmischen Resignation und dem christlichen Glauben an eine
kosmische Erlösung besteht" (GW XI,18f, vgl. GW XIII,479/1960/). In diesem Denken
Tillichs findet sich ein Streben, dieses Vertrauen zu beschreiben, es mit anderen
Weisen "die Frage der Existenz" zu beantworten und "die Angst vor Schicksal und Tod"
zu überwinden (GW XI,18) zu vergleichen, mit anderen Weisen, Mut zu zeigen, das eigene Sein zu bejahen, "trotz der Elemente in seiner Existenz, die im Widerspruch zu
seiner essentiellen Selbstbejahung stehen" (GW XI,14). Dies geschieht nicht um den
Vorsehungsglauben rational/philosophisch zu begründen, was dem Versuch gleichkäme,
ihn zu einem rationalen Prinzip umzuwandeln, sondern um zu zeigen, dass er wirklich
eine Bejahung darstellt, die allen "Dämonien" der Existenz zu trotzen vermag und daher eine Antwort ist auf alle die Fragen, mit denen die anderen Weisen zurecht zukommen versuchen. Diese abwechselnde Betrachtung des Christentums von innen und von
aussen ist also Teil einer Reflexion darüber, wie eine Selbstlegitimation des
christlichen Glaubens aussehen könnte, also Teil einer klar theologischen (nicht
philosophischen) Argumentation.

In einer Predigt, "Von der Vorsehung", die allem Anschein nach während des zweiten Weltkrieges gehalten wurde, wird dies auf eine Weise ausgeführt, die die Fäden zusammenlaufen lässt.

> Was ist sein Inhalt? Vorsehung ist bestimmt kein Versprechen, das mit Gottes Hilfe alles zu einem guten Ende kommen wird; viele Dinge kommen zu einem schlechten Ende, und es heisst auch nicht, dass wir in jeder Situation an der Hoffnung festhalten können; es gibt Situationen, in denen die Hoffnung aufhört. Es ist auch nicht die Erwartung einer Geschichtsperiode, in der sich die göttliche Vorsehung dadurch erweist, dass alle Menschen gut und glücklich werden. Es gibt keine Generation, in der der Vorsehungsglaube weniger paradox scheint als in der unseren. Dies ist der Inhalt des Glaubens an die Vorsehung: Wenn es Tod vom Himmel regnet, wie es heute geschieht; wenn Hunger und Verfolgung Millionen von Ort zu Ort treiben, wie es heute geschieht; wenn Gefängnisse und Elendsquartiere über die ganze Welt hin Leib und Seele zerstören, wie es heute geschieht, dann können wir in einer solchen Zeit und gerade in einer solchen Zeit uns rühmen, dass all dies uns nicht scheiden kann von der Liebe Gottes. In diesem Sinn und allein in diesem Sinn wirken alle Dinge zusammen zum Guten, zum Sieg der Liebe und zum Reiche Gottes. Glaube an die göttliche Vorsehung ist der Glaube, dass nichts uns davon abhalten kann, den letzten Sinn unserer Existenz zu erfüllen. Vorsehung bedeutet nicht, dass alles wie bei einer Maschine nach einem festgelegten Plan abrollt. Vielmehr bedeutet Vorsehung, dass in jeder Situation eine schöpferische und rettende Möglichkeit liegt, die durch kein Ereignis zerstört werden kann. Vorsehung bedeutet, dass die dämonischen und zerstörerischen Kräfte in uns und unserer Welt niemals gänzlich von uns Besitz ergreifen und die Bande, die uns mit der vollendeten Liebe verbinden, niemals zerrissen werden können. (T 1948,100f, vgl. ST I,306-308)

Aus dem Zitat dürfte hervorgehen, dass die Paradoxie im Vorsehungsglauben von Tillich - wie von Barth - in einer eschatologischen Perspektive gesehen wird. Aus dem Abschluss der Predigt geht hervor, dass Tillich die Paradoxie auch christologisch/soteriologisch ausdrücken konnte:

> Diese Liebe erscheint verkörpert in "Christus Jesus, unserem Herrn" /.../ Es ist nicht die Tiefe unseres Leidens, sondern die Tiefe unseres Getrenntseins von Gott, die unseren Vorsehungsglaube zerstört. Vorsehung und Vergebung der Sünden sind nicht zwei getrennte Seiten des christlichen Glaubens; sie sind ein und dasselbe - die Gewissheit, dass wir das ewige Leben trotz Leid und Sünde erlangen können. (T 1948,101f)

Dieses Vertrauen durchzieht das gesamte Denken Tillichs. Vor allem will er, zumindest vor seiner Emigration, zeigen, wie menschliches Denken und Handeln ohne dieses Vertrauen die Wirklichkeitsrelation verliert und ohnmächtig wird, er bemüht sich also um eine philosophische Analyse, die in der Frage nach dem Grund für dieses Vertrauen, nach Gnade, ausmündet. Sein Bejahen von Protest, von Kritik und Forderung ist weder ein Bejahen der Autonomie noch der Heteronomie. Die Wirklichkeit wird weder von einem diesseitigen, rationalen Ideal noch von einem, von der Wirklichkeit ganz verschiedenen, Jenseits her kritisiert:

276

Die protestantische Kritik ist prophetische Kritik, und zwar prophetische Kritik in dem vollen Sinne, dass sie die rationale Kritik enthält, zur Tiefe und zur Grenze treibt. (GW VII,36/1929a/

Nicht die Wirklichkeit insgesamt wird kritisiert sondern das "Dämonische" in der
Wirklichkeit.

Besonders interessant ist es vielleicht zu sehen, wie sich dies in "Die sozialistische Entscheidung" auswirkt. Wie wir gesehen haben ist sein dortiges Reden von Ursprungsmächten etc vielen, die sich mit Tillichs Theologie beschäftigt haben, verdächtig, vor allem solchen, die mehr oder weniger von Barths Gedankengängen beeinflusst sind. Soweit sich beurteilen lässt ist dieser Verdacht nach Tillichs Ausgangspunkt ein Fundamentalangriff auf christlichen Schöpfungsglauben und christlichen Glauben überhaupt, ein Angriff, der für Tillich letztlich nur zur Zynismus führen kann.

Nach Tillich soll "das sozialistische Prinzip" "im Symbol der Erwartung" zusammengefasst werden (GW II,309f, vgl. oben 229). Das beinhaltet viel, denn Erwartung ist
für Tillich prophetische Erwartung, charakterisiert durch Ineinander von Forderung
und Verheissung (GW II,313). Das Erwartete ist zugleich das, was kommen wird, und
was kommen soll (GW II,312). Die Forderung ist nicht gegen das Sein gerichtet sondern für das Sein, für die Erfüllung des Seienden aufgestellt (GW II,315). Eine
allgemeine überzeitliche Moral (GW II,312) oder Gerechtigkeit als ein abstraktes
Ideal, das über dem Sein steht (GW II,345), ist Ausdruck für das bürgerliche Prinzip,
das als ein Protest gegen Ursprungsmythos und Ursprungsbindung berechtigt ist (GW II,
265), aber das "in sich keine Kraft" hat und "ohnmächtig gegenüber den Mächten der
Gesellschaft" ist (GW II,315f). Mit dem Symbol der Erwartung wird daher dasselbe
ausgedrückt wie mit dem Symbol der Vorsehung.

Die reine Forderung, die sich aus einem Jenseits des Seins an das Sein
wendet, hat in sich keine Kraft. Die Forderung kann das Leben nicht
bewegen, wenn das Leben sich nicht selbst in der Richtung des Geforderten bewegt. Ein Sozialismus der blossen moralischen Forderung schafft
Utopien und ist ohnmächtig gegenüber den Mächten der Gesellschaft. Nur
wenn das Sein sich selbst auf seine Erfüllung zu bewegt, kann von Verheissung und darum von Erwartung gesprochen werden. Auch in dieser Beziehung sind Mythos und begriffliches Denken einig. Der Mythos spricht
von einer Leitung des Geschehens durch die Ursprungsmächte. Auf jüdisch-
christlichen Boden wird dafür das Symbol der "Vorsehung" verwendet, dessen Sinn die Einheit von Sein und Sollen ist. Der Vorsehungsgedanke
drückt die Zuversicht aus, dass das was ist, nicht vollkommen fern steht
dem, was sein soll, dass trotz aller Unerfülltheit des Seins das Sein
sich in Richtung seiner eigenen Erfüllung bewegt.
(GW II,315f, vgl. oben 60)

Diese Zuversicht ist für Tillich etwas ganz Entscheidendes. Sie ist der Schlüssel für sein Bejahen des Sozialismus gegenüber dem bürgerlichen Prinzip und für sein Weiterdenken des Sozialismus zum sozialistischen Prinzip. Worauf Tillichs genannten Kritiker hinweisen, so stehen bei Tillich Sozialismus und politische Romantik nebeneinander auf derselben Seite gegen das bürgerliche Prinzip, auf der Seite des Ursprungs gegen die Seite der Abstraktion. Was jene Kritiker allerdings weniger beachtet zu haben scheinen ist, dass "Die sozialistische Entscheidung" als ganze eine Auseinandersetzung mit der politischen Romantik darstellt und dass die gesamte Darlegung darauf abzielt, den Unterschied zwischen den beiden Protesten gegen das bürgerliche Prinzip hervorzuheben. (Vgl. oben 4.3.4) Theologisch ausgedrückt handelt es sich hier um die Frage der Unterscheidung zwischen echten und falschen Propheten (GW II, 313 Anm. 4). Weder das Hervorheben des Seins in der politischen Romantik (oder im Mythos [233]), noch das abstrakte Sollen des bürgerlichen Prinzips, wohl aber das sozialistische Prinzip drücken die Zuversicht des Vorsehungsgedankens im Bezug auf eine Einheit zwischen Sein und Sollen aus. Es geht darum, zu zeigen - in der die Darstellung dominierenden Terminologie - dass eine humanistische "Erhebung des Menschen gegen das entmenschlichende bürgerliche Prinzip" nicht das bürgerliche Prinzip zurücknehmen darf, sondern es aufnehmen muss (GW II,307). In einer anderen, von Tillich verwendeten Terminologie: es geht darum die Autonomie nicht zurückzunehmen. Das würde ja nur bedeuten, Autonomie mit Heteronomie auszutauschen, gegenüber der Heteronomie gibt Tillich aber immer der Autonomie recht. Statt dessen geht es darum, die Autonomie in eine Theonomie aufzunehmen. Also: Der Ursprungsmythos darf nicht - wie in der politischen Romantik (GW II,247) - ungebrochen, d.h. unberührt von dem Bruch der Prophetie und der Aufklärung mit dem Ursprungsmythos, sondern "nur gebrochen, enthüllt in seiner Zweideutigkeit, in das politische Denken eingehen" (GW II, 230).

Theologisch ausgedrückt wendet sich Tillich in "Die sozialistische Entscheidung" gegen ein bürgerliches Prinzip ohne Schöpfungsglauben und gegen eine politische Romantik, die eine falsche Prophetie und ein falscher Schöpfungsglaube ist.

Aber Tillich führt seine Ueberlegungen nicht in theologischer sondern in philosophischer Terminologie aus. Schon in der Einleitung versucht er, seinen Gedankengang "im menschlichen Sein selbst" zu begründen (GW II,225). In einer Perspektive, in der vieles an mein Kap 2 erinnert geht er davon aus, dass der Mensch sich vorfindet, einen Ursprung hat und deshalb nach dem "Woher" fragt, und dass der Mensch gleichzeitig einer Forderung begegnet, die ihn zwingt, auch nach dem "Wozu" zu fragen (GW II,227f). Es ist nun die Pointe, dass es "bei dem einfachen Gegensatz der beiden aufgewiesenen Momente des menschlichen Seins" nicht bleibt. Die Forderung kann dem Menschen nicht ganz fremd sein.

278

> Sie trifft ihn nur, weil sie sein eigenes Wesen als Forderung vor
> ihn hinstellt /.../ Und doch ist das Geforderte dem Ursprüngli-
> chen gegenüber ein unbedingt Neues. Das bedeutet aber: Der Ur-
> sprung ist zweideutig. In ihm ist eine Spaltung zwischen wahrem
> und wirklichem Ursprung /.../ Der wirkliche Ursprung wird von
> dem wahren Ursprung verneint; nicht schlechthin und in jeder Be-
> ziehung; denn der wirkliche Ursprung hat, damit er Wirklichkeit
> sein kann, teil an dem wahren Ursprung; er ist sein Ausdruck, aber
> er ist auch seine Verhüllung und Entstellung. Von dieser Zweideu-
> tigkeit des Ursprungs weiss das reine ursprungsmythische Bewusst-
> sein nichts. (GW II,228f)

Aber auch wenn die Ueberlegung mit philosophischen Termini geführt wird, so beinhaltet sie, soweit ich sehen kann, doch deutliche theologische Implikationen, die sie
deutlich apologetisch machen, die sie zu Tillichs religiösem Sozialismus und also zu
einer Theologie machen. Wenn wir die Ueberlegung fortsetzen, so versteht also weder
die politische Romantik noch das bürgerliche Prinzip jene fundamentale Struktur "im
menschlichen Sein selbst". Aber der Sozialismus versteht das, und jedes Denken,
dass dies ernsthaft tut, muss in die Problematik des Symbols der Erwartung eindringen und so an der "Paradoxie des Vorsehungsglaubens, jener Einheit von übergreifen-
der Notwendigkeit und geschichtlicher Verantwortung" teilhaben (GW VII,96/1931a/).
"Im menschlichen Sein selbst" liegt also, nach Tillich, die Frage nach der Berechtigung der Zuversicht, nach Gnade, nach Gott vor.

Was hier im Anschluss an "Die sozialistische Entscheidung" ausgeführt wurde, wird
in Tillichs Religionsphilosophie als die Dialektik zwischen dem Unbedingten und dem
Bedingten ausgeführt, in der das Unbedingte niemals neben dem Bedingten vorliegt,
trotzdem aber von ihm getrennt ist als dessen Tiefe etc als das, was das Bedingte
richtet. [234)]

Schliesslich kann dasselbe auch mit den Termini Essenz und Existenz ausgedrückt werden.

> Essenz gibt dem, was existiert, Sein und richtet es zugleich. Sie
> gibt allem die Seinsmächtigkeit, und zugleich steht sie dagegen als
> forderndes Gesetz /.../
> Die Unterscheidung zwischen Essenz und Existens, religiös gesprochen:
> die Unterscheidung zwischen der geschaffenen und der wirklichen Welt,
> ist das Rückgrat des ganzen theologischen Denkgebäudes. (ST I,237f)

Diese grundlegende aber bei weitem nicht unkritische Zuversicht Tillichs, die er so
verschieden ausdrücken kann, ist es, die seine - von Barth so kritisierte (GA V/3:2,
64/1922-04-02/) - Rede von den Möglichkeiten von Kairoi ermöglicht, die allerdings
ständig gegen Hegels Hybris abgegrenzt wird (ST III,425).

Dieser Abschnitt scheint mir bisher gezeigt zu haben, dass es deutliche Ueberein-

-stimmungen zwischen Barths und Tillichs Auffassung vom Vorsehungsglauben gibt, und dass man in diesen Uebereinstimmungen etwas für den christlichen Vorsehungsglauben Fundamentales wiederentdeckt, dass zumindest dazu ermuntert, längs jener Linie weiterzufragen, die zu Anfang als eine Hypothese über den Unterschied von humanistischer Pespektive und Selbstverständnis des Glaubens formuliert wurde.

Mein eigentliches Interesse ist allerdings nicht, diese Hypothese zu präzisieren, sondern es geht mir darum, in den Griff zu bekommen, wie das Verhältnis der Theologie - d.h. die Reflexion über das Selbstverständnis des Glaubens und die Reflexion des Glaubens über sich selbst (vgl. 1.3.2) - zu der humanistischen Problematik, die in Kap 2 skizziert wurde, aussieht, wenn die allgemein formulierte Hypothese etwas für sich hat. Zu diesem Zweck bin ich an Verschiedenheiten zwischen Barths und Tillichs Theologien zumindest ebenso interessiert wie an Gleichheiten. Nachdem die Auffassung von der Vorsehung bei beiden so eng verbunden ist mit der zentralen Struktur ihres Denkens, so wird auch die, von ihren zentralen Strukturen ausgehende, mehr oder weniger ausgeführte gegenseitige Kritik auch hier aktualisiert werden. Die Frage, die dann für mich interessant wird, ist ob sich diese gegenseitige Kritik irgendwie in Beziehung bringen lässt zu den eventuellen Aporien, die als das humanistische Problem des menschlichen Denkens skizziert wurden.

Eine Möglichkeit sich dieser gegenseitigen Kritik zu nähern ist, zu untersuchen, wie die beiden Theologen das Verhältnis des Propheten zur Geschichte auffassen. Wie oben bereits angedeutet wurde so sagt Barth, dass das "prophetische Verhältnis zur Geschichte" "grundsätzlich, strukturmässig auch das des Vorsehungsglaubens" ist (KD III/3,27, vgl. oben 273f). Wie wir bereits früher gesehen haben so benützt Tillich 1929 gerade die Bedingungen und Voraussetzungen der prophetischen Kritik als Ausgangspunkt für seine Kritik der dialektischen Theologie (vgl. 4.2.3).

Für Tillich geht es darum, zu vermeiden, dass die prophetische Kritik mit der rationalen gleichgesetzt oder verwechselt wird und - in diesen Zusammenhang nocht wichtiger - zu betonen, dass sie immer miteinander zusammengeschlossen sind und sein müssen.

> Es besteht zwar keine Identität, wohl aber eine Angewiesenheit beider
> Wege aufeinander. (GW VII,32/1929a/)

Das Verhältnis zwischen den beiden beschreibt Tillich folgendermassen - wobei sich der Anfang leicht mit meiner Spannung zwischen 2.1- und 2.2-Perspektive identifizieren lässt:

> Beide Arten von Kritik wurzeln in der Erhebung über das blosse Sein
> /../ Die Kritik geht vom Sein aus und wendet sich gegen das Sein.
> Ihre Voraussetzung ist die Zerspaltung des Seins in eine Wesensschicht
> und eine dem Wesen entfremdete Schicht. - Die andere Art der Kritik
> beruht dagegen auf dem Ueberschreiten des Seins, des wesenhaften und
> des wesenwidrigen. Dieses Ueberschreiten ist der "Glaube".
> (GW VII,30f)

Die Pointe für Tillich ist, dass sich diese prophetische Kritik nicht von der rationalen Kritik von Idealen aus isolieren lässt. Versuche, die dies tun, führen dazu,
dass man die Gnade verrät indem man sie zu "einer Seins-Gestalt höherer Ordnung" werden lässt, sie mit einer "Religion innerhalb" des Seins oder mit einer Kirche identifiziert (GW VII,40,31, vgl. 5.2) oder führen zu einer "abstrakt prophetischen Kritik", die sich von jeder rationalen Kritik unterscheidet und so, nach Tillich, nicht
wirklich Kritik sein kann, da sie "zu keiner Scheidung (Krisis) führen" kann
(GW VII,31f). Letzteres, so meint Tillich 1929, droht der dialektische Theologie.
Nach Tillich geht es darum, zu verstehen, dass die prophetische Kritik nur in der
rationalen Kritik konkret wird, dass sie konkret nur als eine hinter rationaler Kritik stehende, als die Tiefe der rationalen Kritik besteht (GW VII,32f).

Hätte Tillich das Barth-Zitat zum Verhältnis des Propheten zur Geschichte kommen-
tiert, dann hätte er wahrscheinlich teilweise dessen "ohne ihre Geschichtsschau und
gegen sie" (KD III/3,27) bejahen können. Aber hier, ebenso wie bereits in dem Kommentar 1923, hätte er wahrscheinlich nicht nur den "Kampf gegen jede unparadoxe, unmittelbare gegenständliche Fassung des Unbedingten" bejaht, sondern auch ein paradoxes Reden von Schöpfung und Gnade gefordert:

> Nur durch die Krisis hindurch, nur paradox darf von ihr /Schöpfung und
> Gnade/ geredet werden; so aber muss von ihr geredet werden, allenthalben,
> in Natur und Geist, in Kultur und Religion. (GW VII,224/1923/)

Tillichs Kommentar kann als eine Frage aufgefasst werden, ob Barth wirklich Gottes
Gnade wirkliche Gnade sein lässt, eine Gnade die mit der Wirklichkeit zu tun hat und
die wirklich mehr sein kann als nur Gericht Gottes über die Wirklichkeit, ob sie
selbst "die prophetisch vertiefte Kritik" in Frage stellen darf (vgl. GW VII,33
/1929a/). Hierbei kann unmöglich auf Barths späteres Weiterdenken Rücksicht genommen worden sein, aber bezüglich dessen was früher in diesem Abschnitt gesagt wurde,
kann es zumindest zu einer Frage an Barth werden, ob es ihm zuletzt gelungen ist,
die Wirklichkeit als eine Schöpfung Gottes zu bejahen.

Diese Frage an Barth ist wie bekannt nicht besonders ungewöhnlich, besonders nicht
in Skandinavien. Bereits in der zwanziger Jahren meinten Bohlin und Aulén, dass das
Problem und die Schwäche der dialektischen Theologie an dieser Stelle lagen. Man
sah, dass sie nicht nur von Gottes "Nein", sondern auch von seinem "Ja" sprach, dass

281

es in ihr ein "Wechselspiel zwischen Gericht und Gnade, Zorn und Liebe, Tod und Leben, 'Kreuz' und 'Auferstehung', Erkenntnis der Sünde und Vergebung der Sünde" gab aber man meinte, dass nicht die Liebe sondern eher Gericht und Zorn dieses Wechselspiel formen und steuern durften (Bohlin 1926,73, eigene Uebersetzung), und dass Gottes "Ja", die Gottesgemeinschaft, "einzig und allein Gegenstand der Hoffnung" war (Aulén 1927,385, eigene Uebersetzung). Seit den fünfziger Jahren hat Gustaf Wingren allgemein gegen "die führende protestantische Tehologie" und besonders gegen Barth behauptet, "dass der Schöpfungsglaube in diesen dogmatischen Systemem keinen wirklichen Platz hat" (Wingren 1958,191f) und die Auseinandersetzung mit Barth gerade an diesem Punkt hat in hohem Grade zur Entwicklung von Wingrens eigener Theologie beigetragen. Dieselbe Kritik liegt vor zB. wenn Aagaard in den siebziger Jahren behauptet, dass Barth "grundsätzlich bestimmt ist von Kants transzendentaler Eschatologie in philosophischer Ausformung" und dass er deshalb nur behaupten kann, "dass das Reich Gottes sich als ein Reich darstellt, in dem alles für ewig getan ist, das einmal die Geschichte ablösen wird und nun die Geschichte des Menschen geschichtslos begleitet", dass in Barths Theologie "die verschiedenen Modi der Zeit dem Geschichtspunkt untergeordnet werden, dass sie als Zeit im Gegensatz zum Reich Gottes stehen, der Sünde verfallen sind und wahren Seins ermangeln" und dass bei Karl Barth "die Geschichte des Reiches Gottes in unserer Geschichte" "identisch ist mit der Meta-Geschichte, in der Gottes transzendentale Subjektivität sich selbst im Deus dixit der Verkündigung entschleiert",so dass Gott im Himmel verbleibt und wir auf der Erde (Aagaard 1974, 153-155, eigene Uebersetzung). [235)]

Das Vorhergende dürfte gezeigt haben, dass Barth die Intention hatte, die Wirklichkeit als Wirklichkeit Gottes zu bejahen und dass er glaubte dies in seiner Theologie zu tun. Eine Kritik Barths, die das nicht sieht, finde ich uninteressant, da sie offensichtlich nicht feinfühlig genug ist für die Problematik, die Barth daran hindert, die Wirklichkeit direkt zu bejahen. Die Frage ist nun, ob man Barths Intentionen und Versuche sehen und erkennen kann und trotzdem Schwierigkeiten in Barths Theologie entdeckt, die einen an der eigenen Kritik festhalten lassen.

Was sich als diese Schwierigkeit in Barths Theologie erweisen könnte, kann versuchsweise als eine fundamentale Zweideutigkeit formuliert werden. Barth behauptet, dass alle Wendungen und Ereignisse der Geschichte Akte der Herrschaft Gottes sind (KD III/3,13, vgl. oben 270) und dass das gesamte Dasein wirklich durch Gottes Tat in Christus verändert wurde ("Auferstehungsrealismus", vgl. oben 271). Gleichzeitig behauptet er aber, dass dies in der Geschichte nicht sichtbar ist, dass keine (immanenten) Eigenschaften damit anders geworden sind (vgl. oben 270,273). Die entscheidende Frage dazu ist, ob es Barth gelungen ist, die beiden Gruppen von Aussagen in in einer Art Paradoxie zusammenzuhalten oder ob es sich hier um eine Zweideutigkeit handelt ohne Sperren, die verhindern könnten, dass die eine Gruppe von Aussagen der anderen übergeordnet wird.

Ist Barths Theologie von einem Optimismus geprägt,der sich nicht umwerfen lässt, in dem das Böse zu einer Illusion wird um die man sich so wenig wie möglich kümmern sollte (vgl. KD § 50) und in dem nur noch aussteht, dass alle erkennen, was bereits ein Faktum ist (vgl. Berkouwer 1954,293, Wingren zB 1958,157 oder 1954,45-55)? Sehe ich recht, dann ist Barth deshalb kritisiert worden, u.a. von Berkouwer und von von Balthasar. [236] Mit Tillichs Terminologie würde man somit zu der Frage gezwungen werden, ob Barths Vorsehungsglaube seine Paradoxie verloren habe und rationalisiert worden sei - so dass er so wie jeder andere rationalisierte Vorsehungsglaube von der Wirklichkeit widerlegt wird.

Oder hebt Barth selber seinen Optimismus auf mit seiner Weigerung, seine Aussagen mit irgendwelchen Analysen der Wirklichkeit zu verknüpfen? Aber wie soll man nicht-immanente Eigenschaften verstehen, Eigenschaften die bei demjenigen, das diese Eigenschaften haben soll nicht vorkommen sondern ihm zugesprochen werden? Wird dann nicht alles, was nach Barth verändert wird etwas anderes sein als Wirklichkeit, und bedeutet das nicht, dass Barths Theologie eben doch nicht von dieser konkreten Wirklichkeit handelt und letztlich diese Wirklichkeit nicht als die Wirklichkeit Gottes bejaht? Darauf zielt, soweit ich verstehe, Aagaards Kritik ab. Tillichs Frage ist dann, ob Barth überhaupt einen Vorsehungsglauben hat d.h. ob seine Theologie letzten Endes wirklich Ausdruck für den christlichen Glauben ist.

Tillichs Problem ist sehr ähnlich. Er versucht programmatisch einem paradoxen Vorsehungsglauben gerecht zu werden. Während Barths christologischer Ansatz den Versuch darstellt,den direkten/ungebrochenen Optimismus zu vermeiden, so bejaht Tillich eine solche Intention. Aber Tillich weigert sich, den Gedanken aufzugeben, dass auch ein paradoxer Vorsehungsglaube etwas über die Wirklichkeit aussagt. Gegenüber der Wirklichkeit wie sie an der Oberfläche aussieht, behauptet der Vorsehungsglaube sein "trotzdem" und "dennoch", tut es aber, nach Tillich, in Uebereinstimmung mit der Wirklichkeit so wie sie in ihrer Transparenz, in ihrer Offenheit für das Unbedingte, wenn ein Kairos aufgenommen wird, aussieht. [237] Im Vorsehungsglauben hat trotz allem nicht die prophetische Kritik, sondern die Gnade das letzte Wort zum Sein:

> In der Gnade wird die prophetisch vertiefte Kritik selbst wieder kritisiert. Ihr letztes Recht, das Sein aufzuheben, wird ihr bestritten.
> (GW VII,33/1929a/)

Aber die Frage ist, ob Tillichs Versuch die Paradoxie auszudrücken am Ende sie
dann nicht doch aufzuheben droht, so dass das Ergebnis doch eine unparadoxe, ungebrochene Bejahung der Wirklichkeit ist, in der der Versuch des Menschen zu verantwortlicher Kritik und Gottes Gericht aufhören ernst gemeint zu sein und in der "Erlösung
in Christus" nichts anderes als Aufdecken und Bekräftigung dessen, was schon immer
gegolten hat, ist und nicht eine wirkliche Veränderung. Mir scheint diese Kritik in
Bonhoeffers Aussage zu begegnen, dass Tillich es unternahm, "die Entwicklung der Welt
/.../ religiös zu deuten" (Bonhoeffer 1943/44,219/1944-06-08/, Hervorhebung von mir).
Verringert Tillich durch seine Bejahung die Radikalität der Verantwortung? [238]

Interessant ist, dass Barth bereits 1923 die Paradoxie des Tillichschen "positiven
Paradoxes" in Frage stellt. Für Barth erschien Tillichs Denken eher Kulturphilosophie und Metaphysik denn Theologie zu sein (B 1923,177,181, vgl. GA V/3:2,64
/1922-04-02/: "Geschichtsmythologie"). Das was ein "Paradox" genannt werden kann in
dieser "breite/n/ allgemeine/n/ Glaubens- und Offenbarungswalze", muss etwas sein,
"das mit dem Gotte Luthers und Kierkegaards keine, dafür aber mit dem Gotte
Schleiermachers und Hegels eine ganz auffallende Ähnlichkeit hat", etwas viel Be-
scheideneres als das göttliche Paradox. Das wird durch viele "unparadoxe Bestimmung-
en des Verhältnisses von Gott und Welt bzw. Mensch" bekräftigt und durch den, eine
selbstverständliche Disposition voraussetzenden Gebrauch der Begriffe Gericht und
Gnade bzw. Offenbarung (B 1923,182f). [239]

> So redet man nicht vom "positiven Paradox", wenn man weiss, dass man es
> als Theologe mit dem göttlichen Paradox zu tun hat, d.h. nicht mit die-
> sem "Unanschaulichen", sondern mit dem ganz und gar nur auf Grund seines
> eigenen freien Willen, nur als Entäusserung der Majestät oder, was das-
> selbe ist, nur aus Liebe und in Liebe in der Welt und für den Menschen
> Wirklichen und Erkennbaren, mit der Offenbarung /.../ (B 1923,183)

Diese gegenseitige Kritik ist bereits in zwanziger Jahren ausgeformt. Sie kann schon
damals auf einem Missverständnis oder auf unzureichendem Zuhören beruhen haben, und
sie kann auf Grund des Weiterdenkens beider irrelevant geworden sein. Aber es ist
auch möglich, dass sie immer noch relevant ist. Barths christologische Konzentration
ist dann als die Behauptung zu verstehen, dass eine der göttlichen Paradoxie bewusste
Theologie nicht von immanenten Eigenschaften sprechen kann, und dass der Prophet
weiss, dass das Licht ihm ohne und gegen seine Geschichtsschau gegeben ist, dass er
nicht aus der Geschichte sondern nur aus dem Glauben heraus sagen kann, dass dieses
Licht trotz allem von dem kommt, der Herr der Geschichte ist (vgl. KD III/3,27).

Versuchsweise könnte man sich fragen, ob dieser Unterschied der Auffassung mit einer
Aporie der geschenkten Identität zu tun hat.

Von einer, vom Herrn der Schöpfung geschenkten Identität aus bedarf es nicht der Verteidigung der Identität gegen die Wirklichkeit. Wo die humanistische Perspektive in einer Art Zwang gefangen ist, sich alles zu bemächtigen und allem seinen subjektiven Prägel zu geben, was von aussen auf das Individuum zukommt [239a] - und so in Aporien gerät - kann der Vorsehungsglaube nicht nur die autonome Verantwortlichkeit bejahen sondern ebenso selbstverständlich auch das Involviertsein, in dem der vorsehende Gott wirkt. Wenn man so will ist es das, was Tillich gegenüber Barth betont.

Aber auch eine geschenkte Identität ist eine abgrenzende Identität, und das gilt ganz besonders für eine Identität, die von dem Gott empfangen wurde, der nicht mit der Wirklichkeit identisch ist, der die Wirklichkeit richtet und errettet. Darum ist Barth ständig bemüht und das sieht er durch Tillichs Denkweise bedroht.

5.2. Offenheit und Entscheidung dem Glauben gegenüber im Selbstverständnis des Glaubens.

Der christliche Glaube scheint also seine eigene Identität sowohl als geschenkte/empfangene Identität als auch als eine (selbst-)erschaffene/verwirklichte Identität zu verstehen (vgl. oben 263f). Er versteht sich selbst als ein Werk des heiligen Geistes, Gottes, und betrachtet die Kirche mit Verkündigung und Sakramenten als Gottes besondere Gnademittel, auf die der Glaube angewiesen ist. Gleichzeitig versteht er sich selber als etwas, worin der Mensch Subjekt ist, als ein menschliches Empfangen, einen menschlichen Versuch, in Gehorsam gegenüber der geschenkten Identität, in der Dialektik von Offenheit und Entscheidung der Wirklichkeit gegenüber die geschenkte Identität zu verwirklichen und sie also zu einem Teil der Wirklichkeit zu machen. Der christliche Glaube versteht sich selbst als entscheidend wichtig. Er glaubt, dass es wichtig ist, ob ein Mensch glaubt oder nicht und ob der Glaube Frucht trägt oder nicht. Gleichzeitig aber weist er weg von sich selber als menschliche Aktivität, hin auf Gottes Aktivität, auf die Gnade. Die Rechtfertigung geschieht durch Glauben aber aus Gnade. [240] Damit ist der Glaube dazu bereit, auch sich selber zu kritisieren, auch die eigene gestaltete Identität. Der Glaube ist dazu bereit nicht nur in einer Offenheit sich selber zu bejahen, sondern auch in einer Entscheidung gegen die eigene Wirklichkeit das Gericht über sich selbst zu bejahen.

Für die humanistische Sicht muss das nicht etwas Unbekanntes sein. Der Ausgangspunkt ihrer Perspektive ist das verantwortliche Individuum, das Individuum, das Distanz gegenüber dem, was geschieht, zu gewinnen vermag, eine Distanz, die eine eigene Handlung möglich macht. Gleichzeitig muss aber eine Identität, die sich selber unter die Forderung nach Verantwortlichkeit stellt, offen sein, sie muss hören und Eindrücke aufnehmen können, sie muss reifen, und sich entwickeln können, also sich verändern können. Dann muss sie auch eine Kritik ihrer selbst so wie sie im Augenblick beschaffen ist, bejahen können, d.h. sie muss in der "Polarität von Selbst-Identität und Selbst-Veränderung" (Tillich) leben. In humanistischer Sicht scheint die Forderung nach Verantwortlichkeit, wie wir gesehen haben (2.2.1) sowohl Identität vorauszusetzen als auch gegen jede endgültige Identität auf eine Weise zu protestieren, die deren Identitätsbegriff problematisch macht.

Wiederum begegnet uns etwas, was den Anschein einer Strukturgleichheit zwischen der Problematik der christlichen Tradition und der humanistischen Perspektive hat. Wiederum wird die Frage aktualisiert, ob sich in etwas speziell Theologischem etwas finden lässt, was als ein tiefes Eindringen in die allgemein menschliche Problematik verstanden werden kann, vor der wir stehen wenn wir versuchen unserer selbst bewusst zu werden, und uns selber als Individuen zu verwirklichen. Aber diese Frage drängt

286

sich erst auf, wenn man offen dafür ist, dass die Art und Weise der christlichen Tradition, die Problematik zu strukturieren, sich von der der humanistischen Perspektive unterscheiden kann, dass die christliche Tradition die Ausgangspunkte der humanistischen Perspektive in Frage stellen kann. Im vorhergehenden Abschnitt wurde die Hypothese aufgestellt, dass es sich um zwei verscheidene Weisen der Erfassung menschlicher Identität handeln kann. Hier soll nun versucht werden, in der Ueberprüfung dieser Hypothese weiterzukommen, sowie mit der Reflexion über die Konsequenzen dieser Hypothese für die Relation zwischen der Theologie und der Geschichtlichkeit des menschlichen Denkens als humanistisches Problem.

Barth und Tillich machen beide Religionskritik und Kirchenkritik nicht nur zu apologetischen, sondern zu zentral theologischen Themen, und man kann sagen, dass sie beide zusammen die Möglichkeiten theologischer Religionskritik zeigen (Sauter 1972, 135). Bereits 1923 sehen und betonen beide diese Ähnlichkeit, die Barth dazu veranlasst von "einer 'irgendwie' vorhandenen unterirdischen Arbeitsgemeinschaft" zu sprechen, sowie deren gemeinsamer Kritik gegen "gewisse an unsren gemeinsamen Sorgen unbeteiligte/r/ sichere/r/ Leute" vor allem innerhalb der Kirche (B 1923,175,vgl. Tillich in GW VII,216/1923/ und 254/1935/). Ist es richtig, diese theologische Religions- und Kirchenkritik als Entsprechung zur Selbstkritik der humanistischen Perspektive zu verstehen? Oder liegt ein fundamentaler Unterschied vor zwischen der Offenheit der humanistischen Perspektive und dem theologischen Bejahen des Gerichtes Gottes über die eigene Identität? Muss nicht die Entscheidung der eigenen Identität gegenüber in der humanistischen Perspektive als eine Relativierung verstanden werden, die ebenfalls als ein Schritt in einem Reifungsprozess betrachtet werden kann, und damit als ein Bejahen einer weniger naiven und damit vertieften und verfeinerten Identität, und die damit eher ein Bestandteil des Erschaffens von Identität durch das Individuum ist, als ein radikales Infragestellen? Muss nicht das Reden des christlichen Glaubens vom Bejahen des Gerichtes Gottes über die eigenen Werke so aufgefasst werden, dass es auf eine noch radikalere Infragestellung abzielt? Wie kann insofern diese Radikalität verstanden werden, und wie wird sie die Identitätsproblematik des christlichen Glaubens und die Auffassung des christlichen Glaubens von Identitätsproblematik überhaupt beeinflussen?

In meiner Darstellung der Theologie Barths in Kap 3 habe ich versucht zu unterstreichen, wie diese Theologie während einer, nach und nach vertieften Reflexion über die Voraussetzungen der "modernen" Theologie geformt wurde. [241] Barths leitende Frage ist ständig, ob diese Theologie eine Theologie der Religiosität oder eine Theologie der Offenbarung ist. Die für Barth ganz entscheidende Frage ist, wie "das Problem der Religion" behandelt wird und die Antwort auf diese Frage deckt auf, ob Theologie wirklich Theologie verblieben ist oder ob sie ihre Aufgabe vernachlässigt hat.

Das Problem der Religion ist, indem es nichts anderes ist als der scharfe Ausdruck des Problems des Menschen in seiner Begegnung und Gemeinschaft mit Gott, eine Gelegenheit, in Versuchung zu fallen. Theologie, Kirche und Glaube sind an dieser Stelle eingeladen, ihr Thema, ihren Gegenstand preiszugeben und damit hohl und leer, blosse Schatten ihrer selbst zu werden. Umgekehrt haben sie gerade hier Gelegenheit, bei der Sache zu bleiben, in ihrem Blick auf die Sache erst recht gewiss zu werden und sich so als das, was sie heissen, zu bewähren und zu befestigen. (KD I/2, 308f)

Bekanntlich sieht sich Barth in seiner Reflexion über die Voraussetzungen der "modernen" Theologie zu der Annahme gezwungen, dass die "moderne" Theologie hier an dem entscheidenden Punkt Mängel zeigt.

Sind doch alle jene mehr oder weniger radikalen und destruktiven Gestaltungen der Theologiegeschichte der letzten zweihundert Jahre nur Variationen eines einzigen Themas gewesen, und war doch dieses Thema nun eben doch zuerst von van Til und Buddeus deutlich angeschlagen: Religion ist eine selbständige bekannte Grösse der Offenbarung gegenüber, und die Religion ist nicht von der Offenbarung, sondern die Offenbarung ist von der Religion her zu verstehen. Auf diesen Nenner lassen sich grundsätzlich die Intentionen und Programme aller bedeutenderen Strömungen der neueren Theologie bringen. Neuprotestantismus heisst "Religionismus". Auch die konservative Theologie dieser Jahrhunderte /.../ hat dabei im ganzen mitgemacht. (KD I/2,316) 242)

Anstatt zu erkennen, dass die Religion wie alle menschliche Aktivität etwas anderes ist als Gnade Gottes und anstatt sich alles Gute von der Gnade Gottes zu erwarten, betrachtet "der Religonismus" die Religion als sowohl von aller menschlichen Zweideutigkeit ausgenommen und damit geeignet zur Verwendung als Kriterium als auch der Anerkennung Gottes würdig, als das was die Gnade Gottes verständlich und motiviert erscheinen lässt, d.h. einen Besitz, der wie anderer Besitz "Bestandteil der Technik, mittels derer der Mensch mit seinem Dasein fertig zu werden versucht" (KD I/2,337) sein kann.

Indem "der Religonismus" die Religion nicht kritisieren kann, kann er nicht unterscheiden zwischen einerseits Menschenwerk, dem abstrakten Gott und den unwirklichen, im wahren Sinne ideologischen Bildern von Gott und dem abstrakten Elend, dass "rasch genug in sein Gegenteil, nämlich in die Euphorie des als Zöllner sich gebärdenden Pharisäers, des als König sich fühlenden Bettlers umschlagen kann" (KD II/1,145) und andererseits dem wirklichen Gott, Gottes wirklichem Gericht und Gottes wirklicher Gnade und unserem wirklichen Elend, also unserem wahren Stand vor Gott. (KD II/1,145,KD I/2,329) 243)

Also: Die Theologie,die zu einer Religionskritik unfähig ist, ist nach Barth schlechtere Religionswissenschaft (vgl. KD I/2,321f), da sie die "immanente Problemati-

288

-sierung der Religion" verbirgt, der sie in Mystik und Atheismus begegnet (KD I/2, 343-355) und sie hört auf, Theologie zu sein, da sie überhaupt nicht mehr sieht, wie die Religion von der Offenbarung aufgehoben wird (zB KD I/2,343,355f). Das zeigt, welches Gewicht Barth der Religionskritik in seiner eigenen Theologie beimisst.

Diese Religionskritik ist, worauf bereits in 3.2.4 hingewiesen wurde, eng verbunden mit einer äusserst fundamentalen Kritik jeder "Kirchlichkeit", die die Kirche als eine etwas besitzende Kirche versteht, jeder "Selbstapotheose der Kirche" (B 1935, 155).

> /Der Weg/ einer höchst robusten, höchst zuversichtlichen, höchst ungebrochenen Kirchlichkeit /ist/ eine gefährliche, ja /.../ die gefährlichste unter allen /Möglichkeiten/. (B 1930,395) [244]

Auf ähnliche Weise habe ich in meiner Darstellung der Theologie Tillichs in Kap 4 dessen Reflexion über das protestantische Prinzip hervorgehoben als einen zusammenhaltenden und entscheidenden Faktor in der Entwicklung seiner Theologie und behauptet, dass seine "amerikanische" Theologie als eine fortgesetzte Bearbeitung derselben Problematik zu verstehen ist. Man sollte beachten, wie Tillich in einer Anmerkung, in der er sich ausserhalb der eigenen Darstellung stellt und seine eigene Denkweise beschreibt, ausdrücklich hervorhebt, dass die ganze ST vom protestantischen Prinzip aus und als dessen Explikation gedacht ist, und dass jede Formulierung an diesem Prinzip überprüft wurde (ST III,257 Anm. 1, vgl. ST III,16). Auch wenn dieses Prinzip in der ST nicht an besonders vielen Stellen ausdrücklich genannt wird, so fällt einmal auf, dass es gerade an äusserst fundamentalen Stellen erwähnt wird - als ein Schlüssel für das Verständnis von Glaube und Liebe (ST III,161,274f) und damit des Sieges des göttlichen Geistes über die Zweideutigkeiten der Religion als eines Teils des Lebens (ST III,206f,281) -, zum anderen, wie es mehr im Vorbeigehen als ein, für den Verfasser selbstverständlich entscheidendes Argument erwähnt wird (vgl. die im Register unter "Prinzip, protestantisches" genannten Stellen) und schliesslich wie sich die Linien via diese Stellen und via der Kenntnis von Tillichs früheren Verständnis und früherer Verwendung des protestantischen Prinzips (vgl. oben 4.2 und 4.3) in so gut wie alle Teile der ST hinein verfolgen lassen.

Für Tillich richtet sich das protestantische Prinzip gegen jeglichen menschlichen Anspruch vor Gott, besonders gegen jeden religiösen Anspruch, gegen jeden Anspruch der Religion oder der Kirche. Das bedeutet eine radikale Religionskritik und Tillichs Ausdrücke sind keinesfalls immer milder als die Barths. Während Barth von der "Aufhebung der Religion" (KD I/2, § 17) spricht, so spricht Tillich von der "Ueberwindung der Religion" (ST III,279ff) oder auf Englisch von "the conquest of religion" (ST(e) III,243ff).

> Das protestantische Prinzip besagt, dass in der Beziehung zu Gott Gott
> allein handelt und dass kein menschlicher Anspruch, besonders kein re-
> ligiöser Anspruch, aber auch kein intellektuelles, moralisches oder re-
> ligiöses "Werk" uns wieder mit ihm vereinigen kann. (ST III,257)

> Das "protestantische Prinzip" ist Ausdruck für die Ueberwindung der Re-
> ligion durch den göttlichen Geist und damit Ausdruck für den Sieg über
> die Zweideutigkeiten der Religion - ihre Profanisierung und Dämonisie-
> rung /.../ Im protestantischen Prinzip siegt der göttliche Geist über
> die Religion. (ST III,281) [245]

Das hat natürlich ebenfalls Folgen für seine Auffassung von der Kirche. Die Gestalt der Gnade ist <u>nicht</u> eine Seins-Gestalt höhere Ordnung, zB eine Kirche der die
Verwaltung der Gnadensubstanz anvertraut wäre. Ja, gerade eine solche Auffassung
von der Kirche <u>ist</u> "Dämonie", das Zerstören der Gestalt der Gnade (GW VII,40,45f
/1929a/), sie verwechselt Theonomie und Heteronomie und macht Zugehöriget zur Kir-
che/Glaube zu Gehorsam gegenüber eine Autorität/Unfreihet (zB GW VII,16/1948a/).
[246] Diese Ueberleung ist im Zentrum von Tillichs Denken verankert und ist ein
Teil der Kritik gegen jede Form des Supranaturalismus (vgl. GW VII,40 mit ST II,
11ff). Sie steht auch immer in Hintergrund der positiveren Formulierungen in
ST III. Tillichs theologischem System liegt das Bewusstsein um das Paradox der
Kirche zu Grunde, das darin besteht "dass sie auf der einen Seite an den Zweideutigkeiten des religiösen Lebens und des Lebens im allgemeinen teilnehmen, dass sie
aber auf den anderen Seite an dem unzweideutigen Leben der Geistgemeinschaft teilhaben" (ST III,104 vgl. 207). Die Kirche ist also nach Tillich <u>nicht</u> eine heilige
Wirklichkeit, "die jenseits der soziologischen Zweideutigkeiten steht" (ST III,196).
Eine partikulare Kirche kann nicht "im rein positivistischen Sinne" bejaht werden,
wie Schleiermacher und Ritschl es getan zu haben scheinen (ST III,201f). Die Kirchen sind heilig, bilden eine Einheit und sind universal/katholisch nur "in der
Form des 'trotzdem' oder des Paradoxes" (ST III,198f). [247] Die Kirchen sollen
nicht "mit der transzendenten Einheit unzweideutigen Lebens" gleichgesetzt werden:

> Wo Kirchen sind, da ist ein Ort, and dem die Zweideutigkeiten der Reli-
> gion erkannt und bekämpft werden, auch wenn sie nicht beseitigt werden
> können. (ST III,203)

Aber diese Religionskritik ist natürlich nicht alles, was von Barth und Tillich über
die Religion gesagt wird. Es gibt in ihrem Denken nicht nur Entscheidung dem Glauben gegenüber, sondern auch eine fundamentale, Identität definierende Offenheit dem
Glauben gegenüber.

Es dürfte kaum richtig sein, Barths Religionskritik als undialektisch zu bezeichnen
[248]. Bereits die Disposition von KD § 17 zeigt, dass Barth nicht nur von "Reli-

290

-gion als Unglaube", sondern auch von der "wahre/n/ Religion" reden kann. Und vor diese beiden Abschnitte wird ein einleitender Abschnitt mit der Ueberschrift "Das Problem der Religion in der Theologie" gestellt, in dem wiederholt betont wird, dass Gottes Offenbarung "auch als 'Christentum' und also auch als Religion und also auch als menschliche Wirklichkeit und Möglichkeit verstanden werden", nicht nur kann, sondern muss, wenn nicht Gottes Offenbarung selbst geleugnet werden soll (KD I/2,308, vgl. 305,309,322,324), und natürlich ist nicht möglich zu behaupten, dass die Kirchenkritik alles ist, was der Verfasser der Kirchlichen Dogmatik von der Kirche zu sagen hat.

Noch schwieriger dürfte es sein zu behaupten, dass Tillichs Religions- und Kirchenkritik das einzige ist, was er von Religion und Kirche zu sagen hat. Im Gegenteil, so hat ja Tillich seine Religionsphilosophie um einen, seiner Meinung nach dialektischen Religionsbegriff herum aufgebaut (zB GW VII,216/1923/ und 254f/1935/ beide Male in Polemik gegen Barth) und sein theologisches System "um das Paradox der christlichen Botschaft" herum (vgl. 4.4.2).

Tillich verteidigt eine seiner Meinung nach mit Barth - aber auch mit Kierkegaard und Pascal, Luther und Augustin, Johannes und Paulus - gemeinsame Front gegen ein vermeintlich "unmittelbares, unparadoxes, nicht durch das ständige Nein hindurchgehendes Verhältnis zum Unbedingten" (GW VII,216). Aber, wie Tillich gegen Barth in den zwanziger Jahren betont, das Paradox muss positiv bleiben, das Gericht muss von der Gnade aus verstanden werden (1923), das Nein darf nicht "die Realität der Gnade" verleugnen oder versuchen, sich zum Herrn darüber zu machen (GW VII,59/1929b/). [249] In ST kan dies (ohne Polemik) so ausgedrückt werden:

> Er /der Protestantismus/ ist sich dessen bewusst - und sollte sich immer dessen bewusst bleiben -, dass er an zwei Wirklichkeiten teilhat: an der Geistgemeinschaft, die seine geistige Essenz ist, und an den inneren Zweideutigkeiten der Religion. Das Bewusstsein um diese beiden Pole liegt dem vorliegenden Versuch zugrunde, ein theologisches System zu entwickeln. (ST III,207) [250]

Folgende Fragen werden hier interessant: Wie versuchen Barth und Tillich Offenheit und Entscheidung dem Glauben gegenüber zu vereinen? In welchem Verhältnis stehen diese Versuche zu der Identitätsproblematik in humanistischer Perspektive?

Man missversteht Barths Religionskritik wenn man meint, sie ziele auf einen Glauben ab, der frei von allem was Gottesdienst, Gebet, Glaubenshandlungen etc sei, d.h. frei von allem was man mit "Religion" zu bezeichnen pflegt. Bonhoeffers von dem üblichen "religionswissenschaftlichen" Religionsbegriff aus gesehen überraschende Fragen sind auch wie Bonhoeffer selbst sagt - Barths Fragen:

> Was bedeutet eine Kirche, eine Gemeinde, eine Predigt, eine Liturgie,
> ein christliches Leben in einer religionslosen Welt? /.../ Was be-
> deutet in der Religionslosigkeit der Kultus und das Gebet?
> (Bonhoeffer 1943/44,180/1944-04-30/)

Barths Religionskritik betont, dass Religion etwas Menschliches ist, das wie alles
Menschliche unter dem Gericht Gottes steht. Die Pointe ist dabei nicht, dass der
Glaubende deshalb versuchen sollte, dem Gericht zu entgehen indem er etwas tut, was
nicht unter dem Gericht Gottes steht. Es ist ja gerade dieser Versuch, etwas zu tun,
was dem Gericht Gottes entgehen könnte, etwas, worauf man hinweisen könnte, und dessen man sich rühmen könnte, den Barth als den religiösen Versuch kritisiert. Die
Pointe ist eher, dass alle Versuche (auch solche die als "fromm" bezeichnet werden),
etwas zu tun, was nicht unter dem Gericht Gottes steht, eine Verharmlosung des Gerichtes Gottes und eine Verharmlosung der Offenbarung sind und damit - da ja die Theologie von dieser richtenden Offenbarung Gottes zeugen soll - eine Verharmlosung der
Theologie. Barths Kritik gilt nicht in erster Linie der Religion - wir sind doch nur
menschlich! -, sondern dem Versuch des Religionismus auf etwas hinzuweisen, was der
Mensch selber tut und sogar die Bindung an Christus, Bibel und Dogma als etwas darzustellen, was der Mensch selber wählt, als etwas, dessen Subjekt der Mensch selbst
ist. (Vgl. B 1930,390f) Barth kritisiert nicht primär die Religion sondern das
selbstherrliche Hinweisen des Menschen auf seine Religion. Dieses Hinweisen auf die
eigene Religion bedeutet nach Barth ein Abkapseln gegen Gott, sein Gericht und so
auch seine Gnade. [251)]

> Man kann dann den Menschen, der ein Feind der Gnade ist, nicht in einen
> Freund der Gnade uminterpretieren. Man kann also dem Menschen als sol-
> chem keine der Bereitschaft Gottes entsprechende Bereitschaft zuschrei-
> ben /.../ Eine ganz unübersehbar grosse Menge von Pathos der theologi-
> schen Reflexion und der kirchlichen Verkündigung wird jahraus jahrein
> eben dazu verwendet, diesen Rest /der Teilungsrechnung/ zu verbergen,
> der Gemeinde und der Welt zu versichern, dass endlich und zuletzt, in
> die Mitte genommen zwischen das Gericht und die Gnade des Wortes Gottes,
> in der Gestalt des christlichen Menschen, doch auch der Mensch als sol-
> cher ein anderer, nämlich ein für Gott bereiter Mensch werde und sei
> /.../ Aber man täusche sich nicht: sie sind es in Wirklichkeit nicht.
> Sie können es gar nicht sein. (KD II/1,162)

Barth wendet sich natürlich nicht dagegen, dass man - gerade als Mensch - die Gnade
entgegennimmt, sondern dass man auf empfangene Gnade hinweist, um weiteren Empfang
der Gnade überflüssig zu machen, um sich der Gnade zu rühmen und dem zu entgehen,
sich auch in Zukunft alles Gute von der Gnade, von Gott zu erwarten. Dieses Hinweisen auf die eigene Religiosität kritisiert Barth als einen Versuch der "Domestizierung", "Verbürgerlichung", "Verharmlosung" und "Nutzbarmachung" des Evangeliums und
der Gnade (KD II/1,157f). [252)] Wie echt menschlich und offensichtlich auch unausweichlich dieser Versuch auch ist (B 1930,391), ja wenn er sogar naturnotwendig zu
sein scheint, so muss ihn die Theologie doch als einen Versuch entschleiern, eigene

292

Identität zu konsolidieren (vgl. B 1930,395), als einen Versuch, sich gegenüber der Gnade zu schützen, als eine Haeresie, auch wenn es eine - ja die eine - "naturnotwendige Haeresie" (KD II/1,157) ist.

Gewiss kann Barth von menschlichem Glauben sprechen, aber er kann nicht von einem Glauben reden, der die Gnade besitzt oder über sie verfügt (zB KD II/,145, vgl. 167). Die Offenbarung, von der Barth spricht ist immer "eine nicht kapitalisierbare Offenbarung" (B 1948b,5). Gewiss kann Barth sich eine "Theologie des dritten Artikels" denken, ausgehend vom Glauben als Offenbarung Gottes, als Ausgiessung des heiligen Geistes, aber dann muss der Glaube als etwas Unverfügbares, als etwas, was richtet und freispricht nicht aber bestätigt, dargestellt werden. Spricht man von dem Glauben als Erlebnis des Menschen, als frommes Bewusstsein, dann spricht man von etwas Verfügbarem und Bestätigendem, dann aber kann nicht von Theologie die Rede sein. (B 1933,415, B 1968, 311, vgl. oben 80ff, und Anm. 98)

Wie Gottes Werk - die Bundesgeschichte - in der Wirklichkeit als ganzer verborgen ist und unmöglich ausgewiesen, aufgezeigt und beherrscht werden kann (vgl. oben 273f) so auch im Menschen. Auch hier gilt, "dass menschliches Denken allein durch den Glauben dazu komme, mit dem Worte Gottes zu rechnen". Auch hier gibt es "keinen sicheren Ort /.../ von dem aus wir der Theologie einen sicheren Ort zuweisen könnten" (B 1930,395).

> Man kann Gott, man kann die Ausgiessung des Heiligen Geistes und dann gewiss auch die Fleischwerdung des Wortes, eben weil und sofern sie Gottes Offenbarung an den Menschen ist, auch von dieser Seite sehen: in dieser mit ihrer wahren Menschlichkeit selbstverständlich gegebenen Verborgenheit als religiöses Phänomen, als Glied einer Reihe, als Spezialbild innerhalb einer allgemeinen Beobachtung und Erfahrung, als besonderen Inhalt einer menschlichen Form, die auch andere Inhalte haben kann und in der die göttliche Besonderheit jenes Inhalts nicht direkt erkennbar ist. (KD I/2,307f)

Barths Absicht ist es nicht, zwischen einem Gott wohlgefälligen Glauben und einem Glauben, der unter dem Gericht Gottes steht, zu unterscheiden, so dass der tatsächliche Glaube gereinigt werden könnte, um sich der ersteren Art des Glaubens zu nähern. Es ist eher Barths Absicht, aus dieser quantitativen partim-partim-Perspektive herauszugelangen zu einer theologischen Perspektive, in der die Rechtfertigung ein Werk Gottes ist, und in der der Mensch beschrieben werden muss als simul totus iustus et totus peccator. Barths Religionskritik ist die negative Seite dieser Perspektive.

> Auch der wiedergeborene Mensch muss sich selbst immer wieder als den nicht Wiedergeborenen erkennen. Wohl ihm, wenn er das wenigstens tut! Seiner Wiedergeburt als solcher, seinem Glauben, seiner Erneuerung, seiner Gotteskindschaft, seiner Liebe zu Gottes Gnade wird aber tatsächlich

immer durch ihn selbst widersprochen, auch wenn er das nicht erkennen
sollte. Die Kirche ist immer auch Welt. Sie als solche ist es auf keinen Fall, die die Welt überwunden hat. Sie wäre dann erst recht verloren mit der Welt, wenn sie sich etwas Derartiges einbilden würde.
(KD II/1,161) 253)

Aber die negative Seite ist nicht das Wichtige an dieser Perspektive. Es ist auch
nicht so, dass die negative Seite von einer positiven im Gleichgewicht gehalten werden soll, wie im Verhältnis "zweier vibrierenden Wagschalen" oder "in dem einer un-
übersehbaren Dialektik". Das "simul iustus et peccator" als zwei zeitlose, parallele
Möglichkeiten zu verstehen, bedeutet den Ausdruck "heidnisch" zu verstehen, d.h. ohne
eine Zeitperspektive, die berücksichtigt, dass das Entscheidende bereits in Christus
geschehen ist. (KD II/1,706f) Die christliche Perspektive vermag zu sehen, dass das
Entscheidende geschehen ist ohne dass das Alte verschwunden ist.

> In dem Urteil Gottes sind wir beides: semper peccatores, semper iusti.
> Das ist die Vergebung der Sünde: dass diese zwei Prädikationen sich
> nicht etwa ausschliessen, sich aber auch nicht in dialektischem Gleich-
> gewicht, sondern im Uebergewicht der zweiten gegenüber der ersten gegen-
> überstehen, dass ihre Folge unumkehrbar ist, dass Gott nie aus dem Guten
> Böses, wohl aber aus dem Bösen Gutes macht, dass also das semper iusti
> das zweite und letzte Wort ist, das hier zu hören und zu bedenken ist.
> Das ist Gottes Gnade im Gericht. (KD II/2,846) 254)

Was bei der Beschreibung Barths in 5.1 als eine zweideutige Struktur zumindest erschien, taucht hier ebenfalls auf. Ich neige zu der Behauptung, dass die Struktur
ihren Ursprung in Barths Reflexion über die Rechtfertigung hat, darüber was es bedeutet, aus der Gnade zu leben. Die zusammenhaltende Perspektive, in der Gericht und
Gnade zusammengehalten werden, ist wiederum die, in der die Wirklichkeit als durch
die Tat Gottes objektiv verändert verstanden wird und in der Glaube bedeutet, davon
nicht zu abstrahieren, sondern in die konkrete Wirklichkeit hineinzugehen, so wie sie
aussieht, nachdem Gott in Christus in ihr gehandelt hat und weiterhin in ihr handelt.
Aber diese objektiven Veränderungen sind so beschaffen, dass Gnade nicht aufhört Gnade zu sein. Sie sind so beschaffen, dass wir sie nicht besitzen können als etwas,
was uns von der Gnade unabhängig macht, als etwas Verfügbares, als unsere Eigenschaften. Was wir besitzen oder zu besitzen versuchen steht unter dem Gericht auf dass
wir empfangen können und reich werden:

> Wir sind als die von Gott Gerichteten, als die auf seine Gnade Ange-
> wiesenen, faktisch und objektiv zum Glauben aufgerufen. Faktisch und
> objektiv: unabhängig davon, ob uns der Gnade durch die Predigt des
> Evangeliums schon verkündigt wurde und unabhängig davon ob und wie wir
> zu dieser Verkündigung Stellung genommen haben /.../ Der Glaube ist
> nämlich die genaue Entsprechung des Gerichts und der Gnade Gottes. Im
> Glauben anerkennen wir, dass wir Gerichtete sind oder eben: dass wir
> darauf angewiesen sind, von Gottes Gnade zu leben /.../ Glauben heisst:
> vor Gott und mit Gott leben als der von ihm Gerichtete, als der, den er
> sich zu eigen gemacht, an dem er sich dadurch verherrlicht hat, dass er

ihn so demütigte und so erhöhte, wie es in diesem Gericht geschehen
ist. (KD II/2,857f)

Gott lässt die Sünde Sünde sein. Er übergeht sie nicht, sondern er richtet sie und
damit uns. Aber er verschafft uns Rechtfertigung, die grösser ist als die Sünde, eine Rechtfertigung, die Verurteilte zu iusti macht. Aber um diese Rechtfertigung zu
erkennen darf der Mensch nicht auf sich selber sehen, sondern muss auf die Bundesgeschichte sehen, in der Gott handelt, und der der Mensch teilhaftig wird nicht durch
seine eigene Umkehr oder Frömmigkeit sondern durch Gottes Erwählung.

> Glaube im Sinn des Neuen Testamentes heisst gewiss nicht Beseitigung,
> wohl aber Aufhebung der menschlichen Selbstbestimmung, heisst Einord-
> nung der menschlichen Selbstbestimmung in die Ordnung der göttlichen
> Vorherbestimmung. (KD I/2,342) 255)

Zweideutigkeit droht ebenfalls in der Beschreibung der Kirche. Die Kirche verbleibt
nach Barth menschlich. Sie wird immer wieder "religiös" ausgenutzt und sie kann sich
dem Gericht Gottes nicht entziehen. Aber Barth spricht von derselben Kirche, demselben Phänomen der Weltgeschichte, wenn er sie (in Glaubenssätzen) als ein Werk des
heiligen Geistes, als nicht-"religiös", d.h. aus der Gnade lebend, als gerechtfertigt
beschreibt. Barth nimmt diese, mit der Rechtfertigungslehre verbundenen Aussagen so
ernst und fasst sie so konkret auf, dass er einerseits betonen kann, dass die Kirche
"ein Phänomen der Weltgeschichte, historisch, psychologisch, soziologisch fassbar wie
alle anderen" (KD IV/1,728) ist - was nach 2.1 ein wirkliches Involviertsein bedeutet
(vgl. KD IV/3,940) - und andererseits so von der Kirche spricht als ob sie sich
leicht von diesem Involviertsein freimachen könnte. Kann man - auch wenn man es mit
der Rechtfertigung verbindet - so reden ohne definitiv zweideutig zu werden, ohne
seine Glaubwürdigkeit als fides quaerens intellectum definitiv zu verlieren? Mit
Gollwitzer:

> Wo sieht er diese ecclesia visibilis, die am Weltgeschehen teilnimmt,
> ihm aber auch gegenübersteht (KD IV/3,835), die - ein "Menschenvolk
> unter anderen" - "ganz abhängig von ihrer Umgebung und ganz frei ihr
> gegenüber" existiert (840)? /.../ Historisch-materialistisch kennen
> wir dieses "Phänomen" wohl als "ganz abhängig", aber als gar nicht
> frei, und Barth weiss das. Trotzdem bleiben seine Darlegungen in ei-
> nem Dualismus: hier "wirkliche Gemeinde Jesu Christi", "diese in Zei-
> ten wohnende Fremdenkolonie" (KD IV/3,852) - dort das jedermann zugäng-
> liche Phänomen Kirche, und vermittelt wird zwischen diesen beiden Polen
> nur durch das Vertrauen auf das Wunder des Heiligen Geistes, auf das
> wir dank der Erwählung gerade dieses Phänomens zum Volke Gottes immer
> neu hoffen dürfen. Nie stösst Barth - und das ist angesichts seiner
> Kirchenkritik und seiner Safenwiler Vergangenheit merkwürdig genug -
> - zu einer genauen Analyse jener Abhängigkeiten vor.
> (Gollwitzer 1972,53f)

Wie aus 4.4.2 hervorgeht ist "der Hauptzweck des ganzen Systems" Tillichs, die Voraussetzungen und Folgerungen der paradoxen Behauptung, "dass Jesus der Christus ist", zu entfalten (ST I,61f, ST II,102). "Von der subjektiven Seite" her gesehen ist der göttliche Akt, "in dem Gott den, der ungerecht ist, für gerecht erklärt", die "Erfahrung des Neuen Seins". Das Paradox wird im "simul justus simul peccator"der Rechtfertigungslehre ausgedrückt (ST III,257-263). Die frohe Botschaft sagt, "dass ich - obwohl unannehmbar - angenommen bin" (ST III,256). Während Barth das simul iustus et peccator gegenüber der Lehre von der Erwählung entwickelt, versucht Tillich daran festzuhalten, dass es sich dabei sowohl um ein Paradox handelt als auch dass es - in der Darstellung des dritten Glaubensartikels - von der subjektiven Seite her verstanden werden soll, als "die Erfahrung des Neuen Seins". [256)]

In der Terminologie der Zeit vor der Emigration ausgedrückt, geht es Tillich darum zu erkennen, dass prophetische Kritik nicht nur mit rationaler Kritik verbunden ist, sondern sich auch grundsätzlich von der Kritik der prophetischer Kritik und prophetischer Verheissung entfliehenden Profanität unterscheidet (GW VII,68/1929b/). Auch wenn Tillich den Protest der Autonomie gegen jede Heteronomie bejaht, so weigert er sich doch, Autonomie mit Theonomie zu identifizieren. Der Unterschied ist die (Teilhabe an der) "Gestalt der Gnade" und dieser Begriff wird zu einer Art Zentralbegriff in der Theologie Tillichs in jener Zeit. [257)] Die Pointe in seiner Religionsphilosophie ist, dass diese zu einer Frage, einem Hilferuf nach einer solchen Gestalt der Gnade wird. Die Behauptung, dass es diese Gestalt der Gnade gibt ist der Kern seiner protestantischen Geschichtsauffassung und der Entscheidung, in der Sozialismus für Tillich zu religiösem Sozialismus wird, ist letztlich also für Tillich Kern des christlichen Glaubens.

In ST wird dies nicht zuletzt im Begriff der Ekstase wieder aufgenommen, der ausdrücklich zu dem "Verständnis der Gottesidee" in Beziehung gesetzt wird, das "dem ganzen hier gebotenen theologischen System zugrunde" liegen soll. (ST II,14). Das Geschenk des unzweideutigen Lebens, das "objektiv" in der Christologie, in der Versöhnungslehre beschrieben ist, muss auch "von der subjektiven Seite" her beschrieben werden (ST III,259), als die Gegenwart oder das Werk des göttlichen Geistes im menschlichen Geist, und dies tut Tillich mit Hilfe der Ausdrücke Ekstase und ekstatische Erfahrung (vgl. ST:s Register). Zusammenfassend:

> Die transzendente Einheit erscheint im menschlichen Geist als das ekstatische Erlebnis, das, von der einen Seite gesehen, Glaube, von der anderen Seite gesehen, Liebe genannt wird. Glaube und Liebe sind die Manifestationen der transzendenten Einheit, die der göttliche Geist im menschlichen Geist schafft. "Transzendente Einheit" ist eine Qualität des unzweideutigen Lebens und darum der Symbole für das unzweideutige Leben:

"Gegenwart des göttlichen Geistes", "Reich Gottes" und "Ewiges Leben".
(ST III,154)

Auf diese Weise wird das ekstatische Erlebnis zum zusammenhaltenden Begriff der Teile IV und V der ST (= ST III) und damit in der gesamten ST: Diesen Begriff verwendet Tillich um Glaube - als "der Zustand der Ergriffenseins von der transzendenten Einheit" - und Liebe - als "der Zustand des Hineingenommenseins in die transzendente Einheit" (ST III,154) - d.h. Dogmatik und theologische Ethik zusammenzuhalten. Es lohnt sich also der Versuch zu verstehen, weshalb Tillich diesen Begriff wählt und wogegen er sicht mit ihm abzusichern versucht.

In diesem Zusammenhang ist der Abschnitt ST III,255f sehr wichtig, in dem Tillich ausdrücklich die Frage aufnimmt, "ob es richtig sei, die Weisen der Partizipation am Neuen Sein als 'Erfahrung' zu bezeichnen". [258)

> Es ist die Frage erhoben worden, ob dieser Zustand jemals ein Objekt der "Erfahrung" werden könne, ob er nicht vielmehr nur ein Objekt des Glaubens bleiben müsse im Sinne des Satzes "Ich glaube nur, dass ich glaube" oder "Ich glaube an das Wirken des Geistes in mir, aber ich erfahre ihn nicht, und darum erfahre ich auch nicht meinen Glauben und meine Liebe". (ST III,255)

Was Tillich drohen sieht, wenn man nicht von irgendeiner Art der Erfahrung spricht ist "die unendliche Regression" "'Ich Glaube, dass ich glaube, dass ich glaube' usw" ohne ein "Fundament" (ST III,255). Mit der Terminologie der zwanziger Jahre: Es handelt sich dann dabei nicht um eine prophetisch-protestantische Kritik von der Gestalt der Gnade aus, sondern um eine, jegliche Gestalt auflösende, kritizistische Kritik (vgl. GW VII,36f/1929a/). Falls der Glaube dann nicht ganz aufgelöst wird, so ist er doch nicht mehr Teilhabe an einer von Gott geschenkten Rechtfertigung sondern wird zu meinem eigenen Fürwahrhalten, das ich zu schützen und psychologisch (und soziologisch) zu unterstützen versuche:

> Wie kann ich annehmen, dass ich angenommen bin? Was ist die Quelle eines solchen Glaubens? Hierauf ist die einzig mögliche Antwort: Gott selbst als gegenwärtig im Geist. Jede andere Antwort würde Glauben zu einem "Für-wahr-Halten" herabsetzen, zu einem intellektuellen Akt, der durch Wille und Gefühl erzeugt wäre. Ein solcher Pseudo-Glaube aber /.../ (ST III,256)

Ein anderer Abschnitt wird ausdrücklich als "eine Verteidigung der ekstatischen Manifestationen des göttlichen Geistes gegen die kirchliche Kritik" bezeichnet und als Ziel wird dort im Anschluss an die Terminologie der zwanziger Jahre angegeben, "die Profanisierung /zu/ vermeiden, die sich im heutigen Protestantismus weithin zeigt, in dem Ekstase durch Lehre und Moral ersetzt wird" (ST III,141f). [259)

Obwohl Tillich also dadurch dazu getrieben wird, von Erfahrung und Ekstase zu spre-

-chen, so ist es doch auch wichtig zu sehen, wogegen er sich absichert. Tillich ist sich sehr wohl dessen bewusst, dass die Verwendung des Wortes "Ekstase" ein Wagnis ist (ST I,135), dass "ekstatische Ergriffenheit" mit "emotionaler oder biologischer Berauschtheit verwechselt" werden kann (ST III,142). Deswegen bemüht er sich darum zu betonen, dass Ekstase "nicht die Struktur des zentrierten Selbst, des Trägers der Dimension des Geistes" zerstört (ST III,137), dass sie nicht "der rationalen Struktur des menschlichen Geistes" widerspricht (ST III,138, vgl. ST I, 135-139), dass sie kein Versuch ist, "der eigenen Geistigkeit zu entfliehen und auf diese Weise persönlicher Zentriertheit, Verantwortlichkeit und Rationalität zu entgehen" (ST III,142). Das kann verstanden werden als ein direktes Festhalten an der Kritik in "Die sozialistische Entscheidung" gegen die politische Romantik und deren ungebrochenes Reden von Ursprungsmächten und von vitalen Ekstasen, die nicht verneint werden (GW II,237/1933/). Aber ein nicht weniger wichtiger Satz steht auf derselben Seite, auf der die Notwendigkeit betont wird, "die Weisen der Partizipation am Neuen Sein als 'Erfahrung' zu bezeichnen". Ohne ihn fällt Tillichs System zusammen, aber was ist in ihm mit "Erfahrung" gemeint?

> Wenn von der Erfahrung der Wiedergeburt gesprochen wird, ist nicht gemeint, dass derjenige, der vom göttlichen Geist ergriffen ist, seine Erfahrung durch empirische Beobachtungen verifizieren könne. (ST III,255)

Wie verhalten sich diese Lösungsversuche zu der humanistischen Problematik?

Man sollte darauf achten in welchem Ausmass sowohl Barth als auch Tillich die Relativierung auch bezüglich der Religion unaufgehoben stehen lassen, ja, dass sie beide nicht geringe Mühe darauf verwenden, diese gegenüber allen Versuchen ihr zu entgehen oder sie zu bagatellisieren, zu betonen.

Ich glaube es wäre ein Fehlschluss anzunehmen, dass Barth und Tillich an der menschlichen Verantwortlichkeit in der Sicht von 2.2 weniger interessiert wären. Tillich bemüht sich sehr darum, zu beschreiben wie in menschlichem Leben nicht nur Entfremdung, sondern auch Selbst-Transzendierung des Lebens (ST III,107ff) und damit die Frage nach unzweideutigem Leben vorkommen, und man muss seine Bemühungen tief ernst nehmen auch wenn er sagt, es handelt sich dabei um "philosophische" Bemühungen [260]. Ich glaube auch, dass man Barths Versicherungen ernst nehmen muss, dass er nicht darauf aus sei, die menschliche Verantwortlichkeit zu verringern sondern auf das Gegenteil (vgl. oben zB 112,172,273). Diese Frage wird in 5.3 weiter verfolgt werden.

Dagegen muss, meiner Meinung nach, Barths und Tillichs Unterstreichen der 2.1-Perspektive auch im Blick auf den christlichen Glauben, als eine Behauptung interpretiert werden, dass der Glaube nicht ein Instrument ist, mit dessen Hilfe der Glau-
298

-bende die humanistische Problematik aufheben könne, und (selber) eine aporie-freie
Identität verwirklichen könne. In diesem Unterstreichen wird festgehalten, dass
der Mensch über kein Instrument verfügt, mit dessen Hilfe er sich eine Identität
erschaffen könne, denn wenn der Glaubende seinen Glauben (als Religion/Christen-
tum) zu gestalten versucht, dann wird diese Gestaltung ebenso zweideutig, wie alles
andere, das er zum Erschaffen seiner Identität anzuwenden versucht. [261]

Dieses Unterstreichen ist gegen die Deutung der Identität des christlichen Glaubens
als der in der humanistischen Perspektive nachgefragten Identität gerichtet. In
der humanistischen Perspektive bedeutet das, dass Barth und Tillich von einem Glauben ohne Identität, von einem Glauben, der die Identität auflöst, zu sprechen
scheinen. Die geschenkte Identität, von der Barth und Tillich reden, scheint nämlich nicht das Individuum von der übrigen Wirklichkeit abzugrenzen, scheint nicht
die Verantwortlichkeit zusammenzufassen, in der das Individuum seine eigene Integrität erfasst und verwirklicht, indem es die übrige Wirklichkeit objektiviert und
verändert.

Das wird auf verschiedene Weisen deutlich. Im Vergleich mit früherer Theologie ist
markant, wie sowohl Barth als auch Tillich sich weigern, die Frage, inwieweit das
Christentum ein gutes oder schlechtes Mittel zur Lösung der humanistischen Aufgabe,
Identität zu erschaffen, ist, zu einer zentralen theologischen Frage zu machen.
Für sie ist es deshalb auch nicht theologisch entscheidend, ob Religionspsycholo-
gie oder Religionssoziologie beweisen können, dass eine (bestimmte) Religion eindeutig positive Effekte hat [262]. Die Religion, mit Lehrsätzen, Erlebnissen und
Entscheidungen ist für Barth wie für Tillich ein Teil der Wirklichkeit. Sie ist
daher sowohl psychologisch und soziologisch bedingt als auch ein Versuch, Verantwortlichkeit zu verwirklichen (vgl. Kap. 2). Aber vor allem ist sie deshalb etwas,
worin Gott sowohl vorsehend handelt als auch etwas, was unter dem Gericht Gottes
steht (vgl. 5.1). Glaube ist nicht eine Offenheit der (eigenen) Religiosität gegenüber und von dieser aus Offenheit und Entscheidung der übrigen Wirklichkeit gegenüber. Glaube ist eine Offenheit gegenüber der Gnade Gottes und von dieser aus
Offenheit und Entscheidung gegenüber der ganzen Wirklichkeit - inklusive der eigenen Religiosität. Glaube heisst nicht, eine Technik (Frömmigkeit) zu beherrschen,
die Zugang zu besonders viel Gnade verschafft, sondern Glaube heisst Gnade zu empfangen ohne eine solche Technik zu beherrschen. [263]

Damit hängt zusammen, dass die Grenzen "Christentum" - andere Religionen und "Kirche" - "Welt" als soziologische Grenzen für Barth und Tillich theologisch problematisch werden. Natürlich sind diese Unterscheidungen nur relativ und vielleicht für
das Christentum nicht einmal von Vorteil. So schliesst zB Barth aus einer Aussage

von Harnacks:

> Dann kann es sicher nicht etwa an dem sein, dass die "christliche Religion" leichter von der Welt der Religion überhaupt zu distanzieren wäre als andere Religionen. (KD I/2,308)

Vor allem aber würde das Festhalten an soziologischen Grenzen den Anspruch Gottes begrenzen. Grenzen zwischen Gruppen von Menschen sind für den, der die Perspektive in 2.1 anerkennt, Grenzen die durch Anlagen, kulturelles Erbe und ökonomisch-politische Faktoren bedingt sind. Jeder Versuch, eine Identität des Glaubens darauf aufzubauen führt einmal in die Aporien aller "faktischen" Identitäten (vgl. 2.2.1) und macht zum anderen den Glauben zu etwas, was für gewisse Menschen leichter ist und für andere vielleicht sogar unmöglich, d.h. solche Versuche treten in Widerspruch zu dem universalen Anspruch des christlichen Glaubens.

> Die Unbedingtheit und Allgemeinheit seiner Verkündigung /die des Protestantismus/ wäre damit erledigt /dass eine menschliche Lage für ihn unzugänglich bleibt/; er wäre aus einem prophetischen Wort an den Menschen überhaupt zu einer religiösen Möglichkeit für bestimmte Menschengruppen geworden. (GW VII,85/1931a/) [264]

Eine solche Auffassung würde Barths Hauptthese widerstreiten, dass das gesamte Dasein durch das, was in Christus geschehen ist, faktisch/real verändert wurde. [265]

Ich meine, dass Barths und Tillichs theologischer Identitätsbegriff von der Rechtfertigungslehre aus verstanden werden muss. Es ist meiner Meinung nach wichtig, dass sowohl Barth als auch Tillich im Zentrum ihrer jeweiligen Theologie Luthers Ausdruck simul iustus et peccator verwenden. In diesem Ausdruck liegt ja eine entscheidende Abgrenzung gegen jedes partim-partim-Verhältnis, gegen jede Auffassung des christlichen Glaubens als ein Zusatz, ein Beitrag zu menschlicher Vertiefung, gegen jede Sicht, nach der das Wesentliche ein Prozess ist, in dem die Relativierung durch einen Reifungsprozess überwunden wird, in dem die eigene Naivität und Primitivität nach und nach erkannt und überwunden wird. Der Ausdruck will ein paradoxes Verhältnis zwischen Neuem und Altem beschreiben, in dem das Neue nicht das Alte entfernt aber auch nicht dadurch relativiert wird, dass das Alte bestehen bleibt. Ohne diese Paradoxie hätte Luther nicht seines Heils gewiss sein können, da er ja das Alte allzu deutlich sah. Seine Gewissheit musste ein Glaube an eine geschenkte Rechtfertigung sein, die total war auch wenn das Alte nicht verschwunden war. Es geht hier um die Radikalität von Gericht und Gnade, um einen Versuch, Gericht Gottes und Gnade Gottes zu beschreiben.

Die Art und Weise, diesen Ausdruck - simul iustus et peccator - theologisch zu verwenden steht natürlich nicht ausserhalb der 2.1-Relativierungen. Der Ausdruck kann natürlich als Theoretisierung/Ideologisierung einer Einstellung gebraucht werden,

300

die das Menschliche und das Relative nicht so ernst nimmt. Er kann auch, spezieller, eine theologische Umschreibung/Ideologisierung eines Erlebnisses im Zusammenhang mit dem ersten Weltkrieg sein, nämlich, dass alles Bestehende zusammenstürzt. [266)] Aber es darf nicht verwischt werden, dass in Barths und Tillichs Verwendung dieses Begriffes sehr wohl eine entlarvende Kritik vorliegen kann - und meiner Meinung nach auch vorliegt - und zwar gegenüber jeder Theologie, die sich in Beziehung zu der humanistischen Problematik setzen will ohne die Paradoxie der Rechtfertigungslehre ernst zu nehmen.

Mit der beiderseitigen Verwendung des simul iustus et peccator der Rechtfertigungslehre hängt zusammen, dass sie beide die Prädestination betonen. Das Kapitel über Gottes Gnadenwahl wird von von Balthasar als "ohne Zweifel der grossartigste, einheitlichste und am sorgfältigsten fundierte Teil des Gesamtwerkes, der mit der grössten Liebe verfasste, das Herzstück der barthschen Theologie" (von Balthasar 1951,187) bezeichnet. Selber sagt Barth:

> Die Gnadenwahl ist die Summe des Evangeliums - so scharf zugespitzt muss hier geredet werden. M.a.W: Die Gnadenwahl ist das ganze Evangelium, das Evangelium in nuce. Sie ist der Inbegriff aller guten Nachricht. (KD II/2,13)

Und obwohl Tillich der Prädestinationslehre nicht das gleiche Interesse widmet, so ist sie doch auch für ihn zentral. Sie wird als einer der Hauptgedanken in der Reformation bezeichnet (GW VII,180ff/1950/, vgl. GW VII,95/1931a/ und GW I,383/1922a/) und bringt seiner Meinung nach dasselbe Paradox zum Ausdruck wie die Rechtfertigungslehre - auch wenn die Prädestinationslehre, ebenso wie die Rechtfertigungslehre, dadurch verfälscht werden kann, dass sie ihrer Paradoxie beraubt wird (ST I, 327f).

Aus dieser Paradoxie folgt nicht zuletzt, dass Glaube nicht beliebig verstanden werden kann. Glaube kann nicht (nur) eine menschliche Qualität sein, die zu anderen Qualitäten des Menschen hinzugefügt werden kann und auf diese Weise seinen Wert erhöht. Damit wird Glaube ja zu etwas, was auf verschiedenen Stufen vorkommen kann, ebenso wie Zweifel in verschiedenen Graden auftreten kann. Wenn dieser Glaube (oder diese Religiosität) das theologisch Entscheidende wäre, dann wäre die Frage entscheidend, ob der Glaube eines Menschen im Verhältnis zu seinem Zweifel stark genug ist, um ihn zusammen mit seinen übrigen Qualitäten hinreichend wertvoll zu machen. Theologisch bedeutet das natürlich, dass der Mensch einen Wert besitzen könne, der ihn rechtfertigt. Wie bei aller erworbenen Rechtfertigung ist dann die Frage entscheidend auf welcher Seite der in einem Kontinuum willkürlich gezogenen Grenze man landet. Glaube ist dann vielleicht nicht direkt ein Glaube an die Vortrefflichkeit der eigenen Werke aber doch Glaube daran, dass der eigene Glaube aus-

-reicht, und dass der eigene Zweifel hinreichend schwach ist. Es geht dabei nicht um einen Glauben an eine geschenkte Rechtfertigung, einen Glauben an Jesus Christus. Es handelt sich nicht um einen paradoxen Glauben.

Dass Barth und Tillich einen paradoxen Glaubensbegriff haben, zeigt sich vor allem daran, dass Glaube und Zweifel in ihren Theologien keine "kommunizierenden Röhren" darstellen. Bei Tillich ist die Rechtfertigung des Zweiflers eine frühe, zugespitzte Formulierung, die gegen eine falsche Auffassung vom Glauben schützen soll (vgl. oben 187). Positiv versucht er später dasselbe mit dem "nimm nur dies an, dass du bejaht bist" (T 1948,152) auszudrücken. Mit seiner in 4.4.2 dargestellten Terminologie könnte man sagen: Die Gewissheit des Glaubens ist, sich Gottes paradoxen Bejahens des Menschen gewiss sein, nicht aber Gewissheit, dass Gott meine Religiosität von der Dialektik und Zweideutigkeit des Daseins befreit habe.

Barth kann Tillichs Ausdruck aufnehmen und ebenso von "Rechtfertigung des Zweiflers" sprechen. Für ihn ist dieser Ausdruck nicht einmal besonders dramatisch. Ebensowenig wie man verleugnen sollte, dass man ein Sünder ist, ebensowenig sollte man verleugnen, dass man ein Zweifler ist. Nachdem es eine Rechtfertigung des Sünders gibt, so gibt es auch eine Rechtfertigung des Zweiflers. Daraus dürfte auch folgen, dass ein Zweifler ebenso glauben kann wie ein Sünder glauben kann. Aber damit werden weder die Sünde noch der Zweifel gerechtfertigt.

> Es gibt wohl eine Rechtfertigung des Zweiflers. Es gibt aber - das möchte ich P Tillich zugeflüstert haben - keine Rechtfertigung des Zweifels. Man sollte sich also wegen seines Zweifels nicht etwa für besonders wahrhaftig, tiefsinnig, fein und vornehm halten. (B 1962,144)

Der Zweifel kann zu einer umgekehrten Religiosität werden, einer neuen Art des Selbstrühmens. Ansonsten scheint Zweifel für Barth kein theologisches Thema zu sein. [267)]

Aber auch wenn eine weitgehende Strukturgleichheit in den Lösungsversuchen Barths und Tillichs hinsichtlich des Verhältnisses des Glaubens zu der humanistischen Perspektive und deren Problematik vorliegt, so gibt es doch einen bedeutenden, vielleicht sogar entscheidenden Unterschied. Dieser lässt sich am einfachsten durch den Hinweis beschreiben, dass Tillich an der Rede von der Erfahrung festhält und versucht, eine Theologie zu entwickeln, die so strukturiert ist, dass sie im dritten Glaubensartikel gipfelt, während Barth sicherlich zugibt, dass dies im Prinzip möglich sein dürfte, aber dennoch meint, dass alle Versuche in dieser Richtung bisher etwas anderes geworden sind als Theologie und deswegen eine Theologie zu entwickeln versucht, in der der zweite Artikel konsequent eine übergeordnete Rolle spielt. Ist dies eine endgültige Trennungslinie, oder kann auch dies als

302

eine Problemgemeinschaft in Bezug auf die humanistische Identitätsproblematik beschrieben werden? Ich glaube, letzteres ist der Fall. Barth und Tillich beleuchten beide, jeder für sich und doch gemeinsam, wie auch eine geschenkte Identität gestaltet werden muss, obwohl die geschenkte Identität sich gleichzeitig weigert, sich mit irgendeiner Gestaltung identifizieren zu lassen.

Die Abgrenzung gegenüber einem humanistischen Identitätsbegriff ist in Barths Theologie radikal. Diese Abgrenzung kann als einer Versuch betrachtet werden, die Konsequenzen der Rechtfertigungslehre zu durchschauen und Barth behauptet, dass jeder Versuch, den christlichen Glauben zu verstehen, von dieser Abgrenzung ausgehen muss. Der Identitätsbegriff zu dem er dann gelangt, ist aber bei weitem nicht unproblematisch, denn hier droht seine Zweideutigkeit ganz fundamental zu werden. Barth behauptet gleichzeitig, dass die Identität des Glaubens eine absolute, über allen Graden der Grösse und Gewissheit stehende geschenkte Identität ist, die auf Gottes Erwählung zurückgeht, und dass sie nicht sichtbar, gegenständlich oder verfügbar ist, dass sie keine Eigenschaft ist. Die Frage danach, wie sich das eine zu dem anderen verhält, ist die Frage danach, wie sich das "iustus" zu dem "peccator" in dem "simul iustus et peccator" verhält. Es liegt dann nahe, dass die Rechtfertigung zu einem rein eschatologischen, forensischen Ausspruch wird ohne eigentlichen Zusammenhang mit dem Individuum, und damit wäre der Zusammenhang mit der Wirklichkeit bedroht. Das lag zweifellos für den jüngeren Barth sehr nahe. In seiner Selbstkritik wird er aber immer mehr dazu getrieben, von der Geschichte zu sprechen, in der Gottes Taten erschaffen und verwandeln. Auch das "simul iustus et peccator" wird dann nicht mit Hilfe des "heidnischen" sondern mit Hilfe des "christlichen" Zeitbegriffs interpretiert (KD II/1,706, KD II/2,846, oben 294). Aber Barth kann trotz allem nicht zB von Balthasar zufriedenstellen (von Balthasar 1951,397f). Barth kann ja weder von dieser Geschichte der Taten Gottes (vgl. 5.1) noch von der Rechtfertigung eines Menschen so sprechen, als ob es sich dabei um wahrnehmbare, registrierbare Fakta, auf die sich Schlüsse - und Ansprüche! - aufbauen liessen, handeln würde. Die theologische Perspektive bleibt unbegründbar, verbleibt theologia viatorum und muss es nach Barth auch verbleiben. "Anfang, Grund und Voraussetzung" jeder christlichen Predigt und Dogmatik (B 1925,276 oben 124) ist "die schlichte Voraussetzung /.../ dass Jesus Christus darum Gottes Sohn ist, weil er es ist" (KD I/1,436). Barths Pointe ist, dass sich die Offenbarung nicht begründen lässt, weil nichts sicherer sein kann als die Offenbarung. Dann aber besteht die Gefahr, dass die Offenbarung, die Rechtfertigung, die christliche Identität als willkürliche und unverbindliche gedankliche Annahmen erscheinen. [268)]

Tillichs Festhalten an der Rede von der Erfahrung kann als durch das, was Tillich in einer Theologie wie der Barths als fundamentale Schwierigkeiten zu entdecken meint, motiviert betrachtet werden. Die Weigerung, von "sichtbaren" Effekten der Gnade zu sprechen, droht einerseits jede Rede von einer gestalteten Identität unmöglich zu machen und damit zu Identitätsverlust des Glaubens zu führen, sowie dazu, dass die Rede von der Gnade inhaltslos wird. Andererseits droht diese Weigerung dazu zu führen, dass die Identität des Glaubens etwas anderes wird als eine aus Gnade geschenkte Identität, nämlich zu einem Fürwahrhalten unsichtbarer aber dennoch "objektiver" Veränderungen. Ein solches Fürwahrhalten wäre eine menschliche Leistung, die nicht unter dem Gericht Gottes stünde, es wäre eine heteronome Handlung, d.h. es würde versuchen, "persönlicher Zentriertheit, Verantwortlichkeit und Rationalität zu entgehen" (ST III,142).

Trotzdem wird Tillich zu etwas Ähnlichem getrieben. Auch Tillichs "Erfahrung" ist "empirische/n/ Beobachtungen" entzogen (ST III,255) und paradox. Von Barths Standpunkt aus droht dem von Tillich beschriebenen Glauben ein Identitätsverlust. Tillichs Hinweis auf eine Erfahrung scheint ihn neben die Kirche zu stellen - in eine theologia-gloriae-Position (vgl. KD I/1,48,55). Von Barths Standpunkt aus scheint der Glaube als menschliche Erfahrung in Tillichs Theologie nicht unter dem Gericht Gottes und der, das Gericht Gottes überwindenden Gnade zu stehen, sondern unter der Relativierung des Zweifels und einem radikal selbstkritischen Versuch, die Relativierung zu überwinden (vgl. GW I,384/1922a/, GW V,98/1962/), d.h. der Glaube ist in menschlicher Aktivität eingeschlossen.

Das, was in Tillichs Theologie letztlich Identität schenkt, ist trotz allem doch wohl kaum irgendeine Erfahrung sondern ein im Grunde nicht begründbares Beharren "als Theologe darauf, dass das Jenseits die Gerechtigkeit bedeute" (Horkheimer 1966,23, vgl. oben 265), darauf, dass ein Ja "in der unbedingt ernst genommenen Grenzsituation über den Menschen ergeht" (GW VII,81/1928/ oben 196), eine Bejahung der Macht des Seins (GW XI,zB 134/1952a/). Auch Tillichs Theologie ist ein Versuch mehr sagen zu können, aber letztlich ist der Grund dieser "Situation auf der Grenze menschlicher Möglichkeiten" die Gnade:

> Er /der absolute Glaube/ ist kein Ort, wo man leben kann; er ist ohne
> die Sicherheit, die Worte und Begriffe vermitteln, er ist ohne Namen,
> ohne Kirche, ohne Kult, ohne Theologie. Aber er ist die Macht des Seins,
> an dem sie alle partizipieren und dessen fragmentarischen Ausdrucksfor-
> men sie sind. (GW XI,139)

Tillich scheint enorme Schwierigkeiten damit zu haben, überhaupt von einer Identität zu sprechen. Diese Schwierigkeiten scheinen zu dem Versuch zu berechtigen, Tillich als einen nicht-christlichen Humanisten zu interpretieren. Diejenigen dieser Versuche, die von solchen unternommen wurden, die ganz selbstverständlich besser zu wissen glaubten was die christliche Identität sei (zB Wheat 1970) erwecken

304

bei mir den Eindruck der Unfähigkeit, die Schwierigkeiten zu hören, die Tillich an der "faktischen", handfesten Identität entschleiert. Es scheint mir sowohl im Blick auf Tillichs ausdrückliche Intentionen geeigneter und fruchtbarer zu sein, sein Denken als Bearbeitung der humanistischen Identitätsproblematik zu interpretieren (man beachte mit wem er zB in "Der Mut zum Sein" einen Dialog führt), diese Bearbeitung führt zu der Infragestellung des humanistischen Identitätsbegriffes - und zu der Frage nach einer andersartigen Identität, einer Identität aus Gnade.

Wenn Tillich so interpretiert wird, dann besteht meiner Meinung nach eine Problemgemeinschaft zwischen ihm und Barth. Tillichs Ueberlegungen brauchen dann nicht als der Versuch einer (existentialphilosophischen) Begründung einer andersartigen Identität aufgefasst zu werden, sondern können als Parallele zu Barths Versuch angesehen werden, den Unterschied zwischen "christlich" und "heidnisch", zwischen "kirchlich" und "religiös" von der Rechtfertigungslehre aus zu beschreiben. Beide protestieren dann gegen eine Deutung der Identität des christlichen Glaubens als einer Identität von gleicher Art wie die humanistische. Es scheint mir so, als ob sich die meisten der Unterschiede zwischen Barths und Tillichs Theologien dann darauf zurückführen liessen, dass Tillich mehr versucht, das Problematische der humanistischen Identität und den Unterschied zwischen einer solchen Identität und einer Identität aus Gnade zu verstehen. Das Problematische daran ist, dass man, um zu verstehen, ausserhalb der Gnade stehen muss, so wie in der eschatologischen Vollendung im Besitz der Gnade sein muss. Das Wichtige für Barth ist, dass dies gerade unmöglich ist, wenn die Identität aus Gnade die einzig mögliche Identität ist. Was mit Identität aus Gnade gemeint ist, muss dann von innen heraus erklärt und verwirklicht werden. Barth betont ausdrücklich, dass dies die einzige Möglichkeit ist zu erklären, was Identität aus Gnade ist. Droht dann aber nicht, sobald er anfängt auf diese Weise zu erklären, eine fundamentale Kritiklosigkeit in der Theorie wie auch in der Praxis und damit Auflösung der Identität? Dieser Unterschied zwischen Tillichs und Barths Weise, sich der Problematik zu nähern, und zwar bezüglich ihrer Auffassung von dem Verhältnis zwischen Theorie und Praxis, ist alles andere als unwichtig. Besonders Barth bemüht sich sehr darum, dessen Bedeutung aufzuzeigen. Aber weder Barth noch Tillich können die Angriffsweise des anderen völlig ablehnen und vermeiden, sie auch selber zu verwenden. So werden sie, wenn auch nicht zu gleichem Denken, so doch zum Arbeiten in dem gleichen Problemkreis gezwungen.

Es erscheint natürlich, die Auffassung vom Verhältnis zwischen Theorie und Praxis - die Ethik - für die weitere Bearbeitung der Problematik in den Mittelpunkt zu stellen.

305

5.3. Die Verantwortlichkeit des Glaubens.

Die Darstellungen in Kap 3 und 4 dürften gezeigt haben, dass es möglich sein müsste, die Disposition von 5.3 in Analogie zu 5.1 und 5.2 aufzustellen. Man könnte dann zB auf Aussagen hinweisen, in denen Barth und Tillich sagen, dass der christliche Glaube die humanistische Forderung nach Verantwortlichkeit bejaht, dann auf Aussagen, in denen Barth und Tillich behaupten, dass die Forderungen echter Verantwortlichkeit erst vom christlichen Glauben aus deutlich werden, und dass echte Verantwortlichkeit nur in diesem Glauben verwirklicht werden kann. Im Blick auf diese Aussagen könnte man die Frage stellen, wie Barth und Tillich diese Aussagen zu vereinigen suchen. 269)

Um die Darstellung zu konzentrieren, gehe ich hier stattdessen von einer meiner Meinung nach grundlegenden Aporie im humanistischen Begriff der Verantwortlichkeit aus. In der humanistischen Perspektive werden die verantwortlichen Handlungen zu einem Mittel um die eigene Identität zu bekräftigen/zu erschaffen. Die Forderung nach Verantwortlichkeit wird dann das Interesse auf das Handeln des Subjekts selbst richten und andere Menschen zu Objekten machen, mit denen man sich beschäftigt, um sich selber als Subjekt zu bekräftigen/zu verwirklichen. Die Aporie liegt darin, dass man dann andere Menschen objektivieren muss, d.h. im eigenen Handeln ihnen letztlich ihre Verantwortlichkeit aberkennen muss, um die eigene Verantwortlichkeit zu verwirklichen. (Vgl. oben 41)

Die Frage, die dann im Zentrum steht ist, ob diese Aporie im Verhältnis zwischen der Identität des Glaubens, wie wir sie in 5.2 zu skizzieren begonnen haben, und deren Handlungen weiterhin besteht. Es geht hier also um einen neuen Einfallswinkel, der die Darstellung von 5.2 vertiefen soll oder zumindest die Motive klären soll, weshalb man sich auf die angedeuteten theoretischen Schwierigkeiten eingelassen hat. Es geht hier nicht um eine neue Fragestellung nachdem die reformatorische Unterscheidung zwischen Rechtfertigung durch <u>Gnade</u> und <u>Werk</u>gerechtigkeit, bereits in 5.2 eine zentrale Rolle spielte.

Das Problem kann folgendermassen formuliert werden. Wie verhält sich die Identität des Glaubens zu den Handlungen des Glaubenden? Kommt die Identität nicht in Handlungen zum Ausdruck, dann kann man schwerlich einsehen, weshalb sie Identität genannt werden kann. (Denn muss dann nicht das, was die Handlungen steuert als Identität bezeichnet werden?) Wenn die Identität nur dort vorhanden ist, wo es Handlungen gibt, dann ist schwer einzusehen, wie die Identität als eine von jeder selbsterschaffenen Identität wesensverschiedende Identität aus Gnade bezeichnet werden können soll. Im Bezug auf die Theologiegeschichte kann dies als die Frage bezeichnet

306

werden, ob und wie man vom dritten "usus" des Gesetzes sprechen kann oder ob die Unterscheidung die Luther in der Aussage "bona opera non faciunt bonum virum, sed bonus vir facit bona opera" (WA 7,61,26f/1520/) macht wirklich gemacht werden kann. 270) Ich meine, dass auch die Behandlung dieses Problems mitten in das Zentrum von Barths und Tillichs theologischen Denken hineinführt.

In "Die sozialistische Entscheidung" geht Tillich,wie bereits erwähnt (vgl. oben 235) von der gemeinsamen "Wurzel des liberalen, demokratischen und sozialistischen Denkens in der Politik" aus, nämlich der "Brechung des Ursprungsmythos durch die unbedingte Forderung" (GW II,228/1933/). Diese Forderung wird folgendermassen formuliert:

> Die Forderung geht auf Erfüllung des wahren Ursprungs. Nun erfährt der Mensch eine unbedingte Forderung nur von anderen Menschen. Die Forderung ist konkret in der Begegnung von "Ich und Du". Inhalt der Forderung ist darum, dass dem "Du" gleiche Würde mit dem "Ich" zugestanden wird, die Würde, frei zu sein, Träger zu sein der Erfüllung dessen, was in Ursprung gemeint ist. Die Anerkennung des Du als gleicher Würde mit dem Ich ist die Gerechtigkeit. Die Forderung, die von dem zweideutigen Ursprung losreisst, ist die Forderung der Gerechtigkeit. (GW II,229)

Tillich behauptet hier also, gegen die politische Romantik, dass diese Forderung unbedingt ist und dass durch sie "die Ursprungsbindung grundsätzlich gelöst" ist, "dass die Forderung dem blossen Ursprung, die Gerechtigkeit der blossen Macht des Seins übergeordnet ist" (GW II,228,230). Gleichzeitig behauptet er aber auch, dass "das bürgerliche Prinzip" - d.h. "die radikale Auflösung aller ursprünglichen Gegebenheiten, Bindungen und Gestalten in rational zu bewältigende Elemente und die rationale Zusammenfassung dieser Elemente zu Zweckgebilden für Denken und Handeln" (GW II,265) - ebenfalls nicht dazu führt, dass die Forderung nach Gerechtigkeit erfüllt wird. Er behauptet, "dass die proletarische Existenz der konsequente Ausdruck des bürgerlichen Prinzips ist, dass in ihm die Objektivierung, Verdinglichung, Loslösung vom Ursprung zu unverhülltem Ausdruck kommt" (GW II,306, vgl. 282 mit Hinweis auf die "marxistischen Begriffe der 'Entfremdung', 'Entmenschlichung', 'Verdinglichung'"). Der bürgerliche Harmonieglaube war falsch. Gegen Ursprungsmythos und Harmonieglauben tritt der Sozialismus mit dem Symbol der Erwartung. (GW II,268,309)

Mit Hilfe einer anderen Terminologie Tillichs kann dasselbe auch so ausgedrückt werden: Das bürgerliche Denken ist essentialistisches Denken, das davon ausgeht, dass die "Erfüllung des wahren Ursprungs", d.h. des essentiell Menschlichen, jetzt möglich ist. Tillich bejaht die Erfüllung des wahren Ursprungs in der Hoffnung des Glaubens. Er bejaht selbstverständlich die Forderung. Aber er glaubt, dass eine Analyse der Gegenwart nicht die Möglichkeit einer Erfüllung aufdeckt, und dass alle Versuche in Zweideutigkeiten enden, die als Frage nach einer unzweideutigen Erfüllung verstanden werden müssen.

1933 betont er, dass man deshalb ständig versuchen muss, die Gerechtigkeits-Forderung durch ein Gerechtigkeits-Ideal zu konkretisieren (GW II,229, Anm. 6). Tillichs Problem ist "das Problem der konkreten Gerechtigkeit", das, wie er meint, von "einer abstrakten Gerechtigkeitsidee" verdunkelt wird (GW II,345 mit Anm. 20). Die Aufgabe ist es, "um ein neues, weder bürgerliches nocht vorbürgerliches, Gerechtigkeitsideal zu ringen" (GW II,348). Die Demokratie wird nicht als konstitutives Prinzip bejaht sondern als Korrektiv, als Ermöglichung, "die realen Mächte unter die Kritik der Gerechtigkeitsforderung zu stellen, nicht in einer abstrakten Weise, sondern so, dass allen Gruppen die Möglichkeit gegeben sein muss, ihrer Gerechtigkeitsforderung Geltung zu verschaffen" (GW II,346).

Später legt er das Gewicht vielleicht mehr auf die Beschreibung der Zweideutigkeiten. Gerechtigkeit kann sicherlich auf beinahe exakt dieselbe Weise formuliert werden:

> Gerechtigkeit ist die Bejahung der Person als Person. Alle Konsequenzen der Idee der Gerechtigkeit, besonders die verschiedenen Ideen von Gleichheit und Freiheit, sind mit der Forderung gegeben, jeden, der potentiell Person ist, als Person anzuerkennen. (GW III,33/1959a/)

Jetzt erweist sich aber diese Formulierung als "unzureichend":

> Gerechtigkeit ist nicht das letzte Prinzip der Gemeinschaft. Sie ist in die Liebe aufgenommen, wenn die Person des Anderen nicht in objektiver Distanz, sondern in subjektiver Teilnahme anerkannt ist. Auf diesem Wege wird die Liebe das letzte moralische Prinzip, sie umschliesst die Gerechtigkeit und transzendiert sie gleichzeitig. (GW III,34)

Von da aus führen deutliche Linien zu der Behandlung der "Zweideutigkeiten des kulturellen Aktes" in ST III - darunter "die Zweideutigkeiten der Gerechtigkeit" (ST III,98-104) und "die Zweideutigkeiten der personhaften Partizipation" (ST III, 95f) - und zur Behandlung der "Zweideutigkeiten des moralischen Gesetzes", zB dem für die Genese der Tillichschen Theologie Wichtigen, dass "Gehorsam und Ungehorsam gegenüber dem Gesetz untrennbar miteinander verflochten" sind:

> Gerade durch ihre /die "Gerechten", die Pharisäer, die Puritaner, die Pietisten, die Moralisten, die "Menschen guten Willens"/ "Rechtschaffenheit" sind sie oft verantwortlich für die Desintegration derer, denen sie begegnen und die ihre Verurteilung fühlen. (ST III,63)

So stellt Tillich

> die Frage nach einer unzweideutigen Wiedervereinigung des Getrennten, besonders bei der Besprechung der Moralität im Zusammenhang mit der Begegnung von Person mit Person. Die Antwort auf diese Frage ist: die Liebe im Sinne von agape, wie sie durch die Gegenwart des göttlichen Geistes im Einzelnen und in der Gruppe geschaffen ist. (ST III,160)

Die Antwort ist: Geist, Liebe oder Gnade, was theologisch gesprochen ein und die-selbe Wirklichkeit ist (ST III,314). Wenn die Antwort beschrieben wird, kommen die-selben Zweideutigkeiten zurück (die genannten: ST III,299-305,314), aber nun als überwundene, denn

> Wo der göttliche Geist wirkt, sind sie /die Zweideutigkeiten/ - wenn
> auch fragmentarisch - überwunden. (ST III,300).

Wenn auch fragmentarisch, so wird der Mensch aktuell was er essentiell ist: "Eine Person in einer Gemeinschaft von Personen" (GW III,31). So und nur so werden die Zweideutigkeiten des Menschlichen überwunden:

> Sartres Behauptung, dass der Mensch den Anderen in jeder Begegnung mit
> ihm zum Objekt macht, kann nur aus der Sicht der Vertikalen verneint
> werden. Nur durch das Einwirken des göttlichen Geistes wird die Hülle
> der Selbstabschliessung durchstossen. Der Fremde, der ein entfremdeter
> Teil des eigenen Selbst ist, hört auf, ein Fremder zu sein, wenn wir
> ihn erfahren als einen, der aus demselben Grunde kommt wie wir. Die
> Theonomie rettet die humanitas in aller menschlichen Begegnung.
> (ST III,300)

Wie man das auch interpretiert - vgl. 4.4.3 und unten - so kann konstatiert werden: Tillich nimmt seinen Ausgangspunkt in dem, was ich als eine grundlegende Aporie des humanistischen Begriffs der Verantwortlichkeit bezeichnet habe um Gnade, die Tat Gottes zu beschreiben. Von den Zweideutigkeiten des Humanismus aus - "der nicht das Prinzip einer philosophischen Schule, sondern das allen philosophischen Schulen ge-meinsame Prinzip ist" (ST III,105) - kann er die Theonomie als eine Ueberwindung dieser Zweideutigkeiten beschreiben.

> Die Idee der Theonomie ist nicht antihumanistisch, sondern gibt der
> humanistischen Unbestimmtheit über das "wohin" eine Richtung, die
> jede partikulare menschliche Zielsetzung transzendiert. (ST III,287)

Im Abschnitt 3.3.4 ging hervor, dass wir, nach Barth, in dem Begriff der Verantwort-lichkeit "die exakteste Beschreibung der menschlichen Situation der souveränen gött-lichen Entscheidung gegenüber zu erkennen haben" und dass der Begriff der Verant-wortlichkeit "streng und eigentlich verstanden, nur ein Begriff der christlichen Ethik sein" kann (KD II/2,713f , oben 172). Barth führt das auf eine solche Weise aus, dass es zutreffend ist, mit Lessing zu sagen, dass Verantwortung dort eher on-tologisch als zweck-rational gedacht ist (Lessing 1972,257). [271] Meine Absicht ist es zu zeigen, dass dies gerade damit zusammenhängt was ich als eine grundlegende Aporie des humanistischen Begriffs des Verantwortlichkeit bezeichne. Ich will ver-suchen, dies dadurch zu zeigen, dass ich von Barths Verständnis des Gehorsams aus-gehe und die Linien von diesem Verständnis zu der Aporie skizziere.

Barth grenzt Gehorsam von dessen Gegensatz auf folgende Weise ab:

> Ihm/ Gott in Christus/ zugehörig sein und in der Zugehörigkeit zu ihm
> als Mensch handeln, heisst eo ipso und per se: sein Joch auf sich neh-
> men (Matth 11,29) d h mit ihm, in seiner Nachfolge, nach seinem Vorbild,
> in der Entsprechung zu seinem Tun, nicht herrschen, sondern dienen, und
> zwar nicht auf irgendeinem selbstgewählten Weg, der dann doch wieder ein
> heimlicher Herrenweg sein könnte, sondern in Teilnahme an seinem Auftrag
> unter den Menschen und den Menschen dienen. Dieses "den Menschen" wird
> jetzt das Kriterium, die Probe aufs Exempel, ob es sich wirklich um den
> Dienst Gottes handelt, ob der Mensch mit seinem tätigen Leben also wirk-
> lich im Gehorsam stehen, mit seinem Wählen wirklich auf die göttliche
> Erwählung antworten und nicht unter dem Vorwand eines selbstgewählten
> Dienstes seine eigenen Wege gehen, sich selbst leben wird.
> (KD III/4,546f)

"Den Menschen dienen" ist also "Kriterium", "Probe" dafür, ob es sich um Gehorsam
und nicht um dessen Gegensatz handelt. Dieser Gegensatz wird als ein mehr oder weniger heimlicher "Herrenweg" beschrieben. Ein paar Seiten zuvor wurde es folgendermassen beschrieben:

> Es /das Gebot Gottes/ lässt es nicht zu, dass er /der Mensch/ sich an
> seinem Leben als solchem genügen lasse, um in sich selbst zu ruhen,
> sich selbst zu geniessen, betrachtend mit sich selbst zu beschäftigen.
> Es lässt ihm auch eine solche Beschäftigung mit Gott, mit dem Mitmen-
> schen und mit der Umwelt nicht zu, die schliesslich doch nur auf eine
> immer intensivere Beschäftigung mit sich selbst, einen umso intensive-
> ren Genuss seiner selbst hinauslaufen würde. Der blosse "Lebemann",
> der homo incurvatus in se, ist nicht nur in seinen groben, sondern auch
> in seinen feinsten Gestalten der Mensch, der das Gebot Gottes noch nicht
> oder nicht mehr hört, der der Aufrollung und Öffnung, der des Herausrufes
> aus seiner unmöglichen Isolierung und Selbstbezogenheit durch Gottes Ge-
> bot bedürftig ist. (KD III/4,542)

Nun zeigt sich, dass Barths Kritik jeder Kasuistik damit eng verbunden ist:

> Theoretische, systematische Kasuistik aber, kasuistische Ethik ist ein
> Unternehmen, in welchem der Mensch, auch wenn er sich auf Gottes Gnade
> berufen sollte, aus dem Geschehen, aus der Freiheit und auch aus der
> Gefährdung dieses Ereignisses gerade heraustreten, sich gewissermassen
> aufs Trockene bringen möchte, um dort, wissend um Gut und Böse, wie Gott
> zu sein. (KD III/4,10)

Dieses "Wissen" braucht sicherlich nicht nur das Handeln anderer zu richten, sondern
kann auch über das eigene Handeln urteilen, aber wird dennoch das eigene Ich abkapseln. Es wird dabei beabsichtigt, dass das eigene Handeln (und auch das anderer),
indem es sich diesem Wissen unterordnet, dessen Richtigkeit bezeugen und die Identität, die der Wissende in seinem Wissen zu besitzen glaubt, bekräftigen soll. Diese
Identität verbleibt dann "in sicherer Entfernung vom ethischen Kampfplatz" auch wenn
das Handeln misslingen sollte. (KD III/4,9f) Es wird beabsichtigt, die in diesem
Wissen zumindest potentiell vorhandene Identität zu verwirklichen/aufrecht zu erhalten, die Kontinuität unserer bisherigen Werke, unseres bisherigen "Wissens" beizubehalten. Dieses Ziel steht im Gegensatz zu ethischer Besinnung (KD II/2,719ff, vgl.

310

oben 172). Der Fehler mit der kasuistischen Ethik ist nicht - wie "ihre neuprotestantischen Kritiker" sagten

> dass sie dem Menschen, seiner Persönlichkeit usf. zunahe trete. Das Gegenteil ist wahr: sie tritt dem Menschen zu wenig nahe. (KD III/4,14)

Damit fordert Barth allerdings nicht zu einer Gesinnungsethik auf. Die Betonung des "tätige/n/ Leben/s/" (KD § 55.3) und die Kritik des "religiöse/n/ Tiefsinn/s/" der "zum Feind und Zerstörer der Konkretheit christlicher Lebenserkenntnis" (KD III/4, 51) werden würde, sind ebenso wie prinzipielle Aussagen, Ausdruck dafür.

> Dass ich wollend mich selbst setze als den, der ich sein werde, das darf kein blosses Begehren und Planen, keine blosse Kontemplation sein, das muss geschehen, Wie entschlossen ich auch wählte, wie stark ich auch wollte, ich steckte doch faktisch immer noch in einer blossen Bekanntschaft, Einsicht und Gesinnung Gott gegenüber, ich wäre doch immer noch bei mir selbst - wo ich doch über mich selbst hinauszuschreiten aufgerufen bin - wenn das Gewählte und Gewollte nicht eben damit, dass es wähle und wolle, auch schon zu <u>geschehen</u>, auch schon mein <u>Handeln</u> zu sein begönne. Und wie sehr ich durch <u>das</u>, was ich als Gottes <u>Wort</u> gehört habe, bewegt sein möchte, ich wäre dann doch immer nocht nicht gehorsam geworden. (KD III/2,216) 272)

Sowohl Kasuistik als auch Gesinnungsethik sind, nach Barth, Bedrohungen der Menschlichkeit des Menschen gerade dadurch, dass sie das Individuum isolieren. Wenn das Gebot Gottes zu ihnen in den Gegensatz gestellt wird, so wird es nicht in den Gegensatz zur Humanität gestellt, sondern umgekehrt wird das Gebot Gottes "als Aufruf zur Humanität" (KD III/4,128) verstanden. Das muss vor dem Hintergrund von KD § 45 gesehen werden:

> Unmenschlichkeit ist aber jede angebliche Menschlichkeit, die nicht schon in der Wurzel und von Haus aus Mitmenschlichkeit ist. (KD III/2,272)

Die Neigung des Menschen, seine Existenz "als eine <u>abstrakte</u>, d.h. von der Mitexistenz seines Mitmenschen abstrahierte Existenz" (KD III/2,270) zu betrachten, die immer wieder siegreiche Konzeption, nach der Humanität darin besteht, "dass <u>ich bin</u>, und zwar für mich und also weder von einem Anderen her noch zu einem Anderen hin bin" (KD II/2,274), muss als eine Selbstbestätigung des Menschen, nicht als eines Menschen, sondern als eines Sünders, verstanden werden. Jesus hat sich selber als etwas anderes als ein Sünder bestätigt. Nach Barth können wir das <u>nicht</u>.

> Er allein ist Gottes Sohn, und so kann auch nur <u>seine</u> Humanität beschrieben werden als das Sein eines Ich, das ganz vom <u>mitmenschlichen Du</u> her, ganz zu ihm hin ist und gerade so echteste Ichhaftigkeit besitzt. Wir brauchen hier nicht einmal in Rechnung zu ziehen, dass faktisch alle anderen Menschen Sünder, von Gott abgewichen sind. Das bedeutet ja, dass ihre Humanität faktisch (in einem mehr oder weniger vollständigen Gegensatz zu jener Beschreibung) aus ihrem Widerspruch gegen das Du heraus in immer neuen Gegensatz zum Du sich entfaltet und gerade darum auch nie

311

echte Ichhaftigkeit besitzen kann. Nehmen wir an, es gäbe hier in
jedem Menschen mindestens auch so etwas wie ein ernsthaftes, wenn
auch vielleicht aussichtsloses Streben in der entgegengesetzten Richtung. Der Unterschied zwischen Jesus und uns bliebe doch unaufhebbar.
Er ist grundsätzlich. Denn das ist sicher, dass kein anderer Mensch
von Haus aus und Kraft seiner Existenz für den Mitmenschen ist.
(KD III/2,265)

Das aber bedeutet nicht, dass das Gebot Gottes fordert, dass wir uns selbst als Sünder bestätigen. Kann unser Handeln so beschaffen sein, dass es uns als gerechtfer-
tigte Sünder bezeugen kann?

Barths Spitzenformulierung ist:

So ist Humanität die Bestimmtheit unseres Seins als ein Sein in der Begegnung mit den anderen Menschen. (KD III/2,296, vgl. B 1949,8f)

Die Pointe liegt dabei nicht in der Formulierung eines neuen Ideals, in einer Ermahnung zu einer neuen Tugend:

Humanität ist kein Ideal und ihre Bestätigung ist keine Tugend.
(KD III/2,317)

Die Pointe liegt darin, dass wir in unserer Situation leben sollen und nicht versuchen sollen, uns aus ihr zurückzuziehen und abstrakt zu leben:

Kein optimistisches Gesetz, kein Hochziel wird uns in jenem Licht vorge-
halten, sondern die primitive Tatsächlichkeit unserer Situation, wie sie
ist: Der Mensch ist nun einmal nicht allein, sondern er ist mit seinem
Mitmenschen, seiner Hilfe bedürftigt, ihm zu helfen verbunden /.../
Was von ihm verlangt ist, ist gerade dies, dass er nicht in diese Ferne,
dass er im besten Sinne bei sich selbst, bei seiner ihm anerschaffenen
Bestimmtheit als Mensch bleibe. (KD III/2,317)

Die Pointe ist, dass wir alle so beschaffen sind, dass wir aufeinander angewiesen
sind, und dass wir einander nur Beistand geben können und nicht eine Ueberwindung
der Kluft zwischen Ich und Du.

Handeln und also Sein in der Begegnung und also menschliches Handeln
schliesst die doppelte Entsprechung in sich: Der Andere hat mir und
ich habe ihm gerufen; er hat mich, aber ich habe wahrhaftig auch ihn
nötig; ich handle als Gerufener, aber auch als selbst Rufender. Dies
ist das Höhere, das jenseits des blossen Sichsehens, des blossen Re-
dens zueinander und Hörens aufeinander entscheidend wird: die Gemeinschaft, der jene Vorstufen notwendig entgegenführen /.../ Sie verwirklicht sich konkret darin, dass wir einander in der Tat unseres Seins
gegenseitig Beistand leisten. Die Anschauung und der Begriff sind beschränkt und sie müssen es sein. Wir können nicht füreinander eintreten. Ich kann nicht dein, du kannst nicht mein Leben leben. Ich kann
die deine, du kannst mir meine Verantwortung nicht abnehmen. Denn Ich
und Du sind nicht auswechselbar: Ich und Du sind nicht nur in ihrer Zusammengehörigkeit, sondern auch in ihrer Verschiedenheit letzte geschöpfliche Wirklichkeit. (KD III/2,313f) 273)

312

Diese Struktur ermöglicht nun, meiner Meinung nach, dass Barths ethische Reflexion -
- und damit seine gesamte Theologie - als eine Bearbeitung der humanistischen Aporie
beschrieben werden kann. Barths Kritik einer allgemeinen Ethik (vgl. oben 170f)
scheint darauf abzuzielen, dass diese nach Handlungen sucht, die das eigene Gutsein
bekräftigen, erschaffen und aufrecht erhalten können - und damit die Menschlichkeit
des Menschen bedrohen. Barth hat nicht die Absicht auf andere Handlungen hinzuweisen, die dieses Ziel besser verwirklichen könnten. [274] Er kennt keine Handlungen,
die eine Identität erschaffen könnten, ohne dabei gleichzeitig die Humanität bedrohen. Er sieht keinen Ausweg aus dieser Aporie. Er kennt keine Handlungen, die
nicht unter dem Gericht Gottes stünden. Er beabsichtigt ebenfalls nicht, diese Aporie Anlass zu einer Passivität geben zu lassen - was ja auch ein Handeln wäre, das
Anspruch darauf erhebt, besser zu sein. Umgekehrt:

> Es gibt also die Möglichkeit und diese Möglichkeit ist Notwendigkeit,
> nicht nur zu der ethischen Frage, sondern zu ethischen Antworten trotz,
> nein wegen ihrer Fraglichkeit, trotzdem, nein weil wir der entscheiden-
> den ethischen Frage nicht gewachsen sind, ein von Pessimismus und Skep-
> sis unangekränkeltes Ja zu sagen, so gewiss das Nein, unter dem zunächst
> alles steht, nicht aus Pessimismus und Skepsis, sondern aus Erkennntis
> geboren ist. (B 1922b,150)

Er will die Aporie als ein Gericht über das eigene Handeln aushalten - ohne dieses
Aushalten zu einer guten Gesinnung zu machen. Sein Ziel ist es, zu akzeptieren,
dass weder das eigene Handeln noch die Gesinnung irgendwelche Qualitäten besitzen,
die es wert wären bewahrt/verlängert zu werden, und deshalb zu Gehorsam aufzurufen.
Gehorsam ist ein Handeln, das ständig bereit dazu ist von vorne anzufangen, ständigt
bereit dazu jede Handlung zum Gericht meiner früheren Identität werden zu lassen,
eine Bezeugung dessen, dass das Gericht über mein früheres Handeln berechtigt ist.
Gehorsam ist ein ständiger Versuch, auf das Gebot der Stunde zu hören, wo die Forderung Gottes und die anderer Menschen begegnet, auch wenn ich sie nicht sehe oder
verstehe, ein ständiger Versuch, mich von der Gemeinschaft beunruhigen, statt bestätigen zu lassen. Gehorsam ist ein Handeln, das den Anderen als einen anderen,
fremden Menschen respektiert. [275]

Auch gehorsames Handeln ist ein Handeln, das eine Identität bekräftigt - d.h. Handlungen und Identität sind nicht voneinander getrennt. Aber es ist eine andersarti-
ge Identität. Es ist die Identität, die der Mensch durch seine Handlungen nicht
selber erschaffen kann, die er aber bezeugen kann.

> Handeln heisst ja nicht nur: dies und das, sondern: in diesem und
> jenem sich selbst wählen und verwirklichen. So kann auch ein Han-
> deln im Gehorsam gegen Gott nicht nur darin bestehen, dass dies und
> das, was Gott will, faktisch vollstreckt wird, sondern dass, indem
> das geschieht, der Mensch sich selbst Gott darbringt.
> (KD III/4,13, vgl. 17)

Die Identität ist ein Bejahen dessen, in Anspruch genommen zu sein, zu gehorsamer Begegnung mit anderen Menschen verpflichtet zu sein:

> Dieses Gottes allmächtig wirkendes Wort erlaubt auch ihm, seinem Geschöpf, nicht bei sich selbst zu bleiben, es selbst zu <u>sein</u>, ohne sich selbst zu <u>setzen</u>. Das menschliche Sein <u>ist</u>, indem es durch dieses Wort in <u>Anspruch</u> genommen und <u>verpflichtet ist</u>. (KD III/2,214)

Gehorsames Handeln sprengt die Aporie in dem Sinne, dass es menschliches Handeln nicht eine Bestätigung des Menschen als Sünder sein lässt. Diese Sprengung geschieht von der Eschatologie her und Barth stimmt Dorner zu:

> Eschatologie muss dem evangelischen Denken die Bahn frei machen zur Geschichte und zur Ethik, muss es ihm unmöglich machen, in der Selbstbetrachtung des Glaubens versunken zu bleiben. (B 1933,533)

Aber es geht dabei nicht um eine theologia gloriae. Das ethische Problem ist "jedenfalls vom Menschen her gesehen immer noch und immer wieder offen" (KD III/4,53). Es geht um ein Transzendieren, aber nur "um eine vorläufige, relative, begrenzte Transzendenz, um eine Bewegung der Kreatur im kreatürlichen Bereich" (KD III/4,542).

Hier besteht eine gemeinsame Tendenz in Barths und Tillichs Denken. Beide kritisieren grundsätzlich jede Art von Moralismus, jede Behauptung moralischer Vortrefflichkeit und jede ethische Reflexion, die darauf abzielt, das Erschaffen einer solchen Vortrefflichkeit zu ermöglichen oder zu erweisen. Was Recht ist kann nicht von "dem verwandelnden Wirken des göttlichen Geistes innerhalb und ausserhalb der Kirche" (GW III,31/1959a/) isoliert werden, es kann nur als eine gehorsame Antwort auf Gottes Handeln, auf die Geschichte der Taten Gottes (vgl. oben 128) verstanden werden. Moralphilosophisch betrachtet kann das als eine Tendenz zu einer Situationsethik gedeutet werden [276], aber eine solche Interpretation stösst hier auf Schwierigkeiten. Sowohl Barth als auch Tillich betrachten ethische Normen als etwas Wichtiges und Notwendiges, wenn auch nicht Absolutes. Sie müssen in jedem Versuch Verantwortlichkeit zu verwirklichen, verwendet werden. Aber sie können nicht die Verantwortlichkeit verringern [277]. Normen drücken nach Tillich die Weisheit der Vergangenheit aus.

> Als solche sind sie von ungeheurem Gewicht, besitzen aber keine unbedingte Gültigkeit /.../ Zwar ist es immer ein Wagnis, aus der Weisheit einer konkreten Tradition auszubrechen, aber es ist ebenso ein Wagnis, eine Tradition kritiklos anzunehmen. (GW III,39, vgl. ST III,313f).

Nach Barth wäre es falsch "<u>tabula rasa</u>" zu machen ohne irgendwelche "Hypothesen und Ueberzeugungen hinsichtlich dessen, was Gottes Gebot von uns getan haben möchte" (KD II/2,718f, vgl. oben 172):

> Dass wir das Alles vergässen, würde gewiss keine gute Voraussetzung ethischer Besinnung sein. Nicht die Vernichtung, wohl aber die In-

-fragestellung alles mitgebrachten Das! vollzieht sich da, wo das Was?
der ethischen Frage ernstlich auf den Plan tritt. (KD II/2,719)

Von dieser fundamentalen Kritik gegen alles, was irgendwie dem Verdacht des Moralismus unterliegt, kann man sagen, dass sie ein Bewusstsein von der Aporie des humanistischen Begriffs der Verantwortlichkeit ausdrückt. Theologisch ausgedrückt bedeutet das: Bewusstsein von der Unfähigkeit des Gesetzes die Macht der Sünde zu brechen. [278]

Im Denken Barths und Tillichs besteht auch ein gemeinsamer Anspruch darauf, dass es
eine andere Identität/Kontinuität des Individuums gibt, als die Konsequenz seines
Handelns, die aber dennoch nicht von seinen Handlungen getrennt ist, eine aporienfreie Verantwortlichkeit/Freiheit [279] , eine verantwortliche Identität nicht des
Gesetzes, sondern der Gnade. [280]

Diese gemeinsame Tendenz, sowohl in der Kritik als auch im Anspruch ist also direkt
auf die Lehre von der Rechtfertigung aus Gnade und nicht aus Werken bezogen. Sie
kann auch als eine Behauptung formuliert werden, dass der Bruch zwischen Vollendung
und Gegenwart nicht vollständig ist, sondern dass hier und jetzt trotz allem eine
bestimmte Form der Analogie (Barth) oder fragmentarische Antizipation (Tillich) möglich sind - aber nicht mehr, kein Leben in der Vollendung. [281] Sie scheint mir so
vom Zentrum des Anspruchs des christlichen Glaubens aus motiviert zu sein und daher
unumgänglich zu sein für jede Reflexion über die Implikationen in diesem Anspruch,
d.h. für jede Theologie. Damit wäre es eine fundamentale theologische Aufgabe, diese Tendenz zu beschreiben und ihre Implikationen zu entfalten zu versuchen - und zu
prüfen ob diese Implikationen in dieselbe Richtung weisen, d.h. eindeutig sind
(vgl. 1.3.2 und 1.3.1). Ebenso wie in 5.1 und 5.2 versuche ich diese Aufgabe indirekt in Angriff zu nehmen, indem ich frage, ob sich innerhalb dieser gemeinsamen
Tendenz dennoch Unterschiede zwischen Barth und Tillich finden lassen und/oder verschiedene Tendenzen innerhalb von Barths und/oder Tillichs Denken. Es scheint mir
hier - ebenso wie in 5.1 und 5.2 - so zu sein, dass Barth und Tillich sich einerseits zum Teil verschieden äussern, andererseits aber die Problematik, die durch
diese Unterschiede angedeutet wird, in ihrem jeweiligen Denken bereits angelegt ist.
Sie haben eine gemeinsame Tendenz. Zusammen weisen sie auf eine Problematik hin.
Diese Problematik liegt als ein Problem vor, als das Drohen einer fundamentalen
Zweideutigkeit bei beiden.

So wie Tillich - was ihn allerdings vor Probleme stellt - an einer, wenn auch gebrochenen, unter dem Gericht Gottes stehenden aber dennoch erlebbaren Identität der
Gnade festhält, so scheint er mir auch daran festzuhalten, dass die Handlungen Teil-

315

-habe an einem Guten geben können, an einer, Ich und Du wiedervereinigenden Gemeinschaft. Und so wie Barth - was ihn ebenfalls vor Probleme stellt - sich weigert von Teilhabe, bestehender Identität zu sprechen um stattdessen von Bezeugung der Erwählung zu sprechen, so scheint er sich meiner Meinung nach zu weigern, Handlungen als eine - nicht einmal fragmentarische - "Vorwegnahme des Reiches Gottes" (B 1946a,22) zu betrachten, um stattdessen von Gehorsam gegen Gott und dem stets fremden Du zu sprechen.

Eine Möglichkeit, sich dem zu nähern ist die Betrachtung der Auffassung, die Barth und Tillich vom Naturrecht haben. Dort liegt meiner Meinung nach eine gemeinsame Tendenz vor, eine Problemgemeinschaft und ein nicht unwesentlicher Unterschied in der Art und Weise, sich dem gemeinsamen Problem zu nähern.

Das abstrakte Naturrecht ist nach Tillich ein Teil des abstrakten, ungeschichtlichen, bürgerlichen Denkens, das das Proletariat nicht durch eine neue Heteronomie negieren soll, sondern durchzukämpfen hat (GW II,347f/1933/). Das "absolute Naturrecht" ist die "rationalistisch-fortschrittliche/n/ Lösung des ethischen Problems", die "für ein ungebrochenes bürgerliches Denken die natürlichste" ist. Es soll nicht zugunsten eines ethischen Relativismus aufgegeben, sondern der Liebe untergeordnet werden - "Liebe steht über dem Gesetz, auch über dem Naturrecht der Stoa und dem supranaturalen Gesetz des Katholizismus". Es soll nicht verworfen werden aber es soll von der "Macht des prophetischen Geistes" relativiert werden, der das Kommen eines Kairos verkündigt. (GW III,74-76/1948c/)

> Wenn man die Prinzipien des Naturrechts betrachtet, wie sie in der Bill of Rights verkörpert sind, wird man finden, dass sie, als konkrete Verkörperung des Prinzips der Liebe in einer besonderen Situation verstanden, gross und wahr und mächtig sind. Sie bringen die Liebe zum Ausdruck, indem sie Freiheit und gleiche Rechte gegen Willkür und Unterdrückung und gegen die Zerstörung der Würde menschlicher Wesen geltend machen. Aber als ewige Gesetze aufgefasst und legalistisch auf bestimmte Situationen angewandt (zB auf das frühe Mittelalter oder den Niedergang und die Wandlung des ökonomischen Kapitalismus), werden sie zu schlechten Ideologien, die zur Aufrechterhaltung untergehender Institutionen und Mächte benutzt werden. (GW III,76)

Als Kritik der Relativismus muss das Naturrecht in "einer möglichen protestantischen Naturrechtslehre" bejaht werden. "Die essentielle Natur des Menschens" "kann zwar im Prozess der Aktualisierung entstellt werden, aber sie kann nicht verschwinden". Wenn das Naturrecht diese essentielle Natur auszudrücken versucht, so gibt es tatsächlich einen Grund für diese Aussagen. Aber nachdem der tatsächliche Grund zweideutig ist, muss der Versuch des Naturrechtes unter prophetische Kritik gestellt werden. Und nachdem das Essentielle nicht statisch ist, so muss auch das Naturrecht selbst dynamisch verstanden werden. (GW III,29-31/1959a/)

316

Ein System von unveränderlichen konkreten Moralgesetzen widerspricht
den schöpferischen Kräften des Lebens und des Geistes, ja es widerspricht dem verwandelnden Wirken des göttlichen Geistes innerhalb und
ausserhalb der Kirche. Der Protestantismus kann daher das Element
der Relativität in der Ethik bejahen und mit seiner Hilfe eine dynamische Naturrechts-Lehre entwickeln. (GW III,31)

Mit Tillichs "protestantischer" Naturrechts-Lehre kann man Barths "Kasuistik des
prophetischen Ethos" vergleichen, die als "eine praktische Kasuistik, eine Kasuistik im Ereignis" charakterisiert wird (KD III/4,8). Es handelt sich hier ohne
Zweifel um eine gemeinsame Tendenz. Aber zweifellos begegnet man hier auch zwei
verschiedenen Ausdrucksweisen und Einstellungen und es hätte seine Folgen, würde man
die Unterschiede übersehen.

Während Tillich auf eine Synthese abzielt,

eine Struktur des moralischen Handelns aufzustellen, die beides enthält:
das absolute und das relative, das statische und das dynamische, das religiöse und das profane Element der ethischen Theorie und der moralischen
Erfahrung (GW III,31),

kann man von Barth sagen, dass er darauf aus ist, die Möglichkeit einer Synthese
abzulehnen oder eher auf die Ablehnung dessen, dass wir Zugang zu einem Referenzrahmen oder Kriterien haben könnten, die uns die Möglichkeit geben könnten, zu entscheiden, ob eine solche Synthese möglich ist. Bezüglich des Naturrechts bedeutet das,
dass Barth sehr wohl von Normen als "mehr oder weniger begründete Hypothesen und
Ueberzeugungen hinsichtlich dessen, was Gottes Gebot von uns gefordert haben möchte"
(KD II/2,718f) sprechen kann, aber sich weigert diese auf irgendeine Weise Naturrecht zu nennen und dadurch Anspruch auf zumindest partielle Uebereinstimmung zwischen unseren Ueberzeugungen und Gottes Gebot zu erheben. Gerade diesen Anspruch
kritisiert Barth und gerade diese Kritik steht bei ihm im Zentrum.

Das Naturrecht ist für ihn eine Art Kasuistik (KD III/4,5) und als solche eine Beschäftigung mit der eigenen Identität, die das eigene Ich von der Situation iso-
liert/abstrahiert, in der ich zusammen mit anderen lebe (vgl. oben 310f). Es ist eine Art Ethik im Allgemeinen, in der das eigene Subjekt nicht problematisiert wird
(vgl. oben 170f).

Und die Bürgergemeinde als solche - die von ihrem Zentrum her noch nicht
oder nicht mehr erleuchtete Bürgergemeinde - hat zweifellos keine andere
Wahl, als so oder so von diesem angeblichen Naturrecht, d h von einer jeweils für das Naturrecht ausgegebenen Konzeption dieser Instanz aus zu
denken, zu reden und zu handeln. (B 1946a,17)

Aber die Christengemeinde braucht sich an diesen "menschlichen Illusionen und Konfu-
sionen" nicht zu beteiligen (B 1946a,18). Sie sucht ihre Identität nicht in vermeintlich ewigen Normen, sondern in Christus. Mit Ernst Wolfs Worten:

317

Bei dem Naturrecht sucht der Mensch sein Wesen und seine Bestimmung vom
Wesen des Rechts her zu gewinnen, das als eine metaphysisch verankerte
Ordnung über dem Leben des Menschen postuliert und dann von daher entfaltet wird. Sicherung des menschlichen Lebens in seiner Menschlichkeit
durch erkenntnismässige Einordnung in einer übergreifenden Zusammenhang
ewiger Gesetze - darum geht es hier.

Beim Christusrecht hingegen handelt es sich um das Leben des Menschen als
Menschen im Recht, in der Sphäre jener Richtigkeit, die er von Gott empfängt, sofern Gott seinen Menschen auch in seinem innerweltlichen Dasein
"ins Recht", in sein Recht und damit in das Dasein rechtschaffender Mitmenschlichkeit setzt, sofern Gott ihm - dem Menschen - das "Urrecht" der
Personalität schenkt und ihm die "Urverfassung" der Solidarität gewährt.
(Wolf 1969,92, vgl. Sauter 1975a,418f)

Von dort aus führen die Linien weiter zu etwas, was ein fundamentaler Konflikt zwischen Tillich und Barth zu werden droht, aber was ebenfalls sowohl Tillich als auch
Barth in fundamentale Zweideutigkeiten zu führen droht.

Tillich hält also daran fest, dass die paradoxe Behauptung des Christentums eine
Behauptung ist und dass sie als eine Behauptung verstanden werden muss, dass eine
fragmentarische "Wiedervereinigung mit unserem wahren Wesen, und das heisst, mit uns
selbst, mit den anderen und mit dem Grund unseres Seins" (ST III,314) und eine
fragmentarische Partizipation "an der transzendenten Einheit unzweideutigen Lebens"
(ST III,202, vgl. 308) ermöglicht ist. Nach Tillich vermindert diese Behauptung
nicht "die Kraft zum moralischen Handeln". Im Gegenteil: In ihr wird behauptet,
dass "die Bedingungen für die Erfüllung des Gesetzes - Vergebung und Annahme", die
Gnade als "die Kraft der moralischen Motivation", gegeben sind (GW III,55f/1959a/).

Es ist der Kern der christlichen Botschaft, dass dieser Sieg in dem Christus, in dem eine neue Wirklichkeit jenseits des Zwiespalts erschienen ist,
vollzogen ist /.../ Seine Worte (nicht seine "Lehre") weisen auf die neue
Wirklichkeit hin, in der das Gesetz nicht beseitigt ist, aber aufgehört
hat, Befehl zu sein. (GW III,55)

Das Christentum behauptet also nach Tillich paradox, dass das menschliche Handeln
von den Zweideutigkeiten des moralischen Gesetzes befreit ist und ihm die Kraft gegeben ist, um ein wahrhaft aktives und verantwortliches Handeln zu werden.

Man muss aber fragen ob nicht Tillichs Konzentration auf den Inhalt der Behauptung
zumindest psychologisch dazu neigt, das Interesse vom aktiven, menschlichen verantwortlichen Handeln und von den ständigen Entscheidungen abzuwenden und auf eine Art
Genuss der Synthese, weg von der Wirklichkeit der theoretischen Weltansichten und
der Lebenspraxis, und auf eine "Schicht des Lebens unterhalb der Spaltung von Theorie und Praxis" richtet (GW IV 89/1927a/). Zumindest psychologisch kann die Antizipation der Wiedervereinigung eine Abschirmung vom zweideutigen Leben motivieren,
ein allgemeines Unbehagen an der Kultur, das zu einer generellen Kultur- und Gesell-

-schaftskritik rationalisiert wird, die nicht konkretisiert werden kann, und deshalb programmlos und ohnmächtig wird. [282] Der Antizipierende stimmt in die existentialistischen Analysen der Zweideutigkeit des Lebens, der Destruktion, Hoffnungslosigkeit ein aber sein Einstimmen riskiert den Charakter von Mitleid zu erhalten, eines gutmütigen auf die Schulter Klopfen durch den, der vom Elend nicht berührt wird. Die Verwerfung jeder utopischen Erwartung in Bezug auf die menschliche Existenz und Gesellschaft droht dem "Mut zum Sein" einen nahezu stoischen Charakter zu verleihen. [283]

Es ist offenbar, dass Tillich einer solchen Funktion gegenüber äusserst kritisch war. Die Tendenz, die Wirklichkeit nicht ernst zu nehmen, die Geschichte in ein Symbol aufzulösen hinter das es zu gelangen gilt [284] , widerstreitet der Idealismuskritik, die im Programm des "gläubigen Realismus" vorliegt (GW IV,89f/1927a/), und dem Zusammenhang dieses Programms mit dem protestantisch beinflussten historischen Realismus, der "das wahrhaft Wirkliche in Zeit und Raum, in unserer historischen Existenz, in jener Sphäre, vor der alle Griechen geflohen waren" sucht (GW IV, 94). Die Tendenz zu einer Aufforderung zur Passivität widerstreitet den Intentionen, die in Kap 4 begegneten, der Abgrenzung des Mutes zum Sein in Christentum besonders vom stoischen Denken (GW XI,18f/1952a)), Tillichs politischen Stellungnahmen und seinem politischen Denken (seinem Bejahen des Sozialismus als prophetisch), seiner Ueberordnung der Forderung über die Ursprungsmächte und seinem relativ stärkeren Bejahen der Autonomie als der Heteronomie. [285] Beide Tendenzen widerstreiten der Struktur der gesamten Suche nach einer Synthese. "Die Transzendenz" der Synthese kann ja nicht ein Anderssein bedeuten, das ausschliesst, dass das, was in die Synthese aufgenommen werden soll, dort wirklich vorhanden ist. [286] Wenn die Synthese zur Passivität verleitet, so würde sie mit der These identisch werden, und dies obgleich Tillich den Protest der Antithese/Autonomie gegen die These/Ursprung völlig bejaht. Die Antwort des Christentums würde dann nicht zur Antwort auf die folgende Frage werden, so wie Tillich meint:

> Gibt es etwas in der ethischen Theorie wie im praktischen Handeln,
> das sowohl den gnadenlosen Moralismus wie den normenlosen Relati-
> vismus transzendiert? (GW III,14/1959a/)

Aber trotzdem muss man fragen, ob nicht die Struktur in Tillichs Denken - letzlich vielleicht nur seine Konzentration auf den Inhalt der Behauptung - trotz aller gegensätzlicher Intentionen zu Passivität führt - zumindest in bestimmten Situationen. Ganz offenbar droht das dem späteren Denken Tillichs. Dass dies immer mehr droht, pflegt man damit zu erklären, dass Tillichs Denken ontologisch wird und sich auf die Anthropologie konzentriert (vgl. Anm. 282). Aber dabei geht es primär um eine Veränderung der Ausdrucksweise und es könnte eine Bearbeitung des theoretischen Inhalts sein, der die Theorie klarer und straffer machen würde. Das brauchte nicht eine Veränderung der Theorie als Modell mit sich zu führen. Die Frage ist, ob man nicht eher die terminologischen Veränderungen als einen Effekt, der durch eine neue Situation veränderten Funktion der Theorie betrachten sollte. Mit Tillichs eigenem Gedankenapparat könnte man dann sagen, dass ein Gedankenmodell, das als eine notwendige Reflexion über Praxis in einem Kairos, in dem die Aktivität selbstverständlich war, seine Aufgabe erfüllte, dann zur Passivität verleitet, wenn der Kairos nicht mehr vorhanden ist.

> Die Zeit des Vakuums, die kairoslose Zeit, kennzeichnet auch Tillichs
> Ethik als zeitlos. (Amelung 1972,175)

Die Frage, ob Tillichs Denken trotz allem zu einer Ermahnung zur Passivität wird, deutet also auf eine Tragik dieses Denken hin. Viele behaupten, dass die Geschichtlichkeit des Denkens zur Folge hat, dass es in verschiedenen Situationen verschiedene Möglichkeiten hat. Tillich ist einer der wenigen, der zugibt, dass es demzufolge auch weniger geeignete Situationen gibt, und er hatte Mut zuzugeben, dass er selber in einer solchen Situation lebte. Aber der Respekt vor diesem Mut befreit mich nicht davon, mein Fragen danach zuendezuführen, was zu dem Risiko führt, in einer solchen Situation passivizierend zu wirken.

Vieles in Tillichs Denken kann als eine Bearbeitung der "Spaltung in Theorie und Praxis" (GW IV,89/1927a/) und als eine Suche nach dem, was diese Spaltung überwinden kann verstanden werden. Seine Kritik gegen jede essentialistische/methodische Philosophie kann als eine Kritik gegenüber jedem Versuch, die Spaltung durch eine reine Theorie zu überbrücken, betrachtet werden. Gegenüber einer solchen Philosophie hat nach Tillich eine existentialistisch/mystisch-metaphysische Philosophie Recht mit ihrer Befreiung der Praxis (GW IV,48,43ff/1926a/). Tillich versucht in seiner Philosophie das Verhältnis zwischen Theorie und Praxis als etwas zu verstehen/interpretieren, was sich nicht theoretisch überbrücken lässt, was theoretisch als etwas Zweideutiges stehenbleiben muss, was durch seine Zweideutigkeit zu einer Frage nach etwas Unzweideutigen wird. Tillichs Theologie erhebt nicht den Anspruch darauf, eine solche, die Spaltung überwindende Theorie zu sein. Aber sie bezeugt, dass die Spaltung fragmentarisch überwunden ist und sie versucht, die Gnade als die Spaltung überwindende zu beschreiben (vgl. ST I,113). Aber damit versucht sie zu verstehen, wie die Gnade die Spaltung überwinden kann, wie eine Ueberwindung aussehen muss. Die Frage ist dann, ob Tillichs Theologie dann nicht der Hybris Hegels sehr nahekommt [287] und ob theoretisches Verstehen einer solchen Ueberwindung nicht theoretische Bewältigung der Spaltung - und damit der Praxis - heisst, das heisst aber einen Anspruch darauf erheben zu können, die Wirklichkeit so interpretieren zu können, dass kein radikales Protestieren/Verändern legitim sein kann (vgl. Marxs elfte These über Feuerbach) [288]. Anders ausgedrückt: Werden nicht

320

Bedeutung und Ernst der Praxis und des existentialistischen Protestes aufgehoben, wenn die Synthese beschrieben wird (nicht als etwas jenseits von Essentialismus/ /Theorie und Existentialismus/Praxis sondern) als "Wiedervereinigung mit unseren wahren Wesen" (ST III,314) und Glaube und Liebe als ein fragmentarisches Teilhaben an dieser Vollendung? [289] Die Geistgemeinschaft partizipiert fragmentarisch an der Wiedervereinigung, die auch die Subjekt-Objekt-Spaltung überwindet (vgl. 4.3.3). Diese Wiedervereinigung ist nach Tillich eine Wiedervereinigung "mit uns selbst", in der der göttliche Geist "die Identität unzweideutig (wenn auch fragmentarisch)" wiederherstellt (ST III,314,299). Sie ist aber auch eine Wiedervereinigung "mit den anderen und mit dem Grund unseres Seins" (ST III,314). Wie soll diese Identität jenseits der Subjekt-Objekt-Spaltung verstanden werden? Wird sie nicht zu einer Identität, die völlig verschieden ist von der Identität, in der ein Mensch den Forderungen anderer Menschen begegnet und in seinem Handeln auf diese von aussen kommenden Forderungen zu antworten versucht? Ist das überhaupt eine Identität eines handelnden Menschen? [290]

Gegen Tillichs Rede von einer fragmentarischen Wiedervereinigung und einer fragmentarischen Antizipation und Partizipation von unzweideutigem Leben steht also Barths Weigerung, von Vorwegnahme des Reiches Gottes zu sprechen (B 1946a,22), Barths Weigerung, das was wir tun sollen mit dem zu identifizieren was Jesus tat (KD III/2, 265, vgl. oben 311f), Barths Weigerung von einem anderen Menschen als mit mir vereinigten Menschen zu sprechen, als ob er nicht von mir getrennt und ein für mich fremdes Du wäre.

Diese Weigerung Barths führt dazu, dass er nicht auf dieselbe Weise wie Tillich Gefahr läuft, die Konkretion, den Ernst und die Praxis zu verlieren.

> Das dogmatische System Barths ist also nicht nur zur Praxis hin offen, sondern es wird erst durch Praxis wahr. In sich ist es nicht wahr. Es will ja auf Wirklichkeit zeigen und von Wirklichkeit reden. Ob es darin wahr ist, kann sich nur an der Wirklichkeit, von der es redet, erweisen - und d.h. bis zur endgültigen Wiederkunft Christi: durch menschliches Tun, durch die Praxis derer, die mit der neuartigen Weltwirklichkeit Gottes rechnen. (Schellong 1973,91)

Der Unterschied zu Tillich geht deutlich aus Barths Auffassung vom Theorie-Praxis-Verhältnis hervor. Auch für Barth kommt es darauf an, hier keine Trennung zu vollziehen:

> Jesus ist nicht umsonst Sieger und König. Theorie und Praxis können gar nicht auseinander fallen in der Menschenwelt, die Gott in ihm geliebt hat von Ewigkeit her und in deren Mitte er als Sieger und König aufgestanden ist. (KD II/2,736)

Aber während Tillichs Beschreibung der Ueberwindung der Spaltung in Theorie und Praxis dazu neigt eine theoretische Theorie-Praxis-Vermittlung - oder vielleicht roman-
tische Anschauung - zu werden, die jedes radikale Protestieren/Verändern unnötig
macht, so legt Barth das Schwergewicht darauf, dass es keinen Weg aus der Praxis
heraus, der von Praxis wegführen würde, gibt. Für Barth ist wichtig, dass das Verhältnis zur Wirklichkeit via eine Idee grundverkehrt ist, einen Versuch darstellt,
sich von der Wirklichkiet, deren Zentrum Christus ist, frei zu machen (=eine Abstraktion).

> Einer Idee als solcher gegenüber sind wir nicht verantwortlich, sondern
> können wir es erst werden, indem wir sie als Verantwortung fordernde In-
> stanz erkennen und anerkennen. Einer Idee gegenüber ist jene Operation,
> in der Theorie und Praxis gesondert sich vollziehen, gerechtfertigt.
> Denkt man sich den Willen und das Gebot, die souveräne Entscheidung Got-
> tes als Idee, dann wird man wohl hinsichtlich der ethischen Besinnung im-
> mer wieder in jene Operation zurückfallen, d h aber, es wird dann zu
> ernstlicher ethischer Besinnung gar nicht kommen können. (KD II/2,735)

Die "Ueberwindung" der Spaltung geschieht nach Barth gerade nicht durch einen Rückzug "aus dem Ethos in die Ethik". Sie geschieht

> hier und also nicht in irgend einem Raum ausserhalb oder oberhalb meines
> Tuns oder Nichttuns, nicht irgendwo, wo ich sie bloss betrachten und fest-
> stellen könnte, ohne mich zu entscheiden, ohne schon mit meinem Betrachten
> und Feststellen selbst Entscheidung zu vollziehen /.../ - Auch das Alles
> kann nun freilich nur dann realisiert werden, wenn wir uns erinnern, dass
> es die souveräne Entscheidung Gottes als die Norm aller unserer Entschei-
> dungen ist, die es nötig macht, unser eigenes Leben so, als jenen in sich
> geschlossenen Kreis verantwortlichen Seins, Wollens, Tuns und Lassens, als
> jenen unzerreissbaren Zusammenhang von Theorie und Praxis zu verstehen -
> und dass die souveräne Entscheidung Gottes identisch ist mit der Realität
> des von ihm aufgerichteten und im Tod und in der Auferstehung Jesu Christi
> besiegelten Bundes zwischen ihm und uns. (KD II/2,735)

Aber obwohl sich Barth an der Stelle gegen den Verlust der Konkretion und des Ernstes in der Praxis absichert, an der Tillich diesem Risiko ausgesetzt ist, so muss
man doch ernsthaft fragen, ob Barth nicht auf andere Weise diesen Verlust riskiert.
Ganz offenbar kämpft Barth gegen diese Risiken, so wie Tillich gegen die seinen
kämpft, aber es ist nicht selbstverständlich, ob Barths Kampf auch erfolgreich ist.

Wenn die Ethik ihre "Entfaltung nur in einer umfassenden Kritik dessen, was Individuum und Soziatät getan haben, tun und tun werden, nie und nimmer aber in dessen
Rechtfertigung und Bestätigung oder auch Bekämpfung und Widerlegung" (B 1922,277)
291), wenn die Güte des Handelns in einer "Gerichtheit" besteht (KD II/2,607),
dann riskiert das Gericht Gottes so radikal zu werden, dass das Handeln gleichgültig
wird. Die Offenbarung droht frei von empirischen Implikationen zu werden
(Gunleiksrud 1974,67). Anders ausgedrückt: Durch die Weigerung, die Offenbarung
irgendein Handeln legitimieren zu lassen, durch das Hinweisen des Handelns auf das
322

Gebot der Stunde und auf schlichte Sachlichkeit, riskiert man, dass die tatsächlich wirksame Identität zu einer von der Offenbarung unabhängigen Identität wird. Oder mit Tillichs Worten 1929:

> Wenn die sogenannte dialektische Theologie von unserer Zeit in irgend-
> einem Sinne als prophetisch empfunden wurde, so war das nur möglich
> weil sie mit der entschlossenen Verkündigung des "Jenseits von Sein
> und Geist" ganz konkrete, vom Ideal der Theologie aus rationale Kritik
> an der tatsächlichen Theologie, also am Geist, übte. Die Grenze ihrer
> Wirkungskraft war darin begründet, dass sie den unlöslichen Zusammen-
> hang des theologischen Ideals mit allen übrigen und darum der theolo-
> gischen Kritik mit aller anderen rationalen Kritik übersah und dadurch
> - ohne es zu wollen - das Theologische zum Sondergebiet der propheti-
> schen Kritik machte. Die Wirkung war zum Teil die Entmächtigung der
> religiösen Kritik an den übrigen Kulturgebieten, wie sie zB im "reli-
> giösen Sozialismus" vorlag, und damit eine Ermächtigung der bestehen-
> den Formen und Gewalten des profanen Lebens. Die abstrakt prophetische
> Kritik (abstrakt nicht in bezug auf die Theologie, aber in bezug auf
> Wissenschaft, Gesellschaft, Kunst usw.)wirkte konservativ, und zwar in
> eigentümlicher Sachdialektik schliesslich auch in der Theologie selbst,
> denn ihr wurde nun die von den übrigen Kulturgebieten ausgehende ratio-
> nale Kritik abgeschnitte. (GW VII,31f/1929a/)

Oder wird der Ernst der Verantwortlichkeit von der Gnade bedroht? Tritt uns das Gebot Gottes "nicht als Ideal gegenüber""weder als das Ideal eines Sollens noch als das eines Dürfens noch als das einer Kombination von beiden, sondern als die in der Person Jesus Christi erfüllte Wirklichkeit" (KD II/2,674), wird dann nicht der Triumph der Gnade vollständig, das Böse machtlos (vgl. oben 283), der Auferstehungsrealismus massiv (vgl. oben 271,283,303), die Eschatologie "realized" [292] ? Wenn auch der Ernst in einem solchen Monismus nicht ganz verschwindet - vgl. Barths Anklage der "modernen" Theologie gerade wegen ihres Monismus - neigt er nicht doch auf jeden Fall dazu, zu einem Ideal einer Einordnung verwandelt zu werden? Auch wenn es sich nicht darum handelt, dass der Mensch sich mit seinem Tun einem System von Regeln, Prinzipien und Grundsätzen einordnen soll, so handelt es sich doch darum "dass diese Menschen sich mit ihrem Tun der von Gott regierten Bundes- und Heilsgeschichte zu bestimmter Zeit an bestimmtem Ort in bestimmter Weise einordnen sollen" (KD III/4,12). Besteht hier nicht, so wie bei Tillich die Tendenz, die Verantwortung so zu formalisieren, dass es gleichgültig ist, was ernst genommen wird, und es hauptsächlich darum geht überhaupt etwas ernst zu nehmen?

> Ein faktisches Bekenntnis dazu /zu Jesus als Sieger und König/ liegt
> überall da vor, wo die Frage: Was sollen wir tun? mit dem besonderen
> Ernst, der nun gerade auch dem Begriff des Tuns eigentümlich ist, ge-
> stellt wird. Wo das geschieht, da ist der Mensch dem Gebot Gottes
> nicht ferne, auch wenn er es als solches noch nicht oder nicht mehr
> verstehen sollte, auch wenn er erst seiner Aufrichtung und Offenbarung
> in Jesus Christus als ein Fremder gegenüberstehen sollte. Fragt er
> ernstlich: Was sollen wir tun?, dann bezeugt er eben damit, dass er
> selber gefragt ist von der Instanz her, vor der alle Rückzüge und

Neutralitäten unmöglich sind, weil sie die höchste, die einzige im
strengen Sinn richterliche Instanz ist. Ihn kennt Gott, auch wenn
er Gott nicht kennt. Ihn nötigt darum Gott zu ernstlicher Besinnung
und damit dann in seinen bestimmten Grenzen sicher auch zur Ausrichtung seines Wandels nach seinem Gebot. (KD II/2,736)

Oder ist es trotz aller Abgrenzungsversuche so, dass Bezeugung mit Bestätigung,
Wirklichkeit mit Ideal zusammenzufallen neigt? Wird die theologische Ethik trotz
allem zu einer Legitimierung einer speziell "christlichen" Ethik? Neigt der Bereich
der "Bekenntnisse" nicht dazu, den der "Sachlichkeit" aufzuschlucken wenn ethische
Stellungnahmen zu theologischen Kriterien werden und die Analogien ausgenutzt werden? Das entspricht natürlich der Frage, ob Barth nicht gegen seine Intentionen in
einer Art Offenbarungspositivismus gerät.

Eine, meiner Meinung nach wichtige Art, sich dieser Frage zu nähern ist, sie in Beziehung zu der Frage zu setzen ob theoretische Konstruktionen - Modelle (vgl. 1.3.1)
- in verschiedenen Situationen sich verschieden auswirken. Eine Pointe von Kapitel
2 ist, dass dies der Fall ist. Hans Walter Schütte und Gerhard Sauter haben dies
auf eine interessante Weise auf Barths Ethik angewandt. Schütte tut das indirekt,
indem er über die Funktion der "theologisch-politischen Formel" "Königsherrschaft
Christi" reflektiert und darauf hinweist, wie die Formel als ein Versuch theologisch
auf den politischen Totalitätsanspruch zu reagieren, entsteht, wie sie aber in der
veränderten Situation nach dem Krieg eine "Verminderung" ihres "Erklärungs- und Un-
terscheidungswertes" erfährt sowie "eine nicht unerhebliche Funktionsänderung" in
der die Formel "zur Programmformel einer sozial-ethischen Theologie" wird (Schütte
1973,18f). Sauter führt das mehr direkt im Anschluss an Barths Entwicklung aus und
behauptet, dass die der christologischen Begründung gerade eigentümliche Zurückhaltung gegen "voreilige/n/ Folgerungen, Veranschaulichungen und Materialisationen"
nicht immer bewahrt werden kann.

> Freilich ist die im Analogiebegriff angelegte Frage nach Entsprechung
> dann sehr oft der Punkt, an dem solche Zurückhaltung umschlägt in das
> Bestreben, positive Analogien zwischen Gottes Offenbarung und der eth-
> ischen Wirklichkeit namhaft zu machen, also Anhaltspunkte für Gottes
> Wirklichkeit in der ethischen Dimension aufzufinden und Konvergenzen
> aufzudecken.
> /Anm.:/ Dieser Schritt lässt sich bei K Barth in seinen Schriften
> "Rechtfertigung und Recht" (1938) und "Christengemeinde und Bürgerge-
> meinde" (1946) im Vergleich mit seiner ethischen Prinzipienlehre in
> § 52 der "Kirchlichen Dogmatik" (KD III/4,1951) verfolgen.
> (Sauter 1975a,415 mit Anm. 7) 293)

Interessant ist nun, dass Barth diese soziologische Reflexion über seine eigene
theologische Reflexion sehr wohl bejahen könnte. Wie vielleicht kein andere Theologe - und wie wenige Denker überhaupt - war er zu Selbstprüfung bereit, versuchte

324

Systeme zu vermeiden, ja, machte vielleicht beinahe seine Bereitschaft zu Selbstkritik zu einem systematisierenden Prinzip. Er kann ja sogar andere deswegen anklagen, dass sie an dem festhalten, was er früher selber gesagt hat (B 1935,159 oben 118, B 1938c,83 oben 148).

Noch interessanter ist vielleicht,dass eben Barths Bejahung dieser wissenssoziologischen Reflexion, die die eigene Position ständig relativiert und Ueberprüfungen hervorzwingt - d.h. seine fundamentale Kritik jeder theoretisch behaupteten Theorie-Praxis-Vermittlung - sich in bestimmten kulturell-politischen Situationen als ein sinnvoller und konstruktiver Protest erweist, in anderen aber Schwierigkeiten bekommt. (Dieser Zug in) Barths Denken ist wichtig für eine Situation wie der während des erstes Weltkrieges und wie der nach dem ersten Weltkrieg die als revolutionär aufgefasst werden können und für eine Situation wie der Zeit des Nationalsozialismus in der jeder Protest zu einem totalen Protest wird. Aber erfüllt es eine Aufgabe in ruhigeren Situationen? Mit der gleichen Vorsicht mit der man Tillich fragen muss, ob er nicht trotz allem in eine theoretische Theorie-Praxis-Vermittlung gerät, muss man Barth fragen ob nicht sein in jenen Situationen zugespitztes Denken dazu neigt, praktische Theorie-Praxis-Vermittlung zu werden, wenn man es von jenen Situationen loslöst, d.h. zu einer Legitimierung der reinen Praxis, als der Ueberwindung der Spannung, einer Bestätigung des eigenen Handelns ohne Einmischung irgendwelcher Ideale in einem Ausschliessen jeglicher theoretischer Kritik.

> Für die reinste aller Tätigkeiten, die sich selber zum Ziel hat und der unter den geschichtlichen Bedingungen immer nur in Brechungen genügt werden kann, lässt sich kaum eine zutreffendere Formel finden als "Königsherrschaft Christi". Denn in ihr hat sich die Endlosigkeit des reinen Handelns längst zur Vollendung gebracht. Die Teilhabe an dieser Vollendung ist die Teilhabe an der "Königsherrschaft Christi". (Schütte 1973,28)

Man muss mit Sauter ausrufen:

> Das wäre allerdings ein völlig kurzgeschlossenes Verhältnis von Theorie und Praxis! (Sauter 1975,409 Anm. 3)

6. ERWEITERUNGEN.

6.1. Die Bewältigung der Tradition als theologisches Problem.

6.1.1. Offenheit und Entscheidung dem in der Geschichte Gedachten gegenüber im Selbstverständnis des Glaubens.

Denken bedeutet, sprachliche Ausdrucksmittel zu verwenden, die ererbte oder hergestellte Bedeutungen besitzen. Verantwortliches Denken muss "die unreflektierte aktuelle Interessen- und die unreflektierte konventionelle Traditionsvermittlung aufdecken" (Böhler 1971,72, vgl. 105). Der Anspruch des eigenen Versuches, Verantwortlichkeit zu verwirklichen, wird im Denken generalisiert und wird mit anderen, auf dieselbe Weise generalisierten Ansprüchen, konfrontiert. Verantwortlichkeit muss zumindest heissen, andere so zu verstehen zu versuchen, dass es sich lohnt, ihr Denken ernst zu nehmen, dass ich ihr Denken als sachlich einleuchtend und (geschichtlich) wahr auffassen kann. Aber diese Offenheit ist ohne Kritik nicht möglich. Auch ein Versuch, zu verstehen bedeutet bereits Veränderung dessen und Distanzierung von dem, was verstanden werden soll. Auch das Bejahen des Denkens eines anderen Menschen oder eine wertvoll erscheinenden Tradition ist ein Teil der Arbeit mit der eigenen Identität, die alles und alle zu Mitteln für das Bekräftigen der eigenen Identität umzuwandeln droht. Da der Versuch, Verantwortlichkeit zu verwirklichen zu dem Versuch führt, verantwortlich zu denken, so ist die einer Aporie ähnelnden Problematik dieser Reflexion ein fundamentaler Aspekt der Problematik der Verantwortlichkeit. (Vgl. 2.2.2) Wie sieht dieser Aspekt der Problematik der Verantwortlichkeit im Selbstverständnis des Glaubens aus?

Mir scheinen Barth und Tillich diese Problematik ganz offensichtlich ernst zu nehmen und beider Verhältnis zur Tradition muss als ein Versuch beschrieben werden, Offenheit und Entscheidung zu vereinen.

Als Barth 1940 "die Neuorientierung der protestantischen Theologie in den letzten dreissig Jahren" beschreibt - man beachte, dass Barth den Wendepunkt nicht auf die zwanziger Jahre verlegt, sondern auf die Zeit um 1910 - so behauptet er:

> Wir haben es neu gelernt, die Weisheit der Väter zu ehren. (B 1940,100)

Während der Bultmann-Debatte vermisst Barth eine wirkliche Liebe zur Geschichte:

> Trotz des heute so beliebten Redens von Geschichte und Geschichtlichkeit bemerkt Karl Barth das faktische Fehlen der Liebe zur Geschichte. Das formalistische theologische Denken unserer Tage ist von fataler Raum- und Zeitlosigkeit geprägt; man spricht in allgemeinen Begriffen

von "Orthodoxie" usw; aber man kennt und studiert beispielsweise
diese Bewegung des siebzehnten Jahrhunderts nur wenig oder überhaupt nicht. (B 1964a,213)

Dieses Interesse für die Geschichte ist für die Person Karl Barth charakteristisch
(Kupisch 1971,17f, Casalis 1970,50), ist aber auch eng verbunden mit seiner Theologie, mit seiner Behauptung, dass Theologie nur als kirchliche Theologie möglich ist.

> Der Ursprung der Kirche ist Gottes geschehene Offenbarung in der in
> der Bibel bezeugten Erscheinung Christi. So ist theologisches Den-
> ken immer auch und zuerst Gedenken, Erinnerung. Ohne Erinnerung
> kein Glaube, kein Gehorsam, keine Hoffnung. Schon das unterscheidet
> theologisches von allem spekulativen Denken /.../ Und wiederum voll-
> zieht sich diese Erinnerung bestimmter Vorzeit im theologischen Den-
> ken nicht ohne Weisung durch konkrete Autorität, durch vorangegange-
> ne Einsicht und Entscheidung der Kirche. Um mehr als Weisung, um mehr
> als relative, vorläufige Autorität kann es sich hier, kann es z B bei
> der Voraussetzung des biblischen Kanons oder des kirchlichen Dogmas
> nicht handeln. Dass diese Weisung mehr als Spiegelung des göttlichen
> Befehls und dass sie als solche nicht fragwürdig, ergänzungsbedürftig
> und veränderungsfähig sei, das wird protestantische Theologie nie zu-
> geben können. Die Leugnung oder Ignorierung solcher Weisung aber dürf-
> te doch ebenso unvollziehbar sein: Ist Offenbarung nicht zuerst zeit-
> werdende, sondern schon zeitgewordene Wahrheit, dann bedingt sie nicht
> nur absolute, sondern auch relative Bindung, dann ist mit dem Befehl
> auch Weisung auf dem Plane. Wiederum wäre zu sagen, dass eine Theo-
> logie, die von hervorgehobenen Einsichten und Entscheidungen der Kir-
> che grundsätzlich nichts wissen wollte, noch nicht oder nicht mehr
> Theologie wäre. (B 1930,380f, vgl. B 1940,100)

Dies ist ein fundamentaler Punkt in Barths Theologie. Die Bibel ist natürlich für

Barth die übergeordnete Norm:

> Wir haben es neu gelernt, die Weisheit der Väter zu ehren, wir sind
> aber nicht an sie, sondern an die Bibel gebunden. (B 1940,100)

Dies führt aber bei Barth also nicht zu einem Biblizismus. Der Biblizismus ist für

ihn eine der vielen Ausdrucksformen des "modernen" Menschen, der alles Nicht-Eigene

zu erobern versucht, in diesem Fall also die Bibel (vgl. oben 86f).

> Es kann in der Kirche keiner Zeit darum gehen, sozusagen mit einem
> Sprung über die Jahrhunderte hinweg unmittelbar (je nach der indi-
> viduellen Güte der Augen und Offenheit des Herzens) an die Bibel
> anzuknüpfen. Das ist der Biblizismus, der bezeichnenderweise ge-
> rade im 18. und 19. Jahrhundert immer wieder aufgetreten ist.
> (B 1935,155)

> Wo man das Wort Gottes - und wäre es das Wort Gottes in Gestalt der
> heiligen Schrift - sozusagen auf eigene Faust hören und annehmen
> wollte, da wäre nicht mehr Kirche, da käme es auch nicht zum Hören
> und Annehmen des Wortes Gottes. (KD I/2,655)

Das Gespräch mit den "Zeugen erster Ordnung" muss Hauptgespräch sein dürfen, aber

auch das Nebengespräch muss geführt werden:

Dass aber auch Niemand sich für so geistbegabt oder sonstwie klug und weise halte, dass er das Hauptgespräch auf eigene Faust zu führen vermöge, von dem Nebengespräch mit den Vätern und Brüdern aber sich dispensieren dürfe! (B 1962,191) 294)

Bereits früher wurde betont, welches Gewicht Barth darauf legt, dass es sich hier wirklich um ein Gespräch mit der frühen Kirche handelt und nicht um ein Scheingespräch (vgl. B 1933,452). In den Gesprächen mit Schleiermacher (vgl. oben 73) und mit Bultmann (vgl. oben 93) und allgemein in der Auseinandersetzung mit der "modernen" Theologie (vgl. oben 69) wird dies deutlich.

Geschichtsdeutung kann nicht Gerichtsverkündigung sein.
(B 1933,9, vgl. B 1962,195)

Barth protestiert gegenüber Brunners Art der Behandlung Schleiermachers. Nach Barth muss "überall eine offene Tür sichtbar werden, eine an den Autor selbst sich richtende Frage übrig bleiben, sein Triumpfh dürfte nicht eklatant werden" (B 1924, 56). 295) Gegenüber einer Selbstverherrlichung, gegenüber fehlender Offenheit für Kritik, gegenüber einem alles wissen Wollenden fordert Barth einen resoluten "Verzicht auf alles Perorieren, alles Widerlegenwollen, auf den ganzen Kampfapparat" (B 1924,55). "Kritischer müssten mir die Historisch-Kritischen sein!", weil "die berühmte 'Erfurcht vor der Geschichte' /.../ trotz des schönen Ausdrucks einfach den Verzicht auf jedes ernsthafte ehrfürchtige Verstehen und Erklären bedeutet" (B 1922,XIIf, vgl. Marquardt 1970b). Man muss unterlassen, gewisse Theologien und Philosophien der Geschichte "unter dem Begriff 'biblisch-reformatorisches Denken' zusammenzufassen, als fix und fertige Einheit sie in die theologische Rechnung einzusetzen, oder vielmehr: als entscheidenden Beweisgrund sie meinen Feinden an den Kopf zu werfen" (B 1924,58), denn auch wenn man auf diese Weise meint, sich einer Tradition unterzuordnen, so bestätigt man sich nur selbst und schützt sich vor Kritik. Nicht einmal dann nimmt man die Geschichte ernst.

In diesem Gespräch kann früheres theologisches Denken Autorität unter dem Wort ausüben. Man kann das Wort Gottes nur als Glied der Kirche hören, und

hören wir es aber als Glieder der Kirche, dann hören wir auch die Kirche und also gerade nicht nur und nicht zuerst das Echo des Wortes Gottes in unserer eigenen Stimme, sondern sein Echo in der Stimme der Anderen, der Früheren in der Kirche.

Ein besondere Autorität kommt denjenigen zu, denen die Kirche Autorität beimisst, denen

in deren Stimme wir laut des Bekenntnisses der übrigen Kirche deren eigene Stimme zu vernehmen, die wir also mit kirchlicher Autorität zu uns reden zu lassen haben. (KD I/2,678)

Gegenüber der früheren theologischen Reflexion kommt aber nicht nur explizite Anerkennungen der Autorität der Kirchenväter und der Lehrer der Kirche, wie der Reformatoren vor.

Die Theologie jeder Gegenwart muss stark und frei genug sein, nicht nur die Stimmen der Kirchenväter, nicht nur Lieblingsstimmen, nicht nur die Stimmen der klassischen Vorzeit, sondern die Stimmen der ganzen Vorzeit ruhig, aufmerksam und offen anzuhören. (B 1933,3)

Die Offenheit der Theologie soll eine bewusste Offenheit und Bereitwilligkeit sein,

sich mit allen jenen vorangegangenen Theologiestudenten weniger auseinander als zusammensetzen /.../ sich offen halten und bereit machen, ihnen (sie reden ja noch auch wenn sie längst gestorben sind) zuzuhören. (B 1962,189f)

"Resultate früherer dogmatischer Arbeit ebenso wie unsere eigenen Resultate" können nicht die Wahrheit selbst sein (das würde theologia gloriae und also nicht theologia viatorum sein!), da sie Resultate menschlicher Bemühung sind. Aber sie können Zeichen des Kommens der Wahrheit und "Hilfe, aber auch Gegenstand neuer menschlicher Mühewaltung" sein (KD I/1,13). Ja, in Barths "Methode der Symapthie in Verständnis der anderen Theologien" (Casalis 1970,46) ist diese Lernbereitschaft so zu erweitern,

dass man auch da, wo man sich weithin gegenseitig nur als Häretiker verstehen kann, dennoch immer wieder mit dem Vorhandensein des auch den Häretiker umfassenden Raumes der Kirche rechnen muss und sich bei aller ·Bedrohtheit der Situation gerade nicht gänzlich voneinander scheiden kann. (KD I/1,304, vgl. oben 69)

Wenn es überhaupt Menschen gibt, auf die man nicht zu hören braucht, so wären es, nach Barth - mit wieviel Humor gesagt? - Menschen, die sich an W.A. Mozart vergreifen (KD III/4,X, KD IV/2,IXf)! Und die Lernbereitschaft oder "bewegte, liebende Aufgeschlossenheit" (B 1962,195) ist eine nie zu beendende Rezeption:

Ein ausgesprochenes Urteil, die Meinung, dass wir mit diesem und jenem im Guten oder Bösen "fertig" seien, bedeutet so oder so immer, dass zu unserem eigenen Schaden, aber dann immer auch zum Schaden der Kirche, eine Türe zufällt, die offen bleiben, ein Ton verstummt, der weiterklingen sollte. (B 1933,9)

Tillich hat nicht dasselbe Interesse an der Geschichte wie Barth, doch sein Interesse ist deswegen nicht geringer. Es ist symptomatisch, dass Tillich seinen Hörern "Barths Theologiegeschichte /also B 1933/ empfehlen /will/, als das Buch, in dem sich seine Anschauungen am stärksten mit den meinen berühren" (GWE II,14/1963/, vgl. GW VI,168/1951/).

Auch Tillichs Interesse für die Geschichte kann natürlich auf seine Persönlichkeit zurückgeführt werden. Auf Grund seiner Erziehung und Ausbildung versteht er sich

selber und denkt in ständiger Relation zu einer breit erfassten europäischen Kultur-
tradition mit der Philosophiegeschichte als Rückgrat. Während "Geschichte" für
Barth primär eine Menge von Ereignissen ist, in denen Menschen (auch denkend) handeln, so ist sie für Tillich Geistesgeschichte, ein Prozess, in dem Menschen sich
mit Problemen auseinandersetzen, die nach und nach umgeformt werden, ein Prozess den
sich die Menschen jeder Situation aneignen müssen, um ihre eigene Situation zu verstehen. Dies ist möglicherweise nur ein Unterschied in der Persönlichkeit aber er
kann auch - wie im Folgenden angedeutet wird - prinzipielle Bedeutung erhalten.

Auch bei Tillich ist das Interesse an der Geschichte eng verbunden mit dem Zentrum
seines Denkens und damit seiner Theologie und wird von dort her motiviert. Schon
Tillichs Haltung als Denker ist die eines Menschen der nach Synthesen sucht, und
diese Aufgabe einer Synthese wird in Relation zur Geschichte des menschlichen Denkens formuliert (vgl. 4.1). Vielleicht noch fundamentaler ist, dass Tillichs Reflexion in ihrem eigensten Kern Reflexion über das protestantische Prinzip ist, und
dass diese Reflexion die Form einer protestantischen Geschichtsdeutung und einer
protestantischen Auffassung von der Erkenntnis und der Wahrheit annahm (vgl. 4.2).
Menschliches Denken ist, nach Tillich, ausserhalb der Geschichte nicht sinnvoll, es
ist sinnvoll nur innerhalb einer Situation. (Wesens-)Erkenntnis ist im Kairos begründet und damit niemals abgeschlossen. Aber die in einem Kairos gewonnene Erkenntnis muss nicht mit dem Kairos verschwinden. Es ist möglich - zwar nicht zeitlos aber doch intersituational - die Partizipation der im Kairos gewonnenen Erkenntnis am Logos zu verstehen:

> Dialektik ist der Versuch, von diesem Kairos aus das Schicksal der Ideen
> zu begreifen. Weil aber dieser Versuch sich selbst als Schicksal weiss,
> erhebt er sich nicht über das Schicksal, sondern bleibt in ihm /.../; aber
> er weiss auch, dass das Gesamtschicksal an ihn gebunden ist und in ihm neu
> zur Wirklichkeit kommt. In dieser Wechselwirkung des Verstehens von Gegen-
> wärtigem und Vergangenem, von Eigenem und Fremdem verwirklicht sich die
> Einheit von Kairos und Logos. (GW IV,73/1926a/, vgl. oben 209)

Diese grundlegende Sicht liegt meiner Meinung nach hinter Tillichs faktischer Verwendung früheren Denkens und hinter den Aussagen darüber, wie man sich zu diesem
Denken zu verhalten hat.

Gegen einen generell ideologischen Wahrheitsbegriff, der Wirklichkeit und gesellschaftliche Struktur gleichsetzt, gebraucht Tillich als selbstverständlich verstan-
denes Argument:

> Dabei fällt die Natur hin, und die Vergangenheit hört auf, eine eigene
> Wirklichkeit zu sein. Sie wird ein ideologischer Spiegel der Gegenwart.
> (GW IV,63, vgl. oben Anm. 54)

Es ist also Tillichs Intention, die Vergangenheit eine eigene Wirklichkeit sein zu lassen.

Gegen die liberale Dogmengeschichtsbeschreibung (von Harnacks) wendet er ein, dass "wenn man diese Ansicht konsequent verfolgen wollte", "die ganze Dogmengeschichte hinfällig" würde. Sie bedeutete eine "Befreiung von einer notwendigen Bindung der christlichen Botschaft an hellenistische Begriffe". Aber sie kritisierte die "Hellenisierung", ohne zu verstehen, dass diese (in irgendeiner Form) notwendig war. Im Grunde genommen setzte man, nach Tillich, damit nämlich voraus, dass das Christentum immer die Sprache des Alten Testamentes sprechen muss. (GWE II,183) Tillich formulierte 1924 sein Programm in fundamentalem Gegensatz zu dieser Dogmengeschichtsschreibung.

> Eine Betrachtung der Dogmengeschichte vom Neuen Testament an bis zur Gegenwart unter diesem doppelten Gesichtspunkt des Durchbruchs /der Gnade/ und der Realisierung würde die kleinliche und vielfach überhebliche Art der Dogmengeschichte überwinden, die, anstatt die Realisierung zu verstehen in all ihren Spannungen, nur den Sündenfall sucht und ihn schon überall da findet, wo es sich um Realisierung handelt. (GW VIII,87/1924/, vgl. oben 197)

Eine andere Sicht von der Dogmengeschichte würde Tillichs Auffassung von der Religion und zB die Forderung nach protestantischer Gestaltung verraten, und damit den Kern von Tillichs Denken (vgl. oben 4.2.2, 4.2.3 und 5.3).

Gegen die "Sprungtheorie des Protestantismus" wendet Tillich ein, dass die Tradition nicht anerkannt wird und dass damit "ein wirkliches Verhältnis von Bibel und Tradition, von christlicher Gegenwart und biblischer Vergangheit" nicht vorhanden ist (GW III,207f/1950/). [296] Kierkegaards Radikalisierung dieser Theorie zu einer "Theologie des Sprungs" zeigt, nach Tillich, deren Unzulänglichkeit.

> Wenn wir die Richtung nicht wissen, dann handelt es sich nicht um Subjektivität und Paradox, sondern um Willkür und Zufälligkeit. Wenn wir jedoch in die Richtung des Christus springen, dann müssen wir dafür einen Grund haben, eine Erfahrung von ihm, ein historisches Wissen, ein Bild von ihm, das uns die kirchliche Tradition überliefert hat, d.h., ein Inhalt muss uns vorgegeben sein, denn der Name allein besagt nichts. Wenn wir aber einen Inhalt haben, dann stehen wir bereits in der theologischen und kirchlichen Tradition, und es handelt sich nicht mehr um einen blossen Sprung. Dieses Problem hat Kierkegaard nicht zu lösen versucht. Die Idee von einem Sprung über 2000 Jahre hinweg ist einfach unrealistisch, weil unmöglich. (GWE II,145f, vgl. 174. Vgl. auch ST I,47.)

Weder für Barth noch für Tillich bedeutet jedoch diese Offenheit gegenüber dem in der Geschichte Gedachten eine Verringerung der Verantwortlichkeit.

331

Für Tillich liegt dies bereits in der Auffassung von der Relation des Denkens zu der Geschichte. Das Denken anderer kann nicht ausserhalb der Geschichte übernommen werden, sondern muss durch aktives Eindringen in die eigene Situation verstanden werden:

> Geistiges verstehen heisst, daran teilhaben, darüber entscheiden, es verwandeln. (GW VI,109/1948/, vgl. oben 51)

Das liegt bereits in der gesamten, früher skizzierten Struktur dieses Denkens. Für Tillich ist es natürlich verkehrt, sich fremdem Denken zu unterwerfen, das wäre Heteronomie.

> Tradition ist solange nicht heteronom, wie sie unbewusst und ohne kritische Reflexion angenommen wird /.../ Aber eine solche Situation ist selten geworden in unserer Zeit. Bei den meisten unserer Zeitgenossen hat sich, oft in frühester Kindheit, ein Bruch mit der Tradition vollzogen. Wenn das geschehen ist, gibt es drei Wege: entweder Rückkehr zur Tradition und zu den Autoritäten, die sie repräsentieren, oder Protest, der aber immer noch abhängig ist von dem, wogegen er protestiert, oder eine freie schöpferische Aufnahme und Verarbeitung der Tradition. (GW VIII,65f/1951a/)

Es ist ganz deutlich, dass Tillich eine Lösung über den dritten Weg sucht. Er bejaht den Protest der Autonomie gegen jede Heteronomie. Sein gesamtes Denken muss als ein Versuch verstanden werden, klaren Blick zu behalten und dem prophetisch-protestantischen Protest treu zu bleiben gegen jede Realisierung/Gestalt, die Anspruch darauf erhebt, mit dem Göttlichen/Unbedingten identisch zu sein und zumindest momentane, nicht-heteronome Realisierungen/Gestalten zu erschaffen/bejahen zu versuchen.

Auch Barth betont die Verantwortlichkeit, die eigene Aktivität gegenüber der Geschichte. Dies wird ebenfalls programmatisch ausgedrückt:

> Wir erkennen Geschichte, indem uns ein fremdes Handeln zur Frage wird, auf die unser eigenes Handeln irgendwie Antwort zu geben hat /.../
> Wir können auch hinsichtlich der Theologie nicht in der Kirche sein, ohne der Theologie der Vorzeit so gut wie der unserer Gegenwart verantwortlich gegenüberzustehen. (B 1933,1,3)

Die Abgrenzung von einer unkritischen "Treue" gegenüber der Tradition, die hier vorliegt, kann Barth auch expressiv vollziehen:

> Wir sind nicht aufgerufen, orthodoxe, wohl aber lebendige evangelische Christen zu sein, die gewiss aufmerksam sind auf das Bekenntnis der Väter, aber nicht es einfach wiederholen oder rezitieren. (B 1948b,29)

> Die Theologie kann und darf sich kein Dogma, keinen Bekenntnissatz der kirchlichen Vorzeit ungeprüft, ohne ihn ab ovo an der heiligen Schrift und so am Worte Gottes gemessen zu haben, zu eigen machen. Und darauf, sich irgendwelche symbolischen Aufstellungen unter allen Umständen (etwa weil sie so alt und weitverbreitet und berühmt sind) zu eigen zu machen - auf den Ruhm einer überlieferungstreuen "Orthodoxie" also darf

sie es, wenn es ihr mit der Wahrheitsfrage ernst ist, unter keinen Umständen abgesehen haben: keine schlimmere Häresie als solche Ortho-doxie! (B 1962,54)

In seiner Antwort an von Harnack 1923 betont Barth, "dass wir in unserer Zeit für unsere Zeit zu denken haben" (B 1923a,20, vgl. B 1947a,26). Die Frage, die gestellt werden muss, ist demnach, ob der frühere Theologe "ein Wort gesagt hat und noch zu sagen hat, das für die spätere Kirche aktuelle Entscheidung bedeutet". Die Frage soll nicht nur an die Theologen gestellt werden, die man als Autoritäten aufzufassen pflegt, denn es gibt auch latente Lehrer der Kirche. Es geht hier darum, ob der An-dere "uns in Auslegung der heiligen Schrift heute etwas uns Angehendes zu sagen hat", und frühere Antworten auf diese Fragen müssen immer nachgeprüft werden (KD I/2,688f). "Selbst die grössten und anerkanntesten Theologen, auch ein Athanasius, Augustin, Thomas, Luther, Zwingli, Calvin, um von einem Kierkegaard, von einem Kohlbrügge nicht zu reden" haben "neben ihren positiven Ein- und Auswirkungen alle auch wahre Unheils-spuren hinter sich gelassen". Auch sie haben "mit den Wölfen der jeweiligen Zeit" geheult und um die einen Wölfe zu vertreiben "den anderen erst recht Tür und Tor" geöffnet. (B 1962,156) Darum muss man Alles befragen ob und inwieweit darin das Wort Gottes bezeugt ist. Die Autorität des Wortes ist, nach Barth, die eine "unmit-telbare, absolute und inhaltliche Autorität", die alle anderen Autoritäten relati-viert und die nur anerkannt wird, wenn man "die Verantwortung für dessen Auslegung und Anwendung selber mit zu übernehmen willig und bereit" ist. (KD I/2, Leitsätze von §§ 20 und 21) Eine andere Treue gegenüber dem kirchlichen Bekenntnis als eine dieser Befragung unterstellte Treue kennt Barth nicht:

> Ich habe mich Punkt für Punkt über den einstigen Sinn des Bekenntnisses /der Schottischen Konfession/ unterrichtet, um dann - und darin sah ich meine Aufgabe, die eigentliche Aufgabe theologischer Lehre - wieder Punkt für Punkt zu sagen, in welcher Weise ich die Aussagen des Bekenntnisses als heute Lebendiger und selbst Denkender mit verantworten muss und kann. Wer sich dafür interessiert, der mag sich hier veranschaulichen, was ich unter Treue gegenüber dem kirchlichen Bekenntnis - im Unterschied zu einer Orthodoxie oder Positivität, der mir immer fremd (um nicht zu sagen wider-wärtig) gewesen ist - verstehe und nicht verstehe. (B 1938a,6)

Diese verantwortliche Befragung bedeutet nicht, dass man den Befragten weniger ernst nimmt, sondern umgekehrt, dass man ihn wirklich ernst nimmt. Barth drückt das in seinem Aufsatz über Friedrich Naumann und Christoph Blumhardt deutlich aus.

> Wir würden diese Unparteilichkeit als die schlimmste Form von Gering-schätzung beiden gegenüber betrachten. Unparteiisch ist der unbetei-ligte Zuschauer, der niemand und nichts ernst nimmt. Einen Menschen ernst nehmen, heisst ihn verstehen in Zusammenhang dessen, was ihn be-wegt hat. Und das bedeutet den bewussten Verzicht auf Unparteilich-keit. Ich möchte den beiden Verstorbenen damit Ehre erweisen, dass ich sie ernst nehme durch Beteiligung an dem, was sie bewegt hat, und

darum damit, dass ich zum einen Nein, zum andern Ja sage - wohl verstanden nicht als Richter, sondern als Parteigänger. (B 1919b,38)

Gerade die letzten Worte sind wichtig. Sie lassen erkennen, wie Barth seine eigene
Kritik und seine eigenen Fragezeichen gegenüber der Theologie anderer versteht (vgl.
3.1). Barths Kritik ist ernst gemeint - aber er ist ständig bereit, sie zu überprüfen. "Die Entschiedenheit des eigenen Denkens" ist für ihn etwas Notwendiges aber
sie darf nicht mit "Gerichtsverkündigung" verwechselt werden, damit dass man frühere
Theologie, zB die Theologie des 19. Jahrhunderts "erledigen und sich ihrer entledigen zu können" meint (B 1933,9).

Man kann Barths Verhältnis zu dem in der Geschichte Gedachten nicht verstehen ohne
ebenfalls zu verstehen, wie tief problematisch seine fundamentale Kritik der gesamten Theologie von zwei bis drei Jahrhunderten auch für ihn selber ist. Ist es nicht
gerade das, weswegen er den "modernen" Menschen kritisiert, nämlich dass die Geschichte zu Stoff verwandelt wird, dass die Geschichte dem eigenen "souveränen Formwil-
le/n/" (vgl. Steck 1973,16) untergeordnet wird? Barth reflektiert in der Rezension
von Brunners Schleiermacherbuch ausdrücklich über das Problematische, auf diese Art
Ungehorsam gegen die Geschichte und gegen Gottes Geschichtslenkung zu zeigen. Das
Einzige, was dazu rechtfertigt, sieht er darin, dass dies die einzige Möglichkeit
ist, gegen die Hybris jener Zeit zu protestieren (B 1924,48,61ff, vgl. Steck 1973,
10).

Vielleicht solle man Barths Auseinandersetzung mit der "modernen" Theologie als einen Kampf um die eigene Verantwortlichkeit als Theologe verstehen, ein Bemühen darum,
dass die theologische Aufgabe nicht als bereits gelöst betrachtet wird, sondern dass
hier unser Einsatz erwartet wird. Tatsächlich deutet eine zentrale Stelle in "Die
protestantische Theologie im 19. Jahrhundert" in diese Richtung:

> Mehr sollte hier nicht gesagt sein als dies, dass der Absolutismus des
> 18. Jahrhunderts in der Behandlung des theologischen Problems seine
> deutlichen inneren und äusseren Grenzen hatte. Wieviel oder wiewenig
> dies für die Menschen dieser Zeit zu bedeuten hatte, darüber zu urtei-
> len steht uns nicht zu. Sicher ist, dass es rein sachlich dies bedeu-
> tete, dass das theologische Problem auch in dieser Zeit nicht gelöst
> wurde sondern offen blieb, dass seine Geschichte weitergehen konnte und
> weitergehen musste. (B 1933,114)

Vielleicht muss es zu einer heftigen Auseinandersetzung mit der nächstliegenden Vergangenheit kommen, damit die Verantwortlichkeit nicht in einem Wiederholen, einer
Schulloyalität etc. verschwindet.

> Wenn es gerechte Historie als menschliches Werk überhaupt gibt (viel-
> leicht hat es das nie gegeben und wird es das nie geben), dann sicher
> nicht zwischen denen, die sich generationsmässig die Nächsten sind.
> Als Nächste in diesem Verhältnis müssen wir es uns wohl gegenseitig

ein gutes Stück weit gefallen lassen, einander trotz Kant Mittel zum
Zweck zu sein: Bezugspersonen oder, weniger psychologisch geredet,
Exponenten einer bestimmten Sachproblematik, an denen wir uns in der
Bemühung, selber Stellung zu nehmen, orientieren, an denen wir uns
möglichst scharf klar zu machen suchen, was uns selbst geboten und
verboten ist. (B 1941,116)

Die Frage ist nun ob Barths und Tillichs Versuche, Offenheit und Entscheidung dem in
der Geschichte Gedachten gegenüber zu vereinen, einen besonderen Charakter dadurch erhalten, dass ihr Denken Reflexion über das Selbstverständnis des christlichen Glaubens ist und damit Anspruch darauf erhebt, das Verständnis des Glaubens von seiner
Relation zu dem in der Geschichte Gedachten zu deuten. Muss die Relation der Identität der Gnade zur Tradition eine andere sein als die der traditionsbearbeitenden
und -interpretierenden humanistischen Identität? Wird dieser Unterschied insofern
in den folgenden Zitaten richtig beschrieben?

Das volle zweiseitige Verhältnis zwischen Gegenwart und Geschichte ist
zuerst in der Theologie ausgesprochen worden. Nicht zufällig gerade
in der Theologie, denn in ihr hat von jeher die Geschichte eine viel
zentralere Stellung gehabt als in jeder anderen Wissenschaft.
(Bauer 1963,134)

Mit Hans Albert könnte man sagen, dass für die hier beanspruchte, kritisch reflektierte Position interpretierte Geschichte ebenso wie interpretierte Traditionen "zwar als 'Sprungbretter', nicht als Legitimierungsinstanzen in Betracht kommen". Letzeres bleibt der existentialen
und theologischen Hermeneutik vorbehalten. (Böhler 1971,407 Anm. 447,
vgl. 345f).

In dem letzten Zitat interessiert mich weniger die meiner Meinung nach zweifelhafte
Beschreibung der Relation der existentialen Hermeneutik zur Tradition als die ver-
wendete Distinktion. Ist/sind die Tradition/en/ für den Theologen mehr als "Sprungbretter" und mehr als "motivierende Orientierungshilfe" (Böhler 1971,346) nämlich
"Legitimierungsinstanzen"? Wird die geschenkte Identität aus der Tradition empfangen?

Es besteht meiner Meinung nach eine gemeinsame Tendenz auch in Barths und Tillichs
Antworten auf diese Fragen. Die geschenkte Identität - im Unterschied zu jeder
selbsterschaffenen Identität "durch Werke" - wird von beiden als an eine Tradition
oder eher an die Gnade Gottes gebunden aufgefasst, die in der Geschichte seiner Taten wirksam ist oder die die Tiefe der Geschichte ausmacht. Aber beide protestieren
stark gegen jede Identifizierung dieser Tradition der Gnade mit einer abgrenzbaren
und verfügbaren Tradition. Beide Theologien zeugen auch hier von dem Anspruch des
Glaubens/der Rechtfertigung, die Leben, Gnade und Substanz spendende Tradition empfangen zu können. Aber die Theologie beider beschreibt hier ebenfalls die Anspruch als paradox (Tillich) /unbegründbar (Barth) und ihre Versuche, dies zu beschreiben sind hier ebenso problematisch wie in Kap 5.

Es gibt keine solche Abgrenzung einer Tradition die mit dem Werk Gottes in der Geschichte identifiziert werden könnte. Dass Gott in der Geschichte handelt wird im Glauben bejaht. Aber dieses Werk Gottes ist in der Geschichte verborgen und kann nur in einem Wagnis lokalisiert werden. (Vgl. 5.1)

Es gibt keine sichere Abgrenzung einer Tradition der Kirche. Dass Gott auf besondere Weise in der Kirche handelt, wird im Glauben bejaht. Aber die Kirche steht ständig vor dem Risiko der Häresie. Ihre Christlichkeit lässt sich in keinem Augenblick beweisen. (Vgl. 5.2)

Die Tradition kann daher nicht eine unkritisierbare Norm für die eigene Verantwortlichkeit sein (vgl. 5.3, besonders 314). Ein unkritisches Bejahen eines Denkens, das ein Teil der Geschichte ist, ist ebenso unmöglich wie ein unkritisches Bejahen der augenblicklichen Wirklichkeit oder eines Teils derselben. Glaube an Gott ist nicht dasselbe wie Glaube an die Geschichte oder an einen abgegrenzten Teil der Geschichte. Auch hier ist eine theologia gloriae nicht möglich. Kritik der Traditionen ist historische Kirchen- und Religionskritik. (Vgl. zB KD I/1,298, T 1948, 92f).

Aber auch hier will ich nicht nur eine Problemgemeinschaft und eine gemeinsame Tendenz feststellen, sondern ebenfalls nach Unterschieden suchen, die das Problembewusstsein vertiefen könnten.

Wenn Tillich den Anspruch des christlichen Glaubens beschreibt, so beschreibt er ihn zunächst als den Anspruch, von Traditionen befreien zu können.

> Die protestantische Theologie protestiert im Namen des protestantischen Prinzips gegen die Gleichsetzung dessen, was uns unbedingt angeht, mit irgendeiner Schöpfung der Kirche /.../ Die protestantische Theologie kann alles durch die Kirchengeschichte bereitgestellte Material benutzen. Sie kann griechische, römische, deutsche und moderne Begriffe und Vorstellungen bei der Auslegung der biblischen Botschaft heranziehen, sie kann von Protestentscheidungen der Sekten gegen die offizielle Theologie Gebrauch machen, aber sie ist an keine dieser Begriffe und Entscheidungen gebunden. (ST I,48)

Das liegt auf verschiedene Weise bereits in der Struktur von Tillichs Denken. Die Suche nach einer Synthese der Theonomie ist nicht ein Versuch, die Forderung nach Autonomie zu mildern, sondern ein Versuch, diese Forderung zu verwirklichen. Tillich bejaht daher den Protest der Autonomie gegen jede Heteronomie und also auch gegen jede Heteronomie der Tradition(en). Seine Kritik der Autonomie besagt, dass sie formal, gestaltlos und ohnmächtig wird. Wenn er von Theonomie spricht, so beschreibt er einen Anspruch auf eine mächtige Ueberwindung der Heteronomie der ungebrochenen Tradition(en). Das liegt auch schon im Zentrum des Programmes eines gläubigen

336

Realismus.

An dem Mass des gläubigen Realismus gemessen, ist viel kirchliches
Wort Verführung zur Ungegenwärtigkeit, zum Verrat am Hier und Jetzt.
(GW IV,87/1927/)

Denn religiöse Selbstbesinnung ist ja in erster Linie nicht "Entfaltung einer Tradition" sondern "Hinwendung zur Wirklichkeit, Befragen der Wirklichkeit, Sich-Hineinboren in die Existenz, Vorstossen auf die Ebene, wo die Welt über sich hinausweist
auf ihren Grund und unbedingten Sinn" (GW VII,65/1929b/, vgl. oben 204). Tillichs
Theologie ist ein Versuch zu einer Theologie des dritten Artikels, einer Theologie
des heiligen Geistes (vgl. zB ST I,63 Anm. 1). Ihr Zentrum ist Ekstase/Ergriffen-
sein als ein Werk des heiligen Geistes, nicht als ein Werk der Tradition.

Aber - und das ist ebenso zentral für Tillichs Denken - diese Ekstase/dieses Ergriffensein kommt nicht nackt und formlos vor, sondern muss verstanden werden. Dies ist
ohne Kultur nicht möglich.

Der zentrale Satz meiner Religionsphilosophie /.../: Religion ist die
Substanz der Kultur, Kultur ist die Form der Religion. (GW VII,17/1948a/)

Und die Form/Kultur verwendet Material, das von Traditionen geformt wurde. Die Religion ist auf kulturelle Ausdrucksformen angewiesen, die Symbole werden können,
d.h. die über sich selbst hinausweisen auf die Substanz, auf den Grund und unbedingten Sinn der Situation und der Welt. Symbole können entstehen und auch ihre Macht
verlieren. Aber ohne Symbole und damit ohne Verbindung mit der Tradition gibt es
keine Religion. (Vgl. GW V,237ff/1961a/,210-212/1928a/ und zB ST I,79, GW XI,45
/1952a/)

Nach Tillich verhält es sich so, dass die Vergangenheit nur so aber so tatsächlich
"auf Grund einer aktiven Teilnahme an der Gegenwart erreicht werden" kann (GW IV,98).
Dadurch, dass das "Sich-Hineinboren in die Existenz" sich auch in der Vergangenheit
vollzogen haben kann, besteht die Möglichkeit zu einem Verständnis dieser "Tiefenschicht":

Der Masstab zur Beurteilung aber muss immer die Tiefenschicht bleiben,
in der die Vereinigung des Gegenwärtigen mit dem Vergangenen vor sich
geht. Zur absoluten Ernsthaftigkeit der Vereinigung und des Verstehens
kommt es nur da, wo man an die Dinge mit der Frage nach der Lebensent-
scheidung selbst herantritt und mit der Erwartung, dass sie an dieser
Entscheidung beteiligt sind. (GW IV,60)

Auch im Denken der Vergangenheit kann es Substanz geben, aber auch dort kann die
Substanz nicht von der Form getrennt werden.

There is no way of saying a priori how much substance is hidden in the
form. This can be said only in the process of theological work, and
never fully. (T 1947,26)

337

In der Geschichte wie auch in der Gegenwart ist es schwer, "die kirchliche Botschaft von der speziellen Kultur in der sie jeweils verkündigt wird, zu trennen":

> In gewissem Sinne ist es unmöglich, da es keine abstrakte christliche Botschaft gibt; sie ist immer mit einer speziellen Kultur verflochten. (ST III,225)

Dass die Botschaft tatsächlich verkündigt wird ist damit letztlich "nicht eine Sache formaler Analyse, sondern paradoxer Transparenz" oder der "Macht des Geistes" (ST III,225). Entsprechendes gilt für das Verhältnis zur Geschichte. Kenntnisse über die historische Situation sind notwendig, aber sie machen es nicht möglich, dass die Substanz der früheren Erfahrung definitiv von ihrer Form getrennt werden kann. Die frühere Erfahrung wird nur verstanden, wenn sie nicht nur als eine Ge- stalt beschrieben wird, sondern wenn auch verstanden wird, wovon sie eine Gestaltung oder Realisierung zu sein versucht. Dieses Verstehen ist nur von der eigenen Erfah- rung aus möglich und nur als eine Entscheidung möglich.

> Der historische Theologe jedoch muss zeigen, dass zu allen Zeiten christ- liche Theologie sich um das bewegt hat, was uns unbedingt angeht. Die systematische Theologie bedarf einer "Geschichte der christlichen Theolo- gie", die von einem radikal-kritischen und zugleich existentiell orientier- ten Standpunkt aus geschrieben ist. (ST I,49, vgl. GWE II,13)

Hierbei zeigt sich, dass "Tradition" für Tillich auch zu etwas fundamental Wichtigem werden kann. Die Tradition ist nicht Norm der Theologie. Aber in der Tradition ist die Erfahrung der (wahren) Kirche gesammelt, und die Norm lässt sich nicht ausser- halb dieser Erfahrung finden. "Inhalt der Norm" ist "die biblische Botschaft", die "selbst jenseits unseres Begreifens liegt und unverfügbar ist, obgleich sie uns er- greifen und über uns verfügen kann". (ST I,64f)

> Die Norm entwickelt sich im Medium der Erfahrung, ist aber zugleich Kriterium der Erfahrung. Die Norm entscheidet über das Medium, in dem sie entsteht; sie richtet das schwache, lückenhafte, verzerrte Medium der religiösen Erfahrung, obwohl nur dieses unzulängliche Me- dium das Existentwerden einer Norm überhaupt ermöglicht. (ST I,65)

Die Tradition ist ebenso zweideutig wie der persönliche Glaube des einzelnen. Aber "the spiritual presence out of which a theologian must create" (T 1947,19) kommt nirgends unzweideutig vor, auch nicht in der Bibel. Daher gehört die Kirchengeschi- chte und auch die Geschichte der Religion und Kultur zu den Quellen der systemati- schen Theologie (ST I,44-51). Und Tillich versucht von dem Beitrag der Kirchenge- schichte (und den noch viel weniger unmittelbaren Beiträgen der Religions- und Kul- turgeschichte) zur Norm der systematischen Theologie zu sprechen (ST I,64). Trotz seines Festhalten an einer fundamentalen Traditionskritik kann Tillich daher auch ganz massiv die Bedeutung der Tradition betonen.

Tradition cannot be normative in Christian theology because there is always an element in Tradition which must be judged and cannot be the judge itself. But Tradition can and must be guiding for the theologian, because it is the expression of the continuous reception of the new reality in history and because, without tradition, no theological existence is possible. (T 1947,20)

Wenn Tillich den Anspruch des christlichen Glaubens als den Anspruch darauf beschreibt Ekstase und Ergriffensein vom Grund und unbedingten Sinn des Hier und Jetzt zu sein, dann beschreibt er auch einen Anspruch auf Partizipation an einer, wirklichen Dialog, Verständnis und Gemeinschaft ermöglichenden Wiedervereinigung auch des in der Geschichte Getrennten. [297]

Konnte von Tillichs Weg zu dieser Problematik gesagt werden, dass er über eine Beschreibung des Anspruchs des christlichen Glaubens als eines Anspruchs auf geschenkte _Identität_, die von jeder Heteronomie befreit, führte, so kann von Barths Weg zu dieser Problematik gesagt werden, dass er über eine Beschreibung des Anspruchs des christlichen Glaubens auf _geschenkte_ Identität führt. Ging Tillich von der Entscheidung der geschenkten Identität gegenüber den Traditionen aus - um dann auch von ihrer Offenheit der Tradition gegenüber sprechen zu können -, so geht Barth von der Offenheit der geschenkten Identität aus. Barth hat zumindest die Tendenz, den Anspruch des christlichen Glaubens als einen Anspruch darauf zu beschreiben, eingesehen zu haben, dass die Gnade (in Christus) Voraussetzung dafür ist, um offen sein zu können, etwas Fremdes ernst nehmen zu können, d.h. für einen Dialog offen sein zu können, in dem der andere Mensch in seinem Anderssein, seiner Identität ernst genommen wird. Diese Einsicht formt dann auch Barths eigene Relation zu dem in der Geschichte Gedachten. (Vgl. oben 72,97f und Anm. 275)

Dies Aushaltenkönnen des Fremden /.../ ist zur Grundform der Barthschen Hermeneutik geworden. (Marquardt 1970b,661)

Barths Offenheit wird dadurch motiviert, dass das in der Geschichte Gedachte ein Zeugnis des Wortes Gottes sein kann, und er sucht ständig nach einer positiven Antwort auf die Frage inwiefern das Gesagte in seiner "ganzen Menschlichkeit Spiegel und Echo des Wortes Gottes ist" (B 1962,43). Diese Offenheit befreit also nicht von Verantwortlichkeit sondern ist fundamentale Verantwortlichkeit. Barth meint nämlich,dass es unmöglich ist, eine Tradition abzugrenzen, auf die man sich verlassen könnte und unkritisch hören könnte und gleichzeitig zu sagen, dass man auf nichts ausserhalb dieser Tradition hören sollte oder zu hören braucht.

Die Weigerung, eine unkritisierbare, autoritative Tradition abzugrenzen, hängt natürlich damit zusammen, dass die ganz entscheidende Grenze, die Grenze zwischen "regulärer" und "irregulärer" Dogmatik, zwischen "schriftmässiger" und "unschriftmässi-

339

-ger" Dogmatik, "nicht allgemein anzugeben, sondern von Fall zu Fall zu finden ist und im letzten Grunde unseren Augen sogar ganz verborgen bleibt" (KD I/1,303f). Das bedeutet, dass niemand dem Risiko der Häresie entgehen oder sich ihm entziehen kann, aber das bedeutet auch, dass niemand (von uns) endgültig als Häretiker bezeichnet werden kann (vgl. oben 69). Barth hat, nach Marquardt,

> als erster nach Schleiermacher, das Thema der Häresie zum Thema der Dogmatik selbst gemacht und gezeigt, dass bei Orthodoxie und Häresie nicht Position gegen Position stehen, sondern dass Häresie immer eine Seite, eine Möglichkeit der Orthodoxie selbst ist - weswegen es Dogmatik geben muss -, besonders in Situationen der Anfechtung der kirchlichen Verkündigung. (Marquardt 1970,30)

Nicht einmal die Offenheit gegenüber der Bibel soll nach Barth passives, unkritisches Aufnehmen sein - von etwas worüber man verfügen kann. Schon die Grenze zwischen Bibel und Nicht-Bibel ist eine von Menschen gezogene Grenze (B 1962,38,36). Die Menschen, die diese Grenze zogen, waren ebenfalls nicht von dem Risiko der Häresie befreit. Wir haben kein "Mass in Händen, an dem wir die Bibel zu messen und auf Grund dessen wir ihr jene ausgezeichnete Stellung anzuweisen in der Lage wären" (KD I/1,110). Die Richtigkeit der Grenze kann nicht festgestellt werden, aber sie kann in einem Glaubensbekenntnis bejaht werden:

> Der Satz: "Die Bibel ist Gottes Wort" ist ein Glaubensbekenntnis, ein Satz des im biblischen Menschenwort Gott selbst reden hörenden Glaubens /.../ Nicht darin wird sie Gottes Wort, dass wir ihr Glauben schenken, wohl aber darin, dass sie uns Offenbarung wird. Aber dass sie Offenbarung wird über alles unser Glauben hinaus, dass sie Wort Gottes ist auch gegenüber unserem Unglauben, das können wir doch wohl nur im Glauben an uns und für uns wahr sein lassen und als wahr bekennen. Im Glauben gegen unseren Unglauben, im Glauben, in welchem wir von unserem Glauben und Unglauben weg und auf das Handeln Gottes sehen, aber im Glauben und nicht im Unglauben. (KD I/1,112f)

Aber noch wichtiger ist, dass wir dann ebenfalls nicht über ein Mass verfügen, mit dessen Hilfe wir feststellen könnten, was in der Bibel Wort Gotte ist. Nicht einmal die vollkommenste Offenheit gegenüber der Bibel kann unsere Aufnahme von dem Risiko der Häresie befreien.

> Auch die heilige Schrift verstehen wir sehr oft nicht. (B 1935,160)

Offenheit bedeutet dann notwendigerweise eine kritische Befragung vor allem der eigenen Aufnahme.

> Sie /die Theologie/ forscht in der Schrift, indem sie ihre Texte befragt, ob und inwiefern sie von ihm /dem Logos Gottes/ zeugen möchten. Dass und inwiefern sie in ihrer ganzen Menschlichkeit Spiegel und Echo des Wortes Gottes ist, das ist ja nirgends schon bekannt, das will ja immer wieder gesehen und gehört sein, muss immer neu ans Licht kommen. (B 1962,43)

Und auch diese kritische Befragung muss offen sein in dem Sinne, dass sie sich ihres

340

vorläufigen Charakters bewusst bleibt, nachdem sie ja nicht über definitive Kriterien verfügt. Barth wird auch hier zu einem formalisierten Spitzensatz getrieben:

> Die Bibel ist Gottes Wort, sofern Gott sie sein Wort sein lässt, sofern Gott durch sie redet. Man kann bei dieser zweiten Gleichung so wenig wie bei unserer ersten ("die kirchliche Verkündigung ist Gottes Wort") abstrahieren von dem freien Handeln Gottes, in welchem und durch welches er es jetzt und hier an uns und für uns wahr sein lässt, dass das biblische Menschenwort sein eigenes Wort ist. (KD I/1,112)

Das Wiedererkennen des Zeugnisses des Wortes Gottes im Denken der früheren Kirche (der früheren Dogmatik) ist nicht weniger problematisch. Was einem faktisch begegnet ist niemals identisch mit dem Wort Gottes.

> Faktisch ist auch noch nie, auch nicht in der Reformation, eine eindeutig schriftgemässige, gar nicht auch von anderen Instanzen bestimmte Dogmatik auf den Plan getreten. (KD I/1,303)

Aber es kann auch so sein, dass wir nicht nur zu viel übernehmen sondern auch zu wenig hören. Es braucht ja nicht nur so sein, dass die, die früher gelebt haben, zuviel als Wort Gottes angenommen haben oder dass es ihnen misslungen ist es zu bezeugen. Vielleicht sind es wir, die ihr Zeugnis nicht als Zeugnis erkennen. Deswegen müssen wir ständig von neuem auch die zu hören versuchen, die wir bisher nicht verstanden haben und zwar als Zeugen, die unsere Lehrer werden können.

> Die jetzt Schweigenden könnten auf einmal wieder reden, wie sie nach dem Bekenntnis der Kirche ihrer Zeit einst geredet haben. Es könnten sich die Tatsachen und Verhältnisse, in Beziehung zu denen ihre Namen, ihre Stellungnahme und ihr Wort einst Bedeutung hatte - so gewiss es nichts Neues gibt unter der Sonne - morgen schon wiederholen, die Entscheidung ihnen gegenüber aufs neue aktuell werden. Wir könnten etwas versäumt haben, wenn dies nicht längst geschehen ist /.../ Alte Kirchengeschichte ist oft schon an den unerwartetsten Stellen zur kirchlichen Tagesgeschichte geworden. Irgendein vermeintlich bloss Gestriges will vielleicht eben jetzt heutig werden. Und der Fehler liegt vielleicht wie beim Kanon an uns, wenn uns so viele, die uns Väter sein <u>könnten</u> und <u>müssten</u>, blosse Verstorbene sind und als solche nichts zu <u>sagen haben</u>. (KD I/2,689)

Aber nicht einmal in dieser zentralsten theologischen Aufgabe, Zeugnisse des Wortes Gottes herauszukristallisieren, kann das Hören auf das Denken der heutigen und der früheren Kirche beschränkt werden. Barth hat in der Kirchlichen Dogmatik und anderswo faktisch Gespräche mit Nicht-Theologen geführt und er bezeichnet ausdrücklich auch die Gespräche mit Heidegger und Sartre als "Nebengespräche" (KD III/3,VI). Es gibt nach Barth mindestens die Möglichkeit eines Lichts "notorisch nicht-biblischer, bzw. nicht-kirchlicher Art" (KD IV/3,152,140, vgl. Marquardt 1972,254). Von Barths Kritik der "Religion" aus ist es auch nicht möglich, die Einordnung in die Kirche, die ein Mensch selber vollzieht darüber entscheiden zu lassen, ob ich ihm zuhöre oder nicht. Die Kirche soll nach Barth "keine <u>ohn</u>mächtige Gnade Jesu Christi und keine übermächtige Bosheit des Menschen ihr gegenüber predigen" (KD II/2,529)

> Gerade der Glaubende kann im Unglauben Anderer unmöglich eine letzte
> Gegebenheit erkennen. Wie kann er ihn als Unglauben der Anderen auch
> nur mit Gewissheit feststellen? Er kann seine Möglichkeit gewiss auch
> nicht leugnen: kennt er ihn doch als seine eigene, hinter ihm liegende
> Wirklichkeit. (KD II/2,360)

Deswegen kann Barth auch sagen:

> Es gibt für den Theologen nächst dem Hören auf das Zeugnis der Bibel
> und der Kirche kaum etwas so Fruchtbares wie das Hören auf die Stimmen.
> die die Annahme dieses Zeugnisses glatt zu verweigern scheinen. Und es
> kann ja erst noch hinter dieser Weigerung die Stimme eines sich selbst
> missverstehenden Glaubens stehen. Der objektiv echte und nötige Pro-
> test gegen die Theologie kann auch subjektiv prophetischer Protest, der
> Protest des wahren Glaubens, gegen einen in die Theologie eingedrungenen
> falschen Glauben sein. (B 1930,387f)

Barths Betonung der Offenheit der geschenkten Identität und ihrer faktischen Bereitschaft zum Hören hängt davon ab, dass sein gesamtes Denken ein ständiges Suchen nach
Identität ist. In dem, was Barth "kritische Theologie" nennt, muss tunlichst weitgehend "die Beziehung der Wörter auf das Wort in den Wörtern aufgedeckt werden"
(B 1922,XIIff).

> Bis zu dem Punkt muss ich als Verstehender vorstossen, wo ich nahezu
> nur noch vor dem Rätsel der Sache, nahezu nicht mehr vor dem Rätsel
> der Urkunde als solcher stehe. (B 1922,XII)

Barths Theologie ist ein ständiger Kampf um das Rätsel der christlichen Identität
und damit auch ein ständiges Fragen anderer ob sie zu diesem Rätsel etwas zu sagen
haben. Hier kommt er nie zu einem endgültigen Ergebnis, so dass er zu einer anderen
Frage übergehen könnte. Ob er dieser Rätsel verstanden hat, ist und bleibt die entscheidende Frage, die er sich selber immer wieder unruhig stellt. [298] Besser ausgedrückt: Hier wird es ihm immer deutlicher, dass die christliche Identität nicht
eine Identität ist, über die man verfügen könnte, und die man verwenden könnte, wenn
man zu anderen Fragen übergeht. Und nachdem er mit diesem Rätsel niemals fertig
ist, so ist es auch niemals mit der Art und Weise anderer, von diesem Rätsel zu
sprechen fertig.

Nach Barth soll evangelische Theologie "anschaulich, begrifflich und sprachlich"
von der "Geschichte, in der Gott ist, der er ist", Rechenschaft gegen (B 1962,15f).
Er setzt eine Unterscheidung zwischen der Geschichte und der Heilsgeschichte voraus.
Er betont dass das neue Werk der Heilgeschichte

> zwar innerhalb des Raumes der Schöpfung und Erhaltung der Welt und indem
> dieses Werk weitergeht, stattfindet, dass es aber ein besonderes Werk
> ist, das mit jenem nicht einfach zusammenfällt (KD II/1,569f).

342

Damit setzt er eine Distinktion zwischen der der Schöpfung und Erhaltung entsprechenden Identität als Mensch und der der Heilsgeschichte (und Rechtfertigung) entsprechenden Identität als Christ voraus. Aber - und das ist entscheidend wichtig -
- diese Distinktionen verbleiben Ausdruck eines Rätsels. Ebenso wie die Identität
des Gerechtfertigten unverfügbar bleibt, so verbleibt es auch die Heilsgeschichte.
Die Heilsgeschichte darf nicht zu einer Geschichtstheologie führen, die die Geschichte durchschauen würde und von der Aufgabe befreien würde, in der Geschichte zu leben und Geschichte zu erschaffen ohne sie durchschauen zu können. Barth würde sicher zustimmen können wenn Ernst Wolf Kritik übt an der

> Betrachtung der so wechselvoll verlaufenden Weltgeschichte vom Heils-
> geschehen her /,die/ den Christen, wie Löwith meint, "positiv indiffe-
> rent" machen könnte gegenüber allen weltgeschichtlichen Spannungen und
> Ereignissen, geschichtslos entsprechend der Geschichtslosigkeit des
> gnostischen Mythos der Heilsgeschichte (Wolf 1968,67).

Auf ähnliche Weise setzt Barth einen fundamentalen Unterschied zwischen Theologie
und Philosophie voraus, aber er weigert sich, so zu denken als ob sich auf dieser
Ungleichheit etwas aufbauen liesse. Er widersetzt sich jedem Versuch, die Theologie
philosophisch zu begründen oder ihre Selbständigkeit im Verhältnis zur Philosophie
auszuweisen (vgl. oben 113ff). Die Philosophie kann nicht die Fremdlingsschaft der
Theologie aufheben ebensowenig wie sie ein Verständnis garantieren kann (B 1935,
160). In der Praxis ist er ebenfalls ständig offen gegenüber der "Grenze" zur Philosophie.

Mit seiner Weigerung irgendetwas in der Geschichte Gedachtes als ein eindeutiges
Zeugnis der Wortes Gottes anzuerkennen setzt Barth eine Distinktion Glaube - Kultur
voraus. [299)] Damit wird auch - zumindest für die Verkündigung - ein Interesse für
kulturelle Ausdrucksformen vorausgesetzt. Aber Barth kommt mit der Frage nach der
Identität des Glaubens nie an ein Ende und kann deshalb dieser "Frage zweiter Ordnung" (GA V/1,200/1952-12-24/, vgl. oben 95) niemals entscheidendes Gewicht beimessen. Lüthis Frage nach Kriterien dafür, "wo und wie das Gespräch mit nichttheologi-
schen Partnern zu führen sei" (Lüthi 1965,10) ist deshalb kaum eine Frage, die den
Ansatz Barths unproblematisch weiterführt. Dass Barth solche Kriterien nicht formuliert, hängt nicht damit zusammen, dass er an einem solchen Gespräch uninteressiert
wäre, sondern damit, dass er nicht über eine Basis verfügt, von der aus sich solche
Kriterien aufstellen liessen. Er ist nicht fertig mit der Frage nach der Identität
des Glaubens - und behauptet beinahe prinzipiell dass man mit ihr nicht fertig werden kann. Folglich ist er auch nicht mit der Identität der Theologie oder mit der
Grenze zwischen theologischen und nicht-theologischen Partnern an ein Ende gelangt.
Von dieser Grenze handeln die Gespräche, die Barth führt - aber es sind keine Gespräche über diese Grenze.

343

Von Tillichs Standpunkt aus ist diese fundamentale Offenheit Barths verdächtig. Barths ständige Versuche, zu verstehen, was die Kirche früher gesagt hat - zB auch zur Jungfrauengeburt - erscheint Tillich als eine Öffnung zum Supranaturalismus und so für Heteronomie (vgl. GW VII,31f oben 323 und 201). Auch theologische Sätze müssen nach Tillich verstanden werden, damit nicht die Relation zu ihnen zu einer Unterwerfung unter fremde Autoritäten wird, also etwas ganz anderes als ein Bejahen der Gnade. Deshalb ist Tillichs abwechselnde Betrachtung des Glaubens von aussen und von innen eine Notwendigkeit. Tillich kann sich nicht darauf beschränken, sich theologisch auszudrücken, sondern muss auch darüber reflektieren was es heisst, sich theologisch auszudrücken und darüber, was er selber theologisch ausdrückt. Bereits 1922 setzt Tillich voraus, dass es möglich sein muss, sich in einer "geistige/n/ Gemeinschaft /.../ mit Männern des religiösen Wortes, wie Barth und Gogarten" zu befinden, auch wenn man, wie Tillich, Philosophie treibt (GW I,367/1922a).

> Die Paradoxie aller letzten Aussagen über das Unbedingte hindert nicht
> die Rationalität und Notwendigkeit der Begründungszusammenhänge, aus
> denen diese Paradoxie hervorwächst. (GW I,368)

So interpretiert ist Tillichs Kritik im Prinzip dieselbe wie Bultmanns. Barths Gegenfrage an Tillich ist dann auch, ob das nicht zu einer Verabsolutierung der eigenen Denkweise führt und letztlich der, dieser Denkweise zugrundeliegenden Erfahrung. Tillich ist für Barth u.a. ein "zu unverbesserlicher Geistesgeschichtler" "als dass ich seine Proteste gegen 'das supranaturalistische Endstadium der dialektischen Bewegung in Barths Dogmatik'/.../ interessant finden könnte" (KD I/1,76). In dieser Charakteristik liegt also eine Anklage wegen "Verzicht auf jedes ernsthaftige ehrfürchtige Verstehen und Erklären" (B 1922,XIII, vgl. oben 328). Dies ist derselbe Typ von Anklage wie in den vorhergehenden Abschnitten. Tillichs Forderung nach Verstehen ist für Barth an und für sich berechtigt, wird sie aber übergeordnet, dann erhält die Theologie einen Anspruch darauf theologia gloriae zu sein. Die Synthese zwischen Philosophie und Theologie ist nach Barth erst in der eschatologischen Vollendung zu erwarten (vgl. oben 114). [300] Jetzt darauf Anspruch zu erheben, droht zu Selbstgefälligkeit, Unfähigkeit, auf andere in der Gegenwart und in der Geschichte hören zu können, und zu Unfähigkeit, im Handeln für die Bedürfnisse anderer (5.3) offen sein zu können, zu führen.

Ist dies eine weitere Art und Weise, zu beschreiben, wie die Theologie möglicherweise ein Ueberwinden der Aporien der humanistischen Verantwortlichkeit bezeugen kann, aber keinen Anspruch darauf erheben kann, selber von ihnen befreit zu sein?

6.1.2. Das Christusgeschehen und die Identität des Glaubens

Die geschenkte Identität des christlichen Glaubens ist eine im Christusgeschehen geschenkte Identität. Hier befinden wir uns im Zentrum des für Barth und Tillich gemeinsamen Anspruchs. Wie aber ist dieses Zentrum zu verstehen? Begegnet auch hier
die Problematik, auf die Barth und Tillich gemeinsam hingewiesen haben und die durch
den Vergleich der beiden miteinander besonders deutlich hervortritt?

Es lässt sich natürlich leicht belegen, dass Barth und Tillich meinten, dass das für
die Geschichte Entscheidende in Christus geschehen ist.

Dass Gott ist, ist also nach Barth eine "Alle und in Allen Alles nicht nur neu be-
leuchtende/n/, sondern real verändernde/n/ Tatsache" (KD II/1,289, vgl. oben 128).
Es ist "Gottes Treue, dass er das geschöpfliche Geschehen unter seiner Herrschaft
dem Geschehen des Bundes, der Gnade und des Heils zuordnet, unterordnet, dienen
lässt" (KD III/3,47, vgl. oben 271). Und das Zentrum im Geschehen des Bundes ist
Gottes Handeln in Christus. Also:

> So begründen der Tod und die Auferstehung Jesu Christi miteinander /.../ die
> Veränderung der Situation der Menschen aller Zeiten. (KD IV/1,349)

Obwohl das Gegenteil behauptet worden ist [301], so setzt Tillichs Theologie ganz
offenbar voraus, dass das christliche Ereignis (auch) ein konkretes Faktum ist.

Das ist deutlich in dem Aufsatz von 1930 "Christologie und Geschichtsdeutung". Die
christologische Frage wird dort als eine allgemein menschliche beschrieben, eine
"mit der gerichteten Zeit selbst" gestellte "Frage nach der Geschichte oder der eindeutig gerichteten sinnerfüllten Zeit" (GW VI,87, vgl. oben 4.2.4). Sie ist die
Frage nach der "Mitte der Zeit", die "eine Entscheidung gegen die sinnwidrige Zu-
rücknahme der Zeit in den Raum, eine Entscheidung für den Sinn gegen die letzte,
wenn auch noch so verhüllte Sinnlosigkeit des Seienden" ermöglicht.

> Wie ist eine solche Entscheidung möglich? Offenbar nicht so, dass in ab-
> stracto entschieden wird, dass also Ja gesagt wird zum Sinn der Geschichte
> überhaupt: Solch "überhaupt" würde eine Möglichkeit bleiben, die keinen
> Widerstand leisten könnte gegen die ständig andrängenden konkreten Sinn-
> widrigkeiten. Ihnen gegenüber kann nur ein konkret-sinngebendes Prinzip
> die Entscheidung tragen. Die Frage nach der Geschichte oder der eindeutig
> gerichteten sinnerfüllten Zeit trifft also zusammen mit der Frage nach ei-
> ner konkreten Wirklichkeit, in der das Sinnwidrige als überwunden ange-
> schaut, die Möglichkeit letzter Sinnlosigkeit aufgehoben ist. (GW VI,
> 86f/1930c/)

Zwar kann Tillich sagen, dass die christologische Frage "nichts zu tun /hat/ mit der
- übrigens unbeantwortbaren - Frage nach den historischen Tatsachen, vermittels de-

-rer das in Christus angeschaute sinngebende Sein in der Geschichte erschienen ist". Aber:

> Die christologische Frage ist die Frage nach Christus als Mitte der uns er-greifenden Geschichte. (GW VI,96)

Deswegen ist sie unvermeidlich eine Frage nach einem "Sein", nach einer "konkreten Wirklichkeit". "Die Mitte der Geschichte" muss "nicht der Ort der Forderung, son-dern der Erfüllung" und so "ein sinnerfülltes Sein" sein (GW VI,95). Zwar ist Christus als Mitte der Geschichte "nur für den Glauben" gesetzt, aber "nur durch Christus als Mitte der Geschichte" - verbunden mit der Konkretion einer Mitte der Geschichte - ist Glaube möglich. (GW VI,94)

Das wird auch in der Systematischen Theologie deutlich.

> Wenn die Theologie das historische Faktum ignoriert, auf das der Name Jesus von Nazareth hinweist, dann ignoriert sie damit die grundlegende christliche Aussage, dass die wesenhafte Gott-Mensch-Einheit in der Exi-stenz erschienen ist und sich den Bedingungen der Existenz unterworfen hat, ohne von ihnen überwunden zu werden. Gäbe es kein personhaftes Le-ben, in dem die existentielle Entfremdung überwunden ist, dann würde das Neue Sein eine Forderung und eine Erwartung sein und nicht Wirklichkeit in Raum und Zeit. Nur wenn die Existenz in einem Punkt überwunden ist -in einem personhaften Leben, das die Existenz als Ganzes repräsentiert -, dann ist sie im Prinzip überwunden, und Prinzip bedeutet "Anfang" wie "tragende Kraft". (ST II,108)

Der Glaube garantiert nach Tillich, "dass in dem persönlichen Leben, das das Neue Testament im Bilde Jesu als des Christus zeichnet, die Wirklichkeit tatsächlich ver-wandelt wurde". Und "würde man das faktische Element im christlichen Ereignis leug-nen, so würde man damit das Fundament des Christentums überhaupt leugnen". (ST II, 117f)

Wie aber ist ein Zusammenhang zu denken, in dem etwas in einem konkreten geschicht-lichen Geschehen Geschehenes die Identität des Glaubenden werden kann?

Für Tillich ist dies das Zentrum in der zu stellenden Frage, d.h. der Frage, deren Bearbeitung Tillichs Theologie sein will. [302)

> Hier stehen wir vor einem Problem, das die Auflösung der grossen Synthe-se mit sich brachte: Was kann die Erfahrung verbürgen? Kann sie uns Ge-wissheit über Inhalte, d.h. über Ereignisse in Raum und Zeit geben? Die-se Frage ist noch immer nicht beantwortet; wir befinden uns heute noch in derselben Ungewissheit. Wenn wir uns fragen: Was bezeugt den Chris-tus-Charakter Jesu von Nazareth?, so gibt uns die historische Forschung darauf keine Antwort. Sie kann nur Wahrscheinlichkeiten und Unwahrschein-lichkeiten feststellen, aber keine Antwort geben, die darüber hinausginge. Wenn wir uns andererseits darauf berufen, dass etwas in uns vorgegangen ist, befinden wir uns im Bereich der Erfahrung. Das, was mit uns gesche-hen ist, steht in Beziehung zu etwas, was sich in der Geschichte ereignet

haben muss, denn es hat einen Einfluss auf unsere geschichtliche Existenz ausgeübt. Soweit kann und muss man gehen, aber das lässt immer noch die Frage offen, für wieviel sich die religiöse Erfahrung tatsächlich verbürgen kann. (GWE II,174f/1963/)

Nach Tillich war es Martin Kähler, der als erster dieses "Problem in seiner ganzen Radikalität erkannte". Dieses Problem zwang bekanntlich Kähler zur Einführung der Unterscheidung "der sogenannte historische Jesus" - "der geschichtliche biblische Christus" - um nach der Beziehung zwischen beiden zu fragen. (GWE II,176) Tillich knüpft in seinem Versuch, diese Frage zu beantworten direkt an Kählers Distinktion an, aber es ist wahrscheinlich, dass er bei deren Verwendung auch vor allem Heideggers Beschreibung verschiedener Verhaltungsweisen gegenüber der Geschichte berücksichtigte. [303] Nach Tillich ist die christologische Frage also nicht eine Frage nach historischen Tatsachen, sondern "die Frage nach Christus als Mitte der uns ergreifenden Geschichte" (GW VI,96/1930c/). Nichts ist "more ambiguous than the concept 'historical'", nachdem man ständig riskiert "the two meanings of 'historical'" zu verwechseln (T 1947,21, vgl. ST II,117). Die Pointe ist es allerdings auch nicht bei Tillich, einen Begriff "geschichtlich" zu erschaffen, dem die Beziehung zu den Tatsachen fehlen würde. Die beiden Bedeutungen sind wohl eher eine, die nur Fakta registriert und eine in der die Fakta existentiell aufgenommen sind. In der Systematischen Theologie wird dies folgendermassen ausgeführt:

Jesus als der Christus ist sowohl ein historisches Faktum als auch der Gegenstand gläubiger Aufnahme. Das Ereignis, auf dem das Christentum beruht, wird nicht verstanden, wenn nicht beide Seiten geltend gemacht werden. (ST II,108)

Das bedeutet, dass wir, wenn wir das historische Faktum betrachten, das Bild Jesu als des Christus betrachten. Alle konkreten Züge dieses Bildes sind aber da um "das Neue Sein, das sein Sein ist, transparent /zu/ machen" (ST II,134). Hier wird Tillichs Gedanke aktualisiert, dass das Endliche Symbol seines Grundes sein kann und dass dieser Grund ein einziger Grund ist (Gott oder Gottes Gnade). Wenn man nach dem Programm eines gläubigen Realismus in die eigene Situation bis zu ihrer Transparenz hineindringt, so begegnet man demselben wie im Bild Jesu als des Christus, wenn seine konkreten Züge transparent sind. Mit ausdrücklichem Hinweis auf Kählers Distinktion behauptet Tillich:

Wenn er, der der Christus ist, nicht gegenwärtig ist, ist er nicht der Christus. (GW IV,105/1927a/)

Aber das sieht so aus, als ob das Faktum hinter dem Bild Jesu als des Christus unter vielen anderen Fakta, die ebenfalls transparent werden können, eingeordnet würde. Die Betonung des "faktischen Element/s/ im christlichen Ereignis" scheint weniger bedeutungsvoll zu werden, wenn sich dasselbe auch vom Faktischen in vielen anderen Ereignissen sagen lässt. Hier wurde Tillich starke Kritik entgegengebracht (zB von Barths Schüler McKelway, McKelway 1964, zB 99ff,177ff).

Für Tillich war es fundamental wichtig, dass Jesus ein Mensch war und nicht "ein
Halb-Gott", "der gleichzeitig ein Halb-Mensch wäre" (STII,103, vgl. 120,156). Das,
was droht, sind Heteronomie, Supranaturalismus, Verlust des Paradoxes, Das, woran
festgehalten werden muss, ist das protestantische Prinzip (und ein daraus abgelei-
teter gläubiger Realismus oder eine protestantische Profanität):

> Gegenüber dieser katholischen Auffassung von der Wirklichkeit der Gnade (die
> einen protestantischen Protest gegen Dogma, Kirche und Sakrament unmöglich
> macht), behauptet der Protestantismus, dass die Gnade an einer lebendi-
> gen Gestalt erscheint, die in sich das bleibt, was sie ist. Das Göttli-
> che erscheint am Menschlichen in Christus, an der geschichtlichen Schwä-
> che der Kirche, an der endlichen Materie des Sakraments. Das Göttliche
> erscheint an den endlichen Wirklichkeiten als deren transzendentes Bedeu-
> ten. Gestalten der Gnade sind endliche Gestalten, die etwas bedeuten,
> das über sie hinausgeht. Es sind Gestalten, die gleichsam von der Gnade
> erwählt sind, dass sie an ihnen erscheine; aber es sind nicht Gestalten,
> die von der Gnade verwandelt werden, so dass sie mit ihnen eins ist.
> (GW VII,60/1929b/)

Aber das Faktum hinter dem Bild Jesu als des Christus ist für Tillich dennoch nicht
ohne weiteres ein Faktum unter anderen. Obwohl Tillich aus Christus nicht ein Prinzip der Exklusivität macht, so macht er aus ihm so etwas wie ein Prinzip der Singu-
larität (Philipp 1966,141f). Auch die Frage nach einer protestantischen Gestaltung
wird von Tillich christologisch verstanden. Gegenüber dem, nach Tillich, erschrek-
kenden "Verfall des sakramentalen Denkens und Empfindens in den Kirchen der Reformation und in den amerikanischen Konfessionen" behauptet Tillich:

> Der Christus wird als eine religiöse Person gedeutet und nicht als die
> zugrunde liegende sakramentale Wirklichkeit, das "neue Sein". Der prote-
> stantische Protest hat zu Recht die magischen Elemente im katholischen
> Sakramentalismus zerstört, aber er hat zu Unrecht die sakramentale Grund-
> lage des Christentums bis an den Rand des Verschwindens gebracht und da-
> mit die religiöse Grundlage des Prinzips selber. (GW VII,23/1948a/)

In der Systematischen Theologie: Jesus als den Christus aufzunehmen ist etwas anderes als "sich des Menschen Jesus von Nazareth vielleicht als eine historisch und
religiös bedeutsamen Person /zu/ erinnern" oder ihn als "eine prophetische Vorwegnahme des Neuen Seins" zu verstehen. Jesus als der Christus ist "die letztgültige
Manifestation des Neuen Seins selbst". (ST II,109) Das was geschah, war ein "Ereignis von universaler Bedeutung", nämlich "die Erscheinung des 'Neuen Seins'"
(ST II,132). In dieser Erscheinung erschien das Neue Sein "ohne Verzerrung" und
so "als das Kriterium aller Geist-Erfahrung in Vergangenheit und Zukunft" (ST III,
171). In ihr ist "die Existenz in einem Punkt überwunden", und "dann ist sie im
Prinzip überwunden, und Prinzip bedeutet 'Anfang' wie 'tragende Kraft'" (ST II,108).
In einer Predigt:

348

Es ist die Einzigartigkeit und das Geheimnis seines Seins, dass das neue
Sein ganz in ihm erscheint und Gestalt annimmt. (T 1948,96)

Der Begriff "Neues Sein" ist in Tillichs Theologie eng mit Jesus als dem Christus
verbunden und dieser Begriff ist nach Tillich selbst "das Prinzip, das diesem ganzen
theologischen System zugrunde liegt" (ST II,130). So wie Tillich seine Theologie
selber versteht, steht und fällt alles mit dieser Christologie. Aber gerade deshalb
kann Tillich nicht vom Neuen Sein als etwas, was nur mit dem historischen Jesus zu
tun hat, sprechen. Der Begriff des Neuen Seins zielt darauf ab, "das Wesen der
Gnade sichtbar" zu machen (ST II,136). Von Gnade muss man allerdings so sprechen,
dass sie auch heute Glauben möglich macht. Deshalb muss Tillich von Jesus als dem
Christus und von dem Neuen Sein als etwas für uns Gleichzeitiges sprechen.

Die Tatsache, dass jemand ein Christ ist und dass er Jesus den Christus
nennt, ist in der Kontinuität begründet, die die Macht des Neuen Seins
durch die Geschichte hindurch lebendig erhält. (ST II,147, vgl. ST III,
174)

Die Antwort auf diese Frage /was uns in der Stand setzt, die Lehre Jesu
zu befolgen oder uns für das Reich Gottes zu entscheiden/ muss aus einer
neuen Wirklichkeit kommen, die - nach der christlichen Botschaft - das
Neue Sein in Jesus als dem Christus ist. (ST II,117)

Wenn Tillich vom Neuen Sein spricht, so spricht er von der Gnade Gottes. Wenn er
Jesus als den Christus beschreibt, so beschreibt er "das Bild dessen, in dem das
Neue Sein erschienen ist" (ST II,125), in dem Gottes Gnade erschienen ist. In Je-
sus als dem Christus begegnet uns also kein Gesetz.

Jesus ist nicht der Schöpfer einer neuen Religion, sondern der Sieger
über die Religion, er ist nicht der Schöpfer eines neuen Gesetzes, sondern der Bezwinger des Gesetzes /.../ Nichts wird von euch verlangt,
keine Gottesvorstellung, nicht, dass ihr gut seid, nicht, dass ihr mora-
lisch seid, nicht, dass ihr weise seid, nicht, dass ihr religiös seid,
nicht, dass ihr Christen seid. Was von euch verlangt wird, ist einzig,
dass ihr offen seid und annehmen wollt, was euch gegeben wird, das neue
Sein, das Sein der Liebe und Gerechtigkeit und Wahrheit, wie es in Jesu
anschaubar ist, in ihm, dessen Joch sanft und dessen Last leicht ist.

In Jesus als dem Christus wird daher ständig von Jesus als dem Medium der Offenbarung weg auf die Offenbarung, die Gnade hingewiesen. Jede Offenbarung wird von
Dämonie bedroht, droht Götzendienst zu werden.

Götzendienst ist die Verkehrung einer echten Offenbarung, die Erhebung
des Mediums der Offenbarung zur Würde der Offenbarung selbst /.../

Der Anspruch einer endlichen Grösse, von sich aus letztgültig zu sein,
ist dämonisch. (ST I,160f)

Was es für die Theologie möglich macht, "die Letztgültigkeit der Offenbarung in Jesus als dem Christus" zu behaupten ist, dass die Dämonie/die Versuchung dort über-

-wunden ist - dadurch dass das Kreuz bejaht wird.

> Nur als der Gekreuzigte ist er "voll der Gnade und der Wahrheit" und
> kein Gesetz /.../ Er ist der Christus als der, der alles, was nur
> "Jesus" in ihm ist, zum Opfer bringt. Der entscheidende Zug seines Bil-
> des ist die ständige Selbstpreisgabe des Jesus, der Jesus ist, an den
> Jesus, der der Christus ist. (ST I,160f, vgl. ST II,134) [304)]

Diese Christologie drückt - wie jeder Teil des Systems - die ganze Struktur der
Theologie Tillichs aus. Tillich selbst meint, dass sie eine direkte Anwendung des
protestantischen Prinzips ist.

> Das protestantische Prinzip, nach dem Gott dem Niedrigsten so nahe ist
> wie dem Höchsten und nach dem Erlösung nicht die Versetzung des Menschen
> von der materiellen in eine sogenannte spirituelle Welt ist, verlangt ei-
> ne "niedrige" Christologie - die in Wahrheit die eigentlich hohe Christo-
> logie ist. An diesem Kriterium sollte der vorangegangene Versuch einer
> Christologie gemessen werden. (ST II,159)

Von hier aus führen die Linien direkt zu dem Begriff der Selbsttranszendenz und zu
Tillichs Gedanken, dass "das Christentum Träger der religiösen Antwort bleibt
/wird/, solange es Kraft hat seine Partikularität zu durchbrechen" und dass das
Christentum die Kraft dazu von dem Bild Jesu als des Christus erhalten wird, "das
zugleich partikular und frei von Partikularität, zugleich religiös und frei von Religion ist" (GW V,98,90/1962/). [305)] Die Linien führen ebenfalls direkt zum Festhalten an dem Christus, dem Neuen Sein (der Gnade) als einer "sakramentale/n/ Wirklichkeit" und zur gleichzeitigen Abgrenzung gegenüber "dem magischen Gebrauch des
sakramentalen Elements" (GW VII,23/1948a/), gegenüber "einem neuen - oder sehr alten - Sakramentalismus" (GW VII,59/1929b/), gegenüber der "heidnisch-sakramenta-
le/n/ Deutung der Mitte der Geschichte" (GW VI,95/1930c/). Auch in Christus ist
die Gnade nicht verfügbar, so dass man von ihr Gebrauch machen könnte, aus ihr deduzieren könnte, mit ihr legitimieren könnte, mit ihr herrschen könnte - also mit
ihr Unfreiheit, Heteronomie erschaffen könnte.

> Jeder Theologie droht die Gefahr, dass die Wirklichkeit der Gnade im
> Sinne einer objektiven Realität gedeutet wird, das heisst, einer Wirk-
> lichkeit, die wie jeder andere Gegenstand gegeben ist, von jedermann
> erkannt und gebraucht werden kann, der sie erkennen und gebrauchen will.
> Aber die Gestalt der Gnade ist keine Gestalt neben anderen. (GW VII,59)

Das Zentrum der Theologie Barths ist ganz offenbar seine Christologie. Für Barth
neigen die Begriffe "Dogmatik" und "Christologie" sogar dazu identisch zu werden:

> Gott handelt in seinem Wort, darum muss die Dogmatik an sein Wort gebun-
> den bleiben /.../ Und Gottes Wort ist Gottes Sohn Jesus Christus; darum
> kann und muss die ganze Dogmatik im umfassenden Sinn des Begriffs als
> Christologie verstanden werden. (KD I/2,988)

Deshalb neigt Barth dazu, die entscheidende Grenze als eine Grenze zwischen chris-

350

-tologischer Argumentierung und allem anderen Denken auszudrücken. Diese Ausdrucksweise verbirgt allerdings, dass es - auch für Barth - verschiedene Versuche, christologisch zu denken gibt, und dass die entscheidende Grenze deshalb auch als eine Grenze zwischen zwei Typen christologischen Denkens ausgedrückt werden kann. Es ist ebenfalls so, dass die Probleme in Barths Position, auf die wir früher gestossen sind, auch in der Christologie begegnen können.

Die Auseinandersetzung mit Schleiermacher galt nicht zuletzt auch der Christologie (vgl. oben 79ff). Barth betrachtet Schleiermachers Christologie als einen Versuch, die Offenbarung in Christus zu historisieren. Das würde allerdings gerade bedeuten, das Nicht-Eigene der Fleischwerdung des Wortes Gottes in Jesus Christus in ein Eigenes zu verwandeln (B 1933,94), d.h. die Offenbarung zu immunisieren. Barth verleugnet keineswegs die Bedeutung von Lessings Problem, aber er meint, dass das christologische Problem noch viel fundamentaler ist (vgl. oben 79f,95).

> Wer Geschichte sagt, der sagt jedenfalls damit noch nicht Offenbarung, noch nicht Wort Gottes, wie die Reformatoren die Bibel genannt haben, noch nicht Subjekt, dem man sich zu fügen hat, ohne darüber verfügen zu können. Auch dann nicht, wenn er, wie die Biblizisten taten, Heilsgeschichte sagt. (B 1927a,203f)

Der unendliche qualitative Unterschied von Zeit und Ewigkeit in den Römerbriefkommentaren (B 1922,XIII) ist natürlich ein leidenschaftlicher Protest gegen jeglichen Historismus. Er treibt Barth auch zu Aussagen, die überraschend erscheinen.

> Also: mit dem menschlich "lebenden" Leib des Christus, mit dem "Christus nach dem Fleische" sind wir, solange wir leben (/Röm/ 7,1), sofern wir sind, was wir sind, unter das Gesetz getan, in die Problematik der Religion, in das verheissungsvoll-gefährliche Spiel ihres Ja und Nein, in die ganze Zweideutigkeit frommen Erlebens und frommer Geschichte verflochten und können so wenig etwas anderes zu finden erwarten, als die Ehefrau zu Lebzeiten ihres Mannes einem andern Mann gehören kann. Aber: mit dem "getöteten" Leib des Christus sind wir, sofern "wir", von dieser Tötung aus gesehen, nicht mehr leben, sondern sind, was wir nicht sind, dem Gesetz, der religiösen Möglichkeit und Notwendigkeit entrafft und entrückt und sind insofern tatsächlich entschränkt, befreit, und aufgeschlossen für jenes Andere, das nicht Zweideutigkeit ist, so gewiss die Witwe Gewordene von Rechts wegen einem andern Manne gehören darf. (B 1922,216)

Oder zu von Harnack:

> Das Zeugnis lautet, dass das Wort Fleisch ward, Gott selbst menschlich-geschichtliche Wirklichkeit, und zwar in der Person Jesu Christi. Aber daraus folgt für mich keineswegs, dass dieses Geschehen auch Gegenstand menschlich-geschichtlicher Erkenntnis sein kann, sondern gerade das ist, weil und sofern es sich um diese Wirklichkeit handelt, ausgeschlossen. Die allenfalls historisch erkennbare Existenz eines Jesus von Nazareth zum Beispiel ist nicht diese Wirklichkeit. Auch ein historisch erkennbares, weil menschlich einleuchtendes, ein kein Ärgernis bereitendes und also wohl in Ihrem Sinne "schlichtes Evangelium", ein Wort oder eine Tat

dieses Jesus, die wirklich nichts Anderes wäre als die Realisierung einer menschlichen Möglichkeit, wäre nicht diese Wirklichkeit. (B 1923a,22f)

In Christus geschieht das ganz Entscheidende. In der Auferstehung begegnen sich Zeit und Ewigkeit, aber gerade deshalb ist dies nicht ein Geschehen in der Zeit, sondern, von der Zeit aus gesehen, ein Punkt, eine Tangente, eine Todeslinie. Die Auferstehung/das Christusgestehen ist "the unhistorical event". (Ogletree 1965, 99ff, B 1922,160,220)

Für den, der durch die Barthrezeption der fünfziger Jahre geprägt wurde, ist dies überraschend, aber historisch gesehen verhält es sich ja tatsächlich so, dass es in den kritischen Fragen an den jungen Barth darum geht, ob Barth die Bedeutung des Christusgeschehens neutralisiert habe.

> Es bleibt die Frage, ob denn die Christologie bei Barth nicht über das bisher dargestellte ausschliessende Verhältnis von Gott und Geschichte und die damit gegebene Schädigung des Gottesgedankens hinausführt. Die Antwort muss lauten: nein! Die Entwertung der Geschichte wird durch den Begriff der Heilsgeschichte und durch die Bedeutung, die Jesus bekommt, nicht überwunden, sondern bestätigt /.../ So wenig wie irgend eine andere geschichtliche Gegebenheit kommt Jesus direkt als Offenbarung Gottes in Betracht. Der Mensch Jesus, der Geschichtliche, gehört in die Reihe der Religiösen, der Frommen und Heiligen. Er ist der Gipfel menschlicher Möglichkeiten (218), aber bleibt als solcher innerhalb der Grenzen der Humanität und ihrer höchsten Möglichkeit, der Religion, und ist daher auch mit der ganzen Fragwürdigkeit der Religion belastet. (Althaus 1924, 763f, die Hinweise gelten B 1922/2. Aufl./)

Nicht zuletzt dies sollte in Barth Selbstprüfung umgeformt werden. Aber auch hier sollte man nicht nur auf die Veränderungen achten, sondern auch auf das, was bestehen bleibt. Mit Ogletree:

> As we have already suggested, Barth´s principal problem is to show how the Christian message and the God-man relationship of which it speaks is constituted by particular, concrete occurrences, and at the same time to show that the special character of these occurrences is such that they cannot legitimately be interpreted within a general framework of historical understanding. We have noted that Barth initially attempted to solve this problem by speaking of the event constitutive of faith as the point of intersection between time and eternity. As such this event was not in time and history, but on the boundary between time and eternity. How ever, since Barth did not find any essential connection between this event and the "historical neighborhood" which surrounded it, it tended to become simply a boundary line qualifying all moments of time, a permanent crisis between time and eternity. Then whatever freedom it enjoyed from historicist interpretations was gained at the expense of its particularity as occurrence. In the Church Dogmatics Barth seeks to maintain and consolidate the sovereign freedom of his theological work, but without surrendering the concreteness of the Christian message or its grounding in events occurring in space and time. (Ogletree 1965,118f)

Der Unterschied zwischen Zeit und Ewigkeit, zwischen Mensch und Gott, wird natürlich in Barths Theologie niemals aufgehoben. Deshalb lässt sich auch gar nicht so einfach auf Otts Frage antworten:

> Wie ist die Geschichte Jesu Christi, so wie Barth sie versteht, als solche, d.h. als Geschichte, zu verstehen? Welcher Art ist die Geschichtlichkeit dieser Geschichte? ist sie Geschichtlichkeit im Sinne Bultmanns? ist sie "objektive Faktizität" im Sinne jener lutherischen Kritiker? ist sie etwas Drittes?

> Wir vernehmen Barth: "Die Versöhnung ist Geschichte ... Wer von ihr reden will, muss sie als Geschichte erzählen. Wer sie als übergeschichtliche, d.h. als geschichtslose Wahrheit erfassen wollte, könnte sie gar nicht erfassen ... Die Versöhnung ist aber die höchst besondere Geschichte Gottes mit dem Menschen, die höchst besondere Geschichte des Menschen mit Gott /.../" (Ott 1954,277, KD IV/1,171 zitierend. Das Zitat wurde korrigiert.)

Es verbleibt ein radikaler Unterschied zwischen Jesus und uns:

> Wir erinnern uns ja: zwischen dem Menschen Jesus und uns anderen Menschen steht nicht nur das Geheimnis unserer Sünde, sondern vor allem und entscheidend das Geheimnis seiner Identität mit Gott. Anders als in dieser Identität ist er auch als Mensch unmöglich zu verstehen. Und wiederum können wir uns selbst unmöglich in dieser Identität verstehen. Wir stehen hier vor dem unaufhebbaren Unterschied zwischen ihm und uns. (KD III/2,82f)

Auch in dem Menschen Jesus ist Gottes Verborgenheit niemals ganz aufgehoben. Auch in Jesus können wir nicht über Gott verfügen. In der Auseinandersetzung mit Schleiermacher wird dies so ausgedrückt, dass es keine andere Vermittlung zwischen Christus (2. Glaubensartikel) und unserem Glauben (3. Glaubensartikel) gibt als die trinitarische und damit eine apologetisch unbrauchbare Vermittlung (vgl. oben 80). Auch wenn die Aussagen anders aussehen, so wird dasselbe in Barths "Bemühung um die Aussage eines zwischen Christus und den Seinen kraft der Auferstehung gerade nicht religiös, sondern 'ontologisch', das meint hier: real bestehenden Zusammenhangs (KD IV/2,304ff) und einer, ihn mit allen Menschen versammelnden und verbindenden 'inklusiven' Geschichte" (Marquardt 1968,115), ausgedrückt. Denn in dieser Aussage wird ja vorausgesetzt, dass dieser ontologische Zusammenhang das Handeln Gottes ist und damit unverfügbar ist (vgl. 5.1).

> Sie /die Christen/ sind, indem Christus für sie eintritt, indem also Gott selbst nicht gegen, sondern für sie ist (/Röm 8/ v 31). Das ist die Bedingung, das ist aber auch die Begründung ihres Seins, die dieses unzerstörbar macht. Dass sie über dies nicht verfügen - so gewiss sie ja über Christus und also über Gott nicht verfügen können, so gewiss es Gottes freie Gnade ist, dass er für und nicht gegen sie ist - ändert nichts daran, dass von Christus und also von Gott her über sie und also über ihr Sein verfügt ist. Alles Weitere folgt aus diesem ihrem Seinsgrund. (KD IV/2,308)

Auch Barths Christologie will kritisch-antimythologisch, religionskritisch sein

(Marquardt 1968, bes. 103). Auch die Christologie kann nicht religiös ausgenutzt werden, so als ob man aus ihr Erkenntnis deduzieren könnte - Barth betont "dass christologisches Denken, so verstanden /wie Barth es bestimmt/, ein vom Deduzieren aus einem vorgegebenen Prinzip verschiedener Erkenntnisvorgang ist" (KD IV/3,199) - oder aus ihr Normen (und eine Kasuistik) ableiten könnte - um so in etwas anderem als im Gehorsam leben zu können (KD III/4,12, vgl. oben 310f).

Barths Theologie beschreibt den Glauben als einen Hinweis auf Christus [306] nicht als ein Besitzen oder Verfügen der Gnade, Christi oder sogar Gottes. Auch in dem Hinweis auf Christus bleiben wir "alles Andere als beati possidentes" (B 1952,8, vgl. oben 96). Barths Theologie ist christologisch, um nicht eine gegenüber dem Glauben des Glaubenden unkritische Theologie zu sein, um eine theologia viatorum und eine theologia crucis zu sein - nicht um auf dem Weg über die Christologie eine besitzende Theologie, eine theologia gloriae zu sein.

Es scheint mir besonders schwer zu sein, nicht oberflächlich zu werden und zu vereinfachen, wenn man Barth und Tillich an diesem entscheidenden Punkt zu vergleichen versucht. Ich beschränke mich deshalb darauf, auf Linien, die auf bereits Behandeltes zurückführen, hinzuweisen.

Mir scheint offenbar zu sein, dass die Weise von Christus zu reden bei beiden als ein Versuch zu verstehen ist, von Christus so zu sprechen, dass die in ihm geschenkte Identität geschenkte, d.h. nicht selbst zu verwirklichende, nicht verfügbare Identität verbleibt. Es lassen sich, meiner Meinung nach, ebenfalls gemeinsame Züge in den christologischen Lösungen finden. Beide weigern sich, ohne weiteres den historischen Jesus /Jesus nach dem Fleisch mit dem Christus des Glaubens zu identifizieren und beide betonen, dass nur ein Handeln Gottes - nicht historische Erkenntnis, menschliche Traditionsvermittlung u.ä. - zwischen Christus und uns vermitteln kann. Aber es kommt auch eine gegenseitige Kritik vor, die als ein Infragestellen dessen gedeutet werden kann, ob der andere wirklich von einer geschenkten Identität spricht.

Barth betont, dass sich die geschenkte Identität von der humanistischen Identität völlig unterscheidet (vgl. oben 303). Barths Theologie ist als eine Theologie des zweiten Artikels zu verstehen, die gegenüber einer Theologie formuliert wird, die sich als eine Theologie des dritten Artikels ausgibt aber, nach Barth Religionismus ist. Barths christologischer Ansatz will betonen, dass die Identität der Gnade nicht verfügbar, nicht besitzbar ist, dass sie eine Wirklichkeit im Handeln Gottes, ausserhalb meiner selbst - in Christus, letztlich in der Erwählung - ist, eine Wirklichkeit, die meine Identität als eines Gerechtfertigten ist, ohne dadurch die
354

alte Identität als eines Sünders auszulöschen, eine Wirklichkeit, die meine verfügbare, auch meine "fromme" Identität richtet. Vielleicht kann man es theologisch auch so ausdrücken, dass Barth meint, dass die Gnade sich theologisch nur im zweiten Glaubensartikel ausdrücken lässt, da es einer theologia gloriae vorbehalten ist, sie im dritten Glaubensartikel auszudrücken - d.h. sie so auszudrücken, dass sie nicht Religions- und Kirchenkritik zu werden braucht (vgl. B 1968,312). Barths Theologie bezeugt eine solche Identität der Gnade, expliziert, was es bedeutet, dass es sie gibt, d.h. was es bedeutet "mit der Alle und in Allen Alles nicht nur neu beleuchtenden sondern real verändernden Tatsache, dass Gott ist" und in Christus gehandelt hat, zu leben (KD II/1,289, vgl. oben 128). Aber sie kann nicht ihr Verhältnis zu den Behauptungen der Philosophie klar machen, sie kann nicht das empirische Verhältnis zwischen der neuen Identität (iustus) und der alten (peccator) klären (vgl. oben 5.2 zB 294), sie sagt einerseits, dass das gesamte Dasein durch das Werk Gottes in Christus wirklich vollendet wurde und andererseits, dass nichts (immanent) verändert wurde (vgl. oben 282f) - und sie behauptet, dass sie aufhören würde, Theologie zu sein, ja sogar ihre Aufgabe als Theologie verraten würde, wenn sie all das zu klären versuchte.

Tillich betont, dass die geschenkte Identität echte Identität ist (vgl. oben 296f). Dass die Identität sich nicht selber erschaffen lässt und dass sie unverfügbar ist, kann Tillich nicht auf eine Weise ausdrücken, die die Identität an einen anderen Ort als in das Individuum selbst zu verlegen scheint. Wenn das der Fall ist, dann droht der Glaube mit einemmal Heteronomie zu werden (vgl. GW VII,223/1923/). Das Verfügbare, Historische an Jesus darf nicht zum Entscheidenden werden, denn dann werden die Gotteserfahrungen der ersten Jünger und Jesu ethische Verkündigung zum "Gesetz" (vgl. Nylund 1966,231). Die eigene, geschenkte Identität ist in Jesus geschenkt, weil Jesus als der Christus "das Bild dessen, in dem das Neue Sein erschienen ist" ist (ST II,125), und dieses Neue Sein wirkt auch in mir und ist deshalb kein fremdes Gesetz. Die Kluft zwischen Verfügbarem und Unverfügbarem scheint in die Erfahrung verlegt zu werden. Mit "Ekstase" soll ausgedrückt werden, wie die von aussen geschenkte Identität als etwas ganz anderes, als etwas, was die alte Identität richtet, erfahren wird.

Offenbar ist es für Tillich wichtig, dass das, was erfahren wird, von aussen geschenkt wird und mit einer konkreten Wirklichkeit, Jesus, im Zusammenhang steht. Das soll der Identität ermöglichen, zwischen Sinn und Sinnwidrigkeiten zu unterscheiden, soll sie kritisch, verantwortlich machen (vgl. GV VI,86f oben 345). Aber ist die Identität, von der Tillich spricht, dazu imstande (vgl. 5.3)? Wenn Tillich vom Neuen Sein spricht, das im Bild Jesu als des Christus erschienen ist, scheint er davon sprechen zu wollen, das etwas Neues entstanden ist. Aber ist wirklich

355

etwas geschehen, wodurch etwas verändert und nicht nur aufgedeckt wurde (vgl. oben 284)? Wenn Tillich sagt, dass das Bild Jesu als des Christus "zugleich partikular und frei von Partikularität" ist (GW V,90, vgl. oben 350), tritt dann nicht die Partikularität in den Hintergrund gegenüber der Freiheit von Partikularität? Steckt nicht dieser Verdacht bereits 1923 in Barths Antwort auf Tillichs Kritik?

> Ich vermisse an Tillichs "positivem Paradox" das, was es erst zum göttlichen Paradox und damit zum Objekt (die Alten hätten hier tiefsinniger Subjekt gesagt!) der theologischen Wissenschaft machen würde: seine Bestimmung als freies, persönliches Handeln seinen unzweideutigen Pneuma-Charakter /.../

> Und nun wird der Ort, wo dieser Gegensatz zum Austrag kommt, in der Tat die Christologie sein. Für "uns" ist Christus die Heilsgeschichte, die Heilsgeschichte selbst - Christus ist das "positive Paradox", - für Tillich ist er die Darstellung einer mehr oder weniger immer und überall sich ereignenden Heilsgeschichte in vollkommener Symbolkraft. (B 1923, 184)

6.2. Die Bewältigung der Wahrheit als theologisches Problem.

Die Forderung nach Verantwortlichkeit ist letztlich eine Forderung nach Wahrhaftigkeit und so nach einer rückhaltlosen Suche des Wahren (vgl. 2.2.3). Für die Theologie hat Wahrheit mit Offenbarung zu tun, und die "wahre" Wirklichkeit ist für sie
eine eschatologische Wirklichkeit. Was bedeutet das für das Problem des Geschichtlichkeit des menschlichen Denkens?

6.2.1. Die Offenbarung und die Identität des Glaubens.

Verstehen der Offenbarung heisst verstehen der Identität des Glaubens. Das Verständnis dieser Identität ist im Vorhergehenden kaum problemlos gewesen und hier
werden alle die früheren Fragen wieder aktuell.

Ein entscheidender Punkt in Barths Kritik an Schleiermacher ist, wie Barth es nennt,
"die bei Schleiermacher vorliegende Immunisierung des Offenbarungsbegriffs" (B 1933,
415, vgl. oben 71). Die Pointe ist nicht, dass die Theologie über mehr verfügen
würde,falls die Offenbarung nicht immunisiert wäre. Die Pointe ist, dass die Immunisierung des Offenbarungsbegriffs zur Folge hat, dass die Theologie die Offenbarung
als etwas beschreibt, was die menschliche Religion bestätigt. Aber die Offenbarung
kann man nicht besitzen, man kann nicht über sie verfügen. Die Offenbarung richtet
und richtet auf. Die Offenbarung ist immer "eine nicht kapitalisierbare Offenbarung" (B 1948b,5). (Vgl. oben 125,292f) Ueber die Offenbarung kann man weder
durch eine analogia entis noch durch ein.Bibelstudium verfügen - weil er den Inhalt
nicht isolieren kann und nicht über ihn verfügen kann, deshalb ist Barth an die Bibel gebunden (KD I/II,545ff, vgl. oben Anm. 102).

> Gottes wirkliche Offenbarung würde die einzige Möglichkeit sein, die
> der Mensch nicht wählen, sondern von der er sich als erwählt ansehen
> müsste, ohne den Raum und die Zeit zu haben, im Rahmen und nach der
> Methode anderer Möglichkeiten mit ihr ins Reine zu kommen.
> (KD II/1,155) 307)

Die Offenbarung ist nach Barth Ereignis, Gottes Tat, vor allem Gottes Tat in Jesus
Christus. Die Offenbarung hat nichts mit "Offenbarungswahrheiten" also mit irgendwelchen zeitlosen Wahrheiten zu tun (vgl. oben 127). Die Offenbarung hat auch
nichts mit irgendwelchen zeitlosen Normen zu tun, mit deren Hilfe wir dem Gericht
entgehen könnten (vgl. oben 172,313). Deshalb gilt:

> Je näher jemand der Theologie ist, desto schwerer wird ihm die Frage:
> Was ist Theologie? (B 1930,377)

357

Barth beschreibt selber "dieses Rätselhafte im Wesen der Theologie" (B 1930,378) folgendermassen:

> Die Theologie macht mit vollem Bewusstsein ein Kriterium geltend, dessen Gültigkeit sie nicht prinzipiell sondern nur je und je faktisch einsieht und über dessen Geltung sie überhaupt nicht verfügen kann, mit dessen Geltendmachung sie also nur sagen kann, dass sie sich seiner Geltung in vorangehenden Ereignissen seiner Selbstbezeugung erinnert, mit dessen Geltendmachung sie also seine Gültigkeit nur bezeugen aber in keiner Weise bewähren und damit ihr eigenes Tun rechtfertigen kann. Theologische Wahrheit steht und fällt mit der je und je sich ereignende Selbstbezeugung ihres Kriteriums, diese aber steht ganz und allein in dessen eigener Freiheit /.../
>
> Als kritische Selbstbesinnung der Kirche bekennt sich die Theologie von Haus aus und als solche zur Kontingenz ihres Kriteriums. Wenn sie vom Worte Gottes redet, so meint sie damit Offenbarung, d.h. aber nicht zeitlose, sondern zeitwerdende und zeitgewordene Wahrheit. Zeitgewordene – darauf ist nun der Nachdruck zu legen. Theologie wagt es, in der Gegenwart und also ohne Erfüllung, ohne Sicherung, damit zu rechnen, dass Gott sein Wort sprechen wird, weil sie anerkannt, dass er es schon gesprochen hat. (B 1930,378f,380)

Alle theologischen Begriffe sind nach Barth geschichtliche Begriffe, weil sie vom Sieg Jesu - der in gewissem Sinne auch ein Triumph der Gnade genannt werden kann (vgl. Barths Diskussion mit Berkouwer KD IV/3,197-206) - in einem Geschehen, dass "den Charakter eines Kampfes hat" (KD IV/3,196, vgl. Gollwitzer 1972,33) abhängig sind.

> Von Geschichte reden ja, jeder für sich, schon die hier einander gleichgesetzten Begriffe "Leben" oder "Bund" oder "Versöhnung" auf der einen – und "Licht" oder "Wort" oder "Offenbarung" auf der anderen Seite. Leben, Bund, Versöhnung "sind", indem sie sich ereignen. Und so "sind" auch Licht, Wort, Offenbarung, indem das mit diesen Begriffen Bezeichnete geschieht. (KD IV/3,189)

Die Offenbarung ist nicht die Mitteilung der theologia gloriae, nicht die Mitteilung dessen, was Gnade ist und wie der Kampf in Christus gewonnen ist etc. In der Offenbarung enthüllt sich die Tat Jesu Christi als Tat/Versöhnung (KD IV/3,189). Offenbarung ist die Selbstbezeugung der mir jetzt begegnenden Gnade:

> Zum Spekulieren auf dein Sein in der Ewigkeit bist du durchaus nicht eingeladen, wohl aber zur Entgegennahme und Beherzigung der Nachricht, dass du eben jetzt und hier der neue Mensch zu sein beginnst und also schon bist, der du ewig sein wirst. (KD IV/3,287)

Aber trotzdem ist es für Barth fundamental wichtig, dass die Offenbarung Erkenntnis schafft, und er findet es verdächtigt, nicht von Lehre zu sprechen. Bevor wir die Frage stellen, wie Barth dies mit dem Vorhergehenden vereinigen kann, gilt es zu verstehen, weshalb auch dies für Barth wichtig ist.

358

Barth spricht von dem "im üblichen Sinn gesagt undogmatischen, ja anti-dogmatischen, anti-intellektualistischen, anti-lehrhaften" Charakter der Schleiermacherschen Theologie (B 1933,390).

> Die Offenbarung lehrt /bei Schleiermacher/ nicht, sondern sie wirkt. (B 1926,163, vgl. B 1933,418)

Denselben Zug findet er auch im Biblizismus.

> Wie kommt es, dass die Biblizisten mit Schleiermacher und den Seinen um die Wette alle im Kampf eben gegen den Begriff "Lehre" begriffen sind? (B 1927a,204)

In beiden Fällen zieht Barth davon ausgehend eine direkte Linie zu dem, was er als den fundamentalen Fehler in der "modernen" Theologie ansieht. Im Biblizismus:

> Steht es um den Menschen im Verhältnis zu Gott so, wie es besonders von Menken und Beck angeblich in der Bibel entdeckt wurde, so nämlich, dass seine Rechtfertigung eine Mitteilung eigener Gerechtigkeit ist, dann wundert man sich nicht über die Sicherheit, mit der dieser Männer an Hand derselben Bibel die Wahrheit Gottes in ein System von Erkenntnis meinten zu bringen zu können /.../ Dieses Wissen ist, obwohl es sich aus Tausenden von Bibelstellen herleitet, nicht aus dem Worte Gottes geschöpft, sondern genau so wie das der Nicht-Biblizisten das Wissen des nun auch noch der Bibel sich bemächtigenden christlichen Subjektes. (B 1927a,205)

Bei Schleiermacher:

> Das Andere, das Woher? unseres Daseins, dem gegenüber wir uns schlechthin abhängig fühlen, ist Gott. Aber "dem gegenüber" kann nur darum nicht eigentlich gesagt werden, weil das Gefühl im Unterschied zum Wissen und zum Tun gerade kein Gegenüber, keinen Gegenstand hat /.../ So kann die Aussprache der Vorstellung "Gott" nichts Anderes bedeuten als die Aussprache des Gefühls über sich selber, die unmittelbarste Selbst-Reflexion. (B 1933,418)

Das Handeln Gottes, die Offenbarung, die Barth bezeugt, ist nicht die Selbstbestätigung des Menschen, sondern ist ein Gegenüber, von dem der Mensch mit seiner Frömmigkeit und seinen Gedanken gerichtet und aufgerichtet wird. Die Kritik an Schleiermacher und dem Biblizismus deutet an, dass Barth es nicht einsieht, wie man davon soll reden können ohne von Erkenntnis und Lehre zu sprechen. Eine Offenbarung, die nichts aussagt, kann weder verurteilen noch aufrichten. Sie ist prinzipiell unfähig zu Kritik und bestätigt nur. [308] Das, worum es hier geht, lässt sich meiner Meinung nach ungefähr folgendermassen in die von mir gebrauchte Terminologie übersetzen: Die geschenkte Identität wird in Christus Wirklichkeit. Falls/wenn ein Mensch sich von dieser Identität aus selber versteht - also falls/wenn diese geschenkte Identität zu einer dem Menschen bewussten Identität wird - so ist das eine Folge davon, dass Gottes Handeln auch spricht (Offenbarung ist) und die Folge davon, das neue Selbstverständnis, muss Erkenntnis genannt werden.

Diese Problematik wird von Barth ausführlich in KD IV/3 als "das dritte Problem der

359

Versöhnungslehre" behandelt. Dort geht es darum, dass die Versöhnungslehre nicht nur versuchen muss, zu einer sachlichen Erkenntnis des Versöhnungsgeschehens zu gelangen, sondern auch bedenken muss, dass dieses, Gottes "in sich vollkommenes und unüberbietbares Tun einen ganz bestimmten Charakter" hat. Denn indem es geschieht "äussert, erschliesst, vermittelt, offenbart es sich auch".

> Es gibt sich selbst kund als Wirklichkeit. Es zeigt sich selbst an. Es ruft sich selbst aus. Es beruft damit zu bewusster, verständiger, lebendiger, dankbarer, williger, tätiger Anteilnahme an seinem Geschehen. (KD IV/3,6)

Es geht um "die Beantwortung des Erkenntnisproblems der Versöhnung":

> Wie geschieht es, dass ihr Geschehen nicht verborgen bleibt, sondern sich vernehmbar macht und tatsächlich vernommen wird, und also nicht punktuell bleibt, sondern sich in der Welt, unter den Menschen Bedeutung, Nachachtung, Anerkennung verschafft? dass der in Jesus Christus versöhnte Kosmos dessen gewahr wird, wie es mit ihm steht? dass die Menschen Jesus Christus als ihren Mitmenschen und Bruder zu sehen bekommen? dass sie entdeckt werden, sich selber entdecken als die Leute, die in ihm ihr eigenes Leben haben, in ihm gerechtfertigt und geheiligt sind? (KD IV/3,206)

Diese Frage darf also, nach Barth, nicht zu Lessings Frage trivialisiert werden. Die Antwort auf diese Frage ist nicht eine menschliche Technik, eine menschliche Fähigkeit. Die Antwort ist auch nicht eine Offenbarung neben der Versöhnung:

> Die allgemeine Antwort auf diese Frage muss lauten: indem das Versöhnungsgeschehen auch Offenbarungsgeschehen, auch Prophetie, indem das Leben als solches auch Licht ist, tritt es aus der scheinbaren Ferne, in der es sich für uns Menschen abspielt, heraus, geht es uns an, rückt es uns gewissermassen auf den Leib, sind wir nicht nur, sondern finden wir uns so oder so gerade in sein Ereignis als solches verwickelt. (KD IV/3,207)

Was da geschieht, ist "dass dem Menschen diese Konfrontierung mit Jesus Christus widerfährt, dass er es mit diesem ihm ganz fremden, ganz neuen Gegenüber zu tun bekommt, dass ihm die Auseinandersetzung mit ihm unvermeidlich gemacht wird". Was da geschieht ist nicht Versöhnung, sondern dass die Versöhnung "auf den Menschen zukommt, ihn übergreift und einbegreift", dass sie "sich dem Menschen eröffnet, Gegenstand und Inhalt seines Erkennens wird". Dann bedeutet Erkennen/Erkenntnis nicht "die Erwerbung einer neutralen in Sätzen, Prinzipien, Systemen zu dokumentierenden Kunde und Wissenschaft von einem dem Menschen begegnenden Seienden", auch nicht "den Eintritt in die passive Schau eines jenseits der phänomenalen Welt wesenden Seins", sondern "die ihm widerfahrende Bekanntschaft mit dieser anderen Geschichte in einer ihr entsprechenden Veränderung seines eigenen Seins, Tuns und Verhaltens zu bewähren". (KD IV/3,209f) Erkenntnis ist damit nicht von Gehorsam zu unterscheiden (KD IV/3,85f). Wir sind die von der Offenbarung/Versöhnung Gefragten:

> Bekommt und hat unser Bekenntnis die Substanz, das Metall, das spezifische Gewicht von Erkenntnis, die ihm, soll es nicht eitel und Haschen

nach Wind sein, nicht abgehen darf /?/ (KD IV/3,84)

Oder in der Form eines Radiovortrags:

> Wird in dieser neuen Theologie nicht zuviel Gewicht auf die Lehre und
> also auf den Verstand und das Erkennen gelegt, wo doch der Glaube eine
> Sache des Lebens ist? Antwort: Der Glaube ist wohl eine Sache des Le-
> bens. Das kann man aber auch vom Unglauben, vom Irrglauben, vom Aber-
> glauben sagen. Von ihnen unterscheidet sich der Glaube durch die vom
> ihm erkannte Wahrheit, die wir als solche wohl mit dem Herzen und mit
> dem Willen, aber gar nicht zuletzt auch mit dem Verstand ergreifen müs-
> sen. Niemand sagt, dass es mit der Lehre und mit dem Verstand getan
> sei. Und wenn wir die Lehre: in der Kirche den Katechismus und in der
> Theologie die Dogmatik wieder ernst nehmen möchten, so hat das mit
> Ueberschätzung des Intellektes gar nichts zu tun. Es ist aber unsere
> wohlbegründete Ueberzeugung, dass es nötig und gut ist, wenn wir Chri-
> sten wieder lernen, zu wissen, an wen und an was wir glauben.
> (B 1940,100f)

Kann man auf diese Weise von einer Erkenntnis als dem Inhalt der (geschenkten) Identität sprechen, ohne dem zu widersprechen, was zuvor von der Offenbarung gesagt wurde, nämlich dass sie unverfügbar ist, nicht kapitalisierbar, ein Ereignis? Dieser
Frage wurde von Barths Kritikern verneint. Gustaf Wingren behauptet, dass der Begriff der Offenbarung in Barths Theologie entscheidend ist und dass dies zur Folge
hat, dass sich das Interesse auf den Gegensatz Wissen - Nicht-Wissen und damit auf
die Grenze Kirche - Nicht-Kirche konzentriert. Damit würde die Kirche zur (Wissen)
besitzenden Kirche werden. Gott wäre der Wissen Gebende, der Wahrheit Entschleiern-
de - nicht der Handelnde. (ZB Wingren 1956,316ff) Ähnliche Kritik verbirgt sich
wohl auch hinter allem Reden von Barths Offenbarungspositivismus.

Soweit ich es verstehen kann, heisst das danach zu fragen, ob es Barth gelungen ist,
seiner Absicht entsprechend, von einer geschenkten Identität des Glaubens zu sprechen. Barth versucht also, auf verschiedene Weise von Erkenntnis zu sprechen, so
dass diese sich nicht freimachen kann und zum Besitz wird sondern Erkenntnis dessen
verbleibt, "dass wir anders als in der Beteiligung an ihm /dem Geschehen der Versöh-
nung/ gar nicht existieren können" (KD IV/3,207). Aber er sieht sich dennoch dazu
gezwungen, von Offenbarung zu sprechen, um erklären zu können, wie die Versöhnung zu
einer Identität eines Menschen werden kann und von Erkenntnis, um erklären zu können, wie diese Identität als eine geschenkte Identität aufgefasst wird, eine Identität in der das Gegenüber nicht aufgehoben wird, sondern das Entscheidende verbleibt.
Würde man nicht so sprechen, hiesse das für Barth ein falsches Reden von der Versöhnung, es hiesse so von der Versöhnung reden als ob sie stumm wäre und punktuell ver-
blieb (vgl. das Zitat KD IV/3,206 oben 360).

Barths Absicht ist es also, davon Zeugnis abzulegen, dass Jesus Sieger ist (KD §
(KD § 69.3) und nicht irgendeine vortreffliche Identität der Christen zu bezeugen
(vgl. 5.2). Aber fällt das eine mit dem anderen nicht zusammen?

Wenn Barth von Erkenntnis spricht, bezeugt er, dass Gott Glaube und Gemeinde erschafft, die die Versöhnung bezeugen.

> Und das macht die Gemeinde zur Gemeinde, die Christen zu Christen, dass
> ihnen die Veränderung der Situation offenbar und nicht umsonst offenbar
> ist, dass sie den daraus sich ergebenden Folgerungen nicht ausweichen
> können, sondern standhalten, von der Freiheit Gebrauch machen dürfen,
> die ihnen durch sie gegeben ist, und es nicht lassen können, sie Anderen
> auf der Welt so zu bezeugen, wie sie ihnen selbst bezeugt ist.
> (KD IV/1,349f)

Barth bezeugt nicht eine Erkenntnis des Glaubens und der Kirche, die selbst etwas
verändern können.

> Das wäre nicht die den Glauben begründende Erkenntnis, in der der
> Mensch der Meinung sein könnte, die Wirklichkeit und Wahrheit dessen,
> was er anerkennt, zu verstärken, geschweige denn zu bedingen, ge-
> schweige denn hervorzubringen. In dieser Erkenntnis findet er sich viel-
> mehr seinerseits schlechterdings bedingt, ja hervorgebracht. In die-
> ser Erkenntnis ist der Mensch ein von dem her, den er erkennen darf,
> zuerst Erkanntes, der nur als solcher seinerseits erkennt und also
> glaubt und in die Lage versetzt ist, zu bekennen. (KD IV/3,48)

Barth bezeugt auch nicht, dass die Grenze zwischen Erkennenden und Nicht-Erkennenden
so entscheidend sein soll. Er bezeugt dagegen, das Jesus Christus "mächtig /ist/
nicht nur in jenem inneren, sondern auch über diesem äusseren Bereich, frei, sich
auch dort zu bezeugen und bezeugen zu lassen" (KD IV/3,108). Er bezeugt auch:

> Wie es zwischen der Gemeinde, den Christen einerseits und der übrigen
> Welt andererseits zwar eine bestimmte, aber nun doch keine absolut be-
> stimmte, sondern - bedrohlich für die Christen und verheissungsvoll
> für die Nicht-Christen - nur eine fliessende, veränderliche Grenze
> gibt, so sind die Erkennenden und die Nicht-Erkennenden bei allen wich-
> tigen Unterschieden, die sie tatsächlich trennen, letztlich oder viel-
> mehr erstlich, nämlich von der ihnen allen zugewendeten, ihnen allen
> gegenüber aber auch souveränen Offenbarung des Wortes her im selben
> Boot, unter einer ihnen allen gemeinsamen Bestimmung, will sagen: in
> zwar sehr verschiedenem Verhältnis des Einen zum Anderen sind sie Alle
> Erkennende und Nicht-Erkennende, Alle durch den grossen Gegensatz be-
> stimmt, dass das Licht leuchtet, aber eben in der Finsternis leuchtet.
> (KD IV/3,219) 309)

Das, was ich früher Barths Zweideutigkeit genannt habe, scheint hier wiederzukommen.
Vielleicht hat diese Zweideutigkeit ihren Ursprung hier ebenso wie in der Rechtfertigungslehre (vgl. oben 294) vielleicht besteht hier auch ein systematisches Motiv,
das sie von ihrer Willkürlichkeit befreien sollte. Barth ist Offenbarungspositivist
in dem Sinne, dass er keine andere Instanz anerkennt, von der aus man die Tat Gottes

362

in der Versöhnung, die auch Offenbarung ist, relativieren könnte. Aber gerade als
Tat Gottes verbleibt die Offenbarung etwas, was sich niemals beweisen lässt, was
niemals abgelesen und formuliert, sondern was nur bezeugt werden kann. So wie jeder Versuch einer Bezeugung, so droht jeder Versuch, die Offenbarung zu interpretieren, etwas anderes zu werden als eine Bezeugung.Der Versuch liegt nahe, Barths Theologie als einen Versuch zu interpretieren, dies bewusst zu machen zu beginnen.

> Sei es denn: es gibt wohl keine Interpretation der Offenbarung - die
> sauberste Dogmatik, ja kirchliche Dogma selbst nicht ausgenommen - in
> welcher sich nicht Elemente von Illustration befänden. Sei es denn:
> indem wir, vom Wortlaut der Schrift uns entfernend, auch nur den Mund
> auftun oder die Feder ansetzen, entfernen wir uns von der Offenbarung
> in der Richtung jener auf alle Fälle unverbindlichen, nicht auftrags-
> gemässen und gefährlichen Möglichkeit, also in unserem Fall: in der
> Richung der vestigia trinitatis /.../ Wir wollten die Wurzel der Tri-
> nitätslehre in der Offenbarung aufdecken, keine andere; wir haben al-
> lerhand getan um sichtbar zu machen, dass es uns darum und nur darum
> gehe. Aber wenn irgend jemand uns dennoch vorwerfen wollte, dass es
> auch uns um jene ganz andere Wurzel gegangen sei - so könnten wir ihn
> nicht einmal der Böswilligkeit zeihen, denn dem Aspekt, als ob dem
> tatsächlich so sei, haben wir uns beim besten Willen nicht ganz, nicht
> eindeutig entziehen können. Es ist gut, sich das Alles klarzumachen.
> Man ist als Theologe hier wie sonst nicht in der Lage, die Rechtferti-
> gung seines Tuns selbst vorwegzunehmen und sich selbst zuzusprechen.
> Aber das kann wiederum nichts ändern an der Gültigkeit des Gebotes,
> das dem Theologen hier gegeben ist, an der Grenze zwischen Interpreta-
> tion und Illustration, die der theologische Sprache, will sie theolo-
> gische Sprache sein und bleiben, auf alle Fälle gezogen ist. (KD I/1,
> 365, vgl. Jüngel 1967,25f)

Für Tillich ist es mindestens ebenso wichtig wie für Barth, dass die Offenbarung
keinen Zugang zu zeitlosen Offenbarungswahrheiten gewährt. Offenbarung darf nach
Tillich nicht verstanden werden "als Information über 'göttliche Dinge',die zum Teil
durch Gedankenoperationen, zum Teil durch Unterwerfung des Willens unter Autoritäten
akzeptiert werden soll" (ST I,172, vgl. ST III,138,307).

> Man sollte nicht von "geoffenbarter Erkenntnis" sprechen, weil dieser
> Begriff den Eindruck erweckt, dass gewohnte Erkenntnisinhalte auf aus-
> sergewöhnliche Weise mitgeteilt werden könnten. Durch solche Auffas-
> sung trennt man das Offenbarungsgeschehen von der Offenbarungserkennt-
> nis. Das ist der Grundirrtum der meisten populären und vieler theolo-
> gischer Deutungen der Offenbarung und der Erkenntnis, die durch sie ver-
> mittelt wird. (ST I,155 Anm. 1)

Für Tillich muss sich das Verständnis der Offenbarung mit dem Verständnis der Rechtfertigung vereinen lassen und sie muss also so verstanden werden, dass sie nie Besitz sein kann. Tillich versteht die Offenbarung von der "Anwendung der Rechtfertigungslehre auf das Denken" aus.

> Nicht nur unser Handeln, sondern auch unser Denken steht unter dem gött-
> lichen "Nein". Niemand, auch kein Gläubiger, auch keine Kirche kann sich
> der Wahrheit rühmen, wie sich niemand der Liebe rühmen kann. Orthodoxie
> ist intellektueller Pharisäismus. Die Rechtfertigung des Zweiflers ent-

-spricht der Rechtfertigung des Sünders. Offenbarung ist so paradox
wie Vergebung der Sünden und kann so wenig ein Gegenstand des Besitzens werden wie diese. (GW XII,33/1936/)

Von hier aus geht dann Tillich allerdings einen anderen Weg als Barth. Wo er von

der Nicht-Verfügbarkeit zum "protestantische/n/ Wahrheitsgedanke/n/" (GW IV,75

/1926a/) und zu einer "protestantische/n/ Auffassung des Erkennens" (GW IV,51) ge-

trieben wird, arbeitet er mit den Distinktionen gegenständlich - ungegenständlich,

anschaubar - unanschaubar, bedingt - unbedingt. Seine Antrittsvorlesung in Leipzig

1927, "Die Idee der Offenbarung" leitet er folgendermassen ein:

> Wenn der Begriff der Offenbarung eine Realität fasst, eine Realität,
> die auch uns angeht, vielleicht als einzige Realität uns unbedingt
> angeht, so kann es nicht die Realität eines Gegenstandes sein, die
> ihr zukommt, sondern nur die Realität einer Idee. Ein Gegenstand
> kann jederzeit gegriffen werden, durch Begriffe und durch Handlungen.
> Eine Idee steht nicht so zur Verfügung. (GW VIII,31/1927b/)

Im Jahr zuvor hatte er

> für die Wahrheitsfrage durchgeführt, was im Grundprinzip des Prote-
> stantismus, dem Prinzip der Rechtfertigung aus dem Glauben, enthal-
> ten ist: dieses nämlich, dass im Zusammenhang des Daseins eine an-
> schaubare Verwirklichung des Heiligen nicht vorhanden ist, dass al-
> les Dasein dem Unbedingten gegenüber zweideutig bleibt. (GW IV,75)

Hier lässt sich Tillichs gesamtes System ahnen.

> Das Unbedingte erscheint in der Offenbarung, es tritt in den Zusam-
> menhang des Bedingten. Wie aber kann es erscheinen, wo es doch
> nichts Bedingtes, kein Gegenstand werden kann? Es kann erscheinen
> nur am Gegenstand, am Bedingten. Das hört nicht auf, Bedingtes zu
> sein. Der Zusammenhang des Bedingten wird nicht zerstört. Aber in
> diesem Gegenstand, in diesem Bedingten und seinen Zusammenhängen
> ist die Möglichkeit verborgen und wird zur Wirklichkeit, auf etwas
> hinzuweisen, was nicht seiner Bedingtheit angehört, was sein Eigen-
> stes und sein Fremdestes ist, was an ihm offenbar wird als das Un-
> bedingt-Verborgene. (GW VIII,35f)

Hier werden also alle Begriffe Tillichs Symbol, Transparenz, Selbsttranszendenz,

"Medien der Offenbarung" die "Träger des Seinsgeheimnisses werden und in die Offen-

barungskorrelation eintreten kann" (ST I,142), Kairos etc, aktualisiert. Hier wer-

den auch die ständigen Risiken der Profanisierung und Dämonisierung, in denen der

Offenbarung widerstrebt wird und sie verfälscht wird, aktualisiert (GW VIII,38,

ST III,12ff,124ff).

> Darum ist auch vollkommene Offenbarung vollkommen nur, sofern sie die
> Macht in sich trägt, wieder und wieder beunruhigt und durchbrochen zu
> werden. Wo diese Macht fehlt, bemächtigt sich der Dämon der Offenba-
> rung, der Dämon, der ein Endliches, Bedingtes, und wäre es Christentum,
> die Bibel und Kirche, an die Stelle dessen setzt, was nie aufhört, das
> unbedingt Verborgene zu sein. (GW VIII,38)

Nach Tillichs (gläubigem) Realismus ist Offenbarung also etwas, was geschehen kann/ geschieht, wenn man in das Konkrete eindringt.

> Nichts ist Offenbarung, was sich nicht mir, meiner Gegenwärtigkeit in ihrer ganzen Konkretheit, offenbart. (GW IV,105/1927a/)
>
> Offenbarung als Offenbarung des Mysteriums ist immer nur Offenbarung für jemanden in einer konkreten Situation unbedingten Betroffenseins /.../ Es gibt keine "Offenbarung überhaupt" /.../ Offenbarungen, die ausserhalb der konkreten Situation empfangen worden sind, sind nichts anderes als Berichte von Offenbarungen, von denen andere Gruppen versichern, dass sie sie empfangen haben /.../ Es gibt keine Offenbarung, wenn es niemanden gibt, der sie als etwas empfängt, das ihn unbedingt angeht. (ST I,134, vgl. GW VIII,37)

Deswegen muss Tillich Offenbarung so definieren, dass diese nicht losgelöst werden kann von der Situation, in der sie geschieht und dasselbe gilt von der Erkenntnis, die in der Offenbarung vermittelt wird.

> Offenbarung ist die Manifestation des Mysteriums des Seins für die kognitive Funktion der menschlichen Vernunft. Sie vermittelt Erkenntnis - eine Erkenntnis jedoch, die nur in seiner "Offenbarungssituation" empfangen werden kann, durch Ekstase und Wunder. Diese Korrelation weist auf den besonderen Charakter der "Offenbarungserkenntnis" hin. Da die Offenbarungserkenntnis nicht aus der Offenbarungssituation herausgelöst werden kann, kann sie auch nicht in den Zusammenhang der gewöhnlichen Erfahrung als etwas Zusätzliches aufgenommen werden. Die Offenbarungserkenntnis vermehrt nicht unsere Erkenntnis über die Situation der Natur, der Geschichte und des Menschen. (ST I,154f)

Die Offenbarungserkenntnis ist damit eine Erkenntnis, die an der Wahrheit teilhat. [310] Sie ist kognitive Hingabe. [311] Offenbarungserkenntnis und Glaube, Offenbarung und Erlösung sind von einander nicht zu trennen.

> Offenbarungsgeschichte und Erlösungsgeschichte sind die gleiche Geschichte. Offenbarung kann nur aufgenommen werden im Gegenwärtigsein der Erlösung, und Erlösung kann nur geschehen in der Offenbarungskorrelation. (ST I,172)

Vieles hiervon hätte wahrscheinlich auch von Barth gesagt werden können. Man muss aber danach fragen, wie hier das behandelt wird, was für Barth die Hauptsache ist, nämlich die Frage, ob die Offenbarung immunisiert wird und mich bestätigt, oder ob sie ein Gegenüber bleibt, das mich richtet und aufrichtet.

Für Tillich ist es natürlich entscheidend wichtig, dass der Mensch in Offenbarung und Glaube nicht sich selbst überlassen ist. Wie wir gesehen haben (Zitat ST I,80, oben 250) so kann er sich ähnlich wie Barth ausdrücken. Aber Tillich kann nicht von Offenbarung/Glaube als einer Relation zu/Unterwerfung unter etwas Fremdes, das wirklich fremd ist, sprechen, denn das wäre Heteronomie. Er spricht von dem Fremden, das sich als das Ganz-Eigene erweist. Er spricht nicht von der Offenbarung eines

Objekts, sondern von der Offenbarung dessen, das jenseits der Subjekt-Objekt-Beziehung ist.

Nach Tillich muss daher das, was offenbart wird, als Fremdes und Eigenes verstanden werden.

> Als das Unbedingt-Verborgene ist das, was offenbar wird, das Unbedingt-Fremde, das, wozu es keinen Weg von unserer Wirklichkeit aus gibt. Als das Unbedingt-Offenbare ist das, was offenbar wird, das Ganz-Eigene, das, was schon immer gegenwärtig ist, wenn ein Weg beginnt. Wäre es nur das eine oder nur das andere, so könnte es nicht offenbar werden. Auf der Einheit beider Merkmale an dem, was offenbar wird, beruht die Möglichkeit der Offenbarung.
> /.../ Das Unbedingte bricht als Fremdes in das herein, dessen Eigenes es ist: es offenbart sich. (GW VIII,34f)

Das Unbedingt-Verborgene wird als unbedingt Verborgenes offenbar.

> Es hört dadurch, dass es sich offenbart, nicht auf, verborgen zu sein, denn seine Verborgenheit gehört zu seinem Wesen.
> (GW VIII,34, vgl. ST I,132)

Aber wenn es sich offenbart, beansprucht es, das Ganz-Eigene (d.h. meine "wahre" Identität) zu sein und wird dadurch "ein Angriff" (auf meine im Augenblick wirkliche Identität), "ein Anspruch, eine unausweichliche Forderung". Die Offenbarung bricht "in meine Konkretheit" ein als "Angriff auf meine Konkretheit, Beunruhigung, Durchbrechung derselben (GW VIII,35,37f).

> Nur darum kann sie uns Offenbarung sein, kann eindringen auf unsere Gegenwärtigkeit, weil sie nicht Vergewaltigung, Zerstörung unserer Bedingtheit durch eine fremde Bedingtheit ist, sondern Hereinbrechen des Unbedingt-Verborgenen durch jene Bedingtheit in unsere Bedingtheit. Wäre Offenbarung eins mit dem Gegenstand, an dem sie erscheint, stände nicht über jedem Träger der Offenbarung das Kreuz, an das sein empirischer Charakter geheftet wird, so wäre Offenbarung Vergewaltigung. So aber ist sie Befreiung, Zurückführung zu dem Unbedingt-Eigenen. (GW VIII,36)

In der Systematischen Theologie wird diese Spannung Fremdes-Eigenes - die wohl als ein Versuch, auf das Paradox der christlichen Botschaft hinzuweisen, verstanden werden muss (vgl. oben 251f und ST I,179ff) - nicht zuletzt im Begriff "Ekstase" aufgenommen, der die Situation beschreiben will, "wenn der Geist vom Mysterium, nämlich vom Grunde des Seins und Sinns, ergriffen ist" (ST I,136, vgl. ST III,135).

Hier drängen sich wiederum die früheren Fragen an Tillich auf. Kann eine so verstandene Spannung Fremdes-Eigenes etwas anderes erhalten als eine bestätigende, legitimierende Funktion? Kann die Offenbarung zu einer Gegenwirklichkeit, die zu einem Unglauben gegenüber der Wirklichkeit motiviert, werden (vgl. das Zitat Schellong 1973,90 oben Anm. 308)?

366

Tillich kann sich so ausdrücken:

> Die Gestalt der Gnade ist Erfüllung der rationalen Gestalten, aber nicht
> im empirisch fassbaren, sondern im vorwegnehmenden, bedeutungtragenden
> Sinne. Die Gerechtigkeit wird durch die Liebe, die Erkenntnis durch die
> Wahrheit nicht in ihrer eigenen Ebene verbessert oder vermehrt. Vielmehr
> erhalten sie eine neue Dimension, eine Dimension, die sich in den vorhan-
> denen als ihr transzendentes Bedeuten darstellt. (GW VII,43/1929a/)

Wird ein Reden von einer solchen neuen Dimension mehr ausdrücken als eine Haltung
der Ehrfurcht vor dem Dasein als einer Ganzheit - also eine "Deutung" sein (vgl.
oben Anm. 178 und S. 284) - nämlich etwas, was einen wirklichen Unterschied bedeutet? Wenn Offenbarung auf diese Weise dazu neigt, zu einer Dimension zu werden,
die es im Prinzip überall gibt, wird das Reden von der Offenbarung dann nicht ein
überflüssiges Reden von diesem "überall"? [312] Mit Barths frühen Worten:

> Das von Tillich so grosszügig geübte Generalisieren, dieses Beziehungen-
> Behaupten zwischen Gott und Allem und Jedem zwischen Himmel und Erde, die-
> se breite allgemeine Glaubens- und Offenbarungswalze, die ich, ich kann
> mir nicht helfen, beim Lesen von Tillich Alles und Nichts ausrichtend
> über Häuser, Menschen und Tiere gehen sehe, als ob es sich wiederum von
> selbst verstünde, dass überall, überall Gericht und Gnade waltet, Alles,
> einfach Alles einbezogen "ist" in den Streit und Frieden des "positiven
> Paradoxes", das, so gehandhabt, bei aller "Unanschaulichkeit" doch wirk-
> lich kein Paradox mehr ist, das mit dem Gotte Luthers und Kierkegaards
> keine, dafür aber mit dem Gotte Schleiermachers und Hegels eine ganz auf-
> fallende Ähnlichkeit hat. (B 1923,183)

Bekommt dann nicht Westphal recht, wenn er behauptet: "Tillich's God can be counted
on not to interfere in human affairs" (Westphal 1972,233)? Und bekommt nicht
Schwerdtfeger recht, wenn er bei Tillich eine "Neigung, den 'Gang der Dinge' als
solchen positiv zu werten" glaubt feststellen zu können (Schwerdtfeger 1969,41)?
Wenn die Offenbarung das offenbart, was jenseits der Subjekt-Objekt-Beziehung ist,
wird dann nicht auch die Offenbarung der Subjekt-Objekt-Beziehung entzogen - was
ist das anderes als eine Identitätsphilosophie?

> Since Tillich could neither give up religion nor ignore the demands
> of ontology, both have been transcended into some higher ground; but
> such a higher ground which is neither and both at once is not what the
> biblical religion claims to have revealed. Are the God of Abraham,
> Isaac and Jacob and the God of the philosophers made one by making
> God beyond personality? If so, and such seems to be the case, although
> the solution has been found in the response of faith, the outcome has
> yielded to the demands of a classical ontology dominated by unity.
> (Sontag 1956,238)

Und wenn dies der Fall ist, was bedeutet dann die geschenkte Identität? Bedeutet
Offenbarung und Glaube etwas anderes als eine Bestätigung des Menschen als der er
ist durch eine "tiefere" Selbstinterpretation, in der er sich "besser" legitimiert
als der er ist?

Diesen Frage lässt sich nur schwer ausweichen, aber die Antworten sind nicht selbstverständlich. Auch wenn es nicht so leicht zu verstehen ist wie Tillich es sich denkt, so deutet Tillich offenbar die Relation zwischen dem Grund der Tiefe und dem konkreten Bedingten auf eine andere Weise, in der der Grund die souveräne, aktive, richtende und aufrichtende Gnade ist. So muss zB auch folgendes verstanden werden:

> Wo aber gesprochen wird, da gilt wieder: Sprechen aus dem Hier und Jetzt, sprechen von dem, was Hier und Jetzt ergreifen und erschüttern kann. Nicht: sprechen von dem Hier und Jetzt. Das wäre noch Unglaube oder vielleicht schweigender Glaube. Aber es soll ja gesprochen werden. Das religiöse Wort hat nicht den Sinn, die Tiefen des Gegenwartsschicksals neu und interessant zu beleuchten. Sondern er soll ihren letzten Sinn, die letzte Ohnmacht und Macht aufweisen.
>
> /.../ Das aber, was unseres Seins unbedingte Macht ist, das ist frei, uns zu ergreifen im Heiligen und im Profanen. Wenn aber, dann ergreift es uns, unsere Wirklichkeit und darum uns in unserem Hier und Jetzt, und gibt uns damit die letzte Antwort auf die Frage nach dem, was wirklich ist. (GW IV,87/1927/)

Man muss auch verstehen, dass Tillich das griechische, unhistorische Verständnis der "Wahrheit" beschreibt, wenn er schreibt:

> Die Wahrheit wissen heisst, zu jener Schicht der Realität vordringen, die der natürlichen Weltschau verborgen ist und die nur durch methodische Erkenntnis entdeckt werden kann. Diese Realitätsschicht ist hinter der Oberfläche der Dinge, aber sie ist immer und überall gegenwärtig, und man kann sich ihr in der Tiefe der Dinge nähern. (GW VI,124/1948/)

Dagegen stellt er den, auf das Hebräische zurückgehenden neutestamentlichen Sprachgebrauch wonach man "von dem Werden der Wahrheit sprechen /kann/, nämlich als einer göttlichen Tat in der Geschichte":

> Wahrheit ist nicht universal, sondern identisch mit dem historischen Faktum Jesus Christus. Sie kann nicht durch eine methodische Annäherung entdeckt werden, sondern nur durch Glauben und Gehorsam. Und sie kann nicht immer und überall entdeckt werden, sondern nur in der einzigartigen geschichtlichen Gemeinschaft, der Kirche. (GW VI,124f)

Wie sollen diese beiden verschiedenen Wege Barths und Tillichs, die Offenbarung zu verstehen und zu beschreiben, verstanden werden? Können wir hier nur eine Verschiedenheit registrieren, vor der wir dann zu einer letzten Entscheidung gezwungen werden, oder können auch Barth und Tillich zusammen auf eine fundamentale Schwierigkeit hinweisen und damit zusammen auf die Möglichkeit einer Vertiefung hinweisen? Bereits das Stellen der Frage zwingt zu grösster Bescheidenheit. Äusserten wir uns früher nur mit einem Gefühl der Vermessenheit zu den fundamentalen Fragen, so gilt das in noch höherem Grade jetzt, wenn unsere Art und Weise uns gegenüber der Wahrheit zu verhalten und die Problematik dieses Verhältnisses zum Thema werden soll. Aber trotzdem lässt sich dem nicht entgehen - in aller Bescheidenheit - zu formulieren zu versuchen was, wie ich meine, bereits implizit behauptet wurde.

368

Im Abschnitt 2.2.3 wurde beschrieben, wie die Wahrheit in der humanistischen Perspektive etwas Fremdes verbleiben muss, demgegenüber ich bei der Wahrheitssuche offen verbleibe, woran ich meine Auffassung von der Wahrheit zu überprüfen bereit bleibe. Gleichzeitig muss ich in einer Entscheidung versuchen, diese Wahrheit auszudrücken und zu gestalten, damit sie eine Funktion erhalten kann, als eine Anweisung oder als Richtschnur für die Unterscheidung von wahr und falsch. Ich kann nicht erkennen, wie die humanistische Perspektive eine Synthese finden könnte, die dieses theoretisch unvermittelte Sowohl-Als auch von Offenheit und Entscheidung der Wahrheit gegenüber überwinden könnte.

Wenn ich Tillich richtig verstanden habe, so kann er ebenfalls diese Problematik zum Ausgangspunkt für eine Analyse der menschlichen Existenz nehmen, um zu zeigen, dass eine solche Analyse in einer Frage enden muss, in der Frage nach einer antwortenden Synthese, also nach Gnade. Dann wird - im zweiten Teil der Systematischen Theologie - auch die Erkenntnisfrage zu einer Frage nach etwas, was meine Existenz öffnen könnte, damit auch dort (fragmentarisch) die Essenz vorkommen/erscheinen könnte. Die Antwort ist die Offenbarung, in der die Gnade die Grenzen sprengt, auch meine existentielle Identität, damit die Wahrheit (die auch mein tiefstes Ich, meine essentielle Identität ist) aufhört etwas Fremdes zu sein und sich gerade als das Unbedingt-Eigene erweist.

Was geschieht dann, wenn die Offenbarung die Synthese erschafft/ist, nach der die humanistische Problematik ruft? Dabei ist der kritischen Frage schwer zu entgehen, ob dies nicht eine Art Entsprechung zu einer theoretischen Theorie-Praxis-Vermittlung wird, die der Forderung nach Verantwortlichkeit den Ernst zu nehmen droht und damit dem Handeln überhaupt. Droht dann hier nicht die Rede von der Gnade als einer solchen Offenheit-Entscheidung-Vermittlung, sowohl Offenheit als auch Entscheidung so zu verändern, dass der Ernst im Entscheidungs-Charakter der Erkenntnis (GW IV,53ff,73/1926a/) verringert wird und die Offenheit der Wahrheit gegenüber zu einem Genuss/Besitz der Synthese/Gnade verwandelt wird? Kann von Tillichs sich offenbarender Wahrheit eine Anweisung, Hilfestellung bei der ernst genommenen Aufgabe, zwischen wahr und falsch zu unterscheiden, erwartet werden? Wird die Gnade nicht eher von dieser Aufgabe befreit und zum Genuss einer Synthese werden, in der auch dieser Gegensatz aufgehoben wird?

Barths Weise, von der Offenbarung zu sprechen aber fasse ich als einen Protest gegen jede solche Rede von einer Synthese auf. So wie Barth sich weigert, von einer Theorie und Praxis vermittelnden Gnade zu sprechen (vgl. oben 322), so weigert er sich meiner Meinung nach auch, von der Offenbarung als einer Offenheit und Ent-

-scheidung vermittelnden Offenbarung zu sprechen. Die Offenbarung beinhaltet nach Barth wirkliche, unterscheidende, Falsches von Wahrem trennende Erkenntnis - die nur in einer Entscheidung zu formulieren gewagt werden kann. Und diese Entscheidung muss ständig aufs neue offen sein für die Offenbarung, die fremd und unverfügbar und das Kriterium und der Richter meiner Erkenntnis verbleibt.

Tillichs Perspektive neigt dazu, die Offenbarung in eine Synthese einzufügen und zwar als eine neue Dimension, die unmöglich in einen Konflikt geraten kann mit dem, was ohne die Offenbarung Wahrheit genannt wird. Das Verhältnis zwischen der Offenbarung und der Wahrheit der Vernunft wird also relativ konfliktlos. Die Vollendung wird durch eine abwechselnd (religions-)philosophische und theologische Perspektive erreicht, [313] wobei die (Religions-)Philosophie allem Anschein nach die Relation zwischen den beiden versteht - also versteht, was die Offenbarung und was die Gnade ist - während die Theologie von der Gnade als Wirklichkeit Zeugnis ablegt.

Es gibt vieles bei Tillich, was dies aufbrechen könnte und dazu berechtigen könnte, seine Perspektive in grösserer Nähe zu der Barths zu deuten. Dazu gehört zB dass die Synthese weniger als eine religionsphilosophische Wahrheit dargestellt wird, sondern als etwas, was durch Gnade in einem nicht immer vorhandenen Kairos erschaffen wird, und auch dort nur eine Vorwegnahme der eschatologischen Vollendung sein kann. [314] Aber es ist ebenfalls schwierig der Tendenz zu einer Synthese zu entgehen, die ich herauskristallisiert habe, um Tillich und Barth zusammen die Problematik profilieren zu lassen.

Bei Barth fehlt diese Tendenz zur Synthese. Er will von der Offenbarung so sprechen, dass sie etwas für unsere Art und Weise, die wahre Wirklichkeit zu erkennen und zu verwirklichen, bedeutet, und er muss von einer (ständig für Revidierungen offenen) Erkenntnis von der Offenbarung aus sprechen. Aber er erkennt keine religionsphilosophische Perspektive an, die das Verhältnis zwischen dieser Erkenntnis und einer anderen philosophischen oder humanistischen Erkenntnis beschreiben/regulieren könnte. Das Verhältnis zwischen Theologie und Philosophie bleibt für ihn undurchschaubar. In der Hoffnung bejaht er deren Vereinigung in der eschatologischen Vollendung, aber jetzt ist er dazu gezwungen, mit einer unvermittelten, ständigen Konfliktmöglichkeit zu leben. [315] Er kann die Gnade nicht verstehen (und sie auf diese Weise beherrschen, voraussehen, berücksichtigen), sondern sie verbleibt der Herr der geschenkten Identität. Die geschenkte Identität verbleibt eine Identität und verbleibt getrennt von meiner Identität als "alter Mensch" - die beiden gehen nicht in einer höheren Einheit auf.

Das bedeutet nicht, dass Barth nun von allen Schwierigkeiten befreit wäre. Auch
Barth versucht zu verstehen, was Offenbarung ist, er versucht eine kritische Selbstreflexion der Theologie um zu verstehen, was kirchliche Dogmatik ist und um so das
Verhältnis zwischen Theologie und Philosophie zu verstehen (vgl. oben 128). Auch
Barth muss zwischen Philosophie und Theologie abwechseln, um seine eigenen Gedanken
zu formulieren, zu entwickeln und zu analysieren letztlich um überhaupt denken zu
können (vgl. oben 116ff). Aber er weigert sich Ruhe in einer Synthese oder in einem ständigen Abwechseln zu suchen. Er will ständig sein eigenes (philosophisches)
Bild von der Offenbarung in Frage stellen, um für die Offenbarung offener zu sein
und um die Erkenntnis der Offenbarung in einer Entscheidung besser zu formulieren
zu versuchen.

Hier ist vielleicht trotz allem eine letzte Entscheidung notwendig. Auch wenn man
Verständnis für die Denkweisen beider haben kann, so ist es nicht möglich, beide zu
vereinen zu versuchen. Tillichs Denken macht bewusst und systematisiert das, was
beide tun, und ohne dies ist Verständnis nicht möglich. Barth weigert sich hier
eine Synthese zu suchen und er hat gute Gründe. Ein Versuch, eine Synthese jenseits
der beiden zu finden, wäre identisch mit Tillichs Versuch. Es scheint keinen anderen Ausweg zu geben als mit Barth in einer theologia (et philosophia) viatorum mit
deren ständigen Konflikten bewusst zu verharren in der Hoffnung auf eine Vereinigung der beiden. Aber Tillichs Versuch kann uns daran erinnern was man eigentlich
tut, wenn man zu verstehen versucht, so dass die theologia viatorum sich nicht von
den Konflikten freimacht und als eine versteckte theologia gloriae, als Offenbarungspositivismus etabliert.

6.2.2. Das Selbstverständnis eines nicht in der eschatologischen Vollendung lebenden Glaubens.

In dem Ausdruck "theologia viatorum" wird die Offenheit des Glaubens gegenüber der
Wahrheit als Offenheit gegenüber der von Gott in der Zukunft zu verwirklichenden
Wahrheit aufgenommen. In dieser eschatologischen Perspektive wird jene Offenheit
des Glaubens gegenüber dem Handeln Gottes - gegenüber der Gnade - thematisiert und
motiviert, aus der der Glaube nach seinem eigenen Selbstverständnis die Hilfe erhält, in den Aporien der humanistischen Perspektive zu leben oder sie sogar zu überwinden. Wie aber ist diese eschatologische Perspektive zu verstehen?

Was im vorhergehenden Abschnitt gesagt wurde darf nicht so interpretiert werden
als ob es Tillichs Intention wäre, seine eigene Theologie als eine theologia (et
philosophia) gloriae auszugeben. Das ist nämlich nicht der Fall.

371

Darum kann keine Theologie und keine Philosophie, nicht einmal eine
Theologie oder Philosophie des "Ja und Nein" die absolute Wahrheit
sein /.../ Es gibt nur eine Wirklichkeit, die nicht zugleich das Ja
und das Nein enthält, sondern nur das Ja: Jesus als der Christus.
(T 1955,101)

Die Versuche des Biblizismus und der Orthodoxie, eine unbedingte
Theologie zu schaffen, widerspricht dem richtigen und unerlässli-
chen Grundprinzip der neuorthodoxen Bewegung, dass "Gott im Himmel
und der Mensch auf Erden ist" - selbst dann, wenn der Mensch ein
systematischer Theologe ist. (ST I,65)

Auch wenn es bisher in Teil III vielleicht nicht so deutlich hervorgetreten ist, so
ist doch die eschatologische Perspektive für Tillich unerhört wesentlich und die
gesamte Struktur seines Denkens kann als ein Versuch angesehen werden, diese Perspektive zu thematisieren. Sicherlich ganz mit Recht behauptet Ulrich, "dass
Tillichs Ontologie als eschatologische Ontologie anzusprechen ist (Ulrich 1971,
122, vgl. 122-133). [316)

Welches Gewicht die Offenheit der eschatologischen Perspektive gegenüber der Zukunft für Tillich hatte, ist bereits aus Kap. 4 hervorgegangen. Hegels Hybris bestand darin, dass "sein vollendetes System keinen Zugang zur Zukunft offenliess"
(GWE II,96, vgl. oben 180). Die geschichtliche Geschichtsdeutung (vgl. oben 4.2.4)
fasste die Zeit als historische Zeit auf, eine Zeit, "die unabwendbar und unrück-
wendbar, unwiederholbar nach vorn läuft, die auf das Neue zugeht" (GW VI,179/1951/).
"Auf dem Boden der geschichtlichen Weltauffassung" gilt:

Nicht Einswerdung, sondern Erwartung, theologisch gesprochen, nicht
Mystik sondern Hoffnung ist die geforderte Haltung des Menschen.
(GW VI,99f/1935a/)

In "Die sozialistischen Entscheidung" wird "das sozialistische Prinzip" "im Symbol
der Erwartung" zusammengefasst (GW II,310/1933/, vgl. oben 229 und 277ff). Darin
liegt ein Protest gegen den "Versuch, die Enderwartung auf das Schicksal der Einzel-
seele zu beziehen und von dem historischen Schicksal, der Umwandlung der Welt, fern-
zuhalten" (GW II,311) und in der Einleitung zu der Schrift wird die uneingeschränk-
te eschatologische Perspektive eng mit dem Programm eines gläubigen Realismus verknüpft.

Der Sozialismus ist auf den klarsten, nüchternsten Realismus angewiesen;
aber auf gläubigen Realismus, Realismus der Erwartung. (GW II,224)

In der Systemtatischen Theologie wird dies, wie wir gesehen haben (vgl. zB 4.4.3)
als Offenheit gegenüber/Hoffnung auf eine Wiedervereinigung mit dem essentiellen
Sein und mit anderen Menschen ausgedrückt. All dies ist eschatologische Ausdrucksweise.

Daher können auch Tillichs Abgrenzungen eschatologisch ausgedrückt werden. Zusammenfassend können sie in der Systematischen Theologie so formuliert werden:

> Nicht zufrieden mit der fortschrittsgläubigen, utopischen und transzendentalistischen Deutung der Geschichte (und in Ablehnung der ungeschichtlichen Typen) suchten die Religiösen Sozialisten in den frühen zwanziger Jahren dieses Jahrhunderts nach einer Lösung, die diese Unzugänglichkeiten vermied und sich auf den biblischen Prophetismus stützte. Dieser Versuch ging von einer Neuinterpretation des Sybmols "Reich Gottes" aus. (ST III,407)

Bereits früher haben wir gesehen, im Blick auf welche Abgrenzungen Tillich das "Symbol der Erwartung" versteht, in dem er in "Die sozialistische Entscheidung" "das sozialistische Prinzip" zusammenfasst. Entsprechende Abgrenzungen begegnen auch in dem offenen Brief an Emanuel Hirsch, in dem Tillich seine Kritik folgendermassen zusammenfasst:

> Du verkehrst die prophetisch-eschatologisch gedachte Kairos-Lehre in priesterlich-sakramentale Weihe eines gegenwärtigen Geschehens. (T 1934,312, im Original hervorgehoben)

Gegen eine solche Verkehrung müssen "die Wucht der Forderung" und die "Leidenschaft der Erwartung" hervorgehoben und verteidigt werden. Dies ist die selbstverständliche Voraussetzung für Tillichs Denken, und seine Bemühungen sind ein Versuch, die Problematik zu bewältigen, die dann entsteht.

> Jeder prophetisch-eschatologischen Bewegung haftet die Gefahr des Utoppismus an. Utopismus aber ist Absolutsetzung einer endlichen Möglichkeit, wenn auch einer solchen, die in der Erwartung liegt. Wir mussten dem entgegentreten; aber wir durften und wollten nicht die Wucht der Forderung und die Leidenschaft der Erwartung brechen. In dieser Not - ich erinnere mich genau der Tage - wurde die Kairos-Idee gefunden. Sie ist, was vielleicht mancher nicht weiss, im Ringen mit dem Problem der Utopie gefunden worden. (T 1934,314)

Sowohl gegen Hirschs priesterlich-sakramentale Weihe und gegen den Utopismus muss "das Eschatologische" verteidigt werden, und Tillich stellt sich hier, wie er meint, auf die Seite Barths auch wenn er ebenfalls hier die Schwierigkeiten zu durchschauen/zu überwinden versucht und weiterkommen möchte:

> Solange freilich der Kampf tobt, stehen wir auf derjenigen Seite, die das Eschatologische gegenüber dem Angriff eines dämonisierten Sakramentalismus verteidigt. Wenn auch ein hoher Preis an supranaturaler Verengung und orthodoxer Verhärtung dafür gezahlt werden muss, es ist besser so als die Preisgabe des Eschaton an ein absolut gesetztes Endliches.
>
> /Im Text zuvor:/ Es verbindet uns mit Barth, insofern wir mit ihm die greifbare Gegenwart des Göttlichen in einem endlichen Sein oder Geschehen bestreiten; es trennt uns von Barth, weil das Eschatologische bei ihm supranaturalen, bei uns paradoxen Charakter hat. Wir stellen das Transzendente nicht in einen undialektischen Gegensatz zur Geschichte, sondern glauben, dass es als echte Transzendenz nur verstanden werden kann, wenn es als das verstanden wird, was je und je in die Geschichte

hereinbricht, sie erschüttert und wendet. (T 1934,312)

Trotz verschiedener Terminologien verbleibt Tillichs Theologie ein Versuch, von einer "Theonomie" zu sprechen, die sich "in gleicher Weise von der jenseitigen wie von der diesseitigen Utopie" unterscheidet (GW II,94f/1923b/), ein Versuch "Between Utopianism and Escape from History" (englischer Titel von GW VI,149ff/1959/) zu denken und zu leben, ein Versuch, die Geschichte weder utopisch noch transzendentalistisch zu deuten (ST III,407, publiziert 1963).

Die Abgrenzung gegen den Utopismus ist ein Teil des Versuchs Tillichs, weiter als nur bis zu einer "leeren" Autonomie zu gelangen. Die bürgerliche Befreiung von der feudalen Gesellschaft, und, allgemein, "die Brechung des Ursprungsmythos durch die unbedingte Forderung" (GW II,228,/1933/ im Original hervorgehoben) ist "die Entfaltung des utopischen Denkens, welches in aktiver selbstbewusster Veränderung der Welt eine den neuen Bedürfnissen angemessene und gerechte societas humana zu schaffen bestrebt war" (Strohm 1970,24). Das was Tillich will, kann er dann dadurch ausdrücken, dass er von prophetischer Kritik spricht, die er von der ohnmächtigen, kritizistischen Kritik von dem "abstrakte/n/ Element des Ideals" aus unterscheidet (GW VII,38/1929a/, vgl. oben 199). Das kann dann auch als eine Kritik des utopischen Denkens ausgedrückt werden:

> Das protestantische Prinzip hat die Möglichkeit, die paradoxe Erwartungssituation des Protelariats zu verstehen und mehr noch: sie vor einer Umbiegung zu bewahren, die jeder Erwartung droht, vor der Utopie. Aus der Erwartung wird Utopie, wenn die Erwartungshaltung ihren wesenhaft dialektischen Charakter verliert und aufgefasst wird als ideelle Vorwegnahme, die möglichst bald durch ein greifbares, objektives Haben zu ersetzten ist. Aber das in jeder echten Erwartung Letztgemeinte bleibt transzendent, es geht über die konkrete Erfüllung menschlicher Bestimmung hinaus, sowohl über die Jenseits-Utopie religiöser End-Mythen als auch über die Diesseits-Utopie profaner Zielvorstellungen. Und doch bedeutet diese Transzendenz nicht, dass man die entstellte Wirklichkeit lassen sollte, wie sie ist, sondern sie drängt zur ständigen revolutionären Erschütterung und Umwandlung des Vorgefundenen. (GW VII,95/1931a/)

Die Abgrenzung gegen den Transzendentalismus ist ein Teil all dessen in Tillichs Denken, was mit Ausdrücken wie "protestantische <u>Gestaltung</u>", "gläubiger <u>Realismus</u>" etc angedeutet wird.

> Die Gestalt der Gnade ringt ständigt um Verwirklichung in den ständig wechselnden historischen Gestalten /.../
> Das schon Entschiedene und Erfüllte, die Vorwegnahme des "Eschaton" im Sein ist der Ort, an dem die Gestalt der Gnade erscheint. (GW VII,51f/1929a/)

Wir haben bereits gesehen, wie das, was wie eine kleine Korrektur aussehen kann - "Barth übersieht nur, dass alles Reden von der eschatologischen Erfüllung erst mög-

374

-lich wird durch 'Vorwegnahme' in der Gestalt der Gnade" (GW VII,42, Anm. 23, vgl. oben 201) - direkt zu dem für Tillich theologisch Wesentlichsten führt. Tillich betrachtet auch diesen radikalen Bruch Barths (ebenso wie Sartres) mit jeder Utopie als eine politische Gefahr (GW VI,168f/1951/).

In den fünfziger und sechziger Jahren bedient sich Tillich der "Unterscheidung von Utopismus und Geist der Utopie" [317], die er mit Hilfe der "horizontalen" und "vertikalen" "Dimensionen" ausdrückt. Ziel ist es (natürlich) auch hier, die beiden Dimensionen zusammenzuhalten und damit "Reich Gottes" zu verstehen:

> Die Antwort liegt im Symbol "Reich Gottes". Die Idee des Reiches Gottes steht direkt oder indirekt hinter allen Formen des Utopismus sowie des Geistes der Utopie in der westlichen Welt, des säkularen wie des religiösen. Denn diese Idee hat zwei Dimensionen, eine innergeschichtliche und eine übergeschichtliche. Das Reich Gottes ist nahe herbeigekommen, und seine Nähe schafft jedes echte Kairosbewusstsein. Aber das Reich Gottes liegt auch immer jenseits der Geschichte als die ewige Erfüllung alles dessen, was in der Geschichte unerfüllt bleibt. Aus dieser Doppelheit der Dimensionen in der Reich-Gottes-Idee folgt das Ja und Nein in allen Urteilen über künftige Geschichte. Aus dieser Zweiheit folgt auch der Konflikt zwischen Utopismus und Geist der Utopie. Utopismus entsteht notwendigerweise, wenn die übergeschichtliche Dimension des Reiches Gottes von der innergeschichtlichen verschlungen wird. Der entgegengesetzte Irrtum ist die völlige Beseitigung des innergeschichtlichen Dimension, wie sie zum Beispiel in gewissen Formen der griechisch-orthodoxen Religion und des klassischen Luthertums vorliegt. Der Geist der Utopie dagegen, der prophetische Geist, ist auf beide Dimensionen gerichtet. Die letzte Einheit aller Dinge im ewigen Leben, im Leben Gottes, bleibt das Kriterium für jeden Augenblick innergeschichtlicher Erfüllung. Und es gibt innergeschichtliche Erfüllung, es gibt Manifestationen des Reiches Gottes in den zweideutigen Gestalten der historischen Existenz.
> (GW VI.155/1959/, vgl. ST II,99, ST III,407,409-411)

In Tillichs Weise von dem "Eschatologischen" zu sprechen, findet sich also - und wird sie motiviert - die Struktur wieder, die Punkt für Punkt in meiner Problembeleuchtung wiedergefunden wurde. Tillich kann nicht die Gestalt der Gnade von den profanen Gestalten abgrenzen. In diesen Gestalten, in der Wirklichkeit gibt es/kann es geben "eine Vorwegnahme, eine Teilhabe an der Gestalt der Gnade" (GW VII,49f,42). Das Geschichtliche steht daher nicht unter einem eindeutigen, radikalen Gericht sondern unter Gericht und Verheissung (zB GW VII,78/1928/, GW VI,150). Daraus folgt Tillichs (paradox gemeinte) Bejahung der Wirklichkeit trotz der Kritik (vgl. oben 283f). Daraus folgt sein Festhalten daran, dass der Glaube trotz allem mit Erfahrung zu tun hat (vgl. oben 297f), und dass eine fragmentarische Parizipation an der transzendenten Einheit unzweideutigen Lebens trotz allem möglich ist (vgl. oben 318). Daraus folgt also sowohl das, was in Tillichs Denken zentral ist, das, was Interesse erweckt und herausfordert als auch das, was zu kritischem Fragen Anlass gibt.

Kommt man von Tillichs Denken zu Barths Denken, so überrascht und erstaunt anfangs, dass bei Barth keine entsprechende Thematisierung der eschatologischen Perspektive vorkommt. Trotz des programmatischen Satzes im zweiten Römerbriefkommentar -

> Christentum, das nicht ganz und gar und restlos Eschatologie ist, hat mit Christus ganz und gar und restlos nichts zu tun. (B 1922,298, vgl. oben 110) -

scheint die Eschatologie in Barths Theologie niemals zu einem Argument werden zu können, scheint er mit ihr nichts anfangen zu können, scheint er kaum von ihr sprechen zu können.

Hier wurde Barth Kritik entgegengebracht. Von Balthasar hat von Barths Theologie den Eindruck, "dass in dieser Theologie des Geschehens und der Geschichte vielleicht doch nichts geschieht, weil alles in der Ewigkeit schon immer geschehen ist" (von Balthasar 1951,380). Und derselbe Eindruck zwingt Stadtland zu der ernsten Frage:

> Kann man überhaupt noch von einer Eschatologie bei Barth reden angesichts dieser neuesten Entwicklung /KD IV/3/ ? Oder muss man nicht in einer strukturellen Analyse sagen: in der "dialektischen Periode" Barths hatte die alles andere erdrückende ontotheologische Gotteslehre die Explikation einer futuristischen Eschatologie verhindert, und in den letzten KD-Bänden wirkt sich die nochmalige Einengung auf den Christus praesens innerhalb der "christologischen Engführung" dahin aus? Wir gestehen an diesem Punkt unsere Unsicherheit darüber ein, ob die für die "Auferstehung der Toten" (1924) analysierte futurische Eschatologie wirklich eine futurische war. Diese Fragen wollen nicht als schon beantwortete rhetorische Fragen verstanden sein; es sind die Fragen des Schülers, der nicht versteht.
>
> /.../ Barth hat es von seinem Ansatz her eigentlich nicht mehr nötig, auch von Eschatologie, zu reden. Wenn alles schon siegreich, glanzvoll, fraglos noetisch gegeben ist, dann kann der Eschatos nichts Neues mehr bringen, und die Rede vom Eschatos wird uneigentlich, wenn nicht gar überflüssig. (Stadtland 1966,188f)

Vor demselben Hintergrund spricht Aagaard von Barths Abhängigkeit von "Kants transzendentaler Eschatologie in philosophischem Gewand", die dazu führt, dass er vom Reich Gottes spricht "als einem Reich, in dem alles für ewig geschehen ist" (vgl. oben 282), spricht Wingren von einer bei Barth mit eiserner Konsequenz durchgeführten realisierten Eschatologie (vgl. oben Anm. 292) und fragt Moltmann ob nicht Barths Revision von der "transzendentale/n/ Eschatologie seiner dialektischen Phase" "zu einer entsprechenden Revision im Offenbarungsverständnis" führen muss (Moltmann 1964,49f).

Ich habe allerdings den Eindruck, als ob Barths Sicht an dieser Stelle nicht nur von seinem Ansatz aus konsequent ist, sondern auch, dass sie theologisch/gedanklich gut motiviert ist - und gleichzeitig die Identitätsproblematik der Theologie akzentuiert, der wir Punkt für Punkt im Vorhergehenden begegnet sind und die, wie ich meine, die Geschichtlichkeit des menschlichen Denkens als theologisches Problem genannt werden kann.

Von besonderem Interesse scheint mir hier der Abschnitt in der Kirchlichen Dogmatik zu sein, in dem Barth zu fragen beginnt:

Wie war es möglich, dass ihre /der mit Gott versöhnten Welt/ dort, in jenem Ereignis Gegenwart gewordene Zukunft nicht von dort aus sofort wie eine Sturzwelle über die ganze Welt ging, alle Menschen aller Zeiten und Räume - eben ihre Zukunft war doch dort, in der Erscheinung des auferstandenen Jesus Christus Gegenwart geworden! - mit ihrer Gegenwart erfüllte? /.../ Wie konnte es sein, dass jenes mit unvergleichlicher Wirkungskraft geradezu geladene Ereignis nun doch von ferne nicht die ihm entsprechende totale, universale, definitive Wirkung hatte - dass also die Zeit und das Weltgeschehen in der Zeit weiterzugehen schien und bis auf diesen Tag weiterzugehen scheint, als wäre nichts geschehen, als ob jene erste und letzte Stunde nicht geschlagen hätte, als ob also Christus nicht auferstanden wäre? Wie konnte es sein, dass die der vollbrachten Versöhnung entsprechende und notwendig folgende Erlösung und Vollendung trots ihrer Offenbarung - vielmehr: wohl in ihrer Offenbarung, nicht aber in der Welt, in der und an die diese erging, nicht einmal in dem engen Kreis der Menschen, die ihr teilhaftig wurden, Ereignis zu werden schien? Wie konnte das alles sein? (KD IV/3,365f)

Das Entscheidende ist nun, dass die an und für sich richtigen und wichtigen Antworten auf diese Frage "gerade in ihrer ganzen Richtigkeit und Wichtigkeit doch wieder auf die Frage zurück/zu/führen". Man soll nach Barth Sorge tragen, sich dieser Frage nicht entledigen zu wollen. (KD IV/3,366) Diese Frage drückt einen Widerspruch aus, über den wir nicht hinauskommen, und der "nicht etwa bloss resigniert zu akzeptieren, sondern ernstlich zu respektieren, mehr noch: freudig gutzuheissen" ist (KD IV/3,375). Wohl muss man zB fragen:

Ging und geht die Wiederkunft Jesu Christi nicht weiter in dem doppelten Ereignis des christlichen Kerygmas und des durch dieses geschaffenen christlichen Glaubens, vor allem aber in der Sammlung und im Aufbau der christlichen Gemeinde? Ist sie, die Kirche /.../ nicht in ihrer Existenz, in ihrer inneren und äusseren Gestalt und Tätigkeit, eine einzige Antezipation eben jener künftigen, der noch ausstehenden Fülle der Erlösung und Vollendung /.../? (KD IV/3,370)

Aber dann muss man auch fragen - und hier wird der fundamentale Unterschied zwischen Religionismus und kirchlicher Dogmatik aktualisiert:

Wo begegnete uns im christlichen Kerygma, im christlichen Glauben, in der christlichen Gemeinde, im Leben und Tun der Kirche (auch der reinsten Kirche!) und ihrer Glieder (auch ihrer edelsten und besten Glieder!) nun wirklich der auferstandene Jesus Christus selbst und also Jenseits im Diesseits, das Vergängliche in Unvergänglichkeit, das ewige, das göttliche im zeitlichen, im menschlichen Leben also Erlösungs- und Vollendungswirklichkeit? /.../ Ist vielleicht nicht gerade das das sicherste Kriterium echter Christlichkeit und Kirchlichkeit: ob die in ihr vereinigten Menschen ganz und gar in dieser Erwartung und also gar nicht in einem vermeintlich vorhandenen Besitz der glorreichen Gegenwart ihres Herrn existieren? (KD IV/3,371)

Es ist für Barth wichtig, dass auch die Hoffnung menschlich ist, eine Hoffnung unter den Bedingungen der Gegenwart ist.

> Noch kann also die christliche Hoffnung in ihrer ganzen Klarheit und Gewissheit, in ihrem ganzen Partizipieren an dem Erhofften doch nicht mehr als Hoffnung sein - klar und gewiss kraft des Erhofften, der ihr Ursprung, Gegenstand und Inhalt ist - und in dieser Klarheit und Gewissheit sicher eine Bedrohung aller ihr widersprechenden Elemente seiner Gegenwart, aber doch auch ihrerseits <u>bedroht</u> durch diese. (KD IV/3,1052)

Auch der Hoffende ist simul iustus et peccator (KD IV/3,1055). Auch die Zukunftserwartung des Christen ist von dem kommenden Ende bedroht:

> Kein Zweifel - daran kommen wir nicht vorbei - dass das in dieser oder jener Gestalt sicher kommende Ende auch des Christen Zukunftserwartung noch einmal, und das aufs Ernstlichste, problematisieren, bedrohen, verfinstern, ihr den Charakter einer zwischen Heils- und Unheilserwartung schwankenden Aussicht, vielleicht auch den Charakter einer reinen Unheilserwartung geben könnte. (KD IV/3,1063)

Auch Leben in Hoffnung ist - nicht Leben aus sich selbst heraus, aus intellektueller, moralischer oder religiöser Bemühung und Anstrengung heraus, sondern - Leben <u>aus Gott</u> (KD IV/3,1079).

Wie führt dies zu einer Theologie, die vorauszusetzen scheint, dass alles in Christus bereits geschehen ist? Soweit ich es verstehe, kann Barths Gedankengang ungefähr folgendermassen ausgedrückt werden:

Für das Selbstverständnis des Glaubens/die Theologie gibt es keine Kriterien dafür, ob irgendetwas fehlt - und wonach sich entscheiden liesse, was Gott noch zu tun habe. Dass Gott noch mehr tun muss, bleibt unverständlich, aber der Christ sieht dem mit Vertrauen und Freude entgegen - und zwar ausgehend von dem, was bereits geschehen ist und davon ausgehend, dass das was bereits geschehen ist der vollkommene Sieg <u>ist</u>.

> <u>Noch</u> blicken wir von jenem ersten Ereignis her diesem andern erst entge-
gen /.../ Noch schauen wir sie /die Heilszukunft/ eben erst wie durch eine schmale Ritze in einer ersten Gestalt. <u>Noch</u> bleibt uns nur übrig, sie in jener anderen, erst kommenden, letzten und vollkommenen Gestalt zu glauben. Was wir sein werden, ist insofern (1. Joh. 3,2), indem wir Kinder Gottes schon sind, <u>noch</u> nicht offenbar geworden. Die Spannung besteht und ist auszuhalten. Sie kann und darf aber auch ausgehalten werden so gewiss wir ja dem, was wir <u>noch</u> nicht sind, sondern erst einst, in jener noch ausstehenden Gegenwart der Heilszukunft sein werden, von dem her entgegensehen und entgegengehen dürfen, was wir im Licht des Ostertages schon sind. Wir haben von dorther die Freiheit - und wie sollten wir von dorther nicht auch die Freudigkeit haben? - mit allen

Menschen, mit der ganzen Kreatur nach dorthin <u>unterwegs</u> zu sein. (KD IV/3,368)

Nach Barth ist so eine "grundsätzliche Bescheidung" nach zwei Seiten notwendig.

Wir hätten uns dann grundsätzlich dabei zu bescheiden, dass das Oster-
ereignis die Antwort auf unsere Frage tatsächlich ist, an die wir uns
ohne Zweifel, Reserve und Einschränkung halten dürfen und sollen.
(KD IV/3,375)

Aber man muss auch der Frage standhalten. Es ist uns, nach Barth, "grundsätzlich verboten, uns der durch diese Frage verursachte Beunruhigung, der Notwendigkeit des Ausblicks von dem einen Ostertag nach dem ganz andern /.../ entziehen zu wollen".

Nur in rückhaltloser Anerkennung und Würdigung der Antwort <u>und</u> der
neuen Frage und also des Widerspruchs als solchen wäre ja di<u>ese</u> Erkenntnis /des Sachverhalts, der Ordnung, die sich in diesem Widerspruch spiegelt/ vollziehbar. (KD IV/3,376)

Das Eschatologische wird in Barths Theologie zu einem Vorzeichen vor dem Gesamten -
- nicht zu einem Teil mit einer Funktion in dem Gesamten. Die Perspektive auf die
eschatologische Vollendung nimmt nichts zurück von der Bedrängnis der Theologie,
sondern

eben indem ihre Bedrängnis <u>ausgehalten</u> und <u>ertragen</u> wird (nicht erst
irgendeinmal nachher, sondern <u>indem</u> das geschieht), darf und soll
theologische Arbeit in Hoffnung <u>aufgenommen</u> und <u>getan</u> werden
(B 1962,161f).

Der "Vorsprung", den der Theologe anderen gegenüber möglicherweise haben kann, ist,
dass er mehr als andere

bei jedem Schritt, den er wagt und tut, allen Anlass hat, sich über den
Stückwerk-Charakter <u>seines</u> Fragens und Antwortens, <u>seines</u> Forschens und
Sprechens, seiner Ent<u>deckungen</u> und Formulierungen auf<u>s neue</u> unzweideutig
klar zu werden (B 1962,165).

Davon ausgehend muss man im Blick auf Tillichs Arbeitsweise ernstlich fragen: Droht
nicht der Versuch, den eschatologischen Vorbehalt zu thematisieren, diesen Vorbehalt aufzulösen? Könnte ich den eschatologischen Vorbehalt verstehen, würde ich
dann nicht den Zusammenhang "mit den Augen Gottes" sehen (KD IV/3,366)? Könnte ich
den theologia-viatorum-Charakter meines eigenen Denkens verstehen, wäre dann dieses
Verstehen nicht eine versteckte theologia (et philosophia) gloriae?

Deswegen wird dieser theologia-viatorum-Charakter nie zu einem Inhalt in Barths
Theologie. Es wird gesagt, dass Jesus Sieger ist, dass der Glaube nicht anders verstehen kann, als dass alles bereits entschieden ist - Auferstehungsrealismus, Triumph der Gnade (vgl. KD IV/3,366,373f). Der theologia-viatorum-Charakter liegt da-

-rin, dass die Offenheit gegenüber der Zukunft in der Haltung gegenüber der eigenen Theologie trotzdem vorhanden bleibt. Auch wenn die Theologie sagt, dass Jesus Sieger ist, lebt sie in der Bedrängnis, kann sie nur hoffen, kann sie nichts anderes als "als theologia crucis /.../ was dabei zu erleiden ist, in Gemeinschaft mit Ihm /Jesus Christus/ und also ohne Murren und Auflehnung auszuhalten und zu ertragen" (B 1962,169).

Aber damit wird die Situation der Theologie nicht nur auf eine allgemeine und vielleicht sogar stimulierende Weise beschwerlich sondern tief problematisch. Wenn sie nur darauf hoffen kann, dass sie das Verhältnis zwischen Philosophie und Theologie in der eschatologischen Vollendung durchschauen wird, kann sie nicht selbst verstehen was sie jetzt sagt. Ihre eigene Identität als Theologie bleibt ihr jetzt verborgen/unverfügbar. In Relation zu dem Entwurf unserer Darstellung ausgedrückt: Setzt die eschatologische Perspektive ihren Prägel auf den Anspruch des christlichen Glaubens gegenüber der humanistischen Perspektive, und ist diese eschatologische Perspektive so beschaffen, dass sie nicht durchschaut, erklärt und in Ontologie umgewandelt werden kann - was Tillich wohl auch nicht beabsichtigt, wozu er aber in seinem Versuch zu verstehen und zu erklären getrieben wurde [318] -, so scheint der Anspruch des christlichen Glaubens (und die Identität der Theologie) in der Luft zu hängen. Es scheint als ob er dann nicht nur unverfügbar sondern auch unverständlich ist. Dann wären.theologische Aussagen ständig davon bedroht, zu - auch für die Theologie selbst - unverständlichen, hingeschleuderten Sätzen, zu Offenbarungspositivismus zu werden.

Aber kann die Theologie dieser tiefen Problematik - der Geschichtlichkeit des menschlichen Denkens als theologisches Problem - entgehen? Hat nicht Picht recht wenn er behauptet:

> Es gibt keine Vermittlung zwischen Ontologie und Eschatologie. Deshalb ist alle positive Dialektik /.../ transzendentaler Schein. Nachkantische Dialektik ist Opium des Volkes. (Picht 1973,119)

Und ist es nicht nur ein schwacher Trost für die Theologie, dass auch die humanistische Perspektive einem entsprechenden Problem begegnet, da ja jeder Versuch, die geforderte Offenheit - auch Utopien und Idealen gegenüber - zu thematisieren, die Offenheit aufzuheben droht?

7. RUECKBLICK

Der Weg, den wir gehen wollten, liegt hinter uns. Wir wollen zurückschauen, um den Zusammenhang dessen, was uns auf diesem Weg begegnet ist noch einmal deutlich werden zu lassen.

Ausgangspunkt - abgesehen von den methodischen Voraussetzungen - war eine Beschreibung der Geschichtlichkeit des menschlichen Denkens als humanistisches Problem. Die Absicht mit dieser Beschreibung war nicht in erster Linie, eine bestimmte Auffassung von diesem Problem zu profilieren um sie dann gegenüber anderen Auffassungen abzugrenzen, sondern es wurde beabsichtigt, eine Problematik zu skizzieren, die, wie ich meine, für das meiste ernst zu nehmende moderne Denken gemeinsam ist (vgl. oben Anm. 10). Wenn mir dies gelungen ist, so dürfte es mir auch gelungen sein zu zeigen, dass man dieser Problematik nur äusserst schwer entgehen kann, ja dass es naiv wäre, sie zu übersehen, und es dürfte mir auch gelungen sein, meiner Frage Gewicht zu verleihen, ob nicht schwedische Theologie weitgehend gerade einer solchen Naivität verfallen ist.

Diese Beschreibung gipfelt in der Frage, ob nicht die humanistische Perspektive unausweichlich in Aporien endet, die sich unmöglich gedanklich auflösen lassen und die die humanistische Perspektive als Gedankenkonstruktion sprengen. Dies darf nicht missverstanden werden. Es ist nicht die Absicht - absolut nicht primär und auch nicht bewusst sekundär, ausser als eine Frage in das Problem der Selbstlegitimation hinein (siehe unten) - die Schwierigkeiten der humanistischen Perspektive zu zeigen, um dann den christlichen Glauben oder vielleicht sogar die Theologie als Lösung für diese Schwierigkeiten aufzuzeigen. Ganz im Gegenteil ist es die Absicht, ehrlich eine Problematik aufzuzeigen zu versuchen, die sich dann auch als eine Problematik des Glaubens und der Theologie erweist und sich vielleicht gerade für den Glauben und die Theologie als noch dringlicher erweist. Ebenfalls ist es nicht die Absicht zu verleugnen, dass menschliche Verantwortlichkeit verwirklicht werden kann und faktisch verwirklicht wird. Umgekehrt ist es die Absicht, darüber zu reflektieren was geschieht, wenn dies geschieht - letztlich um die Verantwortlichkeit bewusst zu machen, damit ihr Kontinuität verliehen und sie verteidigt werden kann.

Hiervon ausgehend habe ich dann versucht zu zeigen wie ein Versuch herauszuhören wie Barth und Tillich über diese fundamentale Problematik reflektiert haben direkt in das Zentrum ihrer jeweiligen theologischen Konzeption führt (Kap. 3-4) und wie sie also in allen zentralen Loci der Theologie aktualisiert wird (Kap. 5-6). Damit will ich zeigen, dass sich die Problematik nicht zu einem "Methodenproblem" re-

-duzieren lässt oder zu einem Problem, das in den Prolegomena einer Theologie abgehandelt werden kann. Die Problematik wird nicht nur dann aktualisiert, wenn man die theologische Reflexion "von aussen" betrachtet und Rechenschaft darüber abzulegen versucht, was ihr spezieller Charakter ist und vor welche Probleme sie unausweichlich gestellt wird. Sie wird auch dann aktualisiert, wenn die Theologie "von innen", innerhalb des theologischen Zirkels zu verstehen versucht, was christlicher Glaube ist - auch wenn bereits "von aussen" und "von innen" die gesamte Theologie-Philosophie-Problematik aktualisiert.

Der Versuch herauszuhören wie Barth und Tillich über das Problem der Geschichtlichkeit des menschlichen Denkens reflektiert haben, hat mich zu einem Verständnis von Barths und Tillichs Theologien geführt, das meiner Meinung nach nur schwer zu umgehen ist. Für dieses Verständnis versuche ich in meiner Darstellung zu argumentieren, damit es zu einer Provokation für andere Barth- und Tillich-Deutungen werden kann. Eine solche Provokation kann als eine Reihe von theologiegeschichtlichen Thesen aufgefasst werden. Aber nachdem verantwortliche Reflexion - auch verantwortliche theologische Reflexion - eine Bewältigung der Tradition einschliesst, und nachdem Barth und Tillich zweifellos einen nur schwer zu übersehenden Teil unserer heute sich aufdrängenden theologischen Tradition ausmachen, so müssten solche theologiegeschichtliche Thesen zu einer Provokation für verschiedenartige Versuche, diese Tradition zu bewältigen werden und damit zu einer Provokation für verschiedenartige Versuche zu verantwortlicher systematisch theologischer Reflexion. Soweit es mir gelungen ist, eine zutreffende Deutung der Theologien Barths und Tillichs zu geben, so müsste mein Verständnis sich als eine Frage an andere eignen, ob sie das, was ich hervorhebe in ihre, die theologische Tradition zu bewältigende Geschichtsperspektive integrieren können.

Eine thesenartige Zusammenfassung meines Verständnisses liesse sich folgendermassen formulieren:

1. Man gelangt direkt in das Zentrum dessen, was Barth mit seiner Theologie beabsichtigt, wenn man diese von der frühen Auseinandersetzung mit der "modernen" Theologie und deren Tendenz, die Aufmerksamkeit auf die Qualitäten des frommen Menschen und auf die Kirche als eine Gemeinschaft von frommen Menschen zu richten, aus deutet und man gelangt nur schwer auf einem anderen Weg zu diesem Zentrum. Barths Theologie muss also als ein Versuch (mit klaren und bewussten radikalen politischen Implikationen) verstanden werden, die Radikalität der reformatorischen Rechtfertigungslehre wiederzugewinnen, und sie wird missverstanden, wenn sie als eine konservative Theologie, die der älteren Dogmatik als einer übergeordneten Norm treu bleibt, gedeutet wird.

382

2. Man gelangt zu einem tieferen Verständnis der Theologie Tillichs - nicht zuletzt
der Systematischen Theologie und der übrigen, in den USA verfassten Schriften -
wenn man sie von der frühen Reflexion über die Implikationen des "protestantischen
Prinzips", die zu einer Theologie führte, die Tillich selbst "religiöser Sozialismus" nannte, aus versteht. Man wird dann erkennen, dass Tillich als Theologe immer
von einer paradoxen Gestalt der Gnade, von der der Glaube lebt, die aber niemals
Teil einer philosophischen Ueberlegung werden kann, aus denkt. Man missversteht
dagegen Tillich, wenn man in ihm jemanden sieht, der konsequent "natürliche" Theologie betreibt, einen (Religions-)Philosophen, der versucht, seine(Religions-)Phi-
losophie eine ganze Theologie tragen zu lassen - und wenn man ihn deswegen dafür
kritisiert, dass seine Philosophie diese Last nicht zu tragen vermag.

In meiner Problembeleuchtung glaube ich Punkt für Punkt gesehen zu haben, wie sowohl
Barth als auch Tillich einen Anspruch des christlichen Glaubens im Verhältnis zu der
humanistischen Problematik zu formulieren versuchen - und wie bereits dieses Formulieren sie beide direkt in einen verwickelten Problemzusammenhang führt, mit dem
beide arbeiten und der durch einen Vergleich der beiden miteinander noch mehr akzentuiert wird. Die Reflexion über diesen Problemzusammenhang dient bei beiden -
in einem schwer durchschaubaren Wechselspiel mit der Reflexion über die Implikationen der Rechtfertigungslehre - als eine Instanz, vor der theologische Aussagen geprüft werden und die viele Aussagen für unmöglich erklärt - d.h. eine Instanz, die
die Reflexion über das, was als nicht verantwortbare Vereinfachungen enthüllt wurde,
hinaus weitertreibt.

So werden sowohl Barth als auch Tillich vor Schwierigkeiten gestellt, wenn es darum
geht, in der Reflexion zu bewältigen, dass christlicher Glaube sowohl die Wirklichkeit als Schöpfung Gottes bejaht als auch die Wirklichkeit als die Wirklichkeit versteht, die unter dem Gericht Gottes steht, und die Gott erlösen muss (5.1), und
dass christlicher Glaube sowohl sich selbst und die Kirche als Werk Gottes und damit als etwas Gutes und entscheidend Wichtiges versteht als auch denselben Glauben
und dieselbe Kirche als den Glauben und die Kirche sündiger Menschen und unter dem
Gericht Gottes stehend versteht (5.2). Obwohl es für beide entscheidend wichtig
ist, dass christlicher Glaube sich von dem aus, was in Jesus geschehen ist, versteht, und dass dies ausserhalb des Glaubenden geschehen ist, so ist es nicht
selbstverständlich leicht zu sehen, wie sie die Geschichte Jesu "als solche, d.h.
als Geschichte" verstehen (6.1.2, das Zitat von Ott oben 353). Durchgehend werden
sowohl Barth als auch Tillich zu immer weiteren Abgrenzungen gegenüber solchem, was
sich nicht sagen lässt, gezwungen - und diese Abgrenzungen drohen das Verständnis
dessen, was sie selber sagen, unmöglich zu machen.

Sowohl in Barths als auch in Tillichs Denken besteht ein gemeinsamer Anspruch gegenüber der humanistischen Perspektive, der sich als ein Anspruch darauf ausdrücken lässt, dass es eine andere Identität/Kontinuität des Individuums gibt als die einer Konsequenz/Kontinuität seiner Handlungen, die aber trotzdem nicht von den Handlungen des Individuums getrennt ist, eine aporienfreie Verantwortlichkeit/Freiheit, eine verantwortliche Identität, die nicht des Gesetzes, sondern der Gnade (vgl. oben 315). Aber sobald sie den Inhalt dieses Anspruchs zu formulieren versuchen - beide werden dazu gezwungen, Tillich versucht es konsequent - droht der Anspruch die Verantwortlichkeit zu bedrohen (d.h. enden sie wiederum in den Aporien der humanistischen Perspektive) und droht die behauptete Identität der Gnade zu einer Identität des Gesetzes verwandelt zu werden (d.h. droht die Thematisierung des nur aus Gnade gerechtfertigten Glaubens die Rechtfertigungslehre zu verraten). Und wenn sie sich zu weigern versuchen, den Inhalt dieses Anspruchs zu formulieren - beide tun es, Barth versucht es konsequent - dann droht der Anspruch in Sinnlosigkeit oder Absurdität aufgelöst zu werden und droht die behauptete Identität der Gnade in die gesetzliche Identität eines willkürlichen Behauptens aufgelöst oder verwandelt zu werden. Das gilt sowohl im Bezug auf verantwortliches Handeln gegenüber anderen Menschen (5.3) und auf verantwortliches Denken anderem Denken gegenüber (6.1.1), und die Problematik wird noch zugespitzt, wenn die Reflexion darauf abzielt, die Identität des Glaubens zu verstehen (6.2).

Wie soll dieser Problemzusammenhang verstanden werden? Hier will ich an das Theologie-Verständnis in 1.3.2 anknüpfen und versuchen die Problematik als das Problem einer Selbstlegitimation des Glaubens zusammenzufassen um zu zeigen, dass die Relation des zentral Theologischen zu der humanistischen Problematik auf die fundamentalste Weise problematisiert wird, gerade wenn das Problem ganz zentral theologisch formuliert wird.

In Analogie dazu, dass Reflexion über Verantwortlichkeit nicht mit Verantwortlichkeit identifiziert werden kann - eine Theorie, die Theorie und Praxis zu vermitteln beansprucht, bedroht die Verantwortlichkeit [319] - so kann natürlich auch nicht Reflexion über die Gnade und die Rechtfertigung mit der Gnade selbst identifiziert werden. Aber trotz allem ist die Unterscheidung nicht die ganze Wahrheit. Die Forderung nach Verantwortlichkeit umfasst eine Forderung nach Bewusstsein, nach Reflexion über Verantwortlichkeit, damit der Verantwortlichkeit Kontinuität verliehen werden kann und damit sie verteidigt werden kann, Und Glaube ist fides quaerens intellectum. Die Reflexion über Verantwortlichkeit führt zu den Aporien der humanistischen Perspektive. Die Selbstreflexion des Glaubens führt zu etwas Entsprechendem, was man als die Aporie einer Reflexion über eine Identität aus Gnade beschreiben könnte. Die Pointe mit "Identität" ist, dass "Identität" ein Zentrum

384

darstellt, das dem Handeln und Denken eines Individuums Zusammenhang verleiht, und um diese Funktion zu erfüllen und um die Integrität des Individuums zu verteidigen, scheint es so, als ob sich die Identität in einem Selbstverständnis ausdrücken muss, über das das Individuum verfügen muss, um es zu dieser Verteidigung verwenden zu können. Aber die Pointe in "aus Gnade" liegt darin, dass das was aus Gnade ist nicht verfügbar ist und damit auch nicht auf eine solche Weise verstehbar, dass es verfügbar wird. Wie sieht aber dann eine "Identität aus Gnade" aus?

Diese Aporie lässt sich von dem aus, was die Apologie-Perspektive genannt werden könnte, beschreiben. "Apologie" kann etwas Verdächtiges sein, ein Versuch, "der mündig gewordenen Welt zu beweisen, dass sie ohne den Vormund 'Gott' nicht leben könne", "ein Ausnutzen der Schwäche eines Menschen zu ihm fremden, von ihm nicht frei bejahten Zwecken" (Bonhoeffer 1943/44,216,218/1944-06-08/). Apologetik ist dann ein Versuch zu (negativer) natürlicher Theologie, und lässt sich dann heute die Reflexion über den Begriff und die Probleme der Verantwortlichkeit in humanistischer Perspektive nicht ausgezeichnet zu einer solchen Apologie verwerten (vgl. Lögstrup 1962,1255)? Meine eigene Darstellung zielt also nicht auf eine solche Apologetik ab. Tillichs Start in einer philosophischen Analyse, die Zweideutigkeiten enthüllt, die als Frage nach etwas Unzweideutigem formuliert werden können, kann als eine solche Apologetik aufgefasst werden, aber es ist keineswegs selbstverständlich, dass eine solche Deutung richtig ist, nachdem Tillich entscheidendes Gewicht darauf legt, dass die Antwort nicht aus der Frage abgeleitet werden kann. Und Barth wehrt sich mit allen ihm zur Verfügung stehenden Mitteln gegen alles, was natürliche Theologie genannt werden kann. Sein Hauptargument kann folgendermassen formuliert werden: Die Apologetik kann nicht ihr Ziel erreichen, denn der Apologet legitimiert mit seinem Denken eigentlich nicht den Glauben, sondern seine Position als Apologet, die das Kunststück "Apologetik" vollbringen zu können glaubt.

Aber trotzdem: Apologetik im Sinne von Selbstlegitimation ist ein unvermeidlicher Aspekt der Selbstreflexion des christlichen Glaubens. Diese Selbstreflexion muss auch eine Reflexion über den Anspruch des Glaubens sein, wirklich bedeutungsvoll zu sein und etwas "zu wissen", das alle angeht und das das Wichtigste ist - das "Wahre" - das man über das Dasein wissen kann.

Deshalb kommt auch bei Barth eine "ungewollte (unmöglich zu wollende! schlechthin ereignishafte!)" Apologetik vor(KD I/1,29, vgl. oben 74f). Diese "nicht so ernst gemeinte Apologetik" (B 1925,270) ist das Bezeugen einer kirchlichen Dogmatik. Man kann sagen, dass der Schwerpunkt bei Barth auf dieser Distinktion zwischen gewollter und ungewollter Apologetik liegt, zwischen der, eine theologia gloriae voraussetzenden und darum unmöglichen, legitimierenden Apologetik und dem Bezeugen einer kirchlichen Dogmatik. Aber gerade diese Distinktion führt zu dem, was ich die fundamentale Zweideutigkeit der Theologie Barths genannt habe und was den Anspruch des christlichen Glaubens zu verraten droht, nämlich den Anspruch darauf,(auf verständliche Weise) die allgemein menschliche Situation kritisch beleuchten zu können.

Tillichs Denken kann als ein Versuch angesehen werden, diese Zweideutigkeit zu vermeiden und zwar durch Reflexion über die Implikationen der Selbstlegitimation. Nach Tillich - und kann man das bestreiten? - muss die Selbstlegitimation ein Selbstverständnis voraussetzen, und das Suchen nach einem solchen Selbstverständnis muss unausweichlich die Beschäftigung mit der Vermittlungsproblematik der humanistischen Perspektive beinhalten. Gerade im Suchen der Selbstlegitimation nach einem Selbstverständnis wird das Suchen nach neuen Ausdrucksweisen, nach einer Uebersetzung in "die Sprache der Zeit", in verschiedenartige Kulturen etc unumgänglich - auch wenn es schwer ist (unmöglich?), dies von einem Anerkennen und Akzeptieren der Denkweise der Gegenwart abzugrenzen, das unter einem Ideologieverdacht steht und Akkomodation, Identitätsverlust, Ergebung,(nicht auf Veränderung abzielende) Interpretation genannt werden kann. Aber indem Tillich dies bejaht verfängt er sich in den Aporien der humanistischen Perspektive auf eine Weise, die die Verantwortlichkeit bedroht - und trotz aller Versuche den Anspruch einer theologia gloriae zu vermeiden riskiert er ausserdem von Barths Hauptargument gegen die Apologetik getroffen zu werden.

Dieselbe Aporie kann auch aus einer "von-innen"-"von-aussen"- oder Theologie-Philosophie-Perspektive heraus beschrieben werden. Aus der Perspektive des Glaubens erscheint es als ein (unzulässiger) Anspruch darauf, der eschatologischen Vollendung vorgreifen zu können, wenn man glaubt, die Theologie von aussen sehen zu können ohne sie zu verraten und also glaubt, zwischen "von-innen"-Gesichtspunkten/Theologie und "von-aussen"-Gesichtspunkten/(Religions-)Philosophie abwechseln zu können, was Tillich trotz aller Vorbehalte eben doch tut. Trotzdem kann ebenfalls Barth dies nicht vermeiden, auch er muss zumindest darüber reflektieren, was kirchliche Dogmatik ist (vgl. oben 128) weil sonst Barths Denken identitäts- und sinnlos zu werden droht, und trotz aller Intentionen Barths zu Offenbarungspositivismus wird.

Vielleicht kann dies auf eine allgemeine Aporie der Selbstlegitimation zurückgeführt werden, die ihrerseits auf die Problematik des Identitätsbegriffes zurückgeführt werden kann (vgl. oben 39ff). Eine Selbstlegitimation setzt eine Identität voraus, die als eine Position formuliert werden kann, also als etwas Statisches ohne Offenheit. Andererseits kann auch die Offenheit kaum unbegrenzt sein. Wenn

Goldschmidt gegen alle Herrschaftsansprüche der Position sagt, dass "die Widersprüchlichkeit des Alls" "bis zuletzt ausgehalten" werden soll (Goldschmidt 1969, 199), so ist auch dies kaum anders möglich als eine Position, als eine Auffassung von dem Charakter dieser Widersprüchlichkeit, die das Aushalten sinnvoll macht (zB als eine Deutung dieser Widersprüchlichkeit als eine Grenzsituation). [320] (Vgl. oben Anm. 16)

Eine solche allgemeine Aporie der Selbstlegitimation wird vielleicht formal innerhalb der humanistischen Perspektive formuliert, problematisiert aber auch jede Perspektive, die im Verhältnis zu der humanistischen Perspektive eine eigene Identität zu behaupten versucht. Hier bedeutet das, dass die Identität der Selbstreflexion des Glaubens - und die Identität der Reflexion über die Selbstreflexion des Glaubens etc - problematisiert wird. Es ist nicht nur so, dass die humanistische Perspektive historisch gesehen vielfach als religions- und vielleicht noch mehr als theologiekritisch verstanden werden muss. Es ist auch so, dass der Versuch der Selbstreflexion des Glaubens, zu einer Selbstlegitimation zu gelangen, durch die die Identität des Glaubens konstituierende Gnade problematisiert wird. Damit wird das Verhältnis zwischen Theologie und allgemeinmenschlicher Reflexion (Philosophie) nicht nur von letzterer aus gesehen sondern auch von der ersteren aus betrachtet, nicht nur auf intellektuell anregende Weise unklar, sondern tief problematisch (vgl. oben 380) und damit auch das Verhältnis zwischen der Geschichtlichkeit des menschlichen Denkens als philosophisches Problem und der Geschichtlichkeit des menschlichen Denkens als theologisches Problem. Meine Behandlung des Problems scheint unausweichlich zu einer Problematisierung meiner Formulierung des Problems zu führen.

Meine Darstellung wurde in einem Dialog mit Karl Barth und Paul Tillich vorwärtsgetrieben. Als Abschluss ein - vorläufiges - Abschiedswort.

Wenn ich in den letzten Kapiteln manchmal Barth und Tillich dazu verwendet habe, einer Problematik Profil zu verleihen und zu diesem Zweck gewisse Tendenzen bei ihnen herauskristallisiert habe, so darf das nicht verbergen, dass Ausgangspunkt für den Dialog nicht die Annahme war, dass das Problem erst dann deutlich hervortritt, wenn beide miteinander konfrontiert werden. Beide behandeln, jeder für sich, die Problematik, die mich interessiert. Nicht Barth und Tillich als theologische Gegenpole interessieren mich, sondern Barths und Tillichs Problemgemeinschaft fasziniert und engagiert mich.

Aber in der Problemgemeinschaft bestehen Unterschiede, die Barth und Tillich ernst genommen haben und die auch ich ernst zu nehmen versuche.

Barths Interesse besteht darin, die Identität des christlichen Glaubens zu verstehen:

> Es lag ihm an der Sache und am Auftrag von Theologie und Kirche; er sah
> diese im höchsten Masse in der neuzeit geschwächt und gefährdet.
> (Steck 1973,11)

Trotzdem oder vielleicht gerade deswegen sieht er wie wenige andere das Problematische an diese Identität und vor allem an jedem Versuch, diese Identität zu verteidigen. Barth wird mit Nachdruck gegen jeden Versuch protestieren, diese Identität zu verraten indem sie als eine Identität betrachtet und behandelt wird, über die man verfügen und die man besitzen kann. Was Barth positiv über diese Identität sagt (seine Bezeugung) wird deshalb unter dem Vorzeichen der Unbeweisbarkeit (der Eschatologie) stehen, das jede Selbstlegitimation unmöglich zu machen droht. Er kann auch konkret und direkt in eine Situation hinein sprechen (sein Versuch zu bezeugendem Gehorsam), aber wenn er es tut, so ist er ständig dazu bereit, das Gericht über das, was er selber sagt, zu bejahen.

Tillichs Theologie kann als ein Versuch betrachtet werden, zumindest diesen Protest, diesen theologia-viatorum-Charakter des eigenen theologischen Denkens zu verstehen und diesen Protest so zu gestalten, dass er wirksam wird. Sie stellt den Versuch dar, an dem Paradox der Gnade und der Rechtfertigung festzuhalten, diese aber auch zu bezeugen und sie als etwas Schöpferisches zu verstehen. Es ist die Frage, ob nicht die meisten Schwierigkeiten, denen Tillich begegnet, auf diesen Versuch zurückzuführen sind, der vom Selbstverständnis des Glaubens aus so äusserst berechtigt ist.

Angesichts dieser Unterschiede scheint man zu einer Entscheidung gezwungen zu werden. Barth drückt es folgendermassen aus:

> Als koexistierende Wappenlöwen links und rechts des Eingangstors zu dem
> Paradies einer künftigen besseren Theologie eignen sich offenbar weder
> Rudolf Bultmann noch ich - Tillich und ich übrigens auch nicht - und
> auch nicht Bonhoeffer (der posthum nach der heutigen Mode frisierte Bon-
> hoeffer nämlich) und ich. Meine Ansicht, die ich hier unter vorüberge-
> hender Zurückstellung aller Altersweisheit aussprechen möchte, geht dah-
> in, dass es heute an Stelle alles weiteren Herumstolperns in der Sack-
> gasse wieder einmal zu Entscheidungen kommen müsste: nicht identisch
> mit denen, aber auf der Linie derer und ähnlich denen, die vor mehr als
> vierzig Jahren in der Theologie fällig wurden und zu vollziehen waren.
> (B 1964,6)

Mir fällt eine solche eindeutige Entscheidung trotzdem schwer. Ich betrachte Barths Protest als theologisch absolut notwendig, aber ich sehe auch, wie er trotzdem ständig, sobald er konkret wird, in Tillichs Problematik hineingetrieben wird. Als das Entscheidende erscheint mir dann, ob man in dieser Problematik Tillichs (und also auch Barths) ständig dazu bereit ist, das eigene Handeln und Denken immer wieder unter den radikalen Protest/das Gericht zu stellen oder - was mir trotz aller gegenteiliger Versuche bei Tillich zu drohen scheint - ob man es unter einen, in einer Synthese aufgehobenen, Protest stellt. Eine solche Formulierung liegt näher bei Barth, aber sie versucht auch der Problemgemeinschaft gerecht zu werden - und die Offenheit beizubehalten, damit die Entscheidung nicht zu einer selbstzufriedenen Entscheidung wird. Vielleicht ist es auch berechtigt, Barths Bild zu ändern, so dass Barth und Tillich nicht als Wappenlöwen links und rechts des Eingangstors zu einer theologia gloriae erscheinen, wohl aber als Richtpunkte und Wegweiser jeder theologia viatorum.

Aber in dem Barthzitat findet sich vielleicht eine noch wesentlichere Ermahnung. Ein Versuch, über die Geschichtlichkeit des menschlichen Denkens zu reflektieren kann kaum in einer zeitlosen, prinzipiellen Entscheidung oder Erwägung enden. Die Aufgabe kann nicht abstrakt, "theoretisch" gelöst werden (vgl. oben 45). Offenheit und Entscheidung Barth und Tillich gegenüber muss - nach meiner Perspektive und meiner Problemgemeinschaft gerade mit Barth und Tillich - mehr als Teilhabe an der von ihnen miteinander und mit anderen geführten Debatte beinhalten, nämlich auch ein eigenes Bewältigen der Geschichte, das auch eine Perspektive auf die für Barth und Tillich gemeinsame Zeit- und Kulturabhängigkeit und auch auf die Forderungen unserer Situation zu erschaffen vermag. Die Geschichtlichkeit des menschlichen Denkens und die Identitätsproblematik des christlichen Glaubens sind vielleicht zeitlose Probleme aber sie sind sicher niemals nackte zeitlose Probleme, sondern immer zeitgemäss gekleidete und zeitgemäss aufgenommene Probleme. Verantwortlichkeit fordert, dass man die eigene Situation ernst nimmt und dass man ständig von neuem in solidarischer Offenheit und solidarischer Kritik anderen Versuchen, Verantwortlichkeit in anderen Situationen zu verwirklichen, einen Beitrag für das eigene Verständnis dessen abzugewinnen versucht, was Verantwortlichkeit in der eigenen Situation bedeutet und fordert (vgl. oben 50f). Meine Darstellung der Auseinandersetzungen Barths und Tillichs mit ihren Schwierigkeiten ist in dem Masse sinnvoll, als sie die Vermittlung eines solchen Beitrags erleichtern kann.

1. Der Ausdruck "Ideologie" setzt hier ein Basis-Ueberbau-Modell voraus, in dem die "Idelogie" abhängig ist von anderen gesellschaftlichen Faktoren. Ein Denken als "Ideologie" zu bezeichnen bedeutet, ihm den Wert des verantwortlichen Denkens abzusprechen. "Ideologie" wird dann zu einem abwertenden Begriff, und verantwortliches Denken wehrt sich gegen jeden Ideologieverdacht und strebt nach Idelogiefreiheit. Vgl. dazu besonders die Abschnitte 2.1.3 - 2.2.1.

   Im alltäglichen Gebrauch fehlt oft dieser abwertende Klang. "Ideologie" bezeichnet dann jede mehr oder weniger systematisierte Anschauung. Ausdrücke wie "ideologische Arbeit", "ideologisches Bewusstsein" können eine positive Bedeutung erlangen, ja man kann sogar von "ideologischer Vertiefung" sprechen. Dieser Sprachgebrauch dominiert in Schweden. Wenn ich trotzdem den oben angegebenen wähle, dann deshalb, weil letzterer, da er sich nicht der Basis-Ueberbau-Problematik, oder dem, was ich unten die 2.1-Problematik nennen werde, bewusst ist, einer, jedes verantwortliche Denken erschwerenden Naivität verfällt.

2. Vgl. wie Philipp 1963,209f diese Aufgabe als die erste der, wie er meint, drei wichtigsten protestantischen Grundsatzfragen der Gegenwart unter der Rubrik "Gläubige Verkündigung? - Ideologische Propaganda?" beschreibt.

3. "Allgemein menschlich", "philosophisch", "humanistisch" usw wird hier nahezu synonym gebraucht. "Philosophie"(im weiteren Sinne) ist für mich gleichbedeutend mit Reflexion über das Menschliche, über Menschsein, und ich meine, dass hier die "humanistische" Frage: Wie kann ich ein verantwortlicher Mensch sein, im Mittelpunkt steht.

   Vgl. zB ST III,105, wo Tillich sagt, dass "der Humanismus" "nicht das Prinzip einer philosophischen Schule, sondern das allen philosophischen Schulen gemeinsame Prinzip" ist.

4. Diese Zweiteilung des Denkens kann dann so zum Ausdruck kommen wie bei einer Konferenz jüngerer schwedischer Theologen in Sigtuna, November 1972, wo man freudig begrüsste bei der Frage nach einer neuen Glaubenslehre einmal endlich normativ denken zu dürfen, wobei stillschweigend vorausgesetzt wurde:
   a. Was einen normalerweise als "Forscher" beschäftigt erschwert und verhindert das, was man eigentlich sagen will.
   b. Wenn man normativ, konfessionell, mit Ausgangspunkt im christlichen Glauben denkt, so kann man und sollte man am besten vergessen, was man als "Forscher" treibt.

5. Das bedeutet natürlich nicht, dass ich diesen Versuch zu einem Weiterdenken allein und ohne Hilfe durchgeführt habe. Einmal bezweifle ich, ob man die philosophische Situation immer noch als ein Gegenüber zweier geschlossener Systeme beschreiben kann. G.H. von Wright einerseits und K.-O. Apel andererseits sind dabei, Kommunikationen zu schaffen, und sich ihrer auch zu bedienen. Andererseits haben schwedische Theologen wie Benkt-Erik Benktson, Harry Aronsson und vor allem Gustaf Wingren sowie in meiner Generation Per Frostin, Henry Cöster, Martin Lind und Göran Bexell "kontinentale" theologische Fragestellungen in Relation zu "kontinentaler" Philosophie behandelt.

6. Natürlich kann man in diese Beschreibung die "Wertung" einbauen, welche Art von Selbstkritik man bejaht. Ich meine aber, dass ein solcher Versuch, wollte er eine so radikale Selbstkritik, wie wir sie in Barths und Tillichs Theologie vorfinden, ernst nehmen, so wäre er gezwungen, die Voraussetzungen dieser Sicht grundlegend zu bearbeiten.

7. Die Forderung nach Verantwortlichkeit fasst hier – ebenso wie im Titel dieser Untersuchung – zusammen, was uns schon in der Forderung nach Ideologiefreiheit begegnete, und ist eine zentrale Problematik für den Menschen überhaupt, sie wird deshalb als "humanistische" Problematik bezeichnet (vgl. besonders Abschnitt 2.2).

7a Mein Ansatz zeigt, dass ich es rühmenswert finde, wenn, wie bei Frostin 1970 dargelegt wird, was man als das eigene Modell auffasst.(Frostin 1970,99f, vgl. 177)Eine solche Darlegung müsste eigentlich die eigene Reflexion des Verfassers vertiefen und damit die Problembehandlung verbessern und beim Leser das Verständnis für die Darstellung erleichtern, d.h. den Dialog zwischen der Darstellung und dem Leser rascher zu Wesentlichem hinführen. Wenn allerdings der Leser diese Hilfe so ausnützt, dass die Diskussion nur das explizit beschriebene Modell behandelt - was bezüglich der Abhandlung Frostins teilweise der Fall zu sein scheint - dann riskiert man Missverständnis und geringen Ertrag. Man geht dann nämlich davon aus, dass es dem Verfasser vollständig gelungen ist, seine Methode bewusst zu machen. Statt von dieser Unwahrscheinlichkeit auszugehen, sollte man die Hilfe entgegennehmen, die der Verfasser freundlicherweise und mutig dem Leser anbietet, um die Voraussetzungen zu prüfen, auf denen das Resultat ruht.

8. Die "Wirklichkeit" "verstehen" und sich in ihr orientieren bedeutet hier nicht, die Wirklichkeit, so wie sie gerade ist zu akzeptieren, sondern sie so, wie sie gerade ist, zu durchschauen um die "wahre" Wirklichkeit zu sehen und das eigene Handeln verantwortlich werden zu lassen dadurch dass es von einer Antizipation der "wahren" Wirklichkeit geleitet wird. Vgl. 2.2 besonders 2.2.3.

9. Vgl. zB ST I,71-73 und T 1947,23 (vgl. auch Oehler 1957,525).

10. Die Darstellung ist hier wie die Explikation einer naturwissenschaftlichen Arbeitsweise aufgebaut. Alles menschliche Denken so darzustellen braucht, meiner Meinung nach, nicht zu einer Gegensatzstellung zu der gesamten (meist deutschsprachigen) philosophischen Tradition zu führen, die eine scharfe Grenze zwischen Naturwissenschaft und Geisteswissenschaft ziehen wollte. Gyllenstens Weise, von dieser Sicht in seiner schönliterären Produktion Gebrauch zu machen, bestärkt mich in meiner Auffassung. Weiterhin meine ich, dass die Darstellung von dem geprägt wird, oder zumindest dafür sehr offen ist, was Tillich als Charakteristikum dialektischen Denkens betrachtet:

> Die Dialektik folgt der Bewegung des Denkens oder der Bewegung der Wirklichkeit durch Ja und Nein, aber sie beschreibt sie in logisch korrekten Begriffen /.../ Dialektisches Denken bedeutet nicht, mit der Struktur des Denkens in Konflikt zu geraten. Die hinter dem logischen System von Aristoteles und seinen Nachfolgern stehende statische Ontologie wird durch das dialektische Denken in eine dynamische Ontologie umgewandelt /.../ Diese Veränderung /.../ stellt die Frage nach der Beziehung zwischen Denkstruktur und Seinsstruktur neu. (ST I,69f, vgl. ST II,100)

Weiterhin glaube ich nicht, dass die Darstellung sich in einer Monologik oder Dialektik verschliesst, die einer, jeden Herrschaftsanspruch überwindenden und die "Widersprüchlichkeit des Alls" bis zuletzt aushaltenden Dialogik (Goldschmidt 1969,199), widerspricht. In meiner Auffassung werde ich dadurch bestärkt, dass meine Methode in Vielem derjenigen Lüthis (Lüthi 1971) ähnlich ist, der von den "Ursprünge/n/ des dialogischen Denkens" her, die er bei Buber und Ebner sieht, zu einer "Theologie als Dialog" kommt.

Auf Grund dieser deutlichen Uebereinstimmungen sollte ich vielleicht bereits hier andeuten, dass Lüthi und ich, meiner Meinung nach, auf in bestimmtem Sinne verschiedenen Wegen zu einer Methode des Dialogs gelangen.

Lüthi geht von Bubers und Ebners Gegensatzstellung zu Husserls Intersubjektivitätstheorie aus (Lüthi folgt hier Theunissen 1965) und will deren Ansatz von der

Abhängigkeit von dieser Gegensatzstellung befreien (Lüthi 1971,19f). Danach vollzieht Lüthi in fünf Schritten einen "Uebergang vom Vorverständnis von Dialog zu einer Theologie des Dialogs". Dabei ist es meiner Meinung nach die Pointe, dass eine Theologie des Dialogs Ausdruck für die Demut des Glaubens ist und ein Protest gegen jeden Versuch des Glaubens, sich stolz von dem Dialog mit der "Welt" abzugrenzen, ist.

Mein Ausgangspunkt liegt nicht bei einer bestimmten Gruppe von Philosophen des frühen 20. Jahrhunderts oder bei den spezielleren philosophischen Traditionen des 19. Jahrhunderts, die als der Hintergrund dieser Gruppe bezeichnet werden können (vgl. Heinrichs 1972). Mein Ausgangspunkt lässt sich in zwei generelleren Zügen des Denkens im 19. Jahrhundert, einmal dem Geschichtsbewusstsein und damit zusammenhängend der Art, die Probleme des Lebens (ideen-)geschichtlich anzugreifen, zum anderen dem Bewusstsein von der Möglichkeit falschen Bewusstseins und vom Einwirken gesellschaftlicher Faktoren auf die Reflexionsbewältigung der Wirklichkeit und deren damit zusammenhängender Versuch einer Ideologiekritik.

Dieser Ausgangspunkt scheint mir dafür auszureichen, um zu einer Methode des Dialogs zu gelangen und gegenüber diesem Hintergrund scheint mir die Forderung weniger willkürlich zu sein und man kann ihr nur schwer ausweichen. Indem ich auf diese Weise für eine Problemgemeinschaft argumentiere und im zweiten Teil die Frage zu beantworten versuche, wie sich die Theologie zu dieser Forderung nach einem dialogischen Denken verhält, versuche ich dem zu entgehen, was ich bei Lüthi zu sehen meine, nämlich die Forderung, sich für die Methode des Dialogs zu entscheiden und sich für eine bestimmte Theologie des Dialogs zu entscheiden. Hier scheinen mir Denkweise und Terminologie der zwanziger Jahre zu wenig in Frage gestellt zu werden.

11. Vgl. wie Barth ein falsches Loben Kants im 19. Jahrhundert kritisiert.

Indem man ihn lobte, rieb man sich schon an seinen Resultaten, ohne sich immer durch eigenes Mitdenken selber mitgewonnen zu haben, suchte man schon an ihm vorbeizukommen, meinte man besonders seine negativen Ergebnisse schon auf viel lebendigere und reichere Weise fruchtbar machen, meinte man ihn schon überholen und hinter sich lassen zu können. (B 1933,279f)

12. "Mitwelt" wird hier wie in Ermecke 1968,112 als menschliche Umwelt verstanden.

13. Der Ansatz zu der Analyse eines Denkens durch Hinterfragen seiner Widersprüche ist fundamental zB bei Marx!

So weist die wahrhaft philosophische Kritik der jetzigen Staatsverfassung nicht nur Widersprüche als bestehend auf, sie erklärt sie, sie begreift ihre Genesis, ihre Notwendigkeit. Sie fasst sie in ihrer eigentümlichen Bedeutung. Dieses Begreifen besteht aber nicht, wie Hegel meint, darin, die Bestimmungen des logischen Begriffs überall wiederzuerkennen, sondern die eigentümliche Logik des eigentümlichen Gegenstandes zu fassen. (Marx 1841/42, 111, vgl. Böhler 1971,37, wo von Marx gesagt wird, er habe "die von Marx als 'dogmatisch' apostrophierte 'vulgäre Kritik' /.../ die man vielleicht in der Nähe Ruges und Bakunins zu lokalisieren hätte" kritisiert)

Das Problematische an dem Versuch, ein Denken auf solche"Interessen" oder Ähnliches zurückzuführen, wofür man keinen Grund hat es selbst ernst zu nehmen - also dem Versuch ein Denken zu erklären - wird in Kap. 2 behandelt werden. Vielleicht ist es bereits in Marx Formulierungen die Absicht, so wie bei mir, dass auch das Hinterfragen bereit sein soll zu hören und zu lernen.

14. Die abzulehnende Gegenposition zur dialogischen Haltung ist dort erreicht, wo ideologische und regressive Verfestigungen entstehen. Es sind das Haltungen und Positionen, die ihren Anspruch den kritischen Fragen des Dialogs entziehen. (Lüthi 1971,25)

15. Der Versuch, eine Beziehung zu dem eigenen Vorverständnis herzustellen, beabsichtigt also nicht, anderes Denken unschädlich machen und das eigene Denken verfestigen. Im Gegenteil ist er eine Voraussetzung dafür, dass man wirklich etwas Neues hören kann, dass das andere Denken als kritische Fragen auftreten kann.

16. Dies wird hier als ein Versuch, christlichen Glauben zu verstehen, formuliert, und im Folgenden wird das Verständnis des christlichen Glaubens im Brennpunkt stehen. Im Hintergrund steht dabei ständig die Frage, die auch in Kap. 7 als eine offene Frage wiederbegegnet, nämlich ob sich von all dem Folgenden dasselbe sagen liesse, von "Verhaltensweisen, Ausdrücken, Erlebnisstrukturen, Ideen, Gefühlen, Lebensstadien, Auffassungen, Reaktionen, allem was man gewöhnlich Persönlichkeit, Anschauungen oder Ähnliches nennt" (Versuch einer Uebersetzung von Gyllensten 1962,13). Auch diese müssen anscheinend ständig in Selbstreflexion gestaltet, geprüft und legitimiert werden und auch sie scheinen sich meiner Meinung nach dagegen zu wehren, mit der eigenen Selbstreflexion oder einem, weitere Selbstreflexion ausschliessenden endgültigen Selbstverständnis, d.h. einer Meinung, einer Anschauung, einem "-ismus" identifiziert zu werden. Vgl. den gesamten Abschnitt 2.2.

Wenn das so ist, dann hat die Selbstreflexion des christlichen Glaubens, die auf eine Art Selbstlegitimation abzielt, Entsprechungen in anderen Religionen (vgl. Almén 1974a, bes. 128-130) und anderen Lebensanschauungen, und die Bildung einer Theorie dieser auf Selbstlegitimation abzielenden Selbstreflexion wäre eine fundamentale Aufgabe für eine "tros- och livsåskådningsvetenskap". Meine Darstellung will einen Beitrag zu einer solchen Theoriebildung geben.

17. Das steht meiner Meinung nach in enger Beziehung dazu, dass alles Denken systematisch ist (vgl. 1.3.1). Man kann in Frage stellen, ob die Wirklichkeit in einem systematischen Denken abgebildet werden kann. Aber das kann nur durch eine Meta-Reflexion darüber, was es heisst, ein systematisches Modell anzuwenden, geschehen und diese Meta-Reflexion muss selber systematisch sein, wenn sie überhaupt eine Reflexion sein soll. Bei der Verwendung des Begriffes Objektivierung bin ich mir dessen natürlich bewusst, dass das Problematische an der Objektivierung des Denkens ein zentrales Thema gerade derjenigen philosophischen Tradition ist, die am ausführlichsten die Problematik der Geschichtlichkeit des menschlichen Denkens bearbeitet hat. Mit Tillich kann man von logischen, ontologischen und ethischen Objektivierungen sprechen (ST I,118,203f). Danach wurde oben nur behauptet, dass in der Reflexion eine logische Objektivierung unausweichlich ist und dass es in der Reflexion allein möglich ist, die ontologischen und ethischen Objektivierungen logisch zu objektivieren um weiterdenken zu können.

18. Fritz Buri hat ausdrücklich seinen Ausgangspunkt gerade im Selbstverständnis des Glaubens genommen(Buri 1954,1956 und 1962). Ein Vergleich mit seinem Ansatz und eine Untersuchung der Relation dieses Ansatzes zu anderen Teilen seiner Theologie und der Diskussion, die durch diese Theologie geweckt wurde, könnte sicher meine Selbstprüfung weiterführen, aber sie stehen noch aus.

19. In der schwedischen "religionswissenschaftlich" ausgerichteten Forschungstradition mit ihrem Ziel, u.a. den christlichen Glauben zu beschreiben, besteht eine Tendenz, sich darauf zu beschränken, zuerst phänomenologisch oder psychologisch ziemlich willkürlich einen Begriff "Religion" mit einer Unterabteilung "Christentum" zu definieren, und dann dieses, durch jene Definition abgegrenzte Phänomen historisch zu beschreiben. Mit dem oben angewandten Theologiebegriff scheint es möglich zu sein, diese Begrenzung zu sprengen ohne die Haltung des Betrachtenden aufgeben zu müssen. Was "christliche Denker" gesagt haben, kann als die Behauptung gedeutet werden, dass christlicher Glaube nicht so oder so verstanden werden kann sondern so oder so verstanden werden muss um von seinen eigenen so oder so verstanden Ausgangspunkten her sinnvoll zu werden. Das sind

Behauptungen, deren Gehalt analysiert werden kann ohne dass der Forscher normativ gebunden ist. Ich meine, dass auch Gustaf Wingren sich dieser Angriffsweise bedient um eine systematische Theologie zu ermöglichen, die nicht nur als Ausdruck einer Glaubensauffassung abgetan werden kann (Almén 1974,33).

Weiter scheint der angewandte Theologiebegriff es möglich zu machen, Barths und Tillichs Theologien so zu verstehen, dass sie die in der schwedischen Tradition häufig aufgestellten und sehr zentralen Voraussetzungen in Frage stellen. Im Vorgriff auf das Ergebnis: Barths und Tillichs Theologien können beide folgendermassen verstanden werden: Sie machen deutlich, dass christlicher Glaube nicht mit einer bestimmten Art von Religion identifiziert werden kann ohne von den eigenen Voraussetzungen des christlichen Glaubens her als Werkgerechtigkeit oder Götzendienst verurteilt zu werden(vgl. 5.2 und 5.1). Hinzu kommt: Die Theologien beider zeigen, dass auf Grund jener Erkenntnis in dem Material, das die christliche Tradition geformt und bearbeitet hat, Instrumente dafür entdeckt werden, die Problematik der Geschichtlichkeit des menschlichen Denkens zu bearbeiten. Wenn Barths und Tillichs Argumente sich bewähren, dann ist eine Beschreibung des christlichen Glaubens, die darauf nicht Rücksicht nimmt etwas sehr Zweifelhaftes. M.a.W., eine solche Beschreibung würde den christlichen Glauben zu etwas Dehumanisierendem machen und in ihrem Versuch zu verantwortlichem Denken es unterlassen, dasjenige im christlichen Glauben zu prüfen, von dem behauptet wird, dass es humanisiert oder zumindest zur Humanisierung verwendet werden kann.

20. So zB Lind 1975 und Bexell 1975.

21. Das stimmt meiner Meinung nach mit dem überein, was Barth selbst als richtig empfindet:

> Um das Ergebnis dieses Versuches /Schleiermachers Schrift "Die Weihnachtsfeier"/ zu verstehen, darf man sich nicht einseitig und nicht zuerst an die theologischen Reden des dritten Teils halten. Das wäre eine Ueberschätzung der Reflexion, mit der man sich den Absichten des Verfassers sofort entziehen würde. (B 1924a,113)

22. So kann "Geschichtlichkeit" bald mehr das Involviertsein in der Gesamtgeschichte (vgl. 2.1), bald wieder vor allem die Verantwortlichkeit und die Entscheidungsfähigkeit des Menschen zum Unterschiede von den Tieren und der Natur (vgl. 2.2) bezeichnen. Wenn man von geschichtlichem Denken als involviertem Denken spricht, kann man bald mehr an die allgemeine Relativierung (vgl. 2.1.1, so zB Gerhard Krüger nach Weischedel 1971 II,140), bald mehr an die Identifizierung der Geschichte mit dem absoluten Geist und also mit der Wahrheit (vgl. 2.1.2-3, so zB Löwith 1960,170f) denken. Wie das Folgende zu zeigen versucht, ist diese Tatsache nicht nur ein Beispiel für eine Sprachverwirrung sondern von der Komplexität der Problematik aus auch verständlich und mindestens teilweise gerechtfertigt.

23. In dem Krügerzitat wird die Veränderlichkeit "des Lebens" und nicht die "des menschlichen Denkens" behandelt. Krüger betont dies und meint, dass die Frage "Wie sollen wir heute denken, wenn wir um die Geschichtlichkeit alles menschlichen Denkens wissen?" die Frage der Historisten ist, also der grossen Gelehrten des Historismus, die "noch vor dem ersten Weltkriege /lebten/, in einer Zeit, die zwar dem Wissenden schon vielerlei Anlass zur Beunruhigung gab, in der aber doch die Grundformen des öffentlichen Lebens noch eine ganz andere Stabilität zu haben schienen als heute". "Für uns", sagt Krüger, "die wir seit dem ersten Weltkrieg in einer einzigen, sich immer steigernden Katastrophe leben, ist das Problem der Geschichte nicht mehr nur eine Frage des Denkens, sondern eine Frage des eigenen Seins oder Nichtseins". (Krüger 1958,71f)

Dies ist sicherlich eine wissenssoziologisch richtige Beschreibung des Historismus, die auch die Konzentration auf Geschichtlichkeit des menschlichen Denkens als eine Einschränkung und Verharmlosung aufdeckt (vgl. unten Anm. 28 und Anm. 30). Wird dieser Einwand auch gegenüber Kap. 2 - und der Rubrik dieser Abhandlung - erhoben, die hier die Problematik auf das menschliche Denken konzentrieren, dann muss ich jedoch protestieren. Indem ich das Denken so deutlich als ein menschliches Handeln auffasse, in welchem der Mensch rational bearbeitet, wie er im Handeln sein Menschsein und Verantwortlichkeit soll verwirklichen können (vgl. vor allem 1.3.1 und 2.2.1) und indem ich ständig versuche, diese Verantwortlichkeit konkret zu denken und mich im Dialog mit zwei Denkern befinde, die gerade die Situation nach dem ersten Weltkrieg bearbeiten, nehme ich all das in meine Analyse auf, was Krüger betont.

Aber dies ist nicht nur eine zentrale Problematik, sie ist auch äusserst komplex. Vgl. wie Habernas 1967,54f im Blick auf Gadamer vor jedem Gedankengang warnt, der "einem Idealismus der Sprachlichkeit verfällt und gesellschaftliche Prozesse ganz zu kultureller Ueberlieferung sublimiert" und wie Gadamer 1967, 70 diese Gegensätzlichkeit bestreitet.

24. Vgl. Picht 1973,10, wo behauptet wird, dass Kants Transzendental-Philosophie eine Umwandlung/Fortsetzung der von Aristoteles inspirierten "psychologia rationalis" sei und "in der neuzeitlichen Philosophie jener Teil der Metaphysik, in dem die Subjektivität des Subjektes behandelt wird". Vgl. auch wie für Voltaire die Weltgeschichte "der Gang des menschlichen Geistes, die Gesamtheit der Wandlungen, die die Menschheit durchlaufen muss, ehe sie zur Erkenntnis und zum Bewusstsein ihrer selbst gelangen kann" ist (Maus 1969,351, Hervorhebung von mir).

25. Nach Böhler 1971,84 behält Hegel "die klassisch 'theoretische' Annahme der 'Vernünftigkeit' der 'Wirklichkeit'" bei, also die Behauptung, dass der göttliche Nous sich geschichtlich inkorporiert. Aber er historisiert, was früher substantiell/statisch gedacht war.

   Diese Historisierung der klassisch-'theoretischen', substantiellen Version des 'transzendentalen Subjekts' ist der eine Schritt, den Hegel in Richtung auf ein reflektiert geschichtliches Denken der 'Vermittlung' tut. (Böhler 1971,80 mit Hinweis auf Habermas)

26. Vgl. Böhler 1971,84:

   Dabei ist zu erinnern, dass die Kategorie 'Wirklichkeit' nicht mit jedem beliebigen Vorhandenen, also auch mit 'trivialen, äusserlichen und vergänglichen Gegenständen, Einrichtungen, Zuständen usf.' in Zusammenhang gebracht werden darf. Vielmehr unterscheidet Hegel scharf zwischen 'Wirklichkeit' einerseits und 'Dasein', 'Existenz', 'Zufälligem' andererseits.

27. Diese relativistische und damit pejorative Nuance im Begriff 'Weltanschauung" (wie in den Begriffen "Lebensanschauung" und "Ideologie" und überhaupt in der Endung "-ismus") scheint in dem schwedischen Religionskunde-Unterricht fast durchgängig übersehen zu sein. Vgl. Anm. 1.

28. Dass das Denken relativiert wird, muss jedoch nicht als eine fundamentale Bedrohung aufgefasst werden. Der Gedanke an das Involviertsein kann ein Gefühl der Sicherheit schenken. Man "weiss" sich in und von dem grossen Zusammenhang der Geschichte zu leben und mit Mitteln und Masstäben des Denkens zu arbeiten, die aus dem Geschichtsprozess selbst erwachsen sind (vgl. Besson 1961,115). Nach Linge wurde auch Diltheys Denken so verstanden werden, dass es auf "freedom from the prejudices and onesidedness" und eine "methodologically secured position beyond history" zielt. Während der "normale" Kritizismus beabsichtigt, das Werkzeug dafür zu verbessern um Herr über die Wirklichkeit zu werden, so strebt Dilthey nach "a contemplative freedom", einer Freiheit, die möglich wird, wenn "prejudices and concepts" die Aufnahme, den Lebensgenuss, das Kreative, das Gute nicht verhindern (Linge 1973,545). Oder mit Dilthey selbst im "Schluss der Abhandlung" vom "Aufbau der geschichtlichen Welt in den Geisteswissenschaf-

-ten":

Das historische Bewusstsein von der Endlichkeit jeder geschichtlichen Erscheinung, jedes menschlichen oder gesellschaftlichen Zustandes, von der Relativität jeder Art von Glauben ist der letzte Schritt zur Befreiung des Menschen. Mit ihm erreicht der Mensch die Souveränität, jedem Erlebnis seinen Gehalt abzugewinnen, sich ihm ganz hinzugeben, unbefangen, als wäre kein System von Philosophie oder Glauben, das Menschen binden könnte. Das Leben wird frei vom Erkennen durch Begriffe; der Geist wird souverän allen Spinneweben dogmatischen Denkens gegenüber. Jede Schönheit, jede Heiligkeit, jedes Opfer, nacherlebt und ausgelegt, eröffnet Perspektiven, die eine Realität aufschliessen. Und ebenso nehmen wir dann das Schlechte, das Furchtbare, das Hässliche in uns auf als eine Stelle einnehmend in der Welt, als eine Realität in sich schliessend, die im Weltzusammenhang gerechtfertigt sein muss. Etwas, was nicht weggetäuscht werden kann. Und der Relativität gegenüber macht sich die Kontinuität der schaffenden Kraft als die kernhafte historische Tatsache geltend. (Dilthey 1910,290f)

Die geschichtliche Betrachtung enthüllt aber, dass diese Zuversicht in der Geschichte nicht selbstverständlich und zeitlos und also nicht unbedingt ist. Nach 1918 ist sie - mindestens in Deutschland - schwer festzuhalten. Dadurch wird es möglich, den zugrundeliegenden Lebensbegriff und die ethischen Implikationen dieses Lebensgefühls ideengeschichtlich (und wissenssoziologisch) zu beschreiben und so zu relativieren und problematisieren (vgl. Anm. 23 und Anm. 30). So kann nach Rothacker der Lebensbegriff der Historischen Schule so beschrieben und problematisiert werden:

Gehemmte Dynamik, organisches Reifen, natürliches Wachstum und die freie Notwendigkeit des Naturwüchsigen charakterisieren das Leben und nötigen den geschichtlichen Menschen zum Verzicht auf willkürliches Eingreifen, zur Entselbstung, zum Zurücktreten des bewussten Handelns gegenüber der Entfaltung unbewusster Kräfte, zum Affekt gegen Willkürliches, Gemachtes, Mechanisches und schliesslich zur Anerkennung des Primats des objektiven Geistes vor den Individuen. (Habermas 1954,8)

29. Vgl. zum Aufbau von Abschnitt 2.1 Berger 1969,44ff.

30. Vgl. Maus 1969,352:

An der Geschichte der G/eschichtsphilosophie/ lässt sich, wissenssoziologisch, die Geschichte des bürgerlichen Selbstbewusstseins ablesen.

30a Eine, meiner Meinung nach, feinfühlige Beschreibung dessen findet sich bei Moltmann 1964,210-217. Wenn die Unberechenbarkeit der Geschichte als Krisen hervorrufend aufgefasst wird, dann wird man sich darum bemühen, die Krise dadurch zu überwinden, dass die Geschichte unter Kontrolle gebracht wird. Es gibt einen "messianischen Tenor" in Comtes Anspruch auf "terminer la révolution".

31. Vgl. Besson 1961,108:

"Historisches und konservatives Denken sind in ihrer Entstehung auf das engste miteinander verbunden."

32. Damit will Sartre nicht den Menschen durch Geschichtlichkeit, wohl aber den Menschen durch die Möglichkeit, die Umbrüche geschichtlich zu erleben, definieren (Sartre 1960,132 Anm. 1). Vgl. wie Bultmann sagt, dass "der Mensch kein vorhandenes Naturding ist, sondern seine Existenz eine gelebte, geschichtliche, im Verlauf befindliche ist" (Bultmann 1928,120) und die Geschichtlichkeit des menschlichen Seins so definiert:

Wir meinen das Dasein des Menschen richtiger zu verstehen /als eine idealistische oder eine romantisch-naturalistisch orientierte Theologie es versteht/, wenn wir es als geschichtlich bezeichnen. Und wir verstehen unter der Geschichtlichkeit des menschlichen Seins dieses, dass sein Sein ein Sein-Können ist. D.h. dass das Sein des Menschen seiner Verfügung entnommen ist, jeweils in den konkreten Situationen des Lebens auf dem Spiele steht, durch Entscheidungen geht, in denen der Mensch nicht je etwas für sich wählt, sondern sich selbst als seine Möglichkeit wählt. (Bultmann 1928,118)

33. Diese Grundüberzeugung liegt auf einer Linie mit von Krockows thesenartiger Zusammenfassung seiner Untersuchung über Jünger, Schmitt und Heidegger:

> Im "Handeln" ereignet sich das dem Menschen eigentümliche Geschehen, das, in der dialektischen Bewegung zwischen "Möglichkeit" und "Wirklichkeit", zwischen subjektivem "Entwurf" und objektiven "Verhältnissen", Geschichte formt. Geschichtlich ist der Mensch, sofern er zugleich gebunden und ungebunden ist, sofern es das Gegebene ebenso schöpferisch überschreiten kann, wie er andererseits stets an dieses gekettet bleibt, weil gerade der Wille zum radikalen Umsturz des Bestehenden diesem als seinem Gegen-Bilde verhaftet ist und ohne seine Wider-Ständigkeit gar nicht entstehen könnte. (von Krockow 1958,152)

Vgl. auch Fischer 1964,354:

> Geschichtlichkeit besagt, dass der Mensch, je zwischen Vergangenheit und Zukunft von Welt und Zeit und in die Spannung von objektiven gegebenen Zusammenhängen und persönlicher Freiheit verantwortlich gestellt, sein "Wesen" in Hinnahme, Auseinandersetzung und Mittätigkeit mit seiner "Welt" einzuholen hat.

34. Im Blick auf die schwedische "theologische" Debatte: Nur zu behaupten, dass Tatsachen und Werte voneinander getrennt werden müssen bedeutet Befreiung der Wertungen von Sachkritik und damit Dezisionismus. Wenn mehrere mit mir einen Wissenschaftsbegriff kritisieren, der um diesen einen negativen Satz herum aufgebaut zu sein scheint, so versuchen wir nicht einen etwas dunklen Satz, in dem Fakta und Wertungen gleichgesetzt werden, zu behaupten und sind auch nicht darauf aus, die Forderung nach Wissenschaftlichkeit zu verringern. Uns geht es nicht darum, den Unterschied zwischen Theorie und Praxis zu verleugnen, sondern darum, auf die Wichtigkeit hinzuweisen, Relationen zwischen Theorie und Verantwortlichkeit herzustellen, eine Theorie-Praxis-Vermittlung (vgl. Böhler) herzustellen oder "Erkenntnis durch Reflexion" mit "Erkenntnis durch Engagement" zusammenzuhalten (vgl. Apel nach Böhler 1971,97f). Unsere Pointe ist die gleiche wie die der Kritik des Dezisionismus:

> Sobald die Rationalität das Moment der Entscheidung nicht mehr umgreift, d.h. deren rationale Ausweisbarkeit und Verbindlichkeit da aufhören, wo sie praktisch werden, wo Entscheidungen für sozial-ethisch verbindliches Handeln getroffen werden müssen, kennzeichnet sich eine Theorie als 'dezisionistisch'. Der Dispenz an Rationalität im Uebergang von werthafter Letztentscheidung und Erfahrungswelt ist das Indiz einer wissenschaftlich unzureichenden und politisch gefährlichen Theorie. Die Kritik setzt ein an der 'dezisionistischen Trennung der Wert- und Lebensfragen von der Sachproblematik'. (Strohm 1970,54f)

Dieses allgemeine wissenschaftstheoretische Misstrauen gegenüber dem Bewahren der Grenze entwickelt sich, zumindest bei mir, zu einem besonderen Ideologieverdacht gegenüber einem religionswissenschaftlichen Markieren dieser Grenze. Hier liegt es nahe, Religion und Lebensanschauung auf der Seite der Wertungen (Entscheidungen) einzuordnen, um dann die Grenzziehung dazu zu benutzen, Religion und Lebensanschauung vor aller Sachkritik zu bewahren.

35. Vgl. was Böhler "die 'Dialektik' der Selbstreflexion /.../ besser gesagt: den Vollzug ihrer Komplementarität zwischen der situativ 'zentrischen' Inhaltskonstitution und der inhaltsdistanzierenden 'exzentrischen' Reflexion überhaupt" nennt (Böhler 1971,94).

36. Das gilt deswegen auch zB für den Dialog zwischen Menschen, die sich zu verschiedenen Religionen bekennen. Vgl. Almên 1974a,108f.

37. Vgl. KD III/2,214 und ST III,93ff.

38. Zur Terminologie und in gewissem Sinne zum Gedankengang vgl. zB GW XI,70-72, 117/1952a/.

39. Ideengeschichtlich könnte man sagen, dass die Konzentration auf die Identität mit der damit zusammenhängenden Abstrahierung etwas ist, was den Liberalismus auszeichnet. Auf jeden Fall kritisiert Tillich am bürgerlichen Liberalismus dessen Abstrahieren ("die leere Autonomie" etc, s. unten, zB Anm. 44), und auch in der Auseinandersetzung Barths mit der "modernen" Theologie steht das Wort "abstrakt" an zentraler Stelle (vgl. Weber 1956,219 und unten passim).

40. Vgl. GW III,83-100/1926c/.

41. Das bedeutet, danach zu fragen, ob Liebe überhaupt möglich ist/sein kann. Vgl. Anêr 1970: "Wie kann man eine Gruppe von Menschen dazu bringen, andere Gruppen nicht als Bedrohung der eigenen Identität zu empfinden, sondern stattdessen als Möglichkeit für beide Gruppen, die jeweilige Identität zu erweitern, mehr sich selbst zu finden? /.../. Das heisst, seinen Nächsten zu lieben. Nicht sich selber aufgeben, sondern sich für andere öffnen und so mehr sich selbst finden."

42. Vgl. Reiner 1974,540. Ähnlich stellt Scheler Gesinnungsethik und Erfolgsethik einander gegenüber. Vgl. auch Thielicke 1955,3:

    Es gibt nicht nur die Flucht in die libertinistische Fremde, es gibt auch die Flucht in den Gehorsam, in die Autoritäts-Sucht und in die Geborgenheit des Funktionärs."

43. Das wird übersehen, wenn man zB wie Eppler 1975 sich ganz mit einer Verantwortungsethik identifiziert auf Grund der genannten Schwierigkeiten einer Gesinnungsethik:

    Was für Max Weber Gesinnungsethik oder auch absolute Ethik war, wäre für Dietrich Bonhoeffer überhaupt keine Ethik gewesen. Eine Haltung, die nicht nach den Folgen fragt und die ängstlich um das Heil der eigenen Seele kreist, mag eine besonders abstossende Form von religiösem Egozentrismus sein; den Rang einer Ethik hat sie nicht. Was Weber über die absolute Wahrheitspflicht solcher Gesinnungsethik sagt, gilt für den privaten Bereich so wenig wie für den politischen /.../
    Letztlich ist jede Ethik, zumindest wenn sie christliche Wurzeln hat, Verantwortungsethik. Der Christ ist nicht aufgefordert, sein Gewissen zu salvieren, sondern um seinen Nächsten zu kümmern. (Eppler 1975,272)

44. Es ist das Irrtum des Kritizismus, dass er meint, das abstrakte Element des Ideals, das was das Ideal zum Ideal macht, herausarbeiten und zu wirklicher Kritik benutzen zu können. Auf diese Weise aber entsteht die ohnmächtige kritizistische Kritik, der Ausdruck grundsätzlicher Auflösung. (GW VII, 38/1929a/)

    Nach Tillich ist auch das Ideal des Kritizismus - diesem selber allerdings unbewusst - ein konkretes Ideal nämlich, "das Ideal einer alle konkreten Gestalten auflösenden abstrakten Gesellschaft", d.h. der "zur Auflösung aller Gestalten treibende/n/ bürgerliche/n/ Gesellschaft, in der allein die abstrakte Kritik möglich ist" (GW VII,37). Vgl. wie Gadamer gegen Habermas sagt "dass dem prinzipiell emanzipatorischen Bewusstsein die Auflösung alles Herrschaftszwangs vorschweben muss - und das hiesse, dass die anarchistische Utopie ihr letztes Leitbild sein muss" (Gadamer 1967,82).

45. von Krockow meint, dass der Dezisionismus im Bewusstsein davon, dass eine ausge-
nutzte Möglichkeit keine Möglichkeit mehr ist, sondern Wirklichkeit geworden
ist, wählt, die Möglichkeit zu erhalten zu versuchen:

> Der "Sinn" der Entschlossenheit liegt /nach Heidegger/ eben im Offenhalten
> dieses Möglichen, in der Herstellung und Bewahrung der Ueberlegenheit über
> das Wirkliche.

Politisch bedeutet das:

> dass er /der Dezisionismus/ eine radikale Revolution intendiert, in der doch
> buchstäblich nichts geschehen darf. (von Krockow 1958,85,145)

Nicht dass der Dezisionismus diesen Inhalt hat, jedoch dass Heideggers Reden
von Entschlossenheit dezisionistisch gedeutet werden soll, wird von Sitter 1970,
531-533 überzeugend in Frage gestellt:

> Der Unterscheidung zwischen einer authentischen und einer nicht autentischen
> Wahl eignet darum grösste Bedeutung, weil sie über Wahrhaftigkeit und Unwahr-
> haftigkeit des Wählenden entscheidet. Der Sinn der Entschlossenheit liegt
> nicht einfach darin, dass "in der Unbedingtheit des Einsatzes die Ebene der
> Relativität grundsätzlich durchstossen" würde, enthüllt sie doch im Gegen-
> teil die grundsätzliche Relativität jedes Entschlusses. (Sitter 1970,531.
> Vgl. unten Anm. 57)

46. In Uebereinstimmung mit meinem Streben danach, eher ein Problem aufzusuchen als
eine mögliche Plattform zu schaffen, habe ich hier gleichzeitig sowohl eine for-
melle Forderung nach Verantwortlichkeit als auch eine inhaltlich gefüllte, definitive Forderung kritisiert. Dieser Hinweis kann mich natürlich nicht vor der
Frage schützen, ob ich damit nicht als kritisiert habe und dennoch vor den
Schwierigkeiten des Kritizismus stehe oder ob es wirklich einen Standpunkt gibt,
von dem aus Kritik nach beiden Seiten hin möglich ist. Ich erkenne ohne Vorbehalt das Gewicht und die Schwierigkeit dieser Frage an aber nachdem sie meiner
Meinung nach der Frage nach der Möglichkeit eines, die Geschichtlichkeit des
menschlichen Denkens bedenkenden Denkens gilt, und nachdem diese Geschichtlichkeit bedenken zu können eine Bedingung sinnvollen menschlichen Denkens zu sein
scheint, der man kaum entgehen kann, so sehe ich hier keine Möglichkeit eines
Rückzugs hinter die vorgetragene Kritik.

Während ich von der (anfangs formalen) Forderung nach Verantwortlichkeit ausgegangen bin und versucht habe zu zeigen, wie diese sich selber aufhebt, falls sie
formal bleibt, sich aber auch wiederum nicht an einen bestimmten Inhalt binden
lässt, so könnte man auch vom Naturrecht ausgehen. Soweit ich es verstehe, ist
die Pointe in Lind 1975, dass eine formale Forderung nicht der Ungerechtigkeit
widerstehen kann, und dass christlicher Glaube sowohl vom biblischen Denken abweicht als auch riskiert, dehumanisierend zu wirken, falls er die Forderung nach
Mitmenschlichkeit und Nächstenliebe formalisiert und abstrahiert, wobei diese
Forderungen ohnmächtig werden. Lind argumentiert hauptsächlich schöpfungstheo-
logisch, knüpft aber auch direkt an naturrechtliche Gedankengänge an. Ich will
behaupten, dass auch Lind auf eine Problematik stösst, die der meinen entspricht. Auch er muss sich gegen den Missbrauch von "Schöpfungsordnungen" und
einem "Naturrecht" abgrenzen, die der Verantwortlichkeit und mitmenschlicher
Rücksichtnahme in der speziellen Situation gegenübergestellt werden, denn auch
"Schöpfungstheologie" und "Naturrecht" konnten offenbar zur Unterstützung des
Nationalsozialismus ausgenutzt werden. Damit neigen auch Linds Forderungen dazu, formal zu werden, und auch er wird mit dem Problem konfrontiert, wie die
Forderung nach Konkretion mit dem Protest dagegen vereinigt werden soll, dass
eine konkrete Gestaltung der Kritik entzogen wird. Mir scheint, dass Linds Terminologie die Bewusstmachung und Behandlung dieses Problems erschwert. Es ist
denkbar, dass man auf diesem Weg weiterkommen kann, wenn man wie Tillich im Anschluss an Troeltsch (GW II,347 Anm. 21/1933/) zwischen absolutem und relativem
Naturrecht unterscheidet und letzteren Begriff weiter bearbeitet. Mit Hilfe

dieser Unterscheidung wird es auch für Tillich möglich, dieses zu einem, wie Lindner es nennt, protestantischen Naturrecht zu entwickeln (Lindner 1960,15, vgl. GW III,30f/1959a/), das zu dem Versuch des Glaubens zu Selbstlegitimierung beiträgt. Dagegen kommt Lind schwerlich weiter als bis zu einer Identifizierung des christlichen Glaubens mit (humanistischem) Naturrecht.

47. Die wohlbekannte Tatsache, dass zB Marx, Heidegger und Barth (B 1950,5f) dagegegen protestiert haben als Marxist, Existentialist bzw. Barthian identifiziert zu werden hat natürlich mit Sachfragen zu tun - und ihre Proteste müssen ja auf unterschiedliche Standpunkte hinweisen, wenn sie gehaltvoll sein sollen. Aber es dürfte auch berechtigt sein, diese Proteste als Symptome dafür aufzufassen, dass man seiner Verantwortlichkeit und Menschlichkeit beraubt wird, wenn man mit einem Etikett versehen wird. Dies sollte dem schwedischen Religionsunterricht zu bedenken geben, der die Tendenz hat, davon auszugehen, dass alle ernsthaft denkenden Menschen eine "Lebensanschauung" gehabt haben, die sich als ein "-ismus" beschreiben lässt. Das kann den Effekt haben, nicht dass der Ernst in Fragen der "Lebensanschauung" unterstrichen wird, sondern dass gerade Ernst und Verantwortung im Dunkeln bleiben.

48. Ein sehr wesentlicher Punkt in der Kritik der "theoria"-Tradition besagte, dass deren "Wissen" von Verantwortlichkeit als einer Aufgabe getrennt wurde. Böhler kritisiert auch Marx deswegen, dass er sich "die Berücksichtigung der geschichtlichen Selbstreflexion als des Adressaten der eigenen Ideologiekritik" verstellte (Böhler 1971,94).

49. Jonas kritisiert die Hermeneutik des geschlossenen, fertigen, "cartesianischen" Menschen:

Es ist freilich wahr, dass wir, einmal erwachsen, in der Tat von Selbstkenntnis und Analogie Gebrauch machen zum Verstehen und Beurteilen Anderer. In dem Masse, da unser Erwachsensein, d.h. Fertigsein, uns unwillig oder unfähig macht, weiter zu lernen, mögen wir wirklich, zu unserer eigenen Verarmung dahin kommen, das Zeugnis anderer Innerlichkeit nur durch den Filter der fertigen eigenen zu empfangen. (Jonas 1970,10)

Diese Kritik Descartes und der auf ihn folgenden Tradition kann auch die Form einer Kritik "dieser älteren, humanistisch-ontologischen Position" annehmen. (Jonas 1970,2, vgl. betreffend Heideggers Humanismuskritik, Petrović 1970, zB 428f)

50. Vgl. Strohm 1970,56f:

Dezisionismus kämpft aber gegen die Idee des kritischen Gesprächs. Im Gespräch als Dialog liegt die Chance der Beeinflussung der Wertungen: die Chance der Besinnung auf das eigentlich Gewollte bei den Partnern und damit die Möglichkeit der Relativierung von Gegensätzen des unreflektiert, dezisionistisch gesetzten Freund-Feind-Verhältnisses.

51. Von daher meint Bultmann, dass Barth ihn missverstanden habe (vgl. unten 97f). Die existentiale Interpretation versucht, nach Bultmann, gerade anzuerkennen, dass sich in der Begegnung mit einem anderen, von mir verschiedenen Menschen dem Anspruch begegne mich befragen lassen zu können und zu sollen. Die existentiale Interpretation will "die wirkliche (geschichtliche) Existenz des Menschen, der nur im Lebenszusammenhang mit dem von ihm 'Verschiedenen', nur in den Begegnungen existiert, in den Blick fassen und verstehen". (Bultmann 1950,234)

52. Vgl. Beierwaltes 1973,4:

Ein nicht dogmatischer Umgang mit Tradition beruhigt sich daher auch nicht mit dem vermeintlich Altbekannten, dem abgegriffen Vertrauten. Er befragt

Tradition vielmehr kritisch auf die ihr immanente, auch spätere Zeiten noch bestimmende Wahrheit. Er sucht gerade das die jeweilige Zeit Sprengende, Nach-vorn-Treibende, den Wahrheitskern Heraustreibende in ihr, nicht das Einlullende, Beruhigende.

53. Zwei Beispiele: Heideggers Ansatz kann gut sein, auch wenn er selbst ihn nicht gleich 1933 durchführen konnte. Aber dann sollte man zeigen können, wie dieser Ansatz, eventuell nach notwendigen Modifikationen, auch 1933 hätte durchführbar sein können. Vgl. Biemel 1973,8:

> Wäre der Irrtum eine Folge seines Denkens, so müsste mit ihm dieses Denken am Ende sein; das Gegenteil ist der Fall, nach 1934 findet sein Denken die eigentliche Entfaltung.

Diese Sätze müssen aber dann auch mit der gebrachte Interpretation übereinstimmen.

Barths theologischer Ansatz kann problematisch sein, auch wenn er 1934 funktionierte (Wingren zB 1972,75f) aber dann muss gezeigt werden, in welcher Situation er problematisch werden kann, und dass das vorgeschlagene alternative Denken auch die Probleme bewältigt, die Barth dazu brachten, diesen Ansatz zu erproben (vgl. 3.1).

54. Vgl. GW IV,63/1926a/:

> Sachlich ist /gegen den ideologischen Wahrheitsbegriff/ zu sagen, dass die Gleichsetzung von Wirklichkeit und gesellschaftlicher Struktur unmöglich ist. Dabei fällt die Natur hin, und die Vergangenheit hört auf, eine eigene Wirklichkeit zu sein. Sie wird ein ideologischer Spiegel der Gegenwart.

54a Von fundamentaler Bedeutung scheint mir zu sein, wie Veränderungen im Denken des Anderen gedeutet werden. Die in der Deutung enthaltene Analyse muss natürlich Begriffe wie "terminologische Veränderungen", "Schwerpunktsverschiebungen" verwenden, vielleicht auch "Perioden" oder "Stufen" von "Wendpunkten", "Brüchen" oder "Kehren" unterscheiden. Aber wenn man bei der Deutung über diese analytische Hilfskonstruktion nicht hinausgelangt so kann man die Verantwortlichkeit des Anderen nur auf einer Stufe bejahen, aber auch dieser mögliche Anspruch auf Verantwortlichkeit kann nicht sehr stark zur Geltung kommen, da ich ja mit der Feststellung eines "Bruches" dem Anderen jede, zu Kontinuität fähige Identität abgesprochen habe und damit sein Denken als unkonsequent und damit willkürlich dargestellt habe. Auf mein eigenes früheres Denken angewandt bedeutet dies, dass ein früheres "Ich" nicht anerkannt werden darf oder in mein Selbstverständnis eingehen darf - also eine Bedrohung der Identität.

Eine humanistische Hermeneutik muss weiterfragen und nach einer Verantwortlichkeit und Identität suchen, die durch Veränderungen hindurch bestehen bleiben. Sie können nicht bewiesen werden aber man kann und muss danach suchen. Was brachte den Anderen zum Umdenken? Lässt sich die Veränderung im Blick auf das frühere Denken als richtig und berechtigt verstehen? D.h. kann man sie als ein tieferes Eindringen in eine Problematik verstehen, mit der ständig gerungen wurde? Dann liegt die Identität/Verantwortlichkeit nicht so sehr in der "Anschauung" als im Problembewusstsein, im Versuch, tiefer in den Inhalt der Verantwortlichkeit und die Voraussetzungen dafür einzudringen. Von dort richtet sich der Anspruch des anderen Denkens an mich. Kap. 3 und 4 sind Versuche, ein solches Suchen nach Verantwortlichkeit/Identität unter Veränderungen zu verwirklichen.

55. Die Frage nach der Verstehbarkeit liefert nach von Krockow die Gegenprobe zu der oben Anm. 33 skizzierte Dialektik des Handelns:

> Bedeutung können geschichtliche Erscheinungen eben nur haben, weil sie als Ausdruck schöpferischer Spontanität nicht aus allgemeinen Regeln abgeleitet

werden können - und dennoch zugleich in übergreifenden, objektiven Zusammenhängen stehen, in denen und für die sie etwas bedeuten. Einzig dieses Zugleich von Subjektivem und Objektivem, das im Wesen der Geschichtlichkeit
liegt, erklärt das notwendige Zugleich von "Sinnverstehen" und "kausalem Erklären" im geschichtlichen Verstehen. (von Krockow 1958,154)

Vgl. auch wie Kuzminski meint, dass dieses "zugleich" eine Frage nach einer Ontologie mit "a statement of universals that is 'open'" darstellt (Kuzminski
1973,288f, vgl. 270f).

56. Heidegger scheint mir zumindest teilweise gegen diese Kritik geschützt zu sein,
wenn er "seiner eigenen Geschichte nachzufragen" umschreibt mit "historisch zu
werden, um sich in der positiven Aneignung der Vergangenheit in den vollen Besitz der eigensten Fragemöglichkeiten zu bringen" (Heidegger 1927,20f). Vgl.
auch Heidegger 1936,55:

Die in "Sein und Zeit" gedachte Entschlossenheit ist nicht die decidierte
Aktion eines Subjektes, sondern die Eröffnung des Daseins aus der Befangen-
heit im Seienden zur Offenheit des Seins.

Zu Heideggers Verhältnis zum Dezisionismus, vgl. Sitter 1970.

57. In diesem Sinne deute ich Heideggers Charakterisierung der "Historie" als zugleich "Zerstörung der Zukunft und des geschichtlichen Bezuges zur Ankunft des
Geschickes" und "vielleicht /.../ ein unumgehbares Mittel der Vergegenwärti-
gung des Geschichtlichen" (Heidegger 1946,301, vgl. Petrović 1970,416).

Vgl. wie Jonas bei seiner Argumentierung für eine entmythologisierende Betrachtung oder existentiale Interpretation des Dogmas, gerade davon ausgeht, wenn
er von Folgendem spricht:

einer unausweichlichen Fundamentalstruktur des Geistes als solchen: Dass er
sich in gegenständlichen Formeln und Symbolen auslegt, dass er "symbolis-
tisch" ist, ist Wesentlichstes des Geistes - und Gefährlichstes zugleich!
Um zu sich selbst zu kommen, nimmt er wesensmässig diesen Umweg über das
Symbol, in dessen verlockender Problemverwirrnis er sich, ferne vom symbolisch darin verwahrten Ursprung und das Stellvertretende absolut nehmend,
zu verlieren neigt (Jonas 1930,68).

58. Vgl. die doppelte Bedeutung im lateinischen "tradere":
   1. übergeben, weiterführen
   2. verraten (vgl. traditor, engl. traitor).

59. Vgl. Beierwaltes 1973,7:

Kritische Erinnerung befragt Tradition auf dasjenige hin, was sie für gegenwärtige Erkenntnis und Lösung von Problemen leisten kann.

60. Der "Umweg" wird auch durch Aussagen folgender Art apologieverdächtig: "Auch
ist es für die Gesundheit des Menschen wichtig, dass er sein Leben in einem
grösseren Zusammenhang verankert sieht. Er hält es auf die Dauer nicht aus,
sich geschichtslos zu fühlen." (Uebers. Svensk Pastoraltidskrift 15(1973),688)

61. "Solidarische Offenheit" und "solidarische Kritik" sind meine Ausdrücke. Sie
ähneln zB Tillichs Rede von einer Beziehung zu einer anderen Person, die "kritische und annehmende agape ist - zu gleicher Zeit Distanz und Partizipation"
(GW IV,113/1955b/).

62. Es kann wertvoll sein, über das Verhältnis dieser positiven Erwartung zum
christlichen Vorsehungsglauben zu reflektieren. Vgl. Rüegg 1959,483:

Weil der Mensch durch den Anblick der göttlichen Allmacht geblendet würde,
zieht sie sich - symbolisch für den ganzen Humanismus - als stillschweigen-

-der Zeuge, Nothelfer und Richter bei Petrarca in den Hintergrund und stellt ihm Augustin als menschlichen Gesprächspartner und Ratgeber zur Verfügung, so dass in der Gegenwart Gottes der moderne Mensch durch den Dialog mit menschlichen Vorbildern früherer Zeiten die Bildung seiner H/umanität/ findet.

63. Vgl. zB wie "Wirklichkeit" bei Hegel bei weitem nicht identisch ist mit jedem beliebigen Vorhandenen (Böhler 1971,84).

64. Diese Bedeutung von "wahr" hat eine starke Stütze in der Umgangssprache:

Wir nennen Dinge "wahr" im Sinne von "echt", wir benutzen den Ausdruck "Wahrheit" aber vorwiegend im Hinblick auf menschliche Rede. (Kamlah 1962,110f)

65. Sieht man in der faktischen Wirklichkeit Möglichkeiten, dann wird sie als beeinflussbar aufgefasst. Dann können Theorien, die das Vorgefundene und dessen gesetzlich gebundene Veränderlichkeit abbilden, auf die Dauer nicht wahr verbleiben. Dann wird das Wahre in der Reflexion über Möglichkeiten in dem Vorgefundenen gesucht, die Theorie wird in den Dienst verantwortlicher Veränderung der Wirklichkeit gestellt, und "wahr" erhält eine ethisch geladene Bedeutung. (Vgl. oben 45)   Vgl. Mannheim 1927,85f:

Der nichtromantisierte Konservatismus /.../ ist auf unmittelbares Handeln gerichtet, auf Veränderung der konkreten Einzelheiten, und kümmert sich deshalb eigentlich nicht um die Struktur der Welt, in der er lebt. Demgegenüber lebt ein jedes progressive Handeln immer mehr vom Bewusstsein des Möglichen, es transzendiert das gegebene Unmittelbare, indem es auf seine systematische Möglichkeit zurückgreift, und bekämpft dieses Konkrete nicht, indem es ein anderes Konkrete an seine Stelle setzen will, sondern indem es einen anderen systematischen Anfang will.

66. Vgl. Kamlah 1951,7:

Doch dass man sich mit religiösen, dichterischen, philosophischen Dokumenten der Vergangenheit, die den Anspruch auf Wahrheit erheben, "rein historisch" befassen könne, diese positivistische Illusion kann sich nicht halten. Die Wahrheit, in der menschliches Sein erschlossen und ermöglicht wird, geht uns jeweils heute an, so aber, dass sie nicht heute zuerst entdeckt wird, sondern vielmehr uns anspricht aus Traditionen, die wir uns aneignen müssen in kritischer Interpretation. Die Wahrheit lässt sich nur in der erneuernden und somit kritisch verwandelnden Aneignung bewahren. Historische Untersuchungen, wie die hier unternommenen, müssen also gerade als historische in einem selbständigen Umgang mit der Wahrheit selbst vollzogen werden, der den Charakter des vernünftigen Denkens hat.

Vgl. auch Brandenburg 1970,250:

Man kann eben heute nicht mit dem höchst intensiv gefüllten Begriff Geschichtlichkeit operieren, an dem die besten Geister der Neuzeit gearbeitet haben und doch zu gleicher Zeit mit einer historischen Methode vorgehen, die Geschichte als Vergangenes schlicht einfach, im Sinne Rankes gesprochen, wie es gewesen ist, zu erneuern. Der Historiker muss also zum Systematiker werden, und der Systematiker umgreift selbstverständlich das je präsentisch Gewesene.

Vgl. auch Möller 1967,16:

Zunächst ist nämlich das Wahrheitsproblem selbst problematisch geworden. Sodann wird das, was wir als "Geschichtlichkeit" bezeichnen, einerseits der überlieferten Metaphysik, andererseits dem historischen Denken und schliesslich auch dem Positivismus entgegengesetzt.

67. Vgl. Jaspers Kritik an Heidegger (zB via Bauer 1963,129ff). Vgl. auch zu Camus:

Wie dieses Werk /L'homme révolté/ ausdrückt, dass das europäische Denken noch nach den Prinzipien menschlichen Handelns sucht, so bezeugt es ebenso den Verzicht auf die Wirksamkeit geschichtlicher Aktion, in der erst der Mensch seine Masstäbe erschaffen und verstehen könne. (Hillmann 1967,2118)

68. In diesem Sinne deute ich Heideggers spätere Kritik an der Metaphysik, da diese meint das Seiende aus seinem Grund her als gegründetes verstehen zu können. Vgl. Biemel 1973,142f.

69. Ja wohl, aus der Not meiner Aufgabe als Pfarrer bin ich dazu gekommen, es mit dem Verstehen- und Erklärenwollen der Bibel schärfer zu nehmen. (B 1922, XIII)

Es ist also zweifellos berechtigt, zu sagen, dass "die Erneuerung der protestantischen Theologie im 20. Jahrhundert" "aus der zentralen Aufgabe der Kirche, aus der Verkündigung", aus der "Predigtnot", aus der Bearbeitung "des hermeneutische/n/ Problem/s/" etc erwachsen ist (Zahrnt 1966,15-17). Allerdings muss man fragen, ob nicht viele, die so bewusst oder unbewusst sagen, dass sie an dem ethisch-politischen Kontext, der für Barth Anlass zu seiner "Predigtnot" war, nicht interessiert sind, damit diese "Not" in einem anderen (in Barths Sinne mehr "religiösen"?) Kontext verstehen als Barth.

70. Barth kann auch, je älter er wird, zumindest Züge dieses "Modernen" in der Orthodoxie und vielleicht sogar bei den Reformatoren aufzeigen (KD IV/1,406/1953/, KD II/1,476/1945/,KD I/2,318/1938/, B 1933,151, vgl. Steck 1973,17). Das Hauptgewicht legt Barth darauf, eine zu enge Perspektive zu erweitern. Dagegen hat er "auch historisch nie bis an die Wurzeln neuzeitlichen Bewusstseins zurückzugehen für nötig gehalten" (Schellong 1973a,41).

71. Damit die Formulierungen historisch richtig eingeordnet werden, kürze ich "Die protestantische Theologie im 19. Jahrhundert" (mit Ausnahme des Vorwortes) mit B 1933 ab. Im Vorwort sagt nämlich Barth, dass es sich um in Münster und Bonn gehaltene Vorlesungen handelt und dass "ihre letzte Gestalt" "ein im WS 1932/33 und im SS 1933 in Bonn durchgeführter Kurs" war. Barth betont, dass er sie für den Druck nicht umgearbeitet hat:

Er /der Leser/ wird auch sonst allerlei Lücken entdecken, die ich heute nicht offen lassen, dazu Akzente, die ich heute anders setzen würde. (B 1946,V)

72. Vgl. Kamlah 1962,106:

Freilich können Werbefirmen mit dem Selbstbewusstsein des Modernen noch immer Käufermassen mobilisieren /.../ Aber unter den geistigen Menschen (zumindest in Deutschland) hat das Wort "modern" schon seit dem ersten Weltkrieg seinen Glanz verloren oder in den täuschenden Schimmer des gefallenen Engels verwandelt.

73. Vgl. B 1933,103-114 (die Theologie des 18. Jahrhunderts), 273 (Kant), 382ff (Schleiermacher), 446 (Marheinecke), 464,466 (Tholuck), 477 (Menken), 529 (Dorner), 541 (Müller), 560 (Hofmann), 577 (Vilmar), 585 (Kohlbrügge). Mit Vorbehalten B 1933,347 (Hegel), 523 (Schweizer), 552 (Rothe), 599 (Ritschl).

74. Dass diese Aussagen nicht zufällig sind, wird dadurch bekräftigt, dass er das Bejahen der geschichtlichen Beschränkung (vgl. 2.1) als eine ethische Forderung explizit behandelt:

Wir müssen bestimmt damit rechnen, dass es auch hier Zusammenhänge und Determinationen gibt, vor denen wir staunen würden, wenn wir um sie wüssten. Aber nicht das ist wichtig, dass wir um sie wissen, sondern dass innerweltliche Determination, Zusammenhang jedes einzelnen menschlichen Seins mit dem Ganzen

404

und des Ganzen mit jedem menschlichen Sein auch in dieser Hinsicht faktisch stattfindet, dass also das Sein eines Jeden in seiner Zeit und in der damit gegebenen Beschränktheit nicht Zufall, kein von irgendeinem Wind aufgewirbeltes Sandkorn oder dürres Blatt, kein blosses Abfallprodukt ist, sondern gerade in seinen Grenzen seine bestimmte Notwendigkeit hat und eben darum auch nicht in Willkür gelebt und ausgefüllt werden kann. Das ist wichtig, dass an einem Jeden in seiner Einmaligkeit faktisch Alles hängt, dass sich in seiner Lebensgeschichte die ganze Weltgeschichte nicht nur äusserlich spiegelt, sondern innerlich mit abspielt. Er kann und darf es einfach nicht gering achten, nun eben zu dieser Stunde dieser Vorübergehende zu sein. Sie ist gerade als seine Stunde die Stunde des Menschen. Und dass sie ihm gegeben ist, das soll er nicht missachten, sondern dafür soll er dankbar und dessen soll er froh sein. (KD III/4,660)

75. Barth legt grosses Gewicht auf die Unterschiede zwischen theologia archetypa und ektypa und zwischen theologia paradisiaca bzw. comprehensorum und theologia viatorum und verdächtigt dass "diese nur scheinbar abstrusen Unterscheidungen in jener verhängnisvollen Wende vom 17. zum 18. Jahrhundert zur 'dogmatischen Antiquität' (K.v.Hase)" wurden (B 1962,126f,134, KD I/1,284f).

Nun kann aber, was Menschen jetzt und hier als Theologie kennen und unternehmen mögen, weder (wir sind nicht mehr da!) paradiesische, noch (wir sind noch nicht da!) vollendete, noch gar (wir werden nie da sein!) göttliche Theologie sein, sondern nur solche von Menschen, die noch als Geblendete schon als durch Gottes Gnade zum Erkennen Erleuchtete, aber noch nicht als Schauende in der Glorie der künftigen universalen Offenbarung am Werk sind: nur theologia ektypa viatorum. (B 1962,126)

76. Im Verhältnis zu dem Gewicht, das alle dieser Auseinandersetzung für Barths Theologie beimessen, ist es erstaunlich, wie wenig darüber direkt geschrieben wurde. Meine Darstellung in Kap. 3 soll nicht zuletzt zeigen, dass jeder Versuch, die Kirchliche Dogmatik zu deuten, ohne zu sehen, wie diese Auseinandersetzung ständig im Hintergrund vorhanden ist, riskiert, Barths Theologie zu trivialisieren und verliert damit die Möglichkeit zu einem fruchtbaren Dialog mit ihr.

77. Vgl. B 1924,61:

Es kann uns ja nicht einfallen, in Abrede stellen zu wollen, dass der Protestantismus jedenfalls unter seinen Theologen seit den Tagen der Reformation keinen Grösseren gehabt hat als eben diesen: Schleiermacher.

78. Diese Frage kann auch als eine Behauptung ausgedrückt werden, dass die "moderne" Theologie und die Apologetik nicht eingesehen haben, dass sie im Kreis herum gehen:

Er /der absolutistische Mensch des 18. Jahrhunderts/ glaubte - wir finden ihn auch an der innersten Stelle in einem merkwürdigen circulus begriffen - mit der Wirklichkeit seiner Existenz für Gott und damit für die Möglichkeit seiner Existenz eintreten zu können. (B 1933,55f)

79. Dem Ausdruck "Historisierung" entspricht hier, was in dem Zitat von 1930 mit die Offenbarung zu "zufällige/n/ Geschichtswahrheiten" zu machen, bezeichnet wird. Von Barths Standpunkt aus kann dasselbe als ein Versuch beschrieben werden, auszuschliessen, dass die Geschichte mit Gottes Taten gefüllt ist, vor allem in Jesus Christus (vgl. das Zitat B 1957,19 oben 70).

80. Wenn Forstman deshalb sagt, dass

for him /Schleiermacher/ there was no alternative to being a modern man; this was given in the situation in which he found himself /.../ As a man

405

he was inescapably a modern man   (Forstman 1966,306f)

dann drückt er damit nicht, wie er glaubt, etwas aus, was Barth nicht beachtet
hat. Barth bejaht das ganz selbstverständlich. Barth kritisiert nicht, dass
Schleiermacher ein Mensch seiner Zeit ist. Er sieht auch, dass Schleiermacher
im Blick auf eigene Formulierungen bescheiden ist (B 1926,138, B 1933,390,406f).
Was er kritisiert ist, dass Schleiermacher trotzdem so denkt als ob er in der
Vollendung leben würde. Indem Schleiermacher auf, für Barth unmögliche Weise
zwischen "gotterfüllte/m/ Menschtum" und "zeitgeschichtlich bedingte/r/ Weltanschauung" unterscheidet (B 1927b,39), gilt die Bescheidenheit nicht dem Gefühl
hinter den Wörtern, nicht der Religion (vgl. B 1933,406f, B 1927a,193, B 1926,
140f). Die Bescheidenheit gilt sicherlich der religiösen Lehre, aber sie gilt
allem Anschein nach nicht gegenüber dem Kulturbewusstsein und dem kulturellen
Pathos des modernen Menschen (vgl. B 1933,388-391). Was Barth Schleiermacher
vorwirft ist, dass in dessen Theologie, trotz ausgesprochener Demut, die Religiosität und das kulturelle Pathos des modernen Menschen - letztlich dieser
Mensch in seiner Modernität - nur bestätigt, also mit dem Menschen in der Vollendung identifiziert werden.

Deshalb kann ich nur feststellen, dass Forstman Barths Auseinandersetzung mit
Schleiermacher missversteht, wenn er behauptet, dass Schleiermacher sich selber
an "the limitations of human knowledge" gebunden sieht, während "Barth begins
with the belief that these limitations have been broken through by God himself
in a moment of history" (Forstman 1966,319). Insofern wäre es ja gerade Barth,
der die Möglichkeit einer theologia gloriae bejahte!??

81. Vgl. zu dieser Problematik Almén 1974a,100f.

82. Vgl. B 1933,406:

   Darum heisst Gott verkündigen für Schleiermacher die eigene Frömmigkeit verkündigen.

   In der Darstellung von 1926 führt Barth u.a. folgendes Zitat aus einer der Predigten Schleiermachers an:

   "Seine Sorge auf den Herrn werfen", bedeutet "zunächst vertrauen auf die gemeinsame Kraft derer, welche zu dem Guten verbunden sind, vertrauen auf die
   von der Frömmigkeit unterstützte Weisheit derer, welche das Ganze vermöge
   einer göttlichen Anordnung leiten". (B 1926,185)

83. Vgl. B 1962,17:

   Der Gott Schleiermachers kann sich nicht erbarmen. Der Gott des Evangeliums
   kann und tut es.

83a Für das Verständnis der Relation zwischen diesen Darstellungen ist B 1927a,190
   Anm. 1 wichtig:

   Es ist vielleicht nicht unnötig, vorauszuschicken, dass Alles was hier über
   einzelne Theologen des mir zugewiesenen Zeitraums gesagt wird, auch nicht an-
   nähernd eine Würdigung ihres Werkes und ihren Persönlichkeit im Ganzen sein
   will, sondern eben nur eine knappe Befragung auf ihre Stellung zu diesem be-
   sondern allerdings entscheidenden Problem.

84. Nicht zufällig waren es die Abschnitte über Schleiermacher, Menken, Feuerbach
   und Strauss aus der Vorlesungsreihe, die im Vordruck erschienen (B 1946,V)!
   Doch geht es hier nicht so sehr um einen Schlüssel für die Entstehungsgeschichte der Auseinandersetzung als vielmehr um eine Schlüsselstellung in der Auseinandersetzung so wie sie Ende der zwanziger Jahre und Anfang der dreissiger
   Jahre aussah. Eine allgemeine Auffassung von Feuerbachs Kritik beschäftigte
   Barth frühzeitig (Marquardt 1972,23f). Sie beeinflusste allerdings seine eigene Theologie eher indirekt als eine Frage ob Schleiermacher sich gegen Feuer-

-bachs Kritik wehren könne. Erst in Göttingen soll Barth dann Feuerbach ernsthaft studiert haben (Glasse 1968,464 Anm. 16). Genetisch gilt vermutlich etwas
Ähnliches für das Verhältnis zu Strauss. Um 1920 wurde die historische Frage
mehr in Relation zu Overbeck behandelt:

> Im Uebrigen wollen wir ja froh sein, dass wir schon so weit sind - hauptsäch-
> lich dank Overbeck, den wir überhaupt nicht genug danken können und an dessen
> Grab wir eigentlich einmal einen Kranz niederlegen müssten. (GA V/3:1,451
> /1920-12-06/)

85. Vgl. B 1927a,207:

> Kein Gegenüber! Nichts was zu uns kommt! /.../ Hatten das die Theologen
> nicht soeben selber gesagt mit ihrem ganzen Gebaren der göttlichen Wahrheit
> gegenüber? Gewiss, so hatten sie es nicht gemeint. Es war und ist aber von
> dem Ansatz Schleiermachers und Wegscheiders und De Wettes und der Erweckungs-
> theologen und der Hegelianer und der Biblizisten aus nicht möglich aufzuzei-
> gen, inwiefern es anders gemeint war als der fatale Feuerbach es meinte.

86. Dies wird bei Hafstad 1975, zB 135 stark betont. Durchgehend wird dort behauptet, dass Barth wahrscheinlich Bultmann nicht verstanden hat und sich auch nicht
gründlich mit dessen Theologie beschäftigt hat (Hafstad 1975,158). Barth soll
sowohl Bultmanns Kuhlmann-Aufsatz missverstanden haben als auch dessen politische Stellungnahme 1934 (Hafstad 1975,136f,158). Natürlich kann man das behaupten, was Hafstad sagt, aber offenbar verwendet er sehr viel mehr Mühe auf das
Verständnis Bultmanns und dessen harmonisierende Sichtweise als darauf, Barths
Kritik zu verstehen. Sein Versuch, Bultmann zu verstehen, zwingt ihn dann auch
zu der Annahme, dass Barth seine Auffassung geändert habe (Hafstad 1975,158 mit
Anm. 167) und er kann daher dann nicht Barths spätere Kritik zu Hilfe nehmen um
dessen frühere zu verstehen. Ich versuche stattdessen, Barth zu verstehen.
Zum Teil ist das eine Wahl der Perspektive. Aber das kann auch in eine prinzi-
piellere hermeneutische Ueberlegung einbezogen werden. Meiner Meinung nach
liegt immer der Verdacht einer nicht-humanistischen Hermeneutik (vgl. oben 50)
vor, wenn die Auffassungen anderer allzu schnell als Missverständnisse abgetan
werden. Und einen ernsthaften Versuch zu unterlassen, die Kritik anderer zu
verstehen, bedeutet, die Hilfe für die eigene zumindest potentielle Kritik aus-
zuschlagen, die unumgänglicher Bestandteil der eigenen Verantwortlichkeit ist
(oben 46f).

87. Vgl. GA V/1,203/1959-12-18/:

> /.../ wogegen ich noch vollamtlich im Pflug bin und die Kirchl Dogmatik (die
> Sie arger Mensch bekanntlich nicht lesen) immer noch ein wenig weiter treibe.

88. Zehn Tage bevor er an Bultmann schrieb, hatte er sich mit Thurneysen darüber be-
raten:

> Was soll das alles - es fällt mir jetzt gerade im Zusammenhang mit meiner
> Vorlesung besonders auf die Nerven -, wenn es nicht eine Erneuerung des Ver-
> hältnisses zwischen Theologie und Philosophie ist, wie es bei Kant, Hegel,
> Schleiermacher, De Wette usw nun wirklich auch schon gedacht war - nur dass
> die Philosophie zur Abwechslung diese, eine negative, existentielle etc ge-
> worden ist. Macht es denn einen entscheidenden Unterschied aus, ob die ge-
> machte untheologische Voraussetzung so herum dargestellt wird? /.../ Ich
> weiss nicht, sehe ich in der Hitze des Semestertages zu leidenschaftlich,
> aber mir sträuben sich einfach alle Haare auf dem Kopf gegen die ganze Wirt-
> schaft, von der wir da in nächster Nähe umgeben sind, und ich weiss nicht,
> ob es sich mir nicht einmal zu einem grossen Abwehr- und Abschiedsartikel
> an Emil (Brunner), Paul (Tillich), Friedrich (Gogarten), Rudolf (Bultmann)
> e tutti quanti zusammenballen wird, aussagend, dass ich, wenn ich da ankom-
> men wollte, nicht einmal mehr Pfarrer in Safenwil sein, geschweige denn die

Welt mit der Ankündigung eines theologischen Neuansatzes behelligen möchte.
(GA V/3:2,700f/1930-01-26/, die Vorlesung ist eine frühe Fassung von B 1933)
Thurneysen stimmt dem zu:

Ich kann dir nur in allen beistimmen. Der Tempelbau ist da wirklich überall
in voller Vorbereitung, und es würde nur gut tun, wenn du einmal deinen
Blitzschlag unter diese Werkmeister senden würdest. Nur bei einem bitte ich
um einige Schonung: Verfahre sänftlich mit dem Knaben - Emil! (Thurneysen
in GA V/3:2,713/1930-02-03/)

88a Vgl. die Andeutung einer Kritik von Bultmanns Theorie-Praxis-Verständnis in dem
Ausdruck "im leeren Raum" im Zitat B 1952,8 unten 95.

89. Vgl. Schneemelcher 1951,566 (Gollwitzer referierend):

Bei Barth ist die Offenbarung der "Sache", die der Interpret verstehen soll,
bei Bultmann ist das Vorverständnis dieser "Sache" vorausgesetzt.

90. Christologie und Soteriologie müssen als eine Einheit verstanden werden, aber,
fragt Barth, ist diese Einheit nicht "als eine in sich unterschiedene Einheit
zu verstehen, in der die Christologie, ohne sich deshalb von der Soteriologie
trennen zu lassen, vorangeht, die Soteriologie aber - in jener enthalten, von
jener umfasst - ihr folgen muss? (B 1952,18)

91. Vgl. Bultmann in GA V/1,190/1952-11-11--15/:

Ich meine jene von Ihnen "vor rund 30 Jahren" vollzogene "Umkehrung" nicht
rückgängig zu machen, sondern den neuen Weg methodisch zu sichern.

92. Barth schreibt "von vor drei Wochen" 1916-06-21 (GA V/3:1,144) und der Besuch
fand statt in der Zeit zwischen Thurneysens Briefen 1916-06-01 und 1916-06-08
(GA V/3:1,139,140). Barths Brief 1916-06-10 bestärkt dies sowohl gefühlsmässig
als auch durch Kommentare zu gelesenen Büchern (GA V/3:1,141f).

93. Wenn Marquardt 1972,163 davon ausgehend, "die Moltmannsche These" kritisiert,
- "Die 'dialektische Theologie' stammt nicht aus der Krisenstimmung jener tur-
bulenten Jahre" (Moltmann 1962,X) - dann kann man sich fragen, ob Marquardt
Moltmann wirklich in optimam partem interpretiert. Moltmanns Versuch, zwischen
einem, aus der Krisenstimmung stammenden Selbstverständnis und einer "Einsicht
in die Sache der Theologie und in die Situation oder Bestimmung des Menschen
vor Gott" zu unterscheiden, scheint mir Barths Unterscheidung in B 1952 (oben
94) zu gleichen und scheint mir nicht notwendigerweise der Deutung Marquardts
zu widersprechen. Mit meiner Terminologie von Kap. 2: Moltmann setzt sich gegen Versuche zur Wehr, die Barth mit Hilfe einer alles relativierenden 2.1.3-
Perspektive abfertigen und unschädlich machen wollen - was auch Marquardt zu
tun scheint. (Vgl. unten 111f)

94. Gollwitzer muss sich ungenau ausgedrückt haben, wenn er andeutet, dass es die
2. Auflage war, die Barth die Professur einbrachte (Gollwitzer 1972,10). Nach
Barths Briefe an Thurneysen begann er mit der Umarbeitung im Oktober 1920
(GA V/3:1,435/1920-10-27/) und war bis Kap. 5 gelangt als Ende Januar, Anfang
Februar 1921 der Ruf nach Göttingen kam (GA V/3:1,463,467). Barth zog "im Oktober, 14 Tage nachdem die 2. Auflage des Römerbriefes fertig geworden war"
nach Göttingen (B 1927,309).

95. Das leitet zu der Frage über nach den historischen Ursachen für diese, für Barth
selbst immer schwer verständliche Barth-Rezeption (vgl. Marquardt 1972, zB 49,
142,164f).

408

96. Man beachte, dass zB die meisten der für Barth zentralen Ausdrücke im Begriffs-
register unter "Theologie, natürliche Theologie" zusammengefasst sind (KD I/1,
527). Vgl. auch Benktson 1948, bes. Kap. III.

97. Jede Charakterisierung der Theologie Barths als Offenbarungspositivismus, wonach also Barth gemeint habe, selber über die Offenbarung zu verfügen und ihr
Sprachrohr zu sein etc, muss also als die Behauptung aufgefasst werden, dass es
Barth nicht gelungen sei, seine fundamentalste theologische Intention zu verwirklichen. Falls zB Zahrnts Ueberschrift, "Monolog im Himmel", wirklich beschreibt, was in der Kirchlichen Dogmatik geschieht, und angenommen er hat recht
mit seiner Behauptung, dass Barth seinen Standort "nicht unterhalb, sondern
oberhalb der Offenbarung /.../ nicht in der Zeit sondern in der Ewigkeit" einnimmt (Zahrnt 1966,141) dann ist Barth in einen Konflikt mit seiner grundle-
gendsten Intention geraten:

> Die Dogmatik kann, indem sie die lehrende Kirche zu neuem Hören aufrufen
> möchte, nicht vom Himmel herabreden. (KD I/2,908)

> Ich antworte darauf, dass es mir gar nicht einfällt, zu meinen, dass ich "das
> Göttliche" sage oder schreibe. "Das Göttliche" steht meines Wissens über-
> haupt nicht in Büchern. (B 1922,IX)

Wenn man diese Intention Barths erkennt, trotzdem aber daran festhält, dass
Barth sie nicht verwirklicht hat, dann muss man sich ernstlich fragen, was
Barth daran hindert, seine Intention zu verwirklichen. Wenn man selber Barths
Intention bejaht, dann müsste sich einem diese Frage aufdrängen und Anlass zu
einem intensiven Dialog über die Implikationen dieser Intention geben, und zwar
mit einem Barth, der diese wirklich zu durchschauen versuchte. Aber man kann
dann nicht mit einem gleichgültigen Achselzucken und herablassend von Offenbarungspositivismus u.ä. sprechen.

98. Nachdem Barth eine Abgrenzung gegenüber einer "natürlichen" Theologie vollzieht,
wird der Eindruck erweckt, als ob Barth eine Theologie kritisieren wolle, die
vom ersten Glaubensartikel ausgeht, und ihr eine Theologie gegenüberstelle, die
vom zweiten Artikel ausgeht. So interpretiert Wingren Barth. Aber meiner Meinung nach ist eine solche Deutung Barths problematisch.

Barth versucht, die Grenze zwischen einer echten Theologie (des ersten, zweiten
und dritten Artikels) im Gegensatz zu einer "natürlichen" Theologie, die den Anspruch erhebt, Theologie zu sein, aber nicht ist, zu erkennen und zu bewahren. Falls die Theologie Schleiermachers (oder/und der Pietisten, der Rationalisten, der "Schwärmer", der "Spiritualisten" und "Mystiker", der westlichen
und östlichen Katholiken) eine Theologie des dritten Artikels, eine Theologie
des Heiligen Geistes war, so hatte sie nach Barth ein legitimes Anliegen
(B 1968,311f).

> Echte, rechte Theologie konnte von da aus aufgebaut werden /.../ Wenn sie
> das war, so war sie als Theologie grundsätzlich ebenso gerechtfertigt, wie
> die entgegengesetzt orientierte theozentrische reformatorische Theologie.
> (B 1933,411f)

Barth stellt in Frage, ob die Theologie, der er begegnet, wirklich eine Theologie des Heiligen Geistes ist und nicht eher eine Theologie des menschlichen
Geistes, des religiösen Bewusstseins des Menschen (zB B 1933,422f). In Barths
trinitarischem Ansatz wird die Möglichkeit einer Theologie des dritten Artikels
- ebenso wie des ersten und zweiten Artikels - vorausgesetzt, zumindest als eine Möglichkeit in der theologia gloriae der Vollendung. Aber ebenso wie eine
Theologie des dritten Artikels "natürliche" Theologie zu werden droht, d.h.
"zur Un-Theologie oder gar A-Theologie" (B 1933,411), so unterliegen auch die
Theologien des ersten und zweiten Artikels dieser Gefahr. Eine echte Theologie
des ersten Artikels muss sich von einer Theologie unterscheiden, die

etwa die Lehren von der göttlichen Allmacht und von der Schöpfung als abstrakte Wahrheiten /... versteht/ - abstrahiert nämlich davon, dass der all-
mächtige Vater und Schöpfer der Vater Jesu Christi ist. (B 1953,41)

Und eine wirklich christozentrische Theologie (ausgehend von der Erwählung)
muss unterschieden werden von einer "religiös" christozentrischen Theologie
(ausgehend von der menschlichen Entscheidung) (vgl. KD I/2,384f).

Historisch gesehen ist Barths Abgrenzung gegenüber dem "Religionismus", also gegenüber einer Theologie, die sich als Theologie des dritten Artikels ausgibt
das Primäre. Die Abgrenzung gegenüber jeglicher "natürlicher" Theologie zielt
auf dieselbe Abgrenzung ab oder auf eine Generalisierung derselben. Wenn daher
Wingren meint, den ersten Glaubensartikel als Ausgangspunkt für die beiden anderen markieren zu müssen, um nicht in eine Theologie zu geraten, die sich auf
Kirche und Heiligung zentriert, und das Aufsuchen "frommer" Werke legitimiert,
gegen das Luther sich gerade wendet, dann unterscheidet sich Wingrens Intention
nicht von der Barths. Die Frage ist, ob Wingrens und Barths Wege, diese Intention zu verwirklichen, verschieden sind (der Ansatz im Schöpfungsglauben strukturiert ja wohl kaum allein Wingrens Theologie, vgl. Almén 1974), und wenn das
der Fall ist, welcher der beiden Wege besser dazu geeignet ist, die gemeinsame
Intention zu verwirklichen.

Soweit ich es verstehe, ist Barths Start im zweiten Artikel also keine prinzipielle Ablehnung einer Theologie des dritten Artikels (oder des ersten Artikels)
- und ebenfalls nicht eine Methode, die die Christlichkeit einer Theologie garantieren könnte (vgl. unten 129) - sondern ist eine Weise, den Charakter der
eigenen Theologie als einer theologia crucis auszudrücken. Es wird damit die
Frage gestellt, ob nicht ein anderer Start zu dem Anspruch führt, theologia gloriae zu sein. Das wird am Ende des Nachwortes zu Heinz Bollis Schleiermacher-
Auswahl angedeutet, wo Barth über die Möglichkeit einer Theologie des dritten
Artikels reflektiert.

Als ob ich, statt von einer Möglichkeit besseren Verständnisses von Schleiermachers Anliegen ganz primitiv von einer Fortsetzung seines eigenen Weges geträumt hätte! Ich warne! Sollte ich nicht schieren Insinn geträumt haben,
dann werden zum Entwurf und zur Entfaltung einer Theologie des dritten Artikels nur geistlich und geistig sehr gegründete Leute, wirklich "kundige The-
bander" brauchbar sein. Die das nicht oder noch nicht sind, sollten es,
statt kühnlich eine Möglichkeit des Milenniums verwirklichen zu wollen, vor-
ziehen, es noch ein Weilchen mit mir in der bewussten "Verlegenheit" auszuhalten. (B 1968,312)

99. In KD I/1,166 veranschaulicht das Barth indem er darauf hinweist, dass die Offenbarung auf diese Weise immunisiert wurde in dem "die theologische Verwertung
der Philosophie von M. Heidegger vielleicht nun doch zu Ende, d.h. ad absurdum
führende/n/ Buch von H.E. Eisenhut". In KD III/2 wird die Diskussion mit Jaspers geführt, aber der Gedankengang scheint mir im Prinzip derselbe zu sein.
Die Transzendenz, von der Jaspers spricht, erweist sich nach Barth im Grunde als
die Transzendenz des Menschen. Trotz aller Intentionen Jaspers stehen wir, auch
hier

vor dem Bild der einen in sich geschlossenen und gerundeten menschlichen
Wirklichkeit, ausserhalb derer nichts ist, die kein Gegenüber hat, der gegenüber es, weil sie selbst das Eine und Ganze ist, etwas, was mit dem vom Menschen und von der Welt verschiedenen und beiden überlegenen Gott in einem
Atemzug zu nennen wäre, unmöglich geben kann (KD III/2,141).

Im Zusammenhang dieser Abhandlung ist es allerdings von Interesse, dass Barth
nicht nur Jaspers Anspruch abweist, aus den Grenzsituationen heraus von einer
wirklichen Transzendenz sprechen zu können, sondern ebenfalls die Ähnlichkeit
zwischen Jaspers Anthropologie und der christlichen bejaht und sogar zu behaupten scheint, dass nur die letztere mit Jaspers Ansatz ernst machen kann.

Damit dürfe nun aber darüber entschieden sein, dass man es bei der Feststellung einer gewissen Ähnlichkeit zwischen dieser Konzeption und der der christlichen Anthropologie sein Bewenden haben lassen muss, dass man also nicht meinen dürfte, diese an jene anknüpfen zu können oder etwa gar diese in jener zu begründen, diese aus jener erklären zu sollen. Die unbestreitbare Ähnlichkeit liegt in dem für die existentialphilosophische Anthropologie so wichtigen Begriffe der Offenheit und der Geschichtlichkeit der menschlichen Existenz. Es ist und bleibt aber etwas Anderes, ob man mit diesen Begriffen ernst zu machen in der Lage ist, oder ob sie Programm bleiben, zu dessen Durchführung man voraussetzungsmässig nicht entschlossen sein darf. Sie bezeichnen in diesem letzteren Fall nicht den wirklichen Menschen, sondern immer noch bloss das Phänomen des Menschen. Und wenn man in diesem das echte Symptom des wirklichen Menschen wieder erkennen würde, dann müsste man von dessen Erkenntnis schon herzukommen in der Lage sein. (KD III/2,143, vgl. 134f)

100. Der Kontext zu Schempps oben zitierter Äusserung deutet zumindest denselben Typ von kritischen Fragen an. Falls Schempp nicht beabsichtigt, Barth direkt zu kritisieren, so will er doch fragen, ob Barth erkannt hat, wie seine Theologie sich zu einer Rechtfertigung des theologischen Unternehmens auf eine, für jede Zeit typische (von Barth sicher abgelehnte) Weise, verwenden lässt.

Das alles wird gerechtfertigt durch die Theologie selber, nicht so plump und unglaubwürdig, dass das als Werk und Wille Gottes ausgegeben wird, nein, viel feiner und imponierender dadurch, dass der Zorn Gottes über all das gelegt wird, dass geschmettert und getobt wird wider die Gottlosigkeit der Kirche und die Unfruchtbarkeit und den Mangel an Geist in der Theologie. Im Modus der Selbstanklage wird heute viel wirksamer das Bestehende gestützt als durch die schlichte Pietät und den Sinn für fromme Traditionen. Barth macht Schule, weil seine Theologie der heutigen Geisteslage mehr entspricht als andere Theologien, weil das sacrificium intellectus für solche, die hier zu opfern haben, ein Vergnügen ist, weil die Paradoxie tiefsinnig erscheint, weil die Kritik am Morbiden für Schwächlinge schon eine Kraftleistung ist, weil durch ihn Theologie wieder interessant, problematisch, existenzberechtigt, ein Asyl für Zweifler und Gläubige und die ganze Schar der religiösen Zwischenstufen geworden ist. Ueberall, und so auch in Beziehung auf die Theologie selber, wird allzu rasch von der Anklage zur Rechtfertigung fortgeschritten /.../ (Schempp 1928,305)

101. Das wird auf eine interessante Weise in Glasses Beschreibung der Selbstkritik Barths ausgehend von seiner Behandlung Feuerbachs illustriert. Glasses These ist, dass Barths Dialog mit Feuerbach "zwei grössere Phasen" hat, die erste "in den zwanziger, die zweite in den fünfziger Jahren" (Glasse 1968,464). Die beiden Phasen charakterisiert nicht in erster Linie eine unterschiedliche Auffassung davon, inwiefern Feuerbach die Unzureichlichkeit der "modernen" Theologie aufdeckt, auch wenn die Analyse der Tatsache, dass die "moderne Theologie so verwundbar durch Feuerbach war", unterschiedliche Gestalt annahm (Glasse 1968,473f). Was die beiden Phasen unterscheidet ist, nach Glasse, dass Barth verschiedene Argumente gegen Feuerbach verwendet, um nicht selber von dessen Kritik getroffen zu werden. In den zwanziger Jahren soll Barth danach betont haben, dass Feuerbach "den menschlichen Status überschätzte /.../ weil drei Merkmale unseres Menschseins von ihm nicht hinreichend erkannt wurden, die uns im zwanzigsten Jahrhundert überzeugend zu Bewusstsein gekommen sind - das Böse, der Tod und die Kategorie des Einzelnen". Gegen Feuerbach soll Barth also "eine negative, allgemeine Anthropologie" aufgestellt haben. (Glasse 1968,467) In der zweiten Phase, vor allem in KD IV/2 und IV/3 dagegen "beruft er sich zentral auf das Wesen Gottes selbst" (Glasse 1968,477).

Anstatt zu versuchen, die Behauptung der göttlich-menschlichen Identität durch den Aufweis der Disparität zwischen Mensch und Gott zu widerlegen, vor

411

allem durch die Betonung der menschlichen Begrenztheit, behauptet Barth in
der zweiten Phase, dass Gott selbst Zeugnis ablegen zu lassen von der Wahrheit seiner Selbstmitteilung, die einzige für den Christen legitime Entgegnung auf Feuerbach sei. Jede andere Entgegnung führe zu Feuerbachs skep-
tischer Schlussfolgerung. (Glasse 1968,481)

Es liegt nahe, diesen Unterschied zwischen den beiden Phasen damit zu erklären,
dass sich Barth der Unmöglichkeit einer negativen natürlichen Theologie bewusst
geworden ist. Ein solcher Erklärungsversuch trifft allerdings auf Schwierigkeiten.

Eine Schwierigkeit liegt bereits in der Datierung: Die erste Phase umfasst,
nach Glasse, nicht nur B 1926a und B 1933, sondern auch KD I/2, II/1, III/2
und IV/1. Danach würde also Barth noch 1953 an einer Argumentierung von einer
negativen Anthropologie aus festhalten, während einer solchen Argumentierung
doch bereits die Selbstkritik von 1932 gilt!? Barths Fähigkeit, Konsequenzen
zu durchschauen pflegt sich nicht so schwerfällig zu äussern. Noch schwieriger
wird allerdings, dass Barth nicht einmal nach 1953 die Argumentierung der ersten Phase ganz aufgibt.

Worin auch immer die Vereinbarkeit dieser zwei Haltungen im letzten liegen
mag, es ist beachtenswert, dass Spuren von beiden sich in jeder Phase von
Barths Entgegnung auf Feuerbach finden. Ein Teil der zweiten Phase war in
seiner frühen Erörterung Feuerbachs bereits angedeutet; und die Strategie
seiner frühen Auseinandersetzung spielt eine Nebenrolle auch in der gegenwärtigen Phase. (Glasse 1968,481f)

Soweit ich sehe, muss dies auf die oben skizzierte Weise verstanden werden.
Mit den anthropologischen Argumenten (und dem Hinweis auf das Krisenbewusstsein) will Barth in der "modernen" Theologie aufdecken, was unhaltbar ist,
nicht aber seinen eigenen Gedankengang begründen. Gegen Feuerbachs (und ebenfalls der der Theologie des 19. Jahrhunderts) Apotheose des Menschen konnte
Barth ständig existenzphilosophisch argumentieren. Gegenüber der Theologie-
kritik Feuerbachs hielten diese Argumente allerdings nicht. In seiner Selbstkritik sollte Barth dann immer deutlicher den Unterschied zwischen diesen beiden Weisen zu argumentieren, markieren. (Vgl. KD III/4, VIIIf)

102. Vgl. Marquardt 1968,97. Wie bereits erwähnt wurde (oben 94), so verwendet
Barth diese Distinktion in dem Versuch, Bultmann zu verstehen. Die Struktur
in Barths Argument ist allerdings eher die, dass Barth die Distinktion verwendet um zu sagen, dass Bultmann die Schwierigkeit vergessen zu haben scheint,
(nämlich dass eine theologia gloriae für uns nicht möglich ist) die die Distinktion auf eine viel fundamentalere Weise in Frage stellt, als die hermeneutischen Erwägungen, auf die Bultmann sein Interesse richtet. Es ist also wohl
kaum die Absicht, gegenüber Bultmann die Distinktion zu behaupten, sondern es
wird beabsichtigt, zu zeigen, dass sie problematischer ist als die Weise, auf
die Bultmann sie darstellt.

Barth weigert sich ausdrücklich, sich auf die "Trennung von Form und Inhalt"
einzulassen, die die "moderne" Theologie in ihrer Exegese durchführte um "die
im Sinn des modernen Historismus formulierte Wahrheitsfrage" zu stellen und
"unter Absehen von der Form nach dem Inhalt" zu fragen - und er misst seiner
Weigerung entscheidende Bedeutung bei (KD I/2,546f).

Die Unterscheidung von Form und Inhalt darf auch hier keine Trennung nach
sich ziehen, als könnten wir die Offenbarung nun doch, wenn auch auf Grund
des biblischen Zeugnisses, auch noch anderswie als durch das Medium dieses
Zeugnisses, auch noch in irgendeinem An-sich zu Gesichte bekommen, zu dessen
Erreichung uns das biblische Zeugnis dann bloss gedient und nach dessen Erreichung es dann etwa ausgedient hätte. (KD I/2,545)

103. Dies ist also eine Kritik des Biblizismus. Vgl. KD I/2,816f und oben 86f.

412

104. Vgl. KD I/1,86:

Es steht nicht in unserer Macht, jenen Einbruch der Philosophie in die Dogmatik faktisch abzuwehren. Es steht auch nicht in unserer Macht, dem kritisch reflektierenden menschlichen Denken jene Beziehung auf den göttlichen Gegenstand und jene Bestimmtheit durch ihn faktisch zu geben. Es steht aber wohl in unserer Macht, uns die Notwendigkeit jener Beziehung und Bestimmtheit vor Augen zu halten und also keiner Philosophie das Recht zu diesem Einbruch zuzugestehen, keinem immanenten Ordnungen des kritisch reflektierenden Denkens, keinem Verlangen des menschlichen Denkbedürfnisses, sondern allein dem Bedürfnis des hier in Frage stehenden Gegenstandes das letzte Wort zu geben. (KD I/1,86)

Vgl. auch B 1962,150f.

105. Vgl. B 1962,67:

So wie eine törichte Kirche seine /des Heiligen Geistes/ Gegenwart und Aktion voraussetzt in ihrer eigenen Existenz, in ihren Aemtern, ihren Sakramenten, ihren Ordinationen, Konsekrationen und Absolutionen, so setzt ihn eine törichte Theologie voraus als den ihr bekannten und verfügbaren Vordersatz ihrer eigenen Sätze.

1962 findet Barth es sogar "theologisch ratsam, das dunkle und belastete Wort 'Kirche' wenn nicht gänzlich so doch tunlichst zu vermeiden, es jedenfalls sofort und konsequent durch das Wort 'Gemeinde' zu interpretieren" (B 1962,45). Vgl. auch KD IV/3,371.

106. Vgl. Marquardt 1973,236f:

/.../ Barths Verständnis zB von der Kirche, der er konsequent ihre sich selbst darstellenden Möglichkeiten bestritten, der er speziell ihr rituelles "Handeln des Handelns" geraubt hat, als er ihr theologisch zunächst den Sakramentalismus des Sakraments, dann aber auch den der Predigtgestalt des Wortes Gottes raubte /.../

107. Vgl. GA V/3:1,392f/1920-05-31/:

Das grosse Wenn und Aber! schiebt sich drohend zwischen Paulus - und mein Reden und der Safenwiler Hörer hinein und macht das ganze Licht, das eigentlich in diesen Texten ist /.../, gebrochen, conditional, kirchlich könnte man auch sagen.

108. Diese Position Barths kann auch als ein epistemologischer Realismus bezeichnet werden, so wie bei Cushman 1956 von KD § 6 aus. Erkenntnis ist eine Auswirkung der Aktivität des Objekts. Oder mit Barth:

Erkenntnis des Wortes Gottes wird Menschen möglich im Ereignis der Wirklichkeit des Wortes Gottes /.../ Wir definierten ja Erkenntnis als diejenige Bewährung menschlichen Wissens um einen Gegenstand, durch den sein Wahrsein zu einer Bestimmung der Existenz des erkennenden Menschen wird. (KD I/1, 206, vgl. 195)

109. Das Eingehen auf die Problematik der Kirche, die "im Akte des Hörens und Verkündigens des Wortes Gottes durch Menschen" existiert, ist das Entscheidende in Barths Abgrenzung seines Verständnisses von "kirchlicher" Dogmatik von den verschiedenen Verständnissen der Relation zwischen Dogmatik und Kirche in der "modernen" Theologie.

Wissenschaftliche Dogmatik hat sich mit der Kritik und Korrektur der kirchlichen Verkündigung zu beschäftigen, nicht etwa bloss mit ihrer wiederholenden Darstellung. Dogmatik kann nicht bloss sein: historisches Referat über den klassischen Ausdruck des verkündigten Glaubens dieser und jener kirchlichen Vergangenheit. Auch nicht bloss: Klärung und Darlegung des Glaubens, wie ihn der betreffende Dogmatiker persönlich zu verkündigen für richtig hält. Auch nicht bloss: Phänomenologie eines Durchschnitts der verkündigten Gemeinglaubens der jeweiligen Gegenwart.

Das erste war nach R. Rothe, das zweite nach Schleiermacher und Hofmann, das dritte nach A. Schweizer die Aufgabe der Dogmatik. Gegen alle diese Frage-stellungen ist einzuwenden, dass die Kirche dabei sozusagen von aussen geseh-en ist,bzw.ihre eigene Zuschauerin ist. Die wirkliche Kirche existiert aber im Akte des Hörens und Verkündigens des Wortes Gottes durch Menschen. Auf die Frage dieser wirklichen Kirche antwortet nur eine solche Dogmatik, die auf die Problematik dieser ihrer Existenz eingeht, die nicht bloss etwas sagen, sondern, indem sie etwas sagt, dienen, helfen will. (KD I/1,298)

110. Nach Barth sind es Schleiermacher - und Feuerbach -, die versuchen, die Chris-tologie motivieren zu lassen "dass nun post Christum 'vom Menschen aus' /.../ gedacht werden dürfe und sogar gedacht werden müsse" (KD I/1,132).

111. Vgl. B 1962,99:

Einen durchgreifenden und konsequenten Systematisieren widersetzt sich die Verschiedenheit der Zeiten und Situationen, in denen der theologische Er-kenntnisakt zu vollziehen ist /.../ Ihm widersetzt sich vor allem dies, dass dieser /Gegenstand des theologischen Erkenntnisaktes/ und also die /.../ Mitte kein verfügbares Konstruktionsprinzip ist.

112. Vgl. KD II/1,695:

Sein /Jesu Christi/ Name ist als solcher Widerlegung der Vorstellung eines nur zeitlosen Gottes.

113. Vgl. Danielou 1960,796:

Gegen eine zu einer Kulturphilosophie degradierte G/eschichtstheologie/ ruft K Barth nachdrücklich den absoluten Primat des Handelns Gottes in der Heils-geschichte u vor allem in deren wesentlichem Moment, der Inkarnation des Wortes u der Auferstehung, in Erinnerung. Der G/eschichtstheologie/ wird so ihr eigentlicher Gegenstand, das Handeln Gottes im Heil, wiedergegeben. Die Theologie Barths spricht wieder von der ersten Gegebenheit der G/eschichtstheologie/, dem Eingreifen Gottes in die Zeit. Die Systeme R Bultmanns, P Tillichs u H Dumérys sind dagegen keine G/eschichtstheolo-gien/, weil die Geschichte bei ihnen nur als Verhalten des Menschen zur Transzendenz erscheint. Doch bleibt Barths Lehre insofern noch sehr unvoll-ständig, als einerseits die Kontinuität des Handelns Gottes in der ganzen Heilsgeschichte, andererseits seine Inkarnation in der Profangeschichte aus-ser acht gelassen werden.

114. Es ist berechtigt, wenn Marquardt sein Kapitel über die Kirchliche Dogmatik zu einer Auslegung dieses Satzes macht.

115. Vgl. Marquardts zusammenfassende thesenartige Formulierung:

Wenn unsere Nachweisung stimmt /.../ dann ist nicht nur mit allgemeiner Zeitbezogenheit, sondern konkreter Zeitbedingtheit der Form und des Inhalts dieser Theologie zu rechnen, mit einer ihr nicht nur bewussten, sondern auch von ihr gewollten besonderen gesellschaftlichen und politischen Ge-schichtlichkeit, die keineswegs nur ein unvermeidliches Attribut, sondern ihr "Wesen" ist. Barths Theologie /.../ will und kann durch kaum etwas so Schule machen wie durch diese Relativität, die inhaltlich ihren unvergleich-baren Realismus ausmacht. (Marquardt 1972,299)

116. Die Situation des Briefes "in diesen ausserordentlichen Zeiten": Revolution in Deutschland und Landesstreik in der Schweiz (Marquardt 1972,95). Vgl. GA V/3;1,299/1918-10-30/; "Ja, wohin geht die Fahrt? Dem Weltbolschewismus entgegen?"

117. Vgl. Härle 1975. Ich finde es, mit Härle, merkwürdig, dass Barth dieses Dokument vor 1927 nicht schriftlich erwähnt, wenn es ihn tatsächlich so erschüttert hat, wie er sagt. Dagegen lässt sich Barths Protest gegen Rade - der das Manifest nicht unterzeichnete (B 1968,293) - leicht belegen, da Barths Brief 1914-08-31 an Rade in Neue Wege veröffentlicht wurde, und da der Protest in den Briefen an Thurneysen erwähnt wird (GA V/3:1,7,9f,11f/1914-08-29--09-25/).

> Die absoluten Gedanken des Evangeliums werden einfach bis auf weiters suspendiert, und unterdessen wird eine germanische Kampfreligion in Kraft gesetzt, christlich verbrämt durch viel Reden von "Opfer" etc. Beweis genug, dass die ersteren schon vorher bei diesem Christlichen-Welt-Christentum mehr Firnis als inneres Besitz waren. Traurig ist´s doch! Marburg und die deutsche Kultur verliert in meinen Augen etwas, und zwar für immer, durch diesen Zusammenbruch. (GA V/3:1,10/1914-09-04/)

Dass der Protest sich nicht nur gegen Rade richtete war zumindest in Marburg bekannt. Im Oktober sandte Herrmann "drei Couverts voll deutschen evangelischen Drucksachen 'mit herzlichem Gruss von der ganzen Fakultät'", und Barths antworten drei "Anfragen" waren fundamental (GA V/3:1,19/1914-11-15/).

Deshalb meine ich, dass Härles Gedanke unhaltbar, wenn er die Beobachtung bezüglich des Manifestes als Argument dafür verwendet, von dem sozialistisch-politischen Kontext von Barths Denken - und von Barths Selbstverständnis - abzusehen und um zu behaupten, dass Barths Denken eigentlich theologisch konservativ ist und in einem Versuch geformt wurde, die Schuldgefühle nach dem Tode des Vaters psychologisch zu kompensieren (Härle 1975,222-224). Historische Tatsache verbleibt, dass Barth den Reaktionen anderer auf den Kriegsausbruch grosse Bedeutung beimisst und sie theologisch bearbeitet (vgl. auch 3.3.2). Systematisch reicht ja wohl kaum Barths (scherzvolles!?) Zugeständnis "ein/es/ prächtiger/n/ Vaterkomplex/es/" (GA V/3:1,26/1915-01-20/) als Beweis dafür aus, dass Barths Denken theologisch konservativ ist. Und allgemein hermeneutisch lässt sich nur schwer eine solidarische Offenheit oder die Bereitschaft, etwas Wertvolles im Denken des anderen zu finden, in einem Versuch feststellen, der das Denken des anderen auf einen Vaterkomplex zurückführt.

118. Vgl. B 1946a,41f:

> Die Christengemeinde darf nicht vergessen: sie redet gerade in der Bürgergemeinde am unmissverständlichsten durch das, was sie ist.

119. Vgl. GA V/3:1,7 Anm. 1. Die Predigt war in Safenwil am 7. Juni gehalten, und Thurneysen hat sie in den "Neuen Wegen" am 26. August gelesen.

120. Nachdem die hier zitierten Briefe veröffentlicht wurden, muss, meiner Meinung nach, Breipohls Behauptung "Religiöser Sozialist ist Barth trotz der Sympathie für beide /Ragaz und Kutter/ nie gewesen"(Breipohl 1971,239) revidiert werden.

121. Thurneysen nennt Barths Position eine "Vertiefung und Verinnerlichung des Sozialismus" (GA V/3:1,23). Eine Rede von "Entpolitisierung" hat Barth 1913-06-23 nicht verstanden (GA V/3:1,5), und er beabsichtigt es auch jetzt nicht. Aber die Theologie darf nicht ein "Versuch einer Legitimation der eigenen Entscheidung" werden, und noch weniger, ein "Versuch, die eigene Haltung im Absoluten zu verankern" (Gollwitzer 1972,21).

122. Vgl. den Anhang am Briefe 1915-01-20:

Die Religiös-Sozialen
Friedlich rauchet der Stumpen. Gleich ruft der Kuckuck halb elf Uhr. Still!
der Herr Pfarrer studiert: morgen ist Weltgericht. (GA V/3;1,27)

123. In Erzählungen, die ich über persönliche Begegnungen mit Barth gehört habe,
kommen häufig Andeutungen über Barths bedeutende Selbstbewusstsein vor. Es
scheint so, als ob dieses Erlebnis des Selbstbewusstseins bei der Person Barth
zu einer Deutung der Theologie Barths als sehr selbstsicher, unfähig zu lauschen, "offenbarungspositivistisch" in dem Sinne, dass Barth die Offenbarung
mit seiner Theologie identifiziert hat, geführt hat oder eine solche Deutung
verstärkt hat. Eine solche Deutung kann natürlich berechtigt sein, sie darf
aber nicht verbergen, dass Barth selber auf alle mögliche Weise versuchte, all
jenes zu vermeiden. Wenn er die Sicherheit anderer kritisiert, dann versucht
er gerade zu vermeiden, sie von einer eigenen Sicherheit aus zu kritisieren:

> Ich bin doch ein heillos selbstgerechter Mensch, nicht wahr? Ich kam ge-
> wiss hierher, um zu lernen und zu hören, aber was ich jetzt sah von den Pro-
> pheten, hat mich nicht gross erbaut und gestärkt. (GA V/3:1,13/1914-09-25/)

124. Marquardt 1972,162 deutet diese "Entscheidung nach der Trennung von Sozialde-
mokraten und Kommunisten" so "als wollte er der Weimarer Republik - nicht begeistert, aber auch nicht von vornherein verneinend - eine Chance geben".

Vgl. auch B 1919a,61:

> Warum können wir uns, und wenn wir noch so viele vorletzte Einwände hätten,
> gerade im letzten Grunde nicht verschliessen gegenüber den Protest, den
> Kierkegaard gegen /.../, den Tolstoj gegen /.../, den Ibsen gegen /.../,
> den Kutter gegen /.../, den Nietzsche gegen /.../, den der Sozialismus
> mit zusammenfassender Wucht gegen den ganzen geistigen und materiellen
> Bestand der Gesellschaft richtet?

125. Was in der "modernen" Theologie und besonders im Neuprotestantismus nach Barth
kritisiert werden muss, ist nicht nur ihre monistische Weltbejahung sondern auch
dass sie eine Bejahung einer gedachten - nicht der konkreten - Welt darstellt
(vgl. Weber 1956,218ff). Barths Reden von einer "Verheissung", die erlaubt
"mit Gott naiv" zu sein, richtet sich damit sowohl gegen eine konservative Bejahung der konkreten Welt, die das Böse in dieser Welt verleugnet oder akzeptiert und gegen eine liberale Bejahung einer gedachten Welt und einer gedachten
menschlichen Güte, die das Verwirklichen dieser gedachten Welt ermöglichen
soll.

126. Vgl. B 1919a,61:

> Warum können wir nicht triumphierend /../ ins Reich Gottes eingehen /.../?

127. Vgl. B 1919,381:

> Verderbe die Fruchtbarkeit des Augenblicks nicht durch unüberlegtes Aus-
> plaudern und Breittreten der Geheimnisse Gottes,

und die Ironie über den, der als "ein Generalstäbler des lieben Gottes" handelt
(KD III/4,10).

128. Das Handeln kann nicht durch eine Geschichts- oder Zeitdeutung legitimiert werden, durch die tiefe Wahrheiten über Gott selbst, der in der Situation handelt,
aufgedeckt werden sollen. Das betonen Breipohl und Marsch sehr stark in ihren
Deutungen der Kritik Barths am religiösen Sozialismus (Breipohl 1971,238ff und
Marsch 1972, zB 7). Aber wenn man nur sagt, dass Barth diesen Legitimierungsversuch kritisiert, dann liegt der Gedanke nahe, dass Barth das Handeln von
woandersher legitimieren will. Dieser Gedanke lässt sich meiner Meinung nach
in Breipohls Formulierung ahnen:

Damit betont Barth, dass sich die Frage nach dem Sinn nur im Blick auf
Christus, nicht im Blick auf die Geschichte beantworten lässt /.../ (Breipohl 1971,240)

Aber verbirgt man damit nicht Barths radikale Kritik jeglichen Versuches das
Handeln durch Gewissheit über Normen und Regeln, zu legitimieren, jeglichen
Versuches, den Sinn so herzuleiten, dass man ihn besitzen, verwenden und sich
auf ihn berufen kann? Und steht nicht diese radikale Kritik im Zentrum der
Auseinandersetzung mit dem religiösen Sozialismus und mit der "modernen" Theo-
logie?

129. Zu dieser Praxis gehört nicht nur der Hromádka-Brief und andere Äusserungen
(vgl. "Eine Schweizer Stimme 1938-1945"), "weshalb ich denn auch in Deutschland
als eine Art 'Staatsfeind Nr. 1' gelten und alle meine Schriften auf den Index
der verbotenen Bücher gesetzt sehen muss" (B 1938,189).

So fand man mich in dieser Zeit als Mitglied einer Art Geheimorganisation
für die innere Abwehr im Fall einer Invasion. So war ich als Mitglied eines "Hilfswerks für die Bekennende Kirche in Deutschland" einer der Mitar-
beiter des rührigen Pfarrers Paul Vogt, der die ausländischen, insbesondere
die jüdischen Flüchtlinge mit einer unendlichen und doch in vielen Fällen
erfolgreichen Mühe betreut hat /.../ So bin ich aber mit 54 Jahren auch
noch ziemlich regelrecht Soldat geworden /in Bewachungskompanie V/ /.../

Dass es freilich nicht so leicht ist, den Deutschen - und der Menschheit
überhaupt - tatsächlich zu helfen, musste ich dann auch weiterhin erkennen.
So zB als ich im Frühling und Sommer 1945 mit der "Bewegung Freies Deutschland" in nahe Berührung trat, in der ich übrigens auch zum ersten Mal be-
merkenswerte kommunistische Menschen und - in etwas weniger erfreulicher
Weise - kommunistische Methoden aus der Nähe kennenlente /.../ (B 1948,
193-195)

Nicht weniger interessant ist Barths Relation zu der "Bewegung Freies Deutschland". Diese Organisation , in der Charlotte von Kirschbaum - nach eigenen Aussagen auf Barths ausdrückliche Veranlassung hin - im Vorstand mitarbeitete,
war "in Moskau beheimatet" (Marquardt 1972,50) oder "eine Antwort auf den Ruf
des Nationalkomittees Freies Deutschland aus Moskau" (Fink 1972,Sp 3) und Barth
hat sich ausdrücklich mit ihr solidarisiert, obwohl es "ihm in der Schweiz viele Feinde" einbrachte, "dass er sich mit den deutschen Kommunisten solidarisier-
te" (Fink 1972,Sp 2).

Das F.D. ist nicht kommunistisch, sondern das freie Deutschland. Wäre ich
Deutscher, so würde ich sagen, ich kann nichts besseres tun, als dazugehen
und mich anschliessen. Vom protestantischen Glauben wäre die Möglichkeit
und die Notwendigkeit da, diesen Entschluss zu fassen und allen Ernstes mit-
zutun, d.h. allen Ernstes die Verantwortung mit zu übernehmen. (Barth
1945-02-10 zu den deutschen Kommunisten Teubner, Langhoff, Mode, Fuhrmann
und Goldhammer nach Fink 1972,Sp 3)

Barths Schwierigkeiten mit den "kommunistische/n/ Methoden" - der Satz über die
Schwierigkeiten "tatsächlich zu helfen" leitet übrigens ein Stück über die Begegnung mit dieser Bewegung und über "die Rekonstituierung des 'Bruderrates der
Bekennenden Kirche und /.../ derjenige der offiziellen 'Evangelischen Kirche
in Deutschland'" ein - können nicht verbergen, dass Barth gerade diesen, alles
andere als neutralen Kontext für seinen "praktischen Schritt" wählte. (Vgl.
Marquardt 1972,50-53)

130. Vgl. Marquardt 1973a,285:

Barth selbst ist nicht unschuldig an einer politisch-abstrakten Auffassung
seiner Theologie.

417

131. Dieselbe Distinktion wird in "Abschied von 'Zwischen den Zeiten'" verwendet (B 1933c,318). Vgl. wie 1919 gesagt wird, dass "wirkliche Lebenserkenntnis" "Ja sagen, aber nur um aus dem Ja heraus noch lauter und dringender Nein zu sagen", kann (B 1919a,60).

132. Der Vortrag wurde am 5. Dezember 1938 (B 1938c,69) gehalten, und der Rundbrief der Vorläufigen Leitung der Deutschen Evangelischen Kirche ist datiert vom 28. Oktober 1938 (Marquardt 1973a,283). Es ist daher wahrscheinlich, dass Barth auf diesen Rundbrief abzielt, und dass Barths Vortrag zumindest teilweise als eine Antwort auf die dort gegen ihn vorgebrachte Kritik verstanden werden muss.

133. Man sollte allerdings beachten, dass Barth damit nicht direkt für eine tolerante Gesellschaft oder eine liberale Demokratie plädiert. In dem Zitat von B 1938c,84 protestiert er - theologisch - nicht gegen "umfassende und bestimmende" oder "begrenzende und ordnende" sondern nur gegen "aufhebende" und "vernichtende". In B 1933a,290 akzeptiert er, dass politischer Widerstand gegen das Regime zu Gegenmassnahmen des Regimes führt, und seine Worte lassen die Gedanken zu Sartres zumindest zuletzt inneren Widerstand gehen:

> Er kann viel, dieser Statt, er kann zB nach Gutdünken pensionieren und absetzen, er kann aber nicht alles, er kann zB nicht einen freien Mann zwingen, seinetwegen ein anderer zu werden. (B 1933a,290, vgl. Sartre 1944, evtl via Heinemann 1953,113f)

134. Lind 1975 scheint dies zu behaupten. Auf Grund gerade dieses Vortrags wird dort vertreten, dass es für Barth entscheidend war, dass sich der Staat in ein Konkurrenzverhältnis zu der christlichen Kirche begeben hatte, dass Barth in dieser Situation vor allem die äussere Freiheit der christlichen Kirche und der Verkündigung verteidigen will und dass gerade dieses Eintreten für die Freiheit der Kirche Barths politischen Protest darstellt (Lind 1975,123f, vgl. 210f).

135. Man beachte Marquardt 1968, wo Barths Religionskritik zu Bultmanns Fragestellung in Beziehung gesetzt wird, indem die beiden Römerbriefe "als eine einzige Analyse des Phänomens menschlichen Mythologisierens" gedeutet werden (Marquardt 1968,90f).

136. Vgl. wie unproblematisch Barth die beiden Aspekte zusammenordnen kann, wenn er im gleichen Jahr von der Entscheidung gegen den Nationalsozialismus als

> "nicht nur eine 'religiöse', nicht nur eine kirchenpolitische, sondern ipso facto auch eine politische Entscheidung", "die Entscheidung gegen einen Staat, der als totalitärer Staat /.../ je mehr er sich entfaltete, um so mehr auch zur Beseitigung alles menschlichen Rechtes und aller menschlichen Freiheit auf allen Gebieten übergehen musste" und von dem "antichristliche/n/ und damit antihumane/n/ Wesen des Nationalsozialismus" spricht (B 1938,188).

137. Man beachte wiederum, dass die Anklage wegen (des Versuches) einer theologia gloriae ebenfalls vorliegt:

> Ist hier etwa das vollkommene Gottesreich unter der Herrschaft des Messias selber bereits angebrochen? (B 1938c,85 als ein Teil des ersten Aspekts)

138. Vgl. die 1938 gerade publizierte KD I/2,318:

> Man ist, um ganz konkret zu reden, den "Deutschen Christen" von heute gegenüber wehrlos, wenn man nicht schon gegen die Wendung bei van Til und Buddeus und höher hinauf: in dieser Sache schon bei König und Quenstedt, bei Wendelin und Burmann begründete Verwahrung einzulegen weiss.

139. Vgl. Marquardt 1973a,293-297.

140. Vgl. Marquardt 1972,19,337.

141. Trotz Lind 1975,251 Anm. 47 ist es daher zweifelhaft Barths politische Praxis und Theorie unter der Rubrik "Sperre gegenüber einer mit dem Christentum konkurrierenden totalitären Anschauung" (Lind 1975,207ff) zu beschreiben, und zu sagen, dass nach Barth der Totalitätsanspruch des Wortes Gottes dazu führt, dass die Anschauung der Kirche keine Konkurrenz "andere/r/ Anschauungen, Ideologien, Geschichtsdeutungen /.../", die Anspruch auf Totalität erheben, duldet (Lind 1975,119ff,209f). Dies verdeckt meiner Meinung nach einen Hauptpunkt in Barths Analyse "des Modernen" und des Nationalsozialismus, nämlich, dass die liberale und die autoritäre Welt beide Ausdrücke derselben grundlegenden Verabsolutierung der eigenen Fähigkeiten des Menschen sind. Dies verdeckt ebenfalls, dass das Evangelium, nach Barth, alle Anschauungen, Ideologien, Geschichtsdeutungen etc, die Anspruch auf Legitimierung des Handelns erheben und damit von sachlicher Verantwortlichkeit befreien, kritisiert, d.h. dass für Barth das Wesentliche nicht das Christentum als Anschauung ist, sondern dass das Evangelium zu sachlicher Verantwortlichkeit befreit. Besser wäre es meiner Meinung nach Barths Theorie als eine Bezeugung einer Sperre gegenüber jeder sich totalitär auswirkenden Anschauung, gegen jede Ideologie, gegen jedes Mythisieren, gegen jede Verringerung sachlicher Verantwortlichkeit zu beschreiben.

142. Dasselbe wird von Sauter so ausgedrückt:

Die christologische Begründung ist ein politischer Akt sui generis, eben weil sie eine Begründung überhaupt erst fordert, wo schon eine das ganze Leben beherrschende Handlungsnorm fraglose Geltung gefunden hat. Jetzt nach Begründung zu fragen, heisst sich dem zu widersetzen, was keine Begründung mehr zu brauchen scheint, und es dadurch als reine Willkür und blosse Strategie zu entlarven, auch wenn es noch so viele Parolen und Postulate anbietet. (Sauter 1975a,409)

143. Nichtsdestoweniger treten solche Deutungen oftmals als Beschreibungen eines unproblematischen Selbstverständnisses bei Barth auf. In Schweden sind solche Darstellungen vorherrschend. Am auffallendsten ist, dass Ragnar Holte in dem Lehrbuch "Etiska problem" für den Grundkurs in Religionslehre Barth als ein Typexempel für eine "streng theologische Ethik" anführt, d.h. eine Ethik, die annimmt, dass wir die Kriterien zur Beurteilung dessen, was ethisch richtig und gut ist, nur auf Grund der christlichen Offenbarung kennen (Holte 1970,83,96-108). Aber diese Deutung steht in einer Tradition, zu der auch Hillerdal 1958 (219-222) und Wingren (zB Wingren 1958,157) gehören.

Diese Interpretation scheint mir eng verbunden zu sein mit einer Deutung Barths als Offenbarungspositivist. Die schwedischen Beispiele sind in auffallend hohem Grad Deutungen von B 1946a (genauer: Teilen davon). Auch wenn die Basis für Wingrens Deutung erheblich breiter ist, so versteht doch auch er die prinzipiellen Texte der dreissiger und der vierziger Jahre ohne ihren Zusammenhang mit den Auseinandersetzungen und Abgrenzungen, von denen ich ausgehe, und in denen meiner Meinung nach Barths Theologie geformt wurde. Wenn er Barths Theologie kritisiert, deshalb weil sie von der "Erkenntnisfrage" her strukturiert sei, so ist seine Pointe, dass Erkenntnis Gottes und seines Willens "zum Besitz" werden kann und "religiös im Besitz bleiben" kann, d.h. etwas anderes als ständig empfangene Gnade wird (zB Wingren 1972,76f,160, Wingren 1968). Es ist möglich, dass diese Kritik Barth trifft, aber sie wäre noch interessanter geworden, wenn Wingren betont hätte, dass genau diese Kritik (von Barth gegen die "moderne" Theologie gerichtet) Barths Ausgangspunkt ist, und wenn er dessen Theologie als (dann nach Wingrens Meinung missglückten) Versuch diskutiert hätte, diese "religiöse", "besitzende" Haltung zu vermeiden.

144. Vgl. wie Barth sich weigert, so wie Schleiermacher, Lehnsätze aus der Ethik die Dogmatik formen zu lassen, und dass der Satz aus dem er seine grundsätzliche Kritik an Schleiermacher herleitet, lautet:

> Christus ist nach Schleiermacher insofern Offenbarer und Erlöser, als er das höhere Leben bewirkt. (B 1933,418)

In B 1928,4-22 diskutiert Barth ausführlich die Frage, ob es eine gegenüber der Dogmatik selbständige Ethik gibt, und die gesamte Darstellung wird dann zu einer Variante der Auseinandersetzung mit der "modernen" Theologie.

145. Ein bekanntes Beispiel dafür, dass Barth während seines ganzen Lebens daran festhält, ist sein Brief an die "Bekenntnisbewegung":

> Lieber Herr Grau!
>
> An die 25 Veranstalter und an die 25.000 Teilnehmer jener Grosskundgebung "Kein anderes Evangelium" würde ich die Frage richten:
>
> Seid ihr willig und bereit, eine ähnliche "Bewegung" und "Grosskundgebung" zu starten und zu besuchen:
>
>> Gegen das Begehren nach Ausrüstung der westdeutschen Armee mit Atomwaffen?
>>
>> Gegen den Krieg und die Kriegsführung der mit Westdeutschland verbündeten Amerikaner in Vietnam?
>>
>> Gegen die immer wieder sich ereignenden Ausbrüche eines wüsten Antisemitismus (Gräberschändungen) in Westdeutschland?
>>
>> Für einen Friedensschluss Westdeutschlands mit den osteuropäischen Staaten unter Anerkennung der seit 1945 bestehenden Grenzen?
>
> Wenn euer richtiges Bekenntnis zu dem nach dem Zeugnis der Heiligen Schrift für uns gekreuzigten und auferstandenen Jesus Christus das in sich schliesst und ausspricht, dann ist es ein rechtes, kostbares und fruchtbares Bekenntnis.
>
> Wenn es das nicht in sich schliesst und ausspricht, dann ist es in seiner ganzen Richtigkeit kein rechtes, sondern ein totes, billiges, Mücken-seigendes und Kameleverschluckendes und also pharisäisches Bekenntnis.
>
> Das ist es, was ich zu dem, was am 6. März 1966 in der Dortmunder Westfalenhalle geschehen ist, zu sagen habe.
>
> Mit freundlichem Gruss
> Ihr gez. Karl Barth (B 1966,327f)

146. B 1928 ist keine Ausnahme:

> Theologische Ethik ist selbst Dogmatik, keine selbständige Disziplin neben der Dogmatik. Wir gehorchen nur einer unterrichtstechnischen Notwendigkeit, wenn wir sie hier gesondert von jener behandeln. (B 1928,28f)

147. Marquardt 1973a,289f:

> Zeit und Lage zwingen /1937/ zur Explikation der politischen Implikationen der Theologie. Das heisst aber für Barth nicht: ethische Konsequenzen müssen entwickelt werden aus den dogmatischen Voraussetzungen, sondern das heisst: eine neue Verhältnisbestimmung des göttlichen Abstraktum zum politischen Konkretum muss gesucht werden.

148. Vgl. wie Barth 1930 zu der "gewisse/n/ still fanatische/n/ Flucht vor aller eigentlich theologische Arbeit", die von einem "grundsätzlichen Nein zur Theologie in der Sache kaum zu unterscheiden ist" nicht nur "die Flucht in die His-

-torie oder in der Philosophie" rechnet, sondern auch "die Flucht in die Praxis" (B 1930,385).

149. Vgl. KD III/2,244:

> Die göttliche Bestimmung und die geschöpfliche Art des Menschen, seine Humanität, sind zweierlei, so gewiss Schöpfer und Geschöpf, Gott und Mensch, zweierlei sind. Sie können sich aber nicht geradezu wider- oder gar feindselig gegenüberstehen.

Vgl. KD III/2,266: "Zusammenordnung".

150. Vgl. den Titel der 19. Vorlesung in B 1938a: "Der politische Gottesdienst".

151. Barths Vertrauen zu Parteien überhaupt scheint sich seit 1933 erheblich verringert zu haben:

> Nun sind aber die Parteien ohnehin eines der fragwürdigsten Phänomene des politischen Lebens: keinesfalls seine konstitutiven Elemente, vielleicht von jeher krankhafte, auf jeden Fall nur sekundäre Erscheinungen. (B 1946a, 37)

Vgl. wie Barth in einem Brief an Bultmann sagt, dass er "sicher nie mehr in eine politische Partei werde eintreten können" (GA V/1,197/1952-12-24/)

152. Barths Betonung der Reihenfolge Evangelium - Gesetz beruht, soweit ich erkennen kann, zum Teil darauf, dass jedes Zögern dabei, das Evangelium/die Gnade als das Primäre zu betrachten, die christliche Identität an einen anderen Ort verlegt als den der von Gott geschenkten Rechtfertigung (vgl. oben zu B 1938b). Weiter und nicht weniger hängt diese Betonung der Reihenfolge Evangelium - Gesetz damit zusammen, dass der christliche Glaube sonst zu einem legitimierenden und die Verantwortlichkeit verringernden Mythos werden würde (vgl. oben zu B 1938c und das ganze 3.3), sowie zu einer Religion mit Weltanschauung, ausgeführtem Normsystem, d.h. die Kirche definieren würde als die "Vertreterin einer bestimmten klassenmässig bedingten Weltanschauung und Moral" (B 1946a,40). Mit meiner Terminologie kann Barths gesamte Bemühen darum, eine Ethik aus dem Evangelium und nicht aus dem Gesetz "abzuleiten" als ein Versuch bezeichnet werden, mit dem Ziel, das Evangelium/die Gnade als den einzigen "Befreier" darzustellen - aber nur in spes, nur unter dem "simul" der Rechtfertigungslehre - der aus der sonst unausweichlichen 2.1.3-Perspektive befreit.

153. Vgl. Gollwitzers interessante Relatieren des aus der Rechtfertigung verstandenen Menschen bei Barth zu der Problematik des Marxismus (Gollwitzer 1972,35ff).

154. Vgl. KD III/4,11:

> Es kann also die ethische Frage nie die sein, ob wohl dies oder das das vom Menschen verlangte Gute sein möchte, sondern nur die, ob und inwiefern er mit seinem innern und äussern Tun dem in konkretester Zuspitzung auf ihn zukommenden und ihm gegenübertretenden Gebot entsprechend, ob er ihm als Gehorsamer oder als Ungehorsamer begegnen werde? Die im einzelnen Fall bestehende Unklarheit hinsichtlich des Willes Gottes besteht immer nur auf der Seite des _Menschen_, nicht auf Gottes Seite. Und nicht, wie das Gebot lautet, sondern wie es mit dem mit Gottes Gebot konfrontierten _Menschen_ steht, ist die Frage, die in der Tat in jedem einzelnen Fall der Klärung bedürftig sein wird.

155. Vgl. KD II/2,608f:

> Wir werden nicht genug Gewicht darauf legen können, dass unter dem beherrschenden Prinzip der theologischen Ethik, unter dem heiligenden _Gebot_ Gottes - dem entsprechend, dass wir Gott selbst nicht anders kennen denn als han-

-delnden Gott - ein göttliches Handeln - und also eben ein Ereignis, nicht eine seiende, sondern eine geschehende Wirklichkeit zu verstehen ist. Sieht man sie nicht so, so sieht man sie gar nicht.

Vgl. auch KD III/4,12.

156. Vgl. KD II/2,600:

> Sofern eine nicht theologische Ethik eine in sich selbst begründete, sich selbst entdeckende und sich selbst verkündigende Humanität zum Inhalt haben sollte, wird die theologische Ethik gerade den Charakter dieser Humanität als Humanität und also gerade den Charakter einer solchen Ethik als Ethik in Abrede zu stellen haben.

157. In Willis 1970 wird Barths Ethik mit Hilfe von Frankenas Distinktion zwischen "act- and rule-deonthological theories" interpretiert:

> I believe that Barth's position is properly identified as one embodying an act-deontology. (Willis 1970,279 Anm. 1)

Während ich Willis These, dass Barth nicht als Vertreter einer Regeldeontologie verstanden werden kann, voll zustimme, so zweifle ich doch mehr an seiner These, "that Barth's view of human ethical activity is not teleological":

> Within the context of human action, teleology is replaced by the ingression of man's real (eschatological) future (already posited and determined at an ontological level in Jesus Christ) into his present, and the accompanying necessity this entails for immediate response and activity. (Willis 1970, 280 Anm. 3)

Damit, so meine ich, wird man nicht Barths Betonung der Sachlichkeit etc gerecht. Weiter wird Barths Ironie dem gegenüber nicht beachtet, dass der Gehorsam gegenüber ethischen Regeln gegen einen Gehorsam gegenüber den Eingebungen des Augenblicks ausgetauscht wird (zB KD III/4,15). Nicht zuletzt wird Barths Versuch, von der "Stetigkeit und Kontinuität des göttlichen Gebietens sowohl wie des menschlichen Handelns" (KD III/4,18ff) zu sprechen, was ja analogia fidei entspricht und daher im Zentrum von Barths Denken liegen muss, nicht beachtet. (Vgl. auch unten 309 mit Anm. 271)

158. Ein Beispiel dafür, was damit gemeint ist, ist Barths Kommentar zur Rassenpolitik Südafrikas 1964. Ein an und für sich berechtigtes Nein (Brandmarkung) ist prinzipiell, einmütig, ist allzu billig, wird als ethische Stellungnahme eher zu einer Bestätigung der eigenen früheren Identität als zu einer infragestellenden Besinnung, ist eher daran interessiert, das eigene Gewissen zu beruhigen als die Bedürfnisse des Nächsten zu erfüllen. (B 1964a,213)

159. Vgl. Marquardt 1973a,292f wonach Jesus Christus nach Barth gegen Ideologien und Utopien "die Kraft der Ernüchterung", gegen Gleichgültigkeit und blosses Zuschauerinteresse (d.h. Hochmut gegen die übrige Welt) "die Kraft, die uns Demut und also Teilnahme an der Welt lehrt", ist.

> Das heisst: Jesus Christus fungiert direkt als politisches Radikal- und Realprinzip - ein Gedanke, der den Bartschen theologischen Intentionen, dem Realismus seines von der Auferstehung der begriffenen Wirklichkeitsverständnisses, der unmittelbaren Politizität seines Gottesbegriffs immer schon entsprochen hat /.../ Es ist also ein durch und durch gesellschaftlich abhängiger Gedanke, der unter verschiedenen historischen Verhältnissen in verschiedener Funktion, ja: in materiell verschiedenem Inhalt auftritt /.../ Barths christologischer Realismus ist ein Begriff gesellschaftlicher Dialektik. Eben als solcher kann er nur in Gesellschaften gewonnen werden, die noch in dialektischer, widersprüchlicher Bewegung begriffen sind. (Marquardt 1973a, 292f)

160. In der deutschen Version wurde dies verkürzt zu "denn eine Idee kann nur aus ihrer Entstehung begriffen werden, aus den Elementen, die sie bekämpfte, ebenso wie aus denen, die sie akzeptierte" (GWE II,73). Vgl. auch GW XII,288 /1945/:

> Je tiefer ein Mensch im <u>kairos</u>, im schöpferischen Augenblick der Zeit wurzelt, um so besser kann <u>er den logos</u>, die universale Wahrheit, erreichen. Nietzsche war gross, weil er <u>gegen</u> seine Zeit aus der tiefsten Erfahrung seiner Zeit kämpfte. (Zur Terminologie in diesem Zitat vgl. 4.2.4)

161. Vgl. wie Barth Schleiermacher als auf Synthese ausgerichtet beschreibt (B 1968,304, vgl. B 1933,402f).

162. "Sicher existieren da /in der Tillichschen Sprache/ unüberbrückbare Gegensätze" sagt Adorno 1966,33. Amelung stimmt ein:

> Ungeachtet der Tatsache, dass in diese dreissig Jahre die Entstehung der "Systematischen Theologie" mit ihrem streng durchgehaltenen Aufbau fällt, bleibt Tillich der unsystematische Denker. Seine Sprache wird zwar leichter verständlich, da die pragmatische Basis der englischen Sprache die idealistische Begrifflichkeit stark bindet. Aber die Beziehung der einzelnen Begriffe zueinander wird nicht besser herausgearbeitet als in den frühen Schriften. Er gibt gelegentlich Verweise von einer Arbeit auf die andere, aber auch sie bleiben unbestimmt, und selten wird ein neues Verständnis eines Begriffes von einem früheren abgesetzt. (Amelung 1972,174)

163. In GW IV,147/1944/ ist Tillichs Einordnung seiner selbst unter die Existenzphilosophie nicht ebenso deutlich wie in der englischen Version. Während in der deutschen Version von "Heidegger und Jaspers einerseits, die /den/ Religiösen Sozialisten mit ihrer existentialen Interpretation der Geschichte andererseits" gesprochen wird, begegnet in der englischen Version eine reine Aufzählung, "Heidegger, Jaspers, and the Existential interpretation of history found in German 'Religious Socialism'" mit einem direkten Hinweis von Letzterem auf Tillichs "The Interpretation of History" (T 1944(e),79). Wie meine Darstellung zeigt ist deutsche Formulierung sorgfältiger, die Uebersetzung wurde ja auch von Tillich 1961 geprüft. Vgl. auch unten Anm. 180.

164. Vgl. Adornos Betonung, dass Tillich "obwohl er gelegentlich mit Heideggerschen Begriffen kokettierte" auf Grund seiner ganzen Denkart im Gegensatz zum Existentialismus steht und dass Tillichs Worte in "Der Mut zum Sein", auch wenn sie dem "Jargon der Eigentlichkeit" ähneln, es dennoch nicht sind. (Adorno 1966,32f)

165. Etwas weniger expressiv in der deutschen Uebersetzung ST I,258. Vgl. Horkheimers Reaktion auf die Äusserung "Es war doch überraschend, dass ein Theologe den Lehrstuhl für Soziologie und Philosophie in Frankfurt erhielt" mit ST I,33f!

> Ich glaube, es gibt keine Philosophie, zu der ich ja sagen könnte, die nicht auch ein theologisches Moment in sich trägt, denn es geht ja darum, zu erkennen, inwiefern die Welt, in der wir leben, als ein Relatives zu interpretieren ist. Das wussten Kant und Schopenhauer, und ich meine, philosophische Bemühungen, die dessen sich nicht bewusst sind, sind keine. (Horkheimer 1966,16)

166. Tillich skizziert diese Entwicklung selbst zB in GW VI,149/1959/. Meine Skizze stimmt im grossen und ganzen mit Amelungs Disposition überein, motiviert bei Amelung 1972,43f,133f,174f. Vgl. auch Breipohl 1971,167-172 mit Referat der verschiedenen Auffassungen.

167. Nach Tillich ist es nicht nur so, dass es logisch unmöglich ist von zwei Prinzipien zu sprechen. Ausserdem wird die Rechtfertigung verfälscht, wenn sie neben das Schriftprinzip gestellt wird. Rechtfertigung wird dann zu einer Lehre und nicht zu einem "Durchbruchsprinzip". (GW VIII,85/1924/)

168. Vgl. wie Tillich in GW I,367/1922a/ "auf die geistige Gemeinschaft" hinweisen will

> in der ich mich in den folgenden Gedanken mit Männern des religiösen Wortes, wie Barth und Gogarten befinde. Es war überraschend für mich, zu sehen, wie ohne gegenseitige Beeinflussung das unbedingte 'Ja' zum Unbedingten in dem religionsphilosophischen, wie in dem religiösen Denken zu der prinzipiell gleichen Stellung geführt hat. Dennoch sind die folgenden Gedankengänge ganz aus sich heraus zu verstehen; sie sind Philosophie, und sie wollen nichts sein als Philosophie.

168a Vgl. auch zB GW VII,23/1948a/:

> Wie kann eine geistige Gestalt leben, wenn ihr Prinzip der Protest gegen sich selbst ist? Wie können kritische und gestaltende Kraft in der Wirklichkeit des Protestantismus vereint werden? Die Antwort lautet: In der Kraft des neuen Seins, die offenbar ist in Jesus als dem Christus. Hier kommt das protestantische Prinzip zu seinem Ende. Hier ist der Felsen, auf dem es steht und der nicht der Kritik unterworfen ist. Hier liegt die sakramentale Begründung des Protestantismus, des protestantischen Prinzips und der protestantischen Wirklichkeit.

169. Damit will Tillich

> die kleinliche und vielfach überhebliche Art der Dogmengeschichte überwinden, die, anstatt die Realisierung zu verstehen in all ihren Spannungen, nur den Sündenfall sucht und ihn schon überall da findet, wo es sich um Realisierung handelt (GW VIII,87).

Wenn im Folgenden der Terminus Gestaltung dominiert, so darf dies nicht verbergen, dass Tillich auch andere Termini verwendet. Hier 1924 wird also "Realisierung" verwendet. In GW VII,20/1948a/ werden Kritik und Schöpfung auf dieselbe Weise einander gegenübergestellt.

170. Tillichs Zusatz beleuchtet wie diese Gedanken mit seiner Perspektive auf die Geschichte zusammenhängen:

> Es ist nicht zufällig, dass nur von hier aus die Philosophie des 19. Jahrhundert geschichtsbildend wurde. (GW VII,39 Anm. 15)

171. Darin liegt auch ein Bejahen der Kritik der dialektischen Theologie an dem "bürgerliche/n/ Idealismus". (GW II,321 Anm. 8/1933/)

172. Vgl. GW VII,261/1935/:

> Weil Barth diese Dialektik von Gegenwart und Nichtgegenwart des Reiches Gottes nicht kennt, müsste er die Konsequenz ziehen, dass, abgesehen von dem supranaturalen Fremdkörper der Offenbarung die Welt der ausschliesslichen Herrschaft der Dämonen unterstände. Diese Konsequenz zieht er aber nicht, wie überhaupt der wichtige neutestamentliche und frühchristliche Gedanke des Dämonischen für seine darin calvinistische Theologie unfruchtbar geblieben ist. Er glaubt an eine gottfremde Sachlichkeit menschlichen Handelns, die durch die Sünde nicht zerstört ist, die aber keinerlei Beziehung weder zum Göttlichen noch zum Dämonischen hat. Hier nun scheint mir einer der gefährlichsten Punkte der Barthschen Lehre zu liegen - auch die Ablehnung einer theologischen Ethik gehört dazu. Denn der Glaube an eine gegen göttliche und dämonische Herrschaft indifferente Sachlichkeit

424

ist eine Illusion.

173. Tillichs Kritik an Barth und Gogarten 1923 und die Kritik an der dialektischen Theologie 1929 sind im grossen und ganzen gleich. Man sollte natürlich im Gedächtnis festhalten, dass die dialektische Theologie 1923 noch sehr jung war und dass sie sich während der folgenden sechs Jahre besser dargelegt und weiter entwickelt hatte. Gleichzeitig ist natürlich auch Tillich in seinem Denken nicht stehengeblieben. Mit Rücksicht darauf ist es natürlich auffallend, dass alles, was in der Kritik von 1929 vorkommt, bereits in der Kritik von 1923, wenn auch in einem etwas anderen Rahmen vorhanden war.

Wenn es 1929 die Pointe ist, die Beziehung zwischen prophetischer Kritik/Gestalt der Gnade und rationaler Kritik/rationaler Gestaltung aufzuzeigen und zu beschreiben so ist äusserlich betrachtet die Pointe 1923 eine andere:

> Darum möchte ich den Versuch einer Auseinandersetzung wagen, die unter Anerkennung der kritischen Negation die Position aufzuweisen sucht, auf deren Boden die Negation überhaupt erst möglich ist. (GW VII,216)

Das kann so aufgefasst werden, als ob es Tillich hier darum ginge nachzuweisen, dass auch ein prophetischer Protest aus einem Sein zu ergehen hat. Die Pointe wäre dann, dass die dialektische Theologie auch etwas Positives sagen muss. Deshalb kann auch Barth seine Antwort folgendermassen einleiten:

> Wohlverstanden, ich bin auch der Meinung, dass auf die genaue und gründliche Bestimmung des positiven Punktes, der da in Frage steht, nicht weniger als Alles ankommt. (B 1923,176)

Doch Tillichs Gedankengang war 1923 doch differenzierter und entsprach mehr dem von 1929. Er kritisiert, dass Barth und Gogarten so reden als ob die Gnade nicht wirklich wäre auch wenn sie unanschaulich ist und als ob die prophetische Kritik keine wirkliche, wenn auch unanschauliche Gnade (also eine Gestalt der Gnade) voraussetzen würde um etwas anderes als rationale Kritik zu werden.

> Beide, Gnade und Gericht, sind ungegenständlich, nur dem Glauben zugänglich, und keines kann vom anderen isoliert werden. Es geht nicht an, das Gericht dem Diesseits, die Gnade dem Jenseits zuzuweisen. Dann wäre keine Position, auch nicht die des Glaubenden, möglich. Nun aber ist sie möglich, wenn auch als unfixierbare, "unanschauliche", "unmögliche Möglichkeit". Und nur weil sie möglich und wirklich ist, darum ist das Gericht möglich. Nur durch die Gnade wird das Gericht zum Gericht. Nur da, wo Liebe offenbar ist, wird der Zorn als Zorn offenbar. Ohne die Einheit mit der Gnade ist das Gericht Naturprozess. (GW VII,218f)

Denn etwas anderes als ein "als ob" wird es in der dialektischen Theologie Tillich nicht. Auch ihre Verkündigung der Krise findet in der Geschichte statt. Auch ihr Inhalt ist geschichtlicher Inhalt. So ist nicht die gesamte Geschichte offenbarungsleer. (GW VII,223) Auch Gogartens Kritik gegen den positiven Aussagen Hirschs über die menschlichen Geist ist in einem menschlichen Geist geformt. Ist sie wahr, ist also ihr Pathos berechtigt, "dann ist der Geist, der diese Wahrheit verkünden kann, Stätte der Offenbarung, unanschaulich freilich, nicht gegeben, nicht fixierbar" (GW VII,220). Und auch die Position, die die Negation gegen den unparadoxen Absolutheitsanspruch der Religion zu Grunde liegt, ist eine religiöse Position, und sie kann nicht durch irgendeine dialektische Selbstaufhebung etwas anderes als Position werden.

> Auch die Glaubensreligion ist Religion. (GW VII,221)

In der früheren Kritik ist deshalb die Pointe dieselbe. Auch wenn Tillich über die Voraussetzungen der dialektischen Theologie reflektiert, kommt er zu dem, was er religionsphilosophisch auszudrücken versuchte: Die Gnade und das radikale Gericht, das Unbedingte kommt nur in dem Bedingten vor. Dort liegt

425

es nicht anschaulich vor, es ist nicht gegeben. Aber das Bedingte kann Symbol werden, kann transparent werden. (Vgl. GW VII,218)

174. Vgl. den Ausdruck "gläubige Sachlichkeit" (GW II,190-192/1930a/).

175. Zur Umgestaltung dieser Aufsätze im Laufe der Jahre vgl. Amelung 1972,168 Anm. 123. Ich verwende den Text in GW.

176. Mit seinen Gegenwartsanalysen, zB in "Die religiöse Lage der Gegenwart" (siehe zB GW X,9,12/1926/) will Tillich das durchführen, was er in der "Schulwissenschaft" vermisst.

177. Vgl. GW VII,16f/1948a/:

Am wichtigsten für mein Denken und Leben war die Anwendung dieser /religionsphilosophischen/ Gedanken auf die Deutung der Geschichte. Die Geschichte wurde zum Zentralproblem meiner Theologie und Philosophie durch die geschichtliche Wirklichkeit, wie ich sie bei meiner Rückkehr aus dem ersten Weltkrieg vorfand.

178. Nach Tillich war "die wichtigste vom religiösen Sozialismus /d.h. ungefähr "von mir"/ geleistete theoretische Arbeit" "die Schaffung einer religiösen Geschichtsdeutung, der ersten, soweit ich sehen kann, von ausgesprochen protestantischen Charakter" (GW VII,18).

179. Eine Analyse des Verhältnisses zwischen diesen beiden Begriffen führt tief hinein sowohl in das Zentrale als auch in das Problematische der theologischen Konzeption Tillichs. Der Problematik werden wir nicht zuletzt in 4.4.3 und 5.3 wiederbegegnen. Vorausgreifend kann bereits angedeutet werden, dass Tillich allem Anschein nach nicht zwischen historischem und gläubigem Realismus als Geschichtsdeutungen, als Auffassungen von der Wirklichkeit, als Philosophien unterscheiden will.

Das christliche und insbesondere das protestantische Verständnis der Geschichte als Heilsgeschichte hat diese Haltung der Indifferenz gegenüber unserer geschichtlichen Existenz überwunden. Die prophetisch-christliche Deutung der Geschichte bildet den Hintergrund des historischen Realismus. (GW IV,95/1927a/)

Als Philosophien enden beide in einer unausweichlichen Frage, in einem Bewusstsein von der Notwendigkeit der Gnade. Der Unterschied wäre, dass der historische Realismus in einer Frage endet, während der gläubige Realismus die Wirklichkeit von der Gnade aus als eine Realität betrachtet - also der Unterschied zwischen Philosophie und Theologie nach der Korrelationsmethode. (Vgl. GW IV, 99ff)

180. Im Zusammenhang mit dem Abschnitt aus "Der Protestantismus als kritisches und gestaltendes Prinzip", der oben zitiert wurde, verweist Tillich gerade auf "die ausführliche Darstellung" in dem hier genannten Artikel (GW VII,52 Anm 29).

Man sollte auch darauf achten, dass dieser Aufsatz wahrscheinlich während der Zeit in Marburg oder kurz darauf geschrieben wurde. Deswegen dürfte es kaum verkehrt sein, ihn als Teil von Tillichs Bearbeitung des Heideggerschen Denkens zu betrachten, das ihm in Marburg begegnete. "Ich widerstrebte, ich versuchte zu bejahen, ich übernahm die neue Denkmethode, weniger ihre Ergebnisse", schreibt Tillich später (GW XII,69/1952/). Wenn er also 1926 von der Phänomenologie spricht und zB ihre "Abwendung von dem fremden, technisch-herrschaftlichen Verhalten gegenüber den Dingen" als wichtig bezeichnet, aber ihr vorwirft, dass sie "aber weithin in Formalen steckenblieb oder mit allzu grosser Eile das Technische der Methode von sich warf" (GW IV,60), denkt er wahrscheinlich nicht zuletzt an Heidegger. Später kommt Tillich auf diese Kritik zurück

426

und sagt ausdrücklich, dass der Einzelne gerade in Heideggers "Begriff der Geschichtlichkeit" "wesenhaft ungeschichtlich und aussergeschichtlich" ist (GW VI,177f/1951/):

> Heidegger hat den Menschen von der ganzen realen Geschichte abstrahiert, ihn auf sich gestellt, ihn in seine Isolierung hineingeworfen, und aus dieser ganzen Geschichte hat er einen abstrakten Begriff herausgehoben, nämlich den des Geschichte-haben-Könnens, der Geschichtlichkeit. Das ist das, was den Menschen zum Menschen macht, und dieser Gedanke ist nun gerade die Negation jeder Realbeziehung zur Geschichte. (GW VI,178)

In Tillichs Denken ist dies natürlich eine äusserst fundamentale Kritik. Als ungeschichtliches Denken ist Heideggers Denken damit unprotestantisch (4.2.4) und politisch-romantisch (4.3.3 -4). Letzteres bekräftigt Tillich in "Die sozialistische Entscheidung" wenn er dort den Begriff "Fundamentalontologie" direkt kritisiert (GW II,239 Anm. 6/1933/).

Vgl. auch T 1934,315:

> In der Tat, Heidegger muss vom Standpunkt existentialphilosophischen Denkens aus kritisiert werden. Er verdeckt mit der abstrakten Verwendung des Begriffs Geschichtlichkeit die konkrete Geschichtsgebundenheit seiner Begriffe.

181. Derselbe Gedankengang kann auch auf eine etwas andere Weise ausgedrückt werden. Für die modernen Naturalismus (inklusive Spinoza, Leibniz, Bruno, Shaftesbury, Nietzsche, Bergson und Spengler) bedeutet, nach Tillich, "die Zukunft die Evolution aller Möglichkeiten, die im jetzigen Stadium der Welt einbeschlossen liegen" (GW VI,113/1948/).

Tillich kann auch das deutsche Wort "zeitigen" gegen das englische "timing" ausspielen. "Timing" bedeutet "den richtigen Augenblick abpassen", in dem alles gegeben ist, d.h. "das technisch Richtige in der richtigen Zeit" tun. Dies stimmt mit einer "Weltanschauung" überein, "die letztlich von der technischen Vernunft dirigiert ist". "Zeitigen" aber bedeutet "dass die Zeit aus sich heraus das Neue schafft, das Neue zeitigt". Dies stimmt mit einer "romantischen Weltauffassung" überein, "die in jedem Zeitmoment das Schöpferische sehen möchte". (GW VI,179/1951/)

Tillichs Rede vom "erfüllten Augenblick" und von der "qualitativ gefüllten Zeit" muss als ein Anknüpfen an Kierkegaard oder zumindest an eine von Kierkegaard inspirierte Tradition verstanden werden (vgl. Theunissen 1971).

182. Vgl. auch ST II,96ff, ST III,400ff.

183. Dies geschieht also in einer Zeit, in der die Mitgliedschaft eines Pfarrers in der SPD grosses Aufsehen erregte und unmittelbar die Frage der Suspension aktualisierte (vgl. Marsch 1972,7).

184. Siehe zB die Brieffragmente, die Albrecht 1972,70 zitiert.

185. In etwas veränderter Form wurde diese Antwort unter dem Titel "Der Sozialismus als Kirchenfrage. Leitsätze von Paul Tillich und Carl Richard Wegener" gedruckt (GW II,13-20/1919a/). Siehe GW XIV,140

186. Der Artikel in "Vossische Zeitung", veranlasst durch den Prozess gegen Karl Einstein, scheint ein Beispiel für eine gewisse konkrete Aktivität zu sein.

187. Wenn Marsch 1972,21 behauptet, dass Tillich "auch nicht der SPD beigetreten" ist, so kann damit nicht die ganze Zeit bis zur Emigration gemeint sein. Tillich sagt selber, dass er der SPD "in den letzten Jahren angehörte" (GW XII, 24/1936/) und als er aus der Partei austritt schreibt Barth einen Brief an

ihn (B 1933a). Wenn Winter 1969,266 behauptet, dass Tillich 1920 Mitglied der SPD wurde, so gibt er allerdings nicht an, worauf er seine Behauptung stützt. Dies stimmt nur schwerlich mit Tillichs eigenen Aussagen überein. Weitere exakte Zeitangaben habe ich nicht gefunden.

188. Eine Rekonstruktion dessen, was 1933 wirklich geschah, ist schwierig, da die Situation zu Legendenbildung einlud. Die Behauptung, dass Tillich bereits 1933-02-06 "als führender Kopf des religiösen Sozialismus" seinen Lehrstuhl verlor (Rhein 1962,900) ebenso wie die allgemein verbreitete Auffassung, dass das Buch "Die sozialistische Entscheidung" auf Grund seines Inhalts unmittelbar beschlagnahmt wurde, wurden von Breipohl überzeugend in Frage gestellt. "Die sozialistische Entscheidung" wurde nicht gesondert verboten, sondern im Rahmen der Liquidation des Verlages eingestampft. In einem Brief an Barth 1933-03-29 scheint Tillich auch vorauszusetzen, dass ein Fortsetzen der Arbeit bis auf weiteres möglich ist. Allem Anschein nach wurde Tillich im April 1933 zu Beginn des Sommersemesters zusammen mit G. Dehn beurlaubt und erst Ende 1933 oder Anfang 1934 - als er bereits in den USA war - aus dem Staatsdienst entlassen. (Breipohl 1971,220f mit Anm. 174)

189. In GW XII,76/1952/ scheint Tillich im grossen und ganzen dazu geneigt zu sein, dem was Barth 1923 sagt im Blick auf die USA recht zu geben: Der Kampf gegen den Grossinquisitor scheint überflüssig zu sein (vgl. GW XII,63, GW VII,240 /1923a/, B 1923,188). Ist die Reservation, die dann folgt - "wenigsten vor Beginn der zweiten Hälfte dieses Jahrhunderts" - eine Anspielung auf den McCarthyismus? Vgl. auch GW XII,68:

Obwohl eine solche Auffassung /die nicht nur ein Nein sondern auch ein Ja gegenüber Marx enthält/ heute inopportun und sogar gefährlich ist, kann ich sie nicht unterdrücken.

190. Hier handelt es sich also nicht um dieselbe Frage wie bei Breipohl, wenn sie im Anschluss an Moritz behauptet "dass Tillichs Programm eines religiösen Sozialismus auf der Basis einer bereits entwickelten Kulturphilosophie entstand" oder dass Tillichs Kairos-Lehre "primär die Züge einer umfassenden Zeitdeutung /trägt/, die sich erst sekundär der Frage des Sozialismus zuwendet" (Breipohl 1971,170,176). Breipohls Fragestellungen - es handelt sich allem Anschein nach um eine genetische und eine strukturelle - erscheinen mir allerdings nur wenig konstruktiv zu sein. Dass das Programm des religiösen Sozialismus weiterentwickelt werden muss und zwar auf der Basis früheren Denkens und dass es motiviert werden muss, indem es in einen grösseren Zusammenhang gestellt wird, scheint mir etwas Selbstverständliches zu sein, was dieses Programm mit allen durchreflektierten Programmen gemeinsam hat. Interessant ist, ob dieses Programm dadurch motiviert werden konnte, dass es in einen anderen Zusammenhang als den kulturphilosophischen gestellt werden konnte. Etwas Ähnliches scheint Breipohl vorzuschweben, zB eine theologische Motivierung, die von jeglicher Kulturphilosophie getrennt ist. Aber das wird nicht ausgeführt. Damit wird auch nicht der Verdacht widerlegt, dass Breipohl viel zu wenig darauf Rücksicht genommen hat, teils dass Tillichs "Kulturphilosophie" darauf abzielt "protestantisch" zu sein und also nicht ohne theologischen Inhalt ist und teils dass diese "Kulturphilosophie" nicht etwas Fertiges ist, keine unveränderliche Grösse ist, sondern "in der Auseinandersetzung mit dem Sozialismus" entwickelt wird, sowohl, wie Breipohl sagt, während das Programm entwickelt wird (Breipohl 1971, 170) und zuvor. Auch Breipohls wohl systematisch gedachte Unterscheidung zwischen "Zeitdeutung" und der "Frage des Sozialismus" kann mich nicht überzeugen. Tillich scheint "die Frage des Sozialismus" so aufzufassen, dass sie von Zeitdeutung nicht zu trennen ist. Wie Breipohl "die Frage des Sozialismus" auffasst, nicht nur um sie prinzipiell abzutrennen sondern auch um entscheiden zu können, was zB in Tillichs Denken das Primäre ist, bleibt mir unklar.

191. Vgl. GW VI,100:

> Auf die Dauer kann die christliche Kirche die Vertretung des prophetischen Geistes nicht fremden und gegnerischen Bewegungen überlassen. Sie kann sich nicht selbst abschneiden von ihren prophetischen Wurzeln, die im Alten und im Neuen Testament gleich bedeutungsvoll sind.

Wiedereroberung der Tradition in der auch Marx steht hat für Tillich mit einer Wiedereroberung der Identität des christlichen Glaubens durch den christlichen Glauben zu tun. Die konservative, kirchliche Form der Geschichtsdeutung droht zu einem Verlust der Identität zu führen. Das individuelle Schicksal wird von dem Schicksal des Ganzen getrennt. Die Eschatologie wird auf ihre Bedeutung für den Tod des Einzelnen beschränkt. Aber damit wird die Eschatologie unschädlich gemacht. Nichts wirklich Neues kann erwartet werden. Eine radikale Kritik der Kirche ist unmöglich. Geschichtliche Aktivität und der Kampf um die soziale Gerechtigkeit werden entwertet. (GW VI,117) Vgl. auch wie Tillich die Aufgabe des religiösen Sozialismus beschreibt:

> Wir standen also vor dem Problem, wie wir den Gegensatz zwischen dem lutherischen Transzendentialismus und dem säkularen Utopismus der sozialistischen Gruppen überwinden könnten. (GWE II,197/1963/)

Dies ist also ein für Tillich wichtiger Aspekt zu dem Kontext in dem er die Aufgabe versteht, "die orthodoxe und die humanistische Tradition zu vereinen" (GWE II,15, vgl. oben 4.1.2).

192. Es lohnt sich in diesem Zusammenhang darauf zu achten, welche Rolle "der schwierige Begriff des peccatum originis (Ursprungsverfehlung)" in dem Aufsatz "Protestantisches Prinzip und proletarische Situation" spielt. Die im protestantischen Prinzip enthaltene "Voraussetzung einer radikalen Negativität der menschlichen Situation" erfährt "eine radikale Bestätigung und Vertiefung durch die proletarische Situation", und erst durch dieses Element des protestantischen Prinzips wird sie "letzlich deutbar". (GW VII,88f/1936/)

> Die Bestimmungswidrigkeit der menschlichen Situation bricht als soziales Schicksal auf in der proletarischen Situation. (GW VII,89)

193. Es ist schwer einzusehen, weshalb Breipohl behauptet, dass "die Verbindung, die Tillichs Denken mit dem Sozialismus einging, nicht allzu tief war" und ausserdem behauptet dass eine allgemeine Uebereinstimmung darüber herrsche (Breipohl 1971,170). Es scheint natürlicher, mit Wendland eine gegensätzliche Auffassung zu vertreten:

> Reinhold Lindner /.../ behauptet, dass der Sozialismus "keine genetische Bedeutung für das Denken Tillichs" habe, "sondern nur eine spezifische Ausprägung gab". Diese Behauptung lässt sich /.../ keineswegs aufrechterhalten /.../ Für die Genese jener "Theologie der Gesellschaft", die in Tillichs Analysen der modernen Gesellschaft zutage tritt, ist seine Begegnung mit K. Marx und sein Weg "durch" den Sozialismus von grundlegender Bedeutung. (Wendland 1962,166 Anm. 1)

194. Wenn Amelung seine Behauptung "dass der historische und der gläubige Realismus identisch sind" dadurch stützen will, dass er, auf die "Tatsache" hinweist, "dass Tillich für den historischen Realismus keine Beispiele nennt" (Amelung 1972,171), dann berücksichtigt er anscheinend nur den in "Religiöse Verwirklichung" und "The Protestant Era" aufgenommenen Aufsatz (1927a), oder will er unterstreichen, dass Marx nach Tillich zum Schluss am historischen Realismus nicht festzuhalten vermochte. Letzteres ist zweifellos richtig aber gilt so wie ich es verstehe nach Tillichs Methode der Korrelation für jede denkbare Philosophie. Eine ehrliche Philosophie endet nach Tillich mit einer Frage. Aber ohne die Gnade zu sehen kann die Philosophie die Frage nicht aushalten. Und sobald die Philosophie die Gnade sieht, wird sie zu Theologie.

195. Tillichs Sozialismus ist kein ethisch begründeter Sozialismus. Umgekehrt behauptet er, dass "die Motive des ethischen Sozialismus, die im westlichen Sozialismus immer stärker gewirkt hatten" "die marxistische Grundlage" verdeckten (GW II,327/1933/).

> Eine sozialistische Ethik, die an diesem bürgerlich-positivistischen Gedanken festhält und sie durch idealistische Moral ergänzt, wird vom Religiösen Sozialismus als unsozialistisch abgelehnt. (GW II,169/1931b/, vgl. Breipohl 1971,199f)

Auch wenn man damit rechnen kann, dass sich Tillichs Denken entwickelt hat, so braucht das nicht zu heissen, dass er jetzt seiner früheren Argumentierung von einer "Affinität" zwischen der "Liebesethik Jesu" und "gewisse/n/ Formen der Gesellschaftsordnung" (GW II,14/1919a/, GW XIII,155/1919/) als völlig fremd gegenübersteht. Es handelte sich hier um eine "Affinität" "unserer Ueberzeugung nach", also um eine Entscheidung. Weiterhin wird "die Liebesethik Jesu" nicht als ein abstraktes Wertsystem (vgl. GW II,169) sondern aus einem "Ferment der Kritik" (GW II,14) heraus verstanden. Das Gemeinsame scheint hier bereits als die (prophetische) Forderung nach Gerechtigkeit, eine Forderung, die auch gegenüber jedem Wertsystem gilt (vgl. GW II,230/1933/, GW II,33/1920/) formuliert zu werden. Diese lässt aber die Werte nichtgleichgültig werden sondern behauptet "dass es nicht gleichgültig ist /ob wir uns so oder so entscheiden/, dass vielmehr der unbedingte Anspruch über uns steht, das wahre Sein zu erfassen, das Gute zu verwirklichen" (GW VII,75/1928/, vgl. oben 195).

196. Vgl. GW IV,62/1926a/:

> Bei Marx - dem echten, nicht dem materialistisch verstümmelten /.../

Vgl. auch GW XII,68/1952/:

> Ja sagte ich zu den prophetischen, humanistischen und realistischen Elementen in Marxens leidenschaftlichem Stil und tiefem Denken. Nein zu den kalt rechnenden, materialistischen und von Ressentiment diktierten Elementen in seinen Analysen, Streitschriften und seiner Propaganda.

Tillich knüpft - wenn der redigierte Text GW II,331 Anm. 12 eine Entsprechung im Original hatte - an die 1932 publizierten Pariser Manuskripte an, aber die Struktur seiner Marxdeutung und seiner Deutung des Sozialismus hatte sich schon vor dem Lesen der Pariser Manuskripte herausgebildet (vgl. obiges Zitat von 1926). Vgl. auch T 1934,309,315, wo Tillich betont, dass er am "jungen Marx" anknüpft.

197. Diese Frage zu stellen heisst, mit meiner Terminologie, die humanistische Problematik ernst zu nehmen, die auf der Geschichtlichkeit des menschlichen Denkens beruht (vgl. Kap. 2, bes. 2.2.3). Sie nicht zu stellen heisst dann, die Problematik naiv zu vernachlässigen.

Auf einer Linie mit Tillich und zB Böhler (zB Böhler 1971,14) kann ich nur schwer einsehen, dass Marxdeutungen, die vor allem aus Das Kapital eine zeitlos gültige wissenschaftliche Methode herauslösen wollen, dieser Problematik Gerechtigkeit widerfahren lassen. Ideengeschichtlich verschleiern sie, dass so etwas nach Marx eigenen Ausgangspunkten problematisch wäre. Sobald diese Deutungen zu Beiträgen in einer prinzipiellen Debatte werden - d.h. sobald man via solche Deutungen Marx ernst zu nehmen versucht - so werden sie dogmatisch, verschleiern Probleme, sie werden also ideologisch. Natürlich kann das Verhältnis zu Marx ebensowenig bedeuten, dass man alles oder nichts akzeptiert (vgl. 2.2.2 und GW XII,68). Man muss deswegen zwischen dem zu unterscheiden versuchen, was man bejaht und dem, was man als zeitgebunden, inaktuell oder ganz einfach als falsch auffasst, und man muss vermutlich das, was man bejaht, als Prinzipien in den Formulierungen des anderen ausdrücken. Aber den eigenen Deutungsprozess zu verabsolutieren und den Prinzipien, die man im Laufe dieses Prozesses formuliert, zeitlose, formale Wahrheit als "Methode" zuzuschreiben erscheint mir doch als Nonchalance gegenüber der gesamten Problematik (vgl. 2.2.3).

198. Für Tillich ist es ganz wesentlich, dass man das Paradoxe in der Vertretung einer optimistischen Menschenauffassung im Sozialismus versteht. Sonst erscheint Marx als ein Essentialist und ethischer Sozialist, was er einerseits nicht war und was ihn andererseits eindeutig bürgerlich, philosophisch uninteressant und nicht-prophetisch (theologisch uninteressant) machen würde. Nach Tillich würde deshalb Wingrens Darstellung in Credo die Pointe verpassen wenn, trotz eines Ansatzes zum Gegenteil, ziemlich eindeutig behauptet wird, dass der Mensch nach Auffassung des Marxismus gut ist und davon ausgehend das wirtschaftliche System des Kapitalismus zerschlagen kann und die spontanen Lebenäusserungen hervorbringen kann. (Wingren 1974,147f,37,88 aber auch 149)

199. Was Tillich hier als einen Wunderglauben beschrieben hat C. Wright Mills als einen falschen Analogieschluss beschrieben: Ausgehend vom Sieg der mächtigen Bürgerschaft über die Feudalherren schliesst Marx auf einen Sieg des machtlosen Proletariats über die Bourgeoisie. (Mills 1962,114f)

200. Tillichs Auffassung von Eschatologie und Utopie wird von Mahlmann 1965 behandelt. Vgl. auch unten 6.2.2.

201. Allem Anschein nach bezeichnet Tillich hauptsächlich aus praktischen - "taktischen" (Breipohl 1971,200) - Gründen seine eigene Position ab 1930 nicht mehr als "Religiösen Sozialismus". In dem Aufsatz, der die erste Nummer der Zeitschrift "Neue Blätter für den Sozialismus" einleitet, die die 1920-1927 erscheinenden "Blätter für Religiösen Sozialismus" ersetzen sollte (Rathmann 1972,565) schreibt Tillich:

Der Name /Religiöser Sozialismus/ begegnete einem doppelten, anscheinend unüberwindlichen Missverständnis. Von religiöser Seite wurde er als Versuch bekämpft, die Religion in der gegenwärtigen Sozialismus aufzulösen. Und von sozialistischer Seite wurde Religion im Sinne der gegenwärtigen Kirchen verstanden und darum die Verbindung von Religion und Sozialismus abgelehnt. Weder das eine noch das andere sollte der Begriff religiöser Sozialismus sagen. Gesucht war ein Verständnis und eine Gestaltung des Sozialismus von dem her, was in ihm letztgemeint ist, und gesucht war eine neue konkrete Verwirklichung der Religion von eben daher. Wir, d.h. diejenigen unter uns, die sich zur religiös-sozialistischen Bewegung rechnen, haben den Namen fallen lassen, um nicht die neue Sache mit den alten Missverständnissen zu belasten. Von der Sache selbst können und werden wir nicht lassen. (GW II,143/1930b/)

202. Theologisch kann dies so formuliert werden: Glaube ist nicht Unterwerfung unter eine ungebrochene Prädestination/Vorsehung (vgl. Heteronomie) auch nicht eine Leistung (das prophetisch-sozialistisch Autonome kann nur in der Grenzsituation stehenbleiben aber nicht die Gnade erschaffen) sondern ein Leben in der gebrochenen Vorsehung, in der Gnade (vgl. Theonomie). Vgl. unten 277ff.

203. Gegenüber Anklagen, die Tillich Unklarheit bei der Abgrenzung vorwerfen, wird dies stark von Schneider-Flume 1973 betont.

204. Vgl. Tillichs Vergleich Europa-Amerika GW XII,64/1952/ (oben 177).

205. Tillich sagt von sich selbst, dass er "so gern die Metapher 'Dimension'" gebraucht, weil er nicht von "Ebenen und Schichten der Wirklichkeit" sprechen will, zumindest nicht wenn er von Gott spricht:

Es gibt keine Ebenen; es gibt statt dessen Dimensionen. Und Dimensionen liegen immer ineinander. (GW XIII,399/1957/)

431

206. Vgl. GW XIII,346/1955a/:

> Das führt zu dem entscheidenden Dilemma, der Wurzel eines jeden anderen Di-
> lemmas: Hier wird die Frage nach einer Lösung für jeden Einzelnen, für je-
> de Gruppe, ja für die Menschheit zu einer Sache auf Leben und Tod. Es ist
> das Dilemma zwischen der vom modernen Menschen erreichten Autonomie und dem
> verzweifelten Wunsch nach einer neuen Heteronomie, das sich aus dem Zerfall
> unserer autonomen Existenz ergibt.

207. Vgl. GW VI,23f/1922c/:

> Die Geschichte autonomer Kulturen ist die Geschichte einer fortlaufenden Ver-
> schwendung geistiger Substanz. Am Ende dieses Prozesses sehnt sich die Au-
> tonomie in ihrer Ohnmacht zu der verlorenen Theonomie zurück oder blickt
> auf eine zukünftige neue Theonomie in einer Haltung schöpferisches Wartens,
> bis der Kairos erscheint.

208. Für Tillichs Verständnis der Philosophie ist es ja entscheidend, dass diese
immer mit einer Frage enden muss. Trotzdem versucht er natürlich "erklärende"
Modelle - mit seiner Terminologie eine Ontologie - die die Problematik in fundamentalen Fragen sammelt und auf diese Weise all die verschiedenen Detail-
Komplikationen "versteht". In der Darstellung können diese dann als abhängig
von was im Modell beschrieben wird, dargestellt werden, aber diese "weil"
(zB ST III,60) sollte man nicht so interpretieren als ob das Modell eine Norm
wäre. Die These, dass die Philosophie immer mit einer Frage enden muss, besagt also, dass eine philosophisch vertretbare Ontologie immer auf eine bestimmte Weise aussehen muss, sie darf nicht essentialistisch sein.

209. Daraus dürfte folgen, dass er selber mit Religionsphilosophen vor allem sein
Verständnis der "Tatsache der Religion als einer Sondersphäre (zB in der Form
der Kirche)" (ST III,118) diskutieren will und nicht zB seinen "Gottesbegriff"
wie er in Teil II, Abschnitt II (ST I,247ff) dargestellt wird, ein Teil der
nach der Methode der Korrelation eher als ein theologischer denn als ein philosophischer Abschnitt zu verstehen ist (zB ST I,40). Als Philosoph - auch als
Religionsphilosoph - diskutiert Tillich das Sein und nicht die Wirklichkeit
Gottes.

210. Vgl. ST I,79f, wo Tillich die Methode der Korrelation von drei anderen - theologiegeschichtlich alles andere als bedeutungslosen - Methoden unterscheidet.

211. Die Distinktion dialektisch-paradox ist zB ganz entscheidend wenn Tillich
Barths Theologie diskutiert und zwar vor einem amerikanischen Publikum 1935
(wobei er sich indirekt selber vorstellt) (GW VII,254ff/1935/).

212. Ein Beispiel ist die Diskussion mit Hegel, in dessen Denken nach Tillich "das
Paradox des Christus /.../ seinen paradoxen Charakter verloren" hat (ST II,30).
Ein anderes Beispiel ist die Diskussion der klassischen Christologie (ST II,
157-162).

213. Vgl. wie Tillich in ST I,11f Barth für dessen "Wiederentdeckung des christlichen Paradoxes" lobt und wie dies dort mit der Reformation, der "propheti-
sche/n/, im Tiefsten erschütternde/n/ und umgewandelte/n/ Gewalt" und mit Ideologiekritik verbunden wird. Tillichs Frontstellungen und Ziele waren übrigens
dieselben als er bereits 1923 gegenüber Barths angeblich kritischem Paradox
sein positives stellte.

214. Der deutsche Text unterscheidet sich in dieser Hinsicht an einigen Stellen vom
englischen. Während es in einem zum Zitat parallelen Ausdruck auf Englisch
heisst, "the tools of theology are rational dialectical, and paradoxical"
(ST(e) II,91), so lässt sich im deutschen Text keine Entsprechung zu "parado-

-xical" finden (ST II,101). Meiner Meinung nach entspricht der deutsche Text besser Tillichs Standpunkt und "paradoxen" hätte auch in ST II,102 ausgelassen werden müssen.

So weit ich sehen kann, gibt es nur eine Stelle in der Systematischen Theologie, an der parado/Paradox nicht einen·eindeutig positiven Sinn hat. Wenn von dem Bekenntnis von Chalzedon gesagt wird, dass es sich "durch eine Anhäufung machtvoller Paradoxe" ausdrückt, so liegt in dem "machtvoller" eine Anerkennung ebenso wie in der Behauptung dass "mit den zur Verfügung stehenden begrifflichen Mitteln" kaum etwas anderes möglich war. Aber nichtsdestoweniger ist das Bekenntnis gerade weil es "eine Anhäufung machtvoller Paradoxe" ist, nach Tillich "ein Beispiel für die unangemessene begriffliche Form" und ein missglückter Versuch "eine konstruktive Interpretation zu geben" (ST II,153).

Im englischen Text wird der Begriff eindeutig negativ gebraucht, auch wenn von denen gesprochen wird die "pile paradox upon paradox" (ST(e) II,92). Es stimmt sicher mit Tillichs Auffassung überein, wenn der deutsche Text an dieser Stelle von "Theologen, die eine sinnlose Wortkombination auf die andere häufen" (ST II,102) spricht. Möglicherweise kann man einwenden, dass Tillichs Abgrenzung gegen ein Verwenden von "Paradoxen" und "paradoxen Begriffen", um theologisch die paradoxe Behauptung des Christentums auszudrücken, damit weniger expressiv wird.

215. Eine Bekräftigung für den Unterschied zwischen Daeckes und meiner Deutung ist, dass "dialektisch" und "paradox" in Daeckes Deutung zu Synonymen bei Tillich werden (Daecke 1967,39,40,42).

216. ZB ST III,272:

Heiligung kann im religiösen wie im profanen Bereich erscheinen, und sie transzendiert beide in der Macht des Geistes.

217. Mein Interesse zielt hier, wie auch überhaupt, weniger darauf ab, ideengeschichtlich zu entscheiden, wie stark dies Tillichs Handeln prägte und die Wirkungsgeschichte der Tillichschen Theologie bestimmte, sondern darauf, hinzuweisen, dass Tillich dazu getrieben wird, obwohl es seinen eigenen Ausgangspunkten widerstreitet.

218. Vgl. Pascal nach Miller 1963,72:

Eine Religion, die nicht Gottes Verborgenheit bejaht, ist falsch.

219. Vgl. wie Thielicke in seinen dogmatischen Prolegomena mit Hilfe des Ausdrucks "Offenheit und Distanz gegenüber der Welt" seinen eigenen Ansatzpunkt beschreibt. Diese "nicht durch einen Kompromiss auflösbare Spannung zwischen dem Letzten und dem Vorletzten" lässt sich nicht durch ein Kalkül beherrschen:

/Unser/ Handeln bleibt vielmehr verwoben in eine lebendige Geschichte mit Gott. Und diese vollzieht sich als permantes In-die-Welt-hineingeschickt- und Herausgerufen-werden mit täglich wechselnden Entscheidungen und keinen gesetzlich errechenbaren Langstrecken. (Thielicke 1968,533)

220. Vgl. wie Horkheimer in einem Brief an Renate Albrecht 1971 von dem "ewige/n/ Gespräch" erzählt das er mit Tillich über den Symbolbegriff geführt hat. Horkheimer kann von einer "letzten Sehnsucht" "danach, dass der Grund der Welt 'allgütig' und 'allmächtig' sei und das Grauenvolle dieser Welt nicht das letzte Wort ist", sprechen aber er "kann nicht so weit gehen wie Tillich und symbolische Aussagen über Gott machen". (Horkheimer 1971,569)

221. Vgl. auch ST I,292f, wo creatio ex nihilo als "das Unterscheidungsmerkmal zwischen Heidentum - selbst in seiner feinsten Form - und Christentum - selbst in seiner primitivsten Form" bezeichnet wird, wo von da aus Linien zu den Leh-

-ren von der Inkarnation und von der Eschatologie gezogen werden, und wo zwei zentrale Sätze so lauten:

> Geschöpf sein schliesst beides in sich: das Erbteil des Nichtseins (die Angst) und das Erbteil des Seins (den Mut). Es enthält aber kein fremdes Erbe, das in einer halb-göttlichen Macht seinen Ursprung hätte, die im Widerstreit mit dem Sein-Selbst wäre. (ST I,292)

222. In der Gleichsetzung von bürgerlicher Lebensordnung und Reich Gottes wurde die Klassensituation /auf calvinistischem Boden/ ideologisch überdeckt /.../ Es ist die Bedeutung der Barthschen Theologie, dass in ihr das reformierte Denken zur kritischen Selbstbesinnung gegenüber seiner Ideologisierung gelangt ist. Die Kluft, die Barth aufreisst zwischen Welt und Gott, und zwar aufreisst im Zusammenhang mit religiös-sozialistischen Traditionen, ist der entscheidende Angriff auf die naiv-ideologische Gleichsetzung von Reich Gottes und bürgerlicher Gesellschaft. (GW II,216/1932a/)

223. Die Korrelationsmethode ist nicht natürliche Theologie. Sicherlich kann Tillich die traditionelle natürliche Theologie zum Teil akzeptieren und bejahen (so wie man auf der Suche nach einer Synthese alle positiven Intentionen bejahen soll), aber die Pointe ist, dass sie in diesem Akzeptieren umgeformt wird und ihr eigenes Selbstverständnis verworfen wird (ST I,40, vgl. zB ST III, 465). Die natürliche Theologie, zB die Argumente für die Existenz Gottes, kann nach Tillich Ausdruck für die Frage nach Gott und nach unzweideutigem Leben sein, aber ist unfähig dazu, die Fragen zu beantworten (ST I,80,245, ST III,135).

> Selbst wenn es so etwas wie natürliche Theologie gäbe, /könnte/ sie nicht zur Wahrheit über das göttliche Schaffen und über des Menschen Geschöpflichkeit vordringen. (ST I,291)

224. Dieser Versuch liegt zumindest als Ansatz während der ganzen Zeit vor. Besonders interessant ist in dieser Hinsicht der Abschnitt III im Tambacher Vortrag, wo programmatisch "der Protest gegen das jeweilig Seiende und Bestehende" mit "einer Bejahung der Welt, wie sie ist" zusammenzudenken versucht wird.

> Denn indem wir uns in Gott finden, finden wir uns auch in die Aufgabe, ihn in der Welt wie sie ist, und nicht in einer falsch transzendenten Traumwelt zu bejahen. Nur aus dieser Bejahung kann sich dann die echte, die radikale Verneinung ergeben, die bei unsern Protestbewegungen offenbar gemeint ist. (B 1919a,51).

Bereits hier wird von einer solchen (falschen) Weltverneinung und einer solchen (falschen) Weltbejahung, die einander ausschliessen, gesagt, dass sie in Christus überwunden werden, dadurch dass die Schöpfung "durch Christus und zu Christus hin" geschieht (B 1919a,52, vgl. 67). Bereits hier wird dazu der Analogiebegriff verwendet:

> Nur aus der radikalsten Erkenntnis der Erlösung heraus kann man das Leben, wie sie ist, so hinstellen, wie Jesus es getan hat. Nur vom Standpunkt der Antithesis, die in der Synthesis wurzelt, kann man die Thesis so ruhig gelten lassen. So kann nur einer reden, der mit dem Leben absolut kritisch gegenübersteht, und der darum /wie Dostojewski/, anders als Tolstoj, mit der relativen Kritik immer auch zurückhalten, der aus einer letzten Ruhe heraus ebensogut im Weltlichen die Analogie des Göttlichen anerkennen und sich ihrer freuen kann. (B 1919a,55, vgl. oben 142)

Und bereits hier wird der Analogiebegriff christologisch, soteriologisch, nur in eine Richtung weisend verstanden:

> Wir können ja nicht dabei stehen bleiben, in allem Vergänglichen nur das Gleichnis zu sehen. Es ist etwas in der Analogie, das zur Kontinuität hindrängt wie beim Hauptmann von Kapernaum. Das Gleichnis ist Verheissung und

434

Verheissung will Erfüllung. (B 1919a,62f)

Von den Analogien führt keine Kontinuität hinüber in die göttliche Wirklichkeit. (B 1919a,65f)

225. Man beachte, dass Barth gerade hier Anlass zu Selbstkritik gegenüber "Die christliche Dogmatik im Entwurf" sieht und dass im Sachregister unter dem Begriff "natürliche Theologie", Unterabschnitt Historismus auf diese Stelle hingewiesen wird.

226. Marquardt zitiert hier als Beleg KD IV/1,349, betrachtet dies aber als einen durchgehenden Zug der Theologie Barths und kann ebenfalls sagen:

Es gehört zur Struktur des ersten "Römerbriefs", dass die Weltgeschichte, aber auch die Geistesgeschichte als Organ des Auferstehungsprozesses interpretiert werden. (Marquardt 1972,259)

Selber möchte ich auf eine der wenigen Stellen hinweisen, an denen Barth "christlich" und "heidnisch" miteinander kontrastiert:

Denn Jesus Christus ist in seiner Person die Entscheidung darüber, was gewesen und also Vergangenheit und was sein wird und also Zukunft ist, und er unterscheidet zwischen diesen beiden. Er unterscheidet zwischen Ungehorsam und Gehorsam, zwischen Sünde und Gerechtigkeit, zwischen Schuld und Unschuld, zwischen Schicksal und Freiheit, zwischen Tod und Leben, zwischen Fremdherrschaft und Gottesreich, zwischen Verdamnis und Seligkeit. Das sind nicht nur zwei zeitlose Sachbereiche. So erscheinen sie allerdings aller bloss moralischen und physisch-metaphysischen Betrachtung: als zwei durch alle Zeiten hindurch parallel geschaltete Welten, als zwei zu allen Zeit und wohl auch in Ewigkeit gleichmässig gefüllte und im Gleichgewicht schwebende Wagschalen. Aber das ist die heidnische und nicht die christliche Betrachtung dieser beiden Sachbereiche. Christlich und also real betrachtet, d.h. eben von der in Jesus Christus her geschehenen Scheidung und Entscheidung her gesehen, gehören wohl beide der einen geschaffenen Zeit an. Es ist aber der erste dieser Bereiche in der Einheit der Zeit grundsätzlich der Bereich des Vergangenen, der zweite der neue, kommende Aeon /.../ Das und das allein ist also der christliche, der reale Zeitbegriff: der Begriff des in Jesus Christus von jenen ersten zu jenem zweiten Sachbereich sich wendenden menschlichen Daseins. (KD II/1,706f)

227. Vgl. Barths eigene Aussage 1961:

Später holte ich dann die theologia naturalis via Christologie wieder herein. Heute würde meine Kritik lauten: Man muss es nur anders, eben christologisch sagen. (B 1961 nach Marquardt 1972,263)

228. Hier liegt nach Barth der Unterschied zwischen dem Optimismus des 18. Jahrhunderts und dem christlichen Vorsehungsglauben(KD III/1,471f).

229. Man beachte, dass Barth den (2.2-)Anspruch des menschlichen Denkens und den Protest gegen die (2.1-)Perspektive, die nur das Involviertsein des menschlichen Denkens sieht, hier bejaht (vgl. oben 112). Vgl. zB Barths direkte Kritik gegen eine rein materialistische Deutung des marxistischen Modells von Basis-Ueberbau:

Er /der Vorsehungsglaube/ rechnet auch mit ihrer /der dieser Konzeptionen/ eigentümlichen, die Geschichte nicht nur abbildenden, sondern bildenden Dynamik. (KD III/3,23)

Es lässt sich sagen, dass Barths Theologie einefundamentale "Relativierung des Bewusstseins" beinhaltet (Marquardt 1972,248-257), wo die psychologischen Vorgänge Denken und Glauben durch den Auferstehungsrealismus relativiert werden, wo von ihnen etwas Ähnliches wie von der Auferstehung nicht erwartet wird.

Barth weigert sich Gottes Transzendenz mit Bewusstseinstranszendenz zu identifizieren (vgl. Marquardt 1972,249), aber es ist nicht ohne weiteres richtig, so wie Holte 1972,155, von "der Barthschen Negation der Transzendenz im menschlichen Bewusstsein" zu sprechen.

230. Diese Ueberlegung kann als eine theologische Begründung von Barths eigener grossen Bereitschaft zu Selbstkritik und seines beinahe prinzipiellen Versuchs zu Eklektizismus betrachtet werden. Vgl. oben Kap. 3 insgesamt und besonders oben 117ff.

231. Vgl. zB Marquardt 1972,258:

Tillich will dem Sozialismus analytisch auf seinen religiösen Grund kommen, ist demnach von der Immanenz des religiösen Prinzips im Sozialismus überzeugt /.../ Für Thurneysen-Barth konnte der religiöse Aspekt dem Sozialismus nur von aussen, synthetisch zugesetzt werden.

232. Auch in GW VII,96/1931a/ wird Hegels und Marx Denken als "rationalisierter Vorsehungsgedanke" verstanden. In diesem Kontext will Tillich mehr betonen, dass wirklich "etwas von der Paradoxie des Vorsehungsglaubens" in deren Denken steckt, nicht zuletzt in Marx Denken. Sachlich bedeutet dies keine veränderte Einstellung, da das Weiterdenken des sozialistischen Prinzips in "Die sozialistische Entscheidung" in direkter Relation zu dieser Problematik steht (GW II, 316f/1933/).

233. Nach Tillichs Darstellung brechen Prophetie und Aufklärung mit dem Ursprungsmythos - "aller Mythos ist Ursprungsmythos" (GW II,227) - und stellt die politische Romantik den Versuch dar, "auf dem Boden einer Geistes- und Gesellschaftslage, die durch Prophetie und Aufklärung bestimmt ist", "den gebrochenen Ursprungsmythos geistig und gesellschaftlich wiederherzustellen" (GW II, 246). In dem Zitat von GW II,315f wird deshalb die Rede des Mythos "von einer Leitung des Geschehens durch Ursprungsmächte" nicht vollständig mit dem "prophetische/n/ Symbol der 'Vorsehung'" parallelisiert.

234. Der Zusammenhang zwischen den Terminologien wird deutlich zB in GW VII,96:

Die Einheit dieser beiden Elemente - empirische Freiheit und transzendente Notwendigkeit - charakterisiert alle Symbole für die Beziehung zwischen dem Unbedingten und dem Bedingten.

235. Hinter Aagaards Terminologie lässt sich Lögstrups Auseinandersetzung mit Kant (Lögstrup 1942) ahnen, die zu einer Auseinandersetzung mit Kierkegaard ausgedehnt wurde (Lögstrup 1968). Wingren will ebenfalls diese Auseinandersetzungen Lögstrups verwenden um seinen eigenen Ansatz weiterzuführen (zB Wingren 1970).

236. Berkouwer meint, dass "in the kind of kerugma to which Barth holds" "reflection on the grace of God is straight-jacketed by a wholly objective conception of the triumph of grace" und dass "the problem posed by this 'necessary' a priori character of the triumf in its relationship to history became the problem of Barth's theology", auch wenn er dies als ein Problem erkennt, mit dem Barth kämpft, "a cross-roads in his thinking" (Berkouwer 1954,279,381,290). Kreck schliesst sich von Balthasars Warnung an Barth an, nämlich "vor einer allzu triumphalen Verherrlichung der unwiderstehlichen,mich schon einholenden Gnade" (Kreck 1956,282). (Vgl. von Balthasar, 1951,255f,380) Barth setzt sich mit Berkouwers Kritik auseinander in KD IV/3,197-206.

237. Vgl. zB GW VI,19f/1922c/, GW VII,19f/1948a/ und die Hinweise unter "Transparenz" in STs Register. Man beachte wie der Begriff "Kairos" verwendet wird gerade um die Paradoxie zusammenzuhalten:

Das protestantische Prinzip fordert eine Methode der Geschichtsdeutung, in welcher die kritische Transzendenz des Göttlichen gegenüber Konservatismus und Utopismus starken Ausdruck findet und in dem zugleich die schöpferische Allgegenwart des Göttlichen im Laufe der Geschichte konkret aufgezeigt wird. Für beides ist der Kairosbegriff überaus adäquat. (GW VII,19)

238. Dies scheint mir die Spitze zB der Kritik Schwerdtfegers zu sein (vgl. oben 233 und unten 5.3.

239. Es ist, nach Barth, trotz allem "irgendetwas dran" wenn Hirsch insinuiert, dass Tillich für Barth "als unchristlich" erscheinen muss (GA V/3:2,64/1922-04-02/).

239a Von Krockow beschreibt dies als "die Vereinseitigung" des Dezisionismus:

> Die Vereinseitigung, die Verkennung der zirkulären Struktur von "Möglichkeit" und "Wirklichkeit" führt folgerichtig dazu, dass jede soziale Bindung, jede Hingabe an die "Verhältnisse" als "Verfall" in die "Uneigentlichkeit" diffamiert wird. Denn mit einer Welt, von der, ohne die Bedeutungsstiftung des Subjekts, einzig Haufen von brutalen und nackten "Tatsachen" übrigbleiben, kann man sich natürlich nicht identifizieren. (von Krockow 1958,144)

Man kann fragen, ob dies nicht auf Kant zurückgeführt werden kann. Für ihn ist nichts gut ausser ein (noch nicht realisierter) guter Wille, der immer die Pflicht wählt und damit die Neigung bekämpf. Gutes wird dadurch erschaffen, dass man in einer Leistung etwas wählt - während gewöhnliche, natürliche, nicht als Pflichterfüllung vollbrachte Handlungen ohne ethischen Wert sind. (So Wingren mündlich. Vgl. oben 282 mit Anm. 235).

Ich bejahe also beide Kommentare, aber ich frage mich doch, ob das, was sie beschreiben, nicht weniger eine, in einer bestimmten ideengeschichtlichen Situation dominierende "Vereinseitigung" ist (die leicht relativiert und überwunden werden kann) sondern vielmehr eine Konsequenz einer theoretisch nicht aufzulösenden Aporie der humanistischen Perspektive ist.

240. Man sollte darauf achten, welches Gewicht Tillich dieser Formulierung beimisst. Vgl. ST II,191f und ST III,257f.

241. In meiner Deutung bin ich mehr an der Frage interessiert, welche Problematik Barth zu seiner christologischen Konzentration treibt und welche Problematik die christologische Konzentration lösen soll und weniger daran, wie Barth seine Lösung konstruiert. Ich betrachte meine Frage als die primäre und meine, dass das Verständnis der christologischen Konzentration erschwert wird, wenn man sich für Barths Lösungsversuch interessiert ohne darauf zu achten, wofür dieser Versuch eine Lösung darstellen soll. Dogmatisch ausgedrückt bedeutet das, dass ich Barth mehr von der Rechtfertigungslehre aus verstehe - wie ich meine, die Problematik darstellt, die Barth zu der christologischen Konzentration treibt - als von den, für Barths Theologie an und für sich wichtigen Themen Dreieinigkeit und Inkarnation. Vgl. wie Gollwitzer auf dieselbe Weise Barth von der Rechtfertigungslehre aus deutet - aber auch andeutet, dass Barth es nicht vermocht hätte diesen Ansatz ganz durchzuhalten (Gollwitzer 1972,30f,25f).

242. Vgl. KD III/2,92:

> Man hatte /in der Theologie der Neuzeit/ unter der entscheidenden Führung Schleiermachers auf der ganzen Linie die Entdeckung gemacht, dass das eigentliche Thema der Theologie in der Religion und Frömmigkeit, in ihren Aussagen über sich selber bestehe. Man hatte sich unterdessen daran gewöhnt, bei der Vokabel "Gott" an einen blossen "Objektgehalt" des frommen menschlichen Bewusstseins zu denken.

Vgl. wie Barth die Auseinandersetzung mit dem Nationalsozialismus und den Deutschen Christen in den dreissiger Jahren als eine direkte Anwendung der Ausein-

-andersetzung mit dem "Religionismus" und dessen misslungenen Versuch zu einer Theologie des dritten Artikels versteht. (KD I/2,318, vgl. oben 151 mit Anm. 138)

243. Vgl. B 1922,48:

"Gott" ist eben Ideologie, wo Menschen den Standpunkt Gottes einnehmen ohne Gott, wo Gott selber, Gott allein nicht eins und alles ist, sondern Menschen, die, wenn auch im feinsten edelsten Sinn mit Gott etwas sein und etwas machen wollen.

244. Man beachte wie die Kritik jener ungebrochenen Kirchlichkeit in diesem Kontext mit der Kritik der Versuche zu einer "natürlichen" Theologie parallelisiert wird (d.h. Kirchlichkeit wird nicht als Alternative zu "natürlicher" Theologie dargestellt). Diese Kirchenkritik ist von Anfang an in Barths Theologie vorhanden, und ihre Intensität wird in Barths Ironie darüber angedeutet, dass Harnack zugibt:

Etwas Erschütterung sei der Kirche wohl zu wünschen /.../ (GA V/3:1,379 /1920-04-20/)

245. Vgl. wie "Religion" bereits 1922 nach Tillich "ein herabsetzendes Wort" ist:

Der Glaube gibt das Prädikat "Religion" höchstens derjenigen Religion, die das Heil nicht bringt, der falschen Religion. Es ist ein herabsetzendes Wort und bezeichnet das Minderwertige in der Religion, dass sie im Subjekt stecken bleibt, dass sie lediglich Intention auf Gott hin ist, dass sie Gott nicht hat, weil Gott sich in ihr nicht gegeben hat. (GW I,370/1922a/)

246. Tillichs Kirchenkritik trieb ihn sogar zu der Behauptung, der Kairos sei ausgewandert zum Proletariat hin,während Barth trotz seiner Kritik immer an der "Glaubenshoffnung" festhält, "es möchte dem Evangelium je und je gelingen, aus Scheinkirche echte Kirche zu machen" (Gollwitzer 1972,49f, vgl. zB KD I/1, 48f).

247. Vgl. GW VII,61/1929b/:

Gegenüber dem Anspruch des Katholizismus muss die protestantische Kirche betonen, dass sie eine geschichtliche Erscheinung ist, soziologischen und psychologischen Wandlungen unterworfen. Sie ist keine transsubstantiierte Gemeinschaft, aber sie kann eine transparente Gemeinschaft sein, eine Gestalt der Gnade.

248. So zB Bexell 1975,153 Anm. 31. Diese Aussage ist als Einwand gegen meine Darstellung uninteressant, da sie nicht untermauert ist. Interessant ist, dass Bexell sich auf eine Problematik einlässt, die derjenigen ähnelt, die ich behandle und von der ich behaupte dass Barth sie behandelt, aber dass Bexell von einer (zweifelhaften) Tradition der Deutung Barths daran gehindert wird zu erkennen, dass Barth eben diese Problematik behandelt, und die Möglichkeiten zu einer Vertiefung auszunutzen, die ein Dialog mit Barth anbieten würde.

249. Ich bezweifle, dass Barth genügend zugehört hat, wenn ihm in diesem Vortrag Tillichs

hinter seinem Gewebe von protestantischer Gestaltung, gestaltetem Protest, Gestalt, die gegen sich selbst protestiert, und was ähnliche Uebungen am hohen Trapez mehr waren, wirklich nichts sichtbar wurde als eben er selbst mit seinem Vaterkomplex und mit seinem Revolutionserlebnis. (GA V/3:2, 651 /1929-02-09/)

Was hier als Uebungen am hohen Trapez der Dialektik und aus einer formalen Dialektik hergeleitet erscheint, sollte doch wohl eher von der Rechtfertigungs-

438

-lehre aus verstanden werden. Um dies zu beleuchten, kann man von einem Abschnitt in ST III ausgehen. Man kann annehmen, dass Tillich an Barth und/oder seine Schüler denkt, wenn er die Kritik gegen "die Zweideutigkeiten der Institutionalisierung" bejaht aber den Versuch abweist, die Religion von diesen Zweideutigkeiten zu befreien:

> Es wäre jedoch utopische Täuschung, wenn man glaubte, dass man mit Hilfe dieser Kritik die profanisierenden Tendenzen im religiösen Leben beseitigen und die reine Selbst-Transzendierung zum Heiligen hin bewahren könne. (ST III,122)

Dagegen wendet Tillich ein, dass einem "die Einsicht in die unausweichliche Zweideutigkeit des Lebens" fehlt (ST III,122) oder, mit der Sprache von 1929, dass man bei dem Versuch dazu zur Gestaltlosigkeit, d.h. der Ohnmacht des Kritizismus und letztlich zu Selbstverneinung gezwungen wird und dass "die Theologie der Krisis" dieses übersehen hat (GW VII,55,63/1929b/). Das kann vielleicht Barth abweisen. Aber kann er auch die implizite Anklage im Zitat aus ST abweisen, dass der Versuch einen Versuch darstellt, der Gnade zu helfen, d.h. einen Versuch, die menschliche Kritik zu einem Gnadenbringer zu machen? Liegt hier nicht die äusserste Spitze, wenn Tillich 1929 in Münster, mit Barth als Zuhörer, ausdrücklich gegen "die seit neuestem einflussreiche 'Theologie des Wortes'" behauptet:

> Die Realität der Gnade ist das Prius alles Redens über die Gnade (GW VII, 59)?

250. Vgl. GW VII,58 (vom Glauben) und 61 (von der Kirche).

251. So interpretiert wird Barth nicht von Tillichs Kritik gegen diejenigen Theologen, die dagegen protestieren "das Wort Religion auf das Christentum anzuwenden", die statt von Religion von Offenbarung sprechen, und die übersehen, "dass jede Religion auf Offenbarung beruht und jede Offenbarung sich in der Form der Religion ausdrücken muss" (ST III,127) getroffen - obwohl natürlich Barth gegen den Satz protestieren würde, "dass jede Religion auf Offenbarung beruht".

252. Interessant ist, dass Barth gerade hier die Abstraktion kritisiert. Der "Religionismus" kann, nach Barth, von einem abstrakten Elend sprechen, aber gerade dadurch, dass er von dem "wahren Stand vor Gott" abstrahiert, kann er "rasch genug wieder in sein Gegenteil, nämlich in die Euphorie des als Zöllner sich gebärdenden Pharisäers, des als König sich fühlenden Bettlers umschlagen" (KD II/1,145). Das, was das Abstrahieren aufheben würde, wäre, damit aufzuhören so zu denken, als ob Christus nicht gelebt habe (KD II/1,146f,167).

253. Ich meine, dass Barths berühmte Äusserung über das Menschliche als Hohlraum in diesem Zusammenhang verstanden werden muss - und dass sie von diesem Zusammenhang mit der Rechtfertigungslehre aus sinnvoll und wichtig wird:

> Kein "Werk", auch nicht das feinste und geistigste, auch nicht ein negatives Werk kann mehr in Betracht kommen. Unser Erlebnis ist das, was nicht unser Erlebnis ist, unsere Religion besteht in der Aufhebung unsrer Religion, unser Gesetz ist die grundsätzliche Ausserkraftsetzung alles menschlichen Erfahrens, Wissens, Habens und Tuns. Nichts Menschliches bleibt übrig, was mehr sein wollte als Hohlraum, Entbehren, Möglichkeit und Hinweis, als unscheinbarste unter den Erscheinungen dieser Welt, als Staub und Asche vor Gott, wie alles, was in der Welt ist. Der Glaube bleibt nur als Glaube übrig, ohne Selbstwert (auch ohne den Selbstwert der Selbstverleugnung!) ohne Eigenkraft (auch ohne die Eigenkraft der Demut!), ohne eine Grösse sein zu wollen, weder vor Gott noch vor den Menschen. Das ist der Boden, die Ordnung, das Licht, wo der "Ruhm" aufhört und die reale Gerechtigkeit Gottes anfängt. Also kein Boden, auf den man sich stellen, keine Ordnung, die man

439

befolgen, keine Luft in der man atmen kann. Vom Menschen aus, von dem aus gesehen, was sonst Religion, Gesinnung, Gesetz heisst, vielmehr das Bodenlose, der Anarchismus, der luftleere Raum. (B 1922,84f)

254. Vgl. KD III/4,269:

"Das Beste, was man im Blick auf diesen Äon" sagen kann, ist dass der Mann "peccator iustus" und die Frau "peccatrix iusta" sind. "Was mehr ist als das, bleibt der Auferstehung der Toten vorbehalten."

Vgl. Barths frühen Formulierungen:

Der Christ ist das in uns, was nicht wir sind, sondern Christus in uns. Dieses "Christus in uns" in seiner ganzen paulinischen Tiefe verstanden: es bedeutet keine psychische Gegebenheit, kein Ergriffensein, Ueberwältigtsein oder dergleichen, sondern eine Voraussetzung. "Ueber uns", "hinter uns", "jenseits uns" ist gemeint mit dem "in uns". Und in seiner ganzen paulinischen Weite: wir werden wohl daran tun, den Zaun, der Juden und Heiden, sogenannte Christen und sogenannte Nicht-Christen, Ergriffene und Nicht-Ergriffene trennte, nicht wieder aufzurichten. (B 1919a,34)

Ja am Nein zu verdeutlichen und Nein am Ja, ohne länger als einen Moment in einem starren Ja oder Nein zu verharren, also zB /.../ von der Gottebenbildlichkeit des Menschen um keinen Preis lange anders als mit der Warnung ein für allemal, dass der Mensch, den wir kennen, der gefallene Mensch ist, von dessen Elend wir mehr wissen als von seiner Glorie, aber wiederum von der Sünde nicht anders als mit dem Hinweis, dass wir sie nicht erkennen würden, wenn sie uns nicht vergeben wäre. Was das heisst, dass Gott den Menschen gerecht macht, das lässt sich nach Luther nicht anders erklären, denn als justificato impii. Der impius aber soll, indem er weiss und hört, dass er das ist und nichts Anderes, sich sagen lassen, dass er, gerade er ein justus ist. (B 1922a,172)

255. So, wie Vorster, zu behaupten, dass Barth "in antikierkegaardscher Wende" das Reden im "Römerbrief" von einem Hohlraum für die Offenbarung und einem Gericht aller menschlichen Religiosität und Idealität verlässt um dann Glauben "als noetische Resonanz auf das objektive Offenbarung- und Gnadenwirken" zu verstehen (Vorster 1974,640) deutet vielleicht auf eine innere Problematik in Barths Sicht in KD hin (vgl. 6.2.1), kann aber unmöglich Barths Intention wiedergeben. Eine noetische Resonanz wäre ja wiederum eine menschliche Qualität, die mit der Gnade ebenso wie mit Weltanschauungen und "-ismen" konkurrieren würde (vgl. zB B 1948b,8f,29,31). Sie würde mit der "Vorstellung eines vom Leben zu trennenden bloss theoretischen Glaubens" zusammengehören, die nach Barth "nur eine einzige Absurdität sein" kann (KD II/2,858). Dann ist es doch mehr in Uebereinstimmung mit Barths Intention, wenn man wie Kuykendall sagt:

God's relationsship to His people is to be explicated primarily in terms of His social interaction with them rather than in terms of veritas revelata that he "gives" them. (Kuykendall 1972 nach DAI 33,819-A)

256. Ideengeschichtlich lässt sich fragen, ob Tillichs Abhängigkeit von Kähler und damit von der Erweckungsbewegung hier mitspielt, während Barths anti-pietistischer Ansatz ihm diesen Weg versperrt. Aber damit ist ja wenig darüber ausgesagt, ob man auf Tillichs Weg auch vorwärtskommt.

257. Amelung 1972 behandelt Tillichs Theologie aus jener Zeit unter der Rubrik "Ethik als die Frage nach der Gestalt der Gnade".

258. Die Frage ist so fundamental, dass sie direkt zu der Einleitung von ST zurückführt. Die Frage, Erfahrung und systematische Theologie, wurde bereits in ST I,51-58 diskutiert und erhielt eine vorläufige - und das ganze System implizierende - Antwort in ST I,58. Sie wurde auch in der Frage aktualisiert,

wie man in den theologischen Zirkel hineingelangt (ST I,15-28, bes. 18). Vgl. T 1947,19:

The participation in a religious reality is a presupposition of all theology.

259. Vgl. GW III,13f/1959a/:

Das Evangelium, d.h. die frohe Botschaft von der Versöhnung und Wiedervereinigung mit Gott als dem Grund und Ziel unseres Seins ist /im gegenwärtigen Predigen und Lehren "in der Kirche, der katholischen wie der protestantischen, besonders aber in der letzteren"/ in eine Vielzahl von zT dogmatischen und zT moralischen Gesetzen verkehrt worden /.../ Die Gnade als die Macht, die den Unannehmbaren annimmt und dem zu Tode Kranken Heiligung bringt, ist durch das Predigen religiöser und moralischer Gesetze verdrängt worden.

260. Gerade dieses "Philosophische" ist ja die Pointe zB in der Rede von der verlorenen Dimension (vgl. 4.4.1).

261. Auch Religiosität und Frömmigkeit haben den Charakter einer "Selbstdarstellung" und wirken, theologisch ausgedrückt, als Gesetz (Joest 1958,1527).

262. Barth weigert sich, wie bekannt, mit dem Programm einer Entsäkularisierung zu solidarisieren (Lübbe 1965,49f). Wenn irgendetwas Säkularisierung genannt werden soll, so ist es nach Barth die Verwechslung menschlicher Religiosität als kultureller Waffe mit dem Willen Gottes (vgl. oben 140).

Aber nach Barths Auffassung wird es natürlich auch nicht besser, wenn man wie Berger die Religion zu einem Kontrastbegriff, nicht in erster Linie zu Säkularisierung, sondern zu Chaos, Nichtgeborgenheit und Gesellschaftsauflösung macht, so dass die Religion (angeblich) die Funktion und Aufgabe erhält, Geborgenheit zu erschaffen und Stabilität aufrechtzuerhalten (vgl. Gunleiksrud 1974,64f). Anstatt einen solchen Religionsbegriff theologisch willkommen zu heissen, hätte Barth ihn wahrscheinlich politisch kritisiert.

Entsprechendes gilt im Bezug auf Tillich. Die Aufgabe des Glaubens ist für ihn nicht, gegen die Autonomie zu kämpfen nicht einmal gegen eine Kultur ohne Tiefendimension. Gewiss droht das Chaos, aber dieser Drohung muss man begegnen und darf sie nicht mit Hilfe von Ideologien etc verbergen. Nicht die Religiosität sondern der Gott über Gott, die Gestalt der Gnade in Jesus als dem Christus, sind es, die das Chaos überwinden sollen.

Der Glaube, der den Mut der Verzweiflung möglich macht, ist das Ergriffensein von der Macht des Seins trotz der überwältigenden Erfahrung des Nichtseins. Selbst in den Augenblicken, in denen wir am Sinn verweifeln, bejaht sich der Sinn durch uns. (GW XI,130/1952a/)

263. Vgl. Luthers Betonen, dass das Leben in der Schöpfung/dem Beruf von Gott mehr belohnt wird als das Aufsuchen "frommer" Werke.

264. Tillich knüpft daran direkt an in seiner Motivierung für die Behandlung der "proletarischen Situation" in der Reflexion über das protestantische Prinzip, d.h. in seiner Motivierung dafür, dass seine Theologie religiöser Sozialismus wird:

Sofern der Sozialismus eine Weltanschauung ist, könnte sich der Protestantismus in eine mehr oder weniger aussichtsreiche apologetische Diskussion mit ihm einlassen. Sofern er Ausdruck der proletarischen Situation ist, stellt er den Protestantismus vor die Frage nach Sinn und Recht seines unbedingten und universalen Anspruchs. (GW VII,85)

441

265. Vgl. das Zitat B 1919a,34 oben Anm. 254 und allgemein zB KD II/2,583f,715f und Marquardt 1972,248ff.

266. Es ist interessant zu sehen, dass sowohl Tillich als auch Barth diese Perspektive verwenden um einander zu interpretieren. Man kann nach Tillich "die sogenannte dialektische, in Wirklichkeit paradoxale und später supranaturalistische Theologie von Barth" "als den Ausdruck der Katastrophen-Erfahrung nach dem ersten Weltkrieg deuten für solche, die in der liberalen Tradition aufgewachsen waren" (GW XIII,26/1943/). Barth empfand Tillichs Vortrag in Münster 1929 "wirklich als zu leicht /.../ sofern mir hinter seinem Gewebe /.../ wirklich nichts sichtbar wurde als eben er selbst mit seinem Vaterkomplex und mit seinem Revolutionserlebnis" (GA V/3:2,651/1929-02-09/). Ueber den begrenzten Wert einer solchen Perspektive: vgl. oben 2.2.2 und unten 6.1.1.

267. "Zweifel" kommt in den Registern der Kirchlichen Dogmatik nur einmal vor. Unter "Mensch, Zweifel" wird auf ein Referat über Fichtes Reden vom Zweifel hingewiesen. (KD III/2,113f)

268 Hier könnte Bonhoeffers Zusammenfassung der Theologie Barths in dem Satz "Friss, Vogel, oder stirb!" (Bonhoeffer 1943/44,184/1944-05-05/) zutreffen, und die Kritik könnte sich davon ausgehend verbreiten. Barths Intention bei dem Ansatz in dieser unbegründbaren Voraussetzung ist es jedoch nicht, eine "positivistische Offenbarungslehre" zu begründen, sondern ist es, damit ernst zu machen, dass Gottes eigene Handeln wichtiger ist als die behaupteten Erfahrungen und Auffassungen des Christen von der Offenbarung, also als das, was bei einem Versuch der Begründung der Offenbarung dieser übergeordnet werden muss.

269. Eine solche Darstellung würde von einer Perspektive ausgehen, die der bei Holte 1970 ähnlich ist. Dort ist die Hauptfrage, "Wie sieht die Relation des Christentums zur Moral aus und was ist sein Beitrag zur Moral?" (Holte 1970,83) Das Hauptinteresse würde dann dem Versuch gewidmet werden zu verstehen, weshalb sich weder aus Barths noch aus Tillichs Theologie eine eindeutige Antwort auf diese Frage herleiten lässt, weshalb sich sowohl Barth als auch Tillich weigern, sich von einer so formulierten Frage steuern zu lassen. Von den Abschnitten 5.1 und 5.2 ausgehend wäre es natürlich die Antwort etwa so zu formulieren, dass das damit zusammenhängt, dass beide von einer reformatorisch verstandenen Rechtfertigungslehre mit einem paradoxen "simul" im Zentrum aus denken (vgl. 5.2) oder so, dass die Relation des Glaubens zu der Versöhnung in Christus bedeutet, dass der Glaube weder die Welt, so wie sie ist, akzeptiert noch die Welt als Schöpfung Gottes verleugnet (vgl. 5.1).

Einige Symptome dafür, dass diese Weigerung Barths und Tillichs nicht willkürlich ist, sondern theologisch äusserst schwer zu umgehen ist: Wingrens Theologie, von der Holte sagt, dass sie in einer "streng humanen" Ethik oder einen "theologischen Reduktions-Ethik" ausmündet, kann auch - ohne dass das, was Holte aufgreift, aufgehoben wird - als kerygmatisch bezeichnet werden, und es kann von ihr gesagt werden, dass sie das betont, was nur aus dem Gottesdienst und dem Hören der Predigt herauskommen kann (vgl. Almén 1974,33). Grenholm, der sich in seiner Abhandlung (Grenholm 1973) scharf von jeder "streng theologischen" Ethik abgrenzt, lässt sich trotzdem auf Gedankengänge ein, die von Hemberg gerade als Ausdruck einer solchen Ethik kritisiert werden (Hemberg 1975, 108f).

Ausgehend von der Fragestellung in Holte 1970 erscheint es mir schwer diese Weigerung und diese Symptome ernst zu nehmen. Dagegen scheint mir Holte selber sich von seinem früheren Frageschema loszulösen und sich Möglichkeiten zu beschaffen, um die Fragen, die meiner Meinung nach gestellt werden müssen, zu bearbeiten, wenn er mit einer "Kombinationstheorie" zu arbeiten beginnt, nach der es für die Menschen unumgänglich ist gleichzeitig mit einer faktischen, einer ethischen und einer lebensanschaulichen oder religiösen Betrachtungsweise des Daseins zu arbeiten (Holte 1975,58-61).

270. Das Wesentliche an diesem Satz ist, soweit ich es verstehe, dass Luther ihn in
Relation zur Rechtfertigungslehre betrachtet:

At fides ut facit fidelem et iustum, ita et bona opera. (WA 7,62,6f)

Er kann deshalb nicht ohne weiteres als eine allgemeine Stellungnahme zu einer
moralphilosophischen Fragestellung gedeutet werden, als ein Argument für eine
"Gesinnungsethik" und auch nicht ohne weiteres als ein Argument dafür, dass
christliche Ethik als eine solche Ethik charakterisiert werden muss (so Nygren
1923,208f).

271. Lessings Charakterisierung stimmt sehr gut mit zB KD II/2,713ff überein. Sie
wäre allerdings falsch, wenn sie den Eindruck erwecken würde, als ob Barth ein
Gegner von zweckrationalen Ueberlegungen wäre. Gewiss verfügt Barth auch nicht
über Zwecke, die nicht infragegestellt werden können und sollen. Aber er
spricht von sachlicher Verantwortlichkeit, und er betont ausdrücklich:

Wenn eine von altersher verbreitete und in neuen Formen immer wieder sich
meldende Richtung der philosophischen Ethik (der sogen. Hedonismus, Utili-
tarismus oder Eudämonismus, die sogen. "Wertethik") ihre Darstellung des Moralischen auf diese Zielsetzungen /unseres Willens/ aufzubauen unternimmt,
so wird die christliche Ethik sich hüten müssen, ihr gegenüber ohne weiteres die bekannte, schlechterdings ablehnende Stellung Kants und der Kantia-
ner zu beziehen. Wo das Gesollte als der Inhalt des Gebotes Gottes verstanden werden soll, da wird man sich nicht einfach weigern können, es auch als
das im eminenten Sinn Angenehme, Nützliche und Wertvolle zu verstehen.
(KD II/2,724)

Vgl. auch oben Anm. 157.

272. Vgl. KD III/2,214:

Ist menschliches Sein ein Sein in der Verantwortung vor Gott, so ist es dadurch bestimmt, dass Gottes Wort Gottes Handeln ist, als Wort seiner Gnade
das Wort des allmächtig wirkenden Schöpfers. Dass Gott dem Menschen laut
dieses seines Wortes gnädig ist, das ist nun gerade keine blosse "Verlaut-
barung", die auf irgend einer Tafel verzeichnet, vom Menschen bloss zur
Kenntnis genommen werden könnte. Ist menschliches Sein ein Sein in der Verantwortung vor Gott, dann kann es sich nicht darin erschöpfen, Bekanntschaft
mit Gott zu sein, nicht in der Einsicht in sein von ihm selbst ihm offen-
bartes Wesen und Werk, nicht im Verstehen seines Willens und auch nicht in
einer dieser Bekanntschaft mit ihm entsprechenden Gesinnung.

273. Vgl. Cox 1968,424f:

Why will Barth be remembered? Oddly enough, he may be recalled in the long
run as the man who, contrary to what secondary sources say, made man central
to theological inquiry. Not man the titan, but man the co-worker with God.
Not man the minor deity, but man the truly human creature for whom God has
enormous expectations. Against existentialist individualizing fashions in
theology, however, Barth insisted that man becomes man only in radical com-
munion with other men. Man is "co-man" (mitmensch) and Jesus Christ is
God's revelation to us precisely because he is the man who is unreservedly
for other men ("... who for us men and for our salvation..."). We do not
encounter God in our solitude. Barth always contended, but in solidarity
with the suffering and celebration of other men in the real world. "God is
pro me," he wrote, "only because he is pro nobis."

274. Wenn die "moderne" Theologie dazu führt, dass die Theologie Bestätigung des
Menschlichen, also Verharmlosung der Theologie, wird, dann wird die Versuchung

443

erst ganz ernsthaft, wenn man in der Lage zu sein meint,

> sie /die Theologie/ wie sie nun einmal ist, gutzuheissen, und ihrer, wie
> sie nun einmal ist, zu bemächtigen und sie als notwendiges Requisit eines
> befriedigenden menschlichen Weltbildes und einer echten menschlichen Le-
> benskunst zu verwenden. (B 1930,393)

275. Die Kategorie "Verborgenheit" charakterisiert nach Marquardt 1972,152,156f bereits in B 1922 Barths Sicht auf das zwischenmenschliche Verhältnis.

Von besonderem Interesse ist, zu sehen, dass dieser Gedankengang auch in der
Auseinandersetzung mit der "modernen" Theologie vorherrscht. Der Pietismus in
seiner Grundform - die mit der reinen Form der "modernen" Theologie identisch
ist - strebt nach Barth danach, zu erobern, alles Nicht-Eigene als solches aufzulösen und in ein Eigenes zu verwandeln (B 1933,93f). Er muss dann auch das
verwandeln, dass das Christentum "sich wohl an den einzelnen Menschen wendet,
aber eben nicht an den abstrakten, sondern an den konkreten, d.h. an den in
der Kirche auf den Mitmenschen bezogenen einzelnen Menschen". Er tut es durch
eine bestimmte Deutung der "Aneignung des Christentums", einer Deutung gegen
die Barths gesamte Theologie einen Protest darstellt:

> Aneignung des Christentums musste in dieser Hinsicht heissen: Assimilie-
> rung, Aufhebung oder doch Unschädlichmachung der Fremdheit des Mitmenschen.
> Der Nächste, der Bruder in Christus, soll jetzt grundsätzlich nicht mehr
> der Andere sein. Er soll mir jetzt zu eigen sein, d.h. zuerst: er soll
> mich nicht mehr stören durch seine Andersheit und dann weiter: er soll wo-
> möglich so sein, dass ich in ihm mich selber wiederfinde. Die Gemeinschaft
> soll mich nicht beunruhigen, sondern sie soll mich bestätigen. (B 1933,
> 95)

Es ist interessant zu sehen, dass Bonhoeffer in Sanctorum Communio seinen Ausgangspunkt in einem anti-idealistisch gedachte Ich-Du-Verhältnis als der
christlichen Grundbeziehung nimmt (Bonhoeffer 1930,30) und dass Barth dieses
Buch nicht genug rühmen kann (KD IV/2,725, vgl. Nicholls 1969,196).

276. Ueber Barth: vgl. oben 172 mit Anm. 157 und Holte 1970,102f. Ueber Tillich:
zB GW III,37:

> Die "Gegenwart des Geistes", die Gegenwart des göttlichen Grundes des Seins
> im menschlichen Geist, öffnet dem Menschen Augen und Ohren für die morali-
> sche Forderung einer konkreten Situation. Gesetze können niemals völlig
> auf eine einzelne Situation angewandt werden.

277. Wenn men ethischen Normen zwei Funktionen zuschreiben kann, eine wegweisende
und eine legitimierende, dann stellen Tillichs und - in noch höherem Grade -
Barths Ethik Versuche dar, die erste Funktion beizubehalten und die zweite zu
vermeiden. Vgl. die Distinktion Begründung und Gewinnung ethischer Aussagen
(zB Sauter 1975a,418) nach der es offenbar Barths Intention ist, zu behaupten,
dass die Ethik nur christologisch begründet werden kann, nicht aber dass ethische Normen nur christologisch gewonnen werden können (vgl. zB KD II/2,602f
oben 173f und B 1946a,17).

278. Dies glaube ich im Vorhergehenden belegt zu haben. Ich will aber besonders
darauf hinweisen wie die Verbindung dieser philosophischen mit dieser theologischen Problematik GW III,40-56, bes. 43 geprägt hat.

279. Vgl. Janowski 1975,326:

> In der Auseinandersetzung um den Schlüsselbegriff des aktuellen Freiheits-
> verständnisses, um Glück und Ung/l/ück der Emanzipation, zeigt sich, dass
> die Theologie, imstande ist, einen eigenem kritischen Akzent zu setzen:
> Wenn man die Freiheit als individuelle Selbstverwirklichung auf die christ-

-liche Botschaft von der Rechtfertigung der Gottlosen bezieht, so gewinnt das Verständnis von Freiheit eine Dimension hinzu, welche die Aporien des liberalen Freiheitsverständnisses, das offensichtliche Dilemma der Emanzipation lösen helfen kann. Dem Zwang zur Selbstverwirklichung kann die Möglichkeit zur Selbstannahme, auch in der Uebernahme des Scheiterns entgegengehalten werden.

280. Horkheimer referiert (zustimmend!?) Tillichs Ansicht auf folgende Weise:

Mit der letzten Spur der Theologie verliert der Gedanke, dass der Nächste zu achten, gar zu lieben sei, das logische Fundament. (Horkheimer 1966a, 130)

281. Diese beiden Ausdrucksweisen werden von Gollwitzer ausdrücklich parallelisiert (Gollwitzer 1972,40f Anm. 42).

282. Vgl. Schwerdtfeger 1969,41:

Hier zeigt sich /.../ die Neigung,den "Gang der Dinge", als solchen positiv zu werten. Dass Tillich von seinem ontologischen Denkansatz zwar prinzipielle, aber kaum konkrete Kritik gegenüber herrschenden Mächten vorbringen kann, wird deutlich.

Schwerdtfeger glaubt dies bereits in Texten von Mitte der zwanziger Jahre belegen zu können. Amelung meint, dass "der Religiöse Sozialismus mit seiner konkreten Kritik und seiner konkreten Erwartung" aufgegeben wird, als Tillich nach der Emigration sein Interesse auf Anthropologie und Psychotherapie richtet. Als sich Tillich dann in den fünfziger Jahren wieder für Gesellschaftsfragen interessiert, so geschieht das in einer Situation, die von Kulturkritik und Kulturpessimismus geprägt ist. Mehr zwischen den Zeilen sagt Amelung, dass diese Situation und die Ontologisierung seiner Begriffe während der anthropologischen Konzentration die Ursache dafür waren, dass Tillich nun weniger konkret wurde. (Amelung 1972,41)

Symptomatisch ist, dass Tillich auch nicht zu der Zeit als er der SPD angehörte als reiner Politiker wirkte.

Es würde bedeuten, dass ich innerlich keiner Partei zugehört habe und zugehöre, weil mir das Wichtigste im Politischen gerade das zu sein scheint, was in den Parteien gar nicht oder nur verzerrt zum Ausdruck kommt. Meine Sehnsucht war und ist ein "Bund", der an keine Partei gebunden ist, obgleich er der einen näher steht als der anderen, oder der ein Vortrupp ist für eine gerechtere Gesellschaftsordnung aus dem Geiste der Prophetie und gemäss der Forderung des Kairos. (GW XII,53f/1936/)

283. Nach Leibrecht scheinen Tillichs Aussagen in den fünfziger Jahren nicht diese Wirkung gehabt zu haben:

Tillich redete zur amerikanischen Jugend nicht als einer, der nur Probleme sieht, der schwarz in schwarz malt. Er sah auch Verheissungen. Er sah die Möglichkeit des Schöpferischen, des Neuen in der Geschichte. Gnade war für ihn kein vager Begriff, sondern etwas, das Gestalt werden kann im Leben des Einzelnen und der Gesellschaft. Von seinen Reden ging "Mut zum Sein" aus, obgleich er utopische Erwartungen in bezug auf die menschliche Existenz und Gesellschaft verwarf. (Leibrecht 1972,579)

Meine Frage geht nicht von einem Bezweifeln aus, dass Leibrecht recht haben kann. Ihr geht es darum, ob Tillichs Denken nicht auch eine andere Funktion erhalten kann und ob es nicht auch eine solche erhalten hat und ob diese andere Funktion im Blick auf Tillichs Denken nicht ebenso folgerichtig ist.

284. Vgl. den Titel von Struzynskis Dissertation: "History as Symbol in the Thought of Paul Tillich" und zB Folgendes:

Historical reality is then viewed from this religious symbolic point of view. Tillich's concern is always with the unconditional meaning or religious depth of history, with that point where it becomes a religious symbolic bearer of the holy. (Struzynski 1972,189)

285. Tillich kämpfte "auf der Grenze von Luthertum und Sozialismus" und ergriff den Begriff des Kairos um aus der Passivität zu kommen ohne sich an eine Utopie zu klammern.

Er soll zum Ausdruck bringen, dass der Kampf um eine neue soziale Ordnung nicht zu einer Erfüllung im Sinne des Reiches Gottes führen kann, dass aber in einer bestimmten Zeit bestimmte Aufgaben gestellt sind, ein bestimmter Aspekt des Reiches Gottes sich zeigt als Forderung und Erwartung. (GW XII, 47/1936/)

Tillich glaubte in dieser Hinsicht erfolgreicher zu sein als Barth mit seiner nach Tillich "rein jenseitigen Fassung des Reich-Gottes-Gedanken" (GW XII,46).

286. Gläubiger Realismus zielt nach Tillich auf etwas anderes ab als auf die Transparenz der Welt, die der indische Asket entdeckt (GW VI,111) und auf etwas anderes als die griechische alēteia (GW VI,124, vgl. 174) - nämlich auf eine geschichtliche Wahrheit.

287. Vgl. die Zusammenfassung bei Amelung 1972, wo behauptet wird, dass Tillich die Schwierigkeiten des Verhältnisses von Religion und Kultur in der Theorie nicht löst wohl aber ständig versuchte, sie als Person in einem schöpferischen Denkakt zu lösen.

Das aber bedeutet, dass das Verhältnis von Religion und Kultur je neu im schöpferischen Denkakt konstituiert werden muss. Dabei steht dieser schöpferische Denkakt sowohl in der Zweideutigkeit des kulturellen Aktes als auch unter der Verheissung der Gegenwart des göttlichen Geistes.

Tillich hat diese Einsicht nur indirekt aussprechen können. Hätte er es direkt getan, so wäre er der Hybris verfallen, deren er Hegel anklagt. Er hat die Lösung aber in zweifacher Weise anvisiert. (Amelung 1972,213f)

In frühen Jahren sah er den Ort von dem aus eine Lösung des Problems möglich wäre in der Existenz des Proletariats, später in einem "Bund" von Gleichgesinnten (vgl. das Zitat GW XII,53f oben Anm. 282) letztlich im Ort der Grenze.

Sie /die Grenze/ ist der Punkt, in dem das Nebeneinander von Religion und Kultur aufgehoben ist, nicht als Harmonisierung oder Entschärfung des Gegensatzes und auch nicht als das Ueberwiegen des einen oder des anderen Elementes, sondern als das je neue Vollziehen, oder besser Nachvollziehen ihrer essentiellen Einheit. Wem die Grenze als Schicksal zugeteilt ist und wer sie in Freiheit annimmt, in dessen Existenz wird die Spannung von Religion und Kultur fragmentarisch, aber auch unzweideutig aufgehoben. (Amelung 1972,214)

288. Diese prinzipielle Tendenz wird dann durch Tillichs erneute Situationsanalyse nach dem zweiten Weltkrieg verstärkt (vgl. oben 4.4.1):

Im Gegensatz zu den grossen Erwartungen, die man nach dem ersten Weltkrieg hegte, hat sich nach dem zweiten Weltkrieg das Bewusstsein von der tragischen Begrenztheit unserer geistigen Kraft verbreitet - im Gegensatz zu unserer fast unbeschränkten technischen Macht. Dies zeigt, wie stark sich die geistige Situation in den letzten fünfundzwanzig Jahren verändert hat. Unser letztes Anliegen ist nicht mehr die Verwandlung der Wirklichkeit, sondern die Besinnung auf den Seins- und Sinngrund unseres Lebens. Das Pendel hat angefangen, in die vertikale Richtung der Religion zurückzuschwingen. (GW V,34f/1946/, Hervorhebung von mir)

289. Vgl. Schwerdtfeger 1969,267f:

> Was die in diesem /theologischen/ System /Tillichs/ implizit enthaltene po-
> litische Theorie angeht, so war es die Absicht dieser Arbeit zu zeigen, dass
> Tillich die Aufhebung eines gesellschaftlichen Widerspruches postuliert, den
> er nur phänomenologisch umschreibt und ontologisch deutet, aber nicht kon-
> kret analysiert. - Eine solche 'systematische' Lösung ohne konkrete Vermitt-
> lung des Lösungsansatzes und der aus ihm entwickelten Lösungsmöglichkeiten
> mit der gesellschaftlichen Praxis bedeutet nominalistisch betrachtet nur die
> Proklamierung der dem ontologisch konzipierten System immanenten Vorausset-
> zungen. Die Entfaltung der These, dass geschichtliche Wirklichkeit und ent-
> fremdete Wirklichkeit identisch sind, in Form eines theologischen Systems,
> bezeichnet freilich nur die Ohnmacht des Systems und keine für die gesell-
> schaftliche Praxis und ihre kritische Reflexion relevante Erkenntnis.

Vgl. auch allgemein Picht 1973,120:

> Die innere Möglichkeit für eine humane Zukunft liegt nicht in der utopischen
> Vorwegnahme einer absoluten Synthesis von Theorie und Praxis; sie kann sich
> nur daraus ergeben, dass wir den unüberbrückbaren Abgrund wieder entdecken,
> der sich zwischen dem Glauben und jeder Form der dialektischen Vermittlung
> von Theorie und Praxis auftut.

290. Vgl. dass nach Tillich in der Liebe "die Person des Anderen nicht in objektiver
Distanz, sondern in subjektiver Teilnahme anerkannt ist (GW III,34/1959a/, vgl.
oben 308, vgl. auch das Zitat ST III,300 oben 309). Die Identitätsfrage
scheint auch in Bowkers an Tillichs Auffassung vom Verhältnis zwischen den Religionen gestellten Frage durch: "Can differences make a difference?" (Bowker 1973)

291. Vgl. KD III/3,128, wo sowohl von Resignation als auch vom Protest gesagt wird,
dass sie den Gehorsam bedrohen.

292. "Keiner der übrigen hier genannten Theologen /Cullmann, Dodd/ führt den Gedanken einer realisierten Eschatologie mit so eiserner Konsequenz durch wie Barth.
Die Tendenz, das für das eschatologische Futurum Einzigartige in der Retrospek-
tion zu sehen ist äusserst kennzeichnend für Barth". (Uebersetzung von Wingren 1953,174)

293. Etwas früher deutete Dieter Stoodt "Christengemeinde und Bürgergemeinde" von
der speziellen Situation aus in der das Buch geschrieben wurde. Gleichzeitig
warnte er davor "dieses Modell auf Dauer" zu stellen und deutete auf Entwicklungsmöglichkeiten in Barths eigenem Denken hin. (Stoodt 1970, zB 79,83,84f)

294. Es ist also nicht so, dass bei Barth das Wort direkt senkrecht von oben kommen
würde und die Tradition aus dem Spiel gesetzt würde (so Holte 1972,149). Barth
hat niemals die Tradition auf diese Weise behandelt. Möglicherweise kann man
sagen, dass Barths früher Ansatz in diese Richtung deutet, Barth weigert sich
jedoch selber diese Konsequenz zu ziehen und hat nicht zuletzt deswegen seinen
frühen Ansatz überprüft (vgl. KD II/1,716).

295. Vgl. KD II/1,716:

> Man darf bei seiner Auslegung Anderen gegenüber nicht allzusehr recht haben
> wollen, sonst bekommt man auf einmal unrecht.

296. Tillich meint, dass es "eine Konsequenz aus dem Bruch mit der Tradition" ist,
"dass Karl Barth die Disziplin der Kirchengeschichte eine 'Hilfswissenschaft
für die Theologie' genannt hat" (GW VII,208 Anm. 55). Tillich denkt dabei an
KD I/1,3. Barth hat sich später zumindest anders ausgedrückt (vgl. B 1962,
194-196 und KD IV/3,1008).

297. Es würde nach Tillich bedeuten, diesen Anspruch zu verraten, wenn man die Heilsgeschichte als "übergeschichtlich" bezeichnen würde:

> Die Vorsilbe "über" weist auf eine höhere Ebene der Wirklichkeit hin, einen Schauplatz göttlichen Handelns, der in keiner Verbindung mit der Weltgeschichte steht. In dieser Vorstellung wird das Paradox, dass das Unbedingte sich innerhalb der Geschichte manifestiert, durch einen Supranaturalismus ersetzt, der Weltgeschichte und Heilsgeschichte als zwei getrennte Bereiche betrachtet. Aber wenn Weltgeschichte und Heilsgeschichte so voneinander getrennt sind, ist es nicht möglich zu erklären, wie die "übernatürlichen" Ereignisse erlösende Macht innerhalb der weltgeschichtlichen Vorgänge haben können. (ST III,413f)

298. Für Barth, wie für van Buren, ist diese Frage "a frankly autobiographical one" (van Buren 1963,11), nicht eine Frage nach einer Technik die mir helfen soll anderen erklären zu können (vgl. oben 95f).

299. Das liegt tief in Barths Protest gegen den Historismus und gegen Troeltsch. Vgl. zB B 1920a,8f.

300. Vgl. wie sich hier Barths und Weischedels Kritik an Tillich einander nähern (vgl. Zahrnt 1966,435).

301. Es ist auf jeden Fall keine in optimam partem Deutung, wenn Schwanz behauptet:

> Hinsichtlich seines Festhalten an einer letzten paradoxen Identität von Sein und Sein-Selbst kann für Tillich Erlösung so also schliesslich immer nur Selbsterlösung sein: Jesus bleibt das blosse Paradigma, dem nachzueifern ist. (Schwanz 1973,422)

302. Bo Nylund handelt meiner Meinung nach richtig, wenn er die Intention in Tillichs Christologie so deutet, dass Tillich eher das aufzeigen will, was schwer zu verstehen ist, als dass er Anspruch darauf erheben will, alles verstanden zu haben. (Nylund 1966,326)

303. Im Blick darauf, dass Tillich auch eine Distanz zu Heidegger markiert hat (vgl. oben Anm. 180) überrascht es, dass Tillich 1962 "Sein und Zeit" in seiner Antwort an "Christian Century" nennt auf die Frage "What books did most to shape your vocational attitude and your philosophy of life?" (GW XIV,222). Die Erklärung dafür braucht weniger in einem allgemeinen Interesse für Heideggers Existenzphilosophie/Fundamentalontologie gesucht zu werden als in diesem Berührungspunkt zwischen Kählers Fragestellungen und denFragestellungen in "Sein und Zeit".

304. Eine meiner Meinung nach feine Analyse dieses Motivs wird in Nylund 1966 durchgeführt.

305. Vgl. T 1965,196:

> Dieser Ausdruck "der Kampf Gottes gegen die Religion innerhalb der Religion" kann als Schlüssel zum Verständnis der äusserst chaotisch erscheinenden Religionsgeschichte dienen.

> Als Christen sehen wir in der Erscheinung Jesu als des Christus den entscheidenden Sieg in diesem Kampf. Es gibt ein altes Symbol für den Christus, "Christus Victor", das in dieser Deutung der Religionsgeschichte wieder verwandt werden kann.

306. Vgl. wie Otto Hof sagt, zunächst Luther deutend aber deutlich an Barth denkend:

> Der Glaube ist auf Jesus Christus bezogen, ist Akt reiner Hinsehens, Glaube, der sich in seinem Ursprung, seinem ja neuen Existent-werden und seiner Be-

-ständigkeit von dem empfängt, an den er glaubt. Wird das "Durch Christus"
anders interpretiert, dann zieht das eine Veränderung in der Deutung des
Wesens und des Ranges des Glaubens nach sich. Das geschieht, wenn Jesus
als Grund, Anlass, Zeuge, Anhalt, Vorbild des Glaubens verstanden wird und
seine Funktion sich auf Ermöglichung und Erweckung. wenn gar nicht Einfor-
derung des Glaubens beschränkt. (Hof 1972,322, vgl. Hinweise auf KD II/1,
167 und KD IV/2,300 in Anm. 64)

307. Die Kritik der natürlichen Theologie ist die Kritik einer Theologie, die glaubt
über die Offenbarung zu verfügen und sie in ein Ganzheitsbild einordnen zu
können - das von etwas anderem bestimmt wird als der Offenbarung selbst. Jeder derartige Versuch ist nach Barth ein Versuch zu natürlicher Theologie, wie
sehr man auch der Offenbarung, der Gnade "sachlich und formell den Vorrang, ja
die unbedingt grössere Wichtigkeit und Richtigkeit zuerkennt". (KD II/1,
149-158, das Zitat 153)

308. Vgl.oben 266 und Schellong 1973a,90:

Gott ist konkrete Gegenwirklichkeit. Deshalb müssen wir von Gott gegenständlich reden. Sich einzubilden, dass es ungegenständlich ginge, hiesse
nur - wie Barth an Hegels Wahrheitsbegriff aussetzt -, dass man weder der
Sünde noch der Versöhnung wirklich ansichtig würde /.../

Die Gegenwirklichkeit ist in Person und Geschichte Jesu Christi Teil unserer Wirklichkeit /.../ Hier liegt die Wurzel des von Barth unermüdlich
vertretenen Unglaubens gegenüber der Wirklichkeit.

309. Vgl. Gollwitzers Auswahl aus KD IV/3 über "Das Wort und die Worte" (Gollwitzer
1965,158-171).

310. Vgl. wie Tillich in der Auseinandersetzung mit Barth und Gogarten 1923
schreibt:

An der Wahrheit teilhaben - nicht die Wahrheit haben, das wäre unparadox,
götzendienerisch - heisst doch: unter der Gnade stehen. (GW VII,218/1923/)

311. Vgl. GW IV,116/1955b/:

Partizipation in der kognitiven Hingabe heisst Ergriffen-werden in einer
Dimension der eigenen Wirklichkeit und der Wirklichkeit überhaupt, die
nicht durch die Subjekt-Objekt-Struktur der Endlichkeit bestimmt ist, sondern dieser Struktur zugrunde liegt.

Vgl. auch wie Tillich vom "Entscheidungscharakter der Erkenntnis" spricht
(GW IV,53ff,73/1926a/)

312. Der Haupteinwand gegen Tillichs Theologie ist, dass es bei ihm keine klare
Linie zwischen dem verborgenen und dem geoffenbarten Gott gibt. (Uebersetzung von Martikainen 1972,96)

313. Vgl. GW VIII,41/1930d/:

Die Behandlung des Offenbarungsbegriffs ist also immer zugleich einmalig
und kategorial, universell und generell oder - wenn man diesen Unterschied
der Blickrichtung wissenschaftssystematisch ausmünzen will - theologisch
und religionsphilosophisch.

314. In der Auseinandersetzung mit Hirsch ist es für Tillich entscheidend wichtig,
dass der Logos der "kritische/n/ Kraft, die er trotz engster Bindung an den
Kairos behalten muss" nicht beraubt werden darf (T 1934,317).

315. Vgl. B 1962,125:

> Wenn doch der Philosoph als solcher auch Theologe sein wollte! Nach Tillich soll und kann er es. Und vor allem: Wenn doch der Theologe als solcher auch Philosoph sein wollte! Nach Tillich soll und kann er es. Welche Lösungen! Welche Aspekte! "Eia, wären wir da!"

> Die Undurchführbarkeit dieses und ähnlicher Versuche, die Einsamkeit der Theologie aufzuheben, beruht aber darauf, dass /nur theologia ektypa viatorum möglich ist./

316. In Breipohls Deutung der Entwicklung des Denkens Tillichs in den zwanziger Jahren, ist allerdings das Entscheidende eine angebliche Abwendung von der Zukunftsbezogenheit:

> So wirkt sich die Orientierung an den naturhaft-dynamischen Kräften der Geschichte bei Tillich in einer Abwendung von der früheren Zukunftsbezogenheit des Kairos und damit in der Umwandlung seines ersten Ansatzes aus. Das im Kairos-Aufsatz von 1922 beobachtete Nebeneinander der horizontalen und der vertikalen Linie scheint sich aufzulösen zugunsten einer Betonung der letzten, eine Wandlung, die im zweiten Kairos-Aufsatz von 1926 vollends deutlich wird. (Breipohl 1971,184, vgl. oben 214)

317. Der Ausdruck "Geist der Utopie" kommt bereits in GW II,188/1930a/ vor.

318. Vgl. wie Tillich - sicherlich nicht ohne weiteres vereinbar mit seinen eigenen Intentionen - sich so ausdrückt als ob er wisse, dass kein Prophetenwort jemals "im Sinne seiner eigenen Erwartungen erfüllt" werden wird (GW VI,149f/1959/). Damit trennt er dann das Wissen des prophetischen Geistes radikal von wissenschaftlicher Erkenntnis (GW VI,152f) und führt den Geist der Utopie in eine Dimension, "in der die Alternative 'richtig' und 'unrichtig' unangemessen ist" (GW VI,149). Wie folgerichtig das auch sein mag, so muss man sich fragen, ob nicht die Thematisierung der eschatologischen Perspektive diese dann zu verwandeln droht.

319. Nachdem mein methodischer Ausgangspunkt in einem gewissen Anschluss an Lars Gyllensten formuliert wurde, ist es von speziellem Interesse zu sehen, dass er gerade hier vor Schwierigkeiten stösst:

> Apropos der sogenannten Studentenunruhen 1968 und der wachsenden "Politisierung" der kulturellen Athmosphäre fragte ich /Inge-Bert Täljedal/ ungefähr folgendermassen: "Kannst Du /Lars Gyllensten/ mit deiner disziplinierten Ästhetik dir eine Situation vorstellen, in der es eher befugt wäre einen Schrei auszustossen als eine Reflexion zu formulieren?" Er schüttelte augenblicklich energisch den Kopf. Die Leidenschaft in diesem Kopfschütteln liess sich nicht übersehen. Und auch nicht die Distanz. (Uebersetzung von Täljedal 1975,201)

320. Wenn Goldschmidt von dem "Herrschaftsanspruch" der "dialektischen Theologie" spricht (Goldschmidt 1969,199), so scheint er mir zu übersehen, dass Barth bis aufs Äusserste, Punkt für Punkt, jede Vermittlung (Theorie - Praxis, Ich - der Fremde/Andere, Ontologie - Eschatologie etc) verweigert, sich weigert sich auf eine Position festlegen zu lassen, also die Widersprüche aktiv auszuhalten versucht - aber trotzdem vor die Problematik stösst, die Goldschmidt mir allzu leicht zu nehmen scheint.

<u>LITERATURVERZEICHNIS.</u>

<u>A. Karl Barth.</u>

KD   Die kirchliche Dogmatik, Zollikon-Zürich 1932-1967
(Die Bände erschienen: I/1 1932, I/2 1938, II/1 1940, II/2 1942,
III/1 1945, III/2 1948, III/3 1950, III/4 1951, IV/1 1953, IV/2 1955,
IV/3 (zwei Halbbände) 1959, IV/4 (Fragment) 1967.)

GA V/1   Karl Barth - Rudolf Bultmann. Briefwechsel 1922-1966, hg.v. Bernd Jaspert (Karl Barth, Gesamtausgabe. V. Briefe. Band 1), Zürich 1971

GA V/3:1   Karl Barth - Eduard Thurneysen. Briefwechsel. Band 1, 1913-1921,
bearb. und hg.v. Eduard Thurneysen (Karl Barth, Gesamtausgabe. V. Briefe
/Band 3:1/), Zürich 1973

GA V/3:2   Karl Barth - Eduard Thurneysen. Briefwechsel. Band 2, 1921-1930, bearb.
und hg.v. Eduard Thurneysen (Karl Barth, Gesamtausgabe. V. Briefe
/Band 3:2/), Zürich 1974

B 1919   Der Römerbrief /1. Aufl./, Bern 1919

B 1919a   Der Christ in der Gesellschaft. In: Barth, Karl, Das Wort Gottes und
die Theologie. Gesammtelte Vorträge, 4.-6. Tausend, München 1925,
S. 33-69

B 1919b   Vergangenheit und Zukunft. Friedrich Naumann und Christoph Blumhardt.
In: Anfänge der dialektischen Theologie, hg.v. J. Moltmann (ThB 17),
Teil 1, München 1962, S. 37-49

B 1920   Biblische Fragen, Einsichten und Ausblicke. In: Das Wort Gottes und
die Theologie (s. B 1919a), S. 70-98

B 1920a   Unerledigte Anfragen an die heutige Theologie. In: Barth, Karl, Die
Theologie und die Kirche. Gesammelte Vorträge, 2. Band, München 1928,
S. 1-25

B 1922   Der Römerbrief, vierter Abdruck der neuen Bearbeitung, München 1926

B 1922a   Das Wort Gottes als Aufgabe der Theologie. In: Das Wort Gottes und die
Theologie (s. B 1919a), S. 156-178

B 1922b   Das Problem der Ethik in der Gegenwart. In: Das Wort Gottes und die
Theologie (s. B 1919a), S. 125-155

B 1923   Von der Paradoxie des "positiven Paradoxes". Antworten und Fragen an
Paul Tillich. In: Anfänge (s. B 1919b), Teil 1, S. 175-189

B 1923a   Ein Briefwechsel mit Adolf von Harnack. In: Barth, Karl, Theologische
Fragen und Antworten. Gesammelte Vorträge, 3. Band, Zollikon 1957,
S. 9-13, 18-30

B 1924   Brunners Schleiermacherbuch. In: ZZ Heft VIII,1924, S. 49-64

B 1924a   Schleiermachers "Weihnachtsfeier". In: Die Theologie und die Kirche
(s. B 1920a), S. 106-135

B 1924b   Vorwort. In: Das Wort Gottes und die Theologie (s. B 1919a), S. 3

B 1925   Die dogmatische Prinzipienlehre bei Wilhelm Herrmann. In: Die Theologie und die Kirche (s. B 1920a), S. 240-284

B 1926   Schleiermacher. In: Die Theologie und die Kirche (s. B 1920a), S. 136-189

B 1926a   Ludwig Feuerbach. In: Die Theologie und die Kirche (s. B 1920a), S. 212-239

B 1927   /Autobiographische Skizze aus der Fakultätsalben der Ev.-Theol. Fakultät in Münster./ In: GA V/1, S. 301-310

B 1927a   Das Wort in der Theologie von Schleiermacher bis Ritschl. In: Die Theologie und die Kirche (s. B 1920a), S. 190-211

B 1927b   /Polemisches/ Nachwort /zu B 1926a/. In: ZZ 5 (1927), S. 33-40

B 1928   Ethik I. Vorlesung Münster Sommersemester 1928, wiederholt in Bonn Sommersemester 1930 (Karl Barth, Gesamtausgabe. II. Akademische Werke. 1928. Ethik I), Zürich 1973

B 1929   Schicksal und Idee in der Theologie. In: Theologische Fragen und Antworten (s. B 1923a), S. 54-92

B 1930   Die Theologie und der heutige Mensch. In: ZZ 8 (1930), S. 374-396

B 1930a   Quousque tandem ...? In: Barth, Karl, "Der Götze wackelt". Zeitkritische Aufsätze, Reden und Briefe von 1930 bis 1960 hg.v. Karl Kupisch, Berlin 1961, S. 27-32

B 1931   Die Not der evangelischen Kirche. In: "Der Götze wackelt" (s. B 1930a), S. 33-62

B 1931a   Fragen an das Christentum. In: Theologische Fragen und Antworten (s. B 1923a), S. 93-99

B 1931b   Die Notwendigkeit der Theologie bei Anselm von Canterbury. In: ZThK NF 12 (1931), S. 350-358

B 1933   Die protestantische Theologie im 19. Jahrhundert. Ihre Vorgeschichte und ihre Geschichte, 3. Aufl., Zürich 1960

B 1933a   /Brief an Paul Tillich 1933-04-02./ Nach: Wolf, Ernst, "Politischer Gottesdienst". Zum 80. Geburtstag des "Politikers" Karl Barth. In: Blätter für deutsche und internationale Politik 11 (1966), S. 289-301, darin S. 289-291

B 1933b   Theologische Existenz heute! (Beiheft Nr. 2 von "Zwischen den Zeiten" und ThEx 1), München 1933

B 1933c   Abschied von "Zwischen den Seiten". In: Anfänge (s. B 1919b), Teil 2, München 1963, S. 313-321

B 1935   Credo. Die Hauptprobleme der Dogmatik dargestellt im Anschluss an das Apostolische Glaubensbekenntnis. 16 Vorlesungen, gehalten an der Universität Utrecht im Februar und März 1935, 3. Aufl., München 1935

B 1935a /Brief an Pastor D Hermann Hesse 1935-06-30./ (Maschinenabschrift im Archiv für die Geschichte des Kirchenkampfes, Berlin-Zehlendorf, Sig. KKA/HU 17.)

B 1937 Vom Kampf und Weg der Evangelischen Kirche in Deutschland. Vortrag von Prof.Dr. Karl Barth (Universität Basel) in der Schweiz i.J. 1937 gehalten. (Maschinenabschrift im Archiv für die Geschichte des Kirchenkampfes, Berlin-Zehlendorf, Sig. KKA/HU 17.)

B 1938 How my mind has changed 1928-1938. In: "Der Götze wackelt" (s. B 1930a), S. 181-190

B 1938a Gotteserkenntnis und Gottesdienst nach reformatorischer Lehre. 20 Vorlesungen (Gifford-Lectures) über das Schottische Bekenntnis von 1560 gehalten an der Universität Aberdeen im Frühjahr 1937 und 1938, Zollikon 1938

B 1938b Rechtfertigung und Recht (ThSt(B) 1), Zollikon 1938

B 1938c Die Kirche und die politische Frage von heute. In: Barth, Karl, Eine Schweizer Stimme 1938-1945, Zollikon-Zürich 1945, S. 69-107

B 1940 Die Neuorientierung der protestantischen Theologie in den letzten dreissig Jahren. In: Kirchenblatt für die reformierte Schweiz 96 (1940), S. 98-101

B 1941 Vom Verhältnis der theologischen Generationen. In: Kirchenblatt für die reformierte Schweiz 97 (1941), S. 114-116

B 1945 An die deutschen Theologen in der Kriegsgefangenschaft. In: Karl Barth zum Kirchenkampf. Beteiligung - Mahnung - Zuspruch (ThExNF 49), München 1956, S. 89-96

B 1946 Vorwort /zu B 1933/

B 1946a Christengemeinde und Bürgergemeinde (ThSt(B) 20), Zollikon-Zürich 1946

B 1946b Christliche Ethik. In: Barth, Karl, Zwei Vorträge (ThExNF 3), München 1946

B 1947 /Brief 1947-05-29 an Landesbischof Wurm./ In: GA V/1, S. 287-296

B 1947a Die Kirche - die lebendige Gemeinde des lebendigen Herrn Jesus Christus. In: Barth, Karl, Die Schrift und die Kirche (ThSt(B) 22), Zollikon-Zürich 1947, S. 21-44

B 1948 How my mind has changed 1938-1948. In: "Der Götze wackelt" (s. B 1930a), S. 190-199

B 1948a Theologische Existenz "heute". Antwort an Emil Brunner. In: Barth, Karl, Christliche Gemeinde im Wechsel der Staatsordnungen. Dokumente einer Ungarnreise, Zürich 1948, S. 66-70

B 1948b Das christliche Verständnis der Offenbarung. Eine Vorlesung (ThExNF 12), München 1948

B 1949 Die Aktualität der christlichen Botschaft. In: Barth, Karl, Humanismus (ThSt(B) 28), Zollikon-Zürich 1950, S. 3-12

B 1950   Geleitwort. In: Weber, Otto, Karl Barths Kirchliche Dogmatik. Ein ein-
führender Bericht, 2. erg. Aufl., Neukirchen 1952, S. 5-7

B 1952   Rudolf Bultmann. Ein Versuch ihn zu verstehen (ThSt(B) 34), Zollikon-
Zürich 1952

B 1956   Die Menschlichkeit Gottes. Vortrag gehalten an der Tagung des Schweiz.
Ref. Pfarrervereins in Aarau am 25. September 1956 (ThSt(B) 48), Zollikon-Zürich 1956

B 1957   Evangelische Theologie im 19. Jahrhundert (ThSt(B) 49), Zollikon-Zürich
1957

B 1960   Philosophie und Theologie. In: Philosophie und christliche Existenz.
Festschrift für Heinrich Barth zum 70. Geburtstag am 3. Februar 1960,
hg.v. Gerhard Huber, Basel & Stuttgart 1960, S. 93-106

B 1961   Ein Gespräch in der Brüdergemeinde. In: Civitas Praesens, Königsfeld
1961, Nr. 13 (zitiert nach Marquardt 1972)

B 1962   Einführung in die evangelische Theologie, Zürich 1962

B 1964   Vorbemerkung. In: Barth, Karl, Rudolf Bultmann. Ein Versuch ihn zu
verstehen. - Christus und Adam nach Röm.5. Zwei theologische Studien,
3. bzw. 2. Aufl., Zürich 1964, S. 5-6

B 1964a   Kleines Interview mit Karl Barth. In: Kirchenblatt für die reformierte
Schweiz 120 (1964), S. 212-214

B 1966   /Ein Brief Karl Barths zur "Bekenntnisbewegung" 1966-03-16./ In: JK 27
(1966), S. 327-328

B 1968   Nachwort. In: Schleiermacher-Auswahl, hg.v. Heinz Bolli (Siebenstern-
Taschenbuch 113/114), München & Hamburg 1968, S. 290-312

B 1968a   Letzte Zeugnisse, hg.v. E. Busch, 2. Aufl., Zürich 1970

B. Paul Tillich.

ST   Systematische Theologie
Band I, 3. Aufl., Stuttgart 1964
Band II, 4. Aufl., Stuttgart 1973
Band III, Stuttgart 1966

ST(e)   Systematic Theology. Three volumes in one, Chicago 1967 (Die Bände
erschienen: Volume I 1951, Volume II 1957, Volume III 1963.)

GW   Gesammelte Werke, Bände I - XIV, Stuttgart 1959-1975 (zu der Entstehung
und dem Inhalt: vgl. GW XIV)

GWE   Ergänzungs- und Nachlassbände zu den Gesammelten Werken von Paul Tillich,
Bände I - III, Stuttgart 1971-1973 (zu dem Inhalt: vgl. GW XIV,
247-253)

1919   Christentum und Sozialismus. Bericht an das Konsistorium der Mark
Brandenburg. In: GW XIII, S. 154-160

1919a   Der Sozialismus als Kirchenfrage. In: GW II, S. 13-20

454

1920	Christentum und Sozialismus (II). In: GW II, S. 29-33
1922	Albrecht Ritschl zu seinem hundertsten Geburtstag. In: GW XII, S. 151-158
1922a	Die Ueberwindung des Religionsbegriffs in der Religionsphilosophie. In: GW I, S. 365-388
1922b	Gotteslästerung. Zum Prozess gegen Karl Einstein. In: GW XIII, S. 140-142
1922c	Kairos (I). In: GW VI, S. 9-28
1923	Kritisches und positives Paradox. Eine Auseinandersetzung mit Karl Barth und Friedrich Gogarten. In: GW VII, S. 216-225
1923a	Antwort /an Barth/. In: GW VII, S. 240-243
1923b	Grundlinien des religiösen Sozialismus. In: GW II, S. 91-119
1924	Rechtfertigung und Zweifel. In: GW VIII, S. 85-100
1925	Religionsphilosophie. In: GW I, S. 295-364
1926	Die religiöse Lage der Gegenwart. In: GW X, S. 9-93
1926a	Kairos und Logos. Eine Untersuchung zur Metaphysik der Erkenntnis. In: GW IV, S. 43-76
1926b	Kairos (II). Ideen zur Geisteslage der Gegenwart. In GW VI, S. 29-41
1926c	Die Ueberwindung des Persönlichkeitsideals. In: GW III, S. 83-100
1927	Gläubiger Realismus (I). In: GW IV, S. 77-87
1927a	Gläubiger Realismus (II). In: GW IV, S. 88-106
1927b	Die Idee der Offenbarung. In: GW VIII, S. 31-39
1928	Die protestantische Verkündigung und der Mensch der Gegenwart. In: GW VII, 70-83
1928a	Das religiöse Symbol. In: GW V, S. 196-212
1929	Philosophie und Schicksal. In: GW IV, S. 23-35
1929a	Der Protestantismus als kritisches und gestaltendes Prinzip. In: GW VII, S. 29-53
1929b	Protestantische Gestaltung. In: GW VII, S. 54-69
1929c	Ideologie und Utopie. Zum gleichnamigen Buch von Karl Mannheim. In: GW XII, S. 255-261
1930	Natur und Geist im Protestantismus. In: GW XIII, S. 95-102
1930a	Klassenkampf und religiöser Sozialismus. In: GW II, S. 175-192
1930b	Sozialismus. In: GW II, S. 139-150

1930c   Christologie und Geschichtsdeutung. In: GW VI, S. 83-96

1930d   Offenbarung. In: GW VIII, S. 40-46

1931   Mensch und Staat. Acht Leitartikel aus der Zeitschrift "Der Staat seid Ihr". In: GW XIII, S. 167-177

1931a   Protestantisches Prinzip und proletarische Situation. In: GW VII, S. 84-104

1931b   Religiöser Sozialismus (II). In: GW II, S. 159-164

1932   Die Kirche und das Dritte Reich. Zehn Thesen. In: GW XIII, S. 177-179

1932a   Protestantismus und politische Romantik. In: GW II, S. 209-218

1933   Die sozialistische Entscheidung. In: GW II, S. 219-365

T 1934   Die Theologie des Kairos und die gegenwärtige geistige Lage. Offener Brief an Emanuel Hirsch. In: ThBl 13 (1934), Sp. 305-328

1935   Was ist falsch in der "dialektischen" Theologie? In: GW VII, S. 247-262

1935a   Prophetische und marxistische Geschichtsdeutung. In: GW VI, S. 97-108

1936   Auf der Grenze. In: GW XII, S. 13-57

1942   Marxismus und religiöser Sozialismus. In: GW XIII, S. 303-312

1943   Der Werdegang eines deutschen Theologen. Ein Brief an Thomas Mann. In: GW XIII, S. 22-27

1944   Existenzphilosophie. In: GW IV, S. 145-173

T 1944(e)   Existential Philosophy. In: Tillich, Paul, Theology of Culture, New York 1959, S. 76-111

1945   Nietzsche und der bürgerliche Geist. In: GW XII, S. 286-288

1946   Die Frage nach der Zukunft der Religion. In: GW V, S. 32-36

T 1947   The Problem of Theological Method. In: JR 27 (1947), S. 16-26

T 1948   In der Tiefe ist Wahrheit. Religiöse Reden. 1. Folge, 4. Aufl., Stuttgart 1964

1948   Geschichtliche und ungeschichtliche Geschichtsdeutung. In: GW VI, S. 109-125

1948a   Die protestantische Ära. In: GW VII, S. 11-28

1948b   Wieviel Wahrheit findet sich bei Karl Marx? In: GW XII, S. 265-272

1948c   Das transmoralische Gewissen & Ethik in einer sich wandelnden Welt. In: GW III, S. 56-81

1950   Die Wiederentdeckung der prophetischen Tradition in der Reformation. In: GW VII, S. 171-215

1951   Die politische Bedeutung der Utopie im Leben der Völker. In: GW VI,
     S, 157-210

1951a   Autorität und Offenbarung. In: GW VIII, S. 59-69

1952   Autobiographische Betrachtungen. In: GW XII, S. 58-77

1952a   Der Mut zum Sein. In: GW XI, S. 11-139

1952b   Das christliche Menschenbild im 20. Jahrhundert. In: GW III, S. 181-184

1953   Die Judenfrage - Ein christliches und ein deutsches Problem. In: GW III,
     S. 128-170

1954   Liebe, Macht, Gerechtigkeit. In: GW XI, S. 141-225

1954a   Die Atombombe. Beitrag zu einem Symposium "Die Wasserstoff-Kobalt-Bombe"
     im Jahre 1954. In: GW XIII, S. 454

1954b   Typische Formen des Selbstverständnisses beim modernen Menschen.
     In: GW III, S. 184-188

T 1955   Das Neue Sein. Religiöse Reden. 2. Folge, 3. Aufl., Stuttgart 1959

1955   Biblische Religion und die Frage nach dem Sein. In: GW V, S. 138-184

1955a   Wie ist das Dilemma unserer Zeit zu überwinden? In: GW XIII, S. 345-351

1955b   Trennung und Einigung im Erkenntnisakt. Probleme einer Ontologie des
     Erkennens. In: GW IV, S. 107-117

1957   Der Einfluss der modernen Wissenschaft auf den Gottesgedanken. Vortrag
     in der "Church of Our Father" (Unitarian) in Lancaster/Penn. am
     27.11.1957. In: GW XIII, S. 395-403

1958   Die verlorene Dimension. In: GW V, S. 43-50

T 1958(e)   The Lost Dimension in Religion. In: The Saturday Evening Post, Phila-
     delphia, Vol. 230 (1958), No 50, June 14th, S. 29,76,78,79

1958a   Das christliche Verständnis des modernen Menschen. In: GW III,
     S. 188-193

1959   Kairos und Utopie. In: GW VI, S. 149-156

1959a   Das religiöse Fundament des moralischen Handelns. In: GW III, S. 13-56

1960   Der philosophische Hintergrund meiner Theologie. Vortrag an der "St.
     Paul's University" in Tokio am 17.5.1960. In: GW XIII, S. 477-488

1960a   Das Geschichtsbild von Karl Marx. Eine Studie zur Entwicklung der Ge-
     schichtsphilosophie. In: GW XII, S. 273-285

1961   Das Problem des Atomkrieges. Beitrag zu einem Symposium "Das Dilemma
     der Atomforschung" im Jahre 1961. In: GW XIII, S. 456-457

1961a   Recht und Bedeutung religiöser Symbole. In: GW V, S. 237-244

1962   Das Christentum und die Begegnung der Weltreligionen. In: GW V,
          S. 51-100

1963   Vorlesungen über die Geschichte des christlichen Denkens. Teil II:
          Aspekte des Protestantismus im 19. und 20. Jahrhundert, hg. und übers.
          v. Ingeborg C. Henel (GWE II), Stuttgart 1972

T 1963(e) Perspectives on 19th and 20th Century Protestant Theology. Edited and
           with an introduction by Carl E. Braaten, SCM Press (Study edition),
           London 1967

T 1965   Die Bedeutung der Religionsgeschichte für den systematischen Theologen.
           In: Werk und Wirken Paul Tillichs. Ein Gedenkbuch, Stuttgart 1967,
           S. 185-203

Aufschlüsselung der GW-Hinweise:

GW I,	295-364 = 1925	GW V,	43- 50 = 1958	GW X,	9- 93 = 1926
	365-388 = 1922a		51-100 = 1962		
			138-184 = 1955	GW XI,	11-139 = 1952a
GW II,	13- 20 = 1919a		196-212 = 1928a		141-225 = 1954
	29- 33 = 1920		237-244 = 1961a		
	91-119 = 1923b			GW XII,	13- 57 = 1936
	139-150 = 1930b	GW VI,	9- 28 = 1922c		58- 77 = 1952
	159-164 = 1931b		29- 41 = 1926b		151-158 = 1922
	175-192 = 1930a		83- 96 = 1930c		255-261 = 1929c
	209-218 = 1932a		97-108 = 1935a		265-272 = 1948b
	219-365 = 1933		109-125 = 1948		273-285 = 1960a
			149-156 = 1959		286-288 = 1945
GW III,	13- 56 = 1959a		157-210 = 1951		
	56- 81 = 1948c			GW XIII,	22- 27 = 1943
	83-100 = 1926c	GW VII,	11- 28 = 1948a		95-102 = 1930
	128-170 = 1953		29- 53 = 1929a		140-142 = 1922b
	181-184 = 1952b		54- 69 = 1929b		154-160 = 1919
	184-188 = 1954b		70- 83 = 1928		167-177 = 1931
	188-193 = 1958a		84-104 = 1931a		177-179 = 1932
			171-215 = 1950		303-312 = 1942
GW IV,	23- 35 = 1929		216-225 = 1923		345-351 = 1955a
	43- 76 = 1926a		240-243 = 1923a		395-403 = 1957
	77- 87 = 1927		247-262 = 1935		454 = 1954a
	88-106 = 1927a				456-457 = 1961
	107-117 = 1955b	GW VIII,	31- 39 = 1927b		477-488 = 1960
	145-173 = 1944		40- 46 = 1930d		
GW V,	32- 36 = 1946		59- 69 = 1951a	GWE II	= 1963
			85-100 = 1924		

C. Uebrige.

Aagaard, Anna Marie

1974   Og en frelser blev han for dem. Aspekter på sammenhaengen mellem frel-e
           se, historie og teologiens utsagn om Gud. In: DTT 37 (1974), S. 130-176

Adorno, Theodor W.

1966   /Gespräch mit Theodor W. Adorno./ In: Werk und Wirken Paul Tillichs.
           Ein Gedenkbuch, Stuttfart 1967, S. 24-38

Albrecht, Renate
1972   /Einleitungen./ In: GW XIII (s. Tillich)

Almén, Edgar
1973   Historien och tron. In: Studier i kristendom. Teologi för icke-teolo-
          ger, hg. v. Göran Bexell (Kriss-serien 10), Stockholm 1973, S. 165-177
1974   /Rezension von/ Gustaf Wingren: Växling och kontinuitet. In: SvTK 50
          (1974), S. 31-36
1974a   Religionsmöten. Händelser och reflexion. In: Religionsmöten, hg. v.
          Edgar Almén, Lund 1974, S. 98-154

Althaus, Paul
1924   Theologie und Geschichte. Zur Auseinandersetzung mit der dialektischen
          Theologie. In: ZSTh 1 (1923-24), S. 741-786

Amelung, Eberhard
1972   Die Gestalt der Liebe. Paul Tillichs Theologie der Kultur (Studien zur
          evangelischen Ethik Bd 9), Gütersloh 1972

Anér, Kerstin
1970   Den kristna människobilden. In: Svenska Dagbladet 1970-12-14

Aulén, Gustaf
1927   Den kristna gudsbilden genom seklerna och i nutiden. En konturteckning,
          Stockholm 1927

von Balthasar, Hans Urs
1951   Karl Barth. Darstellung und Deutung seiner Theologie, Köln 1951

Bauer, Gerhard
1963   "Geschichtlichkeit". Wege und Irrwege eines Begriffs, Berlin 1963

Beierwaltes, Werner
1973   Wahrheit und Tradition. Eine zeitgemässe Erinnerung. In: Kairos.
          Zeitschrift für Religionswissenschaft und Theologie NF 15 (1973),
          S. 3-9

Benktson, Benkt-Erik
1948   Den naturliga teologiens problem hos Karl Barth, Lund 1948

Berger, Peter L.
1967   The Social Reality of Religion (Penguin University Books), Harmondsworth
          1973 (Amerikanischer Aufl.: The Sacred Canopy, Garden City, N.Y., 1967,
          deutscher: Zur Dialektik von Religion und Gesellschaft, Frankfurt 1973)

1969   A Rumour of Angels. Modern Society and the Rediscovery of the Superna-
          tural (Pelican Book), Harmondsworth 1971

Berger, Peter L. - Luckman, Thomas
1966   The Social Construction of Reality. A Treatise in the Sociology of
          Knowledge (Penguin University Books), Harmondsworth 1972

Berkouwer, Cornelius Gerrit

1954   The Triumph of Grace in the Theology of Karl Barth, London 1956

Besson, Waldemar

1961   Historismus. In: Geschichte, hg. v. Waldemar Besson (Das Fischer Lexikon 24) 51.-75. Tausend, Frankfurt 1962, S. 102-116

Bexell, Göran

1975   Människans befrielse. Psykoanalys och kristen tro (Mit einer deutschen Zusammenfassung), Lund 1975

Biemel, Walter

1973   Martin Heidegger in Selbstzeugnissen und Bilddokumenten (rowolts monographien 200), Reinbek bei Hamburg 1973

Blumenberg, Hans

1960   Naturalismus. I. Naturalismus und Supranaturalismus. In: RGG 3. Aufl., Bd 4, Sp. 1332-1336

Böhler, Dietrich

1971   Metakritik der Marxschen Ideologiekritik. Prolegomenon zu einer reflektierten Ideologiekritik und 'Theorie-Praxis-Vermittlung', 3.-4. Tausend, Frankfurt 1972

Bohlin, Torsten

1926   Tro och uppenbarelse. En studie till teologiens kris och "krisens teologi", Stockholm 1926

Bonhoeffer, Dietrich

1930   Sanctorum Communio. Eine dogmatische Untersuchung zur Soziologie der Kirche (ThB Bd 3), München 1954

1943/44   Widerstand und Ergebung. Briefe und Aufzeichnungen aus der Haft, hg. v. Eberhard Bethge, 6. Aufl., München 1955

Bowker, John W.

1973   Can differences make a difference? A comment on Tillich´s proposals for dialogue between religions. In: JThS 24 (1973), S. 158-188

Brandenburg, Albert

1955   Der Zeit- und Geschichtsbegriff bei Karl Barth. In: ThGl 45 (1955), S. 357-378

1970   Wegbereiter heutiger Theologie. Theologie und Geschichtlichkeit. In: Catholica. Vierteljahresschrift für ökumenische Theologie 24 (1970), S. 240-250

Breipohl, Renate

1971   Religiöser Sozialismus und bürgerliches Geschichtsbewusstsein zur Zeit der Weimarer Republik (SDGSTh Bd 32), Zürich 1971

1972   Einleitung: Der religiöse Sozialismus in Deutschland. In: Dokumente zum religiösen Sozialismus in Deutschland, hg. v. Renate Breipohl (ThB 46), München 1972, S. 7-26

Brunner, Emil

1948   Wie soll man das verstehen? Offener Brief an Karl Barth. In: Barth, Karl, Christliche Gemeinde im Wechsel der Staatsordnungen. Dokumente einer Ungarnreise 1948, Zollikon-Zürich 1948

Bütow, Hellmuth G.

      s. Lieber, Hans-Joachim

Bultmann, Rudolf

GA V/1   (s. Barth)

1928   Die Bedeutung der "dialektischen Theologie" für die neutestamentliche Wissenschaft. In: Bultmann, Rudolf, Glauben und Verstehen. Erster Band, 5. Aufl., Tübingen 1964, S. 114-133

1950   Das Problem der Hermeneutik. In: Bultmann, Rudolf, Glauben und Verstehen. Zweiter Band, 4. Aufl., Tübingen 1965, S. 211-235

van Buren, Paul M.

1963   The Secular Meaning of the Gospel (Pelican A 990), Harmondsworth 1968

Buri, Fritz

1954   Das Selbstverständnis des christlichen Glaubens als Prinzip der Dogmatik. In: ThZ 10 (1954), S. 355-376

1956   Dogmatik als Selbstverständnis des christlichen Glaubens. Erster Teil. Vernunft und Offenbarung. Prolegomena zur Dogmatik, Bern & Tübingen 1956

1962   Dogmatik als Selbstverständnis des christlichen Glaubens. Zweiter Teil. Der Mensch und die Gnade, Bern & Tübingen 1962

Casalis, Georges

1970   Karl Barth und die Zukunft der Theologie. In: Porträt eines Theologen. Stimmt unser Bild von Karl Barth? hg. v. W. Gegenheimer (Radius Projekte 34), Stuttgart 1970, S. 45-62

Cox, Harvey

1968   In Memory of Karl Barth. In: Commonweal 89 (1968) No 13, S. 424f

Cushman, Robert E.

1956   Barth´s attack upon Cartesianism and the future in theology. In: JR 36 (1956), S. 207-223

Daecke, Sigurd Martin

1967   Teilhard de Chardin und die evangelische Theologie. Die Weltlichkeit Gottes und die Weltlichkeit der Welt, Göttingen 1967

Danielou, Jean

1960   Geschichtstheologie. I. Begriffsbestimmung und Geschichte der G/eschichtstheologie/. In: LThK 2. Aufl., Bd 4, Sp. 793-796

Descartes, Renée

1637   Von der Methode des richtigen Vernunftsgebrauchs und der wissenschaftlichen Forschung, übers. und hg. v. Lüder Gäbe (Philosophische Bibliothek Bd 261), Hamburg 1960

Dilthey, Wilhelm

1910   Der Aufbau der geschichtlichen Welt in den Geisteswissenschaften (Gesam-
            melte Schriften, Bd 7), Leipzig & Berlin 1927

Emge, Martinus

1969   Sozialer Determinismus. In: WSoz, Sp 1001-1004

Eppler, Erhard

1975   Krisenbewältigung durch Reform. Verantwortungsethik als Grundlage der
            Ethik. In: EvKomm 8 (1975), S. 272-275

Ermecke, Gustav

1968   Die Kategorie der Geschichtlichkeit des Menschen in der Moraltheologie.
            In: ThGl 58 (1968), S. 110-130

Fetscher, Iring

1956   Von Marx zur Sowjetideologie, 14. Aufl., Frankfurt 1969

Fink, Heinrich

1972   Die Lösung der sozialen Frage. Karl Barth und die Sowjetunion. In:
            Neue Zeit, Berlin-Ost 1972-05-13, S. 5, Sp. 1-4

Fischer, Joseph A.

1964   Die Geschichte und ihr Sinn. In: Wahrheit und Zeugnis. Aktuelle The-
            men der Gegenwart in theologischer Sicht, hg. v. M. Schmaus und A. Läpp-
            le, Düsseldorf 1964, S. 354-367

Forstman, Jack

1966   Barth, Schleiermacher and The Christian Faith. In: Union Seminary
            Quarterly Review 21 (1966), S. 305-319

Gadamer, Hans-Georg

1960   Wahrheit und Methode. Grundzüge einer philosophischen Hermeneutik,
            2. Aufl., Tübingen 1965

1967   Rhetorik, Hermeneutik und Ideologiekritik. Metakritische Erörterungen
            zu "Wahrheit und Methode". In: Hermeneutik und Ideologiekritik. Mit
            Beiträgen von Karl-Otto Apel, Claus v. Bormann, Rüdiger Bubner, Hans-
            Georg Gadamer, Hans Joachim Giegel, Jürgen Habermas, 6.-10. Tausend,
            Frankfurt 1971, S. 57-82

1971   Replik. In: Hermeneutik und Ideologiekritik (s. 1967), S. 283-317

Gebhardt, Jürgen

1974   Vernunft zwischen common sense und Theorie. In: ZPhF 28 (1974),
            S. 201-213

Gensichen, Hans-Werner

1965   Einleitung: "Einheimische" Theologie und ökumenische Verantwortung.
            In: Theologische Stimmen aus Asien, Afrika und Lateinamerika. Bd I.
            Das Problem einer "einheimischen" Theologie, hg. v. Hans-Werner Gen-
            sichen, München 1965, S. 15-31

Gill, Robin

1974   Berger´s plausibility structures: A response to Professor Cairns. In:
            SJTh 27 (1974), S. 198-207

Glasse, John

1968   Barth zu Feuerbach. In: EvTh 28 (1968), S. 459-485

Goldschmidt, Herrmann Levin

1969   Dialektik oder Dialogik - Eine notwendige geistige Entscheidung. In:
            Internationale Dialog-Zeitschrift 2 (1969), S. 194-208

Gollwitzer, Helmut

1965   Einleitung /und Auswahl/. In: Karl Barth, Kirchliche Dogmatik, ausge-
            wählt und eingeleitet von Helmut Gollwitzer (Siebenstern-Taschenbuch
            47/48), 2. Aufl., München & Hamburg 1969

1972   Reich Gottes und Sozialismus bei Karl Barth (ThEx 169), München 1972

Grenholm, Carl-Henrik

1973   Christian Social Ethics in a Revolutionary Age. An Analysis of the
            Social Ethics of John C. Bennett, Heinz-Dietrich Wendland and Richard
            Schaull, Uppsala 1973

Gunleiksrud, Gaute

1974   Sekulariserings-begrepet etter sekulaer-teologiens död. In: Tro og
            norm. Festskrift til professor dr. philos. & theol. John Nome på 70-års-
            dagen 2. Oktober 1974, hg. v. T. Austad und T. Wigen, Oslo 1974,
            S. 53-73

Gyllensten, Lars

1962   Ordning och provokation. In: Gyllensten, Lars, Nihilistiskt credo.
            Estetiskt, moraliskt, politiskt m.m., Stockholm 1964, S. 7-16

Habermas, Jürgen

1954   Das Abstrakte und die Geschichte. Von der Zwiespältigkeit in Schellings
            Denken. Diss., Phil.F., Bonn 1954

1967   Zu Gadamers "Wahrheit und Methode". In: Hermeneutik und Ideologiekritik
            (s. Gadamer 1967), S. 45-56

1970   Der Universalitätsanspruch der Hermeneutik. In: Hermeneutik und Ideolo-
            giekritik (s. Gadamer 1967), S. 120-159

Haendler, Otto

1961   Psychologismus. In: RGG 3. Aufl., Bd 5, Sp. 705

Härle, Wilfried

1975   Der Aufruf der 93 Intellektuellen und Karl Barths Bruch mit der libera-
            len Theologie. In: ZThK 72 (1975), S. 207-224

Hafstad, Kjetil

1975   Teologisk eksistens i dag. Fragmenter av en debatt mellom Karl Barth og
            Rudolf Bultmann om teologi og samfunn. In: NTT 76 (1975), S. 129-168

Hegel, Georg Wilhelm Friedrich

1831   Vorlesungen über die Philosophie der Religion. Erster Band (Hegel,
        G.W.F., Sämtliche Werke. Jubiläumsausgabe in zwanzig Bänden, hg. v.
        Hermann Glockner, Bd 15), 3. Aufl. der Jubiläumsausgabe, Stuttgart 1959

Heidegger, Martin

1927   Sein und Zeit, 10. Aufl., Tübingen 1963

1936   Der Ursprung des Konstwerkes. In: Heidegger, Martin, Holzwege, Frank-
        furt 1950, S. 7-68

1946   Der Spruch des Anaximander. In: Heidegger, Martin, Holzwege, Frankfurt
        1950, S. 296-343

1947   Platons Lehre von der Wahrheit. Mit einem Brief über den "Humanismus"
        (Sammlung Ueberlieferung und Auftrag, Reihe Probleme und Hinweise Bd 5),
        Bern 1947

Heimpel, Hermann

1954   Der Mensch in seiner Gegenwart. Sieben historische Essais, Göttingen
        1954

Heinemann, Fritz H.

1953   Existentialism and the Modern Predicament (Harper Torchbooks 28), New
        York 1958

Heinrichs, J.

1972   Dialog, dialogisch. In: HWPh Bd 2, Sp. 226-229

Hemberg, Jarl

1975   En ideologi för u-veckor. In: Årsbok för kristen humanism 37 (1975),
        Stockholm 1975, S. 103-110

Henel, Ingeborg C.

1971   Vorwort des Herausgebers. In: GWE II (s. Tillich), S. 9-12

Hillerdal, Gunnar

1958   Teologisk och filosofisk etik. Brytningar och synteser i etikens histo-
        ria från antiken till nutiden, Stockholm 1958

Hillman, Günther

1967   L'homme révolté /von Albert Camus/. In: Kindlers Literaturlexikon, Bd
        III, Zürich 1967, Sp. 2117-2119

Hochfeld, Julian

1969   Philosophie und Soziologie. In: WSoz, S. 801-806

Hof, Otto

1972   Luthers Unterscheidung zwischen dem Glauben und der Reflexion auf dem
        Glauben. In: KuD 18 (1972), S. 294-324

Hofmann, Hasso

1972   Dezision, Dezisionismus. In: HWPh Bd 2, Sp. 159-161

Holte, Ragnar

1965 Die Vermittlungstheologie. Ihre theologischen Grundbegriffe kritisch untersucht (Acta universitatis upsaliensis. Studia doctrinae christianae upsaliensia 3), Uppsala 1965

1970 Kristendom och moralfrågorna. In: Holte, R., Hof, H., Hemberg, J., Jeffner, A., Etiska problem, Stockholm 1970, S. 81-155

1972 The consequences of modern theories of reality for the relevance and authority of the early church in our time. In: Tradition im Luthertum und Anglikanismus, hg. v. Institut für Ökumenische Forschung in Strasbourg durch G. Gassmann und V. Vajta (Oekumenica. Jahrbuch für ökumenische Forschung 1971/72), Gütersloh 1972, S. 146-155

1975 Humant och kristet inom socialetiken. In: Kyrkans samhällsansvar, hg. v. Carl-Henrik Grenholm, Stockholm 1975, S. 49-70

Horkheimer, Max

1966 /Gespräch mit Max Horkheimer./ In: Werk und Wirken Paul Tillichs. Ein Gedenkbuch, Stuttgart 1967, S. 15-24

1966a Letzte Spur von Theologie - Paul Tillichs Vermächtnis. In: Werk und Wirken Paul Tillichs (s. 1966), S. 123-132

1971 Meine Begegnung mit Paul Tillich. In: GW XIII (s. Tillich), S. 568-569

Huntemann, Georg H.

1959 Das Verständnis der Geistesgeschichte in der zeitgenössischen evangelischen Theologie. In: Lebendiger Geist. Hans-Joachim Schoeps zum 50. Geburtstag von Schülern dargebracht, hg. v. Hellmut Diwald (Bh. IV der ZRGG), Leiden & Köln 1959, S. 66-74

Isaksson, Hans

1974 Hängivenhet och distans. En studie i Lars Gyllenstens romankonst (Aldus 422), Stockholm 1974

Janowski, Hans Norbert

1975 Zwischen Religion und Wissenschaft. In: EvKomm 8 (1975), S. 326-327

Jaspers, Karl

1932 Philosophie. Bd. II. Existenzerhellung, 3. Aufl., Berlin, Göttingen & Heidelberg 1956

1947 Philosophische Logik. Erster Band. Von der Wahrheit, München 1947

Jaspert, Bernd

1971 /Anmerkungen./ In: GA V/1 (s. Barth)

Joest, Wilfried

1958 Gesetz. VI. Gesetz und Evangelium, dogmatisch. In: RGG 3. Aufl., Bd. 2, Sp. 1526-1531

Jonas, Hans

1930 Augustin und das paulinische Freiheitsproblem. Ein philosophischer Beitrag zur Genesis der christlich-abendländischen Freiheitsidee (FRLANT NF 27), Göttingen 1930

1970   Wandel und Bestand. Vom Grunde der Verstehbarkeit des Geschichtlichen. In: Durchblicke. Martin Heidegger zum 80. Geburtstag, Frankfurt 1970, S. 1-26

Jüngel, Eberhard

1967   Gottes Sein ist im Werden. Verantwortliche Rede vom Sein Gottes bei Karl Barth. Eine Paraphrase, 2. Aufl., Tübingen 1967

1969   Karl Barth. In: EvTh 29 (1969), S. 621-626

Kamenka, Eugene

1969   Marxism and Etics, London 1970

Kamlah, Wilhelm

1951   Christentum und Geschichtlichkeit. Untersuchungen zur Entstehung des Christentums und zu Augustins "Bürgerschaft Gottes", 2. neubearbeitete und ergänzte Aufl., Stuttgart & Köln 1951 (1. Aufl. mit dem Titel: Christentum und Selbstbehauptung)

1957   "Zeitalter" überhaupt, "Neuzeit" und "Frühneuzeit". In: Saeculum 8 (1957), S. 313-332

1962   Der moderne Wahrheitsbegriff. In: Einsichten. Gerhard Krüger zum 60. Geburtstag, Frankfurt 1962, S. 107-130

Kattenbusch, Ferdinand

1905   Protestantismus. In: RE, Bd 16, S. 135-182

Kaufman, Gordon D.

1956   Imago Dei als Geschichtlichkeit des Menschen. In: Der Mensch als Bild Gottes, hg. v. Leo Scheffczyk (Wege der Forschung Bd 124), Darmstadt 1969, S. 466-490

Kernig, Claus D.

1968   Geschichtsphilosophie. In: SowjDG, Bd 2, Sp. 910-913

Kreck, Walter

1956   Analogia fidei oder analogia entis? In: Antwort. Karl Barth zum siebzigsten Geburtstag am 10. Mai 1956, Zollikon-Zürich 1956, S. 272-282

von Krockow, Christian Graf

1958   Die Entscheidung. Eine Untersuchung über Ernst Jünger, Carl Schmitt, Martin Heidegger (Göttinger Abhandlungen zur Soziologie Bd 3), Stuttgart 1958

Krüger, Gerhard

1958   Grundfragen der Philosophie. Geschichte - Wahrheit - Wissenschaft, Frankfurt 1958

Kupisch, Karl

1956   Sommer 1938. In: Kupisch, Karl, Durch den Zaun der Geschichte. Beobachtungen und Erkenntnisse, Berlin 1964, S. 509-525

1961   Anmerkung/en/. In: Barth, Karl, "Der Götze wackelt". Zeitkritische Aufsätze, Reden und Briefe von 1930 bis 1960, hg. v. Karl Kupisch, Berlin 1961, S. 211-218

1962 Karl Barths Entlassung. In: Kupisch, Karl, Durch den Zaun der Geschichte (s. 1956), S. 481-508

1971 Karl Barth in Selbstzeugnissen und Bilddokumenten (rowolts monographien 174), Reinbek bei Hamburg 1971

Kuykendall, Georg Henry Jr

1972 The Spirit and the Word: An Attempt to Develop a Post-Enlightenment Understanding of the Church. Diss., Union Theological Seminary, New York, 1972 (vgl. DAI 33 (1972/73), S. 819-A)

Kuzminski, Adrian

1973 The paradox of historical knowledge. In: History and Theory 12 (1973), S. 269-289

Leibrecht, Walter

1972 Paul Tillich während seiner Harvard-Jahre. In: GW XIII (s. Tillich), S. 576-588

Lessing, Eckhard

1972 Das Problem der Gesellschaft in der Theologie Karl Barths und Friedrich Gogartens (Studien zur evangelischen Ethik Bd 10), Gütersloh 1972

Lieber, Hans-Joachim

1969 Wissenssoziologie. I. Deutschland. In: WSoz, S. 1291-1299

Lieber, Hans-Joachim - Bütow, Hellmuth G.

1969 Ideologie. In: SowDG, Bd 3, Sp. 1-25

Lind, Martin

1975 Kristendom och nazism. Frågan om kristendom och nazism belyst av olika ställningstaganden i Tyskland och Sverige 1933-1945 (Mit einer deutschen Zusammenfassung), Lund 1975

Lindner, Reinhold

1960 Grundlegung einer Theologie der Gesellschaft. Dargestellt an der Theologie Paul Tillichs (Studien zur evangelischen Sozialtheologie und Sozialethik Bd 8), Hamburg 1960

Linge, David E.

1973 Dilthey and Gadamer. Two theories of historical understanding. In: Journal of the American Academy of Religion 41 (1973), S. 536-553

Lochman, Jan Milic

1972 Platz für Prometheus. Das gemeinsame Erbe von Christentum und Marxismus. In: EvKomm 5 (1972), S. 136-141

Lögstrup, Knud Ejler

1942 Den erkendelsesteoretiske Konflikt mellem den transcendentalfilosofiske Idealisme og Teologien, Köbenhavn 1942

1962 Verantwortung. In: RGG 3. Aufl., Bd 6, Sp. 1254-1256

1968 Auseinandersetzung mit Kierkegaard (Kontroverse um Kierkegaard und Grundtvig, hg. v. K.E. Lögstrup und G. Harbsmeier, Bd 2), München 1968

Löwith, Karl

1935   Der okkasionelle Dezisionismus von C. Schmitt. In: Löwith, Karl, Gesammelte Abhandlungen. Zur Kritik der geschichtlichen Existenz, Stuttgart 1960, S. 93-126

1960   Mensch und Geschichte. In: Löwith, Karl, Gesammelte Abhandlungen (s. 1935), S. 152-178

Luckman, Thomas

      s. Berger, Peter L.

Lübbe, Hermann

1962   Philosophiegeschichte als Philosophie. Zu Kants Philosophiegeschichtsphilosophie. In: Einsichten. Gerhard Krüger zum 60. Geburtstag, Frankfurt 1962, S. 204-229

1965   Säkularisierung. Geschichte eines ideenpolitischen Begriffs, München 1965

Lüthi, Kurt

1965   Erwägungen zur Zukunft der Theologie Karl Barths in Blick auf das Gespräch zwischen Glaube und Welt. In: Lüthi, K., Kutsch, E., Dantine, W., Drei Wiener Antrittsreden (ThSt(B) 78), Zürich 1965, S. 5-21

1971   Theologie als Dialog mit der Welt von heute (Questiones disputatae 53), Freiburg, Basel & Wien 1971

Luther, Martin

1520   Tractatus de libertate christiana. In: WA 7, 49-73

McKelway, Alexander J.

1964   The Systematic Theology of Paul Tillich. A Review and Analysis, Richmond, Va, 1964

Mahlmann, Theodor

1965   Eschatologie und Utopie im geschichtsphilosophischen Denken Paul Tillichs. In: NZSThRPh 7 (1965), S. 339-370

Mandelbaum, Maurice

1967   Historicism. In: EncPh, Vol. 4, S. 22-25

Mannheim, Karl

1927   Das konservative Denken. Soziologische Beiträge zum Werden des politisch-historischen Denkens in Deutschland. In: Archiv für Sozialwissenschaft und Sozialpolitik 57 (1927), S. 68-142, 470-495

Marcuse, Herbert

1934   Der Kampf gegen den Liberalismus in der totalitäten Staatsauffassung. In: Zeitschrift für Sozialforschung 3 (Paris 1934), S. 161-195

Marquardt, Friedrich-Wilhelm

1968   Religionskritik und Entmythologisierung. Ueber einen Beitrag Karl Barths zur Entmythologisierungsfrage. In: Theologie zwischen gestern und morgen. Interpretationen und Anfragen zum Werk Karl Barths, hg. v. W. Dantine und K. Lüthi, München 1968, S. 88-123

1970   Notwendige Scheidungen und Entscheidungen in der Theologie Karl Barths. In: Porträt eines Theologen. Stimmt unser Bild von Karl Barth? hg. v. W. Gegenheimer (Radius Projekte 34), Stuttgart 1970, S. 29-43

1970a   Der Götze wackelt - Der Generalangriff aus dem Römerbrief. In: Porträt eines Theologen (s. 1970), S. 11-28

1970b   Exegese und Dogmatik in Karl Barths Theologie. Was meint: "Kritischer müssten mir die Historisch-Kritischen sein!"? In: KD (s. Barth). Registerband, hg. v. Helmut Krause, Zürich 1970, S. 649-676

1972   Theologie und Sozialismus. Das Beispiel Karl Barths (Gesellschaft und Theologie. Systematische Beiträge Nr 7), 2. Aufl., München & Mainz 1972

1973   Zu-Sätze zu Falk Wagners Aufsatz: "Gehlens radikalisierter Handlungsbegriff", Karl Barth betreffend. In: ZEE 19 (1973), S. 230-237

1973a   Theologische und politische Motivationen Karl Barths im Kirchenkampf. In: JK 34 (1973), S. 283-303

Marsch, Wolf-Dieter

1972   Theologie und Marxismus im Religiöser Sozialismus. In: Internationale Dialogzeitschrift 5 (1972), S. 6-23

Martikainen, Jonko

1972   Det demoniskas begrepp i Paul Tillichs teologi (Studier utgivna av Institutionen för systematisk teologi vid Abo akademi 5), Abo 1972

von Martin, Alfred

1969   Soziologie und Geschichte. In: WSoz, S. 1077-1080

Marx, Karl

1841/42   Kritik der Hegelschen Staatsphilosophie. In: Marx, Karl, Die Frühschriften, hg. v. Siegfried Landshut (Kröners Taschenausgabe Bd 209), Stuttgart 1964, S. 20-149

1845   Ad Feuerbach. In: Marx, Karl, Texte zu Methode und Praxis II, hg. v. Günther Hillmann (Rowohlts Klassiker 209/10), Reinbek bei Hamburg 1966, S. 190-192 (mit Kommentar S. 232-237)

Maus, Heinz

1969   Geschichtsphilosophie. In: WSoz, S. 351-354

Medicus, Fritz

1929   Zu Paul Tillichs Berufung nach Frankfurt. In: GW XIII (s. Tillich), S. 562-564

Miller, Samuel H.

1963   Säkularität - Atheismus - Glaube. Eine Analyse unserer Zeit, Neukirchen-Vlnyn 1965 (Amerikanischer Titel: The Dilemma of Modern Belief, New York 1963)

Mills, C. Wright

1962   The Marxists (Pelican A 627), Harmondsworth 1969

Möller, Joseph

1967   Geschichtlichkeit und Ungeschichtlichkeit der Wahrheit. In: Theologie im Wandel. Festschrift zum 150-jährigen Bestehen der katholisch-theo-

-logischen Fakultät an der Universität Tübingen 1817-1867, München & Freiburg 1967, S. 15-40

Moltmann, Jürgen

1962   Vorwort. In: Anfänge der dialektischen Theologie, hg. v. J. Moltmann (ThB 17), Teil 1, München 1962, S. IX-XVIII

1964   Theologie der Hoffnung. Untersuchungen zur Begründung und zu den Konsequenzen einer christlichen Eschatologie, 8. Aufl., München 1969

Müller, Adolf

1972   Der junge Privatdozent in Berlin. In: GW XIII (s. Tillich), S. 545-547

Nicholls, William

1969   Systematic and Philosophical Theology (The Pelican Guide to Modern Theology Vol. 1), Harmondsworth 1969

North, Robert S.J.

1973   Bibliography of works in theology and history. In: History and Theory 12 (1973), S. 55-140

Nygren, Anders

1923   Filosofisk och kristen etik (LUA NF Avd. 1, Bd 18, Nr 8), Lund 1923

Nylund, Bo

1966   Korsets plats i Paul Tillichs kristologiska tänkande. In: SvTK 42 (1966), S. 215-236

Oehler, Klaus

1957   Die Geschichtlichkeit der Philosophie. In: ZPhF 11 (1957), S. 504-526

Ogletree, Thomas W.

1965   Christian Faith and History. A Critical Comparison of Ernst Troeltsch and Karl Barth, New York & Nashville 1965

Ott, Heinrich

1954   Objektivierendes und existentielles Denken. Zur Diskussion um die Theologie Rudolf Bultmanns. In: ThZ 10 (1954), S. 257-289

Petrović, Gajo

1970   Der Spuch des Heidegger. In: Durchblicke. Martin Heidegger zum 80. Geburtstag, Frankfurt 1970, S. 412-436

Philipp, Wolfgang

1963   Religiöse Strömungen unserer Gegenwart, Heidelberg 1963

1966   Die epizyklische und Ostkirchliche Theologie Paul Tillichs. In: Werk und Wirken Paul Tillichs. Ein Gedenkbuch, Stuttgart 1967, S. 133-149

Picht, Georg

1973   Die Dialektik von Theorie und Praxis und der Glaube. In: ZThK 70 (1973), S. 101-120

Radnitzky, Gerard
1968   Contemporary Schools of Metascience. Vol. I-II, Göteborg 1968

Rathmann, August
1972   Tillich als religiöser Sozialist. In: GW XIII (s. Tillich), S. 564-568

Reiner, H.
1974   Gesinnungsethik. In: HWPh, Bd. 3, Sp. 539-540

Rendtorff, Trutz
1974   Zur Einführung: Aspekte eines Themas. In: Scharfenberg J., Schütte,
            H.-W., Timm, H., Gremmels, Chr., Religion: Selbstbewusstsein - Identität.
            Psychologische, theologische und philosophische Analysen und Interpreta-
            tionen. Mit einer Einführung von Trutz Rendtorff (ThEx 182), München
            1974, S. 7-9

von Renthe-Fink, Leonhard
1964   Geschichtlichkeit. Ihr terminologischer und begrifflicher Ursprung bei
            Hegel, Haym, Dilthey und York (AAG III,59), Göttingen 1964

1974   Geschichtlichkeit. In: HWPh, Bd 3, Sp. 404-408

Rhein, Christoph
1962   Tillich, Paul. In: RGG 3. Aufl., Bd VI, Sp. 900-901

Rode, Werner
1972   Mein Lehrer Paul Tillich am "Union Theological Seminary". In: GW XIII
            (s. Tillich), S. 574-576

Rüegg, Walter
1959   Humanität. In: RGG 3. Aufl., Bd 2, Sp. 482-484

Salaquarda, Jörg
1969   Das Verhältnis von Theologie und Philosophie in Karl Barths "Kirchliche
            Dogmatik". Erster Teil. Explikation und Problematisierung der Verhält-
            nisbestimmung. Diss., Kirchl. Hochsch., Berlin-West 1969

Sartre, Jean-Paul
1944   La république du silence. In: Sartre, Jean-Paul, Situations III,
            11. Aufl., Paris 1949, S. 11-14

1946   Ist der Existentialismus ein Humanismus? In: Sartre, Jean-Paul, Drei
            Essays (Ullstein Buch Nr 304), Berlin 1966, S. 7-51

1960   Marxismus und Existentialismus. Versuch einer Methodik (rowolts deutsche
            enzyklopädie 196), 40.-45. Tausend, Reinbek bei Hamburg 1969

Sauter, Gerhard
1972   Religion und Religionskritik. Ausgewählte Literaturanweise und -empfeh-
            lungen. In: Religionskritik als theologische Herausforderung, hg. v.
            H. Breit und K.-D. Nörenberg (ThEx 170), München 1972, S. 133-140

1975   Soziologische oder politische Barth-Interpretation? In: EvTh 35 (1975),
            S. 173-183

1975a   Was heisst "christologische Begründung" christlichen Handelns heute?
             In: EvTh 35 (1975), S. 407-421

Schellong, Dieter

1973   Barth von links gelesen - ein Beitrag zum Thema: "Theologie und Sozia-
             lismus". In: ZEE 17 (1973), S. 238-250

1973a   Karl Barth als Theologe der Neuzeit. In: Steck, K.G., Schellong, D.,
             Karl Barth und die Neuzeit (ThEx 173), München 1973. S. 34-102

Schempp, Paul

1928   Randglossen zum Barthianismus. In: Anfänge der dialektischen Theologie,
             hg. v. J. Moltmann (ThB 17), Teil 2, München 1963, S. 303-313

Schlette, Heinz Robert

1973   Kosmodizee und Theodizee. Ein historischer und hermeneutischer Struktur-
             Vergleich. In: Kairos. Zeitschrift für Religionswissenschaft und Theo-
             logie 15 (1973), S. 188-200

Schneemelcher, Wilhelm

1951   Theologische Arbeitstagung mit Karl Barth. In: EvTh 10 (1950/51),
             S. 565-572

Schneider-Flume, Gunda

1973   Kritische Theologie contra theologisch-politischen Offenbarungsglauben.
             Eine vergleichende Strukturanalyse der politischen Theologie Paul Til-
             lichs, Emanuel Hirschs und Richard Schaulls. In: EvTh 33 (1973),
             S. 114-137

Scholder, Klaus

1963   Neuere deutsche Geschichte und protestantische Theologie. Aspekte und
             Fragen. In: EvTh 23 (1963), S. 510-536

Schröder, Winfried

1969   Geschichtliches Denken /2/. In: Philosophisches Wörterbuch, Bd 1,
             Leipzig 1969, S. 407-415

Schütte, Hans Walter

1973   Königsherrschaft Christi. Thesen zur Funktion einer theologisch-poli-
             tischen Formel. In: Baumotte, M. u.a., Kritik der politischen Theologie
             (ThEx 175), München 1973, S. 16-28

1974   Selbstbewusstsein und religiöse Identität. In: ThEx 182 (s. Rendtorff),
             S. 17-27

Schwanz, Peter

1973   Ontologie oder transzendentaler Relationismus? Die Fragwürdigkeit der
             Ontologie Tillichs. In: ThZ 29 (1973), S. 419-427

Schwerdtfeger, Erich

1969   Die politische Theorie in der Theologie Paul Tillichs. Diss., Phil. F.,
             Marburg 1969

Schils, Edward A.

1969   Ideologie. In: WSoz, S. 441-444

Sitter, Beat

1970   Zur Möglichkeit dezisionistischer Auslegung von Heideggers ersten Schriften. In: ZPhF 24 (1970), S. 516-535

Skydsgaard, Kristen Ejnar

1969   Schrift und Tradition. Tradition als anthropologisches und christologisches Problem. In: Lutherische Monatshefte 8 (1969), S. 161-166

Sontag, Frederick

1956   Ontological possibility and the nature of God: A reply to Tillich. In: JR 36 (1956), S. 234-240

Stadtland, Tjarko

1966   Eschatologie und Geschichte in der Theologie des jungen Karl Barth (Beiträge zur Geschichte und Lehre der Reformierten Kirche Bd 22), Neukirchen-Vluyn 1966

Stahl, Friedrich Julius

1853   Der Protestantismus als politisches Prinzip, 4. Aufl., Berlin 1853

Stark, Werner

1967   Mannheim, Karl. In: EncPh, Vol. 5, S. 151f

Steck, Karl Gerhard

1973   Karl Barths Absage an die Neuzeit. In: Steck, K.G., Schellong, D., Karl Barth und die Neuzeit (ThEx 173), München 1973, S. 7-33

Stoodt, Dieter

1970   Christengemeinde als Modell der Bürgergemeinde. In: Gesellschaftliche Herausforderung des Christentums. Von Kulturprotestantismus zur Theologie der Revolution. Eine Sendereihe des Deutschlandsfunks, hg. v. W. Schmidt, München 1970, S. 78-87

Strohm, Theodor

1970   Theologie im Schatten politischer Romantik. Eine wissenschafts-soziologische Anfrage an die Theologie Friedrich Gogartens (Gesellschaft und Theologie. Systematische Beiträge Nr 2), München & Mainz 1970

Struzynski, Anthony A. O.F.M.

1972   History as Symbol in the Thought of Paul Tillich. Diss., Notre Dame University, Indiana 1972 (vgl. DAI 33 (1973), S. 6444-A)

Täljedal, Inge-Bert

1975   Liv på försök. In: Årsbok för kristen humanism 37 (1975), Stockholm 1975, S. 196-201

Theunissen, Michael

1965   Der Andere. Studien zur Sozialontologie der Gegenwart, Berlin 1965

1971   Augenblick. In: HWPh, Bd 1, Sp. 649f

Thielicke, Helmut

1955   Theologische Ethik II/1, Tübingen 1955

1968   Der evangelische Glaube. Grundzüge der Dogmatik. Erster Band. Prolego-mena. Die Beziehung der Theologie zu den Denkformen der Neuzeit, Tübin-gen 1968

Track, Joachim

1974   Ueberlegungen zum Problem der religiösen Interpretation der Wirklichkeit. In: KuD 20 (1974), S. 106-137

Troeltsch, Ernst

1922   Gesammelte Schriften. III. Band: Der Historismus und seine Probleme I, Tübingen 1922

Thurneysen, Eduard

GA V/3   (s. Barth)

1973   /Anmerkungen./ In: GA V/3 (s. Barth)

Ulrich, Thomas

1971   Ontologie, Theologie, gesellschaftliche Praxis. Studien zum religiösen Sozialismus Paul Tillichs und Carl Mennickes (SDGSTh Bd 31), Zürich 1971

Vorster, H.

1974   Glaube. I. Der G/laubens/-Begriff der Theologie. In: HWPh, Bd 3, Sp. 627-643

Weber, Otto

1956   Kirche und Welt nach Karl Barth. In: Antwort. Karl Barth zum siebzig-sten Geburtstag am 10. Mai 1956, Zollikon-Zürich 1956, S. 217-236

Weischedel, Wilhelm

1971 I/II Der Gott der Philosophen. Grundlegung einer philosophischen Theologie im Zeitalter des Nihilismus, Bd I und II, 2. Aufl., München 1972

1974   Die Aspekte der Freiheit und die Philosophie heute. In: Universitas 29 (1974), S. 493-500

Wendland, Heinz-Dietrich

1962   Der Religiöse Sozialismus bei Paul Tillich. In: Marxismusstudien, 4. Folge, hg. v. Iring Fetscher, Tübingen 1962, S. 163-195

Westphal, Merold

1972   Hegel, Tillich, and the Secular. In: JR 52 (1972), S. 223-239

Wheat, Leonard F.

1970   Paul Tillich´s Dialectical Humanism, Baltimore & London 1970

Willis, Robert E.

1970   The concept of responsibility in the ethics of Karl Barth and H. Richard Niebuhr. In: SJTh 23 (1970), S. 279-290

Wingren, Gustaf

1953 "Realized Eschatology" och Luthertolkning (Rezension von Bohlin, Torgny, Den korsfäste Skaparen). In: SvTK 29 (1953), S. 163-175

1954 Die Methodenfrage der Theologie (Theologie der Oekumene Bd 5), Göttingen 1957

1956 Evangelium und Gesetz. In: Antwort. Karl Barth zum siebzigsten Geburtstag am 10. Mai 1956, Zollikon-Zürich 1956, S. 310-322

1958 Schöpfung und Gesetz (Theologie der Oekumene Bd 9), Göttingen 1960

1968 Trons artiklar. Tre radioföredrag, Lund 1968

1970 Theologie zwischen Dogmatik und Analyse. In: NZSThRPh 12 (1970), S. 184-195

1972 Växling och kontinuitet. Teologiska kriterier, Lund 1972

1974 Credo. Den kristna tros- och livsåskådningen, Lund 1974

Winter, Gerhard

1969 Krieg, Revolution und Paul Tillichs Theologie des Kairos. In: Wissenschaftliche Zeitschrift der Ernst-Moritz-Arndt-Universität Greifswald. Gesellschafts- und sprachwissenschaftliche Reihe Nr 3/4, Teil II, Jahrgang XVIII (1969), S. 265-271

Wolf, Ernst

1968 Geschichte - Glaube - Geschichtlichkeit. In: Wort und Gemeinde. Probleme und Aufgaben der praktischen Theologie. Eduard Thurneysen zum 80. Geburtstag, Zürich 1968

1969 Sozialethik. Theologische Grundfragen. Unter Mitarbeit von Frieda Wolf und Uvo A. Wolf hg. v. Theodor Strohm, Göttingen 1975

von Wright, Georg Henrik

1971 Explanation and Understanding, London 1971

Zahrnt, Heinz

1966 Die Sache mit Gott. Die protestantische Theologie im 20. Jahrhundert, 47.-56. Tausend, München 1968

ABKUERZUNGEN.

1. Die oben im Abschnitt 1.3.5 und im Literaturverzeichnis aufgeschlüsselte Abkürzungen.

2. Die in "Die Religion in Geschichte und Gegenwart", 3. Aufl., Bd 6, Tübingen 1962,
benutzten Abkürzungen.

3. DAI   Dissertation Abstracts International. Abstracts of dissertations available on microfilm or as xerographic reproductions, Xerox University
Microfilms, Ann Arbor

EncPh   The Encyclopedia of Philosophy, edited by Paul Edwards, New York &
London 1967

EvKomm Evangelische Kommentare. Monatzeitschrift zum Zeitgeschehen in Kirche
und Gesellschaft, Stuttgart 1968-

HWPh   Historisches Wörterbuch der Philosophie, hg. v. Joachim Ritter, Basel &
Stuttgart 1971-

SowjDG Sowjetsystem und demokratische Gesellschaft. Eine vergleichende Enzyklo-
pädie, Freiburg, Basel & Wien 1966-1972

WSoz   Wörterbuch der Soziologie, 2. neubearbeitete und erweiterte Ausgabe,
hg. v. Wilhelm Bernsdorf, Stuttgart 1969

PERSONENREGISTER.

Aagaard, A.M., 57,282f,376, Anm. 235
Adorno, T.W., 48,53,175,232, Anm. 162,
  164
Albert, H., 335
Albrecht, R., 181,217, Anm. 184
Almén, E., 51, Anm. 16,19,36,81,98,269
Althaus, P., 111,352
Amelung, E., 206,225,238,241,243,255,
  258,320, Anm. 162,166,175,194,257,
  282,287
Anér, K., Anm. 41
Anselm v. Canterbury, 66
Apel, K.-O., 11,46,57, Anm. 5,34
Aristoteles, Anm. 10,24
Aronsson, H., Anm. 5
Athanasius, 333
Augustin, 180f,219,291,333, Anm. 62
Aulén, G., 281f
Bacon, F., 206
Bakunin, N., Anm. 13
von Balthasar, H.U., 99,283,301,303,
  Anm. 236
de Balzac, H., 173
Barth, F., 63, Anm. 117
Barth, H., 65
Bauer, G., 40,335, Anm. 67
Baur, F.C., 90
Beck, J.T., 64,87,105,359
Beierwaltes, W., 33,50f,59, Anm. 52,59
Bengel, J.A., 64,105
Benktson, B.-E., Anm. 5,96
Berger, P.L., 44, Anm. 29,262
Bergson, H., Anm. 181
Berkouwer, C.G., 265,283,358, Anm. 236
Besson, W., 27,47, Anm. 28,31
Bexell, G., Anm. 5,20,248
Biemel, W., 57, Anm. 53,68

Blumenberg, H., 32
Blumhardt, C., 64,134,139,333
Blumhardt, J.C., 64,134,139
Böhler, D., 11,26,31-33,36,45f,53,57,
  326,335, Anm. 13,25f,34f,48,63,197
Böhme, J., 180,252
Bohlin, T., 281f
Bolli, H., 73, Anm. 98
Bonhoeffer, D., 252,268,284,291f,385,
  388, Anm. 43,268,275
Bowker, J.W., Anm. 290
Brandenburg, A., 95, Anm. 66
Breipohl, R., 140,143,213f,224,233,
  Anm. 120,128,166,188,190,193,195,
  201,316
Bruno, G., Anm. 181
Bruns, H., 136
Brunner, E., 66,75,83,92,158,328,334,
  Anm. 88
Buber, M., Anm. 10
Buddeus, J.F., 288, Anm. 138
Bütow, H.G., 33,36
Bultmann, R., 20,48,74,90-98,104,108,
  113,115,118f,135f,153,328,344,353,
  388, Anm. 32,51,85,88-89,91,102,113,
  135,151
van Buren, P.M., Anm. 298
Buri, F., Anm. 18
Burmann, F., Anm. 138
Calvin, J., 63,85,110,333
Camus, A., Anm. 67
Casalius, G., 99,102,160f,327,329
Cöster, H., Anm. 5
Comte, A., Anm. 30a
Cox, H., Anm. 273
Cullmann, O., Anm. 292
Cusanus, N., 206

477

Cushman, R.E., Anm. 108
Daecke, S.M., 252f, Anm. 215
Danielou, J., Anm. 113
Demokrit, 207
Descartes, R., 23f,206, Anm. 49
Dessoir, M., 190
Dickens, C., 173
Dilthey, W., 27,30, Anm. 28
Dodd, C.H., Anm. 292
Dorner, I.A., Anm. 73
Dostojewski, F., 65,105,142,174,
   Anm. 223
Duméry, H., Anm. 113
Duns Scotus, J., 180
Ebeling, G., 252
Ebner, F., Anm. 10
Einstein, K., Anm. 186
Eisenhut, H.E., Anm. 99
Emge, M., 33
Eppler, E., Anm. 43
Ermecke, G., Anm. 12
Fetscher, I., 31
Feuerbach, L., 37,83,88-90,101,168,
   192,218,320, Anm. 84f,101,110
Fichte, J.G., 177,182,218, Anm. 267
Fink, H., Anm. 129
Fischer, J.A., Anm. 33
Flaubert, G., 50
Fontane, T., 174
Forstman, J., Anm. 80
Frankena, W., Anm. 157
Freedman, M., 217
Freud, S., 179,184,192,227
Frostin, P., Anm. 5,7a
Fuhrmann, Anm. 129
Gadamer, H.-G., 6,27,33,46,49,57,59,
   Anm. 23,44
Galsworthy, J. 174
Gebhardt, J., 50,56
Gensichen, H.-W., 18

Gill, R., 30
Glasse, J., 67,89, Anm. 84,101
Goethe, J.W., 207
Gogarten, F., 91f,108f,111,113,201,
   252,344, Anm. 88,168,173,310
Goldhammer, Anm. 129
Goldschmidt, H.L., 387, Anm. 10,320
Gollwitzer, H., 100,102,137,142,146,
   154,162,168,295, Anm. 89,94,121,
   153,241,246,281,309
Gotthelf, J., 173
Graham, B., 240
Grau, Anm. 145
Grenholm, C.-H., Anm. 269
Gunkel, H., 63
Gunleiksrud, G., 322, Anm. 262
Gyllensten, L., 10, Anm. 10,16,319
Habermas, J., 29,33,35,57f, Anm. 23,
   25,28,44
Haendler, O., 29
Härle, W., Anm. 117
Hafstad, K., Anm. 85
von Harnack, A., 63,184,300,331,333,
   351, Anm. 244
von Hase, K., Anm. 75
Hegel, G.W.F., 25-27,60,64,68,70,116,
   177-183,192,218f,252,274,279,284,
   367, Anm. 13,25f,63,73,88,232
Heidegger, M., 24,37f,48,53,56,211,
   341, Anm. 33,45,47,49,53,56f,67f,
   99,163,180,303
Heimpel, H., 54
Heinemann, F.H., Anm. 133
Heinrichs, J., Anm. 10
Hemberg, J., Anm. 269
Henel, I.C., 177
Herder, J.G., 70,110
Herrmann, W., 63,74f,124,252, Anm. 117
Hesse, H., 145f
Hillerdal, G., Anm. 143

Hillman, G., Anm. 67

Hirsch, E., 65,218,233,373, Anm. 173, 239,314

Hitler, A., 56,215,269

Hochfeld, J., 35

Hof, O., Anm. 306

Hofmann, H., 38

Hofmann, J.C.K., 87, Anm. 73,109

Holte, R., 56,187, Anm. 143,269,276, 294

Horkheimer, M., 215,264f,304, Anm. 165, 220,280

Hromádka, J., 146, Anm. 129

Hume, D., 206

Huntemann, G.H., 268

Husserl, E., 37, Anm. 10

Ibsen, H., Anm. 124

Isaksson, H., 10

James, W., 192

Janowski, H.N., 40, Anm. 279

Jaspers, K., 24,28,40,43f,48,61, Anm. 67,99,163

Jaspert, B., 104

Joachim von Floris, 219

Joest, W., Anm. 261

Jonas, H., 24,28,48,50,57, Anm. 49,57

Jüngel, E., 99,127f,363

Jünger, E., 38, Anm. 33

Jung, C.G., 192

Kähler, M., 182f,185-187,347, Anm. 256

Kaftan, J., 63

Kamenka, E., 56

Kamlah, W., 54, Anm. 64,66,72

Kant, I., 23,65,105,115,177-179,182, 184,206,282,376, Anm. 11,24,73,88, 239a,271

Kattenbusch, F., 187

Kaufman, G.D., 22,38

Kennedy, J.F., 217

Kernig, C.D., 28

Kierkegaard, S., 65,105,177,179f,284, 291,331,333,367, Anm. 124,181,255

von Kirschbaum, C., 154, Anm. 129

Kissinger, H., 217

König, J.F., Anm. 138

Kohlbrügge, H.F., 333, Anm. 73

Kraus, W., 32

Kreck, W., Anm. 236

von Krockow, C., 38f,111, Anm. 33,45, 55,239a

Krüger, G., 23,54, Anm. 22f

Kuhlmann, G., 92, Anm. 85

Kupisch, K., 63,66,103,122,137,139, 143,146,153,327

Kutter, H., 64,105,118,134,137-139, Anm. 120,124

Kuykendall, G.H., Anm. 255

Kuzminski, A., Anm. 55

Langhoff, Anm. 129

Leibniz, G.W., Anm. 181

Leibrecht, W., 217,231, Anm. 283

Lessing, E., 309, Anm. 271

Lessing, G.E., 71,79,95,218,267,351, 360

Lessing, T., 32

Lieber, H.-J., 30,33,36

Lind, M., 145,153, Anm. 5, 20,46,134, 141

Lindner, R., Anm. 46,193

Linge, D.E., Anm. 28

Lochman, J.M., 56

Lögstrup, K.E., 5,56,385, Anm. 235

Löwith, K., 25f,38f,54,343, Anm. 22

Luckman, T., 44

Lübbe, H., 23,28, Anm. 262

Lüthi, K., 61,343, Anm. 10,14

Luther, M., 56,85,94,106,110,197,284, 291,300,307,333,367, Anm. 98,263, 270,306

McKelway, A.J., 348

Mahlmann, T., Anm. 200
Mandelbaum, M., 24f
Mann, T., 183
Mannheim, K., 27,30,33,36,227, Anm. 65
Marahrens, A., 136
Marcuse, H., 39
Marheineke, P.K., 87f, Anm. 73
Marquardt, F.-W., 1,62,89,99-103,105,
  115,120,127f,145f,153f,157,161,266,
  271f,328,339-341,353f, Anm. 84,93,
  95,102,106,114-116,124,129f,132,
  135,139f,147,159,226f,229,231,265,
  275
Marsch, W.-D., Anm. 128,183,187
Martikainen, J., Anm. 312
von Martin, A., 30f
Marx, K., 24,31,37,45,83,177,179,184,
  192,198,216,218-222,225-227,230f,
  233,274,320, Anm. 13,47f,193,
  196-199,232
Maus, H., Anm. 24,30
Medicus, F., 181
Menken, G., 87,359, Anm. 73,84
Miller, S.H., Anm. 218
Mills, C.W., Anm. 199
Mode, Anm. 129
Möller, J., Anm. 66
Moltmann. J., 21,376, Anm. 30a,93
Moritz, H., Anm. 190
Mozart, W.A., 329
Müller, A., 212
Müller, J., Anm. 73
Naumann, F., 333
Nicholls, W., Anm. 275
Niebuhr, R., 183
Nietzsche, F., 32,90,177,179,184,192,
  198,207,211,227,232f, Anm. 124,181
North, R., 18
Nygren, A., Anm. 270
Nylund, B., 355, Anm. 302,304

Oehler, K., 24,28,58, Anm. 9
Oetinger, F.C., 64,105,252
Ogletree, T.W., 352
Osiander, A., 106
Ott, H., 353
Otto, R., 252
Overbeck, F., 65,90,101,105, Anm. 84
Pascal, B., 291
Peale, N.V., 240
Pestalozzi, H., 173
Petrarca, F., Anm. 62
Petrović, G., 37, Anm. 49,57
Philipp, W., 348, Anm. 2
Picht, G., 45,380, Anm. 24,289
Plato, 65,105,180,207
Quenstedt, J.A., Anm. 138
Rade, M., Anm. 117
Radnitzky, G., 3
Ragaz, L., 134,137-139, Anm. 120
von Ranke, L., Anm. 66
Rathmann, A., 214-216
Reiner, H., Anm. 42
Rendtorff, T., 40,53
von Renthe-Fink, L., 22,33
Reston, J., 217
Rhein, C., Anm. 188
Ritschl, A., 65,85f,88,101,182-185,
  187,197,252,290, Anm. 73
Robespierre, M., 52
Rode, W., 175
Roosevelt, E., 217
Rosenberg, A., 149
Rothacker, E., Anm. 28
Rothe, R., 86,252, Anm. 73,109
Rüegg, W., Anm. 62
Ruge, A., Anm. 13
Rusk, D., 217
Rust, B., 145
Salaquarda, J., 114-116
Sartre, J.-P., 35,37,47,50,52,59f,211,

341,375, Anm. 32,133
Sauter, G., 131,161f,318,324f,
  Anm. 142
Scheler, M., 182, Anm. 42
Schelling, F.W.J., 64,105,177,179f,
  182,192,232,252
Schellong D., 2,48,62,124,128,321,366,
  Anm. 70,308
Schempp, P., 111, Anm. 100
Schlatter, A., 122
Schleiermacher, F.D.E., 62f,65f,73-97,
  102,106,109,115,125,134,169,175,
  177-179,182,284,290,328,351,353,
  357,359,367, Anm. 21,73,77,80,
  82-85,88,109f,144,242
Schlette, H.R., 261
Schmidt, H.P., 45
Schmitt, C., 38f, Anm. 33
Schneemelcher, W., Anm. 89
Schneider-Flume, G., 214, Anm. 203
Scholder, K., 111f
Schopenhauer, A., 179
Schröder, W., 32
Schütte, H.W., 40,324f
Schumann, F.K., 92
Schwanz, P., Anm. 301
Schweizer, A., 86, Anm. 73,109
Schwerdtfeger, E., 232f,238,367,
  Anm. 238,282,289
Semler, J.S., 218
Shaftesbury, A.A.C., Anm. 181
Shils, E.A., 30
Sitter, B., 38f,59, Anm. 45,56
Skydsgaard, K.E., 54
von Soden, H., 136
Sontag, F., 367
Sontheimer, K., 111
Spengler, O., Anm. 181
Spinoza, B., 178f,206f, Anm. 181
Stadtland, T., 376

Stahl, F.J., 218
Stalin, J., 56
Stark, W., 33
Steck, K.G., 62,266,334, Anm. 70
Stoodt, D., Anm. 293
Strauss, D.F., 88-90,101, Anm. 84
Strohm, T., 39,218,224,374, Anm. 34-50
Struzynski, A.A., Anm. 284
Täljedal, I.-B., Anm. 319
Teilhard de Chardin, P., 252f
Teubner, Anm. 129
Theunissen, M., Anm. 10,181
Thielicke, H., Anm. 42,219
Tholuck, F.A.G., 86,88, Anm. 73
Thomas v. Aquin, 333
van Til, S., 288, Anm. 138
Tolstoj, L., 142,174, Anm. 124,223
Track, J., 48
Traub, H., 154
Troeltsch, E., 37,62f,86, Anm. 46, 299
Thurneysen, E., 20,64,101f,105,118,
  135,137f, Anm. 88,92,94,117,119,
  121,231
Ulrich, T., 372
Vilmar, A.F.C., Anm. 73
Vogt, P., Anm. 129
Vorster, H., Anm. 255
Weber, M., 41, Anm. 43
Weber, O., 83, Anm. 39,125
Wegener, C.R., Anm. 185
Wegschneider, J.A.L., 86, Anm. 85
Weischedel, W., 37,39,43, Anm. 22,300
Wellmer, A., 57
Wendelin, M.F., Anm. 138
Wendland, H.-D., 224, Anm. 193
Westphal, M., 367
de Wette, W.M.L., 86,93, Anm. 85,88
Wheat, L.F., 304
Willis, R.E., Anm. 157
Wingren, G., 282f,361,376, Anm. 5,19,

53,98,143,198,235,239a,269,292
Winter, G., 223,233, Anm. 187
Wolf, E., 317f, 343
von Wright, G.H., 35,39, Anm. 5

Wurm, T., 96,136
Zahrnt, H., Anm. 69,97
Zwingli, H., 333